司馬溫公
資治通鑑

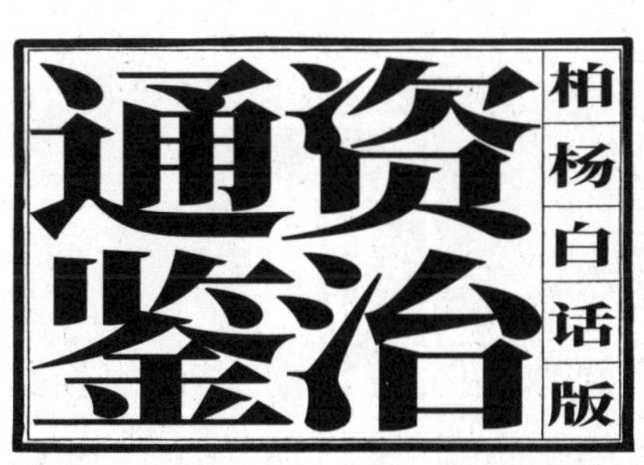

柏杨 著

第十四部

睢阳之围
皇后失踪
泾原兵变
猪皇帝

人民东方出版传媒
東方出版社

睢阳之围

导读

安禄山叛变是一个划时代，不仅是唐王朝的划时代，也是中国的划时代，身为皇帝的李隆基先生，把历史带到最高峰，然后，把唐王朝以及中国人民，冷酷无情的踢下万丈深谷。

《睢阳之围》包括七年——从七五七年到七六三年，中国正从最高峰号叫着翻滚而下，我们可以在这转折点的几年中，看到一个帝国在毁灭前内部的生理变化：君王愚恶、宦官狠毒、军人凶暴、文官贪赃，仁义道德在赤裸权力之下，全都成为虚言。即令彪炳史册的睢阳之围，也包含多少上述的这些元素。不禁为善良而且坚信英明领袖可以拯救他们跳出苦海的中国人民，流下眼泪。

划时代中最突出的是安禄山、史思明二位先生，都被他们的亲生儿子格杀，儿子固是凶手，老爹挨刀，也大快人心。李亨虽没有亲手诛杀李隆基，也不过只差往心窝插一刀而已。人性，在权力欲火中会化为灰烬。专制政治之可怕，也正在此。

柏杨　一九八九·八·一五

目录

八世纪

五〇年代

七五七—七五九年

唐王朝

◎ 李亨南返长安。

◎ 史思明大举南征。

七五七年 丁酉

唐　至德　二年

（燕帝安禄山圣武二年）

（燕帝安庆绪天成元年）

1 春季，正月，唐王朝太上皇（九任玄宗）李隆基（本年七十三岁）下诏，任命国务院司法部长（宪部尚书）李麟，兼二级实质宰相（同平章事）、行宫所在地各机关单位总管理官（总行百司）。命二级实质宰相（同平章事）崔圆，携带这项诏书，前往彭原郡（唐帝李亨所在，甘肃省宁县）。李麟，是李天赐第三子李乞豆的五世孙（李天赐，是一任帝李渊的曾祖父，庙号懿祖，参考七二三年八月）。

2 燕帝（一任）安禄山，自从发动兵变以来，眼睛视力，逐渐恶化，到了现在，双目全瞎，看不见东西；而又身害大疮，性情越发烦躁凶暴，左右侍从人员，稍微有一点不如意，就用鞭抽棍打，有时候甚至诛杀。登极称帝之后，住在洛阳（燕首都，河南省洛阳市）深宫里面，高级将领很难见他一面，都通过副立法长（中书侍郎）严庄奏报。严庄虽然地位尊贵而又手握大权，但也免不了受安禄山殴击。宦官李猪儿挨打的次数尤其是多（《旧唐书·安禄山传》：李猪儿是契丹人，十几岁时便事奉安禄山，聪明伶俐，安禄山对他十分喜欢，于是用利刀强行把他的生殖器割掉，鲜血喷射而出，流满数升，几乎死亡，安禄山用微温的草灰敷上，一天一夜，李猪儿才从昏迷中苏醒，遂成为宦官，安禄山对他至为信任），左右侍从每人都不自保。

安禄山心爱的小老婆段皇后，生儿子安庆恩，安禄山打算让他代替安庆绪当继承人。安庆绪时常怕老爹把他处死，提心吊胆，不知道如何才好。严庄直截了当提醒安庆绪说："有一件事情不得不做，机会不可丧失！"安庆绪说："不管老哥做什么，我都听你的。"严庄又对李猪儿说："你前前后后挨打，难道数得清？不做大事，随时会死！"李猪儿也同意。于是，入夜之后，严庄跟安庆绪手拿武器，守候寝殿门外，李猪儿提刀进入寝殿，一言不发，就照安禄山肚子上猛砍。左右侍从惊恐，不敢出声。安禄山经常在枕头下放一把刀，受伤之后，急摸那口刀，刀已不在，他握着帐竿狂摇，大喊说："这是家贼！"肠子流出好几斗，断气身死（史书只载安禄山年五十余岁）。安庆绪就在御床下挖掘数尺深的大洞，用毡毛毯裹住尸体，埋在里面，警告宫中任何人不准泄露。

正月六日，清晨，严庄向文武百官宣布说，安禄山病势沉重，封晋王安庆绪当太子，不久，安庆绪登极（二任帝），尊安禄山当太上皇，然后宣告安禄山逝世，发布哀诏。安庆绪头脑昏庸，性情怯弱，讲话没有条理，严庄恐怕人心不服，所以命安庆绪尽量避免跟外人接触。安庆绪也乐得躲在宫中，每天尽情饮酒，狂欢取乐；把严庄当作老哥一样的尊重，命他当总监察官（御史大夫），封冯翊王，事情不论大小，都由严庄裁决；对各将领也从优加官晋爵，讨他们欢心。

3 唐帝（十任肃宗）李亨（本年四十七岁），闲暇时用安详的语气问皇家资政（侍谋军国）李泌说："广平王（李俶〔音chù·处〕）当全国野战军元帅，已过了一个年节，现在，我想派建宁王（李倓〔音tán·谈〕）也率军出征，可是又怕兵力分散。如果先封广平王（李俶）当太子，再派建宁王（李倓）独当一面，你以为如何？"李泌回答说："我早已经说过，军国大事，繁杂迫切，陛下必须马上处理。至于皇家家务，应该听从太上皇（李隆基）的决定。如果不这样，后代怎么能够正确的了解陛下灵武（宁夏灵武市）登极的本意？提出这种建议的人，只是设计使我跟广平王（李俶）结怨而已。请准许我报告广平王（李俶），我想，广平王（李俶）也未必认为恰当。"李泌出宫，告诉广平王李俶。李俶说："这是先生深知我的心意，想尽方法使事情美好。"遂入宫，向老爹坚决辞让，说："陛下还不能早晚到爷爷（太上皇李隆基）面前问安，我怎么会有心情充当储君！希望等候太上皇（李隆基）回宫，这是我的盼望！"李亨对他奖赏慰勉。

宦官李辅国，本在皇家飞龙马厩当马童（飞龙小儿），略微懂一点文书、会记一点账目，后来分配到太子宫，太子李亨对他很是信任，遇事交他去办。李辅国外表看起来恭敬谨慎，对人十分谦卑，而又沉默寡言，从不多说话，可是内心却狡猾阴险，看见张良娣得到李亨的宠爱，就暗中向她靠拢，跟她宫内宫外，互相呼应。建宁王李倓（音tán〔谈〕）很多次在老爹李亨面前，攻击他们二人狼狈为奸种种恶行，二人遂向李亨打小报告说："建宁王（李倓）深恨自己不能当全国野战军元帅（天下兵马元帅，参考去年〔七五六〕九月），所以阴谋害死广平王（李俶）！"李亨勃然大怒，下令李倓自杀。于是广平王李俶，跟皇家资政（侍谋军国）李泌，开始恐惧。李俶暗中准备铲除李辅国及张良娣，李泌说："不可以，你难道没有看见建宁王（李倓）惹出的大祸！"李俶说："我只是替先生担心！"李泌说："我跟领袖已经有约，等到收复京师（首都长安），就回山隐居，或许可以逃过灾难。"李俶说："你走了之后，我的处境越发危险。"李泌说："大王只要尽人子的孝道，张良娣不过一个女人，顺着她的意思，多奉承奉承她，她又能怎么样！"

4 李亨问李泌说："现在，领兵大将郭子仪、李光弼，都当了宰相（同平章事），如果克复两京（西京长安与东京洛阳），削平全国战乱，已没有更高的官位，让他们升迁，应该怎么办？"李泌说："古代，官职要用有才干的人，爵位则是酬庸有功劳的人。两汉王朝及曹魏帝国以来，虽然设有郡县治理人民，但对有功劳的人，一定分割给他一块土地，使他传给子孙，直到北周帝国跟隋王朝，都是这个办法（参考五八一年九月）。唐王朝初年，还没有取得关东（函谷关以东），所封爵位，都不过虚名，对于'食实封'——收取采邑赋税的爵爷，也只是发给绸缎布匹而已（"实封"等差的制定，参考六二六年十月）。七世纪三〇年代，太宗（二任帝李世民）在位，打算恢复古代制度，高阶层官员议论纷纷，被迫停止（参考六三九年二月）。以后，对有功劳者的奖赏，多数都用官职。这有两大弊害：如果他没有那种才能，就会荒废政事，如果他掌握的权力太大，则中央就会失去控制，所以，功臣位居高官，往往不为子孙着想，而只想抓住机会，搜刮财富，什么坏事都做得出来。当初，假使安禄山拥有一百华里大小的采邑，他也会对它珍惜，希望传给子孙，就不会叛变。我现在的建议是：等到天下太平，最好是封爵割土，酬庸功臣，即令最大的封国，不过两三百华里，相当于今天的一个小郡，怎么会难以控制？对功臣而言，也是万世之利。”李亨说：“好极！”

5 李亨得到报告：安西战区（总部设龟兹〔新疆库车市〕）、北庭战区（总部设北庭府〔新疆吉木萨尔县〕），跟拔汗那国（中亚纳曼干市）、黑衣大食（阿拉伯帝国）各地各国特遣兵团，已先后抵达武威郡（甘肃省武威市），西平郡（青海省海东市乐都区）。

正月十五日，李亨前往保定郡（甘肃省泾川县）。

6 正月十七日，剑南战区（总部设蜀郡〔四川省成都市〕）士卒贾秀等五千人聚众起兵；将军席元庆、临邛郡（四川省邛崃市）郡长柳奕，把他们诛杀（五千人的兵变，不是小事，定有重大原因，而史书语焉不详）。

7 河西战区（总部设武威〔甘肃省武威市〕）作战司令（兵马使）盖庭伦，跟在武威郡经商的九姓部落（山西省西北部）人安门物等，诛杀司令官（节度使）周泌，聚集武装部众六万人。武威郡大城（姑臧）里面，有七个小城，蛮夷部众占据五城，汉人坚守其中二城。

后勤补给执行官（支度判官）崔称，跟钦差宦官刘日新，率二城守军反攻，战斗十七天，把叛乱平息。

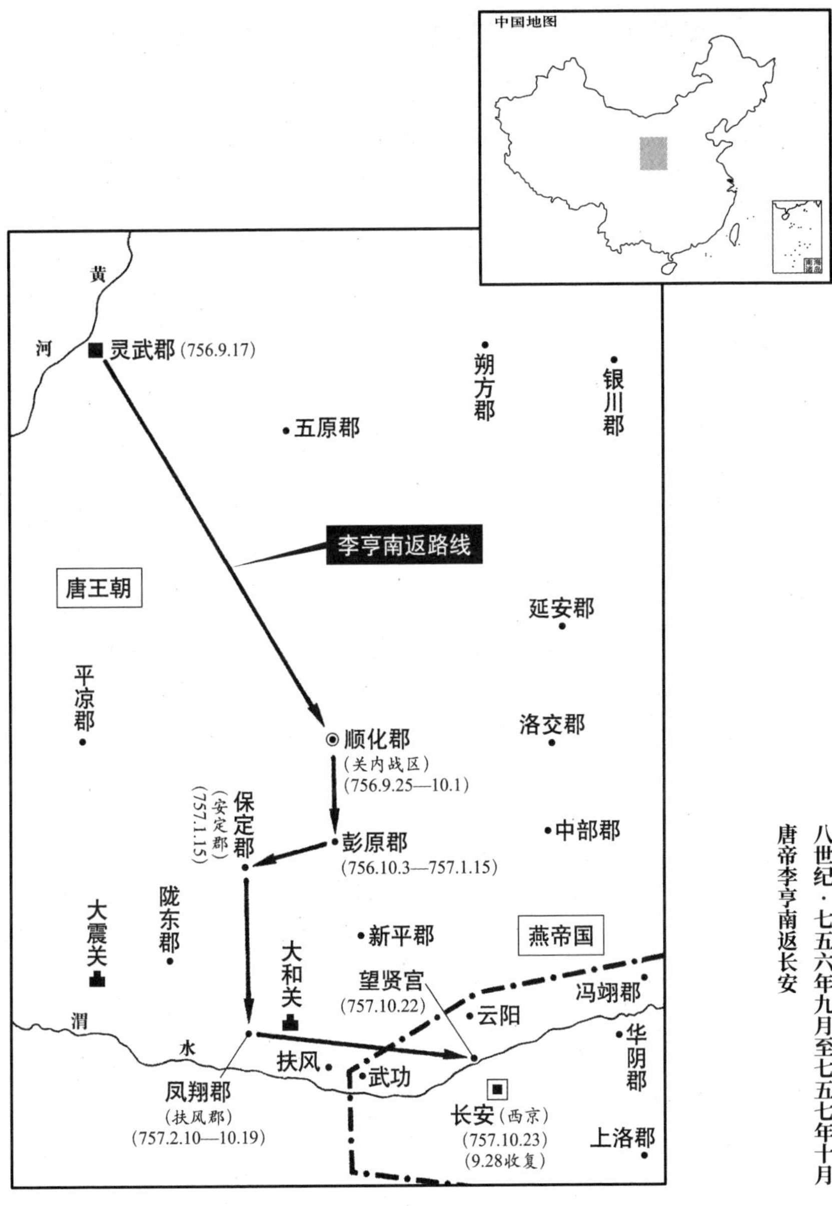

八世纪·七五六年九月至七五七年十月
唐帝李亨南返长安

8 燕军将领史思明从博陵郡（河北省定州市）、蔡希德从太行陉（太行八陉之二，河南省博爱县北）、高秀岩从大同（云中郡，山西省大同市）、牛廷玠从范阳郡（北京市）分别出发，共集合大军十万，围攻太原（山西省太原市）。

唐政府北京太原留守长官李光弼部下精兵，都调往朔方战区（总部设灵武〔宁夏灵武市〕），剩下的地方民兵部队，全是乌合之众，不满一万人。史思明认为一挥手就可以把太原（山西省太原市）攻下；攻下太原后，就长驱直入，夺取朔方战区（总部灵武）及河陇地区（甘肃省及青海省东部）。太原守将大为恐惧，建议加强城墙防御工事，严阵以待，李光弼说："太原城长达四十华里，盗贼马上就到，我们现在才动工修补，还没有见到敌人，自己却先累得精疲力竭。"于是亲自率领官兵居民，到城外挖掘壕沟，制造土砖数十万个，没有人知道什么用处。燕军抵达后，立即发动攻击，李光弼就用土砖在城里增加城墙的厚度，城坏时立刻增补。史思明派人到山东（太行山以东）搬运攻城武器，命蛮族部队三千人护送，走到广阳（山西省平定县），唐军特遣部队将领慕容溢、张奉璋拦击，把他们全部诛杀（李光弼部将张奉璋据守石邑，参考去年〔七五六〕二月十六日。据《新唐书·史思明传》记载，史思明扫平河北〔黄河以北〕后，张奉璋等退守故关〔山西省平定县东北娘子关〕，史思明进攻，张奉璋等再退守乐平〔山西省昔阳县〕。如今在广阳发动突击）。

史思明包围太原（山西省太原市）一个月有余，不能攻下，于是遴选精锐战士组成游骑兵，严格规定说："我攻击北面时，你们在南面监视；我攻击东面时，你们在西面监视，抓住机会，立刻行动。"想不到李光弼训练严格，军令如山，阵地即令没有受到压力，警戒、巡逻，一点也不懈怠，所以燕军无法攻入。李光弼又悬赏招募一技之长的战士，只要有一项小本领，都立刻录取，随时派上用

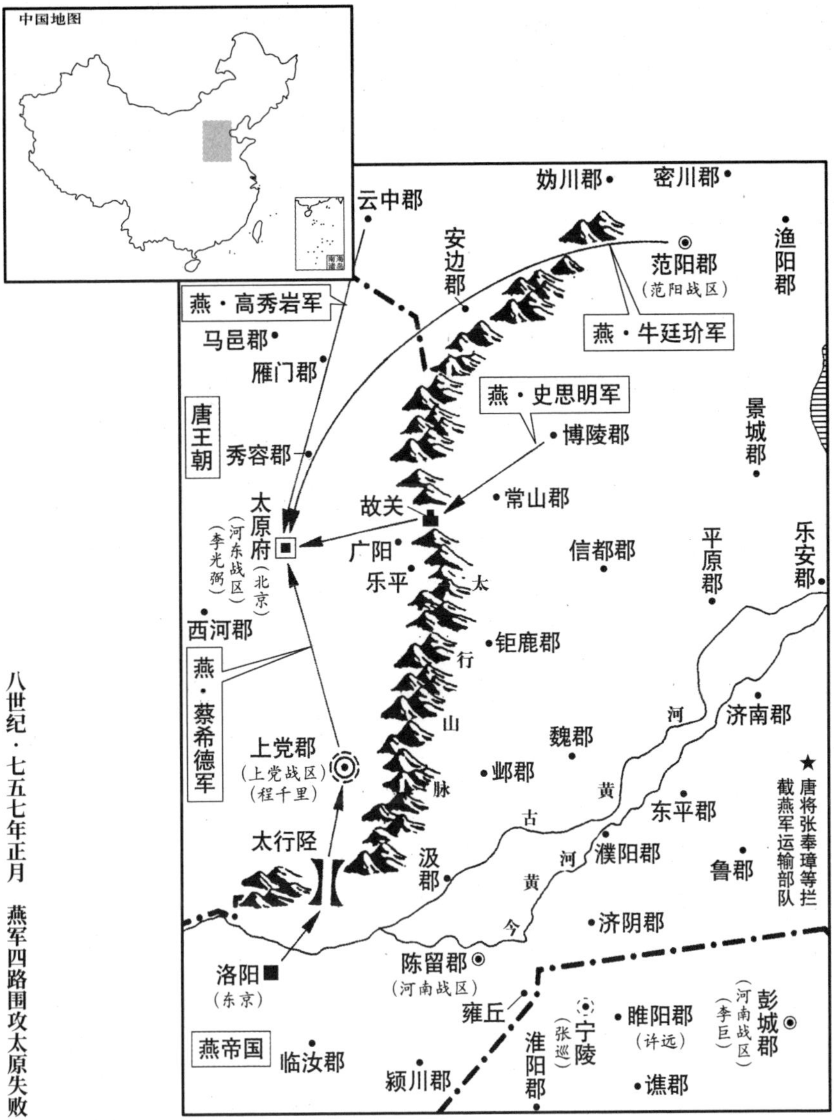

八世纪·七五七年正月　燕军四路围攻太原失败

中国地图

妫川郡
密川郡
云中郡
安边郡
范阳郡
（范阳战区）
渔阳郡
燕·高秀岩军
燕·牛廷玠军
马邑郡
雁门郡
燕·史思明军
唐王朝
博陵郡
景城郡
秀容郡
故关
常山郡
太原府
（河东战区）
（李光弼）
（北京）
广阳
乐平
信都郡
平原郡
乐安郡
太
行
山
脉
西河郡
钜鹿郡
燕·蔡希德军
济南郡
上党郡
（上党战区）
（程千里）
魏郡
邺郡
河
黄
古
★唐将张奉璋等拦截燕军运输部队
东平郡
太行陉
汲郡
濮阳郡
河
黄
今
鲁郡
济阴郡
洛阳
（东京）
陈留郡
（河南战区）
雍丘
宁陵
（张巡）
睢阳郡
（许远）
彭城郡
（河南战区）
（李巨）
淮阳郡
燕帝国
临汝郡
颍川郡
谯郡

场，使每人都能发挥他们的才智。安边军（河北省蔚县境）有三个铸钱工人，擅长挖掘地道，燕军士卒在城下仰起头来诟骂城上守军，李光弼派地道兵从地道中抓住他的脚，拖到城墙上斩首；从此，燕军走路，都低头看着地面。燕军兴筑土山，用云梯攻城，李光弼挖掘地道对付，云梯只要接近城墙，地面即行崩塌。燕军最初攻城紧急，李光弼制作大炮，可发射巨石，一次就能击毙二十余人。燕军死亡达十分之二三，遂向后撤退数十步（大炮射程之外），但包围圈仍密不透风。李光弼诈降，派使节跟燕军盟誓，约定日期出城缴械，燕军大喜，不再戒备。李光弼命地道兵在燕军军营下遍挖地道，用坑木暂时顶住。到约定出降日期，李光弼把部队排列在城墙上，派低级军官率数千人出城，列队缴械，燕军大为兴奋，目不转睛的盯着观看。不久，只听天崩地裂一声，营地塌陷，压死一千余人，大家惊慌恐惧，挣扎逃生，乱成一团。唐政府军战鼓齐擂，乘势出击，格杀及俘虏燕军，以万为单位计算。

而这时候，安禄山死亡消息传到，新登极的燕帝安庆绪命史思明回范阳郡（北京市）镇守，只留蔡希德等继续包围太原（山西省太原市）。

9 燕帝（二任）安庆绪，任命将领尹子奇当汴州（河南省开封市）州长、河南战区（总部设汴州〔河南省开封市〕）司令官（节度使）。

正月二十五日，尹子奇集结妫州（河北省怀来县）、檀州（北京市密云区）及同罗部落（蒙古国乌兰巴托市北）、奚部落（滦河上游）战斗部队十三万人，进逼睢阳郡（河南省商丘市）。睢阳郡郡长许远，向驻防宁陵（河南省宁陵县）的河南战区（黄河以南）副司令官（节度副使）张巡求救，张巡遂自宁陵率军进入睢阳郡（河南省商丘市），共同守城（宁陵位睢阳西北二十公里）。张巡军队有三千人，许远军队有三千八百人，共六千八百人。燕军十三万全部抵达城下，张巡督促鼓励，日夜不停的苦战，有时一天多达二十次接触，十六天后，生擒燕军将领六十余人，格杀士卒二万余人，守城军士气倍增。许远告诉张巡说：“我性情懦弱，又不懂军事，而你智勇双全。我替你守卫，你替我作战。”从此之后，许远把军权交出，只负责征调粮秣，修理武器，提供后勤补充。军事计划及行动，全由张巡负责。

燕军乘夜撤退。

10 朔方战区（总部设灵武〔宁夏灵武市〕）司令官（节度使）郭子仪，认为河东郡（山西省永济市）位于两京（西京长安、东京洛阳）之间，扼住燕军的咽喉，如果能够夺回，两京（西京长安、东京洛阳）才可以各个击破。当时，燕军将领崔乾祐据守河东郡（山西省永济市）。

正月二十八日，郭子仪派间谍进入河东郡（山西省永济市），跟身在燕政府任职的唐政府官员密谋，约定等唐政府军进攻时，作为内应。

11 最初，平卢战区（总部设柳城〔辽宁省朝阳市〕）司令官（节度使）刘正臣（刘客奴），袭击范阳郡（北京市），失败而回（参考去年〔七五六〕四月及六月），安东总督（驻辽宁省义县东南）王玄志把他毒死（全国沸腾，政府法纪完全败坏，手握强兵，就是龙头老大，唐王朝迅速蜕变成黑道社会，将领们开始互相吞噬）。燕帝（一任）安禄山命他的将领徐归道当平卢战区（总部柳城）司令官（节度使）。王玄志联合平卢将领侯希逸，击斩徐归道；又派作战司令（兵马使）董秦，率军乘简陋小船渡渤海南下，会同大将田神功，攻击平原郡（山东省德州市陵城区）、乐安郡（山东省惠民县），一一攻克，黄河征剿司令（防河招讨使）李铣，行使皇帝权力，任命董秦当平原郡（山东省德州市陵城区）郡长。

12 二月十日，唐帝（十任肃宗）李亨抵达凤翔郡（陕西省宝鸡市凤翔区）。

13 郭子仪从洛交郡（陕西省富县）率军逼近河东郡（山西省永济市），另派一支军队攻击冯翊郡（陕西省大荔县）。

二月十一日，夜晚，燕政府河东郡郡政府户籍官（司户）韩旻等，翻出城墙，迎接唐政府军，格杀燕军士卒将近一千人，守将崔乾祐跳城而逃，得免一死。崔乾祐在稍微喘息之后，率领驻守城北的燕军，发动反攻，抵抗唐政府军，郭子仪把他们击败，崔乾祐逃走，郭子仪追击，杀四千人，俘虏五千人。崔乾祐逃到安邑（山西省运城市东北安邑街道），安邑居民开城欢迎，可是，燕军刚进去一半，城门突然关闭，居民发动攻击，把燕军全部屠杀。崔乾祐随在后队，没有进去，从白径岭（山西省运城市西南）逃走。唐政府遂收复河东郡（山西省永济市）。

14 李亨抵达凤翔郡（陕西省宝鸡市凤翔区）十天，陇右（总部设西平〔青海省海东市乐都区〕）、河西（总部设武威〔甘肃省武威市〕）、安西（总部设龟兹〔新疆库车市〕）各战区及西域（新疆及中亚东部）各国特遣兵团，也先后抵达；江淮（华东地区）呈缴中央的捐税跟物资，也陆续运到洋川郡（陕西省洋县）、汉中郡（陕西省汉中市。江汉运输线，参考去年〔七五六〕十月三日）。李亨派使节携带奏章，从散关（陕西省宝鸡市西南）前往成都（太上皇李隆基所在，四川省成都市），信差来往不断。首都长安（陕西省西安市）居民听说皇帝御驾已到，纷纷背离燕军，脱身投奔行宫所在地，日夜不绝。

唐政府军集结完毕，皇家资政（侍谋军国）李泌，建议派遣安西战区特遣兵团跟西域（新疆及中亚东部）各国的部众，依照彭原对策（参考去年〔七五六〕十二月），沿着西北边塞，向东北进击，自妫川郡（河北省怀来县）、密云郡（北京市密云区），南下夺取范阳郡（北京市）。李亨说："而今，大军已经到齐，捐税物资也都运来，正应该趁着锐利的士气，直捣盗贼（燕政府）的心脏，不这样做，反而行军数千里，远到东北边塞，先夺取范阳郡（北京市），岂不是绕得太远！"李泌回答说："用我们现有的军队，直接攻击两京（西京长安、东京洛阳），当然可以攻克。问题是，盗贼势将转弱为强，我们反而会再陷困境，不是谋求和平安宁的长程谋略。"李亨说："为什么？"李泌说："我们所仗恃的主力，都是西北边防军和各蛮族部落军，能够忍耐寒冷，却不能忍耐炎热。如果趁他们刚来时的一股锐气，攻击安禄山已经疲惫的军队，一定可以战胜，然而，两京（西京长安、东京洛阳）的气候，已经转暖，盗贼一定收拾残兵败将，逃回他们的北方巢穴。关东（潼关以东）地带更是炎热，边防军及蛮族部众因不能适应，必然遭受到无法克服的困难，渴望早日班师，归心一动，就不可挽留。盗贼休养士卒，喂饱战马，等到政府军撤退，定会再度南下，战争可能没完没了。不如先派他们到寒冷地带，扫荡盗贼的巢穴，盗贼既无家可回，就可以彻底铲除。"李亨说："我急切的盼望收复京师（首都长安），迎接太上皇（李隆基）回来奉养，不可能实行你的计划。"

柏杨曰

一个人一旦心有所蔽，便两目全盲。高瞻远瞩的大谋略、大战略，往往被一撮小人物眼前的一点芝麻大的利益破坏，历史上著名的隆中、彭原二大对策之先后失败，原因在此。李亨所以急于进入长安，只不过为了他的皇帝宝座得来勉强，必须建立克复京师之类的盖世奇功，才能保住，否则，皇兄皇弟多如过江之鲫，万一半途杀出一个程咬金，后悔已来不及。至于奉养老爹，不过是一句套餐式的激情话而已，激情话成事固然不足，但用来堵别人的嘴，却绰绰有余。

15 关内战区（陕西省）司令官（节度使）王思礼，驻军武功（陕西省武功县西），作战司令（兵马使）郭英乂驻军武功东郊，白水军基地司令（白水军使）王难得驻军西郊。

二月十九日，燕军将领安守忠等攻击武功（陕西省武功县西），郭英乂迎战，失利，双颊被箭射穿，忍痛逃走；王难得看在眼里，拒绝出军救援，也落荒逃走；王思礼撤退到扶风（陕西省扶风县）。燕军游骑兵前进到大和关（陕西省岐山县北），距凤翔郡（陕西省岐山县北）五十华里（二地航空距离二十公里）。凤翔郡（陕西省宝鸡市凤翔区）大为震动，戒严。

16 唐政府北京太原（山西省太原市）守将李光弼，率敢死队出城攻击燕军将领蔡希德，大破蔡希德军，杀七万余人（燕军共十万人围太原，史思明返范阳郡〔北京市〕，估计带走五万，不为不合理。蔡希德围城军应只有五万，也不为不合理，一次战役，竟死七万，可看出虚报战果已成风气，名将如李光弼，也不能避免）；蔡希德撤退。

17 燕帝安庆绪命史思明当范阳战区（总部设范阳〔北京市〕）司令官（节度使），兼恒阳军（河北省正定县）基地司令，封妫川王；又命牛廷玠兼安阳军（河南省安阳市）基地司令；张忠志（安忠志）当常山郡（河北省正定县）郡长兼民兵司令（兼团练使），镇守井陉口（太行八陉之五，河北省石家庄市鹿泉区西）；其他官员及将领各回原任，招兵买马，抵抗唐政府军。

最初，安禄山攻克两京（西京长安、东京洛阳），所得到的金银珠宝，都运到范阳郡（北京市）。史思明手握强大的精锐部队，又据守最富裕的城池，越发骄傲横暴，渐渐不理会燕帝安庆绪的命令；安庆绪无法控制。

18 二月二十日，永王李璘兵败被杀，智囊薛镠（音嵧〔刘〕）等全被处死。

当时，广陵郡（江苏省扬州市）郡政府政务秘书长（长史）李成式，会同河北征剿司令部执行官（河北招讨判官）李铣，联合讨伐李璘（参考去年〔七五六〕十二月），李铣兵团数千人，驻防扬子（江苏省扬州市南长江渡口）。李成式派执行官（判官）裴茂，率军三千人，驻扎瓜步（江苏省南京市六合区南长江渡口），沿江遍插军旗。永王李璘和他的儿子李玚，登上城墙眺望，开始露出恐惧脸色（李璘登上哪里城墙，史书说不清楚，以地望推测，应是丹阳郡〔江苏省镇江市〕）。大将季广琛召集各将领说："我们追随大王到这里，天命始终没有降临，所有人事努力，全都失败，不如在两军交战之前，各奔前程；不然的话，死在刀枪之下，将永成叛徒！"各将领同意。于是季广琛率他的直属部队投奔广陵郡（江苏省扬州市），另二位将领：浑惟明投奔江宁（江苏省南京市），冯季康投奔白沙（江苏省仪征市）。李璘忧愁恐惧，不知道如何才好。当天晚上，长江北岸中央军燃起大量火炬，熊熊光焰，倒映江中，形成上下两排。李璘军中也燃起火炬，跟中央军对抗。李璘忽然发现自己军营中也有火炬，误认为政府军已经渡长江南下，大为恐慌，立刻携带家属及属下卫士，暗中逃走。天亮之后，看不到渡江的中央军，又重新回到城里，集结残余士卒，乘船东下。李成式兵团将领赵侃等，南渡长江，抵达新丰（江苏省镇江市东南辛丰镇）。李璘派他的儿子李玚，

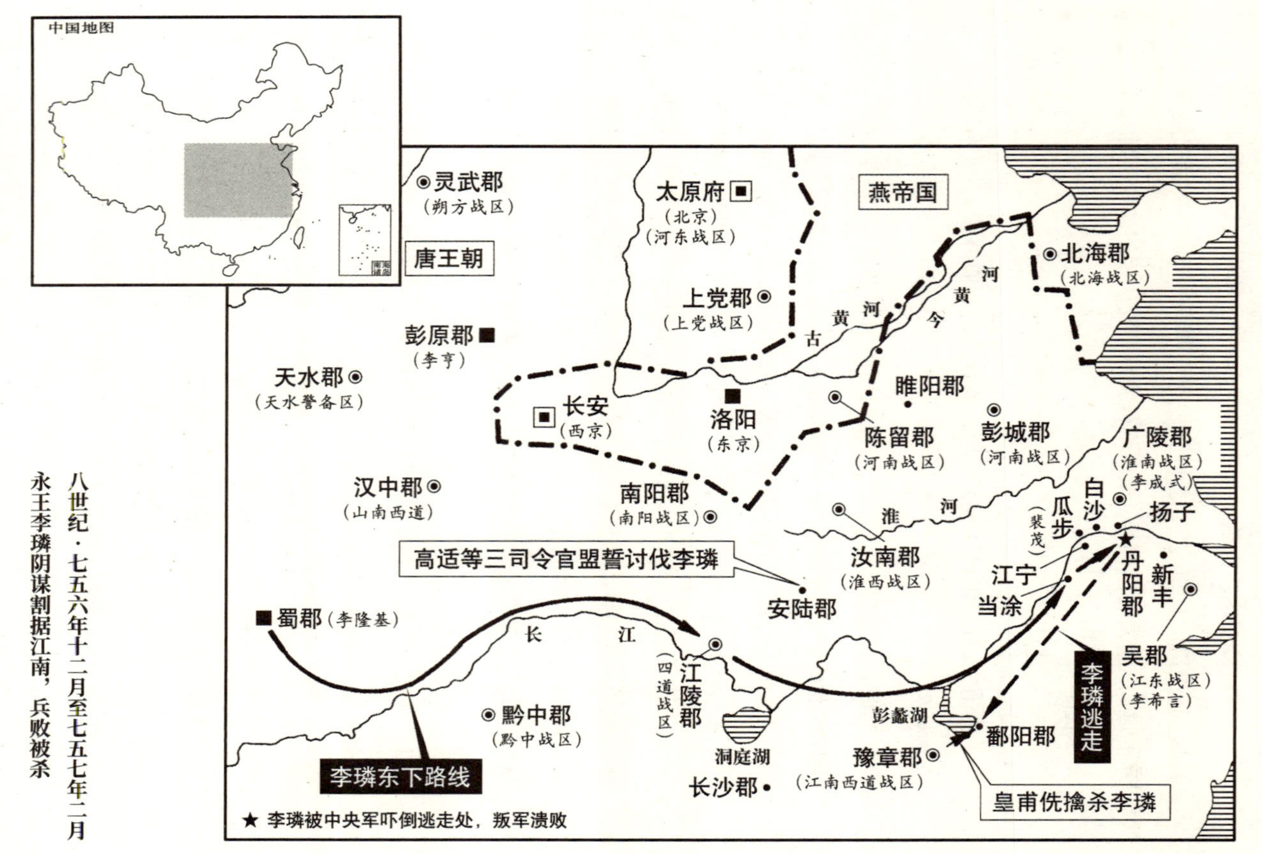

八世纪·七五六年十二月至七五七年二月
永王李璘阴谋割据江南，兵败被杀

跟将领高仙琦，率军攻击，赵侃等迎战，一箭射中李玚的肩膀，李璘军队遂全部溃散。

李璘跟高仙琦集结残兵败将，向西投奔鄱阳郡（江西省鄱阳县），搜刮军械库的武器物资，打算南往岭表（南岭以南），江西道巡察特使（江西采访使）皇甫侁（音shēn〔身〕）派军搜捕，生擒李璘，在驿马车站秘密处死；李玚则被乱兵所杀。

皇甫侁派人把李璘的家属送回蜀郡（四川省成都市），李亨得到消息，说："皇甫侁既然活捉我的老弟，为什么不把他也送到蜀郡（四川省成都市），却擅自诛杀！"免除皇甫侁职务，永不录用。

19 二月二十二日，朔方战区（总部设灵武〔宁夏灵武市〕）司令官（节度使）郭子仪，派他的儿子郭旰（音gàn〔干〕）跟作战司令（兵马使）李韶光、大将王祚，自河东郡（山西省永济市）渡黄河南下攻击潼关（陕西省潼关县），攻克，杀五百人。

燕帝安庆绪派关西战区（总部设长安〔陕西省西安市〕）司令官安守忠（时驻长安）反攻潼关。郭旰等大败，阵亡一万余人。李韶光、王祚战死，左翼攻击司令（左武锋使）仆固怀恩抱着马头，游过渭水，逃回河东郡（山西省永济市）。

20 三月十三日，李亨命最高监督长（左相）韦见素，当国务院左最高执行长（左仆射）；副立法长（中书侍郎）、二级实质宰相（同平章事）裴冕，当国务院右最高执行长（右仆射）；二人同时免除宰相职务。

最初，杨国忠（杨钊）厌恶国务院司法部长（宪部尚书）苗晋卿（苗晋卿，参考七四三年正月）。安禄山叛变时（前年〔七五五〕十一月），杨国忠（杨钊）请求把苗晋卿贬出当陕郡（河南省三门峡市）郡长，兼陕郡及弘农郡（河南省灵宝市）警备区司令（兼陕弘农防御使）。苗晋卿以年老多病为理由，坚决辞让，李隆基大不高兴，命他退休。后来，首都长安陷落，苗晋卿逃窜到荒山深谷。李亨抵达凤翔郡（陕西省宝鸡市凤翔区），手写诏书，征召他当最高监督长（左相），军事及帝国大事，都跟他商议。

21 太上皇李隆基想到张九龄的先见之明（张九龄力主斩安禄山，参考七三六年四月），不禁哭泣流涕，派宦官前往曲江（始兴郡郡政府所在县，广东省韶关市）张九龄坟前祭奠（张九龄是曲江人），对他的家族致送优厚礼物慰问。

22 燕政府河南战区（总部设汴州〔河南省开封市〕）司令官（节度使）尹子奇，再率大军攻击唐政府睢阳郡（河南省商丘市），守将张巡勉励将士说："我身受国家的厚恩，唯一的回报，就是一死。可是想到各位捐献身体，牺牲性命，横尸旷野，所得的赏赐却无法跟你们的功劳相比，使我十分痛心（指控虢王李巨只肯给官衔，不肯给实用物资。参考去年〔七五六〕十二月）。"将士们情绪激动，誓言奋勇杀敌。张巡遂下令杀牛宰羊，大宴士卒，全军出动作战。燕军看到守军人数太少，忍不住大笑。张巡手举大旗，率各将领直冲敌阵，燕军崩溃，张巡斩燕军将领三十余人，杀士卒三千余人，追击数十华里。第二天，燕军集结，再回到城下，张巡出战，日夜不停，会战数十回合，每次都摧折燕军的锐气，但燕军仍不断攻城。

23 三月二十三日，燕政府关西战区（总部设长安〔陕西省西安市〕）司令官（节度使）安守忠，率骑兵二万人，攻击唐政府河东郡（山西省永济市）；守将郭子仪把他击退，杀八千人，俘虏五千人。

24 夏季，四月，平原郡（山东省德州市陵城区）郡长颜真卿（南撤河南，参考去年〔七五六〕十月二十二日），绕道江陵郡（湖北省江陵县）、襄阳郡（湖北省襄阳市），北上抵达凤翔郡（唐帝李亨所在，陕西省宝鸡市凤翔区），李亨任命他当国务院司法部长（宪部尚书）。

25 李亨任命郭子仪当司空（三公之三）、全国野战军副元帅（天下兵马副元帅），命他率军前来增援凤翔郡（陕西省宝鸡市凤翔区）。

四月十三日，燕军将领李归仁，率骑兵五千人，在三原（陕西省三原县东北）北郊向郭子仪发动阻击。郭子仪命他的将领仆固怀恩、王仲升、浑释之、李若幽，在白渠（三原县南人工河）留运桥（三原县东南）埋伏反攻，几乎把李归仁兵团全部歼灭，李归仁跳到水里逃走。李若幽，是李神通的玄孙（淮安王李神通，参考六二六年九月）。

郭子仪跟关内战区（陕西省中部）司令官（节度使）王思礼，在西渭桥（便桥，陕西省咸阳市西南）会师，进驻潏水（渭水支流，流经长安城西南。潏，音jué〔决〕）西岸。燕军将领安守忠、李归仁，驻军长安西郊清渠。两军对峙七天，唐政府军不能前进。

五月六日，安守忠假装后退，郭子仪全军追击。燕军用敢死队九千人组成长蛇阵，唐政府军猛攻，长蛇阵头尾霎时变成左右两翼，向唐军前后夹击，唐政府军遂大败；执行官（判官）韩液、监军宦官孙知古，都被燕军生擒。军用物资、武器，全部抛弃。郭子仪撤退到武功（陕西省武功县西）固守。皇帝所在地凤翔郡（陕西省宝鸡市凤翔区）震动，中外戒严。

当时，唐政府仓库空虚，没有积蓄，李亨不得不依靠官职爵位作为赏赐，各将领出征，分别给他们空白任命状，上自开府仪同三司（文散官一级，从一品）、特进（文散官二级，正二品）、直属部长（列卿）、禁卫

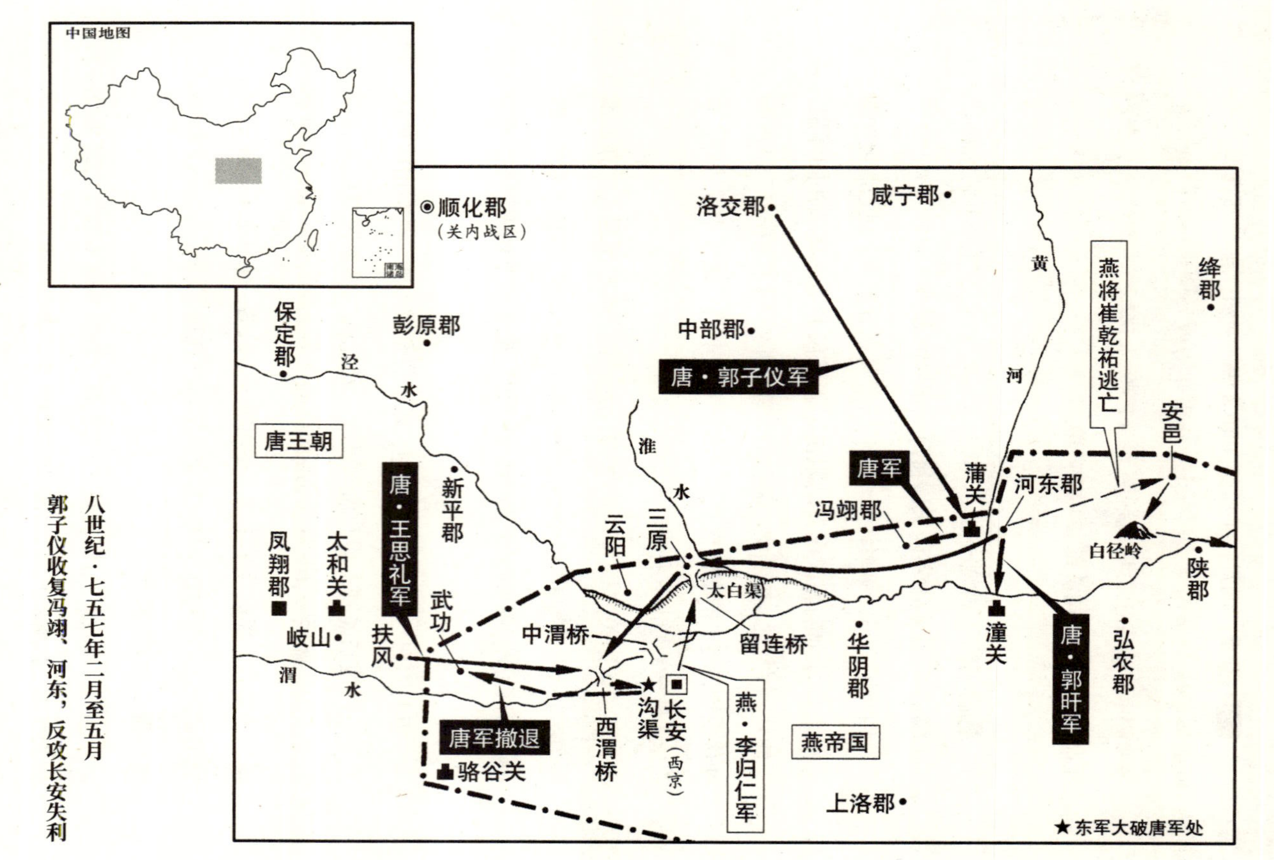

八世纪·七五七年二月至五月

郭子仪收复冯翊、河东，反攻长安失利

军大将军（正三品），下到贵族征兵府司令（中郎将）、副司令（郎将）；由带兵官临时填上姓名。以后，正式任命状已缓不济急，于是改用临时证明书（信牒）任命官爵，有的甚至不是李姓皇族，也封亲王。各单位只依照现实兵力为准，来维持指挥系统，而不管官衔和爵位的高低大小。清渠之役战败后，唐政府继续用官爵收拾散兵游勇。从此之后，官爵已不值钱，没有鼓励作用，大家都看重物资赏赐。禁卫军大将军空白任命状，只能换几瓶酒，喝一次醉而已。凡是投军当兵的，一律穿紫色官服（三品以上）、佩金鱼袋（三品以上符信）。甚至有些政府官员的书僮家奴，也穿紫佩金，具有高官的正式铨叙资格，却做卑贱的工作。官位名号的泛滥和贬值，此时已到极点。

26 二级实质宰相（同平章事）房琯，性情高傲简慢，国家正在多灾多难，他却经常声称有病，不参加早朝，而且不把分内工作放在心上（房琯行事不切实际，参考去年〔七五六〕十月三日）。每天跟太子宫政务署长（庶子）刘秩、监督院高级顾问官（谏议大夫）李揖，高谈阔论佛道二教；或者听他的门客董庭兰弹琴。董庭兰遂利用宰相对他的欣赏，包揽权势，收受贿赂。监察官（御史）弹劾董庭兰贪赃枉法。

五月十日，李亨免除房琯的宰相职务，改当太子少师（太子三少之一）。另任命监督院高级顾问官（谏议大夫）张镐，当副立法长（中书侍郎）、二级实质宰相（同平章事）。

唐王朝到了今天，危如累卵。前方将士，正血染沙场，房琯以宰相之尊，又刚打了一场败仗，多少战士被他害死在敌锋之下。他不但不自我检讨，反而毫无内疚，每天跟一群官场混混穷嚼蛆；知识分子的尊严，可谓丧失殆尽！

李亨常命佛教和尚数百人，在行宫里设立道场祈福，日夜不停传出念经声音，张镐警告说：“帝王只有砥砺自己的品德，才可以平乱安民，从没有听说布施食物给和尚，就可以使天下太平的。”李亨同意。

27 五月十三日，太上皇李隆基追封李亨的亡母杨良媛（良媛，太子宫小老婆群第二级，正四品），称元献皇后（杨良媛是杨士达的曾孙女，参考七一二年九月）。

28 山南东道战区（总部设襄阳〔湖北省襄阳市〕）司令官（节度使）鲁炅，固守南阳郡（河南省邓州市。参考去年〔七五六〕五月四日）。燕军将领武令珣、田承嗣相继进攻，城里粮食吃完，一只老鼠值数百钱，居民大批饿死，尸首重叠堆积。李亨派宦官将军曹日升前去慰劳（“宦官将军”，既是宦官，又是禁卫军将军），可是包围圈水泄不通，不能进城。曹日升要求单人匹马闯进城里传达皇帝的命令，襄阳郡（湖北省襄阳市）郡长魏仲犀不准（魏仲犀，参考七五二年八月）。正巧，平原郡（山东省德州市陵城区）郡长颜真卿从河北（黄河以北）绕道，经过这里，说：“曹将军不惜一死，传达皇上旨意，为什么阻止他！使节闯关失败，不过失去一个使节，万一闯关成功，一城人心，都可以坚固。”曹日升携带十名骑兵前往，燕军畏惧他的锐气，不敢逼近。城中守军自以为已没有希望，等看到曹日升，大喜。曹日升再为他们回到襄阳郡（湖北省襄阳市）搬运粮秣，派战士一千人护送进城，燕军也不能阻止。鲁炅在围城里整整一年（去年〔七五六〕五月被围），日夜艰苦奋战，精疲力竭，不能支持。

五月十五日，夜晚，鲁炅打开城门，率残余守军数千人，突围而出，投奔襄阳郡（湖北省襄阳市）。燕军将领田承嗣追击，缠斗两天，无法取胜，只好撤退。当时，燕军计划南下江汉（华中地区），全靠鲁炅扼住通道，南夏（湖北省）得以保全。

29 司空（三公之三）郭子仪前往行宫门前请求贬官（为清渠之役战败负责）。

五月十七日，李亨贬郭子仪当国务院左最高执行长（左仆射）。

30 燕政府河南战区（总部设汴州〔河南省开封市〕）司令官（节度使）尹子奇，增加援军，向睢阳郡（河南省商丘市）发动猛烈攻击。唐政府军守将张巡，在城里擂动战鼓，集合部队，好像就要出战。燕军得到情报，从傍晚到第二天天亮，彻夜戒备。可是天亮之后，张巡下令停止擂鼓，解散部队。燕军在攻城的飞楼（人工高塔）上察看城里，什么都看不到，也脱下铠甲休息。于是，张巡跟将军南霁云（南，姓。霁，音jì〔季〕）、征兵府副司令（郎将）雷万春等十余位将领，各率骑兵五十人，大开城门突击，直冲燕军营阵，抵达尹子奇军旗之下，营中霎时大乱，唐政府军杀燕军将领五十余人、士卒五千余人。张巡打算射击尹子奇，但不认识他，于是用削尖了的草箭，当作铁箭射击，被射中的人大为惊喜，认为张巡的箭已经用完，拿着草箭，飞奔前去报告尹子奇，于是张巡把尹子奇的面貌认得清楚。命南霁云发箭，一箭射中尹子奇的左眼，人随箭冲，几乎把尹子奇生擒。

尹子奇撤围退走。

31 六月七日，燕政府西京长安特别市长（京兆尹）田乾真，包围安邑（山西省运城市东北安邑街道）。正巧，陕郡（河南省三门峡市）燕军守将杨务钦，密谋归降唐政府，唐政府河东郡（山西省永济市）郡长马承光，派军接应，杨务钦诛杀城中不肯追随他反正的燕军官兵，翻出城墙投降。田乾真解除安邑（山西省运城市东北安邑街道）包围，退走。

32 将军王去荣，因私人仇恨，格杀本县县长（王去荣，是富平〔陕西省富平县〕人），被判死刑。王去荣精于使用大炮。

六月十六日，李亨下诏赦免王去荣，派他以平民身份前往陕郡（河南省三门峡市）阵前，戴罪立功。立法官（中书舍人）贾至，拒不发布诏书，上疏抗议说："王去荣行为不端，竟害死本县县长。《易经》说：'臣属杀君王，儿子杀父亲，都不是突发事件，而是一点一滴逐渐累积。'如果赦免王去荣，正是逐渐累积（《易经》原文："臣弑其君，子弑其父，非一朝一夕之故，其所由来者渐矣。"不能作贾至那种解释）。有人认为陕郡（河南省三门峡市）刚刚克复，非王去荣便守不住。问题是，其他没有王去荣的城池，却为什么也能坚守？陛下如果认为一个人只要有使用大炮的一技之长，就可以免死，而今各军中技艺绝伦的人，数目太多，必然会仗恃各自的本领，随时冒犯长官，政府将用什么方法制止！如果只赦免一个王去荣而诛杀其他的人，是法令失去公平、鼓励犯罪。现在，珍惜一个王去荣的才干而不处死，将来势必处死十个像王去荣才干的人，岂不使人哀伤处死的太多！王去荣，是一个犯上作乱之徒，怎么可能在此地叛逆，而在彼地忠贞！在富平（陕西省富平县）作乱，而在陕郡（河南省三门峡市）严守纪律！只对县长狂暴，而对天子不狂暴！敬请英明领袖注意到长程的和深远的影响，祸乱要不了多久就可平定。"李亨把奏章交下，命文武百官讨论。

太子太师（太子三师之一）韦见素等讨论结果，认为："法律，是天地之间最尊严的典章。帝王还不可以擅自杀人，一个低微的小人物却可以擅自杀人，是部属的权力盖过领袖。王去荣如果杀人而不抵命，则军中凡是有一技之长的人，自然会认为：再怎么横行霸道，都不必担心国法。当郡长县长的，岂不太难！陛下是全国的主人，对人民的爱，没有亲疏厚薄，为了王去荣一个人而丧失所有的人，有什么收获？依照帝国法律，诛杀本县县长的，属于不能赦免的‘十恶’（《唐律》十恶：一、谋反，二、谋大逆，三、谋叛，四、谋恶逆，五、不道，六、大不敬，七、不孝，八、不睦，九、不义，十、内乱。杀直属长官，包括州长、郡长、县长、受业教师，士卒杀本部五品以上长官，以及听到丈夫的死讯，隐瞒而不开吊，或饮酒作乐，或改嫁等，都属于“不义”），而陛下竟然宽大相待，国法败坏，人伦沦丧，我们接到诏书，不知道应该怎么做才好。国家因有法令，才有秩序；军队因有法令，才能战胜。只有恩惠而没有威信，连慈爱的娘亲都使唤不动她的儿子。陛下待战士十分优厚，可是每次战役，却很少胜利，岂不是因为执法不严的缘故。现在，陕郡（河南省三门峡市）虽然重要，但是没有比国法更为重要。国法有尊严，四海之内，不必担心哪个城池不能攻克，何况陕郡（河南省三门峡市）！国法没有尊严，陕郡（河南省三门峡市）也守不住，现在占领它有什么用处！而且，王去荣本人不过是一件小事，陕郡（河南省三门峡市）不因有他无他而或存或亡；但有没有国法，对国家却产生重大影响。这就是我们恳切希望陛下效法贞观时期（二任帝李世民在位时期）的原因。”

然而，李亨仍赦免王去荣。贾至，是贾曾的儿子（贾曾，参考七一二年正月）。

33 南充郡（四川省南充市）豪门大族首领何滔，聚众起兵，生擒本郡警备区司令（防御使）杨齐鲁。剑南战区（总部设蜀郡〔四川省成都市〕）司令官（节度使）卢元裕，出军讨伐，把他平定。

34 秋季，七月，河南战区（自安禄山叛变以来，河南〔黄河以南〕一直是主要战场。唐政府所设河南战区总部陈留郡〔河南省开封市〕早于前年〔七五五〕十二月五日沦陷，以后总部一直随着司令官〔节度使〕的替换而搬家。根据后文，此时总部应设于临淮郡〔江苏省盱眙县淮河北岸〕）司令官（节度使）贺兰进明，攻克高密郡（山东省诸城市）、琅邪郡（山东省临沂市），杀燕军二万余人。

35 七月二日，夜晚，蜀郡（四川省成都市）士卒郭千仞等聚众起兵；皇家六军作战司令（六军兵马使）陈玄礼、剑南战区（总部设蜀郡〔四川省成都市〕）司令官（节度使）李峘（音huán〔环〕）联合出军讨伐，斩郭千仞等。

36 七月六日，燕政府河南战区（总部设汴州〔河南省开封市〕）司令官（节度使）尹子奇再集结武装部队数万人，攻击睢阳郡（河南省商丘市）。

先前，睢阳郡（河南省商丘市）郡长许远，在城里积蓄粮食高达六万石，虢王李巨训令分一半给濮阳（山东省鄄城县）、济阴（山东省菏泽市定陶区）二郡。许远坚决反对，李巨拒不采纳。不久，济阴郡（山东省菏泽市定陶区）在得到粮食后，投降燕军（参考去年〔七五六〕十二月）；而睢阳郡（河南省商丘市）的粮食，现在已经吃光。将士们每天只分到一合米（十合是一升，十升是一斗），另外羼杂茶叶、纸张、树皮，搅拌在一起煮吃。燕军的运输线畅通无阻，粮食充足，战败之后，重新补充再战。而睢阳郡（河南省商丘市）守军死一个少一个，兵源断绝，附近所有唐政府军既不肯派兵援救，也不肯接济粮食，士卒只剩下一千六百人，而且都饿得骨瘦如柴，或身染疾病，无法出击作战，于是燕军的包围圈越来越小，逼近城池，张巡加强守城设备抵抗。

燕军开始使用云梯，形状像半道长虹，上面容纳精兵二百人，一直推进到城下，打算跳到城里。张巡事先在城墙上凿出三个大洞，等到云梯推近时，一个洞口伸出一根木棍，末端绑着铁钩，钩住云梯，使它不能后退；另一个洞口伸出一根木棍，抵住云梯，使它不能前进；第三个洞口伸出一根木棍，末端绑着铁笼，铁笼里盛满烈火，伸到云梯中间燃烧，霎时间云梯折断，上面的精兵全部烧死。燕军又发动钩车，专钩城上敌楼（敌楼不是城楼，而是类似“阳台”之类防御工事，上有屋盖，遮蔽风雨，守城士卒住在上面），只要被钩到，立刻倒塌瓦解。张巡用大的木头，末端装着铁链，铁链末端装着巨大铁环，正好套住铁钩，用裹有皮革的吊车，连钩带车吊起来，吊到城里，砍断铁钩，再把钩车放回城外。燕军又制造木驴（类似特洛伊城之围，希腊军留下的木马；肚中可容纳六位战士，上用湿牛皮蒙住，普通木石铁火都不能伤害），用来掩护士卒攻城，张巡把铜铁之类金属，熔化成汁液，从城上倾泻而下，木驴立刻化成一团焦灰。燕军又在睢阳郡城（河南省商丘市）西北方堆积木柴，把沙土袋放到上面，筑成一个梯形长堤，直向城池，用来发动攀城攻击。张巡不作公开反应，只在每天夜晚，派人暗中把含有大量油脂的松木和干草，塞到沙土袋下面的木柴里，前后十余天，燕军一点也没有警觉。张巡遂率军出城攻击，乘势顺风纵火，木柴燃烧，燕军无法施救，历时二十余日，大火才灭。

张巡所做的事，都是随机应变，燕军对他的智慧，十分佩服，于是放弃强行攻城计划，而在城外挖掘三重壕沟，设立栅栏，围困张巡，防他突围。张巡在城里也挖掘壕沟拒抗。

37 七月十一日，燕军将领安武臣，攻击陕郡（河南省三门峡市），唐政府守将杨务钦战死，燕军遂屠城（备受争议的王去荣，不知下落如何）。

38 二级实质宰相（同平章事）崔涣，在江南（长江以南）选拔官员，假冒等违法的事太多。

八月八日，李亨下令免除崔涣的宰相职务，调任余杭郡（浙江省杭州市）郡长、江东（江苏省南部太湖流域）巡察特使暨警备区司令（采访防御使）。

39 李亨命二级实质宰相（同平章事）张镐，兼河南战区（黄河以南）司令官（节度使）、巡察特使（采访使）等机关首长，接替贺兰进明。

40 唐政府灵昌郡（河南省滑县）郡长许叔冀，被燕军包围，救兵不来，于是率军民投奔彭城郡（江苏省徐州市）。

41 睢阳郡（河南省商丘市）守军除死伤之外，只剩下六百人，张巡、许远把郡城分成两部分，分别负责；张巡守东北城，许远守西南城；二人跟士卒一同煮吃茶叶、纸张，不再下城。燕军攻城时，张巡向他们分析忠义和叛徒的区别，往往有人背离燕军，归降张巡，为张巡拼命作战，前后有二百余人。

当时，许叔冀在谯郡（安徽省亳州市），尚衡在彭城郡（江苏省徐州市），贺兰进明在临淮郡（江苏省盱眙县淮河北岸），都拥有大军，却不肯

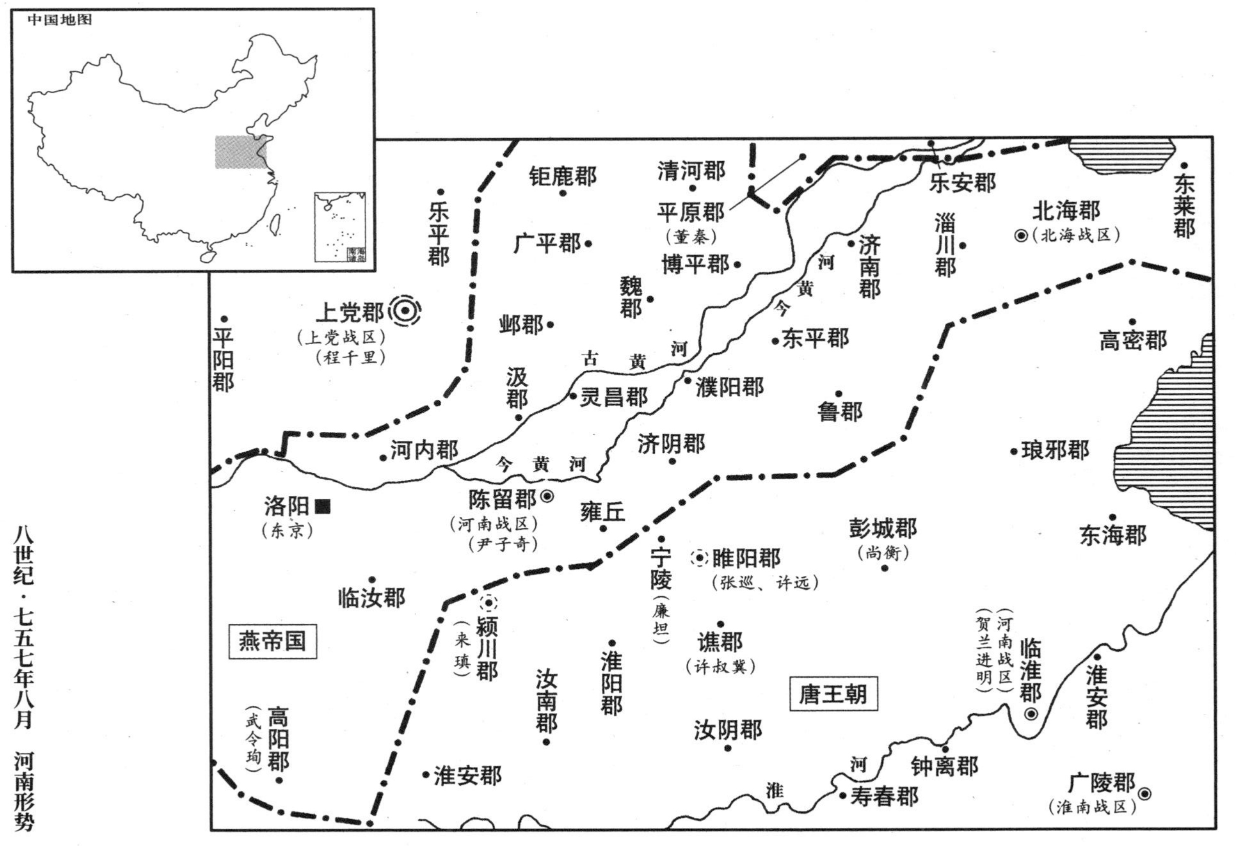

八世纪·七五七年八月　河南形势

支援（尚衡原驻守济阴郡〔山东省菏泽市定陶区〕，参考去年〔七五六〕正月。当是后来南撤至彭城郡）。睢阳郡（河南省商丘市）城里情势，一天比一天急迫，张巡命南霁云率三十位骑兵，突围而出，前往临淮郡（江苏省盱眙县淮河北岸）求救。南霁云出城后，燕军数万人遮住他的去路，南霁云拍马冲锋，开弓左右射击，燕军纷纷躲开，出围后，南霁云只损失两位骑兵。抵达临淮郡（江苏省盱眙县淮河北岸），晋见贺兰进明，贺兰进明质疑说："时到今天，睢阳郡（河南省商丘市）是不是陷落，还不知道，援军就是前去，又有什么裨益！"南霁云说："睢阳郡（河南省商丘市）如果失守，我愿自杀一死，向你赎罪。睢阳郡（河南省商丘市）一旦陷落，燕军下一个目标就是临淮郡（江苏省盱眙县淮河北岸）。两郡关系，好像皮和毛互相依存，怎么能够见死不救？"贺兰进明喜爱南霁云健壮勇敢，不但不接受他的请求出兵，反而要勉强留他下来不要回去，于是摆下酒席，由乐队伴奏，请南霁云入座。南霁云慷慨悲愤，痛哭说："我来的时候，睢阳郡（河南省商丘市）城里的人已一个多月没有吃东西，我虽然想单独进餐，也咽不下去。将军平安的坐在这里，手握强大的军队，却眼睁睁看着睢阳郡（河南省商丘市）沉沦，没有一点分担灾患、拯救苦难的心意，岂是忠义之士的作为！"遂咬下自己一个手指，呈献给贺兰进明，说："我既不能完成主将交给我的任务，请留下这个手指，作为证明，我好回去报告。"在座的人都为他流下眼泪。

南霁云发现贺兰进明绝不可能出兵，于是告辞。回程中经过宁陵（河南省宁陵县），会同守将廉坦，率领步骑兵三千人东下（张巡从宁陵到睢阳〔河南省商丘市〕时〔参考去年【七五六】十二月二十五日〕，命廉坦守城）。

闰八月三日，夜晚，南霁云等杀入睢阳郡（河南省商丘市）重围，一面战斗，一面挺进，战斗猛烈，摧毁燕军营阵，好不容易抵达城下，死伤累累，只剩下一千人进城（二千余人阵亡）。城中守军将士知道援军无望，大家放声大哭，而燕军也知道睢阳郡（河南省商丘市）外援断绝，包围越发紧急。

最初，房琯当宰相，厌恶贺兰进明（参考去年〔七五六〕十月三日），命他当河南战区（黄河以南）司令官（节度使）时，同时命许叔冀（当时驻守灵昌郡〔河南省滑县〕）当河南战区总作战司令官（都知兵马使），二人都兼中央官位：总监察官（兼御史大夫）。许叔冀仗恃自己直属部队精锐善战，而且官位又跟贺兰进明相等，不肯接受贺兰进明的指挥。所以，贺兰进明不敢派军支援睢阳郡（河南省商丘市），不仅仅嫉妒张巡、许远建立功名，同时也恐惧许叔冀袭击。

房琯因自己私心，怨恨贺兰进明，用许叔冀牵制他的手肘，以致使他不敢分兵援救张巡、许远，然而，以贺兰进明的才干推测，即令就是分兵援救，也未必能够战胜。

42 闰八月二十三日，李亨用盛大筵席，宴请各高级将领，表示慰劳，并宣布向长安（唐故都，陕西省西安市）进军。李亨对全国野战军副元帅（天下兵马副元帅）郭子仪说：“大事成败，就在这次出征。”郭子仪回答说：“这次如果不能取得胜利，我只有一死。”

43 闰八月二十六日，总监察官（御史大夫）崔光远，在骆谷（陕西省周至县西南）击破燕军。

崔光远的作战参谋长（行军司马）王伯伦、执行官（判官）李椿，率二千人攻击中渭桥（陕西省咸阳市东），杀守桥燕军一千人，乘胜前进到长安皇家林苑大门。先前驻防武功（陕西省武功县西）的燕军听到消息，立即放弃武功（陕西省武功县西），逃回长安（陕西省西安市），在皇家林苑北方，发生遭遇战，燕军击斩王伯伦，生擒李椿，押送洛阳（燕首都，河南省洛阳市）。

从此，燕军不再驻防武功（燕军夺取武功，参考本年〔七五七〕二月十九日）。

44 燕军屡次进攻上党郡（山西省长治市），都被守将、上党战区司令官（节度使）程千里击败。燕军大将蔡希德再度包围（蔡希德围太原失败，参考本年〔七五七〕二月；之后南下围上党）。

九月二日，蔡希德率少数骑兵，抵达上党郡（山西省长治市）城下挑战，程千里率一百名骑兵，开门突击，打算生擒蔡希德。而蔡希德的救兵忽然赶到，程千里紧急集结骑兵撤退，壕沟上的桥梁忽然崩塌，程千里坠入壕沟，反而被蔡希德生擒。程千里抬头告诉随从他的骑兵，说："我不幸落到这种地步，真是天意。回去转告各位将军，妥善守御，宁可失掉主帅，不可失掉城池。"蔡希德攻城，不能攻克。燕军把程千里押解洛阳（燕首都，河南省洛阳市），燕帝安庆绪任命他当特进（文散官二级，正二品），囚禁。

45 全国野战军副元帅（天下兵马副元帅）郭子仪，认为回纥汗国（瀚海沙漠群）的武装部队锐不可当，建议李亨增加他们的人数，用以攻击燕军。葛勒可汗（二任）药罗葛磨延啜（《资治通鉴》原文为"怀仁可汗"，有误；怀仁可汗逝世已十三年，参考七四五年正月），派他的亲王（叶护）儿子，会同将军帝德等率精锐部队四千余人，抵达凤翔郡（唐帝李亨所在，陕西省宝鸡市凤翔区）。李亨接见回纥亲王，大摆筵席，饮酒慰劳，赏赐大量物资，回纥亲王想要什么，就供应什么。

九月十二日，全国野战军元帅（天下兵马元帅）广平王李俶（音chù〔处〕），率朔方战区（总部设灵武〔宁夏灵武市〕）等特遣兵团，以及回纥兵团、西域兵团，共十五万人，对外宣称二十万，从凤翔郡（陕西省宝鸡市凤翔区）出发。李俶看到回纥亲王（叶护），二人结拜成为兄弟，回纥亲王（叶护）大喜，称李俶"老哥"。回纥兵团抵达扶风（陕西省扶风县），郭子仪设酒宴招待他们三天。回纥亲王（叶护）说："帝国有紧急灾难，我们从远方前来助战，怎么能只顾着吃！"宴会结束，即行开拔。唐政府供应回纥兵团每天羊二百只、牛二十头、米四十斛。

九月二十五日，各路兵马同时出发。

九月二十七日，东征大军到达长安西郊，在香积寺之北、沣水（渭水支流）之东，安营扎寨。河西战区（总部设武威〔甘肃省武威市〕）副司令官（节度副使）李嗣业率前军，全国野战军副元帅（兵马副元帅）郭子仪率中军，关内战区（陕西省中部）司令官（节度使）王思礼率后军。燕军十万人在他们之北布阵，大将李归仁出营挑战，唐政府军迎击，把他击退，挺进到燕军阵地。燕军全体出动，唐政府军无法阻挡，向后撤退，燕军乘机追击，争先恐后，直扑辎重部队，唐政府军大为惊骇，立刻混乱。李嗣业说："今天如果不用自己挡住盗贼，全军就要覆没！"于是赤裸上身，手拿长刀，站在阵前，大声呼喊，奋勇格杀后退的士卒，凡被他砍到的，血肉横飞，人马立刻粉碎，击斩数十人后，阵势才告稳定（幸有李嗣业赤膊上阵，但也危险万状，淝水之战，苻歃就是在阻止大军后退失败，马倒被杀，全军崩溃〔参考三八三年十一月〕。李嗣业如果稍出差错，历史可能重演）。李嗣业于是率领前军，士卒都手拿长刀，排成一列，像城墙一样挺进，将领们都在士卒的前面，大军所向，无不摧毁。总作战司令（都知兵马使）王难得，为了救他的一员部将，燕军一箭射中他的眉毛，皮肉下垂，遮住眼睛。王难得自己把箭拔出，撕去皮肉，鲜血流满一脸，但仍奋战进击。燕军在营阵之东，埋伏精锐部队，打算袭击唐政府军的背后。唐军斥候得到情报，朔方战区（总部设灵武〔宁夏灵武市〕）左翼作战司令（左厢兵马使）仆固怀恩，率回纥兵团迎击，把埋伏的燕军，几乎全部杀光，燕军士气，大为沮丧。李嗣业又跟回纥兵团迂回到燕车阵后，前后夹击，从中午十二时血战到下午六时，杀六万人，很多人陷在壕沟之中跌死压死，燕军霎时崩溃，残兵败将向长安逃命，直到夜晚，喊叫声、喧哗声，都没有停止。

仆固怀恩报告全国野战军元帅、广平王李俶说："盗贼就要放弃长安逃走，请准许我率二百名骑兵追击，生擒安守忠、李归仁等。"李俶说："大战一天，你已经很累了，先去休息，等明天早上再采取行动。"仆固怀恩说："李归仁、安守忠，都是盗贼的猛将，他们已经战胜，却突然转胜为败，是上天赐给我们的恩典，为什么把他们放走！他们一旦集结部众，回头来再跟我们作对，后悔已来不及。战争要速战速决，怎么能等到明天早上！"李俶坚决阻止，命他回营。仆固怀恩坚持他的要求，回营后又返御帐，一夜之间往来四五次。直到黎明，谍报人员报告说：安守忠、李归仁，跟西京长安留守长官张通儒、西京长安特别市长（京兆尹）田乾真，放弃长安，一齐逃走。

九月二十八日，唐政府军开入西京长安（燕军将领孙孝哲于去年〔七五六〕六月二十三日入据长安，迄今共一年四个月）。

最初，李亨急于收回京师（首都长安），承诺回纥汗国（瀚海沙漠群）说："克复京师（首都长安）那天，土地和男子，归唐王朝所有，金银财宝和女人、儿童，全部交给回纥带走。"现在，回纥亲王（叶护）要求履行承诺。全国野战军元帅、广平王李俶，在回纥亲王（叶护）马前，低头拱手行礼，说："现在才收复西京（首都长安），如果立即抢夺财产、掳掠妇女，东京（洛阳）人民都会替盗贼（燕政府）固守，恐怕再不能取得，我建议改到东京（洛阳）兑现。"回纥亲王（叶护）大吃一惊，从马背跳下来回礼，捧住李俶的脚，说："我们愿为殿下改到东京（洛阳）。"遂即会合仆固怀恩，率回纥兵团及西域（新疆及中亚东部）各国联军，从长安南郊绕道过去，在浐水（流经陕西省蓝田县西南，注入渭水）东岸扎营。居民、士卒、胡人见到李俶，都叩头拜谢，流泪说："广平王（李俶）真是汉人和蛮夷敬爱的领袖！"李亨听到消息，高兴说："我不如他！"李俶整顿部队，进入首都长安，男女老幼，在道路两旁欢呼，悲喜交集，涕泪齐流。李俶停留三天，镇定安抚，然后率大军出城，继续东征；命太子少傅（太子三少之二）虢王李巨，当西京长安留守长官。

当初，长安陷落在即，老皇帝李隆基，抛弃他声称最亲爱的小民，拔腿逃命，任凭小民被叛军奸淫烧杀。这些小民日夜盼望政府军反攻拯救，再想不到，新上任的小皇帝李亨，却把他们像猪崽一样的秘密出卖：男人卖给李亨手下的军队当兵，女人和儿童卖给回纥汗国当奴。这种使人血都冻结的镜头，就是诗人歌颂的"王师北定中原日，家祭无忘告乃翁"的浪漫憧憬！

长安之终于逃过一劫，由于李俶马前一拜，回纥亲王慨允契约延后到洛阳履行。于是，"居民、士卒、胡人"都感动得流泪哭泣说："广平王（李俶）真是汉人和蛮夷敬爱的领袖！"李俶所以为长安小民求情，不是因为他爱长安小民，而只是害怕长安洗劫之后，洛阳小民势将誓死抵抗；延后履行，足使洛阳小民误认为王师真的是为了解救他们而来，张开欢迎的双臂！奇异的是，洛阳人难道不是子民？难道没有汉蛮两大民族？《资治通鉴》上看不到收复洛阳后的记载，但《旧唐书》《新唐书》上有，我们无法回答他们哭号的询问："为什么这样！"

任何人，只要做出这种出卖同胞的事，他就是卖国贼，可是李亨、李俶父子，却连长安居民都歌颂他们仁慈，使人想起鸡笼效应：读者一定见过鸡笼，当厨师把手伸进笼子，要抓出来一只鸡宰杀时，鸡群因惊恐而会叫蹦跳，震动耳鼓，可是，一旦抓定一只拖了出去，其他鸡的叫跳，也就停止，安静的排排而卧，感谢厨师手下留情，准许它们继续活在这块使它们温饱的土地上。

中国社会就像一个鸡笼，鸡笼里的鸡，对别的鸡的性命，毫不吝惜，对别的鸡的痛苦，也毫不关心，当厨师伸出巨爪时，大家有一个可怜的信念：相信绝不会抓到自己，而只会抓住别的鸡，好死不如赖活着，只要厨师老爷总是抓别的鸡。还没有被抓到的鸡，遂不惜对厨师老爷赞不绝口。李亨、李俶父子的行径，使我们发现：专制独裁政治下的头目，都不可信赖。

九月二十九日，克复首都长安的捷报，传到皇帝所在地凤翔郡（陕西省宝鸡市凤翔区），文武百官前往行宫朝见祝贺。李亨涕泪交加，流满脸面。当天（九月二十九日），派宦官啖庭瑶（啖，姓。音dàn〔旦〕），前往蜀郡（四川省成都市）奏报太上皇李隆基；又派国务院左最高执行长（左仆射）裴冕，前往京师（首都长安）南北郊，祭祀天地神灵及皇家祖庙，并安抚人民。

李亨派人携带骏马前往长安（陕西省西安市），把随军前进的皇家资政（侍谋军国）李泌，接回凤翔郡（陕西省宝鸡市凤翔区）；李泌抵达凤翔郡（陕西省宝鸡市凤翔区）后，李亨告诉他："我已上疏奏请太上皇（李隆基）回京（首都长安），我当回到太子宫，恢复臣子的身份！"李泌说："能不能派人把奏章追回来？"李亨说："信差已走得太远！"李泌说："那么，太上皇（李隆基）恐怕不会回来！"李亨吃了一惊，问他什么缘故？李泌说："理论和实际，都会产生这种结论。"李亨说："那怎么办？"李泌说："现在，由文武百官联名上疏太上皇（李隆基），祝贺收复京师（首都长安），陈述当年马嵬（陕西省兴平市西马嵬街道）请求圣驾（李隆基）留下、灵武（宁夏灵武市）请求皇太子（李亨）登极往事（二事参考去年〔七五六〕六月十五日及七月十二日），以及如今终于成功，陛下思念太上皇，渴望早晚在膝下问安，请太上皇尽快回京（首都长安），成全陛下孝顺奉养之心，这就可以了。"李亨即命李泌起稿，李亨披阅，哭泣说："我原来是一片赤诚，把宝座归还太上皇（李隆基）。现在听到先生的分析，才醒悟我的想法不够周延。"立刻派宦官携带表章，前往蜀郡（四川省成都市）。遂到李泌住处饮酒。夜晚，二人同睡在一个大床上。宦官李辅国建议把长安宫钥匙交给李泌，李泌请交给李辅国掌管，李亨同意（李泌掌管行宫钥匙，参考去年〔七五六〕九月五日）。

李泌说："我回报陛下的恩德，已经够了；一旦恢复闲散的平民生活，多么快乐。"李亨说："我跟先生连年以来，同过忧患生活，今后正要转苦为甜，为什么说走就走！"李泌说："有五项理由，使我不能留下，希望陛下准许我走，免得我身陷死亡！"李亨说："你乱扯些什么？"李泌回答说："五项理由是：我跟陛下相识的时间太长，陛下对我的信任太专，对我的宠爱太厚，而我的功劳太大，事迹又太传奇。有这五项，所以不能留下。"李亨说："我困得很，快点睡觉，改天再商议。”李泌说：“陛下今天来到我这里，同一个大床休息，我所作的请求，你还不准。何况换到另外一天，我站在御案之前？陛下不准我辞职离开，是置我于死。”李亨说：“想不到你这么猜疑，像我这样的人，难道会杀你？你真的把我当成姒勾践（姒勾践，参考前二五五年注）！”李泌说：“正因为陛下不会杀我，所以我才要求回去。如果陛下已动了杀机，我怎么敢再说话！而且，杀我的不是陛下，而是前面所说的‘五项理由’。先前，陛下待我如此亲密，有些事情，我还不敢规劝，何况天下安定之后。”

李亨停了很久，说：“是不是因为我不肯采纳你北方用兵的建议（参考本年〔七五七〕二月）！”李泌说：“当然不是，我所不敢开口的，指建宁王（李倓）事件。”李亨说：“建宁（李倓）是我心爱的儿子，英明果断，时局最艰难的时候，建立功劳（马嵬坡劝李亨留下以及沿途血战保卫老爹；参考去年〔七五六〕六月），我怎么能不知道！但也正因为这样，受坏蛋教唆，打算谋害他的哥哥（广平王李俶），企图当皇位继承人，我为了帝国的前途，万不得已，才把他排除（参考本年〔七五七〕正月），你难道真的不知其中详细情形！”李泌说：“建宁王（李倓）如果真有这种企图，广平王（李俶）对他一定怨恨。事实上，广平王（李俶）每次跟我谈到老弟（建宁王李倓）的冤枉，都痛哭流涕。我因为今天必须告辞离开陛下，才敢明言。”李亨说：“建宁（李倓）曾经在夜晚摸索到广平（李俶）屋门，打算行刺。”李泌回答说：“这都是陷害他的人一面之词，像建宁王（李倓）那样孝顺友爱、聪明、智慧，怎么可能做出这种叛逆的事！而且，从前，陛下曾经打算命建宁王（李倓）当元帅（参考去年〔七五六〕九月），是我建议，才任命广平王（李俶）。建宁王（李倓）如果有夺嫡的心意，应对我十分痛恨；可是，他却认为我出自忠心，待我更是友善，陛下从这点可观察他的见识。”李亨忍不住流下眼泪，说：“先生的话很对，过去的事已经过去了，我不想再追究，也不想听。”

李泌说：“我说的这些话，不是追究责任，而是希望陛下将来处理事情时，特别慎重。从前，天后（武曌）有四个儿子，长子太子李弘。天后（武曌）正打算夺取皇帝职权，所以对李弘不平凡的聪明智慧十分厌恶，而把他害死（参考六七五年四月）；把次子雍王李贤封作太子。李贤心里忧愁恐惧，作了一首《黄台瓜辞》，希望能感动天后（武曌）。然而，天后（武曌）却听不进去，李贤终于死在荒凉的黔中贬所（参考六八〇年八月及六八四年三月）。《黄台瓜辞》说：‘种瓜黄台下／瓜熟子离离／一摘使瓜好／再摘使瓜稀／三摘犹为可／四摘抱蔓归。’而今，陛下已经一摘，千万不要再摘！”李亨吃惊的怔在那里，说：“怎么会有这种事！你抄下这首《黄台瓜辞》，我当留在身边切记。”李泌回答说：“陛下只要放在心里就够了，何必表现在外面！”

当时，广平王李俶（音chù〔处〕）建立大功（指收复西京〔首都长安〕），张良娣十分忌恨，不断暗中散布谣言，所以李泌特别强调。

李泌一连事奉三个皇帝：十任帝肃宗李亨、十一任帝代宗李俶、十二任帝德宗李适，都能说出别人难以开口的话，可谓奇士。

46 全国野战军副元帅（兵马副元帅）郭子仪，率领华洋混合兵团追击溃败东逃的燕军，直追到潼关（陕西省潼关县），杀五千人，一连攻克华阴（陕西省渭南市华州区）、弘农（河南省灵宝市）二郡。

关东（潼关以东）呈献活捉的燕军士卒一百余人，李亨下令全体

八世纪·七五七年九月至十月
郭子仪率领唐回联军，收复两京

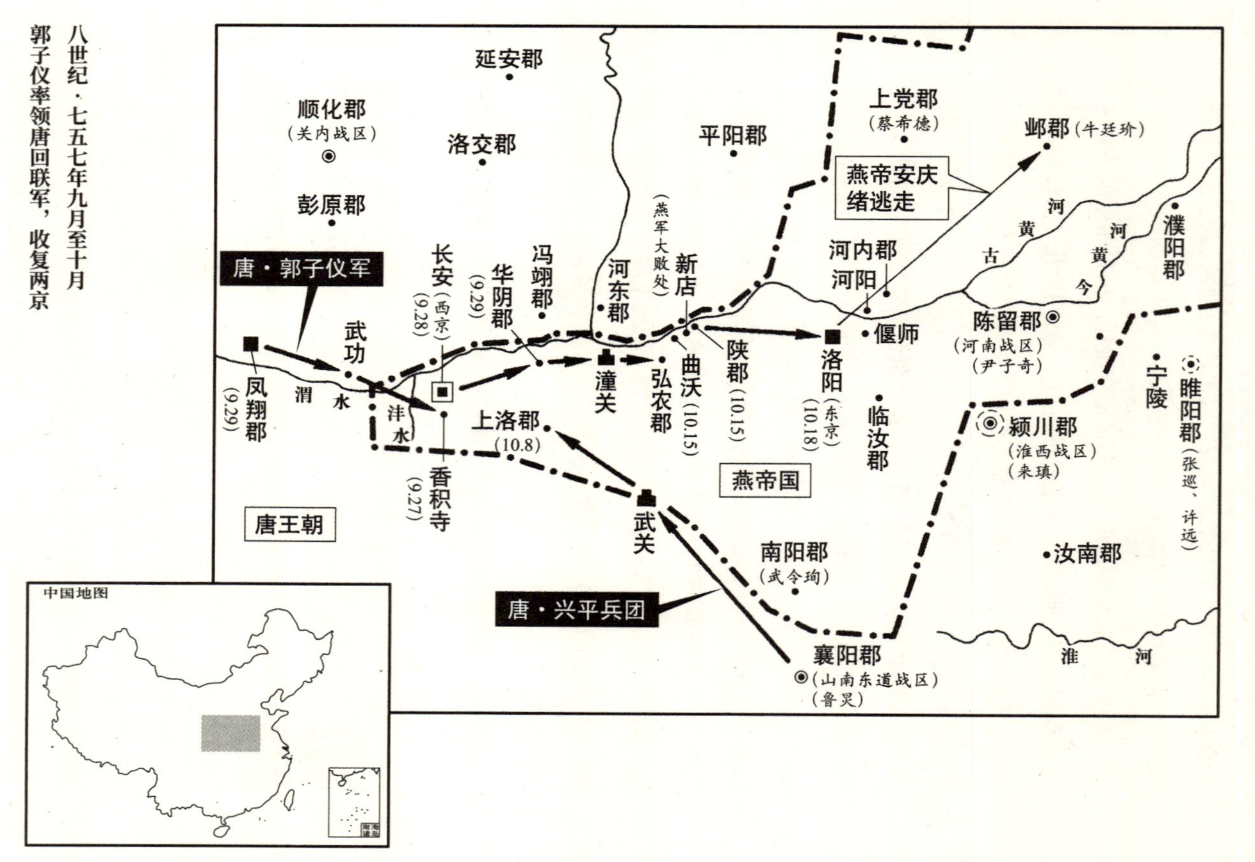

斩首，行政监察官（监察御史）李勉向李亨建议说：“而今，元凶还没有铲除，受叛徒裹挟的人，几乎占全国人口的一半，听到陛下真龙飞升的消息，都想革心洗面，接受圣洁的教化。现在把他们全部诛杀，是驱使人民不得不效忠叛徒。”李亨立即派人前去把他们赦免。

47 冬季，十月三日，李亨所派宦官啖庭瑶，抵达蜀郡（四川省成都市）。

48 十月八日，兴平战区（总部设何处不详）奏报说：在武关（陕西省商南县西北）击破燕军，收复上洛郡（陕西省商洛市商州区）。

49 吐蕃王国（首都逻些城〔西藏拉萨市〕）攻陷西平郡（陇右战区总部，青海省海东市乐都区）。

50 燕政府河南战区（总部设汴州〔河南省开封市〕）司令官（节度使）尹子奇，长期包围睢阳郡（河南省商丘市），城里粮食吃完，唐军将领们考虑放弃城池，向东撤退。河南战区（黄河以南）副司令官（节度副使）张巡、睢阳郡（河南省商丘市）郡长兼警备区司令（兼防御使）许远商议，认为：“睢阳郡（河南省商丘市），是江淮（华东地区）的屏障，如果放弃它走掉，盗贼（燕军）势必乘胜追击，长驱直入，等于丧失了江淮（华东地区）。而且，我们的部众饥饿衰弱，行动迟缓，即令撤退，也未必能够脱险。古时候战国时代，国君们还互相支援，何况附近各地政府军将领（指彭城郡〔江苏省徐州市〕尚衡，谯郡〔安徽省亳州市〕许叔冀，临淮郡〔江苏省盱眙县淮河北岸〕贺兰进明），他们终会出兵相救，不如坚守等待。”茶叶、纸张吃完之后，杀战马吞食，战马吃完之后，爬到树上捕捉麻雀、挖掘墙下老鼠，而麻雀老鼠也被吃完，张巡绑住他心爱的小老婆，把她杀掉，任由士卒吞食她的尸首。许远也杀掉他的家奴，然后搜捕城里所有的妇女，全都杀掉吞食；吃完妇女的尸首之后，继续吃年老体弱的男子。每个人都知道一定会死，却没有人背叛。最后，全城只剩下四百人。

十月九日，燕军登上城墙，唐政府守军将士染病在身，不能作战。张巡面向西方下跪叩头，向皇帝遥遥奏报说：“我的力量已经枯竭，不能保全城池，活的时候既不能报答陛下，死后当变成厉鬼，继续杀贼。”睢阳郡（河南省商丘市）遂告陷落。张巡、许远同被俘虏。尹子奇问张巡说：“听说，你每次出战，连牙齿都咬碎，为什么？”张巡说：“我立志吞灭逆贼，只恨力量不足。”尹子奇用刀撬开他的嘴巴查看，牙齿只剩下三四颗，油然生出敬意，打算留下他的性命，但燕军其他将士反对，说：“他为唐政府坚守节操，不可能为我们效力，而且他深得军心，如果留下他，可能有严重的后患。”尹子奇于是把张巡以及南霁云、雷万春等三十六人，全部斩首。张巡临死时，脸色不变，精神焕发，跟平常一样（年四十九岁）。尹子奇单把许远押解洛阳（燕首都，河南省洛阳市）。

张巡最初守睢阳郡（河南省商丘市）时，士卒有一万人，城里居民也有数万人之多。张巡只要见一次面，询问过姓名，以后无论到哪里，都能一眼认出。前后大小四百余战，杀燕军十二万人。张巡作战不依照古代兵法，从基本阵战教练做起，而只命他的将领，各用自己的方法训练士卒。有人问他缘故，张巡说：“现在跟蛮夷作战，好像乌云一样，霎时聚合，又像飞鸟一样，霎时又一哄而散，变化无穷，只几步的距离，情势就有差异。必须在刹那之间，作出反应。如果每种情况都要向上级请示，事情已来不及，就不是了解军事行动应随机应变的人。所以我要让士卒了解将领的个性，将领了解士卒的心理，进入战场后，就像手掌运用手指。士卒跟将领互相信赖，每一个人都是一个战斗单位，岂不是好办法！”自从领军作战，武器铠甲、物资辎重，都从敌人那里夺取，自己从来没有准备过。每次会战，将士们或许后退，甚至星散，张巡总是站在阵后，对将士们说：“我不会离开这里，你们给我回去！”没有人敢不再回战场，拼死奋击，最后都会把敌人击败。张巡用诚心待人，坦率正直，对人从不猜忌，自己也从不藏私，面对敌人作战时，反应敏捷，出奇制胜，号令严明，赏罚必行，跟将士同甘共苦，所以部属争着为他拼死尽力。

河南战区（黄河以南）司令官（节度使）张镐听说睢阳郡（河南省商丘市）被围紧急，加倍速度前进（张镐接替贺兰进明，参考本年〔七五七〕八月），紧急征调浙东、浙西、淮南、北海等战区（浙东、浙西，明年〔七五八〕才设战区，只淮南已设战区，北海郡则仍在燕军之手，但唐政府仍于去年〔七五六〕设北海战区），及谯郡（安徽省亳州市）郡长闾丘晓（闾丘，复姓），命他们出兵支援。闾丘晓素来傲慢骄横，不理会张镐的命令。等到张镐抵达谯郡（安徽省亳州市），睢阳郡（河南省商丘市）已沦陷三天。张镐召见闾丘晓，乱棍打死。

51 燕政府西京长安（陕西省西安市）留守长官张通儒等，集结从长安逃出来的残余部众，据守陕郡（河南省三门峡市）。燕帝安庆绪动员洛阳（燕首都，河南省洛阳市）所有军队，派总监察官（御史大夫）严庄率领，前往陕郡（河南省三门峡市）跟张通儒会合，连同旧有部队，步骑兵仍有十五万人，共同抵抗唐政府军。

十月十五日，广平王李俶，抵达曲沃（河南省三门峡市西南曲沃村）。回纥汗国亲王派将军鼻施吐拨裴罗等，率军在南山（崤山）搜索埋伏，遂在岭北扎营。郭子仪等大军在新店（河南省三门峡市西南约十公里）跟燕军遭遇，燕军靠山筑阵，郭子仪等发动攻击，不能取胜，向后撤退，燕军追赶，把唐政府军驱逐下山。回纥兵团从南山（崤山）突袭燕军背后，在蔽天的尘土中射出十余箭，燕军大为恐慌，你看我，我看你，惊骇说："回纥人来了！"刹那间崩溃（九百年后的一六四四年，历史重演，当李自成率领的顺兵团在山海关〔河北省秦皇岛市东北山海关〕攻击吴三桂时，本来大胜，可是满洲兵忽然杀入，顺兵团立刻瓦解）。唐政府军跟回纥兵团前后夹击，燕军四散逃命，尸体布满原野。严庄、张通儒等，放弃陕郡（河南省三门峡市），向东逃走。广平王李俶、郭子仪，遂收复陕郡（河南省三门峡市），仆固怀恩等分别从各路追击。

严庄先到洛阳（燕首都，河南省洛阳市），奏报燕帝安庆绪。

十月十六日，夜晚，安庆绪率文武百官，从皇家林苑大门出城，逃往黄河以北（跟李隆基去年〔七五六〕六月逃出长安，惊恐情景一样）。安庆绪临走时，诛杀所俘虏的唐政府将领哥舒翰（参考去年〔七五六〕六月）、程千里（参考本年〔七五七〕九月）等三十余人，然后才走。许远则死在偃师（河南省洛阳市偃师区）。

十月十八日，广平王李俶进入东京洛阳。回纥兵团仍不能满意，李俶深感忧虑，洛阳士绅父老们请求再征收绸缎一万匹，作为贿赂，回纥才停止。

52 李亨派往成都（蜀郡郡政府所在县，四川省成都市）的宦官啖庭瑶，返抵皇帝所在地，带回太上皇李隆基的诏书，诏书说："希望把剑南道（四川省中南部）划给我，使我能照顾自己，不再北返！”李亨忧虑恐惧，不知道怎么才好。几天之后，呈递文武百官贺表的使节也回来，说：“太上皇（李隆基）最初接到皇上（李亨）请求返回东宫的奏章，彷徨不安，连饭都吃不下，打算不回来。等文武百官的奏章送到，才大为欢喜，叫他们送上饭菜，并演奏音乐，下令定期启程。”李亨召见李泌，告诉他说：“都是你的功劳（参考本年〔七五七〕九月二十九日）！”

李泌不断请求回山，李亨坚决挽留，不能回转李泌心意，于是准他返衡山（南岳，湖南省衡山县西）隐居，训令郡县政府，在衡山中给李泌兴建房舍，供应三品官员的待遇。

李泌是皇帝李亨的师友，所受的尊崇和信任，举世无匹。而且，李亨就要以战胜者和收复京师的盖世奇功，重返长安。正在这个时候，李泌坚决辞职回山，这种情节，传奇小说里才有；现实政治上，可以说从来没有听见过。李泌可能发现李亨颟顸无能、是非不分，不屑跟他共事；也可能发现张良娣和李辅国的勾结已深，不屑跟他们斗争。也可能另有其他原因，不过肯自动拒绝逼面而来荣华富贵的人，实在寥若晨星，李泌却彻底做到。只有耐得寂寞，才能保护自己高贵的情操，甚至自己的性命。李泌不但是一位奇士，更是中国历史上一位有最高智慧、最高尊严的知识分子，可与西汉王朝的张良媲美。

53 十月十九日，李亨从凤翔郡（陕西省宝鸡市凤翔区）出发，派太子太师（太子三师之一）韦见素前去蜀郡（四川省成都市）迎接太上皇李隆基。

54 十月二十一日，全国野战军副元帅（天下兵马副元帅）郭子仪，派左翼作战司令（左兵马使）张用济、右翼攻击司令（右武锋使）浑释之，率军进击河阳（河南省孟州市）和河内郡（河南省沁阳市）。

严庄投降唐政府。

陈留郡（河南省开封市）郡民诛杀燕政府任命的河南战区（总部设陈留〔汴州，河南省开封市〕）司令官（节度使）尹子奇（距他攻陷睢阳郡〔河南省商丘市〕仅十三日），献出城池，归降唐政府。燕军将领田承嗣，把淮南西道战区（总部设安陆〔湖北省安陆市〕）司令官（节度使）来瑱，包围在颍川郡（河南省许昌市），这时也派人接洽投降（颍川郡于去年〔七五六〕被燕军攻陷，来瑱则原在安陆郡〔湖北省安陆市〕，二事皆参考去年〔七五六〕十二月。当是后来来瑱又把颍川夺回）；但郭子仪反应迟缓，田承嗣反悔，会同燕军另一将领武令珣，一齐逃奔河北（黄河以北）。

李亨命来瑱当河南战区（总部设陈留〔河南省开封市〕）司令官（节度使）。

55 十月二十二日，李亨抵达望贤宫（陕西省咸阳市东），接到东京洛阳大捷的报告。

十月二十三日，李亨进入西京长安（陕西省西安市），居民出城欢迎，接连二十华里，人潮不断，手舞足蹈，高呼万岁，有的甚至流泪哭泣（如果他们知道这位收复京师、拯救他们出水深火热中的皇帝，曾把他们出卖给回纥兵团，不知道有什么感想）。李亨进住大明宫，副总监察官（御史中丞）崔器，召集那些接受燕政府官职爵位的人，命他们脱下冠帽鞋袜，光着双脚，到含元殿前面，双手捶胸，跪下来用头碰地，请求宽大处罚。崔器派出行刑队，手持刀斧，在四周监视；邀请文武百官前来参观。

皇家祖庙被燕军烧光，李亨改穿素色衣服，朝着祖庙方向，哭泣三天。

当天（十月二十三日），太上皇李隆基从蜀郡（四川省成都市）出发。

56 燕帝安庆绪逃到邺郡（河南省安阳市），把邺郡升格为首都成安特别市（成安府），改年号天成（之前是圣武二年，之后是天成元年），此时随从的骑兵不过三百人，步兵不过一千人。将领阿史那承庆等四散逃亡，分别投奔常山郡（河北省正定县）、赵郡（河北省赵县）、范阳郡（北京市）。十天左右，蔡希德从上党郡（山西省长治市）、田承嗣从颍川郡（河南省许昌市）、武令珣从南阳郡（河南省邓州市），各率部队回来集结。同时又向河北（黄河以北）各郡招兵买马，部众不久就有六万人，声势再度振作。

57 广平王李俶进入东京洛阳时，接受燕政府官爵的陈希烈等三百余人，都换上素色衣服，悲哀哭泣，请求宽大处罚。李俶用老爹李亨的名义，把他们释放；但不久又把他们集体押送西京长安（陕西省西安市）。

十月二十五日，副总监察官（御史中丞）崔器，命他们前往南宫政府所在地等候定罪，跟当初西京长安处理官员俘虏仪式一样（脱下冠帽鞋袜，光着双脚，在含元殿前，捶胸叩头），然后送到最高法院（大理寺）及西京长安特别市政府（京兆）监狱羁押。各府郡县政府地方官员和接受燕军驱使的特务分子，一律逮捕。

最初，汲郡（河南省卫辉市）人甄济，有操行品德，隐居青岩山（河南省淇县西）。安禄山当河北道巡察特使（采访使）时，奏报中央，请他当机要秘书（掌书记）。甄济警觉到安禄山有叛变的意图，于是，假装中风，用担架抬回家宅。安禄山叛变之后，派蔡希德率刽子手二人，携带先斩后奏的佩刀，前往征召，甄济拒绝，伸长脖子，等待

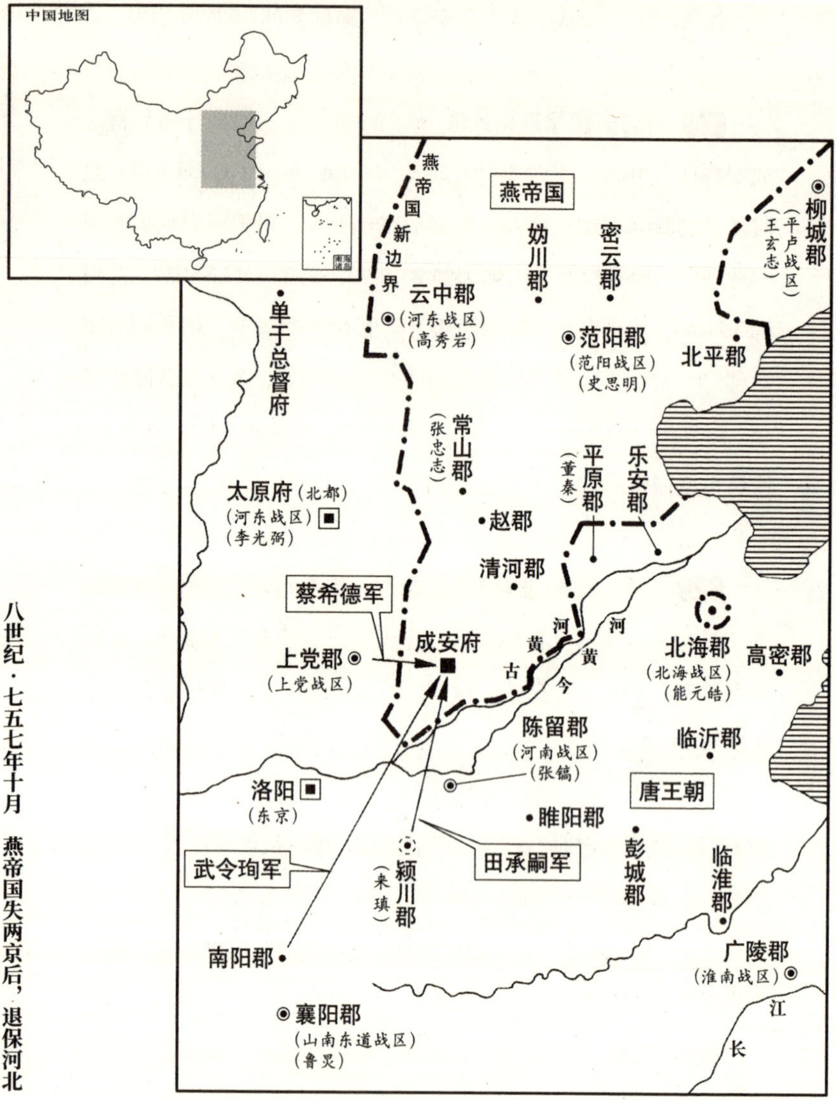

八世纪·七五七年十月　燕帝国失两京后，退保河北

中国地图

燕帝国

燕帝国新边界

妫川郡

密云郡

柳城郡（平卢战区）（王玄志）

单于总督府

云中郡（河东战区）（高秀岩）

范阳郡（范阳战区）（史思明）

北平郡

常山郡（张忠志）

平原郡（董秦）

乐安郡

太原府（北都）（河东战区）（李光弼）

赵郡

清河郡

蔡希德军

成安府

古黄河

今黄河

上党郡（上党战区）

北海郡（北海战区）（能元皓）

高密郡

陈留郡（河南战区）（张镐）

临沂郡

洛阳（东京）

唐王朝

睢阳郡

颍川郡（来瑱）

田承嗣军

武令珣军

彭城郡

临淮郡

南阳郡

广陵郡（淮南战区）

襄阳郡（山南东道战区）（鲁炅）

长江

斩首。蔡希德向安禄山证实他确实患病。后来，安庆绪也派人把他强行抬到洛阳（燕首都，河南省洛阳市），一个多月后，广平王李俶收复洛阳，甄济立刻起床，去军营晋见。李俶送他前往京师（首都长安），李亨命他下榻三司宾馆（三司，即三法司：最高法院〔大理寺〕、国务院司法部〔刑部〕、总监察署〔御史台〕。当时三法司正奉令审判燕政府官员，所以请甄济就近住三法司宾馆），命接受燕政府官爵的人，列队到他面前下跪叩头，使他们内心羞愧。

李亨任命甄济当皇家图书院图书管理官（秘书郎，从六品上）。

国立贵族大学副校长（国子司业）苏源明，借口生病，不接受燕政府官职。李亨擢升苏源明当国务院文官部考核司长（考功郎中）、诏书撰写官（知制诰）。

十月二十八日，李亨前往丹凤门，下诏说：“知识分子及平民，接受盗贼的官职俸禄，给盗贼做事的，三法司分别开列事实奏报。有些人因战事的缘故被俘，或者居住的地方跟盗贼接近，因而跟盗贼来往的，只要向政府自首，一律赦免。有些人的子女，被叛贼强迫做出坏事，一律不予追究。”

58 十月二十九日，回纥亲王从东京洛阳返西京（首都长安），李亨命文武百官前往长乐驿（长安城东）欢迎，并在宣政殿设宴招待。亲王奏称：“军中战马太少，请准许回纥兵团驻扎沙苑（陕西省大荔县南），我当亲自归国挑选补充马匹，回来后给陛下扫除范阳（北京市）残余妖孽！”李亨给他赏赐，送他启程。

59 十一月，广平王李俶、郭子仪，从东京洛阳返西京（首都长安），李亨慰劳郭子仪说：“我的家园，你有再造之恩。”

60 河南道巡察特使（河南采访使）张镐，率鲁炅（山南东道司令官）、来瑱（河南司令官）、吴王李祗（另一河南司令官）、李嗣业（四镇北庭特遣兵团司令官）、李奂（兴平司令官）等五位战区司令官（节度使），分别夺取河南（黄河以南）、河东（山西省）各郡县，全都收复（此李奂非去年〔七五六〕十月被押解洛阳斩首的李奂）。但燕军将领能元皓（能，姓），据守北海郡（山东省青州市），高秀岩据守大同军基地（云中郡，山西省大同市），拒绝投降。

61 十一月十五日，李亨任命回纥亲王当司空（三公之三），封忠义王；每年赠送回纥汗国（瀚海沙漠群）绸缎二万匹，由回纥派人到朔方军基地（宁夏灵武市）领取。

62 李亨任命严庄当农林部长（司农卿）。

63 李亨在彭原郡（甘肃省宁县）时，因皇家祖庙陷在燕军之手，于是改用栗木（最为坚实）制造九位祖先的牌位。

十一月十六日，李亨在长乐殿（大明宫中）向牌位献祭。

64 十一月二十二日，太上皇李隆基抵达凤翔郡（陕西省宝鸡市凤翔区。从成都出发，行程整一个月），护驾随从武装部队六百余人，李隆基命他们把所有武器全部缴给郡政府军械库（专制封建体制下，君王父子之间的亲爱，不过一个假相，事实上互不信任。李隆基一到凤翔，就自动解除武装，为的是表示降服，避免儿子反击）。李亨派精锐骑兵三千人西上迎驾。

十二月三日，李隆基抵达咸阳（陕西省咸阳市），李亨带领皇帝御用的车马仪队，前去望贤宫（咸阳市东）迎接。李隆基在望贤宫南楼稍息，李亨脱下黄袍（皇帝专用），改穿紫袍（三品以上官服），当望见南楼的时候，立即下马，用小碎步向前慢跑，在楼前跪下叩头。李隆基下楼，抚摸李亨，忍不住哭泣流泪，李亨捧着老爹的两脚，呜咽哭泣，不能自制。李隆基命人拿来黄袍，亲自给李亨穿到身上，李亨匍匐在地，一再叩头推辞。李隆基说："民心天意都归属于你，使我能够安享余年，就是你的孝心。"李亨不得已，才接受传位。当地父老在警戒圈外观看，大声欢呼叩头。李亨命警卫敞开一个缺口，一千余民众进来晋见李隆基，说："我们今天才看到二位圣人见面，虽死也无恨事。"李隆基不肯登正殿，说："这是天子的座位。"李亨一再请求，并亲自扶李隆基登殿。宫廷总管署膳食官（尚食）呈递饮食，李亨都先自己尝过，然后上桌。

十二月四日，从行宫出发，李亨亲自先替李隆基调好马缰，才扶他骑上，李隆基上马后，李亨亲抓缰绳，走了几步，李隆基阻止，于是李亨才上马在前面引路，却不敢走御用大道。李隆基对左右侍从说："我当天子五十年，显不出什么尊贵；今天当天子的老爹，才是真正尊贵！"左右侍从都欢呼万岁。

李隆基曾经失去帝国，幸而重返京师（首都长安），应该沉痛检讨和责备自己，向全国人民请求宽恕。想不到却为了能当天子的老爹，而向左右夸口，真是毫无心肝的东西。

李隆基从开远门（长安西城北端第一门），进入大明宫，登上含元殿，安抚文武百官；再去长乐殿，向九位祖先牌位叩头，哀恸痛哭很久。当天（十二月四日），前往兴庆宫，就在那里住下。李亨不断上疏请求退回太子宫，李隆基不准。

65 十二月八日，李亨命国务院教育部副部长（礼部侍郎）李岘（音xiàn〔现〕）、国务院国防部副部长（兵部侍郎）吕諲（音yīn〔因〕），分别当特别法庭法官（详理使），会同总监察官（御史大夫）崔器，共同审判陈希烈等叛逆案件。李岘命宫廷监察官（殿中侍御史）李栖筠（栖，音qī〔棲〕），当特别法庭执行官（详理判官）；李栖筠处理案件，尽量公平宽大，所以人们都怨恨吕諲、崔器严厉刻薄，只李岘一人得到美名。

66 十二月十五日，李亨登丹凤楼，赦免天下，只安禄山叛变的同党，跟李林甫（参考七五二年十一月）、王鉷（参考七五二年四月）、杨国忠（杨钊，参考去年〔七五六〕六月）的子孙，不在赦免之列。改封广平王李俶当楚王；加授郭子仪官位：司徒（三公之二）；李光弼官位：司空（三公之三）。其他所有蜀郡（四川省成都市）、灵武郡（宁夏灵武市）随从立功的官员，都进级升迁，或封爵位，或增加采邑，依照等级，各有不同。李憕、卢奕、蒋清（以上守东京洛阳）、颜杲卿、袁履谦（以上守常山郡〔河北省正定县〕）、许远、张巡（以上守睢阳郡〔河南省商丘市〕）、张介然（守陈留郡〔河南省开封市〕）、庞坚（守颍川郡〔河南省许昌市〕）等，都追加赠官，他们的子孙和其他阵亡将士的家族，全部免除田赋、劳役两年；各郡县明年（七五八）的田赋、劳役，免除三分之一。所改的郡名、官名，一律恢复旧称（七四二年二月，改“州”称“郡”，最高监督长〔侍中〕称“左相”，最高立法长〔中书令〕称“右相”。七五二年三月，国务院文官部〔吏部〕称“文部”，国防部〔兵部〕称“武部”，司法部〔刑部〕称“宪部”）。制定蜀郡（四川省成都市）为南京，凤翔郡（陕西省宝鸡市凤翔区）为西京（据《新唐书·地理志》记载，与此同时，蜀郡升格为成都特别市〔成都府〕、凤翔郡升格为凤翔特别市〔凤翔府〕），西京（首都长安）改称中京（虽然把西京长安改称中京，但因不久之后又恢复原状〔参考七六一年九月〕，所以史书仍以“西京”称呼)。封张良娣当淑妃(小老婆群第二级),皇子南阳王李系改封赵王,新城王李仅改封彭王,颍川王李僩(音xiàn〔现〕)改封兖王,东阳王李侹(音tǐng〔艇〕)改封泾王;封李僙(音guāng〔光〕)当襄王,李倕(音chuí〔垂〕)当杞王,李偲(音sī〔司〕)当召王,李佋(音shào〔绍〕)当兴王,李侗当定王。

有些关心国事的知识分子,认为张巡坚守睢阳郡(河南省商丘市)不肯撤退,最后竟然成了吞食活人的局面,为什么不早日撤退,保全人民的生命!张巡的朋友李翰特别为他撰写一篇传记,奏报皇帝,指出:“张巡以少数抵抗多数,以弱小抵抗强大,保护江淮(华东地区)安全,等待陛下大军,想不到大军抵达时,张巡已经殉职,他的功劳太大。可是有些舆论却认为吃人是一种罪恶,坚守睢阳郡(河南省商丘市)是一种错误。对国家有功的行为没有人提,而受争议的行为却被宣扬;紧记他的瑕疵,抹杀他的贡献,我深感痛心。张巡所以坚守不屈,只为了等待政府军的援救,援救不来而粮食吃完,粮食吃完于是进一步吃人,实在违背他的平生志愿。假设张巡开始守城时,就有心吃人,存心屠杀数百人来救天下苍生,我认为他的功过仍可以相等;何况,吃人不是张巡的本意!而今,张巡死在大难之中,没有看到国家升平,再高的荣耀和官职爵位,对他而言,都没有意义,有意义的只剩下美好的名声。如果不立即记录,时间久远,事迹可能遗忘,不能流传。让张巡无论生前或死后,都不逢时,实在可悲。我斗胆的撰写《张巡传》一卷呈上,请求交付国史馆官员。”议论才告平息。自此以后,政府的赦令没有一次不提到李憕等,可是程千里却因被俘虏后押解到燕政府(参考本年〔七五七〕九月二日),享受不到一点褒奖。

张巡牺牲性命，为国捐躯，浴血苦战，保障江淮（华东地区）；忠勇壮烈的功勋和贡献，固然远在颜杲卿、李憕之上，更不是张介然之流，所能追及。动乱平息之后，唐政府研究应该如何褒奖，大家认为张巡曾经带头吃人，不应该列入名单。国家崇尚气节，酬庸功劳，自有正常规章，不列入褒奖的意见，是一项错误，未免要求太苛。不过，张巡那种带头吃人的行为，如果不斥责他丧失人性，则不可以。

李翰替张巡辩护，说："损失数百人，而保全天下。"损失的意义是，不怜惜人死，或促使人死，已经够了。不是敌人动手，而是自己动手，把人砍死刺死，把人剁成肉酱，再啃他、嚼他、吞食他，怎么能轻描淡写说是"损失"？任何人都不忍心吃人，用不着推理，就可以得到这项结论；只要听到死，便觉得心悸，只要遥想当时情景，就神惊魂裂。而竟然有人心安理得的认为吃人没有什么，则这种人一定不是人，才做得出吞食活人之事。张巡幸运的于城陷被杀，跟他吃到肚子里的人，同归于尽；如果吃人之后，救兵赶到，城池保全，政府检查各人的功劳，依照等次，颁发赏赐，官位尊严，俸禄丰厚，无法推辞；然后身穿紫衣（三品以上高官制服），腰佩金鱼，富贵荣华，集于一身，那个时候，如果想到吃人肉、啃人骨的残酷，他将逃到什么地方，才能使良心平安？

困守一座孤城，内没有粮草，外没有救兵，军民没有东西可吃，正人君子身当此境，只要一死，志愿已酬，大事也就完成。部属对领袖、儿子对老爹，尽忠尽孝，所能做的，也只一死而已，一死之外，不能再有增加。超过一死，就是罪恶深渊，不但不是仁义，恰恰相反，却是假仁假义，乃真仁真义之贼。不管城池是存是亡，不管性命是生是死，有一件事是绝对不可以做的，那就是逼人互相吞食。汉王朝末年，盗贼起事，灾祸开始显现；隋王朝末年，朱粲起事，灾祸更为酷烈(参考六一九年正月二十六日)。问题是，他们都是盗贼，稍微有点良知的人，都感到厌恶，不忍心效法。而现在，连忠臣烈士都成了习惯，认为理所当然，后世一些贪功图赏之徒，就会学习张巡的做法，罪恶将流传万世，可哀!

像张巡这样的人，唐政府可以褒扬他，但正人君子则不忍心对他作任何评论。李翰用一种类比推论，花言巧语，引人犯罪，我深感恐惧。

张巡守卫睢阳(河南省商丘市)引起的争议，千年以来，始终不息。但李翰的主题:“损失数百人，而保全天下。”却是一项诈欺，这种诈欺所造成的伤害，足以把一个正常人变成疯狗。孟轲曾说:“杀一无辜而得天下，不为。”这种道德勇敢，是政治领袖最高贵的品质。如果有人愿为国而死，那是他个人尽责的诚实行为，但绝不可以慷他人之慨，强迫别人也以身相殉。更不可以杀战友，尤其不可杀妇女儿童；用战友和妇女儿童的血去展示自己的忠贞，是禽兽行径，爱国不过借口，那不是职务责任。

美国和墨西哥战争时，大卫克拉克先生，曾经死守阿拉姆城，但他先疏散没有战斗力的老弱妇孺，然后征求“与城共存亡”的志愿军，经过一场惨烈的攻守战，全城被屠，跟睢阳之围的故事，中国家喻户晓一样，阿拉姆之围的故事，美国也家喻户晓。然而，阿拉姆之围，可歌可泣，睢阳之围，我们没有歌，只有泣，那是已瘦成一把骨头的女人和孩子们，被暴官们宰杀时痛彻骨髓的哀哭。中国人没有生命尊严，在恶君凶臣、强盗匪徒眼中，一文不值；就是在所谓圣君贤相、忠臣义士，以及高级知识分子眼中，也不过是使他成功的一种手段。每一思及，悲愤交集。

67 十二月二十一日，太上皇李隆基登宣政殿，把传国玉玺交给李亨，李亨流泪涕泣，终于接受（不肯接受事，参考去年〔七五六〕九月）。

68 燕帝安庆绪放弃洛阳（河南省洛阳市），渡黄河北上时，大将北平王李归仁，跟精锐的敢死兵团（曳落河）、同罗部落军（蒙古国乌兰巴托市北）、六州胡部落军（内蒙古黄河弯曲地带）共数万人，同时溃散，逃回范阳郡（北京市），所经过的地方，掳掠烧杀，居民和财产，全部一空，赤地一千华里，没有一件东西剩下。范阳战区（总部设范阳〔北京市〕）司令官（节度使）史思明，得到消息，严加戒备，并且派使节南下到范阳郡边界，解除他们的武装，敢死兵团（曳落河）、六州胡部落军（内蒙古黄河弯曲地带）全都投降，只同罗部落军（蒙古国乌兰巴托市北）拒绝，史思明发动攻击，同罗部落军（蒙古国乌兰巴托市北）大败，所有掳掠的妇女和金银财宝，全被史思明夺走，残余部众逃回本国（蒙古国乌兰巴托市北）。

安庆绪对史思明的强大，心怀畏惧，派阿史那承庆、安守忠，前往范阳郡（北京市）征调军队，并乘势暗中进行谋害。军事执行官（节度判官）耿仁智，对史思明说："总监察官（大夫。史思明中央官位）位高权重，没有人敢向你说话，我愿意说一句话再死。"史思明说："你想说什么？"耿仁智说："总监察官（史思明）所以效忠安家，不过是受凶暴的威胁。现在，唐政府中兴，天子（李亨）仁爱圣明，你如果能率领部众归降，应是转祸为福的奇计。"初级将领乌承玼也向史思明建议说:“现在,唐王朝中央政府重新建立,安庆绪不过树叶上的一颗露珠,总监察官(史思明)为什么跟他一同灭亡!如果归顺唐政府,自动洗刷从前的污点,比把手掌翻过来还容易。”史思明同意。

阿史那承庆、安守忠,率精锐骑兵五千人,抵达范阳郡(北京市),史思明动员数万人大军,出城迎接,相距一华里之遥,派人禀告阿史那承庆等说:“相公(阿史那承庆任宰相)、大王(安守忠封亲王)远道而来,全军将士无法掩饰他们的喜悦;然而,边防军一向怯懦胆小,畏惧相公(阿史那承庆)的部队,不敢前进,希望能松弛弓弦,让他们安心。”阿史那承庆等接受。史思明遂招待阿史那承庆到内院饮酒欢乐,另派人收缴五千人卫队的武器,各郡民兵都发给粮食,遣送他们回家,愿留下来当兵的,厚厚赏赐,分派到各个军营。第二天,逮捕阿史那承庆等囚禁,派将领窦子昂上疏唐政府,献出所管辖的十三个郡和武装部队八万人,要求投降(胡三省原注:“十三郡:范阳〔北京市〕、北平〔河北省卢龙县〕、妫川〔河北省怀来县〕、密云〔北京市密云区〕、渔阳〔天津市蓟州区〕、柳城〔辽宁省朝阳市〕、文安〔河北省任丘市北鄚州镇〕、河间〔河北省河间市〕、上谷〔河北省易县〕、博陵〔河北省定州市〕、勃海〔唐王朝没有勃海郡〕、饶阳〔河北省深州市〕、常山〔河北省正定县〕。”但柳城郡一直是唐政府平卢战区总部,并未沦陷。所欠两郡,应是赵郡〔河北省赵县〕、信都郡〔河北省衡水市冀州区〕);并指令他所管辖的河东战区(总部设云中郡〔山西省大同市〕)司令官(节度使)高秀岩,也率部队投降。

十二月二十二日,窦子昂抵达京师(首都长安)。李亨大喜,封史思明当归义王、范阳战区(总部设范阳〔北京市〕)司令官(节度使),七个儿子都任命显要官位。派宦官总管(内侍)李思敬,跟乌承恩,前往慰问安抚,命史思明率军讨伐安庆绪。

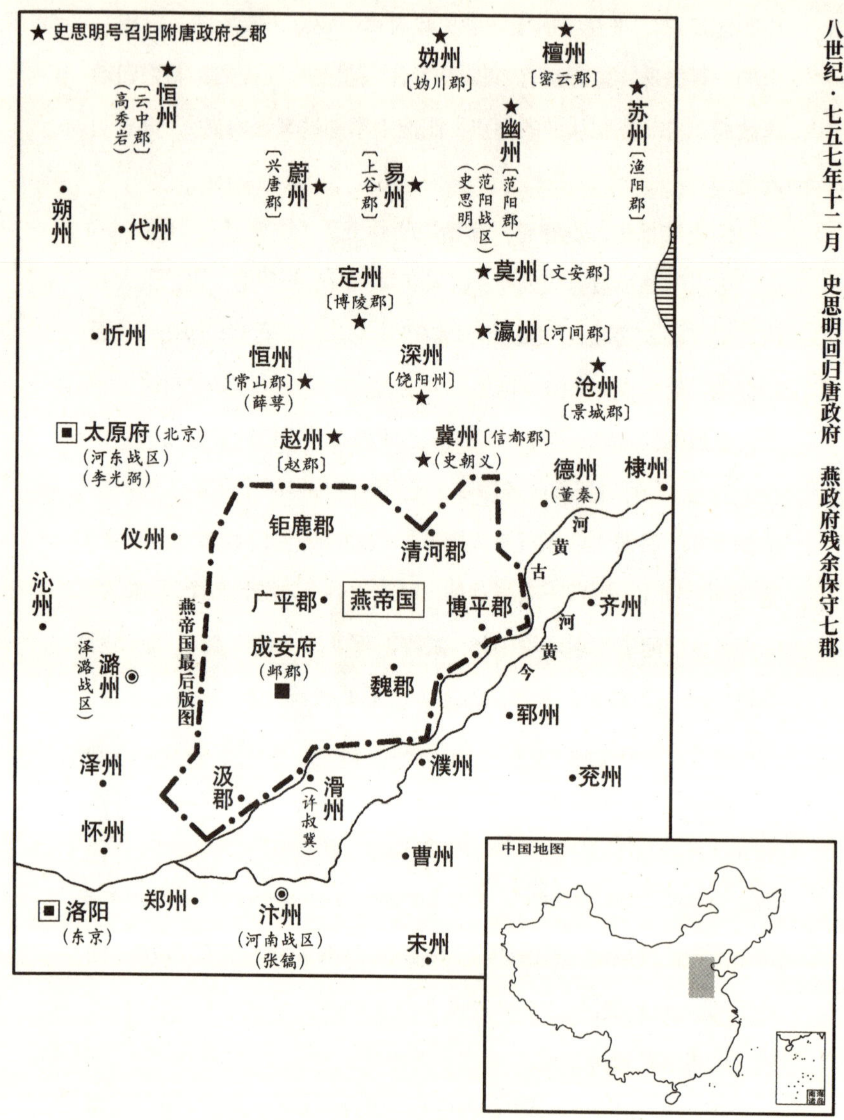
★ 史思明号召归附唐政府之郡
妫州〔妫川郡〕
檀州〔密云郡〕
恒州（云中郡）（高秀岩）
苏州〔渔阳郡〕
幽州〔范阳郡〕（范阳战区）（史思明）
蔚州〔兴唐郡〕
易州〔上谷郡〕
朔州
代州
莫州〔文安郡〕
定州〔博陵郡〕
忻州
瀛州〔河间郡〕
恒州〔常山郡〕（薛萼）
深州〔饶阳州〕
沧州〔景城郡〕
太原府（北京）（河东战区）（李光弼）
赵州〔赵郡〕
冀州〔信都郡〕（史朝义）
德州（董秦）
棣州
仪州
钜鹿郡
清河郡
古黄河
沁州
燕帝国最后版图
广平郡
燕帝国
博平郡
齐州
今黄河
潞州（泽潞战区）
成安府（邺郡）
魏郡
郓州
泽州
汲郡
滑州（许叔冀）
濮州
兖州
怀州
曹州
洛阳（东京）
郑州
汴州（河南战区）（张镐）
宋州
中国地图

先前，安庆绪命张忠志（安忠志）当常山郡（河北省正定县）郡长（参考本年〔七五七〕二月十九日），史思明征调张忠志（安忠志）回范阳郡（北京市），而派自己的部将薛萼，摄理恒州（常山郡）州长，打通太行山井陉道路（太行八陉之五，河北省石家庄市鹿泉区西）；召唤赵郡（河北省赵县）郡长陆济，陆济投降。史思明派他的儿子史朝义率军五千人，摄理冀州（河北省衡水市冀州区）州长，又派他的部将令狐彰当博州（山东省聊城市）州长。乌承恩每到一个地方，都宣布皇帝的诏书，沧州（河北省沧州市东南）、瀛州（河北省河间市）、安州（应是莫州，河北省任丘市北鄚州镇）、深州（河北省深州市）、德州（山东省德州市陵城区）、棣州（山东省惠民县）等州，纷纷投降，虽然相州（燕首都成安府，河南省安阳市）还没有克复，但河北（黄河以北）大部分都回归唐政府管辖。

69 太上皇李隆基加授皇帝李亨绰号：光天文武大圣孝感皇帝。

70 全国野战军副元帅（天下兵马副元帅）郭子仪，返回东都洛阳（此时应称东京，但因后来改称“东都”〔参考七六二年二月〕，史书便以后来称号记载），策划重建河北（黄河以北）。

71 总监察官（御史大夫）崔器、皇家特别法庭法官（详理使）吕諲（音yīn〔因〕）上疏说：“沦陷到盗贼阵营（燕政府）的官员，背叛国家，献身奸伪，依照国法，应一律判处死刑。”李亨打算批准。另一皇家特别法庭法官李岘反对，认为：“盗贼攻陷两京（西京长安、东京洛阳），天子仓猝前往南方视察（指李隆基逃亡蜀郡），人民各自逃生。这些献身奸伪的官员，都是陛下的亲戚或元老们的子孙，现在一律依照叛国条例诛杀，恐怕违背仁爱宽恕的道理。而且，河北（黄河以北）叛乱，还没有平定，沦陷在盗贼手里的官员，数目很多，如果宽大处理，等于鼓励他们寻觅赎罪的机会。如果全部诛杀，是逼迫他们非跟盗匪结合到底不可。《书经》上说：'只杀祸首，赦免被胁迫的随从。'（"歼厥渠魁，胁从罔理。"）崔器、吕諲只埋头在条文判例之中，不知道国家的利益，请陛下决定。"争执了好几天，李亨终于接受李岘的建议，依照罪状轻重，把叛官分为六个等级判刑：最重的押解市场斩首，次重的自杀，再次重的重打一百棍，最后三等则分别判处流刑及贬窜。

十二月二十九日，在首都长安子城西南独柳树下，斩达奚珣（参考前年〔七五五〕十二月十二日）等十八人；命陈希烈（参考去年〔七五六〕六月二十八日）等七人，在最高法院（大理寺）自杀；被判体罚的，齐到首都长安特别市政府（京兆府）门外，接受棍打。

李亨打算免除张均、张垍一死（二人降燕，参考去年〔七五六〕六月二十八日）。但李隆基对二人恨入骨髓，说："张均、张垍事奉盗贼，并且担任重要高官，张均更替盗贼卖力，败坏我们家事，罪恶如山，不可赦免。"李亨叩头再叩头，说："我如果不是张说父子，不会有今天（李隆基还是皇太子时，身为姑妈的太平公主对他忌恨，太子宫侍从很多被收买，大小事情，都暗中报告太平公主，参考七一〇年十月。李隆基的小老婆杨女士怀孕，李隆基恐惧，秘密告诉伴读官〔侍读〕张说："当权派不希望我多生儿子，怎么办？"命张说带堕胎药进宫，李隆基亲自在小房间里煮。恍恍惚惚，仿佛梦见有个武士绕着火炉走了三圈，结果，煮了三次，三次锅都翻覆。把这种情形告诉张说，张说回答说："这是天命！"遂不再煮药，生下李亨。后来李亨当太子，李林甫好几次都几乎把李亨斗垮，全靠张均、张垍保护，得以渡过难关，参考七四七年十一月），我如果不能救张均、张垍一命，死后有知，九泉之下，还有什么面目去见张说！”说到痛心之处，匍匐在地，流泪哭泣。李隆基命左右侍从扶李亨起立，说：“为了你的缘故，不妨把张垍长期流放岭表（南岭以南）；至于张均，不可让他活下去，你不要再多说。”李亨哭泣接受。

燕政府任命的首都洛阳市长（河南尹）张万顷（参考前年〔七五五〕十二月十二日），只他因在叛乱集团中仍能保护人民，不被定罪。不久，有从燕军占领区逃出来的人说：“唐政府旧官随从安庆绪在相州（河南省安阳市）的，听到广平王（李俶）赦免陈希烈等，都深自哀悼，恨自己追随盗贼逃亡。后来，听说陈希烈等被杀，才停止自怨自艾。”李亨也觉得后悔。

担任政府官员，宣誓就职，至死都不应再有贰心。陈希烈等有的地位尊贵，身当宰相，有的和皇家有亲戚关系；太平盛世日子里，没有一句话规劝领袖的过失，拯救国家的危亡，反而一味委曲求全，迎合领袖的心意，只盼望升官晋爵，享受富贵。等到天下大乱，皇帝逃亡，又苟延残喘，贪生怕死，舍不得抛妻弃子，反而谄媚叛徒，自称臣属，为他们卖命尽力。这种行径，猪狗不如，连街头屠夫酒保，都会感到羞惭。如果让他们都保全人头，恢复官职爵位；是摇尾分子无论干什么，都可以逞心满意，无往不利。

像颜杲卿、张巡之辈，当升平盛世，被排斥到中央政府之外，屈居阶层最低的小官（颜杲卿原是范阳县户籍官〔司户〕，参考去年〔七五六〕正月八日；张巡原是真源县县长，参考去年〔七五六〕二月十五日）；国家危险时，又把他们遗弃到孤城之中，任由叛贼粉身碎骨。为什么善良的人如此不幸，而邪恶的人却如此有幸？为什么政府对待忠义之士如此苛刻？

而保护叛徒奸邪如此优厚?

至于地位卑微的干部，巡查防守街道的士兵，政府决策，他们既没有参与，撤退时所发的号令，他们也不知道，早上听说皇上要御驾亲征，晚上发现皇上已经逃走（指李隆基出逃前之诏，参考去年〔七五六〕六月十二日）。对这种人竟然责备他们不能随驾扈从，难以使人心服！把罪状分为六等，应是公正措施，有什么好后悔的！

72 李亨当太子时的韦妃，被罢黜后，削发当尼姑，就在皇宫中出家（参考七四六年七月），本年（七五七），逝世（青灯生涯十一年）。

73 唐政府设左、右神武军（禁军第五、六军），挑选“元从子弟”（李亨流亡期间追随人士的子弟）补充，编制跟其他禁军四军一样，称“北牙六军”（北牙军就是禁军，前面四军是：左羽林、右羽林、左龙武、右龙武）。又遴选精于骑马射箭的战士一千人，称皇家神箭手，分为左右两翼，称左、右英武军（禁军第七、八军）。

74 把河中（蒲州，山西省永济市）警备区司令（防御使），升格为河中战区（总部同设蒲州）司令官（节度使），管辖蒲州、绛州（山西省新绛县）等七州（蒲州、绛州、隰州〔山西省隰县〕、慈州〔山西省吉县〕、晋州〔山西省临汾市〕、虢州〔河南省灵宝市〕、同州〔陕西省大荔县〕）。

分剑南战区（总部设成都府〔四川省成都市〕）为东川战区及西川战区；东川战区（总部设梓州〔四川省三台县〕）管辖梓州、遂州（四川省遂宁市）等十二州（梓州、遂州、绵州〔四川省绵阳市〕、剑州〔四川省剑阁县〕、龙州〔四川省平武县东南〕、阆州〔四川省阆中市〕、普州〔四川省安岳县〕、陵州〔四川省仁寿县〕、泸州〔四川省泸州市〕、荣州〔四川省荣县〕、资州〔四川省资中县〕、简州〔四川省简阳市〕。西川战区〔总部成都府〕管辖余下各州）。又设荆澧战区（总部设荆州〔湖北省江陵县〕），管辖荆州、澧州（湖南省澧县）等五州（荆州、澧州、朗州〔湖南省常德市〕、郢州〔湖北省京山市〕、复州〔湖北省仙桃市〕）；夔峡战区（总部设夔州〔重庆市奉节县〕），管辖夔州、峡州（湖北省宜昌市）等五州（夔州、峡州、涪州〔重庆市涪陵区〕、忠州〔重庆市忠县〕、万州〔重庆市万州区〕）。

把安西（龟兹，新疆库车市）改称镇西。

七五八年 戊戌

唐 至德 三年

乾元 元年

（燕帝安庆绪天成二年）

1 春季，正月五日，唐王朝（首都长安〔陕西省西安市〕）太上皇（九任玄宗）李隆基（本年七十四岁），登宣政殿，用正式文件册封李亨（本年四十八岁）当皇帝（十任肃宗），并加授绰号：光天文武大圣孝感皇帝。李亨坚决辞让“大圣”二字，李隆基不许。李亨也呈献李隆基绰号：太上至道圣皇天帝。

胡三省曰

叛贼还没有消灭，皇家祖庙还没有恢复，李隆基、李亨父子二人，屡次加授绰号，算什么玩意！

先前，唐政府军攻克京师（首都长安），皇家祖庙里的器具和政府仓库里的财产，很多散失民间，李亨派人调查收回，造成相当骚扰。

正月十二日，李亨下令停止调查，派首都长安特别市长（京兆尹）李岘，慰问安抚各街坊居民。

2 二月一日，李亨命宫廷总管（殿中监）、宦官李辅国，兼畜牧部长（兼太仆卿）。

李辅国在宫内交结张淑妃（张良娣），在政府担任全国野战军元帅府代理作战参谋长（判元帅府行军司马），权势倾动政府及民间。

3 燕帝（二任）安庆绪委任的北海战区（总部设青州〔山东省青州市〕）司令官（节度使）能元皓（能，姓），率直属部队，向唐政府归降。

李亨命能元皓当藩属事务部长（鸿胪卿），兼河北征剿司令（河北招讨使）。

4 二月五日，李亨登明凤门（丹凤门），宣布赦免天下，改年号（之前是至德三年，之后是乾元元年）。免除全国人民本年（七五八）全部田赋、劳役（去年〔七五七〕十二月，下诏免除本年田赋、劳役三分之一，如今完全免除）。取消“载”，仍称“年”（“年”改“载”，参考七四四年正月）。

5 二月二十八日，命安东副大总督（驻辽宁省义县东南）王玄志当营州（辽宁省朝阳市）州长，出任平卢战区（总部设营州〔辽宁省朝阳市〕）司令官（节度使。王玄志毒死前任司令官刘正臣〔刘客奴〕事，参考去年〔七五七〕正月）。

6 三月二日，把楚王（原封广平王）李俶（音chù〔处〕），改封成王。

7 三月六日，晋封张淑妃（张良娣）当皇后。

8 镇西战区及北庭战区特遣兵团司令官（行营节度使）李嗣业驻军河内（怀州州政府所在县，河南省沁阳市）。

三月二十一日，北庭战区特遣兵团作战司令（兵马使）王惟良阴谋兵变，李嗣业跟初级将领荔非元礼（荔非，复姓），共同讨伐，斩王惟良。

9 燕帝安庆绪从洛阳（河南省洛阳市）向北逃亡时，所委任的平原郡（山东省德州市陵城区）郡长王暕（音jiǎn〔俭〕）、清河郡（河北省清河县）郡长宇文宽，都诛杀安庆绪所派的使节，向唐政府归降。安庆绪派将领蔡希德、安太清，攻陷两郡，把二人生擒回来，就在邺郡（燕首都，河南省安阳市）闹市，用刀活剐，肉尽而死。安庆绪此时已陷于歇斯底里，对阴谋归降唐政府的，蛮夷则诛杀整个部落，汉人则诛杀全体家族。武装部队跟州县政府官员及眷属，很多都受到牵连处死。安庆绪又跟文武百官在邺郡郡城（河南省安阳市）南郊筑坛，歃血盟誓（歃，音shà〔煞〕。把血涂在口边，表示信守）。可是，人心越发惊慌离散，安庆绪听说李嗣业驻军河内（河南省沁阳市）。

夏季，四月，安庆绪亲率蔡希德、崔乾祐等步骑兵二万人，跑过沁水进攻（沁水流经河内城东北），不能取胜，退回。

10 四月二日，李亨命太子少师（太子三少之一）虢王李巨，当东京洛阳特别市长（河南尹），兼东京洛阳留守长官。

11 四月十日（原文“辛亥”，据《新唐书》改），李亨把新用栗木制成的九位祖宗牌位（参考去年〔七五七〕十一月十六日），从长乐殿送进皇家祖庙（太庙）。

四月十三日，李亨前往皇家祖庙祭祀，顺便祭祀昊天上帝。

四月十四日，李亨登明凤门，赦免天下。

12 五月十日，李亨下诏撤销各道巡察特使（采访使），把擢升罢黜特使（黜陟使），改称道政府行政长官（观察使。唐王朝的“观察使”跟西汉王朝的“刺史”，发展过程相似。“刺史”初是一种督导性质的官，没有固定的办公场所，后来才成为一“州”之长。“观察使”初称“巡察使”“采访使”“按察使”“采访处置使”“黜陟使”“观察处置使”等，也是一种督导性质的官，没有固定的办公场所，直到改为“观察使”后，才成为一“道”之长，但译“刺史”为“州长”易懂，译“观察使”为“道长”，可能与道教法师相混。而且，观察使明显的没有军权，只管行政，所以译作“道政府行政长官”。道政府组织庞大，官员可多达三百人）。

13 河南战区（总部设汴州〔河南省开封市〕）司令官（节度使）张镐，单纯淡泊，不肯巴结中央政府当权分子（如李辅国），听到史思明投降消息（参考去年〔七五七〕十二月二十一日），上疏警告说：“史思明凶暴险恶，利用天下大乱，窃取高位。力量强大时大家归附，形势衰弱时人心离散。他虽然是人的面孔，内心却如同野兽，难以用恩德感化，希望不要交给他权柄。”又警告说：“滑州（河南省滑县）警备区司令（防御使）许叔冀，狡猾诈骗，遇到危难，一定变节，请陛下征召他回中央任职。”当时，李亨正宠爱史思明，正巧，钦差宦官从范阳（幽州州政府所在城，北京市）及白马（滑州州政府所在县，河南省滑县）回京（首都长安），一致推崇史思明、许叔冀忠贞诚实，可以信任。李亨认为张镐不切实际。

五月十七日，调张镐当荆州（湖北省江陵县）警备区司令（防御使）；命国务院教育部长（礼部尚书）崔光远，当河南战区（总部设汴州〔河南省开封市〕）司令官（节度使）。

14 张皇后生兴王李佋，才数岁（本年三岁），打算夺嫡，让李佋当皇太子（李佋在灵武郡出生，参考前年〔七五六〕七月十二日）。李亨犹豫不决，曾于悠闲时对国务院文官部考核司长（考功郎中）、诏书撰写官（知制诰）李揆说："成王（李俶）年龄最长（本年李俶三十三岁），而且建立大功，我打算封他当太子，你意下如何？"李揆叩头祝贺，说："这是帝国的福气，我有无限庆幸！"李亨大喜说："我就这么办。"

五月十九日，封成王李俶当皇太子。李揆，是李玄道的玄孙（李玄道，是二任帝李世民当秦王时的天策府学士，参考六二七年九月）。

15 五月二十四日，任命崔圆当太子少师（太子三少之一），李麟当太子少傅（太子三少之二），都免除宰相职务。

李亨很是相信鬼神，祭祀部副部长（太常少卿）王玙，专门假借鬼神，谄媚李亨；每次讨论仪式礼节，多羼杂民间巫术，李亨大为喜悦，于是命王玙当副立法长（中书侍郎）兼二级实质宰相（同平章事）。

16 追赠故常山郡（恒州，河北省正定县）郡长颜杲卿官位：太子太保（太子三师之三），绰号忠节，任命他的儿子颜威明当畜牧部主任秘书（太仆丞）。

颜杲卿死时，当时宰相杨国忠（杨钊）采信张通幽的谗言（张通幽诬陷颜杲卿，参考前年〔七五六〕正月），拒绝褒奖赠官。李亨在凤翔郡（陕西省宝鸡市凤翔区）时，颜真卿（颜杲卿的堂弟）当总监察官（御史大夫），向李亨哭诉冤情，李亨遂把张通幽贬作普安郡（四川省剑阁县）郡长，并把详细情形奏报太上皇李隆基，李隆基下令把张通幽乱棍打死。颜杲卿的儿子颜泉明，被当时河东战区（总部设太原府〔山西省太原市〕）司令官（节度使）王承业软禁在寿阳（山西省寿阳县。颜泉明被扣留事，参考前年〔七五六〕正月二日），被燕军将领史思明俘虏，用牛皮把他裹住，送到范阳郡（北京市）。不久，燕帝安庆绪登极，大赦，颜泉明得以恢复自由。后来，史思明归降唐政府，才终于回来，前去东京洛阳寻找老爹的尸首，寻找到后，连同常山郡（河北省正定县）郡政府政务秘书长（长史）袁履谦的尸首，用棺木收殓，运回安葬。颜杲卿的姐姐、妹妹、女儿，以及颜泉明的儿女，都流落河北（黄河以北）。当时，颜真卿当蒲州（山西省永济市）州长，命颜泉明前往查访，颜泉明哭号流泪，到处寻找，哀情感动行路的人，很久才终于一一找到。颜泉明向亲戚故友那里借钱，依照借到钱的数目，先赎姑妈，再赎姐妹，最后才赎自己的儿女。姑妈的女儿被盗贼掳掠贩卖，颜泉明身上正带钱二百串，打算赎自己的女儿，只为了哀怜姑妈的伤心欲绝，就先把姑妈的女儿赎出来；可是，等到筹足了钱，再去寻找自己的女儿时，已找不到。遇到流落的堂姐堂妹，以及老爹当年的将领官员，像袁履谦等的妻子、儿女，都接她们回来，共约五十余家，三百余人，把财产和粮食平均分配给每一个人，都好像自己的亲属。回到蒲州（山西省永济市），颜真卿全部收留供养。很久之后，随各人的志愿，资送他们投奔亲友。袁履谦的妻子怀疑袁履谦入殓时衣服被褥太少，打开棺木观看，发现跟颜杲卿的没有两样，才惭愧敬服。

17 六月九日，唐政府在首都长安（陕西省西安市）南郊稍东，兴筑“太一神坛”，这项行动，出于王玙的建议。李亨的身体曾有点不舒适，卜卦显示是山河的鬼神作怪，王玙建议派宦官会同女巫，乘驿马车分别前往全国著名的山岳河流，祭祀祈祷。女巫玩弄权势，对经过的州县，造成很大骚扰，或提出各种要求，或勒索贿赂。

有位女巫，年轻貌美，数十个少年无赖一直追随在她左右，对社会造成的伤害尤其严重，她经过黄州（湖北省武汉市新洲区）时，下榻驿马车站宾馆。州长左震早晨抵达驿站，发现房门紧锁，无法打开。左震大怒，命人砍锁破门而入，把女巫拖到台阶下斩首，连同随从左右的少年，全部诛杀；没收所携带的赃款，高达数十万钱，遂将情形上疏奏报，并请用这笔赃款，代贫民缴租，一面把钦差宦官送回京师（首都长安），李亨并没有对左震处罚。

18 命开府仪同三司（文散官一级，从一品），兼镇西、北庭战区特遣兵团司令官（行营节度使）李嗣业，当怀州（河南省沁阳市）州长（李嗣业率军驻怀州，为了补给方便，中央命他当怀州州长）。

19 隐士韩颖，造新历法（原用《开元大衍历》，参考七二八年八月）。六月十七日，李亨下诏采用韩颖改造的新历（称《至德历》）。

20 六月十八日，李亨训令：两京（中京长安、东京洛阳）陷落燕军手中的官员，司法三单位仍在调查审判（三司：总监察署〔御史台〕、国务院司法部〔刑部〕、最高法院〔大理寺〕），还没有结案的，全部释放。已经定案贬窜、降级的，继续执行。

21 太子少师（太子三少之一）房琯被免除宰相之后，一肚子不愉快，常常声称有病，不出席朝会；可是家里一天到晚，都坐满宾客，他的党羽更在政府宣称："房琯文武全才，应该重用。"李亨得到报告，更觉得厌烦，于是下诏宣布房琯的罪状，贬作邠州（陕西省彬州市）州长。前国立贵族大学校长（祭酒）刘秩贬作阆州（四川省阆中市）州长，首都长安特别市长（京兆尹）严武贬作巴州（四川省巴中市）州长；都是房琯的一党（刘秩，参考前年〔七五六〕十月；严武，参考七五四年三月）。

22 最初，乌知义当平卢军（辽宁省朝阳市）基地司令（军使。参考七三九年六月），史思明是他的部将，乌知义待他很好。乌知义的儿子乌承恩当信都郡（河北省衡水市冀州区）郡长（参考前年〔七五六〕七月），率全郡投降史思明（参考前年〔七五六〕十月二十二日），史思明回报过去的恩情，对乌承恩特别保护。后来，安庆绪放弃洛阳逃走，乌承恩乘机劝史思明归降唐政府，但河东战区（总部设太原府〔山西省太原市〕）司令官（节度使）李光弼，却认为史思明目前虽然归降政府，最后免不了仍要叛乱，因乌承恩是史思明的亲信，暗中命乌承恩下手。又建议皇帝：命乌承恩当范阳战区（总部设幽州〔北京市〕）副司令官（节度副使），又赐给阿史那承庆免死铁券，命他跟乌承恩共同谋害史思明；李亨同意。

乌承恩常用私人财产招募卫士，又常化装成妇女，前往军营秘密游说各将领，将领们报告史思明，史思明开始怀疑，但并没有追查。正巧，乌承恩前去首都长安（陕西省西安市），李亨派宦官总管（内侍）李思敬，跟他同往范阳（幽州，北京市）慰问安抚（参考去年〔七五七〕十二月）。乌承恩宣读过诏书，史思明留乌承恩下榻设于总部里的宾馆，床四周用帐幔围起，在床下埋伏两位勇士。乌承恩最小的儿子当时正在范阳（幽州，北京市），史思明命他去看老爹。午夜，乌承恩秘密告诉儿子说："我奉命铲除这个蛮族叛徒，中央将用我当战区司令官（节度使）！”两位勇士大喊大叫从床下冲出来。史思明遂逮捕乌承恩，搜查行李，查出铁券跟李光弼的公文，公文上说：“阿史那承庆事情成功之后，才可把铁券给他，不然，不可给他。”又查出有数百页厚的名册，上面写着当初跟史思明一起叛变的将领们的姓名。（胡三省原注：“乌承恩携带铁券，深入险恶难测的蛮虏巢穴，假如阿史那承庆事情不成，乌承恩有什么办法把铁券缴回中央？假如斩史思明，则更要赦免他的同党，岂有先列出姓名，难道能全部诛杀？我认为：以李光弼的明智，决不会做出如此笨事。只是史思明根据乌承恩口供，伪造这份李光弼的公文，以便上疏指控李光弼；再伪造名册，激怒将士，使他们除了跟自己一齐叛变外，别无其他的路可走。”）史思明责备他说：“我有什么地方对不起你，你竟这样！”乌承恩认罪说：“罪该万死，这都是李光弼的计谋。”史思明遂集合他的部下及左右官员、地方士绅，面向西方，大哭说：“我率十三万大军归降政府，什么地方对不起陛下，陛下为什么定要杀我！”把乌承恩父子乱棍打死，受牵连处死的有二百余人。乌承恩的老弟乌承玼逃走，得以保住性命。史思明把钦差宦官李思敬囚禁，上疏报告情形。李亨再派宦官慰问史思明，解释说：“这不是中央和李光弼的意思，都是乌承恩个人的主意，诛杀他再好不过。”

正巧，三法司审议叛官罪状的公文，传到范阳（幽州，北京市），史思明告诉将领们说：“陈希烈那些人，都是中央高官，太上皇（李隆基）主动的把他们抛弃，自己先行逃向蜀郡（四川省成都市），现在免不了一死（处决陈希烈等，参考去年〔七五七〕十二月二十九日）！何况我们这些人，一开始就跟安禄山叛变！”各将领请史思明上疏中央，要求诛杀李光弼，史思明允诺，命执行官（判官）耿仁智，跟他的部属张不矜撰写奏章，说：“陛下如果不肯为我诛杀李光弼，我当率军前往太原（山西省太原市），亲自执行。”张不矜把奏章的草稿写好，拿给史思明过目，打算装到奏章专用的小匣里，耿仁智却把那些话全部删掉。抄写奏章的文书员报告史思明，史思明命逮捕二人斩首。耿仁智事奉史思明很久，史思明怜悯他，打算饶他一命，于是再传唤耿仁智进来，对他说："我用你将近三十年，今天，不是我负你！"耿仁智却大喊说："人生终有一死，能够为忠义而死，是最好的死。今天追随你叛变，不过拖延岁月，还不如早死。"史思明暴跳如雷，喝令乱棍打死，脑浆流满一地。

乌承玼投奔太原（山西省太原市），李光弼上疏推荐封他为昌化郡王，当石岭军（山西省忻州市）基地司令（军使）。

23 秋季，七月十六日，唐政府开始铸造一枚当十枚的大钱，钱上铸"乾元重宝"（乾元钱直径一寸，每串重十斤，跟开元通宝同时流行。开元通宝，参考六二一年七月），这是副总监察官（御史中丞）第五琦的建议（第五，复姓）。

24 七月十七日，李亨封回纥汗国（瀚海沙漠群）葛勒可汗（二任）药罗葛磨延啜当英武威远毗伽阙可汗，并把最小的女儿宁国公主嫁给他。派宫廷总管（殿中监，从三品）、汉中王李瑀，当封爵礼仪特使（册礼使），国务院右主任秘书（右司郎中，从五品上）李巽（音xùn〔训〕）当副特使；由国务院左最高执行长（左仆射）裴冕，送宁国公主到边界。

七月十八日，再任命国务院文官部勋赏司副司长（司勋员外郎）鲜于叔明当李瑀的副特使。鲜于叔明，是鲜于仲通的老弟（鲜于仲通，杨家班党羽，参考七四五年八月）。

七月二十四日，李亨亲自把宁国公主送到咸阳（陕西省咸阳市），宁国公主向老爹辞别说："国家重要，我死而无恨。"李亨流下眼泪，含悲而回。

李瑀等抵达回纥汗国（瀚海沙漠群）中央御帐（王庭，设蒙古国哈拉和林市），药罗葛磨延啜身穿红袍，头戴回纥特有的冠帽，坐在御帐席毯上，仪队警卫，十分森严，只接宁国公主进去，而命李瑀等站在篷帐外面。等到接见时，李瑀拒绝下跪叩头，药罗葛磨延啜说：“我跟天可汗（中国皇帝）是两个国家的君王，臣属对君王有一定的礼节，你怎么能够例外？”李瑀跟鲜于叔明回答说：“从前，中国跟各国缔结婚姻，都是把皇族的女儿封作公主。现在，天子认为可汗建立大功，所以把亲生的女儿嫁你，恩德礼仪，至为厚重，你怎么能够以女婿的身份，向岳父端架子，坐在席毯上接受皇命！”药罗葛磨延啜立刻改变态度，站起来接受册封。

第二天，药罗葛磨延啜封宁国公主当皇后（可敦），举国欢腾。

25 七月二十五日，朔方战区（总部设灵州〔宁夏灵武市〕）司令官（节度使）郭子仪，前来京师（首都长安）朝见。

26 八月三日，任命青登五州战区（总部设青州〔山东省青州市〕。五州：青、密、登、莱、滑）司令官（节度使）许叔冀，当滑濮六州战区（总部设滑州〔河南省滑县〕。六州：滑、濮、青、密、登、莱）司令官（节度使。许叔冀一直驻守滑州，遥领青密战区四州。青密战区设于前年〔七五六〕，当时称北海战区〔参考该年十二月〕）。

27 八月十一日，河东战区（总部设太原府〔山西省太原市〕）司令官（节度使）李光弼，前来京师（首都长安）朝见。

八月十七日，李亨加授郭子仪官位：最高立法长（中书令·使相），李光弼官位：最高监督长（侍中·使相）。

八月十八日，郭子仪返防。

28 回纥汗国（瀚海沙漠群）派公爵（特勒）骨啜、帝德，率精锐骑兵三千人，协助唐政府讨伐安庆绪。李亨命朔方战区（总部设灵州〔宁夏灵武市〕）左翼攻击司令（左武锋使）仆固怀恩统御。

29 九月一日，命右羽林（禁军第二军）大将军赵泚（音cǐ〔此〕），当蒲同虢三州战区（总部设蒲州〔山西省永济市〕）司令官（节度使。去年〔七五七〕设河中战区，管辖蒲、同、虢、隰、慈、晋、绛等七州〔参考该年十二月〕。本年又设蒲州战区，管辖蒲、同、虢三州。天下正乱，军事倥偬，官位机关，随时增减，恐怕连发号施令的人都弄不清）。

30 九月七日，征剿党项司令（招讨党项使）王仲升（参考去年〔七五七〕四月十三日），斩党项部落酋长拓跋戎德，把人头送到京师（首都长安）示众。（党项部落，位四川省西北部万山丛中，范阳兵变后，党项部落不断北上攻击邠州〔陕西省彬州市〕、宁州〔甘肃省宁县〕。）

31 燕帝安庆绪刚逃到邺郡（河南省安阳市）时，虽然党羽已经离散，但仍拥有七郡六十余城（七郡：邺郡〔首都成安府〕、汲郡〔河南省卫辉市〕、钜鹿郡〔河北省邢台市〕、魏郡〔河北省大名县〕、广平郡〔河北省邯郸市永年区东南广府镇〕、清河郡〔河北省清河县〕、博平郡〔山东省聊城市〕），武器铠甲、辎重粮秣，储存都十分丰富，然而，安庆绪从不过问军国大事，只专门修建亭台楼阁、水榭楼船，每天饮酒沉醉。大臣高尚、张通儒等，互相争权，感情破裂，纪律完全破坏。大将蔡希德有才干智略，所率军队，全是精锐，刚强正直，说话直率，张通儒暗中诬陷，安庆绪遂斩蔡希德（诬陷的内容，《通鉴考异》引述《河洛春秋》记载说：蔡希德秘密投降唐政府，将袭杀安庆绪作为内应，左右泄露，安庆绪遂斩蔡希德）。蔡希德部属数千人，全部逃散，各将领怨恨愤怒，不肯尽心尽力。安庆绪命崔乾祐当全国野战军作战司令官（天下兵马使），统御中外所有武装部队。崔乾祐刚愎凶暴，喜爱杀戮，军心不服。

九月二十一日，李亨征调朔方战区（总部设灵州〔宁夏灵武市〕）司令官（节度使）郭子仪、淮西战区（总部设许州〔河南省许昌市〕）司令官（节度使）鲁炅、兴平战区（总部设商州〔陕西省商洛市商州区〕）司令官（节度使）李奂、滑濮战区（总部设滑州〔河南省滑县〕）司令官（节度使）许叔冀、镇西北庭二战区特遣兵团（总部设怀州〔河南省沁阳市〕）司令官（节度使）李嗣业、郑蔡战区（总部设郑州〔河南省郑州市〕）司令官（节度使）季广琛、河南战区（总部设汴州〔河南省开封市〕）司令官（节度使）崔光远等七司令官（节度使），及平卢战区（总部设营州〔辽宁省朝阳市〕）作战司令（兵马使）董秦（时在韦城〔河南省长垣市北〕），共集结步骑兵二十万人，讨伐安庆绪。又训令河东战区（总部设太原府〔山西省太原市〕）司令官（节度使）李光弼、关内泽潞战区（总部设潞州〔山西省长治市〕）司令官（节度使）王思礼，各率部众协助。

李亨因郭子仪、李光弼都是帝国元勋，难以安排谁当部属，所以不设置统帅，而只任命开府仪同三司（文散官一级，从一品）鱼朝恩（鱼，姓），当皇家观察兵马阵容特派监军宦官（观军容宣慰处置使）。“观军容”官名，自此出现。

32 九月二十四日，广州（岭南战区总部，广东省广州市）奏报说：“大食（阿拉伯帝国）及波斯（伊朗）联军，包围州城，州长韦利见，翻城逃走，联军劫掠仓库，焚烧房屋，乘船泛海而去（广州是外国商人聚居地，参考六八四年七月）。”

33 冬季，十月五日，李亨册封成王李俶为皇太子（本年〔七五八〕五月十九日已册立李俶为皇太子，不知何故，于此重提），改名李豫（李隆基父子对改儿子名字的事，乐此不疲）。

自从中兴（收复两京）以来，皇帝对臣属从没有过赏赐，直到现在，刚发行新铸的大钱（乾元重宝），文武百官以及禁卫军，才分别等级，有点赏赐。

34 郭子仪率军自杏园（今地不详）渡黄河，向东攻击获嘉（河南省获嘉县），破燕军守将安太清，杀四千人，俘虏五百人。安太清撤退到卫州（汲郡，河南省卫辉市），郭子仪进军包围。

十月七日，郭子仪派使节向中央报告捷音。鲁炅自阳武（河南省原阳县）渡黄河，季广琛、崔光远自酸枣（河南省原阳县东北延州村）渡黄河，会同李嗣业兵团，一齐前进，跟郭子仪的朔方兵团，在卫州（河南省卫辉市）城下会师。安庆绪征集邺城（河南省安阳市）所有部队七万人，援救卫州（河南省卫辉市），兵分三路，崔乾祐率上军，田承嗣率下军，安庆绪御驾自率中军。郭子仪派神箭手三千人，埋伏营垒墙垣里面，下令说："我如果后退，盗贼一定追赶，你们就跳上营垒，呐喊射击。"不久，和安庆绪接战，郭子仪假装后撤，燕军追逐，抵达营垒时，埋伏的神箭手猛烈射击，箭如瀑布大雨，燕军急行撤退，郭子仪回军追击，安庆绪大败。唐政府军生擒安庆绪的老弟安庆和，斩首，遂克复卫州（河南省卫辉市）。安庆绪全军后撤，郭子仪一直追逐到邺城（邺郡郡城，燕首都成安府，河南省安阳市），许叔冀、董秦、王思礼，以及河东战区（总部设太原府〔山西省太原市〕）作战司令（兵马使）薛兼训，都率援军陆续抵达。

安庆绪集结残余部众，在愁思冈（河南省安阳市西南）反击，又战败。唐政府军前后杀三万人，俘虏一千人。安庆绪遂全军退入城内，坚固守卫，郭子仪等包围邺城（河南省安阳市）。安庆绪束手无策，窘困急迫，只好派薛嵩前往范阳（幽州，北京市），向史思明（唐政府范阳〔总部幽州〕司令官）求救，并声称愿把皇帝宝座相让。

史思明出动范阳兵团十三万人，准备南下援救邺城（燕首都，河南省安阳市），可是逡巡观察，不能长驱直入，于是先派他的部将李归仁，率步骑兵一万人，进驻滏阳（河北省磁县），遥作安庆绪声援（磁县距安阳市三十公里）。

35 十月十五日，太上皇李隆基前往华清宫（陕西省西安市临潼区西）。

十一月八日，返京师（首都长安）。

36 河南战区（总部设汴州〔河南省开封市〕）司令官（节度使）崔光远，攻克魏州（魏郡，河北省大名县）。

十一月十七日，唐政府命前国务院国防部副部长（兵部侍郎）萧华，当魏州（河北省大名县）警备区司令（防御使）。正巧，史思明兵分三路：一路从邢州（河北省邢台市）、洺州（河北省邯郸市永年区东南广府镇），一路从冀州（河北省衡水市冀州区）、贝州（河北省清河县），一路从洹水（河北省魏县西南），一同救援魏州（河北省大名县）。郭子仪上疏，建议由崔光远接替萧华。

十二月五日，李亨训令崔光远兼魏州（河北省大名县）州长。

37 十二月六日，设浙江西道战区（总部设昇州〔江苏省南京市〕），管辖苏州（江苏省苏州市）、润州（江苏省镇江市）等十州（其他七州：宣州〔安徽省宣城市〕、歙州〔安徽省歙县〕、饶州〔江西省鄱阳县〕、江州〔江西省九江市〕、常州〔江苏省常州市〕、杭州〔浙江省杭州市〕、湖州〔浙江省湖州市〕），命昇州（江苏省南京市）州长韦黄裳当司令官（节度使）。

十二月十二日，设浙江东道战区（总部设越州〔浙江省绍兴市〕），管辖越州、睦州（浙江省建德市）等八州（其他六州：衢州〔浙江省衢州市〕、婺州〔浙江省金华市〕、台州〔浙江省临海市〕、明州〔浙江省宁波市〕、括州〔浙江省丽水市〕、温州〔浙江省温州市〕）。命国务院财政部长（户部尚书）李峘（音huán〔环〕）兼任司令官（节度使）并兼淮南战区（总部设扬州〔江苏省扬州市〕）司令官（节度使）。

38 十二月二十一日，文武百官向李亨呈献尊贵绰号：乾元大圣光天文武孝感皇帝。李亨接受。

39 史思明（范阳〔总部幽州〕司令官）乘崔光远刚刚攻克魏州（河北省大名县），情势还不稳定，于是率军南下。崔光远命将军李处崟（音yín〔吟〕）出兵抵抗。史思明兵力强大，李处崟连战连败，退回城里。史思明兵团追到城下，扬言说："李处崟约我们到这里，他为什么不出来？"崔光远相信这项反间，把李处崟腰斩。李处崟是一员勇将，全军都对他依靠，既被诛杀，军心涣散，崔光远抛弃军队及孤城，只身逃走，奔回汴州（河南省开封市）。

十二月二十九日，史思明攻陷魏州（河北省大名县），杀三万人。

40 平卢战区（总部设营州〔辽宁省朝阳市〕）司令官（节度使）王玄志逝世。李亨派宦官前往慰问安抚将士，并在军中遴选继任人，准备把印信符节交给他。

高句骊（朝鲜半岛）人李怀玉，担任初级将领（裨将），诛杀王玄志的儿子，推荐侯希逸当平卢军（辽宁省朝阳市）基地司令（军使）。侯希逸的娘亲，是李怀玉的姑妈，所以李怀玉拥护他（二人是表兄弟）。唐政府遂任命侯希逸当副司令官（节度副使）。战区司令官（节度使）由军中将领士卒自己遴选拥护，自此开始。

司马光曰

因为人类生下来就有欲望，所以一旦没有领袖统御，一定混乱。（《书经·仲虺之诰》："夫民生有欲，无主则乱。"）因此圣人制定礼仪，治理他们。上自天子、国君，下到部长级、副部长级、知识分子、平民，尊贵的和卑贱的，都有一定位置，大小和高低，都有一定秩序，好像主纲和支网，有条不紊，也好像手臂和手指，控制得十分灵活。所以人民心甘情愿的事奉他上面的官员，在下位的从没有夺取上面宝座的野心。《易经》上说："上面是天，下面是地，这是'履卦'。"（"上天下泽，履。"）《象辞》解释说："正人君子用这个道理分别尊卑，人民就死心塌地。"（"君子以辨上下，定民志。"）正是指此。领袖们所以能控制他的人民，因手握八种权柄（《书经·周礼》："一是封爵，二是俸禄，三是赏赐，四是贬窜，五是赦免，六是剥夺，七是免职，八是诛杀。"），如果把八项抛弃，领袖跟人民就势均力敌，怎么能够教他们接受命令！

李亨正碰上唐王朝中衰，侥幸的得以再建帝国，正应该匡正上下之间的礼仪，用来振兴政府的法纪尊严。想不到他却只求眼前的暂时安定，而不考虑它所产生的严重后遗症。选择将帅，坐镇边疆，是国家大事，竟然交给一个普通的差官，去满足军官们的私心；不管他是好是坏，只要军官们提出，中央就加任命。自此以后，这种模式，逐渐成为习惯，君王和臣属，都照例实施，并自认为切合实际，是上等策略，称之为姑息——得过且过。于是到了后来，初级

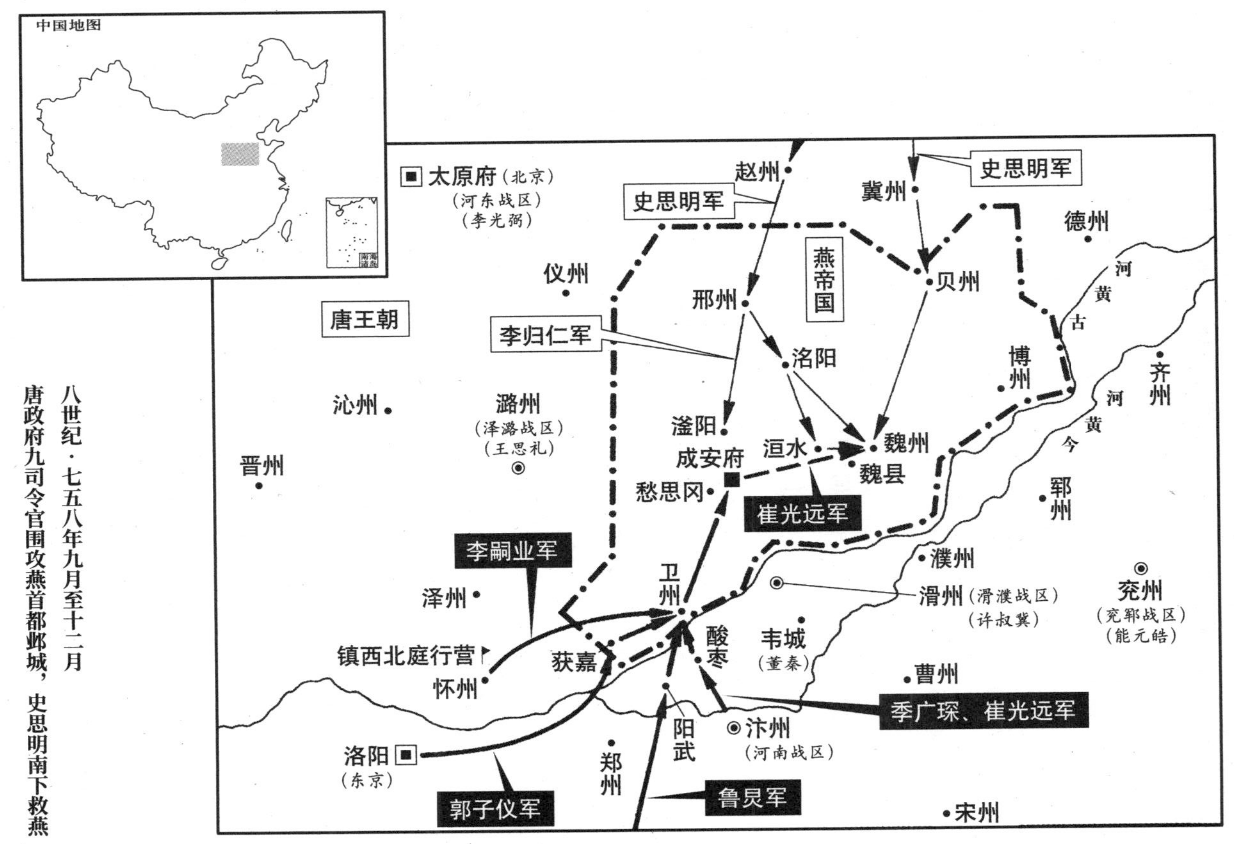

八世纪·七五八年九月至十二月

唐政府九司令官围攻燕首都邺城，史思明南下救燕

将领以及士卒，都起来驱逐甚至诛杀主帅，中央对凶手不但不制裁他的罪行，反而让凶手大摇大摆接任被害主帅的高位。封爵、俸禄、赏赐、贬窜、赦免、剥夺、免职、诛杀，都不出于上级而出于下级。祸乱发生，怎么能有个完。

而且，拥有一个帝国的最高领袖人物，对善良的人奖赏，对犯罪的人惩罚，结果行善的人受到鼓励，做恶事的人不敢违法。犯上作乱，对长官或杀或逐，没有比这更大的罪恶！中央不但不制裁，反而交给他们权柄，让他们独霸一方，这岂不正是赏赐！用赏赐鼓励犯罪，则什么罪都犯得出来。《书经》说："你要有长程计划。"(《康诰》："远乃猷。")《诗经》说："因他的谋略缺少前瞻性 / 所以我竭力规劝。"(《大雅・板》："猷之未远 / 是用大谏。")孔丘说："人如果没有前瞻性的考虑，一定马上就有忧患。"(《论语》孔丘语)主持国家的大政，而只求苟且姑息，得过且过，灾难怎能停止！

因为这个缘故，当部属的一直虎视眈眈注视着他的上级，只要有机会攻击，就消灭他们全族，而在上位的也一直惶惶不安的畏惧部属，只要有机会动手，就关门屠杀。(胡三省原注："这两段话把唐王朝军阀士卒的形状，描绘得淋漓尽致。")而且都抢先发动，只求达到立即实现的目的；从没有互相保护倚仗，为将来长久的利益，和睦合作。在这种社会生态之下，而希望国家治理、社会安定，怎么能够办到。追寻它的起源，应是平卢战区(总部设营州〔辽宁省朝阳市〕)创下恶例。

古代训练军队，一定以礼仪为本，所以姬重耳(春秋时代晋国二十四任国君文公)在城濮(山东省鄄城县西南)战役时(参考前六三二年)，看到晋国的军队，无论阶级高低，都恪遵礼仪，就肯定这种军队可以作战。现在，唐王朝政府军队，却抛弃礼仪，鼓励士卒得以凌辱将领，将领可以凌辱主帅，于是，主帅之凌辱天子，是自然的趋势。

结果，祸乱接连爆发，战争不能停止，人民生活在水深火热之中，哭天不应，呼地不灵，没有地方可以控诉，长达二百余年，然后伟大的宋王朝接受天命（参考九六〇年正月）。太祖（宋王朝一任帝赵匡胤）开始制定军法，依照军官阶级，互相服从，一件小事违犯，都会受严厉的处刑。所以奠立上下的秩序，执行的都可以执行，禁止的都可以禁止。征服四方的反叛，没有一个地方不归附中国，国家一片升平，千万人民得以代代繁衍，直到今天（司马光写此文时，是十一世纪八〇年代），都是因为用礼仪治军的缘故，留给后代子孙的幸福，岂不长远。

千言万语一句话：“军必须有军纪，国必须有国法。”可是司马光却硬是把它跟“礼”拉上关系，而且扯了那么一大堆。儒家系统一直弄不清“礼”和“法”的分别，甚至还认为“礼”还包括了“法”，实在恍惚得可以。

41 本年（七五八），设振武战区（总部设单于府〔内蒙古和林格尔县〕），管辖：镇北大总督府（设内蒙古包头市）、麟州（陕西省神木市）、胜州（内蒙古托克托县）。又设陕虢华战区（总部设陕州〔河南省三门峡市〕）及豫许汝战区（总部设豫州〔河南省汝南县〕）。

安南军事指挥区（安南经略使）升格为安南战区（总部设安南府〔越南河内市〕），管辖：交州（安南府）、陆州（广西钦州市东南犀牛脚镇）等十一州（除安南府、陆州外，其余九州：峰州〔越南永安市〕、爱州〔越南清化市〕、驩州〔越南荣市〕、长州〔越南南定市〕、福禄州〔越南山西市境〕、芝州〔广西忻城县〕、武峨州〔越南太原省〕、演州〔越南演州县〕、武安州〔越南海防市〕）。

42 吐蕃王国（首都逻些城〔西藏拉萨市〕）攻陷河源军（青海省西宁市）。

七五九年 己亥

唐　乾元　二年
（燕帝安庆绪天成三年）
（燕帝史思明顺天元年）
（南楚霸王康楚元元年）

1 春季，正月一日，史思明在（范阳〔总部幽州〕司令官）魏州（河北省大名县）城北，兴筑高台，自称大圣燕王，任命周挚当作战参谋长（行军司马）。

唐王朝政府（首都长安〔陕西省西安市〕）河东战区（总部设太原府〔山西省太原市〕）司令官（节度使）李光弼，提出警告说："史思明攻陷魏州（河北省大名县），却按兵不进，就是希望我们心情懈怠，疏于戒备，然后用精锐部队突袭。我建议跟朔方兵团（总部设灵州〔宁夏灵武市〕）联合围逼魏县（河北省大名县西南），向他们挑战，史思明对嘉山（河北省曲阳县东北嘉山）之败（参考七五六年五月），心里仍有余悸，一定不敢轻率出兵，这样僵持下去，日子一久，邺城（燕首都，河南省安阳市）非被攻克不可。届时，安庆绪（燕帝）死掉，史思明就失去了驱使部众的政治号召。”皇家观察兵马阵容特派监军宦官（观军容使）鱼朝恩，认为不是好的战略，只好停止。

2 正月十日，唐帝（十任肃宗）李亨（本年四十九岁）采纳宰相王玙的建议，祭祀“九宫贵神”（道教的九位神祇：太一神、摄提神、权主神、招摇神、天符神、青龙神、咸池神、太阴神、天一神）。

正月十一日（原文“乙卯”，据《旧唐书·礼仪志》改），李亨主持亲自耕田典礼。

3 镇西战区特遣兵团（驻怀州〔河南省沁阳市〕）司令官（节度使）李嗣业，进攻邺城（燕首都，河南省安阳市），被流箭射中。

正月二十八日，李嗣业逝世。作战司令（兵马使）荔非元礼（荔非，复姓）接任统帅。最初，李嗣业请中央任命段秀实当怀州（河南省沁阳市）政务秘书长（长史），并代理战区司令官（知留后事）。当时，各军出征时间已经很久，经费和粮食，全部耗尽。只段秀实单独运送粮食草料和招募士卒，供应镇西特遣兵团，路上络绎不绝。

4 二月十五日，月全蚀。

先前，文武百官请求加授张皇后尊贵绰号：辅圣皇后，李亨问立法官（中书舍人）李揆的意见，李揆回答说：“自古以来，皇后在世的时候，都没有绰号，有的话，从韦皇后开始（韦皇后绰号顺天皇后，参考七〇五年十一月），怎么能够效法？”李亨吃惊说：“这些糊涂蛋几乎害我做错事。”正巧遇到月蚀，事情遂被搁置。张皇后跟宫廷总管（殿中监）宦官李辅国，内外呼应，在宫中横行霸道，毫无忌惮，干涉政府行政，无止境的向官员们请求拜托。李亨相当不高兴，但又没有办法阻止。

5 朔方战区（总部设灵州〔宁夏灵武市〕）司令官（节度使）郭子仪等九司令官（节度使），包围燕帝（二任）安庆绪所在的邺城（河南省安阳市），营垒两层、壕沟三道，密不通风。堵截漳水（流经邺城北），使倒灌入城。城里井水和泉水都溢出井口，燕政府守军及居民都搭起木架居住，从去年（七五八）冬季到本年（七五九）春季，安庆绪竭力防守，一心等待史思明解救，粮食吃完，掘吃老鼠，一只老鼠价格四千钱；平时用泥土羼杂谷皮筑墙，现在用水洗泥，淘取谷皮；以及从马粪中淘取植物纤维，用来喂马。唐政府军人人认为早晚就能攻克。可是，九位司令官（节度使）各自为政，并没有名正言顺的统帅，进退调动，都无人做主，也无人可以请示（不设统帅事，参考去年〔七五八〕九月）。城里燕军有人打算投降的，却被大水困住，无法逃出。围城时间既久（自去年〔七五八〕九月至本年〔七五九〕二月，长达半年），不能攻下，唐军上下离心，一片涣散。

史思明亲率大军从魏州（河北省大名县）出发，直指邺城（河南省安阳市），命各将领在距邺城（河南省安阳市）五十华里处扎营，每营战鼓三百个，不断擂动，在声势上使唐政府军感到威胁。又命每营遴选精锐骑兵五百人，每天前往城下劫掠；唐军出击，他们就四散逃跑，各回本营。唐军的人马牛车，每天都有损失，连砍柴割草，都十分艰难。白天戒备，燕军夜晚出击；夜晚戒备，燕军则白天出击。

当时，全国陷于饥馑，运送粮饷的民夫，南从江淮（华东地区），西从并汾（山西省），船舶车辆，紧紧相连。史思明派大批游击部队，穿上唐军制服，窃取唐军号令，对运送粮饷的民夫，大发雷霆，责备他们速度太慢，举刀就杀，民夫大为惊骇恐惧。遇到船舶或车辆聚集在一起时，游击部队就秘密纵火焚烧。他们行踪飘忽，来去如风，刹那间集结成一队强大兵力，刹那间又四散逃开，无影无踪，只有他们可以认出自己人，但唐军巡逻部队对他们却无法辨识。最后，唐军缺少粮食，士卒只想自行逃生。史思明率大军直到城下，唐军跟他约定日期决战。

三月六日，唐军步骑兵六十万，在安阳河（洹水，流经邺城北）北岸布阵，史思明亲自率领精锐五万人应战，唐军看到，认为不过是支援部队，并不在意，而史思明已迅速发动攻击，唐军将领李光弼（河东〔总部太原府〕司令官）、王思礼（泽潞〔总部潞州〕司令官）、许叔冀（滑濮〔总部滑州〕司令官）、鲁炅（淮西〔总部许州〕司令官），首先接触，双方死伤约略相等，而鲁炅被流箭射中，脱离战场。郭子仪（朔方〔总部灵州〕司令官）正在他后面，受到冲击，还来不及结阵，大风突然漫天而起，飞沙滚石，摧树拔木，太阳被风沙遮住，天空和地面本是一片晴朗，霎时间像掉到墨水缸里一样，伸手不见五指，双方大军同时惊恐，一齐崩溃，唐军向南方逃命，史思明军向北方逃命，被抛弃的铠甲、武器、辎重，全都堆到路上。郭子仪率朔方兵团（总部灵州）切断河阳桥（河南省孟州市黄河大桥），保护东京洛阳（河南省洛阳市）。本来战马有一万匹，现在只剩下三千匹；铠甲武器十万件，几乎全部损失。战败消息传到东京洛阳，东京洛阳贵族及平民大为惊骇恐慌，争先恐后逃往山谷躲避。东京留守长官崔圆、东京洛阳特别市长（河南尹）苏震等，逃得更远，一口气逃到襄州（湖北省襄阳市）、邓州（河南省邓州市。洛阳至邓州航空距离二百二十公里，至襄阳航空距离三百公里）。各司令官（节度使）分别逃回本战区。溃败的士卒像一窝海盗，经过的地方，抢劫烧杀，地方政府不能制止，十几天才算平定。只有李光弼（河东〔总部太原府〕司令官）、王思礼（泽潞〔总部潞州〕司令官）集结部队，整顿军纪，保持实力，安全撤回。

朔方战区（总部设灵州〔宁夏灵武市〕）司令官（节度使）郭子仪逃到河阳（河南省孟州市），打算守城，可是军心惊恐，不能支持，于是再逃到缺门（河南省新安县西铁门镇），各将领陆续到达，士卒集结数万人，计划放弃东京洛阳，撤退到蒲州（山西省永济市）、陕州（河南省三门峡市）固守。总纠察官（都虞候）张用济反对，说："蒲州（山西省永济市）、陕州（河南省三门峡市）正有饥馑，士卒们没有东西可吃，不如坚守河阳（河南省孟州市）！盗贼来时，合力抵抗。"郭子仪接受。派总游击司令（都游弈使）灵武（灵武县，宁夏永宁县西南）人韩游瓌率骑兵五百人，前去河阳（河南省孟州市），张用济率步兵五千人随后增援。史思明的作战参谋长（行军司马）周挚（音zhì〔至〕）率军夺取河阳（河南省孟州市），发现守备森严，不能入城，退走。张用济督促士卒在河阳（河南省孟州市）南北，各筑一个城堡据守。怀州（河南省沁阳市）州长段秀实，护送将领们的家属，以及公私财产，从野戍（河南省洛阳市孟津区北黄河渡口）渡黄河南下，在河清（河南省济源市南）南岸安顿，等候进一步指示，荔非元礼（镇西特遣兵团〔驻怀州〕代理司令官）随后赶到，就在那里扎营。各将领纷纷上疏，请求处分。李亨一律不再追究，而只剥夺崔圆官阶及爵位（崔圆封赵国公爵，阶级比开府仪同三司，从一品），贬苏震当济王府（李亨的老弟李环封济王）政务秘书长（长史，从四品上），剥夺他的银青光禄大夫（文散官五级，从三品）官阶。

史思明得到消息，证实唐军的确逃走后，在沙河（河北省沙河市

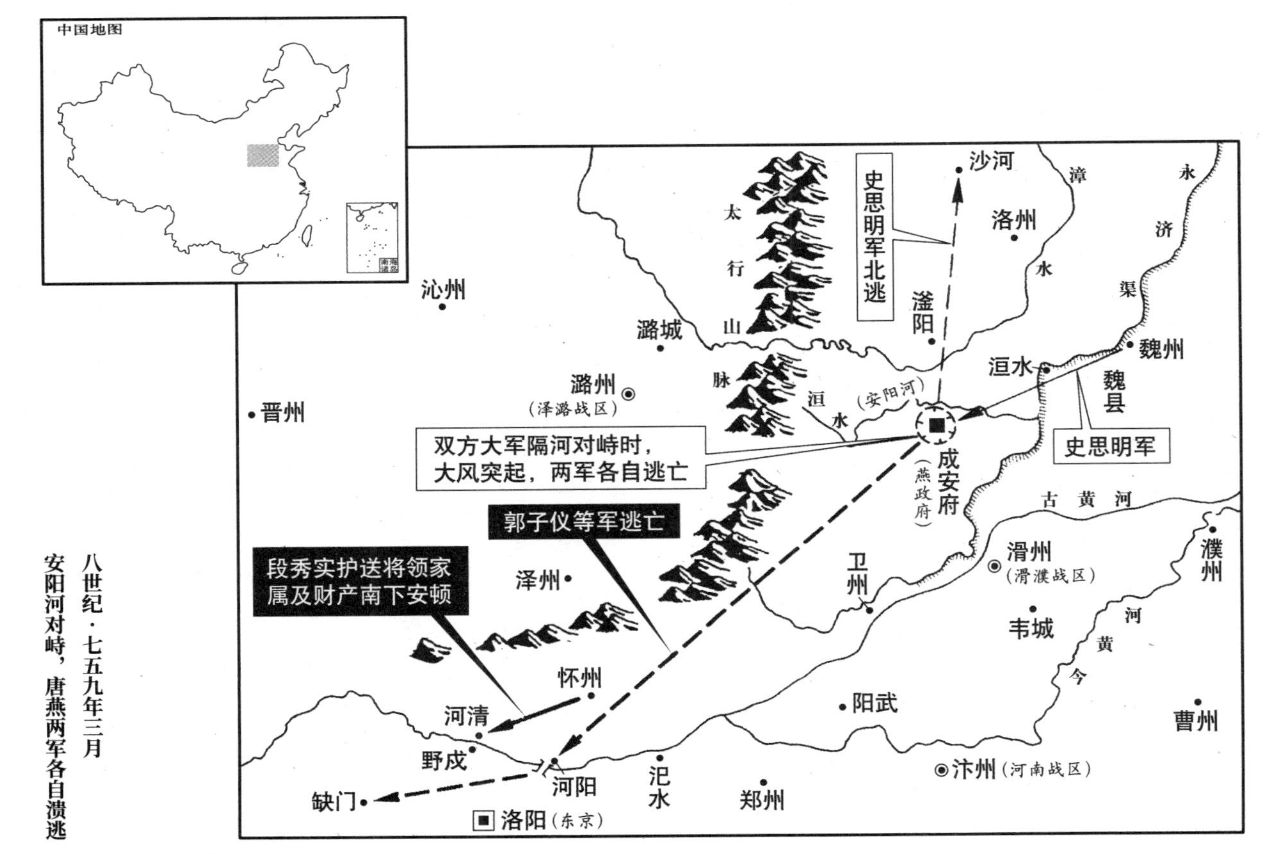

八世纪·七五九年三月
安阳河对峙，唐燕两军各自溃逃

北沙河城镇）集结他的部队，折回邺城（燕首都，河南省安阳市），在城南扎营。（胡三省原注："史思明军队溃败北奔，逃到沙河〔河北省沙河市北沙河城镇〕，得到唐政府军溃败南奔消息，乃收兵还营。倘若唐政府军也能收兵还营，坚守营垒，继续围困邺城〔河南省安阳市〕，史思明将不敢南下。"）燕帝安庆绪收集唐政府军营中留下的粮食，得到六七万石，遂跟孙孝哲、崔乾祐计划关闭城门，再拒抗史思明。各将领都表示反对，警告说："今天怎么可以背弃史王（史思明）？"史思明不主动的跟安庆绪联系，但也不南下追击唐军，每天都在营里大宴将士。燕政府宰相张通儒、副立法长（中书侍郎）高尚等，向安庆绪进言说："史王（史思明）远道而来，我们都应该前往欢迎，请求宽恕。"安庆绪说："随大家的意，如果想去，你们就去。"史思明接见他们，呜咽流泪，馈赠厚重礼物，送他们回邺城。过了三天，安庆绪仍没有动静，史思明秘密召唤安太清，命他引诱安庆绪。安庆绪窘困急迫，不知道如何才好，最后只好放弃皇帝名号，转过来向史思明称臣，派安太清携带他的奏章，呈递给史思明，请求史思明部队解除铠甲，进入邺城（河南省安阳市），他就献上皇帝玉玺。史思明看了奏章，慢慢的说："何至于这个样子！"遂把奏章交给将士们传看，大家高喊万岁（安庆绪与史思明二人在血泊中上演这幕闹剧，正说明中国五千年历史，谁的军队厉害，谁的屁股就大，谁就可以坐上宝座。安庆绪、史思明固是小丑；伊祁放勋、姚重华也是小丑，不过是被包装过的小丑）。于是史思明亲笔写一封安慰安庆绪节哀的信，并不称"臣"，但强调说："盼望我们能成为兄弟之国，互相屏障、互相支援，跟唐政府像鼎的三条腿一样，并立在世界之上，或许可以如此。至于尊我为帝，向我叩拜，决不敢接受。"连同安庆绪的奏章，一齐送还。

安庆绪大为高兴，请求跟史思明歃血结盟（歃，音shà〔煞〕。用血涂口），史思明同意。安庆绪在三百名骑兵保护下，前往史思明大营，史思明命士卒身穿铠甲，手拿武器，严阵以待。然后派人把安庆绪跟所有老弟，引到庭院，安庆绪下跪，前额碰地，叩头说："我没有能力承担皇家大业，一连丧失两京（西京长安、东京洛阳），长期陷于重围。从没有想到大王为了太上皇（安禄山）的缘故，从绝远的地方，前来援救，使我死里逃生，我纵然粉身碎骨，都无法报答大恩。"史思明忽然翻脸，斥责说："丧失两京（西京长安、东京洛阳），根本用不着提。问题在于，你这个做儿子的竟然杀掉老爹，夺取帝位，天地神灵都不能容忍。我替太上皇（安禄山）讨伐叛逆，怎么会接受你的谄言媚语！"命左右武士把安庆绪拉出辕门，连同他的四个弟弟，以及高尚、孙孝哲、崔乾祐，全部斩首。但对张通儒、李庭望等，仍任命他们当官。史思明命军队戒备，进入邺城（河南省安阳市），接收安庆绪遗留下来的士卒兵马，用仓库里的东西，犒赏将士。安庆绪先前所属州县，以及战斗部队，全归史思明。

史思明派安太清率军五千人，攻克怀州（河南省沁阳市），留他驻防。史思明打算向西扩张势力范围，但担心基地还不稳定，乃留下他的儿子史朝义镇守相州（就是邺城，河南省安阳市），自己率军北返范阳（幽州州政府所在城，北京市）。

6 三月十八日，回纥汗国（瀚海沙漠群）公爵骨啜、帝德等十五人，从相州（河南省安阳市）逃回西京（首都长安），李亨在紫宸殿（大明宫内）设宴款待，依照等级，分别赏赐（回纥兵团入援唐政府，参考去年〔七五八〕八月）。

三月二十四日，骨啜等告辞，返回行营。

7 三月二十五日，李亨任命荔非元礼（时驻河清〔河南省济源市南〕）当怀州（河南省沁阳市）州长，暂代镇西战区（总部设龟兹〔新疆库车市〕）及北庭战区（总部设北庭府〔新疆吉木萨尔县〕）特遣兵团司令官（权知镇西北庭行营节度使）。荔非元礼再命段秀实当特遣兵团军事执行官（节度判官）。

8 三月二十八日，李亨命国务院国防部副部长（兵部侍郎）吕諲，当二级实质宰相（同平章事）。

三月二十九日，调副立法长（中书侍郎）二级实质宰相（同平章事）苗晋卿当太子太傅（太子三师之二），王玙（官位跟苗晋卿同）当国务院司法部长（刑部尚书），都免除宰相职务。任命首都长安特别市长（京兆尹）李岘，代理国务院文官部长（行吏部尚书）；立法官（中书舍人）兼国务院教育部副部长（兼礼部侍郎）李揆，当副立法长（中书侍郎）；跟国务院财政部副部长（户部侍郎）第五琦，同时都兼二级实质宰相（同平章事）。李亨对李岘的倚仗尤其深厚，李岘也以拯救人民、治理国家，作为自己的责任，军事及帝国大事，很多都由李岘独自决定。当时，京师（首都长安）盗匪横行，宦官李辅国建议在羽林军（禁军第一、二军）中遴选骑兵五百名，担任巡逻；李揆上疏说："从前，西汉王朝设有'南''北'两军，互相牵制，所以周勃以南军统帅的身份，进入北军基地，遂拯救刘姓皇族，由危转安（参考前一八〇年，周勃情形，并不是如此）。唐政府设立南衙（政府）卫军、北衙（皇宫）禁军两大系统，文武官员也被区分，为的是互相侦察监视。如今用羽林军（禁军）代替金吾卫（卫军），负责治安，一旦发生紧急事变，用什么方法制止？"李辅国的建议才被打消（左右金吾卫〔卫军第十一、十二军〕负责京师〔首都长安〕街市巡查，左右羽林军〔禁军第一、二军〕如果取代金吾卫，卫军即丧失制衡能力）。

9 三月三十日，李亨任命朔方战区（总部设灵州〔宁夏灵武市〕）

司令官（节度使）郭子仪，当东畿道（东京洛阳）、山东道（崤山以东）、河东道（山西省）野战军元帅（诸道元帅），暂代东京洛阳留守长官。又任命河西战区（总部设凉州〔甘肃省武威市〕）司令官（节度使）来瑱，代理陕州（河南省三门峡市）州长、兼陕虢华战区（总部设陕州〔河南省三门峡市〕）司令官（来瑱任河西战区〔总部凉州〕司令官〔节度使〕，还没有接事，邺城战役中就被击败，中央临时划出战区，命他扎营陕州。不久，来瑱又调往襄州〔参考明年〔七六〇〕四月〕）。

10 夏季，四月四日，泽潞战区（总部设潞州〔山西省长治市〕）司令官（节度使）王思礼，在潞城（山西省长治市潞城区）东，击破史思明（范阳〔总部幽州〕首领）的部将杨旻。

11 太子宫总管（太子詹事）宦官李辅国，在李亨流亡灵武郡（宁夏灵武市）时，就当全国野战军元帅府代理作战参谋长（判元帅行军司马事。参考去年〔七五八〕二月一日），一直侍候李亨左右，代表李亨向文武官员宣布命令；全国各地呈递的文件奏章，以及最重要的符契印章和军中早晚号令，也全部交给李辅国处理。等还都京师（首都长安），则专门掌管北衙禁军，经常住在宫里，皇帝的诏书训令，必须经过李辅国签字，才能发布。宰相或政府机关发生紧急情况，需要马上奏报皇帝时，都要通过李辅国；皇帝的指示，也要由李辅国转告。李辅国常在银台门（大明宫西有右银台门，东有左银台门）裁决国事，无论大小，全凭李辅国一句话，他说是诏书就是诏书，他说是训令就是训令，文书员照写之后，交给政府官员执行，事情过后，再向李亨奏报。李辅国又设置秘密警察数十人，命他们暗中到民间探听调查细微隐私，一旦收集到手，有关单位立即逮捕审判。李辅国提出什么要求，政府官员中没有人胆敢拒抗。总监察署（御史台）和最高法院（大理寺）羁押的重罪囚犯，有些还没有结案，李辅国就下令押解到银台门，立刻全体释放。三司（总监察署〔御史台〕、最高法院〔大理寺〕、国务院司法部〔刑部〕）以及特别市政府（府）、各县县政府审判案件，都要先向李辅国请示，随李辅国的高兴或不高兴，而判轻或判重，李辅国一切都声称是皇帝旨意，没有人敢稍加违背。宦官们不敢称他的官衔，都叫他五郎（李辅国在兄弟中排行第五）；宰相李揆是山东（崤山以东）著名的世家贵族，但见到李辅国，也以子弟的身份行礼，称他五爹。

李岘当宰相后，在李亨面前叩头，请求以后诏书、训令，都应该依照传统程序，由宰相联合办公厅（中书）发布，同时提出李辅国种种独断专行、破坏法令情形，李亨感动醒悟，对他的正直表示嘉勉。李辅国做事，不依照正常规章，有很多改变，李亨命他撤销所设的秘密警察。李辅国发觉情势不对劲，立刻请求辞掉全国野战军元帅府代理作战参谋长（行军司马），调回太子宫总管（太子詹事）本职，李亨不准。

四月六日，李亨下诏说："近来军国事务繁忙，所以有时候就直接口头传达决定。从今以后，各种名目种类的索取或供应，以及囚犯们的处理，一律停止。除非由立法院（中书省）正式宣布，其他完全不准执行。宫廷内外各项事务，都归还给有关单位。英武军（参考前年〔七五七〕十二月）总纠察官（都虞候）、六军（禁军六军）、各管理官（诸使）、宫内各单位，近来因为主管官员发生争执，甚至发生诉讼案件，有很多悬而不决，所以我就代他们处理。从今以后，一切都要经过总监察署（御史台）或首都长安特别市政府（京兆府）。如果有关机关审判不公，可以直接向我奏报。国家法令，除了十恶（参考六四〇年十二月）、杀人、通奸、强盗、伪造文书外，其他烦琐累赘的条文，一律删除。交由宰相联合办公厅（中书门下）及各司法官员，详细研究核定奏报。”

李辅国从此忌恨李岘。

12 四月八日，设陈郑亳战区（总部设陈州〔河南省周口市淮阳区〕），由邓州（河南省邓州市）州长鲁炅当司令官（节度使）。命徐州（江苏省徐州市）州长尚衡（参考前年〔七五七〕八月），当青密七州战区（总部设青州〔山东省青州市〕。七州：青、密、登、莱、淄、沂、海）司令官（节度使）。命兴平战区（总部设商州〔陕西省商洛市商州区〕）司令官（节度使）李奂，兼豫许汝三州战区（总部设豫州〔河南省汝南县〕）司令官（节度使）。各在本战区边界，巡查警戒。

九司令官（节度使）相州（邺城，河南省安阳市）溃败时，鲁炅的部队烧杀抢掠，最为惨烈；现在听说郭子仪（朔方〔总部灵州〕司令官）退到黄河北岸集结，李光弼（河东〔总部太原府〕司令官）已安全回到太原（山西省太原市）；鲁炅既惭愧又畏惧，于是，服毒自杀（年五十七岁）。

13 史思明自称大燕皇帝（一任），改年号顺天，封妻子辛女士当皇后，长子史朝义当怀王，命周挚当宰相、李归仁当大将。把范阳（幽州州政府所在城，北京市）定为燕京，州改称郡（《资治通鉴》仍以“州”记载）。

14 四月十二日，唐帝李亨命藩属事务部长（鸿胪卿）李抱玉，当郑陈颍亳战区（总部设郑州〔河南省郑州市〕）司令官（节度使）。

李抱玉，是安兴贵的后裔（安兴贵诛杀凉帝李轨，参考六一九年五月），当河东战区（总部设太原府〔山西省太原市〕）司令官（节度使）李光弼的部将，屡次建立战功，对别人说：他认为和安禄山同姓是一种耻辱，李亨特别赐他姓李。

15 回纥汗国（瀚海沙漠群）毗伽阙可汗（二任）药罗葛磨延啜逝世，长子亲王（即率军入援，跟广平王李俶结为兄弟的那位，参考前年〔七五七〕九月）早先被杀（突如其来，史书无任何记载），贵族们拥戴他的最小弟弟药罗葛移地健继位，是为登里可汗（三任）。

回纥皇族打算命宁国公主殉葬（宁国公主去年〔七五八〕七月嫁过来，迄今不过十个月），宁国公主说：“回纥因为仰慕中国文化，所以才娶中国女子为妻。如果一切依照回纥风俗，何必向万里以外求婚结亲！”但仍依照回纥的“剺面”习惯（剺，音lí〔梨〕），用刀划破自己面貌哭泣（北方蛮夷丧事，尸首放在篷帐里，子孙和亲属宰杀牛马，在帐前祭奠，然后骑马绕着篷帐走七圈，在帐门前停下，一面哭一面用刀划破自己的脸，血泪交流，这样经过七次，仪式才结束）。

16 西京凤翔特别市（陕西省宝鸡市凤翔区）马厩管理官（马坊押官）去当强盗抢劫，天兴（凤翔府所在县）县政府防卫员（尉）谢夷甫把他逮捕诛杀。管理官的妻子认为冤枉，上诉。太子宫总管（詹事）宦官李辅国，是皇家飞龙厩出身（参考前年〔七五七〕正月），于是用皇帝训令，指派行政监察官（监察御史）孙蓥（音yíng〔迎〕）复查，证明犯罪证据确实。李辅国再派副总监察官（御史中丞）崔伯阳、国务院司法部副部长（刑部侍郎）李晔、最高法院院长（大理卿）权献，再次调查（因有副首长之故，俗称“小三司”），结论跟孙蓥的相同，但死者的妻子仍然不服，继续上诉。李辅国再命中央监察官（侍御史）太平（山西省襄汾县西南汾城镇）人毛若虚审问，毛若虚伶巧而邪恶，他了解李辅国盼望什么，遂迎合他的心意，认为谢夷甫冤杀无辜。

崔伯阳大怒，把毛若虚叫来，盘问责备，准备提出弹劾。毛若虚抢先一步晋见李亨，陈诉他主持正义，却受到迫害，李亨命毛若虚躲在帘幕后面。不久，崔伯阳赶到，指控毛若虚谄媚宦官，审判不公。李亨大发雷霆，咆哮着把他赶出殿门。于是崔伯阳被贬高要（端州州政府所在县，广东省肇庆市）防卫员（尉），权献被贬桂阳（连州州政府所在县，广东省连州市）防卫员（尉），李晔跟西京凤翔特别市长（凤翔尹）严向，也都被贬岭南（南岭以南）当县政府防卫员（尉）；孙蓥被免职，开除官籍，终身流放播州（贵州省遵义市）。国务院文官部长（吏部尚书）二级实质宰相（同平章事）李岘，上疏说崔伯阳并没有罪，责罚未免太重，李亨认为他结党营私。

五月十六日，贬李岘当蜀州（四川省崇州市）州长。立法院最高顾问官（右散骑常侍）韩择木晋见李亨，李亨告诉他说："李岘打算大权独揽，现在把他贬到蜀州（四川省崇州市），我觉得对他太过宽大。"韩择木回答说："李岘说话太直率，不是想揽大权。陛下宽大处理，更增加圣洁的恩德。"

毛若虚不久就升任副总监察官（御史中丞），声威震撼政府。

17 五月十七日，任命滑濮战区（总部设滑州〔河南省滑县〕。管五州：滑、濮、汴、曹、宋）司令官（节度使）许叔冀，当汴州（河南省开封市）州长，兼滑汴等七州战区（河南战区改，总部设汴州〔河南省开封市〕。七州：滑、汴、曹、宋、徐、泗、海）司令官（节度使）。命试用汝州（河南省汝州市）州长刘展，当滑州（河南省滑县）州长，担任副司令官（节度副使）。

18 六月二十三日，分割朔方战区（总部设灵州〔宁夏灵武市〕），另

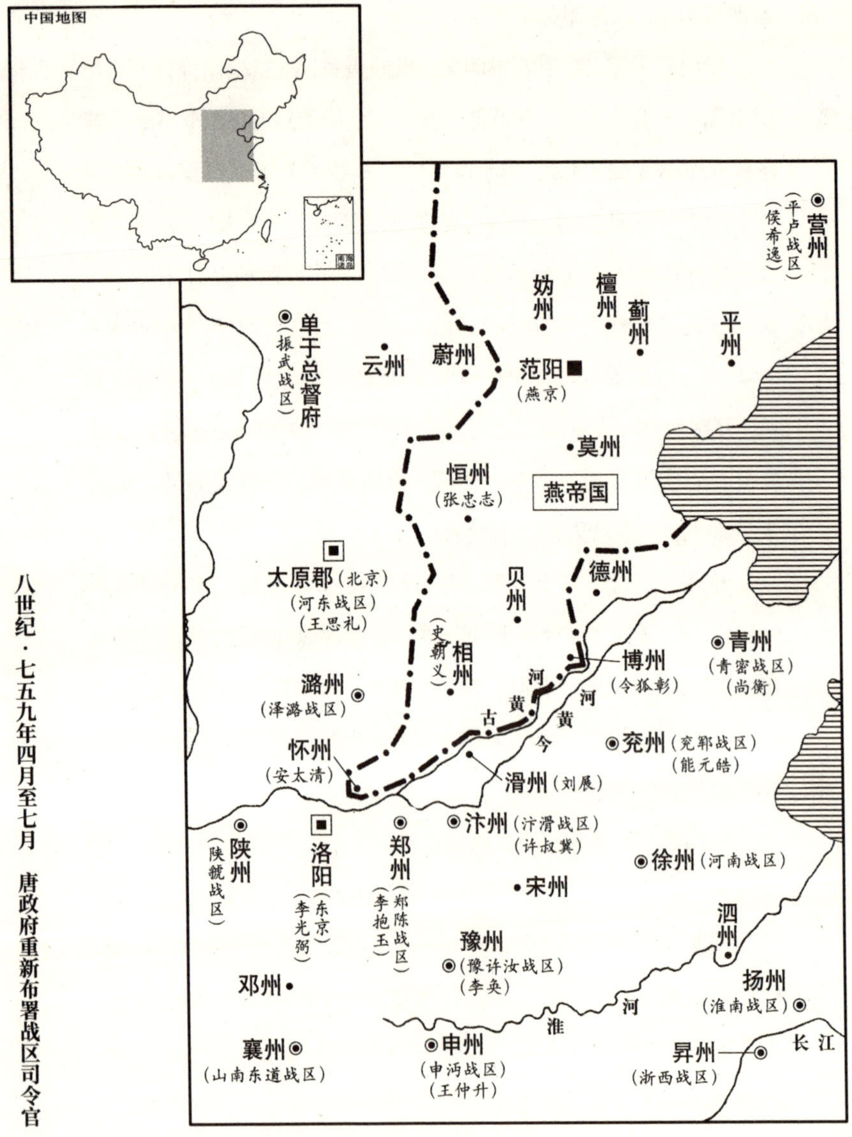

八世纪·七五九年四月至七月 唐政府重新布署战区司令官

设邠宁等九州战区（总部设邠州〔陕西省彬州市〕。邠州前称豳州，因“豳州”往往被误为“幽州”，所以于七二五年，改“豳”为“邠”。九州：邠、宁、庆、泾、原、鄜、坊、丹、延）。

19 皇家观察兵马阵容特派宦官（观军容使）鱼朝恩，最厌恶朔方战区（总部设灵州〔宁夏灵武市〕）司令官（节度使）郭子仪，乘他安阳河（洹水）之败，向唐帝李亨打小报告。

秋季，七月，李亨征召郭子仪回首都长安（时郭子仪驻防东京洛阳），命河东战区（总部设太原府〔山西省太原市〕）司令官（节度使）李光弼，接任朔方战区司令官及全国野战军元帅（天下兵马元帅）。朔方士卒们听到消息，哭泣流泪，在中途拦住钦差宦官，要求留下郭子仪。郭子仪告诉大家说：“现在只是给钦差宦官饯行，不是要走！”等通过人群，才一提马缰，飞快而去。

李光弼请求中央派亲王出面，而自己先当副手。

七月十七日，李亨命赵王李系（李亨的儿子）当全国野战军元帅（天下兵马元帅），李光弼当副元帅，统辖各战区特遣兵团（行营）。李光弼率河东兵团（总部太原府）骑兵五百人，前往东京洛阳（河南省洛阳市），夜晚，闯进朔方兵团（总部灵州）司令部，接收兵权。李光弼军纪森严，刚刚一到任，发号施令，士卒、营垒、旗帜，全部精神百倍，焕然一变。当时，朔方兵团将士，喜爱郭子仪的宽松，畏惧李光弼的严厉。

朔方兵团左翼作战司令（左厢兵马使）张用济，驻防河阳（河南省孟州市），李光弼命他到东京洛阳晋见，张用济说：“朔方兵团，不是叛军。司令官（李光弼）却在黑夜之中闯进总部，为什么猜忌到这种地步？”跟各将领计划率精锐部队，突击洛阳，驱逐李光弼，请郭子仪回任；下令他的士卒全体披甲上马，马口衔木条，准备随时出动。总作战司令（都知兵马使）仆固怀恩说：“邺城（河南省安阳市）溃败时，郭公（郭子仪）最先逃走，中央政府追究责任，所以剥夺他的军权。而今，驱逐李公（李光弼），强行要求郭公（郭子仪）回来，是一种叛乱行为，怎么可以！”右翼攻击司令（右武锋使）康元宝说：“你发动兵变，要求郭公（郭子仪）回任，中央一定疑心是郭公唆使你这样做，足使他家破人亡。郭公家属一百余口，什么地方使你这般怨恨！”张用济才停止。

李光弼率数千名骑兵，向东巡视到汜水（河南省荥阳市汜水镇），张用济单人匹马，前来晋见。李光弼责备他没有奉令即行，斩首，命部将辛京杲接管他的部队。仆固怀恩随后赶到，李光弼招待他就座，交换意见，一会工夫，守门人报告说：“蕃浑部落五百名骑兵抵达门前。”（蕃，北方蛮夷通称。浑，浑部落〔蒙古国乌兰巴托市西〕也是蛮夷，此处特别强调，可能显示某种意义。）李光弼脸色大变。仆固怀恩走出去，把部将们叫过来，假装责备他们说：“告诉你们不要来，为什么偏偏要来。”李光弼解围说：“士卒追随主将，有什么好怪罪的！”命设宴招待。

20 七月二十三日，李亨命泽潞战区（总部设潞州〔山西省长治市〕）司令官（节度使）王思礼，兼太原特别市长（兼太原尹）、北京（太原府）留守长官、河东战区（总部设太原府〔山西省太原市〕）司令官（节度使。接替李光弼）。

当初，潼关溃败（哥舒翰被俘之役，参考七五六年六月），王思礼所骑的马，被流箭射死，正巧，一位骑兵、盩厔（陕西省周至县）人张光晟，跳下马背，把马交给他；王思礼问他姓名，张光晟不肯吐露，即行离去。王思礼牢牢记下他的容貌，事后到处查访，都找不到。现在，王思礼接管河东战区（总部太原府），有人陷害代州（山西省代县）州长、河西（甘肃省中西部）人辛云京，王思礼大为震怒，辛云京恐慌忧惧，不知道怎么才好（代州属河东战区）。张光晟当时正是辛云京的部属，说："我曾经给王公（王思礼）做过一件事，但从来没有提起，只是不愿用此取得赏赐。而今，州长（辛云京）情况紧急，请许我前去晋见王公，一定可为州长化解危难。"辛云京大喜，命他前往。张光晟晋见王思礼，还没有说话，王思礼已一眼瞧出他是谁，喊叫说："咦，你不是我的老朋友吗？这么久，我才终于找到你！"张光晟把实际情况告诉王思礼，王思礼大为欢喜，握住他的手，激动得流下眼泪，说："我之能有今天，都是你的力量，多少年来，我一直找你。"请他跟自己同坐一个床榻，约定结拜成为兄弟。趁王思礼心平气和时，张光晟诉说辛云京所受的冤枉，王思礼说："辛云京犯的错误，不算太小，今天，为了老友的缘故，不再追究。"当天就擢升张光晟当作战司令（兵马使），馈赠他很多金银、绸缎、田地、房产。

21 七月二十七日，李亨任命朔方战区（总部设灵州〔宁夏灵武市〕）副司令官（节度副使）、宫廷总管（殿中监）仆固怀恩，兼祭祀部长（兼太常卿），进爵大宁郡王。

仆固怀恩追随郭子仪，一直担任前锋，勇冠三军。前前后后，立功最多，中央因此封赏。

22 八月十二日，襄州（湖北省襄阳市）将领康楚元、张嘉延，聚众起兵，占领州城。州长王政逃往荆州（湖北省江陵县）。康楚元自称南楚霸王。

23 回纥汗国（瀚海沙漠群）因宁国公主没有儿子，依照她的意愿，送她回国（宁国公主嫁回纥可汗事，参考去年〔七五八〕七月）。

八月二十三日，宁国公主返抵京师（首都长安）。

24 八月二十五日，李亨派宦官将军曹日升，前往襄州（湖北省襄阳市）劝解安慰康楚元，贬州长王政当饶州（江西省鄱阳县）政务秘书长（长史）。命农林部副部长（司农少卿）张光奇当襄州（湖北省襄阳市）州长。

康楚元不接受。（从中央贬谪王政，看出这又是一场冤酷无处申诉的官逼民反，正史往往不作叙述，以致真相常被淹没。）

25 八月二十九日，命李光弼当幽州（北京市）政务秘书长（长史）、河北战区（黄河以北）司令官（累累官位，只为加强对李光弼的压力）。

26 九月一日（原文“甲午”，据《新唐书》改），襄州（湖北省襄阳市）叛将张嘉延，南下袭破荆州（湖北省江陵县）；荆南战区（总部设荆州〔湖北省江陵县〕）司令官（节度使）杜鸿渐，放弃城池逃走。澧州（湖南省澧县）、朗州（湖南省常德市）、郢州（湖北省钟祥市）、峡州（湖北省宜昌市）、归州（湖北省秭归县）等州官员民众听到这个消息，争先恐后逃向高山深谷避难。

27 九月五日，李亨命绛州（山西省新绛县）铸造“乾元重宝”大钱（《新唐书·食货志》记载，八世纪五〇年代初期，全国有九十九个铸钱炉，而绛州〔山西省新绛县〕占三十个，其他或远在山南〔秦岭以南〕、江南〔长江以南〕、岭南〔南岭以南〕，或远在北方，已陷入割据军阀之手；八世纪五〇年代以后，中央铸钱，每靠绛州炉），有两重轮边，新钱一枚当旧钱五十枚（每串重十二斤，时称“重棱钱”）。京师（首都长安）文武百官，因军事负担沉重，从来没有薪俸，现在，李亨指示从冬季开始，用新钱支付（乾元重宝，参考去年〔七五八〕七月）。

28 九月二十四日，李亨派太子少保（太子三少之三）崔光远，当荆襄地区征剿司令（荆襄招讨使）、山南东道总作战司令（处置兵马都使）。命陈颍亳申战区（总部设陈州〔河南省周口市淮阳区〕）司令官（节度使）王仲升，当申沔五州战区（总部设申州〔河南省信阳市〕。五州：申、沔、安、光、寿）司令官（节度使），兼淮南西道战区特遣兵团（驻申州）代理作战司令（知行营兵马）。

29 燕帝史思明大举南征。

史思明命皇子史朝清，镇守燕京范阳（北京市），下令各郡郡长，各率士卒三千人，随从直下河南（黄河以南）。兵分四路：大将令狐彰军五千人，从黎阳（河南省浚县）渡黄河攻取滑州（河南省滑县），史思明军从濮阳（河南省濮阳市）、皇长子史朝义从白皋（河南省滑县北）、宰相周挚从胡良（河南省浚县东），分别南渡黄河，约定在汴州（河南省开封市）会师。

李光弼（朔方〔总部灵州〕司令官）正沿着黄河视察各军，得到情报，立即返回汴州（河南省开封市），对汴滑战区（总部设汴州〔河南省开封市〕）司令官（节度使）许叔冀说："你如果能坚守汴州（河南省开封市）十五天，我一定率军前来援救。"许叔冀一口答应。李光弼返回东京洛阳（河南省洛阳市）。史思明抵达汴州（河南省开封市），攻城，许叔冀迎战，不能取胜，遂跟濮州（山东省鄄城县）州长董秦，以及部将梁浦、刘从谏、田神功等，向史思明投降。史思明命许叔冀当最高立法长（中书令），率领部将李详，继续镇守汴州。史思明对董秦十分优待，但仍把董

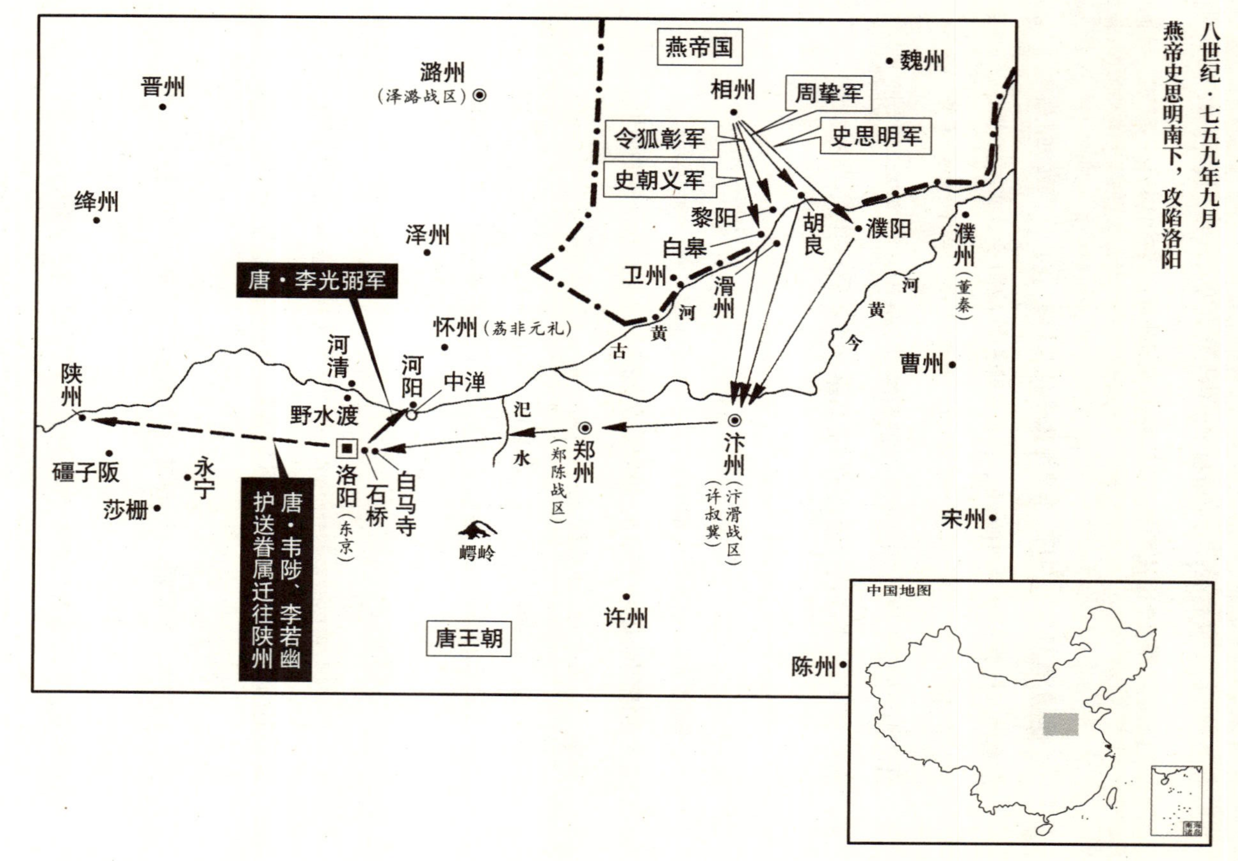

八世纪·七五九年九月
燕帝史思明南下，攻陷洛阳

秦的妻子儿女，软禁长芦（河北省沧州市）当人质。派部将南德信，会同梁浦、刘从谏、田神功等数十人，前往江淮（华东地区）夺取土地。田神功，是南宫（河北省南宫市）人，史思明命他当平卢战区（总部设营州〔辽宁省朝阳市〕。当时仍属唐政府）作战司令（兵马使）。

不久，田神功袭击南德信，斩首。刘从谏脱身逃走。田神功率领他的部队，向唐政府投降。

史思明乘胜西攻郑州（河南省郑州市），李光弼命全军备战，仍慢慢后退，抵达洛阳（河南省洛阳市）后，告诉留守长官韦陟说："盗贼乘胜进击，我们最好是按兵不动，不应该盼望速战速决。洛阳无法可守，你的意见如何。"韦陟请把军队留在陕州（河南省三门峡市），主力退守潼关，据守险要，摧挫燕军锐气。李光弼说："敌对的两方如果势力相当，必须进攻，不应后退，而今，无缘无故放弃土地五百华里，盗贼的气势将更锐不可当。不如把主力集结河阳（河南省孟州市），跟北方的泽潞战区（总部设潞州〔山西省长治市〕）密切合作，情势有利就行动，情势不利就固守，内外互相呼应，阻止盗贼不敢继续西进，这种形势，如同猿猴的手臂，可伸可缩。政治事务，我不如你；军事行动，你不如我。"韦陟无法反驳。执行官（判官）韦损质疑说："东京洛阳是帝王家宅，为什么轻率的放弃？"李光弼说："如果守卫洛阳，则汜水（注入黄河）、崿岭（河南省登封市南）、龙门（河南省洛阳市南）要害之处，都需要驻扎重兵，你是负责军事的执行官（兵马判官），依现在情形，你说，能不能守？"遂用正式公文通知留守长官韦陟，请他率东京洛阳所有官员眷属，西入潼关；也通知东京洛阳特别市长（河南尹）李若幽，请他率居民出城逃难；洛阳遂成为一座空城。

李光弼督促将士把食油、铁器等军用品，运到河阳（河南省孟州市），加强备战物资；而亲率五百名骑兵，在最后压阵。当时燕军斥候部队已深入石桥（洛阳东门外），将领们向李光弼请示说：“我们应出北门，还是仍走石桥（洛阳东门外）？”李光弼说：“仍走石桥（洛阳东门外）！”等到暮色低垂，开始撤退，李光弼命全军举起火把，缓缓行动，戒备森严，军心坚定。燕军尾追不舍，但不敢接近（尾追不舍，是希望敌人因恐惧过度而自行溃散；不敢接近，是敌人太强，难以冒犯）。李光弼于当天夜晚，抵达河阳（河南省孟州市），共有二万人，但粮食只能支持十天。李光弼检查防御工程，分配士卒战斗任务，每件事都如所要求的完成。

九月二十七日，燕帝史思明进入洛阳，发现是一座空城，什么东西都抢劫不到，深恐李光弼攻击后背，不敢进住皇宫，于是撤退到白马寺（河南省洛阳市东）南驻扎。并在河阳（河南省孟州市）以南，兴筑月城（半圆形战术小城），防止李光弼南下。此时，郑州（河南省郑州市）、滑州（河南省滑县）等，前后相继被燕军占领。

韦陟、李若幽，都寄居陕州（河南省三门峡市）办公。

30 冬季，十月四日，李亨下诏，要御驾亲征史思明。文武官员上疏劝阻，李亨才停止。

31 燕帝史思明开始向河阳（河南省孟州市）攻击，命勇将刘龙仙直到城下挑战。刘龙仙仗恃他的勇敢，把右脚跷到马脖子上，破口大骂李光弼。李光弼回头问各将领说：“谁能干掉他？”仆固怀恩要求出马，李光弼说：“这不是大将做的事。”左右侍从官员说：“白孝德可以。”李光弼叫白孝德来问他，白孝德请战。李光弼问：“要多少军队？”白孝德回答说：“我一个人足够。”李光弼佩服他的勇敢，坚持问他需要什么，白孝德回答说：“希望挑选五十名骑兵，同出垒门，作为后援；我动手时，请大军擂鼓呐喊，助长声势！”李光弼拍拍他的肩背，送他出发。

白孝德手提两支铁矛，挥鞭催马，蹚着黄河河水，横渡而过。走到黄河当中，仆固怀恩向李光弼祝贺说：“他已胜利！”李光弼说：“没有交手，你怎么知道？”仆固怀恩说：“看他手提缰绳的安闲态度，知道他已有万全把握。”刘龙仙发现只有一个敌人前来，根本没有放到心上。等白孝德稍稍走近，刘龙仙打算反应，白孝德向他摇手示意，好像不是前来决战似的，刘龙仙猜不透其中含意，只好停止。白孝德前进到距刘龙仙十步之处，才开口说话，刘龙仙仍然破口大骂，白孝德使马休息一会，突然瞪眼大喝说：“叛贼，你可认识我？”刘龙仙说：“你是谁？”白孝德说：“我，名叫白孝德。”刘龙仙说：“哪里来的猪狗！”白孝德突然高声大叫，舞动铁矛，跃马攻击。此时，城上唐军战鼓如雷，喊声震动天地，五十名骑兵飞奔而出。刘龙仙大吃一惊，但已来不及发箭，只好拨马绕着河堤逃走，白孝德追上，砍下人头，带回城里。燕军大为惊骇。白孝德，是安西战区（总部设龟兹〔新疆库车市〕）胡人。

燕帝史思明有骏马一千余匹，每天带到黄河南岸的沙洲上，轮流洗澡，用以展示他的骏马之多。李光弼下令搜集军中的母马，共搜集到五百匹，把它们生的小马都拴在城里。等到燕军再放马到水边（黄河南岸），李光弼把母马全部也放到水边（黄河北岸），母马思恋子马，不断长嘶，燕军骏马全都游水渡河北奔，唐军把它们一齐掳回城中。史思明大怒，出动战舰数百艘，前面由焚烧中的火船作前导，战舰在后跟随，打算顺流而下，烧毁浮桥。李光弼事先储蓄有数百根十丈长杆，固定在巨木之上，长杆尖端绑着毡裹的铁叉，迎击火船，用铁叉把它叉住，火船遂不能前进，一会工夫就烧成一片灰烬。同样用铁叉抵抗战舰，并在浮桥上用大炮发射巨石攻击，被击中的军舰，都沉入水底，燕军不能取胜，只好撤退。

史思明在河清（河南省济源市南黄河渡口）检阅士卒，打算切断唐军的运输粮道，李光弼亲自进驻野水渡（河南省洛阳市孟津区北黄河渡口）戒备。当天晚上，李光弼北返河阳（河南省孟州市），只留下一千人，命部将雍希颢（音hào〔浩〕）留守营寨，吩咐说："盗贼里的高庭晖、李日越（参考七五四年四月）、喻文景，都是力敌万人的勇将，史思明一定会派其中一个对我突击劫持。我现在就离开，你在这里等待，如果盗贼到达，不要跟他们接触。如果盗贼投降，带他们回河阳（河南省孟州市）。"各将领听不懂他在说什么，忍不住暗中失笑。史思明果然告诉李日越说："李光弼擅长守城，不会野战，而今却突然出现野外，是活捉他定了。你率精锐骑兵在夜晚渡过黄河，给我把他捉住，捉不住就不要回来。"李日越率五百名骑兵，凌晨抵达野水渡（河南省洛阳市孟津区北黄河渡口）寨前，雍希颢的士卒都隐藏在壕沟后面休息，望着壕沟那边的燕军，有的喊叫，有的吹口哨。李日越大为奇怪，问说："司空（三公之三）在不在？"（李光弼最高的中央官位是司空〔三公之三〕。）雍希颢说："昨晚就走了。"李日越问："这里有多少兵力？"雍希颢说："一千人。"李日越问："将领是谁？"雍希颢说："雍希颢！"李日越默默考虑了很久，对他的部下说："今天活捉不到李光弼，只生擒雍希颢回去，我们可是死定，不如归顺。"遂下马投降，雍希颢跟他一起晋见李光弼，李光弼对李日越十分优待，当作知己心腹。燕军另一勇将高庭晖听到消息，也向李光弼投降。有人问李光弼说："你一下子就收服两员大将，怎么这样容易？"李光弼说："这是人之常情，史思明一直恨他没有机会野战，听说我在外面，认为一定可以活捉。李日越没有把我活捉，当然不敢回去。高庭晖的才干勇气，都超过李日越，听说李日越受到厚待信任，自然会兴起压过他的念头。”高庭晖当时是五台（山西省五台县）平民征兵府副司令（五台府果毅，正六品上）。

十月六日，唐政府任命高庭晖当右武卫（卫军第四军）大将军（正三品）。

史思明再度攻击河阳（河南省孟州市），李光弼问郑陈战区（总部设陈州〔河南省周口市淮阳区〕）司令官（节度使）李抱玉（安抱玉）说：“将军能不能为我防守南城（河阳南城）两天？”李抱玉（安抱玉）说：“过了两天怎么办？”李光弼说：“两天之后，救兵不到，是守、是退，任由你决定。”李抱玉（安抱玉）承诺，奋力抵抗。燕军攻击猛烈，眼看城池就要陷落，李抱玉（安抱玉）通知燕军说：“我们的粮食已经吃完，请准许明天早上出降。”燕军大喜，稍微后退等待。李抱玉（安抱玉）乘夜修补防御工事，第二天，继续抵抗。燕军大怒，攻击更急，李抱玉（安抱玉）派出一支奇兵，绕到燕军背后，内外夹攻，杀伤很多。

董秦随从史思明进攻河阳（河南省孟州市），夜晚，率领他的部众五百人，砍开营寨木栅，突出重围，投降李光弼。当时，李光弼亲自率军驻扎中潬（河阳中城。潬，音tān〔滩〕），营寨外设置栅栏，栅栏外挖掘壕沟，宽二丈，深也二丈。

十月十二日，燕政府宰相周挚，放弃李抱玉（安抱玉）据守的南城（河阳南城），集中兵力攻击中潬（河阳中城）。李光弼命荔非元礼（镇西特遣兵团〔驻怀州〕暂代司令官）率精锐士卒进驻羊马城（城外高仅及肩的短墙营寨）迎击。李光弼则在城东北角竖起元帅指挥旗——小幅红旗；全部战场，都收眼底。燕军仗恃人多势众，直向城下进逼；装载攻城武器的车辆，在后面跟随。史思明督促部众用土填沟，从三个方向，兵分八路通过，砍倒栅栏，开出进军大道。李光弼望见燕军已经逼近，派人质问荔非元礼说：“你坐在那里眼睁睁看着盗贼们填平壕沟、砍开栅栏，却动也不动，什么缘故？”荔非元礼回问：“司空（李光弼）是打算退守？或是应战？”李光弼说：“打算应战。”荔非元礼说：“既然打算应战，盗贼替我们填壕砍栅，为什么去阻止？”李光弼说：“好极，我没有想到这一点，小心努力！”荔非元礼等栅栏铲平，率敢死队突出攻击，燕军稍向后撤数百步，就力战不退，荔非元礼预料燕军阵势正强，不容易摧毁，乃收兵向后移动。打算等待燕军怠惰，再发动攻击。李光弼看到荔非元礼后退，大怒，派左右侍从召唤荔非元礼，打算斩首。荔非元礼说：“战斗正在紧张，叫我去干什么？”遂退入羊马城（城外高仅及肩的短墙营寨），燕军不敢进逼。过了很久，荔非元礼率军擂鼓呐喊，突出营门，拼死奋战，击破周挚军。

周挚集结部队，改攻北城。李光弼立即率主力进入北城，在城墙上观察燕军阵势，说：“盗贼军队虽然很多，可是吵闹个不停，没有严肃的气氛，用不着畏惧！我向你们保证，过不了中午，一定把他们击败。”下令各将领出战，可是，苦战到中午，胜负仍不能判定，李光弼集合各将领，问说：“依过去经验，盗贼营阵，哪里最强？”有人回答：“西北角。”李光弼命部将郝廷玉前往；郝廷玉要求带五百名骑兵，李光弼给他三百名。再问哪里次坚强？有人回答：“东南角。”李光弼命部将论惟贞前往；论惟贞要求带三百名骑兵，李光弼给他二百名。李光弼下令：“你们遵照我的军旗指示，当军旗缓慢摆动时，你们随自己的判断战斗；当军旗急剧摇晃，三次接触地面时，就全军同时攻击，深入敌阵，不管死活，后退一步，立刻斩首。”取出匕首插到靴子里，沉痛说：“战斗，危险万状，我是帝国的三公（李光弼任司空〔三公之三〕），不可以死在盗贼手里，万一战败，各位前方战死，我在后方自杀，绝不让各位独死，我却独活。”各将领立即出击，一会工夫，郝廷玉跑回来，李光弼望见，吃惊说：“郝廷玉退，我的处境危急。”命左右侍从前去砍下郝廷玉人头，郝廷玉说：“是马被流箭射中，不是退却！”传令官奔回报告，李光弼命急速换马，再投入战场。仆固怀恩跟他的儿子开府仪同三司（文散官一级，从一品）仆固玚攻击，稍微退却。李光弼下令斩首。仆同怀恩父子看见传令官提刀奔来，翻身杀入燕军，决死攻击。李光弼急摇军旗，三碰地面，各将领霎时间一齐拼命进击，呼声震动天地，燕军崩溃，唐军杀一千余人，俘虏五百人，驱逐投入黄河淹死一千余人。周挚率几名骑兵逃走。唐军生擒燕军大将徐璜玉、李秦授。燕政府河南战区（黄河以南）司令官（节度使）安太清，逃到怀州（河南省沁阳市）据守。燕帝史思明不知道周挚战败，还在那里围攻南城，李光弼把所俘虏的燕军，驱逐到黄河边显示给史思明看，史思明才逃走。

十月二十四日，唐政府命李日越当右金吾（卫军第十二军）大将军。

32 邛州（四川省邛崃市。邛，音qióng〔琼〕）、简州（四川省简阳市）、嘉州（四川省乐山市）、眉州（四川省眉山市）、泸州（四川省泸州市）、戎州（四川省宜宾市）等州蛮夷，聚众起兵。

33 十一月一日，李亨任命宫廷总管（殿中监）董秦，当陕西军（基地在陕州〔河南省三门峡市〕）、神策军（基地原在甘肃省临潭县西，参考七五四年七月；今特遣兵团驻扎陕州）作战司令（兵马使。此“宫廷总管”〔殿中监〕，就是为实质官加授的中央官位）。赐姓李，名忠臣。

34 襄州（湖北省襄阳市）变兵首领、自称南楚霸王的康楚元等，部众已达一万余人，商州（陕西省商洛市商州区）州长，兼荆（湖北省江陵县）襄（湖北省襄阳市）地区物资调节总监（荆襄等道租庸使）韦伦，出军讨伐，扎营邓州（河南省邓州市）境内，号召他们投降，优厚安抚；等他们戒备稍微懈怠，发动攻击，生擒康楚元，部众全部溃散；收回被抢劫的田租捐税二百万串钱。荆州（湖北省江陵县）、襄州（湖北省襄阳市）社会秩序全部恢复。韦伦，是韦见素的堂弟（韦见素，参考七五四年八月）。

35 唐政府征调安西战区（总部设龟兹〔新疆库车市〕）及北庭战区（总部设北庭府〔新疆吉木萨尔县〕）特遣兵团，驻防陕州（河南省三门峡市。他们原驻防绛州〔山西省新绛县〕），防备燕帝史思明西进。

36 宰相（同平章事）第五琦，铸造“乾元钱”（参考去年〔七五八〕七月）、“双重轮边钱”（参考本年〔七五九〕九月），跟“开元钱”（参考六二一年七月）三种钱，同时并用，民间争先恐后盗铸，通货膨胀，物价飞腾，粮食价格更贵，人民大量饿死。很多人上疏皇帝，把罪过全推到第五琦头上。

十一月七日，李亨贬第五琦当忠州（重庆市忠县）政务秘书长（长史）；总监察官（御史大夫）贺兰进明被指控跟第五琦结党，贬溱州（重庆市綦江区东南）编制外军务秘书长（员外司马。第五琦原是贺兰进明下属，参考七五六年八月）。

37 十二月二日，命宰相吕諲，兼全国财政总监（领度支使）。

38 十二月十三日，韦伦押解康楚元到京师（首都长安），斩首。

39 燕帝史思明派大将李归仁，率精锐骑兵五千人，攻击陕州（河南省三门峡市）。神策军（特遣兵团基地在陕州）作战司令（兵马使）卫伯玉，率骑兵数百人，在礓子阪（河南省三门峡市南）把他击破，俘获战马六百匹，李归仁逃走。唐政府擢升卫伯玉当镇西四镇战区（西域四镇）特遣兵团司令官（行营节度使）。

李忠臣（董秦）在永宁（河南省洛宁县北）、莎栅（河南省洛宁县西）之间，跟李归仁等接触，不断击破李归仁军。

唐王朝

- 田神功纵兵大掠淮南，江淮（华东地区）残破，人相食。
- 史思明被其子史朝义谋杀，史朝义不久也自缢死。
- 回纥、朔方入洛阳，放火大掠，洛阳成一片焦土。
- 吐蕃入长安，洗劫一空。

- 阿拉伯帝国（黑衣大食）兴筑巴格达城，自大马士革迁都于此，不久即成为世界巨埠。

七六〇年 庚子

唐　乾元　三年
　　上元　元年
（燕帝史思明顺天二年）

1 春季，正月十九日，唐政府（首都长安〔陕西省西安市〕）加授李光弼（朔方〔总部灵州〕司令官）中央官位：太尉（三公之一），兼最高立法长（兼中书令·使相）；现有官职，仍然保持。

2 正月二十四日，唐政府命于阗王（新疆和田市）尉迟胜的老弟尉迟曜（参考七五六年十二月），代理四镇战区（西域四镇）副司令官（节度副使)，暂代管于阗王国（新疆和田市）国务（于阗王及四镇战区司令官，都到唐王朝出征，所以赋给老弟新的任务）。

3 属于羌族（四川省西北部）的党项部落，像蚕虫一样，不断吞噬唐朝边界，即将逼近京畿（首都长安卫星地带），唐政府分割邠宁战区（总部设邠州〔陕西省彬州市〕），另设鄜坊丹延战区（总部设鄜州〔陕西省富县〕。鄜，音fū〔夫〕），也称渭北战区；命邠州（陕西省彬州市）州长桑如珪兼邠宁战区司令官；鄜州（陕西省富县）州长杜冕兼鄜坊丹延战区副司令官（节度副使），分别迎击。

正月二十六日，唐政府再任命郭子仪兼上列两战区司令官；但仍留京师（首都长安），并不到职，只是利用他的威名镇抚。

4 唐帝（十任肃宗）李亨（本年五十岁）祭祀九宫贵神（九宫贵神，参考去年〔七五九〕正月）。

5 二月，全国野战军副元帅李光弼，攻击怀州（河南省沁阳市），燕帝（一任）史思明亲自救援。

二月十一日，李光弼在沁水岸上迎战，大破燕军，杀三千余人。

6 被贬作忠州（重庆市忠县）政务秘书长（长史）的第五琦，出发赴任，有人检举他接受别人贿赂二百两黄金。唐帝李亨派监察官（御史）刘期光追赶上去查问，第五琦说：“我身为宰相，不可能手上老提着黄金二百两。如果查出有人付、有人收，就请依法处理。”刘期光遂奏报第五琦已自动招认。

二月十八日，第五琦被开除官籍，终身流放夷州（贵州省凤冈县）。

7 三月二十三日，蒲州（山西省永济市）升格为河中特别市（河中府）。

8 三月二十九日，李光弼在怀州（河南省沁阳市）城下，击破燕军将领安太清。

夏季，四月二日，在河阳（河南省孟州市）城西沙洲上，击破燕军，杀一千五百人。

9 襄州（湖北省襄阳市）将领张维瑾、曹玠，聚众起兵，斩山南东道战区（总部襄州）司令官（节度使）史翙（音huì〔会〕），占领州城叛变。李亨下诏擢升陇州（陕西省陇县）州长韦伦，当山南东道战区（总部襄州）司令官（节度使）。当时，宦官李辅国当权，战区司令官（节度使）都出自他的门下。只韦伦例外，他既由皇帝直接任命，而在任命后又拒绝晋见李辅国，于是不久，韦伦就被调任秦州（甘肃省天水市）警备区司令（防御使）。

四月二十九日，唐政府命陕西战区（总部设陕州〔河南省三门峡市〕）司令官（节度使）来瑱，改任山南东道战区（总部设襄州〔湖北省襄阳市〕）司令官（七五七年，撤销南阳战区，把襄阳警备区升格为山南东道战区，管辖襄州、邓州〔河南省邓州市〕、随州〔湖北省随州市〕、唐州〔河南省泌阳县〕、安州〔湖北省安陆市〕、均州〔湖北省丹江口市西北〕、房州〔湖北省房县〕、金州〔陕西省安康市〕、商州〔陕西省商洛市商州区〕）。来瑱抵达襄州（湖北省襄阳市），张维瑾等投降。

10 闰四月七日，加授河东战区（总部设太原府〔山西省太原市〕）司令官（节度使）王思礼中央官位：司空（三公之三）。

自从七世纪一〇年代唐王朝建立政权以来，王思礼是第一位

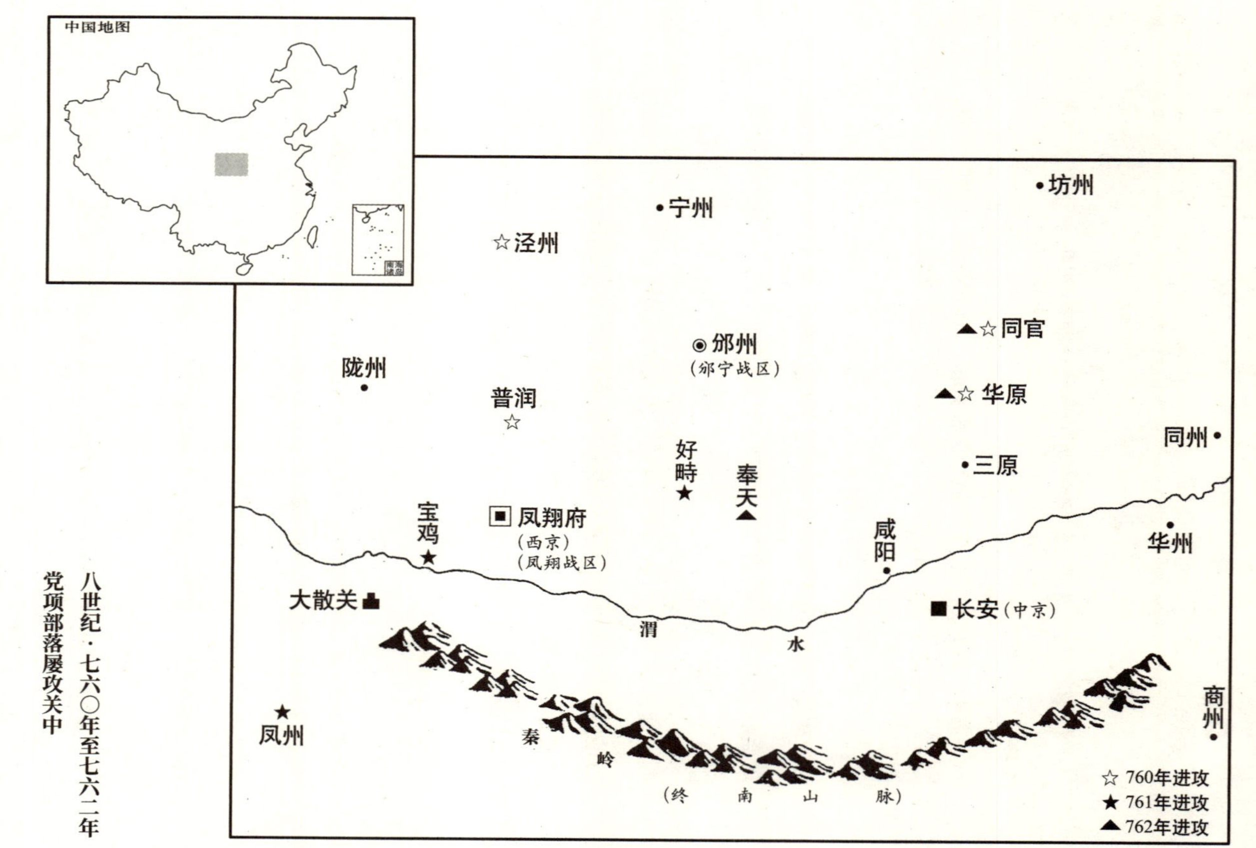

八世纪·七六〇年至七六二年
党项部落屡攻关中

没有经过宰相阶段，就直接高升三公的官员。

11 闰四月十四日，改封赵王李系为越王（李系是李亨之子，参考七五七年十二月十五日）。

12 闰四月十九日，李亨下诏赦免天下，改年号（之前是乾元三年，之后是上元元年）。

13 追赠太公望姜子牙绰号武成王，遴选历代名将担任“亚圣”“十哲”。（唐政府令各州设“太公庙”，参考七三一年三月。十哲：左厢秦王朝武安侯白起、西汉王朝淮阴侯韩信、蜀汉帝国丞相诸葛亮、唐王朝卫国公爵李靖、英国公爵李世勣〔徐世勣〕；右厢西汉王朝太子教师〔太子少傅〕张良、齐王国最高指挥官〔大司马〕田穰苴、吴王国将军孙武、魏国西河郡郡长吴起、燕王国昌国君乐毅。）其他“中祀”“下祀”以及“杂祀”，全部停止（《唐六典》：祭昊天上帝、五方帝、皇地祇、皇家祖庙等，为“大祀”。祭日月星辰、农神、先代帝王、名山大川等，为“中祀”。祭司中、司命、风神、雨神、山林河流等，为“小祀”。祭名不见经传或地位卑微的小神小鬼，为“杂祀”）。

14 当天（闰四月十九日），燕帝史思明进入东京洛阳（去年〔七五九〕九月，燕军占领洛阳）。

15 五月十七日，李亨命太子太傅（太子三师之二）苗晋卿，代理最高监督长（行侍中）。苗晋卿对官场运作，十分熟悉，应付裕如，小心翼翼保护他的官位，当时人们把他比作胡广（胡广是东汉王朝末年官场高级混混，参考一七二年三月）。

16 宦官马上言，收受贿赂，向国务院国防部副部长（兵部侍郎）、一级实质宰相（同中书门下三品）吕諲，要求任命某人当官，吕諲果然给某人当官。事情发觉，马上言被乱棍打死。

五月二十三日，吕諲免职，改任太子宾客（也是正三品，但没有权柄）。

17 五月二十四日，命首都长安特别市长（京兆尹）、南华（山东省东明县东北）人刘晏，当国务院财政部副部长（户部侍郎），兼全国财政、造币及盐铁专卖总监（度支、铸钱、盐铁等使）。刘晏是当时的财政经济专家，所以对他有这项任用。

18 六月六日，桂州军管区（首府设桂州〔广西桂林市〕）指挥官（经略使）邢济奏称：击破西原蛮（广西靖西市境内蛮夷）二十万人，诛杀他们的首领黄乾曜等。

19 六月七日，凤翔战区（总部设凤翔府〔陕西省宝鸡市凤翔区〕）司令官（节度使）崔光远奏称：击破泾州（甘肃省泾川县）、陇州（陕西省陇县）境内羌部落及浑部落十余万人。

20 三种钱币长时间在社会上一同使用（开元钱、乾元钱，以及双重轮边钱，参考去年〔七五九〕十一月），正逢年岁饥荒，每斗米卖到七千钱，很多人饿死，互相吞食（人间惨事）。首都长安特别市长（京兆尹）郑叔清，大肆搜捕私自铸钱的人，只几个月时间，死于乱棍重刑下的有八百多人，但仍无法禁止。李亨训令京畿道（陕西省中部）：开元钱（参考六二一年七月）跟乾元小钱（参考前年〔七五八〕七月），全都一枚当十枚，双重轮边钱（参考去年〔七五九〕九月）一枚当三十枚；其他各州听候指示。

当时，燕帝史思明也铸造“顺天钱”“得一钱”（史思明铸造“得一元宝”，直径一寸四分，不久认为“得一”不是吉祥之兆，改称“顺天元宝”），一枚当“开元钱”一百枚，于是燕政府辖区里，物价更贵（饿死人也更多，可悲）。

21 六月二十六日，兴王李佋逝世（年五岁）。李佋，是张皇后的长子，幼子乃定王李侗。张皇后为了夺嫡，不断排斥太子李豫（李俶），李豫（李俶）一直保持恭敬谦逊的态度，希望能受到包容。正巧，李佋早夭，李侗年纪还小，李豫（李俶）的太子宝座才终于保住。

22 六月二十七日，凤翔战区（总部设凤翔府〔陕西省宝鸡市凤翔区〕）司令官（节度使）崔光远，在普润县（陕西省宝鸡市凤翔区北）击破党项部落。

23 平卢战区（总部设营州〔辽宁省朝阳市〕）作战司令（兵马使）田神功奏报说：在郑州（河南省郑州市）击破燕军。

24 太上皇（九任玄宗）李隆基（本年七十六岁）喜爱兴庆宫，自巴蜀（四川省）回来，就住在那里（参考七五七年十二月）。李亨有时从夹城前往兴庆宫，问候老爹（《新唐书·地理志·上都》：“七三二年，筑夹城入芙蓉园。”但不知是宫是殿？还是一条走道），李隆基有时偶尔也到大明宫。左龙武（禁军第三军）大将军陈玄礼、宦官总管（内侍监）高力士，长久以来在李隆基左右服侍；李亨又命玉真公主李持盈（李隆基的女儿）、如仙媛（宫女）、宦官王承恩、魏悦，以及“梨园弟子”——皇家音乐歌剧团员，时常在李隆基身边博取他的快乐。

李隆基经常登长庆楼（南临大街），长安（陕西省西安市）父老经过时，往往抬头瞻仰，叩头高呼万岁，李隆基常派人在楼下摆设酒肉赏赐；又曾经叫将军郭英乂等上楼，参加饮宴。剑南道（首府设成都府〔四川省成都市〕）一位奏事官（地方政府派遣进京奏报事务的官员）经过楼下时，跪拜叩头，李隆基命玉真公主李持盈、如仙媛当主人，设宴招待。

太子宫总管（太子詹事）、宦官李辅国，出身贫苦卑贱，虽然一下子蹿升高位，掌握国家权柄，但李隆基左右侍从官员，仍瞧他不起。李辅国怀恨在心，而又打算建立奇功，使皇帝对他更为宠信，于是警告李亨说：“太上皇（李隆基）住在兴庆宫，每天跟外面的人来往，陈玄礼、高力士又打算做出伤害陛下的事。现在，禁军将士都是灵武（宁夏灵武市）功臣，心里怀疑恐惧，胡思乱想，我向他们怎么保证，都不能化解，不敢不奏报陛下。”李亨哭泣说：“太上皇（李隆基）仁爱慈悲，怎么可能有这种事！”李辅国坚持说：“太上皇（李隆基）当然没有这个意思，可是对手下那些贪图富贵的小人物，有什么办法？陛下是天下之主，应为帝国打算，在祸乱还没有表面化之前把它消灭，怎么能严守平民的孝道！而且兴庆宫跟民间街巷相邻，围墙又低，里面的事，外面看得清清楚楚，不是太上皇（李隆基）应住的地方。皇宫内院，戒备森严，把太上皇（李隆基）迎接回来，跟住在兴庆宫，有什么不一样？还可以断绝小人物的挑拨煽动。如此的话，太上皇（李隆基）得以享受万年安静，而陛下每天又有三次晋见老爹的快乐；有什么值得考虑的。”李亨不接受，但李辅国已开始行动，兴庆宫原有御马三百匹，李辅国假传圣旨把它们全部运走，只留下十匹。李隆基告诉高力士说：“我儿被李辅国迷惑，孝心已不能到头！”

李辅国又发动六军将士（禁军六军：左右羽林军、左右龙武军、左右神武军，参考七五五年十二月），包围皇宫请愿，哭泣、号叫、叩头，要求迎接太上皇（李隆基）移往“西内”（太极宫称西内，兴庆宫称南内）。李亨流泪哭泣，不作回答，李辅国恐惧。正巧，李亨身体有点不舒适。

秋季，七月十九日，李辅国假传圣旨，迎接李隆基游逛西内（太极宫），走到睿武门，李辅国率神箭手骑兵五百人，拔出钢刀，在路当中拦住马头，奏报说：“奉皇上（李亨）命令，因为兴庆宫既潮湿而又狭窄，恭迎太上皇（李隆基）回皇宫居住。”李隆基被突然出现的阵势吓了一跳，几乎从马背掉下来。高力士说：“李辅国，你竟敢这么撒野！”大声喝他下马，李辅国不得已，只好下马。高力士代表李隆基向神箭手骑兵慰问说：“各位将士们好！”将士把刀插回刀鞘，叩头，呼喊万岁。高力士又喝令李辅国跟自己共同牵引李隆基的马缰，缓步前往西内（太极宫），遂下榻甘露殿。安顿之后，李辅国率领禁军骑兵退出。留给李隆基身边的卫士，只不过数十名老弱残兵。陈玄礼、高力士，以及旧有的宦官宫女，都不准进来。李隆基说：“兴庆宫，是我当亲王时住的地方（这是五十年前的事，参考七一〇年四月），我很多次要让给皇帝（李亨），是皇帝不接受。今天搬回皇宫，也是我的心愿。”当天（七月十九日），李辅国率领六军（禁军）高级将领，换上素色衣服，晋见李亨，请求宽恕。李亨受高级将领的压力，对他们慰劳说：“南宫（兴庆宫）、西内（太极宫），有什么分别？你们只不过恐惧小人物迷惑太上皇（李隆基），为了堵塞灾祸源头，保护政府，才这样做，有什么好害怕的！”国务院司法部长（刑部尚书）颜真卿，领头率文武百官上疏，问候太上皇健康平安。李辅国大为厌恶，奏报李亨，贬颜真卿当蓬州（四川省仪陇县南）政务秘书长（长史）。

25 七月二十五日，李亨训令全国各地：双重轮边钱（重棱钱）

每一钱当三十钱，依照京畿道（陕西省中部）办法。

26 七月二十八日，李亨下诏，把高力士流放巫州（湖南省洪江市西北黔城镇）、王承恩流放播州（贵州省遵义市）、魏悦流放溱州（重庆市綦江区东南。溱，音zhēn〔真〕），命陈玄礼退休；把如仙媛放逐到归州（湖北省秭归县）看管；命玉真公主李持盈出宫回玉真观（参考七一一年五月）。

李亨更遴选宫女一百余人，送到西内，负责清洁工作；又命万安、咸宜二位公主（皆李隆基的女儿）进宫服侍父亲李隆基的饮食起居。四方呈献的奇异珍贵物品，李亨都先呈献老爹。然而李隆基却一天比一天沉默悲伤，因而不再吃肉，不再吃饭，渐渐患病。李亨最初还去问安，不久，李亨自己也患病，只派代表前去问安。后来，李亨稍微有点醒悟，对种种激烈的处置，感到后悔，十分厌恶李辅国，打算把他诛杀，但又畏惧李辅国手握禁军，竟犹豫不决，不敢行动。

27 当初，陇右战区（总部设鄯州〔青海省海东市乐都区〕）司令官（节度使）哥舒翰，在临洮（甘肃省临潭县）西关磨环川（临潭县西）击破吐蕃王国（首都逻些城〔西藏拉萨市〕），在那个地方设置神策军基地（参考七五四年七月）。后来，安禄山叛变，基地司令（军使）成如璆（音qiú〔球〕）派他的部将卫伯玉，率特遣兵团一千人进京（首都长安）勤王。不久，基地被吐蕃军占领，卫伯玉留驻陕州（河南省三门峡市）。被擢升右羽林军（禁军第二军）大将军。

八月十三日，唐政府任命卫伯玉当神策军特遣兵团（驻陕州〔河南省三门峡市〕）司令官（节度使）。

28 八月三十日，李亨追赠兴王李佋绰号：恭懿太子。

29 九月七日，唐政府指定荆州（湖北省江陵县）当南都（与此同时，南京成都府〔四川省成都市〕撤销陪都称号，《资治通鉴》没有记载此事），把荆州升格为江陵特别市（江陵府），依旧设置永平军基地，训练民兵（团练兵）三千人，用以加强对吴（长江下游）、蜀（长江上游）险要的控制力量。这是采纳荆南战区（总部江陵府）司令官（节度使）吕諲的建议。

30 有人上疏提醒李亨："天下还没有安定，不应该把郭子仪放在闲散位置（郭子仪被免职，参考去年〔七五九〕七月）。"

九月八日，李亨命郭子仪镇守邠州（陕西省彬州市），党项部落撤退。

九月二十一日，李亨下诏说："特派郭子仪统率各战区军队，从朔方（总部设灵州〔宁夏灵武市〕）出发，直接攻击范阳（燕首都，北京市），班师途中，扫平河北（黄河以北）叛乱。调发英武军（禁军第七、八军）等禁军，征召朔方战区（总部设灵州〔宁夏灵武市〕）、鄜坊战区（总部设鄜州〔陕西省富县〕。鄜，音fū〔夫〕）、邠宁泾原战区（总部设邠州〔陕西省彬州市〕）等各战区华洋混合兵团，共七万人，全受郭子仪指挥。"

但诏书下达十天，却受到宦官鱼朝恩破坏阻挠，竟不能成行。

31 冬季，十月十九日，设青沂等五州战区（总部设青州〔山东省青州市〕。去年〔七五九〕四月，唐政府命尚衡当青密战区司令官。本年〔七六〇〕四月，青密战区司令官尚衡击破燕军，则此时尚衡仍在青州。《新唐书·方镇表》：七六〇年设淄沂战区，管辖淄、沂、沧、德、棣五州。侯希逸自营州〔辽宁省朝阳市〕率军保青州，被任命当青密战区司令官，撤除淄沂战区，管辖五州，称淄青平卢战区）。

32 十一月六日，泾州（甘肃省泾川县）击破党项部落。

33 副总监察官（御史中丞）李铣、宋州（河南省商丘市）州长刘展，都兼任淮西战区（总部设申州〔河南省信阳市〕）副司令官（节度副使）。李铣贪赃枉法，性情凶暴；刘展自认为了不起，专断独行，不接受批评，所以当他们长官的人，对他们都十分厌恶。淮西战区司令官（节度使）王仲升，曾经弹劾李铣，李铣被诛杀。当时民间有歌谣说："手执金刀起东方！"（"金刀"预言，参考七五〇年十月。）王仲升命高级监军宦官（监军使）兼宦官总管府左秘书长（内左常侍）邢延恩（唐王朝派宦官当皇家代表，监视军队，官位高的称"高级监军宦官"〔监军使〕，其次称"监军宦官"〔监军〕），前往京师（首都长安）奏报说："刘展倔强蛮横，不接受命令，而'刘'姓又应验民谣，请把他铲除。"

邢延恩对铲除刘展的方法，向李亨提出建议说："刘展跟李铣，是很好的朋友，中央既诛杀李铣，刘展自然充满疑惧，如果不把他铲除，恐怕他终于发动变乱，可是，刘展手握强大兵力，最好是运用谋略。不妨擢升刘展当江淮（华东地区）总指战官（都统），接替李峘（音huán〔环〕。李峘是浙江东道战区及淮南战区司令官，参考前年〔七五八〕十二月），等他交出军队前往上任时，在途中把他逮捕，不过一个人的力量就够。"李亨批准，发布人事命令，擢升刘展当淮南东道战区（即淮南战区）、江南西道战区、浙西战区总指战官（都统。淮南东道〔淮南〕战区总部设扬州〔江苏省扬州市〕、江南西道战区总部设洪州〔江西省南昌市〕、浙西战区总部设昇州〔江苏省南京市〕）。然后秘密训令原任总指战官（都统）李峘及淮南东道战区（淮南战区，总部设扬州〔江苏省扬州市〕）司令官（节度使）邓景山，暗中布置，依照计划行事。

邢延恩把皇帝诏书交给刘展，刘展立刻警觉到不对劲，说：

“我自从在陈留郡（汴州，河南省开封市）投军当兵，没有几年，就升到州长，可以说突然间大富大贵。江淮（华东地区）是供应中央田赋捐税的重地，各战区总指战官（都统）是军事上最重要的高位，我既没有建立过大功，又不是皇亲国戚，一旦受到如此恩典和宠爱，不能不心惊胆颤，莫非有奸佞小人物，从中挑拨离间，摆下圈套？”说到激动之处，不禁流下眼泪。邢延恩大为恐惧，说：“你一向有才干威望，皇上对江淮（华东地区）深感忧虑，所以超越资格限制，指名用你。想不到反而引起你的疑心，这是为什么？”刘展说：“如果事情不是骗局，我是不是可以先拿到印信符节？”邢延恩说：“当然可以。”于是飞骑奔往广陵（扬州州政府所在城，江苏省扬州市），跟李峘密谋，把李峘的印信符节，送给刘展。刘展得到印信符节后，就上疏皇帝谢恩；发出文书给江淮（华东地区）的亲戚朋友，一律用作心腹；三个战区的官属也派出代表祝贺迎接，呈报图表，路上络绎不断。刘展动员宋州兵团七千人，南下广陵（扬州，江苏省扬州市）。

邢延恩发现刘展已看穿了他的阴谋，遂逃回广陵（扬州，江苏省扬州市），会同李峘、邓景山，集结军队抵抗（天下本无事，被小聪明的人搞得天翻地覆，邢延恩正是这种人），通知各州县，声言刘展谋反。刘展也通知各州县，声言李峘谋反，州县政府不知道应该服从谁。李峘率军撤退，南渡长江，跟总指战官（副使）润州（江苏省镇江市）州长韦儇、浙西战区（总部设昇州〔江苏省南京市〕）司令官（节度使）侯令仪，驻防京口（润州州政府所在城）；邓景山则率一万人，进驻徐城（江苏省盱眙县西北）。刘展一向享有威名，军队纪律严整，江淮（华东地区）居民听到他的风声，都感到害怕。刘展强行军，在预定日期之前抵达徐城（江苏省盱眙县西北），派人质问邓景山说：“我奉皇上诏书，前往广陵（扬州，江苏省扬州市）上任，你们这些军队是干什么的？”邓景山不回答。刘展派人到营阵前呼喊说："你们都是我管辖区里的居民，不要阻挡我们的军队！"命他的部将孙待封、张法雷进攻，邓景山部众崩溃，和邢延恩一同逃奔寿州（安徽省寿县）。刘展遂率军进入广陵（扬州，江苏省扬州市），派部将屈突孝标（屈突，复姓），率士卒三千人，分别向濠州（安徽省凤阳县东北临淮关镇）、楚州（江苏省淮安市），另一部将王晅（音xuǎn〔选〕）率士卒四千人，向淮西（淮河上游）夺取土地。

李峘在北固山（江苏省镇江市北）开辟战场，用木栅拦住长江口岸。刘展驻扎白沙（江苏省仪征市），在瓜洲（江苏省扬州市南长江中小岛）布置少数使敌人困惑的部队。大量燃起火把，鼓声如雷，好像就要攻击北固（镇江市北），这样一连几天，李峘集结全部精锐部队，严守京口（润州州政府所在城），等待迎战。刘展从上游渡过长江，袭击下蜀（江苏省句容市北长江渡口）。李峘军得到消息，立刻瓦解，李峘逃往宣城（宣州州政府所在县，安徽省宣城市）。

十一月八日，刘展攻陷润州（江苏省镇江市）。昇州（江苏省南京市）武装部队一万五千人，攻击金陵城（昇州州政府所在城），打算响应刘展，不能攻克，逃走。浙西战区（总部设昇州〔江苏省南京市〕）司令官（节度使）侯令仪恐惧，把善后事务交给作战司令（兵马使）姜昌群，放弃城地，逃走。姜吕群遂派他的部将宗犀（宗，姓），晋见刘展投降。

十一月十日，刘展占领昇州（江苏省南京市），命宗犀当润州（江苏省镇江市）军务秘书长（司马）兼丹阳军基地司令（去年〔七五九〕在润州〔镇江市〕设丹阳军基地）；而命姜昌群兼昇州（江苏省南京市）州长，由侄儿刘伯瑛当他的副手。

34 全国野战军副元帅（兵马副元帅）李光弼攻怀州（河南省沁阳市），一百余天，才把它攻克；生擒守将、燕政府河南战区（黄河以南）

司令官（节度使）安太清。

35 燕帝史思明派他的部将田承嗣，率军五千人前往淮西（淮河上游），王同芝率军三千人前往陈州（河南省周口市淮阳区），许敬江率军二千人前往兖州（山东省济宁市兖州区）、郓州（山东省东平县），薛萼率军五千人前往曹州（山东省菏泽市定陶区），分别夺取土地。

36 十二月二十日，党项部落（四川省西北部）攻击华原（陕西省铜川市耀州区）、同官（陕西省铜川市），大肆劫掠后退走。

37 变民首领郭愔等，引导羌族等部落，击败秦陇警备区（总部设秦州〔甘肃省天水市〕）司令（防御使）韦伦，斩高级监军宦官（监军使）。

38 兖郓战区（总部设兖州〔山东省济宁市兖州区〕）司令官（节度使）能元皓（能，姓）击破燕军。

39 江淮（华东地区）总指战官（都统）李峘放弃润州（江苏省镇江市）时，副总指战官（副使）李藏用对李峘说："当国家的高官，享受国家优厚的薪俸，一旦遇到灾难，拔腿就逃，不是忠义。掌握数十个州的粮秣，控制三江五湖（华东地区）的险要，不发一箭，就把它放弃，不是勇敢。不忠不勇，怎么事奉君王！请准我收拾残兵败将，继续抵抗。"李峘遂把善后事务全部交给李藏用，李藏用集结散兵游勇，共七百人；到东方的苏州（江苏省苏州市）招募战士，又有二千人，遂构筑阵地，竖立栅栏，抵御刘展。

刘展派将领傅子昂、宗犀，攻击宣州（安徽省宣城市）；宣歙战区

（总部设宣州〔安徽省宣城市〕）司令官（节度使）郑炅之，放弃城池，逃走。李峘逃到洪州（江西省南昌市）。

李藏用跟刘展的部将张景超、孙待封，在郁墅（江苏省苏州市西北）会战，兵败，逃往杭州（浙江省杭州市）。张景超遂占领苏州（江苏省苏州市），孙待封攻陷湖州（浙江省湖州市）。刘展命另一部将许峄当润州（江苏省镇江市）州长，李可封当常州（江苏省常州市）州长，杨持璧当苏州（江苏省苏州市）州长，孙待封兼湖州（浙江省湖州市）州长。张景超进逼杭州（浙江省杭州市），李藏用派他的将领温晁进驻余杭（浙江省杭州市余杭区）。刘展又任命李晃当泗州（江苏省盱眙县淮河北岸）州长、宗犀当宣州（江苏省镇江市）州长。

刘展的大将傅子昂，驻军南陵（安徽省南陵县），计划攻击江州（江西省九江市），夺取江南西道（江西省）土地；于是，屈突孝标攻陷濠州（安徽省凤阳县东北临淮关镇）、楚州（江苏省淮安市）；王晅（音xuǎn〔选〕）攻陷舒州（安徽省潜山市）、和州（安徽省和县）、滁州（安徽省滁州市）、庐州（安徽省合肥市）等，大军所指，无不摧毁，共集结步兵一万人、骑兵三千人，横行江淮（华东地区）之间，如入无人之境。唐政府寿州（安徽省寿县）州长崔昭，征集车队阻截，王晅遂不能西进，只在庐州（安徽省合肥市）扎营。

最初，李亨命平卢战区（总部设营州〔辽宁省朝阳市〕）作战司令（兵马使）田神功，率他所属精锐部队五千人，驻防任城（山东省济宁市）。淮南东道战区（总部设扬州〔江苏省扬州市〕）司令官（节度使）邓景山，既被击败，跟高级监军宦官（监军使）邢延恩，上疏李亨，请求下令田神功支援，还没有得到批示，邓景山已派人去催促田神功出发，并且许诺：淮南（淮河以南）所有金银绸缎，以及壮年男人和年轻女子，任由田神功部队奸淫掳掠。田神功部属听到消息，大为欢喜，于是，全体出动南下，抵达彭城（徐州，江苏省徐州市）时，李亨下达讨伐刘展的诏书才送到军前。刘展得到消息，开始畏惧，亲自率八千人从广陵（扬州，江苏省扬州市）北上抵御；再又遴选精兵二千人，渡过淮河，在都梁山（江苏省盱眙县南）迎击田神功；刘展大败，撤退到天长（安徽省天长市）；出动五百名骑兵，在桥头死战，又大败；刘展只带一个骑兵，南渡长江，田神功遂进入广陵（扬州，江苏省扬州市）及楚州（江苏省淮安市），大肆奸淫烧杀抢掠，屠杀外国商人以千为计算单位，田神功部队为了搜寻埋在地下的珠宝，整个城中土地几乎全被掘遍。

40 本年（七六〇），吐蕃王国（首都逻些城〔西藏拉萨市〕）攻陷廓州（青海省化隆县）。

八世纪·七六〇年十一月至十二月
刘展被逼叛变，南下江淮

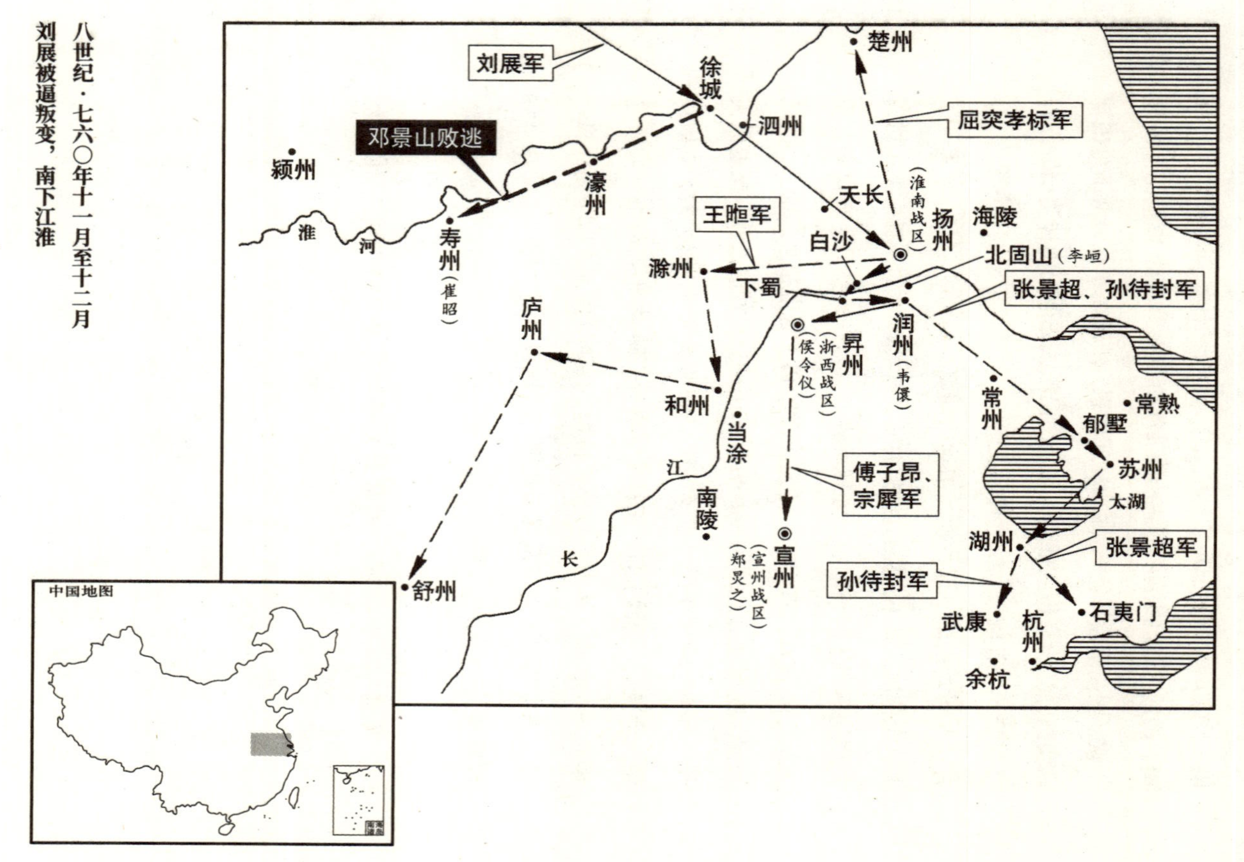

七六一年 辛丑

唐　上元　二年
(燕帝史思明顺天三年·应天元年)
(燕帝史朝义显圣元年)
(梁王段子璋黄龙元年)

1 春季，正月十七日，燕帝（一任）史思明改年号应天（之前是顺天三年，之后是应天元年）。

2 唐王朝（首都长安〔陕西省西安市〕）叛军首领刘展的部将张景超，率军进攻杭州（浙江省杭州市），在石夷门（浙江省桐乡市西石门镇）击败李藏用的部将李彊。孙待封自武康（浙江省德清县西武康街道）南下，打算跟张景超会师后，一同进攻杭州（浙江省杭州市）。李藏用另一部将温晁，据守险要，把孙待封击败；孙待封逃脱，投奔乌程（湖州州政府所在县，浙江省湖州市）。李可封献出常州（江苏省常州市），向唐政府军投降。

正月二十一日，平卢战区（总部设营州〔辽宁省朝阳市〕）作战司令（兵马使）田神功派特进（文散官二级，正二品）杨惠元等，率一千五百人，西上攻击王晅（音xuǎn〔选〕）。

正月二十五日，夜晚，田神功派特进（文散官二级，正二品）范知新等，率四千人，从白沙（江苏省仪征市）南渡长江，向西进攻下蜀（江苏省句容市北长江渡口）。邓景山率一千人从海陵（江苏省泰州市）也南渡长江，向东进攻常州（江苏省常州市）。田神功跟邢延恩率三千人进驻瓜洲（江苏省扬州市南长江中小岛）。

正月二十六日，田神功渡长江南下。刘展率步骑兵一万余人，在蒜山（江苏省镇江市西）筑阵，田神功用船运送军队前往金山（镇江市北长江中小岛），正巧遇到大风，有五艘被吹到金山下游，刘展把两只船上的士卒，全部屠杀，把另三只船全部凿沉，田神功不能再渡，只好撤回瓜洲（江苏省扬州市南长江中小岛），但范知新等军，已抵达下蜀（江苏省句容市北长江渡口），刘展攻击，不能取胜。老弟刘殷劝刘展率舰队逃到大海（东海），还可以拖延一段日子。刘展说："如果明知道事情不会成功，何必要多杀人家的父子？死，早晚都是一样！"率部队奋战。将军贾隐林一箭射中刘展的眼睛，刘展跌倒在地，遂被斩首。刘殷、许峄也都被杀。贾隐林，是滑州（河南省滑县）人（贾隐林是贾循的堂侄。贾循，参考七五五年十二月二十一日）。杨惠元等在淮南（安徽省中部及湖北省东部）击破王晅，王晅率军奔向东方，走到常熟（江苏省常熟市），向唐军投降；孙待封也晋见李藏用投降。张景超已集结部众达七千余人，听到刘展战死消息，把军队全部交给部将张法雷，命他继续进攻杭州（浙江省杭州市），而自己逃亡海上。张法雷进抵杭州（浙江省杭州市），李藏用把他击破，刘展集团遂全部消灭。平卢兵团（田神功军）大肆奸淫掳掠十天；安禄山、史思明兵变后，战乱并没有波及到江淮（华东地区），而现在，江淮（华东地区）人民，开始跟北方人民一样，受到残害。

3 荆南战区（总部设江陵府〔湖北省江陵县〕）司令官（节度使）吕諲上疏，请把湖南警备区（总部设衡州〔湖南省衡阳市〕）的潭州（湖南省长沙市）、岳州（湖南省岳阳市）、郴州（湖南省郴州市）、邵州（湖南省邵阳市）、永州（湖南省永州市）、道州（湖南省道县）、连州（广东省连州市），黔中战区（总部设黔州〔重庆市彭水县〕）的涪州（重庆市涪陵区），都划入荆南战区。唐帝（十任肃宗）李亨（本年五十一岁）批准。

4 二月，奴剌部落（甘肃省南部）、党项部落（四川省西北部），攻击宝鸡（陕西省宝鸡市），纵火焚烧大散关（宝鸡市西南），向南侵入凤州（陕西省凤县），斩州长萧忮（音yì〔义〕），大肆抢劫，返回西方。凤翔战区（总部设凤翔府〔陕西省宝鸡市凤翔区〕）司令官（节度使）李鼎追赶，把他们击破。

5 二月十三日，新罗王国（首都金城〔朝鲜半岛庆州市〕）国王（三十五世景德王）金嶷，前来中国晋见皇帝，乘机要求留下来当禁卫军官。

6 有人说："据守洛阳（河南省洛阳市）的叛军将士，都是燕地（河北省北部）居民，出征在外的时间太久，渴望回家，官兵上下，离心离德。政府如果攻击，一定可以消灭。"驻防陕州（河南省三门峡市）

八世纪·七六一年二月

邙山之役，李光弼反攻洛阳失败

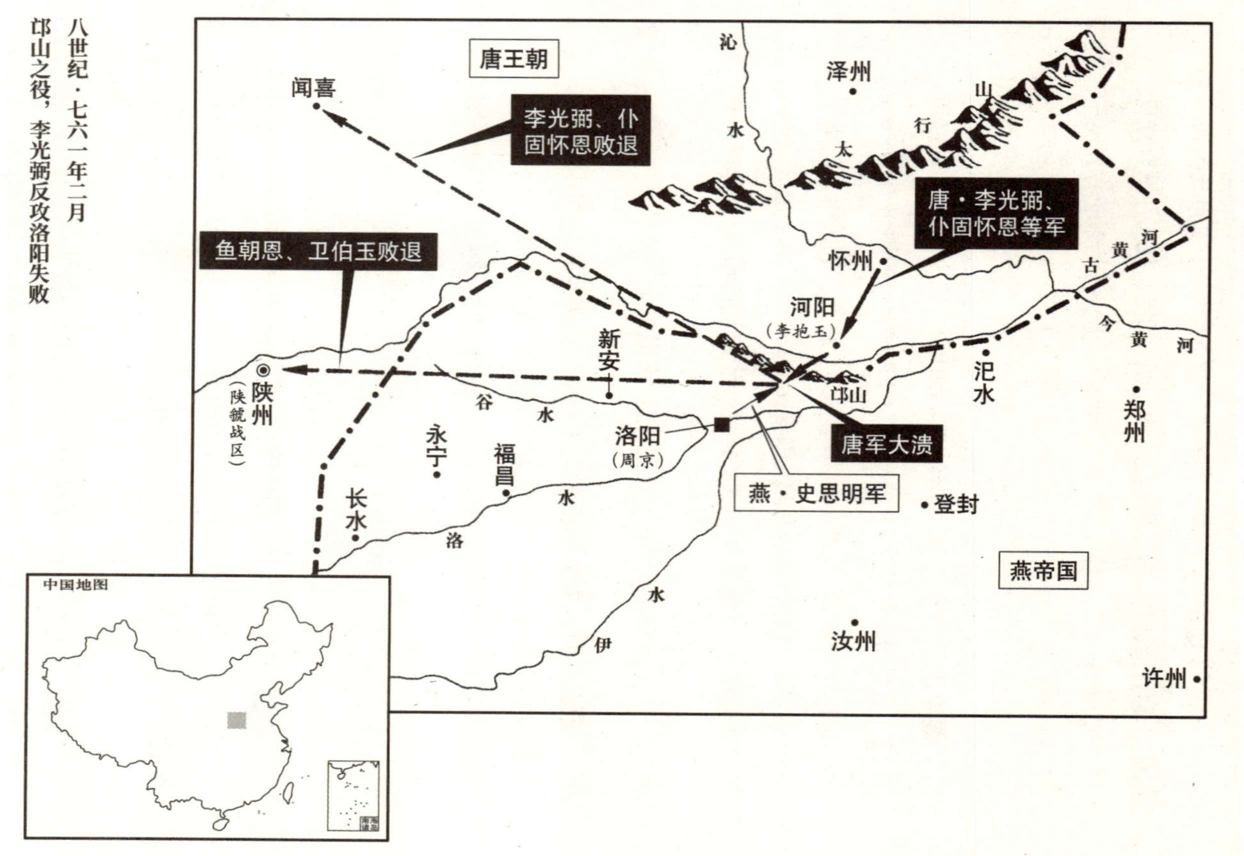

的皇家观察兵马阵容高级监军宦官（观军容使）鱼朝恩，认为确实如此，不断提醒李亨；李亨遂训令全国野战军副元帅（天下兵马副元帅）李光弼等，收复东京洛阳。李光弼上疏说："盗贼（燕政府）的锐气仍在，政府绝不可轻率发动攻势。"朔方战区（总部设灵州〔宁夏灵武市〕）司令官（节度使）仆固怀恩，勇敢善战而性情暴烈固执，部下都是华洋混合兵团中的精锐，仗恃自己的功劳，很多事犯法违纪，郭子仪（前朔方〔总部灵州〕司令官）为人宽大厚道，总是尽量包容，但每次战役，也靠他完成任务，而李光弼性情严厉，大小事件，都依法制裁，一点不给情面。仆固怀恩对李光弼心存畏惧，也同时厌恶，于是附会鱼朝恩的意见，认为洛阳可以攻克，因此，钦差宦官（中使）一个接一个催促李光弼出军。李光弼不得已，命郑陈战区（已沦陷）司令官（节度使）李抱玉（安抱玉），镇守河阳（河南省孟州市），李光弼、仆固怀恩，率军会同鱼朝恩，以及神策军特遣兵团（驻陕州〔河南省三门峡市〕）司令官（节度使）卫伯玉，向洛阳前进。

二月二十三日，大军抵达邙山（洛阳城北），李光弼命依据险要筑阵，仆固怀恩却筑阵平原，李光弼说："依据险要，进可以攻，退可以守，如果驻兵平原，情况不利，便全军覆没。对史思明，不可以有一点轻视。"下令移向险要，仆固怀恩却加以阻止。史思明抓住唐军阵势移来移去，还没有稳定之际，发动猛烈攻击，唐军霎时间全线崩溃，士卒四散逃命，被杀数千人；军用物资、轻重武器，全部抛弃。李光弼、仆固怀恩渡黄河向北逃走，投奔闻喜（山西省闻喜县）；鱼朝恩、卫伯玉逃回陕州（河南省三门峡市）；李抱玉（安抱玉）也放弃河阳（河南省孟州市）逃走。河阳（河南省孟州市）、怀州（河南省沁阳市），都被燕军占领。唐政府得到消息，大为恐惧，迅速向陕州（河南省三门峡市）增援。

7 李揆跟吕諲同当宰相时（参考前年〔七五九〕三月），互相倾轧。后来，吕諲被免除宰相（参考去年〔七六〇〕五月），不久，出任荆南战区（总部设江陵府〔湖北省江陵县〕）司令官（节度使），施政治民，都得到美好的名声，李揆恐怕他回中央再当宰相，于是上疏指控把湖南（洞庭湖以南）各州划入战区，对帝国不利（针对吕諲本年〔七六一〕正月之奏）；又暗中派人到荆湖一带（湖北省及湖南省），搜集吕諲的违法证据。吕諲上疏控告李揆。

二月二十八日，唐帝李亨贬李揆当袁州（江西省宜春市）政务秘书长（长史）。擢升河中战区（总部设河中府〔山西省永济市〕）司令官（节度使）萧华，当副立法长（中书侍郎），兼二级实质宰相（同平章事），接替李揆遗缺。

8 燕帝史思明凶暴残忍，而又猜忌好杀，部属们稍微有点使他不称心、不如意，动不动全族就被屠杀，恐怖气氛弥漫，人人不能自保。怀王史朝义，是史思明的长子，经常率军追随老爹出战，性情谦恭谨慎，爱惜士卒，很多将士对他敬慕，但他却得不到史思明的宠爱，史思明宠爱的是最小的儿子史朝清，史思明南下时，命史朝清镇守范阳（北京市）；一直想诛杀史朝义，而封史朝清当太子，左右侍从渐渐把这项阴谋泄露出去。史思明既在洛阳攻防战中击破李光弼，打算乘胜西上入关（潼关），命史朝义率军当前锋，从北路（沿黄河南岸）袭击陕城（河南省三门峡市），史思明则从南路（崤山峡谷）率主力继续进发。

三月九日，史朝义军抵达礓子岭（三门峡市南），卫伯玉（神策军特遣兵团〔驻陕州〕司令官）迎战，把他击败。史朝义屡次进攻，都被唐政府军击败。史思明撤退到永宁（河南省洛宁县北），认为史朝义胆小如鼠，咬牙说：“他终究不能完成我的大事。”打算依照军法斩史朝义跟各将领。

三月十三日，史思明命史朝义筑“三角城”（以山作底边的战术城堡），打算储存军粮，下令一天内完工。史朝义刚完工，只墙上还没有涂泥，史思明前来视察，破口大骂，命左右侍从骑马站在那里监视涂泥，一会工夫涂完。史思明狠狠说：“等攻下陕州（河南省三门峡市），再杀你这个贼东西！”史朝义忧愁恐惧，不知道如何才好。

史思明驻扎鹿桥驿马车站（河南省洛宁县），命心腹亲信曹将军担任警卫；史朝义住在旅店，他的部将骆悦、蔡文景警告他说：“我们和大王，不知道死在哪天！自古以来，旧帝王们常被罢黜，新帝王也常被拥上宝座，请大王召见曹将军，共同商议。”史朝义低头不说话，骆悦等说：“大王如果不允许，我们今天就投奔唐政府，归降李家，大王势也不能保全。”史朝义哭泣说：“你们好好去做，千万不要惊动圣人！”（唐王朝时，臣属拍君王的马屁，尊称“圣人”。）骆悦乃派最高立法长（中书令）许叔冀的儿子许季常，召请曹将军；曹将军到后，骆悦把秘密告诉他，曹将军知道所有将领都心怀怨恨，他不敢单独触犯大家的愤怒，引火烧身，于是同意。当天晚上，骆悦率史朝义直属部队三百人，身穿铠甲，直往鹿桥驿马车站（河南省洛宁县），皇家禁卫军觉得有点奇怪，但对曹将军心存畏惧，不敢反应。骆悦等遂率军闯到史思明的卧室，想不到，史思明不在卧室，而去了厕所，骆悦等问宦官：皇上哪里去了，宦官还没有来得及回答，骆悦等已连杀几个人，宦官们急指出所在。史思明发现情势有变，翻身跳墙，逃到马厩，亲自装备马鞍，跳上马背，骆悦的侍从周子俊一箭射中史思明手臂，史思明从马上摔下，遂被制服，结结实实的绑住。史思明问：“是谁领头？”骆悦说：“奉怀王（史朝义）命令。”史思明说："我白天说错了话，应该有这种下场。然而你们杀我未免太早，为什么不等我攻克长安（唐首都，陕西省西安市）？而今，大事再不能完成！"骆悦把史思明押解到柳泉驿（河南省宜阳县西柳泉镇），严密囚禁。再回来报告史朝义说："事情已经成功。"史朝义说："没有惊动圣人吧！"骆悦说："当然没有。"这时候，宰相周挚、许叔冀，率后军驻扎福昌（河南省宜阳县西福昌村），骆悦派许季常去告诉他们：周挚心胆俱裂，晕倒在地。史朝义率大军回洛阳（河南省洛阳市），周挚、许叔冀出营迎接，史朝义接受骆悦的劝告，逮捕周挚，斩首。大军抵达柳泉（河南省宜阳县西柳泉镇），骆悦恐怕军心生变，遂把史思明绞死（年龄不详），用毡毯裹住尸体，放到骆驼背上，驮回洛阳。

史朝义登极称帝（二任），改年号显圣（之前是应天元年，之后是显圣元年）。派密使去范阳（北京市），命监督院最高顾问官（散骑常侍，从三品）张通儒等，诛杀史朝清，和史朝清的娘亲辛皇后，以及平时跟自己对抗的官员数十人。范阳（北京市）各官员间互相攻击，一连血战几个月，死亡数千人，才恢复秩序。史朝义派大将、柳城（辽宁省朝阳市）人李怀仙当首都范阳（北京市）特别市长（范阳尹）兼燕京（范阳）留守长官。（《蓟门纪乱》：史思明称帝时，拥有数十个州的领土，一年后，史朝清〔史朝兴〕被封太子。史朝清，是辛皇后的长子，很得史思明的宠爱，他喜爱饮酒、贪恋女色、凶狠顽劣、暴戾成性，集合幽蓟〔河北省北部〕一带跟他年龄相差不多的暴徒恶棍一百人，作为侍卫亲兵，人人全副武装，弓上弦、刀出鞘，好像每天都面对敌人，分别由南征将领的子弟率领。史朝清每次跟他的那帮人饮酒欢宴，酒酣耳热之际，常用火烧他们的胡须或头发，有时则用弹弓铜丸，直射他们的前额或面颊，霎时间鲜血流到地面，如果没有痛苦的表情，立刻赏赐美酒一杯；稍稍皱一下眉，立刻鞭打他的小腿，从膝盖打到足踝，再从足踝打到膝盖，甚至打到数千鞭，把人打得昏倒在地，才暂时住手；等对方伤势稍微痊愈，继续再打，有人被打六七千鞭而仍然不死。史朝清的小老婆群，全是老爹史思明掳掠来的良家子

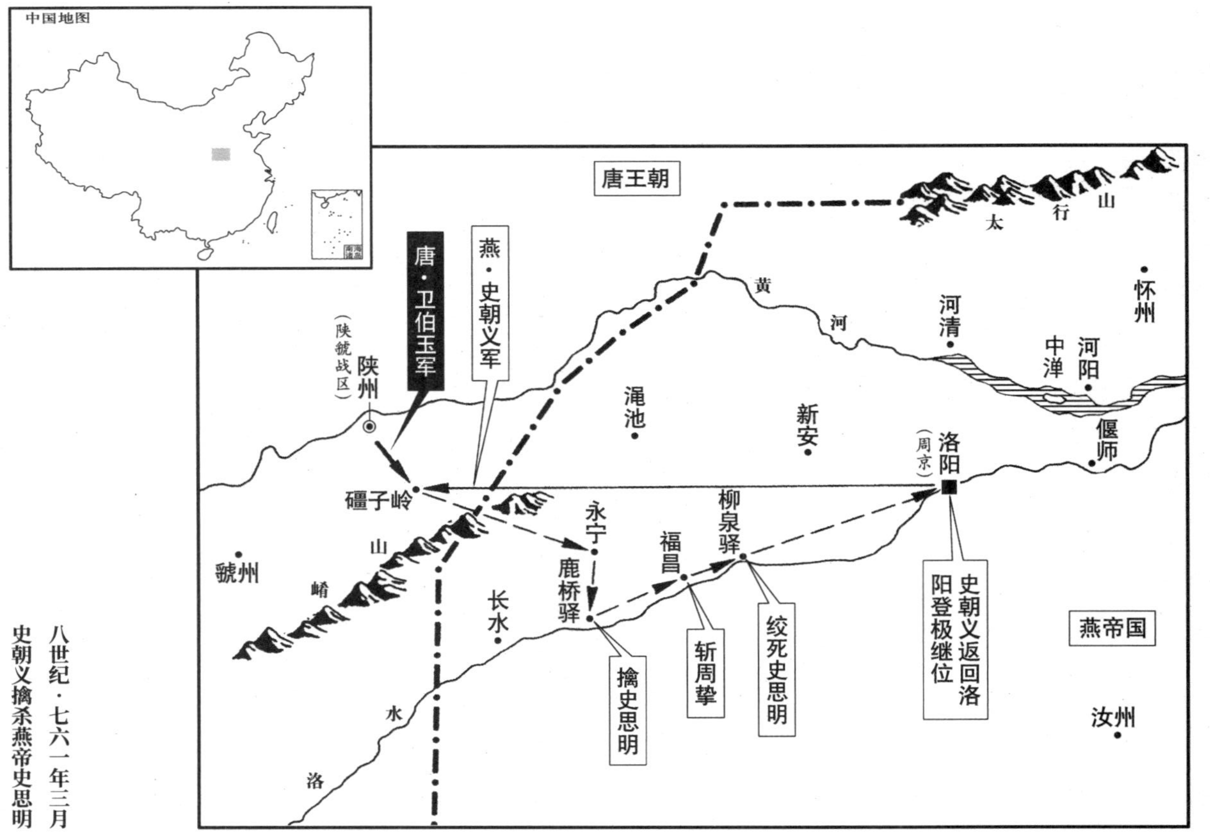

八世纪·七六一年三月
史朝义擒杀燕帝史思明

女，只要有一点不让史朝清满意，立刻就被诛杀。很多人被滚水活活煮死，大锅里的水滚沸之后，史朝清命壮汉把美女抱起来投进去，她们最初还辗转喊叫，霎时间骨肉烂成一团肉酱，旁观的人毛骨悚然，浑身发抖，而史朝清亲临欣赏，用自己打球用的球棍到大锅里搅动检查，谈笑自若。七六一年三月二十九日，史思明派出的使节抵达范阳〔北京市〕，报告前线大捷消息说：唐军在洛阳北部大败，被杀一万余人。传达史思明训令，命皇宫所有后妃，以及太子史朝清，安排车马，准备前往洛阳。燕政府大小官员，大肆庆贺，蹦跳号叫，声震天地，这样狂欢十余日。洛阳派来的两名宦官，随后抵达，传达史思明训令，说：已集结陕州〔河南省三门峡市〕、虢州〔河南省灵宝市〕军队，命史朝清当周京〔洛阳〕留守长官，应迅速乘驿马车南下，辛皇后以下也应接着动身；史朝清大喜。事实上，两位宦官是史朝义所派，但没有一个人知道。当时，史朝义已诛杀史思明，登极继位，密令监督院最高顾问官〔左散骑常侍〕张通儒、国务院财政部长〔户部尚书〕康孝忠，结合史朝清的亲兵将领高鞫仁、高如震等，密谋诛杀史朝清。那一天，史朝清传唤工匠给他的娘亲辛皇后，以及正妻太子妃，加紧赶制镶有珠宝的马鞭和缰绳，一面搜索库房，整修交通工具；并下令左右侍从分别回家准备行李，而只留下数十人警卫。史思明在范阳〔北京市〕时，曾在御马厩中保留骏马一百余匹，史朝清出入奔驰，每天都牵到桑干河〔流经范阳城南〕饮水。张通儒将要发动突击，暗中派康孝忠率数十人，手拿武器，在饮水的地方埋伏，于是，突然而起，把骏马全部带走，关闭在范阳〔北京市〕城南毗沙门神院。张通儒遂跟高鞫仁率步兵十余人，进入皇城日华门。皇城留守长官刘象昌正巧遇上，吃惊的问他怎么回事，张通儒回头向左右侍从示意，遂斩刘象昌。一会工夫，史朝清的心腹亲信卫鸣鹤再遇上，也问怎么回事，又斩卫鸣鹤。皇城立刻大乱，史朝清惶恐，但仍穿上铠甲，拿起武器，率领亲信二三十人出来拒抗，他奔向马厩取马，马已全部失踪，只有一匹病马在那里，史朝清骑上去，病马不能行走，只好下马步战。张通儒竖起白旗号召史朝清的党羽，声称：“投降的免罪，恢复官爵！”那些暴徒恶棍虽然得到过史朝清的好处，但也怨恨他的残酷和鞭打，投降的有一大半。史朝清仍跟十余人奋战，射箭百发百中，被射中的人，箭都洞穿身体，箭羽都陷入骨肉。张通儒军望风而逃，受伤的有数十百人，只好退出皇城。范阳

〔北京市〕居民不知道为什么突然爆发血战，都惊慌恐惧，逃窜躲藏。张通儒在皇城门外苦战很久，天色渐晚，史朝清终于寡不敌众，躲到城上逍遥楼，忽然失去行踪。张通儒军进入寝殿，大肆抢掠金银绸缎，辛皇后和太子妃〔史朝清妻〕的衣服都被剥光。午夜，蕃将曹闵之在楼上把史朝清搜出来。史朝清说："我兄弟六七个，杀了我一个，有什么用？"高如震回答说："只为了殿下残酷没有人性，将领人人愤怨。"史朝清说："求你饶我这一次，下次再也不敢。"连捆绑他的人都忍不住失笑。史朝清又对曹闵之说："我这腰带是用三十两黄金新打造的，送给将军。"曹闵之说："殿下死了之后，我自己会拿。"左右将士越发忍不住失笑。于是，用弓弦把史朝清绞死，砍下人头，装到木匣里，送到洛阳。最高监督长〔侍中〕向闰客曾接受史思明特别委托，史朝清对他也很敬畏，到了现在，向闰客惊慌恐怖，急奔回私宅，心里又觉得不对劲，于是趴在地下，向张通儒乞求宽恕。张通儒点头，派他乘驿马车前往洛阳。张通儒搜捕史朝清的党羽，全部诛杀。史思明手下勇将辛万年，特别受史朝清的宠信，又跟高鞫仁、高如震等十分友善，结拜成义兄弟。当诛杀史朝清的党羽时，张通儒有意放过辛万年。可是下令行刑时，却遗忘干净，于是，训令高鞫仁、高如震，砍下辛万年人头。高鞫仁摆设筵席，跟辛万年欢宴，告诉他："张通儒教我杀你，就此通知。"辛万年跪下叩头，只希望快死。高鞫仁大声说："我们兄弟宁可共同去杀张通儒，无论如何，我不能杀你。"高鞫仁、高如震、辛万年，率领私人部队一百余人，进入皇城，在南廊下斩张通儒，城中骚动，高鞫仁等又杀他们平常一向怨恨的将军数人，共同推举最高立法长〔中书令〕阿史那承庆当留守长官，把张通儒的人头装到木匣里，派辛万年送到洛阳，诬称他打算把蓟城〔北京市〕献出，向唐政府投降。史朝义得到报告，命向闰客立即回去当留守长官。高鞫仁、高如震等，各率数百人，全副武装，沿城巡查，人心越发恐惧。阿史那承庆被推当留守长官，跟高鞫仁等互相猜忌，只一两天，感到连自己都不安全。一天，阿史那承庆率数十名骑兵出皇城，到高如震家门，站在那里，要求高将军委屈一下，出门相见，高如震不认为有什么危险，走到阿史那承庆马前，阿史那承庆举刀一挥，高如震的人头应声落地。阿史那承庆遂进入东军营，会同财政部长〔户部尚书〕康孝忠，招集蕃族及羯族将士。高鞫仁得到高如震被杀消息，惊恐而且怒不可遏，率军攻击阿史那承庆，两军在宴设楼下相遇，从中午厮杀到黄昏，高鞠仁士卒都是城外少年，勇敢敏捷，骑马射箭，来去如飞，阿史那承庆士卒的人数虽多，却不能抵挡，大败，死伤惨重，尸首堆在一起，如同山丘。阿史那承庆、康孝忠出城集结残兵败将，向东进入潞县〔北京市东通州区〕固守，又向南劫掠所属各县，在野外扎营，这样一个月有余，然后南下前往洛阳，面见史朝义报告事情经过。范阳〔北京市〕城里蕃族军人家属，全都翻城逃走。高鞠仁下令城中居民：杀蕃族的人，都有重赏。于是羯族蕃族一同被杀，小孩子都被抛到空中，下面用矛尖接住；一些鼻子稍高，面貌有点像蛮夷的汉人，有很多枉死。这时，高鞠仁在城里地位最为尊贵，派人奏报史朝义，指控阿史那承庆等叛变。再回溯向闰客南下之事，他走到贝州〔河北省清河县〕，接到史朝义诏书，命他折返范阳〔北京市〕，向闰客回到范阳〔北京市〕时，文武百官都出来迎接，高鞠仁严密戒备，不肯出迎。向闰客大为恐惧，警告左右侍从官员及子弟，不准携带武器，只留下几个人一齐进城。高鞠仁在日华门等候，向闰客望见，下马握手慰劳，高鞠仁也热烈回礼，然后仍回军营。向闰客只好在子城里呆坐，对任何事都不过问，奏请最好派阿史那承庆等回来。史朝义任命高鞠仁当燕京〔范阳〕总作战官〔都知兵马使〕。五月甲戌日〔五月乙酉朔，没有甲戌〕，史朝义命祭祀部长〔太常卿〕李怀仙，当总监察官〔御史大夫〕兼范阳战区〔总部设范阳，北京市〕司令官〔节度使〕。燕州〔本羁縻州，北京市西南良乡镇。但此处泛指范阳〕是军事重地，所以史朝义一定任用心腹亲信。高鞠仁得到消息，大不愉快。不久，李怀仙到职，老马数千匹，从蓟城〔北京市〕南门进城，高鞠仁不出迎，仍在日华门相待，李怀仙抵达，礼节卑屈，站在那里和高鞠仁谈话，恳切的把高鞠仁当作义弟，结盟发誓，共享荣华，互相勉励献身大燕政府，效忠大燕皇帝，至死不变；高鞠仁戒备才稍稍松懈。李怀仙把总部设在蓟县〔北京市〕县政府，他虽然是战区司令官〔节度使〕，但高鞠仁所属的五千余人劲旅，却不接受命令。十数日下来，李怀仙待高鞠仁越发亲切，每次举行会报，李怀仙都走下台阶迎接，高鞠仁却不肯低头。稍后，李怀仙犒赏将士，酒宴进行一半，高鞠仁怀疑有诈，士卒们遂惊骇逃走，回到营房紧急备战。李怀仙忧愁恐惧，无计可施，只好逮捕部将朱希彩囚禁，要以“惊军”罪状惩处。当天夜晚，高鞠仁准备袭击李怀仙，偏偏天降大雨，犹豫不 146

能决定，直到天亮，才打消阴谋；不知道什么缘故，高鞫仁忽然单人匹马前往战区司令部，李怀仙秘密埋伏勇士，高鞫仁进门，李怀仙仍用平常那种谦卑礼节接待，落座对谈很久，等一切完成，然后责问他“惊军”之罪，营门已经关闭，李怀仙回头命勇士把他扼死，并立刻释放朱希彩。自春末到夏中，两个月间，范阳〔北京市〕城里爆发四五次厮杀，死亡达数千人，战场都在街巷。）此时，洛阳四周数百华里内州县，已成一片废墟，而史朝义部属，全是安禄山的旧将，地位跟史思明相等。史朝义召见，很多人不理，只是表面上维持一个薄弱的隶属关系，实际上得不到他们的效忠。

9 全国野战军副元帅（天下兵马副元帅）李光弼，上疏坚持应受贬谪处分。李亨调他当开府仪同三司（文散官一级，从一品）、最高监督长（侍中），兼河中战区（总部设河中府〔山西省永济市〕）司令官（节度使）。

10 巫法师、长塞镇（河北省蔚县西南）防守司令（镇将）朱融，跟左武卫（卫军第三军）将军窦如玢（音bīn〔宾〕）等，阴谋拥护嗣岐王李珍当皇帝，夺取政权，金吾卫（卫军第十一、十二军）将军邢济告发。

夏季，四月一日，李亨把李珍贬作平民，放逐到溱州（重庆市綦江区东南）安置看管，他的党羽全部诛杀。李珍，是李范（李隆范）的儿子（李隆范封岐王，参考七一〇年六月）。

四月二日，监督院最高顾问官（左散骑常侍）张镐，贬作辰州（湖南省沅陵县）户籍官（司户）。因张镐曾经购买李珍的旧宅（不知道购买旧宅犯什么罪）。

11 四月五日，擢升国务院文官部副部长（吏部侍郎）裴遵庆，当副监督长（黄门侍郎），兼二级实质宰相（同平章事）。

12 四月二十一日，青密战区（总部设青州〔山东省青州市〕）司令官（节度使）尚衡，击破燕军，杀五千余人。

13 四月二十三日，兖郓战区（总部设兖州〔山东省济宁市兖州区〕）司令官（节度使）能元皓，击破燕军。

14 四月二十八日，梓州（四川省三台县）州长段子璋叛变。段子璋十分骁勇，追随太上皇李隆基流亡巴蜀（四川省）时（事在七五六年六月），立过功劳。东川战区（总部设梓州〔四川省三台县〕）司令官（节度使）李奂上疏把他免职，段子璋遂聚众起兵，袭击李奂所在地绵州（四川省绵阳市），路过遂州（四川省遂宁市），遂州州长、虢王李巨，仓猝间以旧属的礼节迎接，段子璋斩李巨。李奂战败，逃往成都（四川省成都市）。段子璋遂自称梁王，改年号黄龙，把绵州（四川省绵阳市）升格为首都龙安特别市（龙安府），设置文武百官。攻陷剑州（四川省剑阁县）。

15 五月五日，李光弼从河中（山西省永济市）到首都长安（陕西省西安市）朝见。

16 最初，宦官李辅国，跟张皇后共同设计把太上皇李隆基强行迁到西内（太极宫），当天（五月五日）是端午节，隐士李唐晋见李亨，李亨正抱着小女儿亲热，告诉李唐说：“我爱她，你不要见怪！”李唐回答说：“太上皇（李隆基）想念陛下，想来也跟陛下想念公主一样。”李亨流下眼泪，但畏惧张皇后，仍不敢前往西内（太极宫）。

17 五月九日，党项部落（四川省西北部）攻击宝鸡（陕西省宝鸡市）。

18 最初，燕帝（一任）史思明，任命博州（山东省聊城市）州长令狐彰（参考七五七年十二月二十一日），当滑郑汴战区（总部设滑州〔河南省滑县〕）司令官（节度使），率士卒数千人驻防滑台（滑州州政府所在城，河南省滑县），令狐彰秘密跟唐政府钦差宦官杨万定联络投降，遂移防杏园渡（河南省卫辉市南古黄河渡口）。史思明发觉情况有变，派将领薛岌包围，令狐彰反击，大破薛岌军，遂随同杨万定到首都长安朝见李亨。

五月十日，李亨命令狐彰当滑卫等六州战区（总部设滑州〔河南省滑县〕。六州：滑、卫、相、贝、魏、博）司令官（节度使）。

19 五月十四日，平卢战区（总部设营州〔辽宁省朝阳市〕）司令官（节度使）侯希逸，击破燕军。

20 五月十一日，西川战区（总部设成都府〔四川省成都市〕）司令官（节度使）崔光远，跟东川战区（总部设梓州〔四川省三台县〕）司令官（节度使）李奂，联军攻绵州（四川省绵阳市）。

五月十六日，攻克，斩段子璋。

21 李亨再任命李光弼当河南（黄河以南）野战军副元帅、太尉（三公之一），兼最高监督长（兼侍中·使相），兼河南、淮南、淮西、山南东、荆南、江西、浙东、浙西等八战区特遣兵团司令官（八道行营节度），镇守临淮（泗州州政府所在县，江苏省盱眙县淮河北岸）。

22 六月一日，兖郓战区（总部设兖州〔山东省济宁市兖州区〕）司令官（节度使）能元皓（参考本年〔七六一〕四月），击败燕军将领李元遇。

23 江淮（华东地区）总指战官（都统）李峘，恐惧中央处罚他“失土”重罪（参考去年〔七六〇〕十一月），于是把过错全推给浙西战区（总部设昇州〔江苏省南京市〕）司令官（节度使）侯令仪。

六月二十三日，侯令仪被免职，开除官籍，终身流放康州（广东省德庆县）。唐政府加授田神功中央官位：开府仪同三司（文散官一级，从一品），当徐州（江苏省徐州市）州长。征召李峘、邓景山（前淮南〔总部扬州〕司令官）回京师（首都长安）。

24 六月二十五日，党项部落（四川省西北部）攻击好畤（陕西省永寿县西南）。

25 秋季，七月一日，日全蚀，稍亮一点的星辰，都在天上出现。

26 命宫廷供应署试用总监（试少府监）李藏用，当浙西战区（总部设昇州〔江苏省南京市〕）副司令官（节度副使）。

27 八月一日，加授开府仪同三司（文散官一级，从一品）宦官李辅国实质官位：国务院国防部长（兵部尚书）。

八月七日（原文“乙未”误），李辅国前往国务院国防部（兵部）到差办公，宰相以及文武官员都送他到门口，皇帝李亨更命御厨房供给酒食、祭祀部（太常）供应音乐演奏。李辅国骄傲放纵，一天比一天不可一世，更准备追求宰相的高位，李亨说：“以你的功劳，什么官不可当？可是，你缺少威望！”李辅国乃暗示国务院左最高执行长（左仆射）裴冕等，出面推荐。李亨暗中告诉宰相萧华说：“李辅国希望当宰相，如果高级官员上奏章推荐，我就不能不批准。”萧华出宫，询问裴冕的意见，裴冕说：“根本没有这回事，我的手臂可以砍断，宰相高位，不许他得到。”萧华再返宫报告，李亨大为高兴；李辅国十分怨恨。

28 八月十七日，李光弼前往河南各战区特遣兵团大营（驻徐州〔江苏省徐州市〕）到职。

29 八月二十九日，李亨命宫廷总管（殿中监）李若幽，当镇西（龟兹，新疆库车市）、北庭（北庭府，新疆吉木萨尔县）、兴平（商州，陕西省商洛市商州区）、陈郑（已沦陷）各战区特遣兵团司令官（行营节度使），及河中战区（总部设河中府〔山西省永济市〕）司令官（接替李光弼）；驻防绛州（山西省新绛县）。李亨命他改名李国贞（当时，绛州是重镇，各战区特遣兵团均在那里驻扎）。

30 九月三日，是天成地平节（李亨生于七一一年九月三日，该日遂定为“天成地平节”）。李亨在三殿（麟德殿）设置道场，用宫女装扮佛菩萨，知识分子装扮金刚神，命高级官员环绕四周叩头。

31 九月二十一日，李亨下诏，撤除自己的尊贵绰号（参考七五七年十二月二十二日），只称“皇帝”；撤销年号，只称“元年”；把十一月当作每年的第一个月，其他月份依照顺序后延；赦免天下。撤销中京（首都长安）、东京（洛阳）、北京（太原府，山西省太原市）、西京（凤翔府，陕西省宝鸡市凤翔区），以及南都（江陵府，湖北省江陵县）等称号（中京、西京，参考七五七年十二月；东京、北京，参考七四二年二月；南都，参考去年〔七六〇〕九月）。

又训令：自今以后，每次任命散官、五品以上高官，以及各院署中级官、监察官（御史）、州长，都要当事人推荐一个适当的人来接替他的官职；考察当事人所推荐的人选，作为考核的重要依据。 152

32 江淮（华东地区）大饥馑，人民互相吞食（人间惨剧由宦官邢延恩一个人的小聪明和田神功部队的残暴造成，而今，被诬害的刘展成了叛徒，凶手却正受赏赐）。

33 冬季，十月，江淮（华东地区）总指战官（都统）崔圆（潜逃被惩事，参考前年〔七五九〕三月），任命李藏用当楚州（江苏省淮安市）州长。正巧，后勤补给及物资调节总监（支度租庸使），认为刘展动乱时，各州所消耗的仓库物资，没有限制，因而建议中央实施查证检验，李亨批准。不过，当时情况危急，各将领仓猝间招兵买马，库藏大多失散；现在虽向各方征缴，仍然无法补足原数，各将领不得不纷纷出卖家产偿还。李藏用恐怕终有一天牵连到自己，曾经跟别人谈及，很感到后悔（后悔自己不该挺身而出，致令今天引祸上身，参考去年〔七六〇〕十二月）。他的部将高干，心怀旧怨，派人前去广陵（扬州州政府所在城，江苏省扬州市）检举李藏用叛变，并且先出军袭击，李藏用逃走，高干追及，斩首。崔圆遂命李藏用的部将和属官，分别到军法处制作口供，用来证实高干的指控。部将属官们大为恐惧，都咬定李藏用计划谋反，只孙待封誓言李藏用绝对没有谋反，崔圆命拉出去斩首。有人提醒孙待封："你为什么不跟大家一样，明哲保身，先求活命！"孙待封说："我开始时追随刘州长（刘展），接奉诏书，前往接事，人们说刘州长（刘展）叛变。李州长（李藏用）起兵消灭刘州长（刘展），今天人们又说李州长（李藏用）叛变！这样下来，谁不是叛徒，难道还有个完？我宁愿一死，不能诬害别人没有犯过的罪。"崔圆遂斩孙待封。（这是一件诬以谋反的典型案例，如不是崔圆指示，高干岂敢先行攻击直属长官？更岂敢先行斩首？崔圆用军法证实高干所控，如果不是预谋，怎么能容忍以下犯上。）

34 十一月一日（依照李亨颁布的训令，本月应是明年〔七六二〕的第一个月，不应仍列在七六一年），李亨登正殿接受朝贺，完全用元旦仪式。

35 有人检举藩属事务部长（鸿胪卿）康谦，跟燕帝（二任）史朝义暗通信息，口供牵连到农林部长（司农卿）严庄（此严庄就是安禄山心腹并刺杀安禄山的严庄，参考七五七年正月；投降唐政府，参考七五七年十月二十一日），二人同被逮捕下狱。首都长安特别市长（京兆尹）刘晏派人看管严庄家宅。李亨不久就把严庄释放，并且特别召见。严庄对刘晏封锁家宅的行为，深为怨恨，遂向李亨报告，刘晏经常告诉他皇宫里的一些话，夸耀自己的功劳，而怨恨皇上。

十一月六日，李亨贬刘晏当通州（四川省达州市达川区）州长、严庄当难江（集州州政府所在县，四川省南江县）县政府防卫员（尉）。康谦后来被判决有罪，诛杀。

十一月七日，李亨任命副总监察官（御史中丞）元载，当国务院财政部副部长（户部侍郎），兼财政、造币、盐铁专卖，以及兼任江淮（华东地区）运输总监等首长（度支、铸钱、盐铁兼江淮转运等使）。元载最初在国务院财政部当会计司长（度支郎中），敏捷聪明，在向皇上面奏时，条理清晰，李亨喜爱他的才能，所以把最重要的江淮（华东地区）运输工作，交付给他。不几个月，就接替刘晏的官位，专门负责财政经济。

36 十一月十七日，冬至。

十一月十八日，李亨前往西内（太极宫）晋见老爹李隆基。

37 神策军特遣兵团（驻陕州〔河南省三门峡市〕）司令官（节度使）卫伯玉，攻击燕军；收复永宁（河南省洛宁县北），攻破渑池（河南省渑池县）、福昌（河南省宜阳县西福昌村）、长水（河南省洛宁县西长水镇）等县。

38 十一月二十八日，李亨前往太清宫（李耳庙）献祭。

十一月二十九日，李亨前往皇家祖庙及元献庙（李亨娘亲杨女士庙）献祭。

十二月一日，李亨在圆形神坛及太一神坛献祭。

39 平卢战区（总部设营州〔辽宁省朝阳市〕）司令官（节度使）侯希逸，跟燕军一连数年互相攻击，既没有救兵，又被奚部落（滦河上游）侵略，于是率领全军二万余人袭击燕政府燕京范阳（北京市）留守长官李怀仙，击破燕军，乘胜脱离战场南下。

七六二年 壬寅

唐　肃宗　元年
　　宝应　元年
（燕帝史朝义显圣二年）
（袁晁宝胜元年）

1 正月四日（李亨命用十一月当每年的第一个月，而《资治通鉴》却将十一月、十二月划归去年〔七六一〕，仍用正月作今年第一个月，因就在今年四月，李亨又命一切恢复旧制），唐王朝政府（首都长安〔陕西省西安市〕）追赠靖德太子李琮绰号奉天皇帝，李琮的正妻窦女士绰号恭应皇后（李琮是李亨的大哥，参考七五二年五月）。

正月十七日，安葬齐陵（陕西省西安市临潼区东）。

2 正月二十四日，吐蕃王国（首都逻些城〔西藏拉萨市〕）派使节来唐王朝，请求和解。

3 河南（黄河以南）野战军副元帅（河南副元帅）李光弼，攻克许州（河南省许昌市），生擒燕军守将、颍川郡（许州）郡长李春。燕军将领史参率军救援。

正月二十六日，在城下会战，李光弼击破史参军。

4 正月二十八日，平卢战区（总部设营州〔辽宁省朝阳市〕）司令官（节度使）侯希逸，在青州（山东省青州市）渡河（不知道什么河）南下，抵达兖州（山东省济宁市兖州区），会见徐州（江苏省徐州市）州长田神功、兖郓战区（总部设兖州）司令官（节度使）能元皓。

5 江淮（华东地区）物资调节总监（租庸使）元载，认为江淮（华东地区）虽然经过田神功军队的烧杀劫掠（参考去年〔七六一〕正月），但比起全国其他地方，居民仍多少有点财产（可见其他各地，都是赤贫，中国人什么时候才能免于饥饿），于是依照户籍，查考最近八年（七五五年到本年〔七六二〕）逃租逃税情形，估计一个大略数字，下令追缴征收（七五四年天下还一派升平，七五五年安禄山兵变后，才有人逃租逃税，而且一年比一年严重。现在，不管人民有没有逃租逃税，一律追缴征收）。元载遴选心狠手辣的官员担任县长，不管人民有没有逃租逃税，也不管人民财产是多是少，只要发现家里有粮食或绸缎，立刻出动大队人马，团团包围，把所有财产都登记下来，然后抽取一半，有时甚至抽取十分之八、十分之九，称之为“白著”（无缘无故而破财，谓“白著”。高云《白著歌》：“上元〔唐十任帝李亨年号〕官吏务剥削／江淮〔华东地区〕人民多白著”）。人民有不服从的，政府就用苦刑拷打威胁。民间只要有十斛米的积蓄，就战战兢兢，等待大祸临头；有些人干脆逃到山岭草泽，当起强盗，州县政府无法控制。

6 二月一日，唐帝（十任肃宗）李亨（本年五十二岁）下诏赦免天下，再命首都长安称上都（原称中京）、洛阳（河南省洛阳市）称东都（原称东京）、凤翔（陕西省宝鸡市凤翔区）称西都（原称西京）、江陵（湖北省江陵县）恢复称南都、太原（山西省太原市）称北都（原称北京。撤销各京称号事，参考去年〔七六一〕九月）。

7 奴剌部落（甘肃省南部）攻击成固（陕西省城固县）。

8 最初，河东战区（总部设太原府〔山西省太原市〕）司令官（节度使）王思礼，留心军务，物资辎重，储备十分丰富，除了供给本战区之外，仅粮食就积存一百万斛，还上疏请求运往京师（首都长安）五十万斛（王思礼自泽潞调河东，参考七五九年七月）。王思礼逝世（当在去年〔七六一〕），中央命管崇嗣接替，管崇嗣是一个无能之辈，信任左右，只几个月，几乎把存粮消耗净光，只剩下陈旧腐烂的米，也不过一万余斛。李亨得到报告，命邓景山前往接替（邓景山，是刘展手下败将，参考前年〔七六〇〕十一月）。邓景山到任后，开始调查存粮失散情形，很多将士都有隐瞒吞没的事实，得到消息，不禁大为惊慌。恰巧，一位初级将领犯罪，应该处死，各将领请求赦免，邓景山拒绝；初级将领的老弟请求代老哥一死，邓景山也拒绝；但是，有人请求捐献一匹马赎罪，邓景山却欣然同意。各将领大怒若狂，说：“我们难道不如一匹马？”遂聚众起兵。

二月三日，变兵击斩邓景山。李亨认为邓景山措施不当，没有能力安抚士卒，以致激起兵变，决定不追究凶手，只派人前往安抚军心。各将领请求任命总作战司令（都知兵马使）、代州（山西省代县）州长辛云京，当战区司令官（节度使）。辛云京上疏保荐作战司令（兵马使）张光晟，当代州（山西省代县）州长（辛云京回报张光晟当年相救，参考七五九年七月）。

9 大军集中地绛州（山西省新绛县）一向没有积蓄储备，而民间正逢饥馑，根本没有粮食可以征收，想搜刮也不能搜刮，各战区特遣兵团将士们的粮食和赏赐，都不充足。当时，朔方（总部灵州）等各战区特遣兵团总指战官（朔方等诸道行营都统）李国贞（李若幽），不断上疏告急，中央没有回答，军心愤怒怨恨。突击官（突将）王元振打算发动兵变，于是假传军令说："明天修建总指战官（都统李国贞）住宅，每人都要准备畚箕和铁铲，在住宅门口集合，等候分配工作。"士卒们哗然说："朔方（总部灵州）健儿战士，难道是修筑大官家的工匠！"

二月十五日，王元振率领他的党徒发动攻击，纵火焚烧内城城门。李国贞（李若幽）逃到监狱躲避，王元振逮捕他，把士卒们平常吃的食物，放到他面前，质问说："吃这种东西，还要他们做苦工，可不可以？"李国贞说："修建家宅，绝没有这事。军中粮食短缺，我不断报告中央，一直没有答复，这是你们所知道的。"大家打算退出去，王元振说："今天这件事，还有什么疑问！总指战官（都统李国贞）如果不死，我们就得死。"拔出佩刀，砍下李国贞（李若幽）人头。镇西、北庭两战区特遣兵团，驻防翼城（山西省翼城县），变兵也诛杀特遣兵团司令官（节度使）荔非元礼，各将领推举初级将领白孝德当司令官（节度使）；唐政府顺水人情，颁发任命状。

10 二月十八日，淮西战区（总部设申州〔河南省信阳市〕）司令官（节度使）王仲升，跟燕军将领谢钦让，在申州（河南省信阳市）城下会战，被燕军俘虏，淮西（淮河上游）大为震骇。此时，唐政府军侯希逸（平卢〔总部营州〕司令官）、田神功（徐州州长）、能元皓（兖郓〔总部兖州〕司令官），正联合攻击汴州（河南省开封市），燕帝（二任）史朝义召谢钦让班师救援。谢钦让率军北上。

11 绛州（山西省新绛县）各战区特遣兵团向民间抢夺、抄掠、搜刮，情势日益严重，没有人能够阻止。唐政府忧虑到这些变兵可能跟太原（山西省太原市）变兵会合，向燕政府投降，新生代将领们绝对没有能力镇压说服。

二月二十一日，唐帝李亨封郭子仪当汾阳王，担任朔方、河中、北庭、泽潞各战区特遣兵团（驻绛州〔山西省新绛县〕）司令官（节度使），兼兴平军（陕西省商洛市商州区）、定国军（所在不详）等基地副元帅。从京师（首都长安）运输绸缎四万匹、布五万匹、米六万石，供应绛州（山西省新绛县）各战区特遣兵团。

三月十一日，郭子仪将要出发，当时，李亨身体有病，文武百官都不能晋见，郭子仪请求说："我接受命令，可能死在外地，永远见不到陛下，死不合眼。"李亨把他召唤到卧室，告诉他说："河东（山西省）的事情，全交给你！"

燕军把郑陈战区（已被燕军占领）司令官（节度使）李抱玉（安抱玉），包围在泽州（山西省晋城市）；郭子仪派定国军援救，燕军才退。

12 最初，李亨征召山南东道战区（总部设襄州〔湖北省襄阳市〕）司令官（节度使）来瑱（音zhèn〔震〕）前来京师（首都长安），来瑱乐于地方官无拘无束的生活享受，而他的部将对他又十分敬爱，来瑱遂鼓励他的属下上疏皇帝，要求把来瑱留下。来瑱已走到邓州（河南省邓州市），李亨命他折回，仍镇守襄阳（襄州州政府所在县）。荆南战区（总部设江陵府〔湖北省江陵县〕）司令官（节度使）吕諲，淮西战区（总部设申州〔河南省信阳市〕）司令官（节度使）王仲升，以及来往经过襄阳（襄州州政府所在县）的钦差宦官（中使），都向皇帝提出警告说："来瑱暗地里收买军心，这样长期下去，恐怕难以控制。"李亨乃划出商州（陕西省商洛市商州区）、金州（陕西省安康市）、均州（湖北省丹江口市西北）、房州（湖北省房县），另设行政长官（观察使），使来瑱的辖区，只剩下六州（襄州〔湖北省襄阳市〕、邓州〔河南省邓州市〕、随州〔湖北省随州市〕、唐州〔河南省泌阳县〕、郢州〔湖北省钟祥市〕、复州〔湖北省天门市〕）。稍后，燕军将领谢钦让把王仲升包围在申州（河南省信阳市）数月之久，来瑱对他十分怨恨，不肯出军救援，王仲升竟于城陷后被俘。作战参谋长（行军司马）裴茙（音róng〔容〕）暗中计划夺取来瑱的司令官（节度使）高位。秘密向皇帝上疏，指控来瑱顽固强悍，难用国法拘束，请准许他发动袭击，把来瑱铲除，李亨同意。

二月十四日，任命来瑱当淮西（淮河上游）及河南（黄河以南）十六州战区（总部设安州〔湖北省安陆市〕。十六州：申、安、蕲、黄、光、沔、陈、豫、许、郑、汴、曹、宋、颍、泗、汝。其中部分州已被燕军占领）司令官（节度使），外表显示对他宠爱信任，实际上调虎离山，以便下手。李亨同时下达密诏，命裴茙接替来瑱，当襄邓等州（总部襄州）警备区司令（防御使）。

13 三月十五日，奴剌部落（甘肃省南部）攻击梁州（陕西省汉中市），山南西道（首府设梁州〔陕西省汉中市〕）行政长官（观察使）李勉，放弃城池逃走。唐政府任命邠州（陕西省彬州市）州长、河西（甘肃省中部西部）

人臧希让，当山南西道战区（总部设梁州〔陕西省汉中市〕）司令官（节度使。山南西道辖十三州：梁州、洋州〔陕西省洋县〕、集州〔四川省南江县〕、壁州〔四川省通江县〕、文州〔甘肃省文县〕、通州〔四川省达州市达川区〕、巴州〔四川省巴中市〕、兴州〔陕西省略阳县〕、凤州〔陕西省凤县〕、利州〔四川省广元市〕、开州〔重庆市开州区〕、渠州〔四川省渠县〕、蓬州〔四川省仪陇县南〕）。

14 三月十七日，党项部落（四川省西北部）进攻奉天（陕西省乾县）。

15 宦官李辅国，因为想当宰相而竟没有当上，对萧华怨恨入骨（参考去年〔七六一〕八月）。

三月二十一日（原文“庚午”误），李亨命国务院财政部副部长（户部侍郎）元载，当首都长安特别市长（京兆尹）。元载晋见李辅国，坚决辞让，李辅国了解他的意思（了解元载向自己投靠）。

三月二十三日，改命农林部长（司农卿）陶锐当首都长安特别市长（京兆尹）。李辅国向李亨打小报告，指摘萧华专权霸道，应免除他的宰相职务，李亨不允许。李辅国再三再四请求，李亨只好答应，李辅国乃推荐元载代替萧华。

三月二十九日，萧华被免除宰相职务，改任国务院教育部长（礼部尚书）；李亨命元载当二级实质宰相（同平章事），而仍继续兼财政总监暨运输总监（领度支转运使）。

16 四月一日，泽州（山西省晋城市）州长李抱玉（安抱玉）在城下击破燕军。

17 四月三日，楚州（江苏省淮安市）州长崔侁上疏说：一位名叫真如的尼姑，恍恍惚惚，仿佛登上天堂，晋见昊天上帝，昊天上帝赐给她十三颗宝玉，并告诉她说："国内正有灾难，这些宝玉可以镇压消除！"

文武百官都上疏祝贺。

18 四月五日，太上皇李隆基在神龙殿逝世，年七十八岁（杨玉环若在，本年四十四岁）。

四月六日，把尸体放到太极殿。李亨因仍卧病在床，只能在寝殿哭泣，文武百官则到太极殿哭泣，蛮夷官员剺面割耳哀悼的有四百余人（蛮夷哀悼二任帝李世民之死时，也是如此，参考六四九年五月）。

四月七日，李亨命最高监督长（侍中）苗晋卿，当帝国最高摄政（摄冢宰）；李亨自从二月间就不能起床，现在听到老爹逝世，悲哀怀念，病情更加沉重。于是，命太子李豫（李俶）监督国政。

四月十五日，李亨下诏更改年号（之前是肃宗元年，之后是宝应元年）；恢复正月当一年的第一个月；各月顺序，也恢复从前（十一月改作一年的第一个月，参考去年〔七六一〕九月）。赦免天下。

中国历史上有些政治领袖，给人的第一印象，绝对不像一位暴君，甚至因为层出不穷的小聪明，还觉得他颇有点可取之处，然而，如果剥下五彩缤纷的外衣，就会看到他满身罪恶，远超过那些恶名昭彰、被人诟骂千载的流氓恶棍，李隆基就是一个标本。

在文学作品的渲染下，人们很容易认定李隆基是一个戏剧界祖师爷和爱一个美貌少妇爱得发疯的情圣，而这些恰恰就是五彩缤纷的外衣。当我们评论一个船长的优劣功过时，不能只看他会不会唱歌，或曾不曾为一个女子割腕，而应看他有没有使巨轮平安航行，有没有把巨轮撞到使乘客死亡的礁石上。

七五五年，安禄山兵变时，李隆基的宫女，竟有四万人之多，完全供他一个人的淫欲，真骇人听闻，创下中国五千年历史上最高纪录。那一年，全国人口五千三百万。七六四年，史朝义被消灭后的次年，战乱平息，全国人口只剩下一千七百万，死亡高达三千六百万，是全国总人口的三分之二。十年之中，平均每天有九千八百六十三人，丧生在刀口之下，或饿死在空屋道路之中。强大无比的唐王朝，因此土崩瓦解，中国人再度陷入大苦大难，最初是军阀割据，最后是每寸土地上，都发生屠杀，在长达二百年的黑暗时代里，哭声震天。

历史上没有几个政治首领能制造出这么规模庞大和这么惨毒而沉重的悲苦。最荒唐的姒履癸（桀）、子受辛（纣）、希特勒，以及被称"杀人八百万"的黄巢，他们都做不到，他们制造的只是一个短时期、低程度、低数量的悲苦，而李隆基却做到了。读《资治通鉴》时，每一件伤心记载，都提醒我们它所来自的第一因，便忍不住对李隆基这个被美化了的人渣，扼腕切齿。

19 最初，张皇后跟宦官李辅国，互相利用，遂逐渐独揽宫中大权（参考七五七年正月），可是，到了后来，两个人终于闹翻。宫内神箭手管理官（内射生使）三原（陕西省三原县东北）人程元振，是李辅国的同党。现在，李亨病势沉重，张皇后召见太子李豫（李俶），说："李辅国长久以来，掌握禁军，皇帝诏书训令，都从他那里发出，更擅自作主，逼迫太上皇（李隆基）迁移搬家（参考前年〔七六〇〕七月），罪恶滔天。他唯一的顾忌是我和你，而今，领袖已进入昏迷状态，李辅国跟程元振暗中准备作乱，不可不杀。”李豫（李俶）哭泣说：“陛下生命垂危，他们二人都是陛下的功臣故旧，忽然间不奏报陛下，就把他们斩首，一定会惊扰震骇，恐怕陛下病体难以承担。”张皇后说：“那么，你暂且回去，我会再加考虑。”李豫（李俶）出宫后，张皇后更召见越王李系（李亨的次子、娘亲是宫女孙女士），对他说：“太子（李豫）仁爱软弱，不敢杀叛贼，你敢不敢？”李系说：“敢！”李系乃命内宫礼宾官（内谒者监，正六品下）段恒俊，挑选勇敢健壮的宦官二百余人，在长生殿后集合，发给他们铠甲武器。

四月十六日，张皇后假传李亨的命令，召见太子李豫（李俶）。程元振得到消息，秘密报告李辅国，就在陵霄门外，埋伏军队等候。等到李豫（李俶）抵达，二人把严重情势禀告，李豫（李俶）说：“绝对没有这种怪事，领袖病重，叫我进宫，我怎么可以因为怕死而不去？”程元振说：“帝国事体重大，太子决不可以前往。”于是，命军队把李豫（李俶）护送到飞龙厩（玄武门外），由武装士卒戒备防守。当天（四月十六日）夜晚，李辅国、程元振，率军闯进三殿（麟德殿），逮捕越王李系、宦官段恒俊及宦官总管（知内侍省事）朱光辉等一百余人，全部收押。然后宣称：奉太子（李豫〔李俶〕）命令，把张皇后迁移到别的地方。当时，李亨卧病长生殿，士卒们就在李亨病榻前，逮捕张皇后，强拖下殿，连同左右宫女宦官数十人，一齐押解到后宫软禁，其他宦官宫女们魂飞魄散，刹那间逃走一空，只剩下生命垂危的李亨，孤单而惊恐的躺在那里，没有人理睬。

四月十八日，李亨逝世（年五十二岁。死时的凄凉，使人想起春秋时代齐国国君姜小白）。李辅国遂斩张皇后、越王李系、兖王李僩。当天（四月十八日），李辅国陪同身穿丧服的太子李豫（李俶）前往九仙门（宫城西门），跟宰相们见面，解释自从太上皇李隆基逝世后宫中发生的变故，宰相们跪拜哭泣，李豫（李俶）以“监国”身份执行职务。

四月十九日，在两仪殿发布李亨逝世消息，宣读遗诏。

四月二十日，李豫（李俶。本年三十七岁）登极继位（十一任代宗）。

20 宦官高力士因政府大赦，从贬所巫州（湖南省洪江市西北黔城镇）回京（首都长安），走到朗州（湖南省常德市），听见太上皇李隆基逝世消息，哀号痛哭，大口吐血而死（年七十九岁。高力士被贬，参考前年〔七六〇〕七月）。

21 四月二十五日，李豫（李俶）命皇子奉节王李适（音kuò〔阔〕），当全国野战军元帅（天下兵马元帅）。

22 宦官李辅国仗恃他的功劳，越发骄傲蛮横，明目张胆的告诉李豫（李俶）说：“皇上，你只要在皇宫里坐着，外面的事，都交给我处理。”李豫（李俶）心里大不高兴，但因他手里掌握禁军，所以仍在表面上维持尊敬礼遇。

四月二十六日，李豫（李俶）尊称李辅国“尚父”，而不再称呼名字（周王朝一任王姬发，尊称姜子牙为尚父），事情不论大小，都征求他的意见。文武百官出入皇宫都要先行晋见李辅国，李辅国也认为理所当然，并推荐皇宫飞龙厩御马副总监（内飞龙厩副使）程元振，当左监门卫（卫军第十三军）将军。

宦官总管（知内侍省事）朱光辉及宦官总管署秘书长（内常侍）啖庭瑶、隐士李唐等二十余人，都流放黔中（湖南省西部及贵州省）。

23 最初，朔方等战区特遣兵团（驻绛州〔山西省新绛县〕）总指战官（行营都统）李国贞（李若幽），军纪森严，朔方战士大起反感，都思念郭子仪的宽厚，所以王元振利用大家这种反抗情绪，发动兵变（参考本年〔七六二〕二月十五日。）。

郭子仪抵达绛州（山西省新绛县）大营，王元振认为这是自己的功劳，郭子仪说：“你们在接近盗贼（燕军）的边界上（时燕军据守河阳〔河南省孟州市〕及河内〔怀州，河南省沁阳市〕），竟然谋害统帅，如果盗贼（燕军）抓住这个机会发动攻击，早已失掉绛州（山西省新绛县）。我身为宰相，怎么会为了一个士卒的私情，而违反国法大义！”

五月二日，逮抓王元振和他的同谋四十人，全部诛杀。河东战区（总部设太原府〔山西省太原市〕）司令官（节度使）辛云京听到消息，也逮捕诛杀邓景山（参考本年〔七六二〕二月三日）等几十人，斩首。自此之后，河东（山西省）各战区以及特遣兵团（行营），都能遵守军纪。

24 五月四日，李豫（李俶）擢升宦官李辅国为司空（三公之三）兼最高立法长（兼中书令）。

25 党项部落（四川省西北部）攻击同官（陕西省铜川市）、华原（铜川市耀州区）。

26 五月六日，命平卢战区司令官（节度使）侯希逸，当平卢淄青等六州战区（总部设青州〔山东省青州市〕。六州：青、淄、齐、沂、密、海）司令官（节度使）。自此之后，淄青战区又名平卢战区（平卢战区总部本设营州〔辽宁省朝阳市〕，去年〔七六一〕十一月，司令官侯希逸全军南下，但名号不废）。

27 五月七日，李豫（李俶）改封奉节王李适（音kuò〔阔〕）当鲁王。

28 五月十二日，李豫（李俶）追尊亡母吴女士称皇太后（吴女士生下李豫〔李俶〕后，即行逝世）。

29 五月十四日，贬国务院教育部长（礼部尚书）萧华，为峡州（湖北省宜昌市）州政府军务秘书长（司马）。

宰相元载迎合李辅国的意思，诬陷萧华有罪。

30 李豫（李俶）训令：乾元钱不论大小，一律一文当一文使用，人民这才接受（七五八年九月，铸乾元重宝〔小钱〕，一钱当十钱，七五九年九月，又铸双重轮边钱〔大钱〕，一钱当五十钱。前年〔七六〇〕六月，大钱改为一钱当三十钱，但通货膨胀仍然不止）。

31 燕帝（二任）史朝义亲自围攻宋州（河南省商丘市），一连数月，城里粮食吃完，马上就要陷落，州长李岑束手无策，不知道如何是好。遂城（河北省保定市徐水区遂城镇）平民征兵府副司令（果毅）开封（汴州州政府所在县，河南省开封市）人刘昌说："仓库还存有几千斤酒曲（把小麦或稻米蒸过，使它发酵、晒干，称"曲"，作酿酒之用，因之也称"酒曲"），请磨成细粉，分给大家充饥。用不了二十天，李太尉（李光弼）一定会来救援。城东南角最脆弱危险，我愿担任那里守卫。"李光弼抵达临淮（泗州州政府所在县，江苏省盱眙县淮河北岸），各将领认为燕军仍然强大，不如退保扬州（江苏省扬州市）。李光弼说："国家安危，全依靠我，我如果逃避畏缩，政府还有什么希望！而且，我出其不意的发动攻击，盗匪怎么知道我们人数有多少？"遂向徐州（江苏省徐州市）进发，命兖郓战区（总部设兖州〔山东省济宁市兖州区〕）司令官（节度使）田神功进攻，大破燕军。

先前，田神功攻克刘展（参考去年〔七六一〕正月），一直逗留扬州（江苏省扬州市），不肯北返。而太子宾客（正三品）尚衡，跟左羽林（禁军第一军）大将军殷仲卿，在兖州（山东省济宁市兖州区）、郓州（山东省东平县）一带，互相攻击（尚衡原是青密战区〔总部青州〕司令官，殷仲卿新调皇家膳食部长〔光禄卿〕，都还没有前往中央就职），听到李光弼北上，畏惧他的威望和魄力，田神功立即返回河南（指河南道，扬州〔江苏省扬州市〕属淮南道），尚衡、殷仲卿，先后进京（首都长安）。

李光弼驻防徐州（江苏省徐州市），只有纯军事业务，才自己裁决；其他各种事情，全交给执行官（判官）张傪（音cān〔餐〕）。张傪对人事行政非常熟习，运转灵活，反应之快，如同流水。各将领有什么请示，李光弼总是教他们先向张傪商议，各将领事奉张傪，如同事奉李光弼，因此纪律森严，军容整齐，东夏（东中国）广大地区，得以恢复正常秩序。先前，田神功不过一个初级将领，后来才擢升战区司令官（去年〔七六一〕六月，由平卢战区作战司令〔平卢兵马使〕，升任兖郓战区司令官〔节度使〕），挽留前任司令官（节度使）的执行官（判官）刘位等幕僚，继续任职，田神功泰然自若的接受他们的跪拜；等到发现李光弼竟然跟张傪站平等地位，乃大吃一惊，向刘位等一一叩头说：“我是一个行伍出身的粗汉，不知道礼仪，你们为什么不教导我，使我犯下那么大的过失？”

32 五月十九日，赦免天下。

33 李豫（李俶）改封皇子益昌王李邈当郑王，封李延当庆王、李迥当韩王。

34 山南东道战区（总部设襄州〔湖北省襄阳市〕）司令官（节度使）来瑱，接到调往淮西战区（总部设安州〔湖北省安陆市〕）的诏书（参考本年〔七六二〕三月），大为恐惧，上疏说："淮西地区，缺少粮食，请准许停留到秋季收割小麦以后动身。"一面鼓动各将领上疏再度挽留自己。李豫（李俶）只求平安无事。

五月二十四日，命来瑱官复原职。

35 皇家飞龙厩御马副总监（飞龙厩副使）程元振，暗中计划夺取李辅国的大权，向皇帝打小报告，建议应对李辅国稍加限制。

六月十一日，唐帝李豫（李俶）解除李辅国全国野战军元帅府作战参谋长（行军司马）及国务院国防部长（兵部尚书）职务，其他官职，仍然保留；命程元振代理作战参谋长（代判元帅行军司马），把常住在宫中的李辅国，迁到宫外居住；道路上行人听到这个消息，都互相祝贺。李辅国这才开始恐惧（剥夺了他的军权，击中要害），上疏请求退休。

六月十三日，李豫（李俶）下诏免除李辅国兼任最高立法长（兼中书令）职务，但晋封博陆王。李辅国进宫叩谢皇恩，悲愤交集，呜咽哭泣说："我这个老奴才，没有资格事奉郎君，请准我到地下事奉先帝（李亨）。"李豫（李俶）仍对他安慰解释，把他送走。（《旧唐书·宦官传》记载，李辅国去立法院〔中书省〕撰写谢恩奏章，守门人阻止他，说："尚父〔李辅国〕已经免除宰相职务，不应再进此门！"）

36 六月十四日，任命国务院国防部副部长（兵部侍郎）严武，当西川战区（总部设成都府〔四川省成都市〕）司令官（节度使）。

37 襄邓警备区（总部设襄州〔湖北省襄阳市〕）司令（防御使）裴茙（音róng〔容〕），驻防谷城（湖北省谷城县），接到皇帝密旨（参考本年〔七六二〕三月十四日）后，立即率直属部队二千人，沿汉水向襄阳（襄州州政府所在县，湖北省襄阳市）推进。

六月二十一日，裴茙抵达谷水（汉水支流）北岸，扎营列阵。来瑱派军迎接，询问他的来意，裴茙回答说："你拒抗中央命令，所以前来；你如果接受，我自会退军。"来瑱说："蒙皇上恩典，命我仍继续留在这里，哪里来的代替人选！"取出诏节及中央人事命令，教裴茙过目，裴茙大为惊恐。来瑱和战区副司令官（副使）薛南阳挥军夹击，大破裴茙军，追击到申口（陕西省旬阳市南），生擒裴茙，送到京师（首都长安），李豫（李俶）命裴茙自杀。

38 六月二十七日，擢升通州（四川省达州市达川区）州长刘晏（去年〔七六一〕十一月贬），当国务院财政部副部长（户部侍郎）兼首都长安特别市长（兼京兆尹），及中央财政总监（度支使）、运输总监（转运使）、盐铁专卖总监（盐铁使）、造币总监（铸钱使）等机关首长。

39 秋季，七月十五日，命郭子仪当朔方、河东、北庭、潞仪泽沁陈郑战区等所有特遣兵团（驻绛州〔山西省新绛县〕）总司令官（行营节度都使），及兴平军（陕西省商洛市商州区）等军副元帅。（李抱玉〔安抱玉〕先是陈郑战区司令官，李光弼邙山之败〔参考去年【七六一】二月〕，陈郑战区沦入燕军之手，李抱玉逃奔泽州〔山西省晋城市〕，中央命他接任潞仪泽沁战区司令官，仍遥领陈郑。）

40 七月十六日，剑南战区（总部设成都府〔四川省成都市〕）作战司令（兵马使）徐知道，聚众起兵，派军防守险要，拒绝严武上任，严武无法前进。

41 八月，桂州（广西桂林市）州长邢济，讨伐西原蛮（广西靖西市境内蛮夷）首领吴功曹等，把西原蛮制服（西原蛮事，参考前年〔七六〇〕六月，战乱迄今）。

42 八月十三日，徐知道被部将李忠厚诛杀，剑南战区（总部成都）战乱全部平息。

43 八月十九日，山南东道战区（总部设襄州〔湖北省襄阳市〕）司令官（节度使）来瑱，前来京师（首都长安）朝见，请求宽恕，李豫（李俶）待他优厚。

44 八月二十三日，郭子仪自河东（山西省）进京（首都长安）朝见。此时，宦官程元振当权，对郭子仪的功劳高大和权位重要，十分妒忌猜疑，不断在李豫（李俶）面前打小报告陷害。郭子仪内心不安，上疏请求解除副元帅及各战区特遣兵团司令官（行营节度使）。李豫（李俶）对郭子仪安慰勉励，但仍批准他辞职，郭子仪遂再度留在京师（首都长安）。

45 台州（浙江省临海市）变民首领袁晁（音cháo〔巢〕）攻陷浙东（浙江省东部）各州，改年号宝胜，无力负担唐政府沉重田赋和捐税的人，大批投入抗暴军。

河南地区（黄河以南）野战军副元帅（河南副元帅）李光弼（时驻徐州

〔江苏省徐州市〕），派军到衢州（浙江省衢州市）讨伐袁晁，击破变民军。

46 八月二十九日，改封鲁王李适（音kuò〔阔〕）为雍王。

47 九月四日，李豫（李俶）擢升来瑱当国务院国防部长（兵部尚书）、二级实质宰相（同平章事），代理山南东道战区（总部设襄州〔湖北省襄阳市〕）司令官（节度使）。

48 九月十九日，加授宦官程元振官位：骠骑大将军（武散官第一级，从一品），兼宦官总管（兼内侍监）。

49 国务院左最高执行长（左仆射）裴冕，当皇帝坟墓兴建管理总监（山陵使），讨论事情时，有时跟程元振的意见不一样。

九月二十日，李豫（李俶）贬裴冕当施州（湖北省恩施市）州长。

50 唐帝李豫（李俶）派宦官刘清潭，充当帝国使节，前往回纥汗国（瀚海沙漠群），试图恢复唐回两国友好关系，并请回纥派军协助唐政府讨伐燕帝史朝义。

刘清潭抵达回纥王庭（中央政府所在，蒙古国哈拉和林市），而登里可汗（三任大可汗）药罗葛移地健，已被史朝义欺骗。史朝义带给他的消息是："唐王朝皇帝已死，中原无主，可汗最好火速前来，共同接收他们的政府和仓库。"药罗葛移地健信以为真。刘清潭呈递国书，说："先帝（李亨）虽然抛弃天下，但现任皇帝（李豫〔李俶〕）已经正式登极，继承皇家大统，现任皇帝就是从前的广平王（李豫〔李俶〕），跟贵国叶护亲王，曾经并肩作战，共同收复两京（西京长安、东京

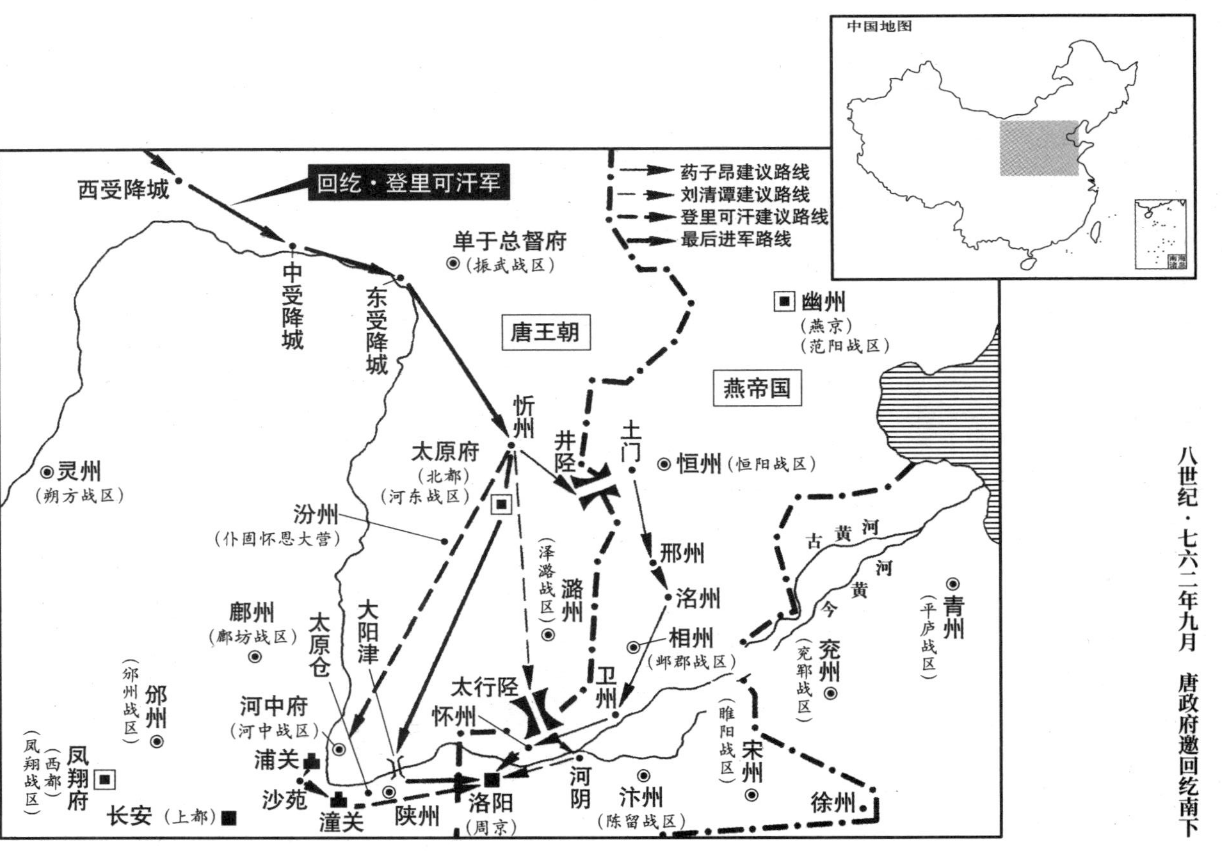

八世纪·七六二年九月　唐政府邀回纥南下

洛阳)。”回纥大军已经南下到三受降城(东受降城〔内蒙古托克托县南〕、中受降城〔内蒙古包头市〕、西受降城〔内蒙古五原县西北〕;也就是将抵达黄河北岸),沿途见到州县,都是一片废墟,对一度被尊为天可汗的唐王朝,大为轻视,更没有把刘清潭看在眼里,因而给他种种刁难侮辱。刘清潭急派人回京(首都长安)警告说:“回纥全国十万人的兵力,已经南下,马上就到。”京师(首都长安)大为震骇。李豫(李俶)急派宫廷总管(殿中监)药子昂(药,姓),前往忻州(山西省忻州市)南方,代表唐政府迎接慰劳回纥大军。

最初,毗伽可汗(一任大可汗)药罗葛骨力斐罗,为孙儿药罗葛移地健,向唐王朝皇家求婚时,唐王朝十任帝李亨,把仆固怀恩的女儿嫁给他,现在已成登里可汗的皇后。药罗葛移地健要求跟岳父仆固怀恩相见。仆固怀恩这时正驻汾州(山西省汾阳市),李豫(李俶)命他前去跟女儿会面。仆固怀恩向药罗葛移地健,强调唐王朝的恩德,不应忘记,药罗葛移地健大为高兴,派使节前往京师(首都长安),上疏皇帝,表示愿意帮助唐政府讨伐史朝义,但药罗葛移地健打算穿过蒲关(陕西省大荔县东黄河渡口),先到沙苑(陕西省大荔县南),再经潼关(陕西省潼关县)东下。药子昂解释说:“连年以来,关中(陕西省中部)兵荒马乱,州县残破,十分贫苦,没有能力供应大军,恐怕可汗失望。盗贼(燕政府)的军队集中洛阳(河南省洛阳市),请大军东出太行山,从土门(河北省石家庄市鹿泉区西)南下,穿过邢州(河北省邢台市)、洺州(河北省邯郸市永年区东南广府镇)、卫州(河南省卫辉市)、怀州(河南省沁阳市),再向南挺进,这样,可得到盗匪的物资辎重,供应军需。”药罗葛移地健不接受;刘清潭接着建议:“请穿过太行陉(太行八陉之二,河南省博爱县北),南下夺取河阴(河南省郑州市西北桃花峪),扼住盗匪的咽喉。”药罗葛移地健也拒绝。刘清潭再建议说:“从陕州(河南省三门峡市）大阳津（三门峡市北黄河渡口）渡过黄河，由太原仓（三门峡市西）供应粮食，跟唐王朝东征各军，同时前进。”药罗葛移地健才答应。（回纥的目的是抢劫唐王朝人的女子和财产，所以必须经过唐政府辖区。药子昂和刘清潭所建议的两条路线，却是要他们立即进入敌境，转战千里，所以登里可汗一口拒绝。）

51 台州（浙江省临海市）变民首领袁晁，攻陷信州（江西省上饶市）。冬季，十月，袁晁再攻陷温州（浙江省温州市）、明州（浙江省宁波市）。

52 李豫（李俶）任命雍王李适（音kuò〔阔〕）当全国野战军元帅（天下兵马元帅）。

十月十六日，李适向皇帝老爹辞行，率军东征，命兼任副总监察官（兼御史中丞）药子昂、魏琚，当左右翼作战司令（左右厢兵马使）；命立法官（中书舍人）韦少华当执行官（判官），御前监督官（给事中）李进当作战参谋长（行军司马），前往陕州（河南省三门峡市），跟各战区司令官（节度使），以及回纥兵团会师，联合讨伐燕帝史朝义。李豫（李俶）打算命郭子仪当李适的副元帅；可是宦官程元振、鱼朝恩等，竭力反对，遂告中止。

于是，李豫（李俶）加授朔方战区（总部设灵州〔宁夏灵武市〕）司令官（节度使）仆固怀恩：二级实质宰相（同平章事），兼绛州（山西省新绛县）州长，兼各战区特遣兵团司令官（节度行营），当李适的副手。

53 李豫（李俶）当太子的时候，对宦官李辅国的专权横行，早就十分痛恨（二人事，参考七五七年正月）。后来继承帝位，因李辅国有诛杀张皇后的功劳，所以不愿公开把他处决。

十月十七日，夜晚，有刺客进入李辅国家，砍下李辅国的人头，跟一条手臂而去（李辅国年五十九岁）。李豫（李俶）训令有关单位捕捉刺客；并派宦官到李辅国家慰问，木刻一个人头安葬；追赠太傅（三师之二）。

54 十月二十一日，李豫（李俶）命仆固怀恩，以及他的娘亲和妻子，一同前往各战区特遣兵团大营（行营）。

雍王李适（音kuò〔阔〕）抵达陕州（河南省三门峡市），回纥登里可汗药罗葛移地健，在河北县（山西省平陆县）扎营。李适率左右属官，以及骑兵数十人，北渡黄河晋见。李适用平等的礼节相待，药罗葛移地健认为受到轻视，责备他为什么没有舞蹈叩头（此舞蹈不是二十世纪所说的舞蹈，而是“山呼舞蹈”，金銮宝殿上臣属晋见皇帝的礼节之一，现已不传，大概手挥脚跳，表示屈辱）。药子昂回答说：“依照礼仪，本不应舞蹈叩头。”回纥将军车鼻说：“唐王朝皇帝（李豫〔李俶〕）跟我们可汗，是结拜弟兄，对雍王（李适）而言，可汗就是叔父，他怎么敢不舞蹈叩头？”药子昂说：“雍王（李适）是皇帝的长子，现在当全国野战军元帅（天下兵马元帅）。哪有中国的储君，向外国可汗舞蹈叩头的道理？而且，两位皇帝（李隆基和李亨）的灵柩，还没有安葬，也不应该舞蹈。”竭力分辨，车鼻遂逮捕药子昂、魏琚、韦少华、李进，各打一百皮鞭；认为李适年轻不懂事，送他回营（本年，李适二十一岁）。魏琚、韦少华，过了一夜，即行断气。

儒家系统的礼仪，建立在一个不平等的基础上，所谓“刑不上大官，礼不下平民”，要维持这种不平等的礼仪，需要有强大力量。没有这种力量，而仍想骑到别人头上，自然会受到反击。李适没有理由不向登里可汗下拜，论私，登里可汗是叔；论公，李适仅只唐王朝一个亲王，对方则是一国君主；论现实，当时的唐王朝全靠回纥救援。完全屈居劣势，而仍摆出架势，不以平等待人，登里可汗之怒，是争取尊严的正义之怒。

十月二十三日，唐回联军从陕州（河南省三门峡市）出发，仆固怀恩与回纥东翼王（左杀），同时担任前锋；陕西战区（总部设陕州〔河南省三门峡市〕）司令官（节度使）郭英乂、神策军观察兵马阵容高级监军宦官（神策观军容使）鱼朝恩，作后备部队，向渑池（河南省渑池县）出击；潞泽战区（总部设潞州〔山西省长治市〕）司令官（节度使）李抱玉（安抱玉），向河阳（河南省孟州市）出击；河南各战区野战军副元帅（河南等道副元帅）李光弼，向陈留（汴州，河南省开封市）出击；李适留守陕州（河南省三门峡市）。

十月二十六日，仆固怀恩等军前进到同轨（河南省洛宁县东），扎营。

燕帝史朝义听到唐军开始大规模进攻消息，召集军事会议，听取各将领意见。阿史那承庆说："唐政府如果只派汉人军队前来，我们就出动所有人马，迎头痛击，可是，如果有回纥人军队参战，凌厉的锐气，我们绝对抵抗不住，应该退到河阳（河南省孟州市）躲避。"史朝义不接受。

十月二十七日，唐回联军进抵洛阳北郊，分出一部分兵力进攻怀州（河南省沁阳市）。

十月二十八日，夺回怀州（河南省沁阳市）。

十月三十日，唐回联军在横水（洛阳北郊）构筑阵地，燕军数万人，也竖立栅栏，加强守卫。仆固怀恩则在西原（洛阳西郊）列营，正面相对；派精锐骑兵及回纥兵团，绕道南山，向东北内外夹攻，

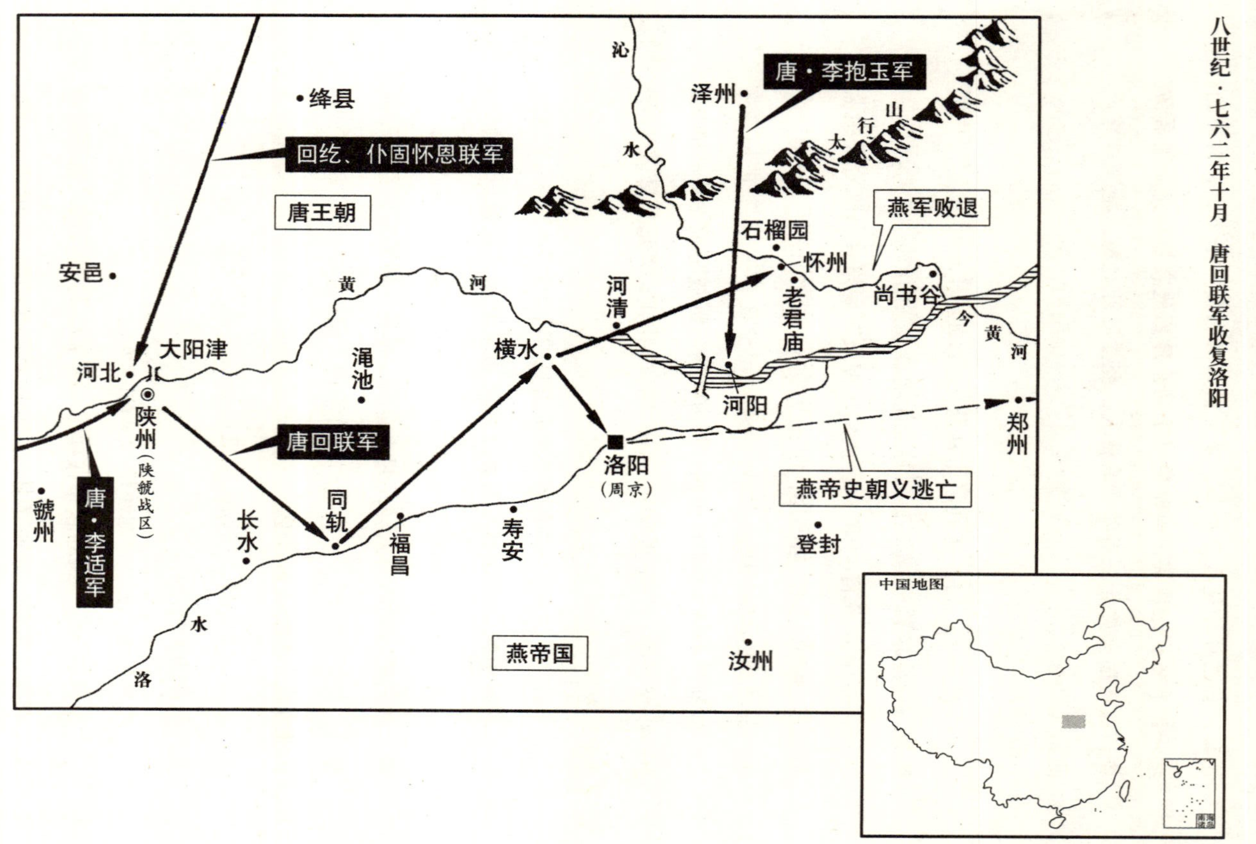

八世纪·七六二年十月　唐回联军收复洛阳

大破燕军。史朝义亲率精锐部队十万人增援，在昭觉寺（今地不详）筑阵，唐军突然发动攻击，燕军大量死伤，但仍坚守阵地，毫不动摇；鱼朝恩派神箭手五百人参战，燕军死伤更为惨重，但仍坚守不退。镇西战区（总部设龟兹〔新疆库车市〕）特遣兵团司令官（节度使）马璘说："事情危急！"（胡三省原注："攻阵而不能攻陷，撤退一定溃败，所以危急。"）于是单人匹马，杀入敌阵，夺取两面盾牌，直冲燕军核心，马璘在万众中奋战，燕军分向两边后退，唐政府主力军乘势杀入，燕军于是大败。黄河北岸战争同样激烈，在石榴园（河南省沁阳市北）、老君庙（沁阳市境）一带，燕军向东败退，人马互相践踏，纷纷跌进尚书谷（河南省武陟县境）。唐军节节胜利，格杀六万人，俘虏二万人。

史朝义不能支持，率轻装备骑兵数百人，放弃洛阳，向东逃走。仆固怀恩遂收复洛阳及河阳（河南省孟州市），俘虏燕政府最高立法长（中书令）许叔冀、王伷（音zhòu〔宙〕）等，声称奉皇帝训令，把他们释放。仆固怀恩安排回纥兵团大营留在河阳（河南省孟州市），派他的儿子右翼作战司令（右厢兵马使）仆固玚及朔方战区（总部设灵州〔宁夏灵武市〕）作战司令（兵马使）高辅成，率步骑兵一万余人，乘胜追击。追到郑州（河南省郑州市），再一次攻击，又传捷报。史朝义逃到汴州（河南省开封市），他所任命的陈留战区（总部设汴州〔河南省开封市〕）司令官（节度使）张献诚，紧闭城门，拒绝收容。史朝义无可奈何，奔往濮州（山东省鄄城县）。张献诚大开城门，出来投降唐军。

回纥军进入东京洛阳，毫无忌惮的大肆奸淫烧杀、劫掠抢夺；居民死亡以万为单位计算，大火数十天不熄。朔方战区及神策军基地特遣兵团士卒，认为东京洛阳、郑州（河南省郑州市）、汴州（河南省开封市）、汝州（河南省汝州市），都是"贼境""匪区"，所经过的地方，同样奸淫烧杀、劫掠抢夺，三个月才算停止。于是家家户户，只剩下空荡荡的房屋；仍活着的人，不管是官是民，是男是女，衣服因为全被剥光，只好用纸裹到身上。

读史至此，再一次为中国人哭。黄河以南各州地下军和抗暴人民，竭力抵抗“盗匪”，渴望政府反攻，把他们救出水火，而结局却是如此。中国最大的灾难来自“官”“匪”不分，有时候，官甚至比匪还要可怖。过去的历史如此，将来的历史是不是会再重演？使人忧心！

回纥军把所掳掠的财货、妇女，集中河阳（河南省孟州市），派他们的将领安恪留守。

十一月二日，唐政府军报告大捷的公开文书，送到京师（首都长安）。

燕帝史朝义自濮州（山东省鄄城县）北渡黄河。仆固怀恩进攻滑州（河南省滑县），攻克，又在卫州（河南省卫辉市）击败燕军。燕政府睢阳战区（总部设宋州〔河南省商丘市〕）司令官（节度使）田承嗣等，率军四万余人，增援史朝义，再次阻击唐军。仆固玚把燕军击破，长驱直下，抵达昌乐（河南省南乐县）东境。史朝义动员魏州兵团（河北省大名县）亲自迎战，又败退。于是，燕政府邺郡战区（总部设相州〔河南省安阳市〕）司令官（节度使）薛嵩，献出相州（河南省安阳市）、卫州（河南省卫辉市）、洺州（河北省邯郸市永年区东南广府镇）、邢州（河北省邢台市），投降唐政府陈郑泽潞战区（总部设潞州〔山西省长治市〕）司令官（节度使）李抱玉（安抱玉）；燕政府恒阳战区（总部设恒州〔河北省正定县〕）司令官（节度使）张忠志（安忠志），献出赵州（河北省赵县）、恒州（河北省正定县）、深州（河北省深州市）、定州

(河北省定州市)、易州(河北省易县),投降唐政府河东战区(总部设太原府〔山西省太原市〕)司令官(节度使)辛云京。薛嵩,是薛楚玉的儿子(薛楚玉,参考七三三年闰三月)。李抱玉(安抱玉)已经率军进入燕军军营,接收部队,薛嵩等也都交出军权,可是,没有多久,仆固怀恩又命燕军将领各回各的岗位。因此,李抱玉(安抱玉)、辛云京开始怀疑仆固怀恩已有叛意。分别上疏警告中央暗中戒备。仆固怀恩也上疏答辩,唐帝李豫(李俶)回书安慰勉励。

十一月六日,李豫(李俶)下诏:"东京洛阳及河南(黄河以南)、河北(黄河以北),凡在伪(燕)政府担任官职的,全部不予追究。"

55 十一月十四日,命国务院财政部副部长(户部侍郎)刘晏,兼河南道(黄河以南)水陆运输最高总监(兼河南道水陆转运都使)。

56 十一月二十二日,命降将张忠志(安忠志)当成德战区(总部设恒州〔河北省正定县〕)司令官(节度使),管辖恒州、赵州(河北省赵县)、深州(河北省深州市)、定州(河北省定州市)、易州(河北省易县)五州。李豫(李俶)命张忠志改名李宝臣。

最初,辛云京(河北〔总部太原部〕司令官)率军越太行山,穿过井陉(太行八陉之五,河北省石家庄市鹿泉区西)东进,攻击常山(恒州,河北省正定县)。燕军初级将领王武俊,向守将李宝臣(张忠志)建议说:"河东兵团(总部太原府)全是精锐,离开基地远征,不可以抵抗,而且我们的人少,他们的人多,我们的理曲,他们的理直;如果出战,士卒一定逃散;如果拒守,士卒一定崩溃。请考虑定夺。"李宝臣(张忠志)于是撤除戒备,献出五州投降。后来,唐政府命他当战区司令官(节度使),他认为王武俊的谋略高强,遂擢升王武俊当先锋作战司令（先锋兵马使）。王武俊，本是契丹（辽河上游）人，最初名没诺干。

郭子仪认为仆固怀恩有平定河朔（河北平原）的功劳，向中央建议，把副元帅职位让给他。

十一月二十四日，李豫（李俶）命仆固怀恩当河北（黄河以北）野战军副元帅（河北副元帅），加授：国务院左最高执行长（左仆射·使相）兼立法院最高立法长（兼中书令·使相）、单于（内蒙古和林格尔县）大总督、镇北（内蒙古包头市）大总督、朔方战区（总部设灵州〔宁夏灵武市〕）司令官（节度使。这么多官位，只朔方战区司令官是实质官）。

燕帝史朝义向北逃到贝州（河北省清河县），跟他的大将薛忠义等两位战区司令官（节度使）会合。仆固玚追击，抵达临清（河北省临西县），史朝义自衡水（河北省衡水市）率士卒三万人，回军反扑，仆固玚设下埋伏，把史朝义击退，而回纥兵团又及时赶到，唐军声势更大，继续追击，在下博（河北省深州市东南下博村）东南会战，燕军又大败，尸首堆积如山，顺着河流漂下。史朝义再向北逃到莫州（河北省任丘市北鄚州镇）。仆固怀恩部属总作战司令（都知兵马使）薛兼训、作战司令（兵马使）郝庭玉，以及田神功（兖郓〔总部兖州〕司令官）、辛云京（河东〔总部太原府〕司令官），在下博（河北省深州市东南下博村）会师前进，把史朝义包围在莫州（河北省任丘市北鄚州镇）；平卢战区（总部设青州〔山东省青州市〕）司令官（节度使）侯希逸，随后也抵达。

57 十二月十六日，李豫（李俶）下诏：祭祀天地神祇时，由太祖李虎（一任帝李渊的祖父）陪享香火（原由一任帝李渊陪享，参考七三二年八月）。

唐　宝应　二年
　　广德　元年
(燕帝史朝义显圣三年)
(袁晁宝胜二年)
(唐帝李承宏元年)

1 春季，正月五日，唐王朝（首都长安〔陕西省西安市〕）皇帝（十一任代宗）李豫（李俶，本年三十八岁），追赠亡母吴女士绰号章敬皇后。

2 正月九日，李豫（李俶）命国立贵族大学校长（国子祭酒）刘晏，当国务院文官部长（吏部尚书）、二级实质宰相（同平章事），原任的中央财政总监（度支使）等机关首长，仍然保持。

3 最初，山南东道战区（总部设襄州〔湖北省襄阳市〕）司令官（节度使）来瑱在襄阳（襄州州政府所在县）时，宦官程元振对他有所请求，来瑱拒绝。等到来瑱升任宰相（参考去年〔七六二〕九月），程元振遂设法陷害，向皇帝打小报告，指控来瑱说话冒犯。淮西战区（总部设申州〔河南省信阳市〕）司令官（节度使）王仲升，被燕军俘虏（参考去年〔七六二〕三月），向燕帝史朝义卑屈乞怜，得以保住性命。燕军瓦解后，才算回来，他跟程元振交情很好，遂上疏检举：因来瑱跟燕军勾结，自己才身陷盗贼之手。

正月二十八日，李豫（李俶）下诏撤除来瑱所有官爵，流放播州（贵州省遵义市）。走到中途，李豫（李俶）再下诏命他自杀。

从此，各战区司令官（营镇）对程元振恨入骨髓，咬牙切齿。

4 燕帝（二任）史朝义困在莫州（河北省任丘市北鄚州镇），屡战屡败。大将田承嗣向史朝义建议，请他亲自前往幽州（北京市）征调大军，回来救援莫州（河北省任丘市北鄚州镇），田承嗣自愿留守；史朝义接受，于是遴选精锐骑兵五千人，出北门突破唐军包围，北上。史朝义一出城门，田承嗣立即献出城池，投降唐政府；并逮捕皇太后、皇后、皇子，押送唐政府军营。唐军将领仆固玚、侯希逸、薛兼训等，率士卒三万人急急追击，一直追到归义（河北省容城县东北），史朝义回军攻击，又败，继续北走。

当时，燕政府范阳战区（总部设幽州〔北京市〕）司令官（节度使）李怀仙，正透过唐政府钦差宦官骆奉仙，向唐军接洽投降，特派作战司令（兵马使）李抱忠，率军三千人，驻防范阳县（河北省涿州市。范阳县与旧有的范阳郡不是同一地）。史朝义抵达城下，不能进城。而唐政府追击部队，又要赶到，史朝义派人告诉李抱忠，解释大军留在莫州（河北省任丘市北鄚州镇)，皇帝(史朝义)北来，只是为了征调大军南下会师，并提醒李抱忠君王与臣属之间的大义。李抱忠回答说："上天不保佑燕王朝，而使唐王朝复兴，现今，我们已经回归，怎么可能反复无常，难道不愧对三军？大丈夫不屑于施用诡计诈术，所以请你们早一天决定留下或离开，用以保护自己的安全。并且，看情形田承嗣也一定叛变，否则，唐军怎么能越过莫州(河北省任丘市北鄚州镇)，来到这里？"史朝义大为恐惧，说："我们早上还没有吃饭，难道不能招待一餐？"李抱忠遂派人把菜饭送到城东。于是，史朝义部属中的范阳人(泛指原范阳战区的士卒)，都向史朝义叩头告辞而去，史朝义忍不住泪流满面，单独率骑兵数百人，吃过饭后离开，向东投奔广阳(北京市西南良乡镇)，广阳也闭门拒绝；史朝义打算向北投奔奚部落(滦河上游)或契丹部落(辽河上游)，前进到温泉栅(河北省迁安市境)，李怀仙派出的追兵，已经赶到。史朝义走投无路，只好就在树林中上吊身死(年龄不详)。李怀仙把他的人头呈献唐军。仆固怀恩遂率各军班师。(史思明掀起的战乱，整整四年，才告平息。)

正月三十日，史朝义的人头送到京师(首都长安)。

5 闰正月五日，夜晚，有十五个回纥人，突击南皇城(政府各机关所在地)含光门(太极宫〔西内〕南面三门：中门称朱雀门、东门称安上门、西门称含光门)，闯入藩属事务部(鸿胪寺)，守门人不敢阻止。

6 闰正月十九日，李豫(李俶)命燕军降将薛嵩当相卫邢洺贝磁六州战区(总部设相州〔河南省安阳市〕)司令官(节度使)，田承嗣当魏博德沧瀛五州警备区(总部设魏州〔河北省大名县〕)总司令(都防御使)；李怀仙仍在原地当幽州卢龙战区(总部设幽州〔北京市〕)司令官(节度使)。

八世纪·七六二年十月至七六三年正月　燕帝史朝义败死

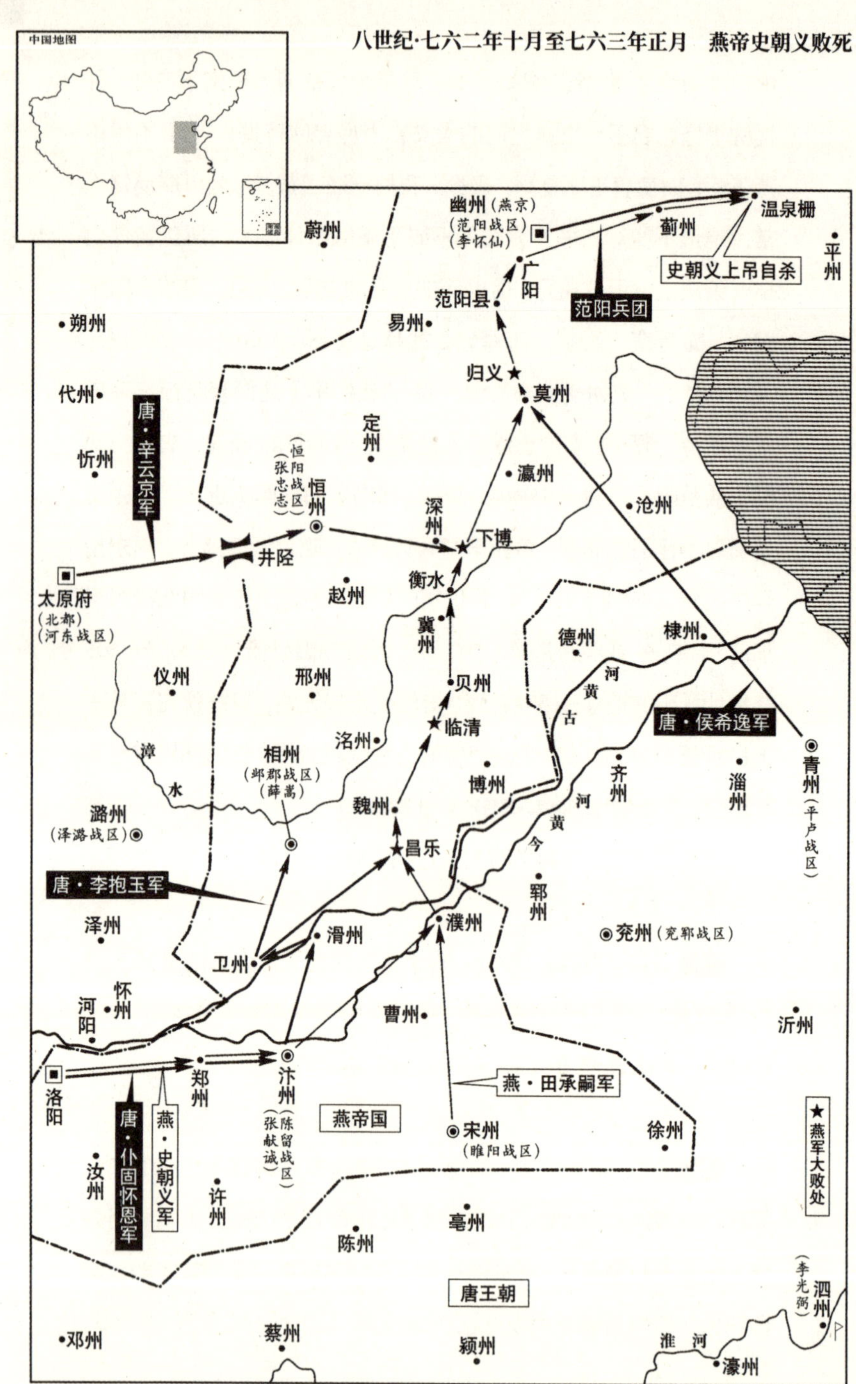

当时，河北（黄河以北）各州全都投降，薛嵩等迎接仆固怀恩，在马前下跪叩头，请求允许他们仍留在军中，给他们一个报效国家、戴罪立功的机会。仆固怀恩也恐惧所有叛乱都平息之后，政府会对他不再重视，所以上疏建议仍把薛嵩、李宝臣（张忠志，成德〔总部恒州〕司令官）留在原来位置，分别当河北（黄河以北）各战区的军事首长，作为自己的党羽外援。而中央政府也恐惧战争延长，只希望表面平静无事，就心满意足，于是批准仆固怀恩的建议。（唐王朝军阀割据、藩镇之祸，自此开始。）

7 回纥汗国（瀚海沙漠群）登里可汗（三任大可汗）药罗葛移地健，告辞回国，部队所经过的地方，奸淫烧杀、抢夺劫掠，地方政府供应稍不如意，就立刻挥刀杀人，没有任何顾忌。陈郑泽潞战区（总部设潞州〔山西省长治市〕）司令官（节度使）李抱玉（安抱玉），打算派官员负责沿途安顿招待，可是所有的人都害怕得发抖，谁也不敢承当。赵城（山西省洪洞县北赵城镇）县政府防卫员（尉）马燧，主动请求这项任务（马燧，参考七五五年十二月二十一日）。在回纥大军将要到达时，马燧先派人送贵重贿赂给他们的将领，要求约束士卒不要凶暴，拿到贿赂的将领们遂发给他令旗，说："回纥士卒如有违犯军令的，授权给你，就地正法。"马燧从监狱中提出几个已判死刑、等待执刑的囚犯，充当自己的左右侍从，稍为有点违令，马燧就大喝一声，立即拖出斩首。回纥官兵看到眼里，你望我，我望你，脸色大变。消息传开，于是凡经过这个战区的回纥军，都安安静静，遵守约束。李抱玉（安抱玉）对马燧的应变能力，大感惊奇。马燧因而提醒李抱玉（安抱玉）说："我跟回纥人交往，相当了解他们的情形。仆固怀恩（朔方〔总部灵州〕司令官）仗恃他的功劳，骄傲蛮横，他的儿子仆固玚，喜爱卖弄勇敢，态度轻佻。现在，仆固怀恩在内布置四个战区司令官（仆固怀恩是河北地区野战军副元帅，薛嵩〔相卫司令官〕、田承嗣〔魏博警备区总司令〕、李怀仙〔卢龙司令官〕、李宝臣〔张忠志，成德司令官〕都是他的下属），在外结交回纥（瀚海沙漠群），一定有夺取河东（总部太原府）及泽潞（总部潞州）两战区的阴谋，我们应该严加戒备。”李抱玉（安抱玉）深有同感。

8 最初，长安（首都长安西半城）人梁崇义，当羽林军（禁军第一、二军）神箭手，追随来瑱（山南东道〔总部襄州〕司令官）驻防襄阳（湖北省襄阳市），逐渐升迁到右翼作战司令（右兵马使）。梁崇义力大无穷，能用手把铁钩拉直，再把它卷回原状，性情沉默，不多说话，很得士卒的爱戴。来瑱前往中央朝见皇帝时（参考去年〔七六二〕八月），把各将领派到战区所辖各州驻防。来瑱一死，各州将领都奔回襄阳（湖北省襄阳市）。作战参谋长（行军司马）庞充，率士卒二千人，增援河南（河南副元帅李光弼大营，时驻徐州〔江苏省徐州市〕），抵达汝州（河南省汝州市），听到来瑱死亡消息，立即回军袭击襄州（湖北省襄阳市）；左翼作战司令（左兵马使）李昭率军抵抗；庞充战败，奔往房州（湖北省房县）。梁崇义从邓州（河南省邓州市）率军回来，跟李昭以及战区副司令官（副使）薛南阳，互相争夺主帅宝座，很久不能决定，最后，大家一致认为：“非梁将军领导不可。”遂推举梁崇义当主帅。梁崇义取得大权后，立刻翻脸，诛杀李昭及薛南阳，并据实奏报皇帝，李豫（李俶）不能讨伐。

三月一日，李豫（李俶）承认既成事实，命梁崇义当襄州（湖北省襄阳市）州长、山南东道战区（总部设襄州〔湖北省襄阳市〕）候补司令官（节度留后）。梁崇义上疏请求改葬来瑱，给来瑱建立寺庙，来瑱办公地方和正堂大厅，梁崇义都避不使用，表示尊敬。

9 三月十八日，把九任帝李隆基安葬泰陵（陕西省蒲城县东北十五公里金粟山），绰号至道大圣大明孝皇帝，庙号玄宗。

三月二十七日，把十任帝李亨安葬建陵（陕西省礼泉县东北十四公里武将山），绰号文明武德大圣大宣孝皇帝，庙号肃宗。

10 夏季，四月七日，河南（黄河以南）野战军副元帅（河南副元帅）李光弼，奏报说：生擒台州（浙江省临海市）变民首领袁晁（袁晁聚众起兵，参考去年〔七六二〕八月），浙东（浙江省东部）全部平定。当时袁晁已集结变民将近二十万，辗转攻击各州县。李光弼派部将张伯仪率兵讨伐，把变乱平息。张伯仪，是魏州（河北省大名县）人。

11 汾阳王郭子仪不断上疏警告："不可以忽视吐蕃王国（首都逻些城〔西藏拉萨市〕）跟党项部落（四川省西北部）的威胁，应该早作准备。"

四月二十八日，李豫（李俶）派兼任总监察官（兼御史大夫）李之芳等，充当使节，前往吐蕃聘问。被吐蕃羁留软禁，两年后（七六五年）才被释放回国。

12 文武百官一连三次上疏请求指定太子。

五月一日，李豫（李俶）下诏承诺延迟到秋季决定。

13 五月二十五日，李豫（李俶）下诏，重划河北（黄河以北）各战区：卢龙战区（总部幽州）管辖六州：幽州（北京市）、莫州（河北省任丘市北鄚州镇）、妫州（河北省怀来县）、檀州（北京市密云区）、平州（河北省卢龙县）、蓟州（天津市蓟州区）。成德战区（总部恒州）管辖五州：恒州（河北省正定县）、定州（河北省定州市）、赵州（河北省赵县）、深州（河北省深州市）、易州（河北

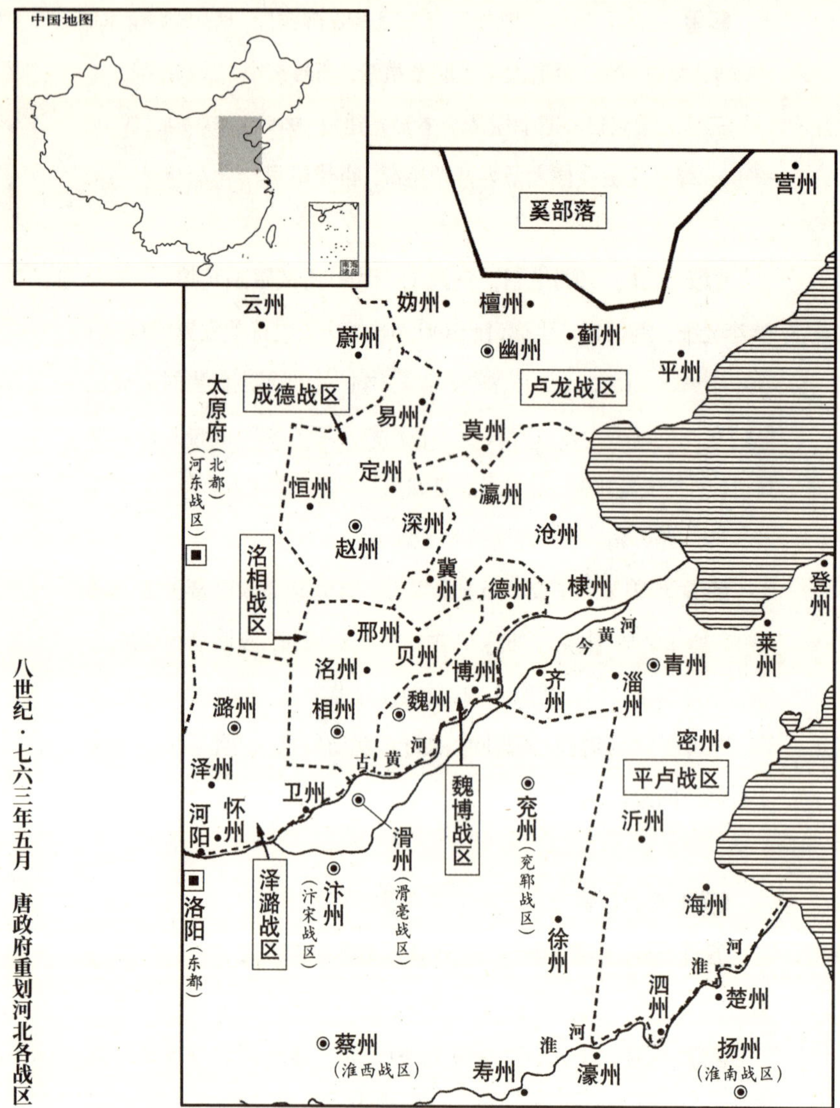

八世纪·七六三年五月　唐政府重划河北各战区

省易县)。相州战区(总部相州)管辖四州:相州(河北省安阳市)、贝州(河北省清河县)、邢州(河北省邢台市)、洺州(河北省邯郸市永年区东南广府镇)。魏博警备区(总部魏州)管辖三州:魏州(河北省大名县)、博州(山东省聊城市)、德州(山东省德州市陵城区)。平卢战区(总部青州)管辖四州:沧州(河北省沧州市东南)、棣州(山东省惠民县)、冀州(河北省衡水市冀州区)、瀛州(河北省河间市)。泽潞战区(总部潞州)管辖二州一城:怀州(河南省沁阳市)、卫州(河南省卫辉市)、河阳城(河南省孟州市)。

14 六月一日,国务院教育部副部长(礼部侍郎)华阴(陕西省华阴市)人杨绾,上疏指出:

"古代选拔官员,一定选拔有德行和有学识的人;近世选拔官员,却只看他写的文章。当初,杨广(隋王朝二任帝)首先设置'进士科',只不过出一个题目,由考生发表议论。到本朝高宗(三任帝李治),国务院文官部考核司副司长(考功员外郎)刘思立(参考六七七年四月),才建议'进士科'加考写作、'明经科'加考填充(明经、进士,参考六一八年十月十五日注)。从此以后,累积弊端,竟成了惯例习俗。政府高级官员用它来衡量知识分子,家族父老也用它来训勉鼓励子弟。'明经科'的考生,只专心背诵'考题精华''猜题大全'之类的书籍,以求侥幸。而参加考试的人,又都由他们自由报名。在这种情况下,要想他们保持纯洁朴实,廉洁谦让,怎么能够得到!

"我建议陛下,训令各县县长,物色孝顺廉洁的人才,遴选乡里中品德高尚、研究儒家学派经典有成就的著名知识分子,推荐给州政府。由州长加以考试,及格的再推荐给国务院(尚书省)。由考生自己选择一门经书,中央则聘请饱学的儒家学派学者,主持考试，共出‘经书义理’二十题、‘时政议论’（对策）三题。成绩上等的即任命当官，中等的则赋给他任官资格，下等的命他仍回乡里。同时，‘道教科’（参考七三七年正月）跟治理国家无关，希望跟‘明经科’‘进士科’，一起撤销。”

李豫（李俶）命有关单位讨论，御前监督官（给事中）李栖筠、国务院左秘书长（左丞）贾至、首都长安特别市长（京兆尹）严武，意见跟杨绾相同。贾至说：“现在，参加‘明经科’的考生，认为只要能考好填充题，就是学问；参加‘进士科’的考生，认为只要能写好一篇音节造句流畅的文章，就是学问。风气堕落，实在应该改正。然而，自从四世纪二〇年代以来，知识分子很多流亡在外，仍留故乡的，一百人中，不到一二人。因之建议广设学校，知识分子仍在故乡的，由地方推荐；流亡在外的，由学校推荐。”李豫（李俶）命国务院教育部（礼部）拟定具体办法奏报。

杨绾又上疏建议设置“五经秀才科”。

15 六月十八日，擢升魏博警备区（总部魏州）总司令（都防御使）田承嗣，当魏博战区司令官（节度使）。

田承嗣调查辖区里户口，征调所有年轻力壮的人，全部入伍当兵，只留下老弱儿童在田间耕种。于是数年之间，就拥有武装部队十万人；从这十万人中，田承嗣再遴选健壮勇敢的青年一万人，充当卫士，称之为“牙兵”（牙兵，这个闻名于八世纪后期及九世纪的强悍战斗部队和最后的悲剧结果〔参考九〇六年正月〕，都从这里开始）。

16 同华战区（总部设同州〔陕西省大荔县〕）司令官（节度使）李怀让，被宦官程元振陷害，惊慌恐惧，自杀。

17 秋季，七月一日，文武百官向李豫（李俶）呈献尊贵绰号：宝应元圣文武孝皇帝。

七月十一日，李豫（李俶）下诏赦免天下，改年号（之前是宝应二年，之后是广德元年）。参加讨伐史朝义的军事将领们，都分别等级，升官晋爵，或增加采邑。加授回纥汗国（瀚海沙漠群）登里可汗（三任大可汗）药罗葛移地健尊贵绰号颉咄（元首）登蜜施（成功）合俱录（可敬）英义建功毗伽（智慧）可汗，皇后称娑墨（怜爱）光亲丽华毗伽皇后（可敦）；左翼王（左杀）、右翼王（右杀）以下官员，都有赏赐及封爵。

18 七月二十七日，杨绾奏报中央考试条例："秀才（州县知识分子）应考儒家经典二十条问答题、议论文五篇；国立贵族大学（国子监）学生，先由教授（博士）推荐给校长（祭酒），经校长（祭酒）出题考试及格的，依照州县呈送秀才办法，由国立贵族大学（国子监）呈送国务院（尚书省）。只保留'法律科'（明法），由国务院司法部（刑部）考试。"

可是，有人认为"明经科""进士科"实行已一百余年之久，不可以说改就改。杨绾的建议虽不被采纳，有见识的人士则认为是真知灼见。

19 任命仆固玚当朔方战区（总部设灵州〔宁夏灵武市〕）特遣兵团司令官（朔方行营节度使）。

20 吐蕃王国（首都逻些城〔西藏拉萨市〕）突然向唐王朝采取大规模军事行动，一连攻陷大震关（甘肃省张家川县东南）、兰州（甘肃省兰州市）、廓州（青海省化隆县）、河州（甘肃省临夏市）、鄯州（青海省海东市乐都区）、洮州（甘肃省临潭县）、岷州（甘肃省岷县）、秦州（甘肃省天水市）、成州（甘肃省西和县南)、渭州(甘肃省陇西县);夺取河西(甘肃省中部西部)及陇右(青海省东部)全部土地(兰州、廓州、秦州、渭州,早已陷落,现在作一总结报导)。

唐政府自七世纪一〇年代建立王朝以来,开疆拓土,扩张边界,包括西域(新疆及中亚东部)在内,分别设置军区(都督),总督府(都护府)、州、县。八世纪二〇年代之后,更在沿边设置朔方(总部设灵州〔宁夏灵武市〕)、陇右(总部设鄯州〔青海省海东市乐都区〕)、河西(总部设凉州〔甘肃省武威市〕)、安西(总部设龟兹〔新疆库车市〕)、北庭(总部设北庭府〔新疆吉木萨尔县〕)战区司令官(节度使)管辖;每年征调山东(崤山以东)战士,前往担任边防重任;征收绸缎布匹,作为军费;一面武装屯垦,供应军粮,一面建立牧场,畜养牛羊;要塞与要塞、基地与基地之间,巡逻的军队,即使边疆长达一万华里,但仍可以互相望见,永不间断。可是,八世纪五〇年代稍后,安禄山兵变,边防军精锐全部调往国内勤王,称"特遣兵团"(行营),留在边疆的全是老弱残兵,而人数又少,吐蕃军作试探性攻击后,像蚕吃桑叶一样,缓慢而不停的侵夺,几年时间(七五五年十一月至今,约八年),西北数十州一个接一个沦陷,自凤翔(陕西省宝鸡市凤翔区)以西、邠州(陕西省彬州市)以北,全落到吐蕃军之手。

21 最初,朔方战区(总部设灵州〔宁夏灵武市〕)司令官(节度使)仆固怀恩,奉唐帝李豫(李俶)之命,前往太原(山西省太原市)和回纥登里可汗药罗葛移地健见面(参考去年〔七六二〕九月);河东战区(总部设太原府〔山西省太原市〕)司令官(节度使)辛云京,认为药罗葛移地健是仆固怀恩的女婿(参考去年〔七六二〕九月),恐怕岳婿二人联合突击,于是紧闭城门防守,也不出来犒劳。等到燕帝史朝义缢死,叛乱平息。李豫(李俶)下诏命仆固怀恩送药罗葛移地健出塞,来往都路过太原

八世纪·七六三年七月　仆固怀恩控制汾晋一带

（山西省太原市），辛云京仍紧闭城门，对仆固怀恩不理不睬。仆固怀恩大怒，上疏指控，中央没有反应。

当时，仆固怀恩率朔方兵团（总部灵州）数万人，驻扎汾州（山西省汾阳市），他的儿子总监察官（御史大夫）仆固玚率一万人驻扎榆次（山西省晋中市榆次区），初级将领李光逸等驻扎祁县（山西省祁县）、李怀光等驻扎晋州（山西省临汾市）、张维岳等驻扎沁州（山西省沁源县）。李怀光，本是渤海王国（首都龙泉府〔黑龙江省宁安市西南东京城镇〕）靺鞨部落人，姓茹，在朔方战区（总部灵州）当将领，因立有功劳，由皇帝特别恩赐他改姓名李怀光。

钦差宦官骆奉仙前往太原（山西省太原市），辛云京给他大量贿赂，告诉他说：仆固怀恩跟回纥汗国私通，叛变的行迹已经显露。骆奉仙回京（首都长安），路过汾州（山西省汾阳市），仆固怀恩的娘亲设筵招待，骆奉仙跟仆固怀恩在娘亲面前饮酒，娘亲不断抱怨骆奉仙说：“我的儿子跟你结拜兄弟，而今你又跟辛云京亲近，怎么能做两面人？”饮酒半醉，仆固怀恩起来跳舞，骆奉仙送他“缠头”（唐王朝时宴会，与会人士如果特地为某人跳一支舞，某人一定要用彩色绸缎馈赠，称“缠头”；歌女舞女献技后，主人也同样馈赠“缠头”）。仆固怀恩打算用重礼回报，说：“明天是端阳节（五月五日），请留下来再欢聚一天。”骆奉仙坚持要走，仆固怀恩把他的马藏起来，骆奉仙大为恐慌，对左右说：“早上责骂我，晚上又藏起我的马，看情形非杀我不可。”夜晚，翻墙逃跑。仆固怀恩大吃一惊，派人追上去，把马送还给他。

八月十三日，骆奉仙抵达首都长安（陕西省西安市），向唐帝李豫（李俶）奏报仆固怀恩叛变；仆固怀恩也上疏叙述经过情形，请求诛杀辛云京、骆奉仙。李豫（李俶）两方都不责备，只颁发措辞温和的诏书，为他们和解。

仆固怀恩自从本世纪（八）五〇年代天下大乱以来，每天都在为国死战，一个家门里，牺牲性命的有四十六人，女儿也远嫁回纥汗国，而他自己更建大功，诸如说服回纥可汗、两次收复两京（第一次：七五七年九月二十八日收复长安，十月十八日收复洛阳，仆固怀恩均担任主力；第二次则指去年〔七六二〕十月收复洛阳），平定黄河以北及黄河以南广大区域动乱，对国家的贡献，没有人可比，可是，仍无法摆脱谗言，被人不断诬陷，因之愤怒和怨恨，也特别强烈。上疏李豫（李俶）抗议，措词强硬，说：

“前些时我奉命陪同回纥可汗回国，耗尽家产，才送他上道。走到山北（指山西省太原市），辛云京、骆奉仙紧闭城门，拒绝迎接招待，却教回纥军队像盗匪一样，偷偷摸摸过去，回纥大怒，几乎发动攻击，是我亟力劝解，才把他们送出国境。辛云京、骆奉仙怕我向陛下控告，竟荒谬的说我跟李抱玉（安抱玉，泽潞〔总部潞州〕司令官）结党会师，不得不预作防备。我心平气和的检讨，知道我有六大罪状：其一，从前，同罗部落（蒙古国乌兰巴托市北）叛乱，我曾经替先帝（十任李亨）扫平河曲（山西省西北部）。其二，我的儿子仆固玢，战场失利，被同罗部落俘虏，伺机逃回，我把他斩首，用以激励士卒（以上二事，参考七五六年九月）。其三，我有两个女儿，为国和亲，远嫁塞外，得以借助外邦的力量，征剿盗匪（此时只有长女嫁回纥，仆固怀恩死后的七六九年五月，次女才嫁回纥。此时不可能预述，当是后人擅自改动）。其四，我和我的儿子仆固场，不顾死活，为国家拼命效力。其五，河北（黄河以北）新近归附，战区司令官（节度使）都手握强大兵力（指田承嗣、李宝臣〔张忠志〕、李怀仙、薛嵩等），我竭力安抚，使他们对政府不再怀疑恐惧。其六，我说服回纥，使他们解救国家的急难；又在剿灭盗匪后，送他们回国。

“我既身负六大重罪，实应受万次诛杀，含恨九泉之下；千古奇冤，又有什么可以申诉！我蒙受皇家大恩，日夜都想前往中央，事奉天子。可是，自从来瑱被害（参考本年〔七六三〕正月），政府始终没有宣布他的罪状，各战区司令官，谁不惊疑恐惧！最近听说，陛下下诏征召几位将领入朝，他们全都拒绝不去，为的是恐惧宦官们的谗口，不明不白被陛下屠戮。并不是这些人不忠于领袖，只是因为奸邪在领袖身旁。（胡三省原注：当时唐政府情形，确实像仆固怀恩所作的指控。）我前后两次检举骆奉仙的罪行，言词和实情，没有一点不真实，可是陛下并不处理，对他的宠爱和信任，反而更深；只因他的同类（宦官）太多，互相勾结，得以蒙蔽皇上的耳朵和眼睛。我曾经听说，各地首长派使节进京（首都长安）奏报公事，陛下千篇一律的告诉他们：‘去跟骠骑商量（宦官程元振任骠骑大将军，参考去年〔七六二〕九月）。’从来没有交给宰相讨论是否可以施行。有时拖延几个月不能回来，无论远近，更增加隔阂。

“像我部属中的朔方战区（总部设灵州〔宁夏灵武市〕）将士，功劳最高、贡献最大，在先帝（十任李亨）中兴大业中，扮演主要角色，也是陛下流亡期间的老兵，可是，陛下没有任何特别赏赐嘉奖，反而相信宦官特务的谗言陷害，认为我们就要叛变。郭子仪从前已经受到猜忌（参考去年〔七六二〕八月），而今我又受到诋毁。古人说：‘飞鸟死尽，良弓收藏。’（范蠡告文种语，参考二六三年十二月注。）果然不是假话。陛下相信他们的诬害，跟指鹿为马有什么分别（指鹿为马，参考前二〇七年）。如果陛下不接受我的愚昧忠心，一味因循苟且，包庇纵容，我实不敢说能保住身家，陛下又岂能保住帝国。忠言都是刺耳的，但对行事有利，请陛下考虑。我打算公开进京（首都长安）朝见，但恐怕将领们劝阻。现在对外宣称巡视晋州（山西省临汾市）、绛州（山西省新绛县），就在那里拖延逗留，请陛下特派一位使节，前来绛州（山西省新绛县）向我调查询问，我就跟他一同起程。”

九月二十二日，唐帝李豫（李俶）派宰相（同平章事）裴遵庆，前往仆固怀恩大营，传达皇帝的旨意，并察看他的实际想法。仆固怀恩见到裴遵庆，跪下抱住他的双脚，哭诉冤枉委屈。裴遵庆强调领袖的恩德优厚，暗示明劝，要他前往京师（首都长安）晋见皇帝。仆固怀恩同意。可是副将领范志诚反对，警告说：“你如果相信政客们的甜言蜜语，只要一到中央，就是来瑱第二，再不能回来。”明天，仆固怀恩见到裴遵庆，告诉他改变主意，指出：他如果进京（首都长安），一定死在宦官之手，请改派自己的儿子前往，范志诚仍然反对，裴遵庆只好空手而返。总监察官（御史大夫）王翊出使回纥汗国（瀚海沙漠群）回来，仆固怀恩从前曾跟登里可汗药罗葛移地健有过私人来往，恐怕王翊泄露这项秘密，遂强留他住下，不放他回京（首都长安）。

22 吐蕃王国（西藏）向唐王朝发动大规模进攻时（参考本年〔七六三〕七月），边防军将领纷纷向中央要求紧急增援，宦官程元振全不理会。

冬季，十月，吐蕃军攻击泾州（甘肃省泾川县）。州长高晖献出城池，投降，并充当吐蕃军的向导，引导他们深入唐王朝心脏地带。直到穿过邠州（邠宁战区总部，陕西省彬州市），唐帝李豫（李俶）才得到消息。

十月二日，吐蕃军攻击奉天（陕西省乾县）、武功（陕西省武功县西），京师（首都长安）震动，人民恐惧成一团（二县距长安直线六十五公里）。李豫（李俶）下诏任命雍王李适（音kuò〔阔〕）当关内野战军元帅（关内元帅）、郭子仪当关内野战军副元帅（副元帅），进驻咸阳（陕西省咸阳市）抵御。

郭子仪赋闲已久（去年〔七六二〕八月，自河东〔山西省〕回京），部属早 200
已离散。接到任官命令后，临时招兵买马，才集结骑兵二十人，前往咸阳（陕西省咸阳市）。然而，吐蕃统帅率领吐谷浑（青海省中部）、党项（四川省西北部）、氐（甘肃省东南部）、羌（甘肃省南部）等各部落联军，约二十余万人，连绵数十华里，已从司竹园（陕西省周至县东）南渡渭河，沿着秦岭山脉，向东挺进。郭子仪派执行官（判官）、立法官（中书舍人）王延昌，进京（首都长安）求救，宦官程元振仍然不理，王延昌竟无法见到皇帝。

十月四日，渭北战区（即鄜坊战区，总部设坊州〔陕西省黄陵县〕）特遣兵团作战司令（行营兵马使）吕月将，率精锐部队二千人，在盩厔（陕西省周至县）以西，击破吐蕃军。

十月六日，吐蕃军攻击盩厔（陕西省周至县），吕月将再迎击，全军覆没，被俘。

李豫（李俶）正在宫中遣兵调将，准备军需，吐蕃军已抵达便桥（西渭桥，陕西省咸阳市西南），消息传来，如雷轰顶，不知道怎么才好。

十月七日，李豫（李俶）放弃长安（陕西省西安市），向陕州（河南省三门峡市）逃亡，官员们纷纷奔走流放，寻找安全地方躲藏，皇家六军（禁军）士卒全部逃散。郭子仪接到报告，立即从咸阳（陕西省咸阳市）返回长安，等到抵达，皇帝早已逃得不见踪影。李豫（李俶）逃出皇家林苑大门后，渡过浐水（灞水支流），神箭侍卫官（射生将）王献忠，率四百余名骑兵叛变，折返长安（陕西省西安市），裹挟丰王李珙等十位亲王，向西迎接吐蕃（李珙，李隆基的儿子；李豫〔李俶〕的叔父）。就在开远门（长安西面北头第一门）里，和郭子仪迎面相遇。郭子仪大声喝止他们，王献忠下马，对郭子仪说："领袖逃向东方，全国无主，令公（郭子仪当"中书令"）身为野战军元帅，手握重兵，罢黜一个、拥护一个，只要说一句话！”郭子仪还没有回答，李珙抢先说：“你为什么不表示意见！”郭子仪斥责他们胡搞，派军把他们押送到皇帝所在地。

十月八日，李豫（李俶）抵达华州（陕西省渭南市华州区），随驾官员全都逃散，没有人负责照料供应，担任警卫的将领士卒，一个个饥寒交迫。正巧，神策军观察兵马阵容特派高级监军宦官（观军容使）鱼朝恩，率神策军从陕州（河南省三门峡市）前来迎接御驾，李豫（李俶）前往鱼朝恩大营。丰王李珙在潼关（陕西省潼关县）晋见李豫（李俶），李豫（李俶）对他没有责备什么。但李珙回到他的营帐，却口出恶言，文武官员上疏建议应该处死，李豫（李俶）才命李珙自杀。

十月九日，吐蕃军进入长安（唐王朝首都长安，陷落次数最多，这已是第二次）。降将高晖和吐蕃大将马重英等，共同拥护故邠王李守礼（九任帝李隆基的堂兄）的孙儿、广武王李承宏当皇帝（李承宏曾贬房州〔湖北省房县〕，参考七三六年四月），改年号（史书无记载称什么年号），设置文武百官，任命前皇家文学研究官（翰林学士）于可封等当宰相。吐蕃军大肆奸杀劫掠，搜刮政府仓库及人民住宅，纵火焚烧房屋，长安（陕西省西安市）街市，一片荒凉。前宰相苗晋卿在家患病卧床，李承宏派人连床抬来，胁迫他就任官职，苗晋卿闭口不说话，吐蕃军不敢杀他。于是唐王朝禁军溃散在民间的士卒，也出来参加吐蕃军的奸杀劫掠行动，官民惶恐逃难，都躲到秦岭山谷穴洞栖身。

十月十二日，李豫（李俶）逃抵陕州（河南省三门峡市），文武百官开始有人集合。郭子仪率领三十名骑兵，自御宿川（陕西省西安市长安区西南）沿秦岭山麓东下，对执行官（判官）王延昌说：“禁军（六军）将领士卒溃散逃亡，很多人留在商州（陕西省商洛市商州区），今天迅速去那里，号召他们回营，并征调武关（陕西省商南县西北）卫戍部队，只要几天时间，就可以北上蓝田（陕西省蓝田县），反攻长安（陕西省西安市），吐蕃势不能守，定会撤退。”经过蓝田（陕西省蓝田县）时，遇到元帅府总纠察官（元帅都虞候）臧希让、凤翔战区（总部设凤翔府〔陕西省宝鸡市凤翔区〕）司令官（节度使）高升，士卒新增加将近一千人，郭子仪告诉王延昌说：“散兵游勇集中商州（陕西省商洛市商州区），地方官员一定逃跑躲藏，情势大乱！”派王延昌抄小路去安抚解释。各将领正纵容士卒奸杀烧掠，听到郭子仪抵达消息，都大为欢喜，愿意接受命令。

郭子仪恐怕吐蕃军追击李豫（李俶），特别在七盘山（陕西省蓝田县东南）停留三天，不见吐蕃军追击才走。抵达商州（陕西省商洛市商州区）后，收容各路人马，连同武关（陕西省商南县西北）卫戍部队，合有四千人，军事力量稍稍振作。乃召开军事会议，向各将领要求反击吐蕃，誓雪国耻，收复长安（陕西省西安市），说到痛心之处，声泪俱下，各将领都十分感动，愿意听候差遣。郭子仪请太子宾客（正三品）第五琦当随军粮草管理官（粮料使），负责供应给养。

李豫（李俶）深恐吐蕃军从潼关（陕西省潼关县）东下，下诏命郭子仪前往皇帝所在地。郭子仪上疏说：“我不收复京城（首都长安），就没有脸再见陛下，我如果从蓝田（陕西省蓝田县）出击，蛮虏绝对不敢向东一步。”李豫（李俶）允许。鄜延战区（总部设坊州〔陕西省黄陵县〕。鄜，音fū〔夫〕）军事执行官（节度判官）段秀实，向战区司令官（节度使）白孝德建议率军勤王；白孝德即刻率大军出动，南下逼近京畿（首都长安附近），会合蒲州（山西省永济市）、陕州（河南省三门峡市）、商州（陕西省商洛市商州区）、华州（陕西省渭南市华州区）各路援军，联合进击。

吐蕃把广武王李承宏推到宝座上之后，大肆掳掠城里的健壮男人和年轻女子，以及各种行业的工程师和工匠，准备满载而回。郭子仪派左羽林（禁军第一军）大将军长孙全绪，率二百名骑兵，从蓝田（陕西省蓝田县）北上，观察形势，命第五琦摄理首都长安特别市长

八世纪·七六三年十月
吐蕃入侵关中，唐帝李豫逃亡陕州

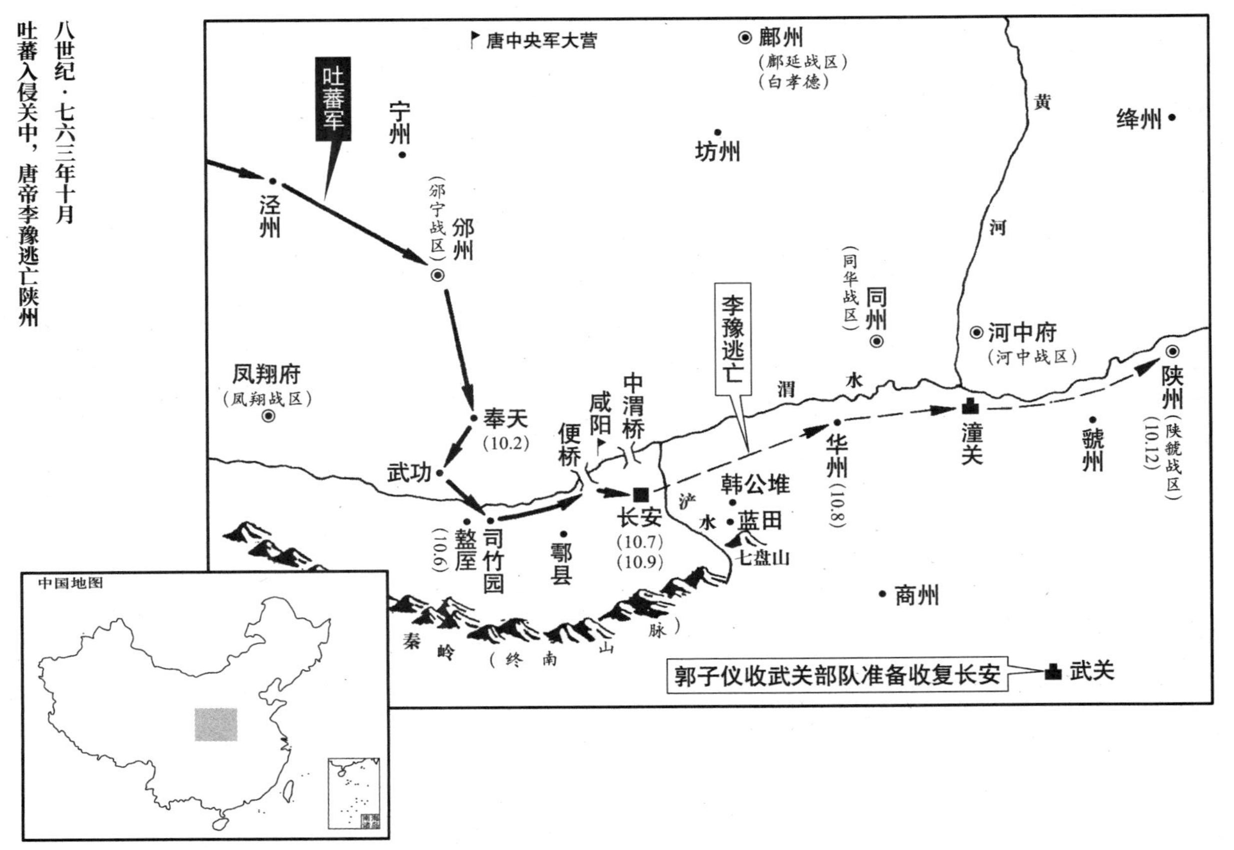

（摄京兆尹），随斥候部队前进；又命宝应军司令张知节，率军充当后继。长孙全绪抵达韩公堆（陕西省蓝田县北），白天擂动战鼓，遍地插满军旗，夜晚则到处都是营火，使吐蕃军惊疑不定。前宫廷膳食部长（光禄卿）殷仲卿集结民兵将近一千人，保卫蓝田（陕西省蓝田县），跟长孙全绪，互相呼应，率两百名骑兵直渡浐水（灞水支流），吐蕃军这才开始有点恐惧，唐王朝人又警告吐蕃军说："郭子仪从商州（陕西省商洛市商州区）率领大军，就要到了，满山遍野，不知其数！"吐蕃军认为有这种可能，遂逐渐撤退。长孙全绪又派神箭侍卫官（射生将）王甫，暗中返回长安（陕西省西安市），秘密结交少年数百人，夜晚时分，在朱雀街擂鼓呐喊（朱雀街，太极殿前大道），吐蕃军大为震骇。

十月二十一日，吐蕃军全部撤走，叛将高晖听到消息，率手下三百余名骑兵，向东逃亡，抵达潼关（陕西省潼关县），潼关守将李日越把他生擒，斩首。

十月二十三日，李豫（李俶）下诏任命元载当元帅府代理作战参谋长（判元帅行军司马）、第五琦实任首都长安特别市长（京兆尹）。

十月二十四日，命郭子仪当西京（首都长安）留守长官。

十月二十五日，郭子仪从商州（陕西省商洛市商州区）出发。

十月三十日，李豫（李俶）命鱼朝恩部将皇甫温当陕州（河南省三门峡市）州长、周智光当华州（陕西省渭南市华州区）州长。

23 骠骑大将军（武散官一级，从一品）、元帅府代理作战参谋长（判元帅行军司马）宦官程元振，蛮横专权、随心所欲，人们对他比对李辅国更为畏惧（李辅国，参考七五七年正月）。凡建有大功的将领，程元振都嫉妒痛恨，打算一一害死。吐蕃王国（首都逻些城〔西藏拉萨市〕）已发动攻击，程元振却不马上奏报，以致皇帝狼狈逃命。李豫（李俶）下诏征召各战区派军救援，像李光弼等高级将领，都因程元振身在中央，没有一路人马到达（时李光弼任河南野战军副元帅，驻军徐州〔江苏省徐州市〕）。无论中央或地方，对程元振都咬牙切齿，但谁都不敢说话。

祭祀部祭祀官（太常博士）柳伉，上疏指出：

“吐蕃军进犯大震关（甘肃省张家川县东南），横越陇山，刀上没有沾一滴血，就大摇大摆占领京师（首都长安）、劫掠宫廷、焚烧皇家祖先坟墓。武装部队中没有一个人努力作战，这是将领背叛。陛下疏远功臣，信任宦官，日积月累，终于铸成大祸，政府官员中没有一个人冒犯陛下的威严，直言劝告，使陛下回心转意，这是官员背叛。陛下刚离京城（首都长安），居民蜂涌而出，满街满巷，抢夺政府仓库，互相砍杀，这是京畿人民背叛。陛下自十月一日下诏征召各军入援，可是，长达四十天之久，没有一辆战车的轮子入关（潼关），这是全国背叛。

“无论中央或地方，全都背叛，请问陛下，今天的形势，是安？是危？如果是危，怎么可以睡在那里，垫高枕头，无忧无虑，而不去惩处罪犯！我曾经听说，优良的医生治病，要对症下药，药如果不能对症，吃得再多也没有益处。陛下观察国家到今天这个样子，病因在哪里？假如还想保全皇家祖庙的话，只有砍下程元振的人头，公告天下周知，把宦官们担任的官职，全部交给各州管辖，而把神策军交还给政府，然后削除尊贵的绰号（参考本年〔七六三〕七月），下罪己诏书，说：‘全国人民如果允许我改过自新，就请立即招兵买马，西上勤王。如果认为我不能改过，则帝王的宝座，怎么敢继续妨害贤能，就请天下另行推举圣君。’如果这样，而援军仍不来，人民仍不感动，天下人心仍不畏服，我愿全家人碎尸万段，上报陛下。”

李豫（李俶）因程元振当初保护他坐上宝座（参考去年〔七六二〕四月），不愿严厉反应。

十一月二日，下诏解除程元振所有官爵，逐回故里（程元振是三原〔陕西省三原县东北〕人）。

24 神箭侍卫官（射生将）王甫，自称首都长安特别市长（京兆尹），集结部众二千余人，设置官位，在长安（陕西省西安市）城中横行霸道。

十一月三日，郭子仪抵达浐水西岸，王甫不立即出来迎接。有人警告郭子仪说：局势变幻莫测，不可入城。郭子仪不接受，率三十余名骑兵，缓缓前进，派人传唤王甫，王甫失去凭借，只好出面，在马前叩头，郭子仪把他斩首，他手下的部众一哄而散。鄜延战区（总部设邠州〔陕西省彬州市〕）司令官（节度使）白孝德，跟邠宁战区（总部设邠州〔陕西省彬州市〕）司令官（节度使）张蕴琦，驻防京畿各县（首都长安特别市政府〔京兆府〕管辖二十县，万年及长安两县，因在长安城里，称“赤县”，其他十八县称“畿县”），郭子仪召唤他们进城，京畿秩序遂告恢复。

25 宦官、广州（广东省广州市）国际商船及贸易管理总监（市舶使）吕太一，聚众起兵。岭南战区（总部设广州〔广东省广州市〕）司令官（节度使）张休，放弃城池，逃往端州（广东省肇庆市）。吕太一指使变军奸淫烧杀、抢劫掳掠；政府军把他扫平。

26 吐蕃军撤退到凤翔（陕西省宝鸡市凤翔区），凤翔战区（总部设凤翔府〔陕西省宝鸡市凤翔区〕）司令官（节度使）孙志直，紧闭城门，固守拒抗。吐蕃军包围他好几天。正巧，镇西战区（总部设龟兹〔新疆库车市〕）

司令官（节度使）马璘，听说皇帝逃亡陕州（河南省三门峡市），率精锐骑兵一千余人，自河西（应指凉州，甘肃省武威市）东下，共赴国难，一路战斗，辗转抵达凤翔（陕西省宝鸡市凤翔区），正遇上吐蕃军围城，马璘率部队严密戒备，箭上弓弦，弦拉满弓，向外准备射击，向前挺进，突入城中；突入后不解铠甲，立即出城攻击，马璘单枪匹马，身先士卒，奋勇陷阵，击斩及俘虏吐蕃军以千为计算单位，回城。明天，吐蕃军逼近城墙，要求会战，马璘大开内外两层城门，严阵以待，吐蕃军后退，说："这个将领不怕死，最好避他一避！"解围撤走。但仍驻扎原州（宁夏固原市）、会州（甘肃省靖远县）、成州（甘肃省西和县南）、渭州（甘肃省陇西县）。

27 十二月十九日，李豫（李俶）从陕州（河南省三门峡市）出发回京（首都长安），国务院左秘书长（左丞）颜真卿建议皇帝应该先晋谒皇家祖庙及祖先坟墓，焚香祭奠，然后回宫。宰相元载不同意，颜真卿大怒说："政府怎么受得了相公再来破坏！"（相公，对宰相的尊称，后来民间妻子称呼知识分子的丈夫时，也使用此二字。）元载把颜真卿恨入骨髓。

十二月二十六日，李豫（李俶）抵达长安（陕西省西安市），郭子仪率城中文武百官及各路人马，到浐水东岸迎接，跪在地下等候定罪。李豫（李俶）慰劳他说："不能早一天用你，才到这个地步。"

28 李豫（李俶）任命宦官鱼朝恩当皇家观察兵马阵容特派高级监军宦官（天下观军容宣慰处置使），统御皇家禁军，手中权势和所受的宠爱信任，没有一个人能比。

李豫（李俶）命在鄠县（陕西省西安市鄠邑区）、中渭桥（陕西省咸阳市东）兴筑城池，驻扎军队，准备抵抗吐蕃军（西藏）。命宦官骆奉仙当鄠县筑城工程总监（筑城使），留下来当城防司令。

29 十二月二十七日，命苗晋卿当太保（三师之三）、裴遵庆当太子少傅（太子三少之二），同时免除宰相职务。另命皇族事务部长（宗正卿）李岘，当副监督长（黄门侍郎），兼二级实质宰相（同平章事）。

裴遵庆既离开相位，元载的权势越发膨胀，用贿赂结交宦官董秀，命文书助理官（主书）卓英倩暗中跟董秀来往，李豫（李俶）有什么想法，元载事先一定知道，迎合皇上的意思，揣摩皇上内心深处的企图，每一发言，没有一句不符合李豫（李俶）的盼望。因此之故，李豫（李俶）对元载越发宠爱信任。卓英倩，是金州（陕西省安康市）人。

30 吐蕃军撤出长安（陕西省西安市）时，登极称帝的李承宏，出奔逃亡到荒郊野草中躲藏；李豫（李俶）下诏饶他一命。

十二月二十八日，把李承宏押送到华州（陕西省渭南市华州区）安置看管。

31 宦官程元振既被逐返三原（陕西省三原县东北），听说皇帝回宫，就改穿妇女衣服，秘密进入长安（陕西省西安市），计划复出。首都长安特别市政府（京兆府）把他逮捕，奏报皇帝。

32 吐蕃军再向唐王朝边界发动攻击，一连攻陷松州（四川省松潘县）、维州（四川省理县）、保州（四川省理县西北）以及云山（四川省理县北）新筑的两座城池（以上州县，都在万山丛中）。

西川战区（总部设成都府〔四川省成都市〕）司令官（节度使）高适，无法援救，于是剑南西山（成都西群山）各州，也沦到吐蕃之手。

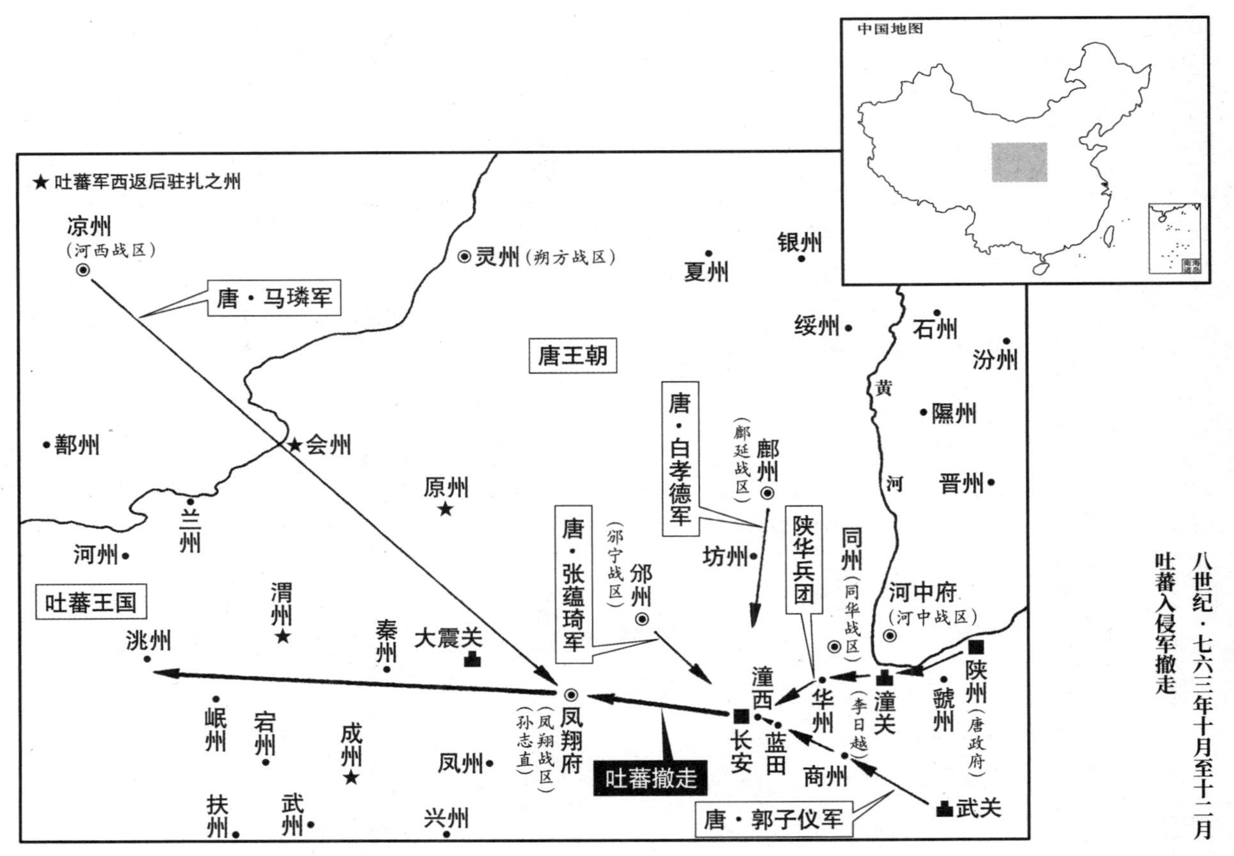

八世纪·七六三年十月至十二月
吐蕃入侵军撤走

皇后失踪

导读

用《皇后失踪》作为书名，是突出一项传奇：唐王朝十二任帝（德宗）李适的娘、睿贞皇后沈女士，在洛阳沦陷于叛军后，生死不明，以皇帝的权势和财富，索遍天下，都找不到她。她可能已死；也可能被掠夺贩卖到一个荒苦乡村，并不知道丈夫、儿子还在找她；也可能已沦落到无法见人的地步，不愿出面。罗曼蒂克的想，她也可能已嫁了一个恩爱丈夫，再也不愿回到那个肮脏、黑暗的宫廷之中！甚至，政治权术的想，就在寻访她的宦官和官员中，埋伏那些不愿她回宫争宠夺权的隐形杀手，在寻访到她时，即下毒手。

我们强调的不是这些，而只是说：连身处深宫，平常人看一眼都会惹来杀身之祸的皇帝的姬妾，竟会被杀、被掠、被辱、被卖，那么，平民的生命和尊严，又算什么！

就在《资治通鉴》上，读者看到的是越来越使人落泪的灾难，绵延无期。

柏杨　一九八九·一〇·一五

目录

唐王朝

- 仆固怀恩被逼叛变，病死。
- 崔旰兵变。
- 吐蕃围攻灵州。

- 日本淳仁天皇被废，孝谦天皇复位，称称德女皇。
- 法兰克国王丕平卒，国土平分给二子。

七六四年 甲辰

唐　广德　二年

1 春季，正月四日，唐王朝（首都长安〔陕西省西安市〕）皇帝（十一任代宗）李豫（李俶。本年三十九岁），宣布宦官程元振罪状：改穿女人衣服，秘密进京（首都长安），进行阴谋（参考去年〔七六三〕十二月），终身流放溱州（重庆市綦江区东南）。

但李豫（李俶）仍念及程元振当初保护的功劳（参考前年〔七六二〕四月），不久，下令把程元振改贬到江陵（荆南战区总部，湖北省江陵县）安置看管。

2 正月五日，撤销西川战区（总部设成都府〔四川省成都市〕）及东川战区（总部设梓州〔四川省三台县〕），恢复原剑南战区（总部设成都府〔四川省成都市〕），命副监督长（黄门侍郎）严武当司令官（节度使。剑南战区分为西川、东川，参考七五七年十二月）。

3 正月八日，李豫（李俶）派国务院摄理司法部长（检校刑部尚书）颜真卿，赴前线慰问朔方战区特遣兵团（朔方行营，驻绛州〔山西省新绛县〕）。李豫（李俶）逃亡陕州（河南省三门峡市）时（参考去年〔七六三〕十月），颜真卿请求去绛州（山西省新绛县）传达皇帝旨意，劝告朔方战区（总部设灵州〔宁夏灵武市〕）司令官（节度使）仆固怀恩，前来中央朝见。李豫（李俶）不允许。而现在，李豫（李俶）命颜真卿去说服仆固怀恩入朝。颜真卿回答说："陛下在陕州（河南省三门峡市）时，我去他那里，用忠义勉励他，要他解救皇家危难，他还有理由前来，而今，陛下回宫，他进一步无法建立勤王的功劳，退一步又不能心甘情愿解除兵权，放弃军队，在这种情形下，陛下突然下令征召，他怎么能够接受！而且，一直咬定仆固怀恩叛变的，只有辛云京（河东〔总部太原府〕司令官）、骆奉仙、李抱玉（安抱玉，泽潞〔总部潞州〕司令官）、鱼朝恩四个人（四个人中，有两个宦官），其他文武百官，都认为仆固怀恩冤枉。如果陛下命郭子仪接替仆固怀恩，用不着战争，就可以使灾难平息。"当时，汾州（山西省汾阳市）州政府总秘书长（别驾）李抱真（安抱真），是李抱玉（安抱玉）的堂弟（对中国人而言，改姓是一种严重羞辱，安抱玉为了表态，连祖宗的姓都振振有词的一脚踢掉〔参考七五九年四月〕，现在发现，连堂弟都随后跟进，为了当官，用心固可卑，可是，也很苦），知道仆固怀恩非叛变不可，就放弃职守，逃回京师（首都长安）。李豫（李俶）正为仆固怀恩愁眉不展，遂召见李抱真（安抱真），征求意见，李抱真（安抱真）回答说："这用不着担心，朔方战区（总部设灵州〔宁夏灵武市〕）的战士，一直怀念老长官郭子仪，好像子弟怀念父兄。仆固怀恩欺骗他的部属说：郭子仪已被鱼朝恩诛杀，大家信以为真，所以受他煽动。陛下如果能命郭子仪重回朔方战区（总部设灵州〔宁夏灵武市〕），用不着号召，他们会自动投向中央。”李豫（李俶）认为有理。

4 正月十六日，皇家大典礼仪总监（礼仪使）杜鸿渐奏报说：“自今以后，冬至祭祀圆形神坛、夏至祭祀方形神坛时，请由太祖（一任帝李渊的祖父李虎）配享香火；春季祭祀农神时，请由高祖（一任帝李渊）配享香火；夏季祭祀雨神时，请由太宗（二任帝李世民）配享香火；秋季祭祀皇家大会堂（明堂）时，请由肃宗（十任帝李亨）配享香火。”李豫（李俶）批准（原本各祭祀与各皇帝的配搭，参考七三二年八月）。

5 正月十七日，封雍王李适（音kuò〔阔〕）当皇太子。

6 吐蕃王国（首都逻些城〔西藏拉萨市〕）占领首都长安（陕西省西安市）时（参考去年〔七六三〕十月），各战区特遣兵团逃亡的士卒，跟各地乡里的一些地痞无赖、顽劣子弟结合，干起强盗勾当。吐蕃军撤退后，这些人四散逃亡，仍流窜隐藏南山（秦岭山脉）子午谷（陕西省西安市鄠邑区南）等五个山谷之中（秦岭五谷：子午谷、斜谷〔陕西省太白县境〕、骆谷〔陕西省周至县西南〕、蓝田谷〔陕西省蓝田县东南〕、衡岭谷〔蓝田县北〕），到处作恶，为害地方。

正月十九日，李豫（李俶）任命太子宾客（正三品）薛景仙，当南山五谷警备区司令官（南山五谷防御使），出军讨伐。

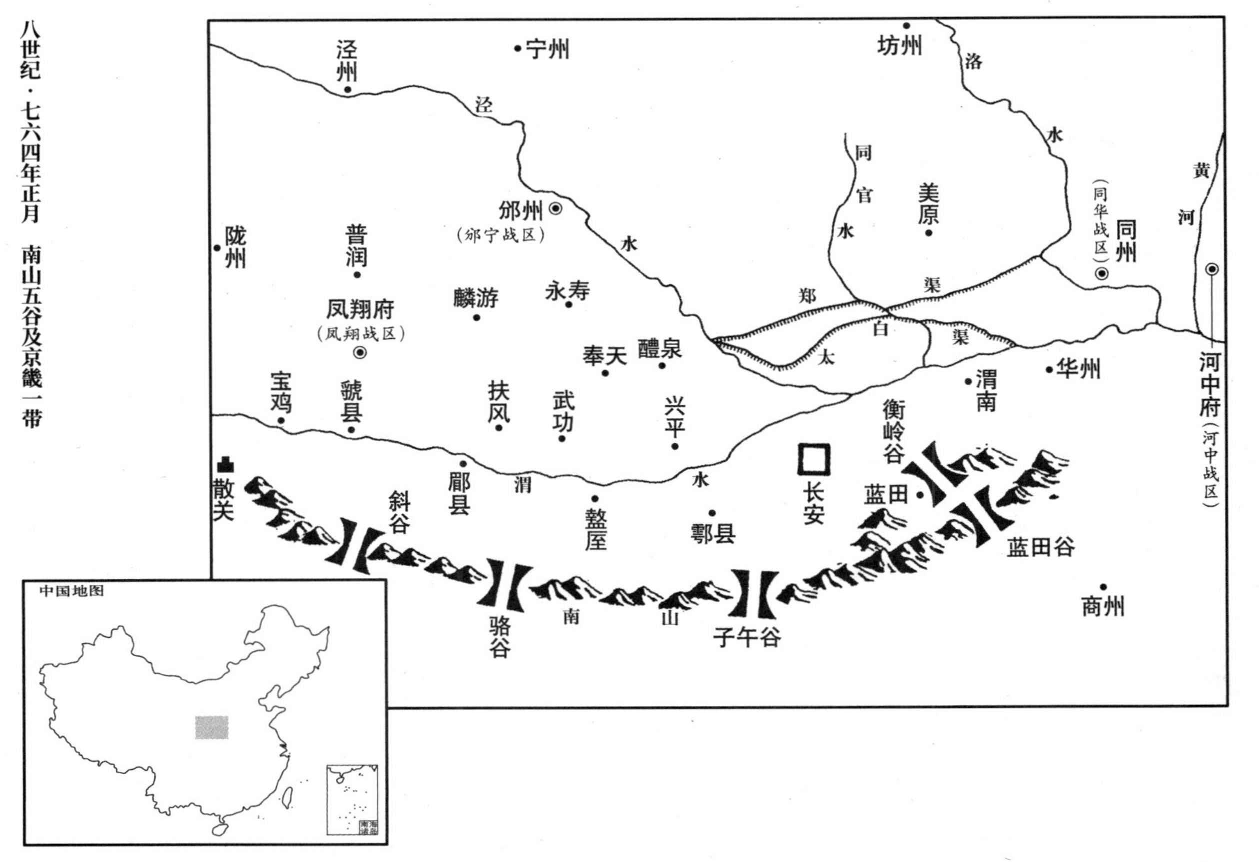

八世纪·七六四年正月　南山五谷及京畿一带

7 魏博战区（总部设魏州〔河北省大名县〕）司令官（节度使）田承嗣，上疏奏报他所管辖的部队称天雄军。李豫（李俶）同意。

8 朔方战区（总部设灵州〔宁夏灵武市〕）司令官（节度使）仆固怀恩，开始不接受中央命令，跟河东战区（总部设太原府〔山西省太原市〕）大将（都将）李竭诚，暗中计划夺取太原（山西省太原市），但被司令官（节度使）辛云京发觉，于是，诛杀李竭诚，加强防御工事。仆固怀恩命他的儿子仆固玚发动攻击，辛云京出城迎战，仆固玚大败而逃，改围榆次（山西省晋中市榆次区）。

李豫（李俶）告诉郭子仪说：“仆固怀恩父子，太对不起我。听说朔方战区（总部设灵州〔宁夏灵武市〕）将士，盼望看到你，犹如大旱盼望看到甘霖。偏劳你为我去河东（山西省）一趟，镇守安抚汾水一带驻军，一定不会有什么问题。”

正月二十日，任命郭子仪当关内、河东地区（陕西及山西两省）野战军副元帅，兼河中战区（总部设河中府〔山西省永济市〕）司令官（节度使）等各机关首长。仆固怀恩的部属听到这个消息，都说：“我们追随仆固怀恩做出违反大义的事，有什么面目再见汾阳王（郭子仪封汾阳王）！”

9 正月二十五日，命刘晏当太子宾客（正三品）、李岘当太子宫总管（詹事），同时免除二人宰相职务。刘晏被指控跟宦官程元振交往、结党营私；程元振被定罪，受到惩罚，李岘尽了大力，因此被宦官群痛恨，所以跟刘晏一起罢黜。

另行命立法院最高顾问官（右散骑常侍）王缙，当监督院副监督长（黄门侍郎）；祭祀部长（太常卿）杜鸿渐，当国务院国防部副部长（兵部侍郎）；二人都兼二级实质宰相（同平章事）。

10 正月二十九日，任命郭子仪当朔方战区（总部设灵州〔宁夏灵武市〕）司令长官（节度大使）。

二月，郭子仪抵达河中（山西省永济市）。云南（云南省）部队一万人在那里驻防，将领贪污残暴、士卒凶恶蛮横，造成地方可怕灾难；郭子仪诛杀十四人、棍打三十人，才算恢复正常秩序。

11 二月五日，李豫（李俶）前往太清宫（李耳庙）祭祀。

二月六日，前往皇家祖庙祭祀。

二月七日，前往圆形神坛祭祀。

12 仆固玚围攻榆次（山西省晋中市榆次区），十几天不能攻克，派人紧急征调祁县（山西省祁县）驻军，驻军司令李光逸把军队全部交出（李光逸驻防祁县，参考去年〔七六三〕七月），并命他们立即出发，可是士卒还没有吃饭，饥疲交集，走起路来，拖拖拉拉，后队跟不上前队，带兵官（十将）白玉、焦晖，用响箭射击那些落伍的士卒，士卒们问："将军为什么要杀自己人？"白玉说："现在追随人家背叛国家，终免不了一死。反正是一死，射死有什么关系？"抵达榆次（山西省晋中市榆次区）后，仆固玚责备他们来得太迟，仆固部落官兵说："我们骑马，行动迅速，是汉人差劲。"仆固玚下令鞭打汉人士卒，汉人士卒怨恨入骨，说："司令官（节度使）只看得起野蛮人（仆固怀恩是仆固部落〔蒙古国东部〕人）！"当天夜晚，焦晖、白玉率领愤怒的变兵，攻击总部，斩仆固玚。仆固怀恩在汾州（山西省汾阳市）得到消息，进房禀告娘亲。娘亲说："我告诉你不要反抗中央，你偏反抗中央，国家待你不薄，现在军心已变，大祸就要临头，你有什么办法？"仆固怀恩不回答，叩头退出。娘亲提着刀追赶，说："我替国家诛杀你这个叛贼，挖出心肝，祭奠三军。”仆固怀恩飞快逃走，躲开娘亲的一刀，率直属部队三百人，西渡黄河，向北投奔朔方（总部灵州）。

当时，朔方将领浑释之，留守灵州（宁夏灵武市），仆固怀恩的军令先到，说：“率全军返防！”浑释之判断说：“恰恰相反，大军一定溃散！”打算拒抗，他的外甥张韶说：“或许他改变主意，率军回归战区，怎么可以不接受！”浑释之犹豫不决。仆固怀恩快马加鞭，在浑释之的斥候部队回来报告之前，赶到灵州（宁夏灵武市），浑释之不得已，只好欢迎主帅归来。但张韶把内情告诉仆固怀恩，仆固怀恩遂运用张韶，诛杀浑释之，收回他的部队，交给张韶统御。可是不久，仆固怀恩忽然警告自己说：“浑释之，是张韶的舅父，张韶还把他出卖，我又算什么东西！”于是，有一天，找个借口，对张韶动用毒刑，把小腿打断，囚禁弥峨城（今地不详）；张韶哀号而死（张韶被断腿而死，《新唐书》《旧唐书》均没有记载，司马光可能根据今已失传的民间史料。但《资治通鉴》稍后又记载张韶死于同僚徐璜玉之手，参考明年〔七六五〕九月）。

总纠察官（都虞候）张维岳时在沁州（山西省沁源县），听到仆固怀恩逃走消息，坐政府驿马车前往汾州（山西省汾阳市），安抚稳定军心，诛杀焦晖、白玉，夺取他们的功劳，报告郭子仪。郭子仪派帐前侍卫官（牙官）卢谅，前去汾州（山西省汾阳市）；张维岳用贿赂买通卢谅，使卢谅证实他所作的报告。郭子仪遂上疏奏称张维岳诛杀仆固玚，把人头送到中央。文武百官入宫祝贺，李豫（李俶）却不高兴，凄然说：“我的诚心不能使人相信，以致为国立过大功的人，发生变故，十分惭愧，有什么可以祝贺的！”派皇家专用辇车，把仆固怀恩的娘亲接到首都长安（陕西省西安市），供应及礼遇，十分优厚，一个多

八世纪·七六四年二月　仆固怀恩西走灵州

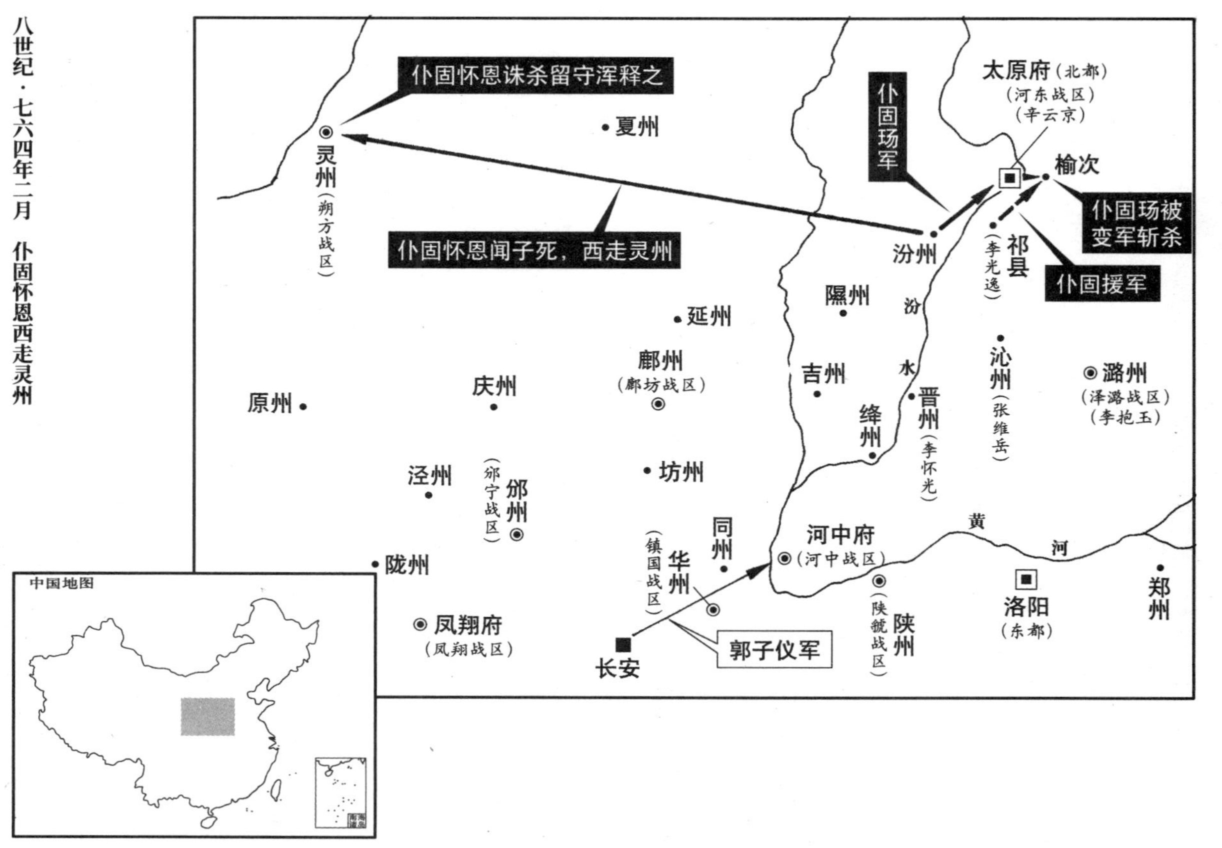

月后，仆固怀恩的娘亲病死，政府依照礼仪把她安葬，其他功臣都感动叹息。

二月十日，郭子仪抵达汾州（山西省汾阳市），仆固怀恩所统御的军队，全向他归附，大家兴奋鼓舞，感动得涕泪交流，欢迎他的来临，也悲哀他来得太晚。郭子仪发觉卢谅伪证，把他乱棍打死。李豫（李俶）认为李抱真（安抱真）的预言实现，擢升他当宫廷副总管（殿中少监）。

13 李豫（李俶）逃亡陕州（河南省三门峡市）时（参考去年〔七六三〕十月），河南地区（黄河以南）野战军副元帅（河南副元帅）李光弼，推拖迁延，不肯出动救驾勤王，李豫（李俶）恐怕从此产生无法挽救的恶劣形势，正巧，李光弼的娘亲住在河中（山西省永济市），李豫（李俶）屡次派宦官前去慰问（李光弼驻徐州，参考前年〔七六二〕五月）。吐蕃军（西藏）撤退后，李豫（李俶）命李光弼当东都洛阳（河南省洛阳市）留守长官，试探他的态度。李光弼推辞说：他的军队必须留在东方迁就江淮（华东地区）的粮食运输！遂率军返回徐州（江苏省徐州市）。李豫（李俶）把李光弼的娘亲迎接到长安（陕西省西安市），供应充裕；又擢升他的老弟李光进当禁军将领，更为优待。

14 二月二十日，赦免天下。

15 自从本世纪（八）五〇年代天下大乱以来，汴水（接连淮河、黄河间人工河）河道淤塞，江淮（华东地区）的运粮船队，只好改道从长江、汉水到梁州（陕西省汉中市）、洋州（陕西省洋县），再由陆路翻过秦岭，运到京师（首都长安。参考七五六年八月），不但路远，而且沿途险阻

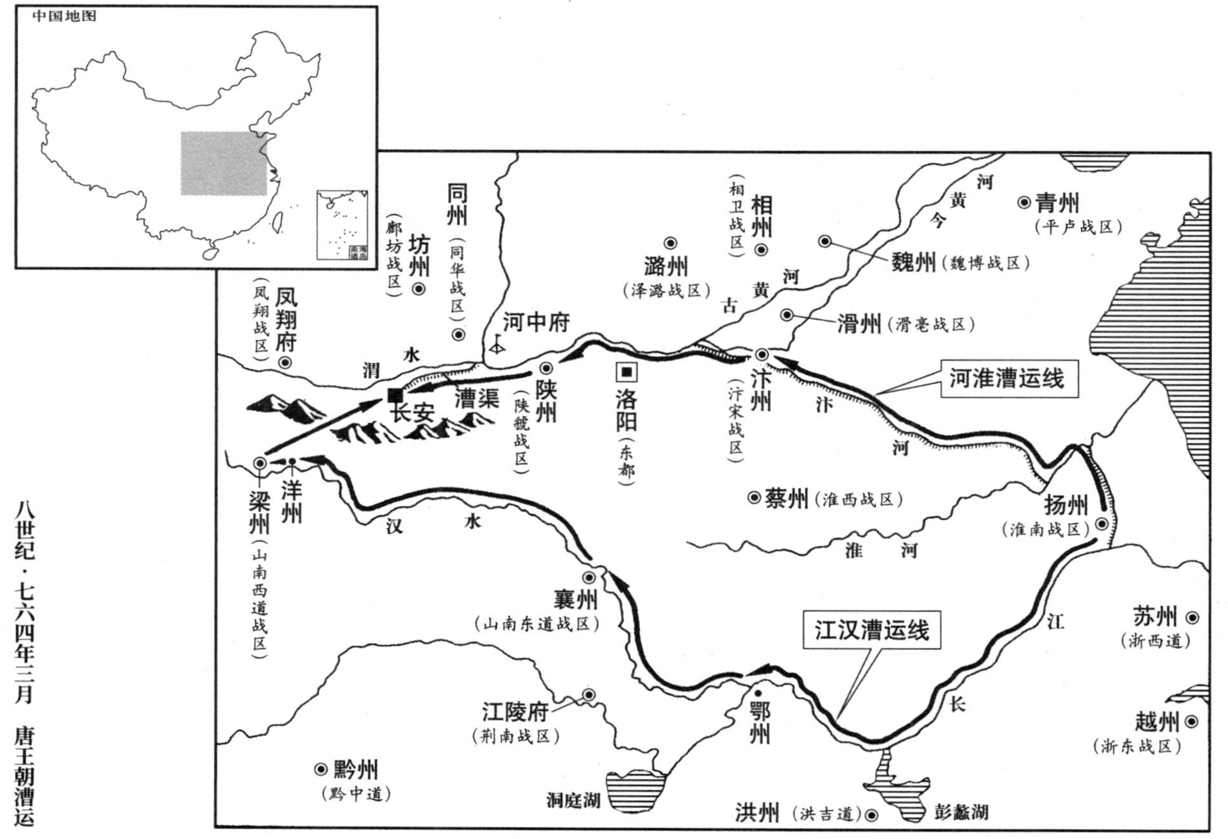

八世纪·七六四年三月　唐王朝漕运

从生，浪费人力财力。

三月十二日，李豫（李俶）任命太子宾客（正三品）刘晏，当河南（黄河以南）江淮（华东地区）运输总监（河南江淮以东转运使），策划挖掘疏浚汴水。

三月十三日，又命刘晏跟各有关战区司令官（节度使）会商，由各战区田赋、捐税、差役中，分出一部分供应完成这项任务，并准许刘晏依照实际需要，先行实施，再行奏报。当时，正在大乱之后，无论中央或地方，粮食普遍缺乏，关中（陕西省中部）每斗米价格一千钱，农民等不及麦熟，在麦还青时，就收割下来，用手揉出麦粒，供给禁军（农民自己又吃什么？可悲），即令皇宫御厨房，也只能吃一顿算一顿，没有两天的积蓄。刘晏一面上疏给皇帝，一面写信给宰相元载，具体的分析水路运输的利弊，建议中央与地方政府全力配合。汴水疏浚完成后，江淮（华东地区）粮食不再取道长江、汉水、秦岭，而改由淮河进入黄河（也就是恢复以前漕运），每年水运稻米数十万石，供应关中（陕西省中部）。唐王朝中，在粮秣运输上贡献最大的，刘晏功居第一，以后的人都遵守他的法令制度。

16 三月二十七日，盛王李琦（九任帝李隆基的儿子）逝世。

17 党项部落（四川省西北部）攻击同州（陕西省大荔县），郭子仪命开府仪同三司（文散官一级，从一品）李国臣迎战，说：“蛮夷抓住机会就出来抢夺一票，政府军一出动，他们就逃回深山。我们应该用老弱残兵在前面引诱，而在后面埋伏精锐骑兵，把他们消灭。”李国臣在澄城（陕西省澄城县）北方出击，大破吐蕃军，格杀及俘虏一千余人。

18 夏季，五月十七日，唐政府下令全国改用《五纪历》（之前用《至德历》，参考七五八年六月十七日）。

19 五月二十四日，国务院教育部副部长（礼部侍郎）杨绾上疏，指称：每年考试“孝弟力田科”（参考前一九一年正月）及“童子科”（十岁以下，能背诵儒家学派经典一部的，给他官做），各州县所推荐的考生，都没有实质学问，全靠一时运气，不如撤销。李豫（李俶）批准。

20 郭子仪认为：安禄山、史思明曾经占领洛阳，所以在各重要地方设立战区，加强防御及攻击力量。而今，叛变已经平息，可是每个重要地方却仍然聚集大量军队，继续残害人民，因之上疏建议撤销，并建议先从河中战区（总部设河中府〔山西省永济市〕）开始。

六月十四日，李豫（李俶）下令撤销河中战区（总部河中府）和耀德军（七五九年，在河中〔山西省永济市〕设耀德军基地）。郭子仪再请撤销自己担任的关内、河东地区（陕西省及山西省）野战军副元帅，李豫（李俶）不准。

21 仆固怀恩到达灵武（宁夏灵武市）后，集结残兵败将，军事力量再度强大。李豫（李俶）对留在政府区的仆固怀恩家属，特别优待。

六月十七日，下诏赞扬仆固怀恩，说他：“功勋彪炳，记载在皇家功劳簿上，天下广为流传。猜疑误会之所以发生，开始时只由于一些宵小人物打小报告，挑拨是非。仔细观察你的内心，根本没有背叛之意。君臣之间的大义和感情，仍跟从前一样。只因河北（黄河以北）战乱已经平定，朔方战区（总部设灵州〔宁夏灵武市〕）已另派将领统御。你所担任的河北地区（黄河以北）野战军副元帅（河北副元帅）、朔方战区（总部灵州）司令官（节度使）等，应该解除。而擢升你当太保（三师之三）兼最高立法长（兼中书令·使相），仍封大宁郡王，盼望立刻来京（首都长安），不要再有猜疑。”仆固怀恩终不能接受。

22 秋季，七月五日，唐政府开始征收“青苗税”，支付文武百官薪俸（青苗税，就是地亩税，每亩每年缴十五钱，作为政府官员俸禄。因需钱孔急，在麦苗刚青时，就开始征收，所以又称青苗税）。

23 太尉（三公之一）兼最高监督长（兼侍中·使相）、河南地区（黄河以南）野战军副元帅（河南副元帅）临淮王（武穆王）李光弼，军纪森严，发号施令时，将领们没有一个人胆敢抬头看他，计谋确定之后，再发动攻击，能够用少数军队，击破大敌，跟郭子仪一同闻名天下。但是，后来驻防徐州（江苏省徐州市），手握重兵，却不肯进京（首都长安）朝见，部将田神功等，上行下效，有些事也不再向他禀告，而无所畏惧；李光弼惭愧懊恼，因而生病。

七月十四日，李光弼逝世（年五十七岁）。

八月一日，李豫（李俶）命宰相王缙代替李光弼当河南（黄河以南）、淮西（淮河上游）、山南东道（总部设襄州〔湖北省襄阳市〕）各战区特遣兵团总指战官（都统行营）。

24 郭子仪自河中（山西省永济市）进京（首都长安）朝见。就在这时候，泾原战区（总部设泾州〔甘肃省泾川县〕）奏称：仆固怀恩引导回纥军（瀚海沙漠群）和吐蕃军（西藏）十万人，将发动攻击，京师（首都长安）惊骇震动。李豫（李俶）下诏命郭子仪率各将领前往奉天（陕西省乾县）

坐镇。李豫（李俶）召见郭子仪，询问有什么破敌计谋，郭子仪回答说：“仆固怀恩不会有什么作为！”李豫（李俶）说：“你根据什么判断？”郭子仪说：“仆固怀恩作战勇猛，但对部下却很少爱惜，将士对他并不诚心悦服，他之所以能够南下，只是利用将士们的思乡之情（由此可知，朔方兵团中，有大批关中〔陕西省〕、河东〔山西省〕人）。仆固怀恩本是我手下的部将，他的部属也都是我从前的部属，绝不忍心对我拔刀，由此知道他不会有什么作为！”

八月十六日，郭子仪从京师（首都长安）出发，前往奉天（陕西省乾县）。

25 八月二十九日，加授王缙：东都洛阳留守长官。

26 河中（山西省永济市）特别市长（河中尹）兼河中战区（总部设河中府〔山西省永济市〕）副司令官（节度副使）崔寓，因征调战区军队西上抵御吐蕃（首都逻些城〔西藏拉萨市〕）入侵，处理不公。

九月二日，兵变，劫掠政府仓库及民宅；经过恐怖的一夜，才被平定。

27 九月十二日，加授河东战区（总部设太原府〔山西省太原市〕）司令官（节度使）辛云京：遥兼二级宰相（使相。“同平章事”无宰相之名，有宰相之实，所以译作“实质宰相”。八世纪五〇年代后，地方军政长官，往往加授“同平章事”，只是荣衔，并没有“实质”，称为“使相”）。

28 九月十七日，命郭子仪担任与吐蕃（首都逻些城）和解北道特派官（北道宁、泾原、河西以来通和吐蕃使）；命陈郑泽潞战区（总部设潞州

〔山西省长治市〕）司令官（节度使）李抱玉（安抱玉），担任与吐蕃和解南道特派官（南道通和吐蕃使。“和解”字样，只是对军事行动的一种掩护，但也预留将来和解空间）。郭子仪听到吐蕃军逼近邠州（陕西省彬州市）消息。

九月二十日，派他的儿子、朔方战区（总部设灵州〔宁夏灵武市〕）作战司令（兵马使）郭晞，率士卒数万人，前往抵抗。

29 九月二十五日，剑南战区（总部设成都府〔四川省成都市〕）司令官（节度使）严武，击破吐蕃七万人，攻克当狗城（四川省理县北）。

30 关中（陕西省中部）蝗虫成灾，又阴雨成灾，谷米每斗卖一千余钱。

31 仆固怀恩大军前锋抵达宜禄（陕西省长武县），郭子仪派右翼作战司令（右兵马使）李国臣，率军支援郭晞。邠宁战区（总部设邠州〔陕西省彬州市〕）司令官（节度使）白孝德在宜禄（陕西省长武县）击败吐蕃军。

冬季，十月，仆固怀恩引导回纥军、吐蕃军，抵达邠州（陕西省彬州市），白孝德、郭晞紧闭城门坚守抵抗。

32 十月六日，严武攻克吐蕃王国（首都逻些城〔西藏拉萨市〕）的盐川城（四川省理县北）。

33 仆固怀恩与回纥、吐蕃联军，进逼奉天（陕西省乾县），京师（首都长安）进入紧急状态。各将领向郭子仪要求出战，郭子仪不准，说：“蛮虏深入我们心脏，最盼望的就是速战速决。我用铜墙铁壁阻挡，他们一定会认为我们畏怯，戒备自然松懈，到那时候，才能把他们击破。如果立即迎战，万一沙场失利，军心势必离散。胆敢要求出击的，斩首。”

十月七日，夜晚，郭子仪率大军在乾陵（三任帝李治墓，乾县西北）之南构筑营阵。

十月八日，拂晓，仆固怀恩、回纥、吐蕃联军，大规模发动攻击。他们最初认为郭子仪没有戒备，打算奇袭，忽然看到面前出现大军，大为惊骇，不敢进攻，立即撤退。郭子仪派初级将领（裨将）李怀光等，率五千名骑兵追击，追到麻亭（陕西省彬州市南）才回，仆固、回、吐联军抵达邠州（陕西省彬州市）城下。

十月十三日，开始攻城，不能攻克。

十月二十一日，蹚过泾水，逃走。

34 仆固怀恩南下时，河西战区（总部设凉州〔甘肃省武威市〕）司令官（节度使）杨志烈，派军五千人，交给监军宦官柏文达，说：“河西战区精锐士卒，全部在此，请你率领他们攻击灵州（宁夏灵武市），使仆固怀恩的基地受到威胁，这也是救援京师（首都长安）的一支奇兵。”柏文达遂率军攻击摧沙堡（宁夏海原县）、灵武县（宁夏永宁县西南），全都攻克；于是，进攻灵州（宁夏灵武市）。仆固怀恩在前方得到报告，从永寿（陕西省永寿县）紧急回军，派吐蕃及浑部落军二千名骑兵，乘夜袭击柏文达，大破河西兵团，河西士卒将近三千人战死。柏文达率残余部队返回凉州（甘肃省武威市），哀哭进城。杨志烈迎接时，安慰说：“这次战役，有拯救京师（首都长安）、保卫皇家的功劳，死几个当兵的，算不了什么！”士卒们听到，十分怨恨。

不久，吐蕃军包围凉州（甘肃省武威市），士卒不听指挥。杨志烈逃往甘州（甘肃省张掖市），被沙陀部落（河西走廊）诛杀。沙陀部落酋长

八世纪·七六四年九月至十月
仆固怀恩南下失败

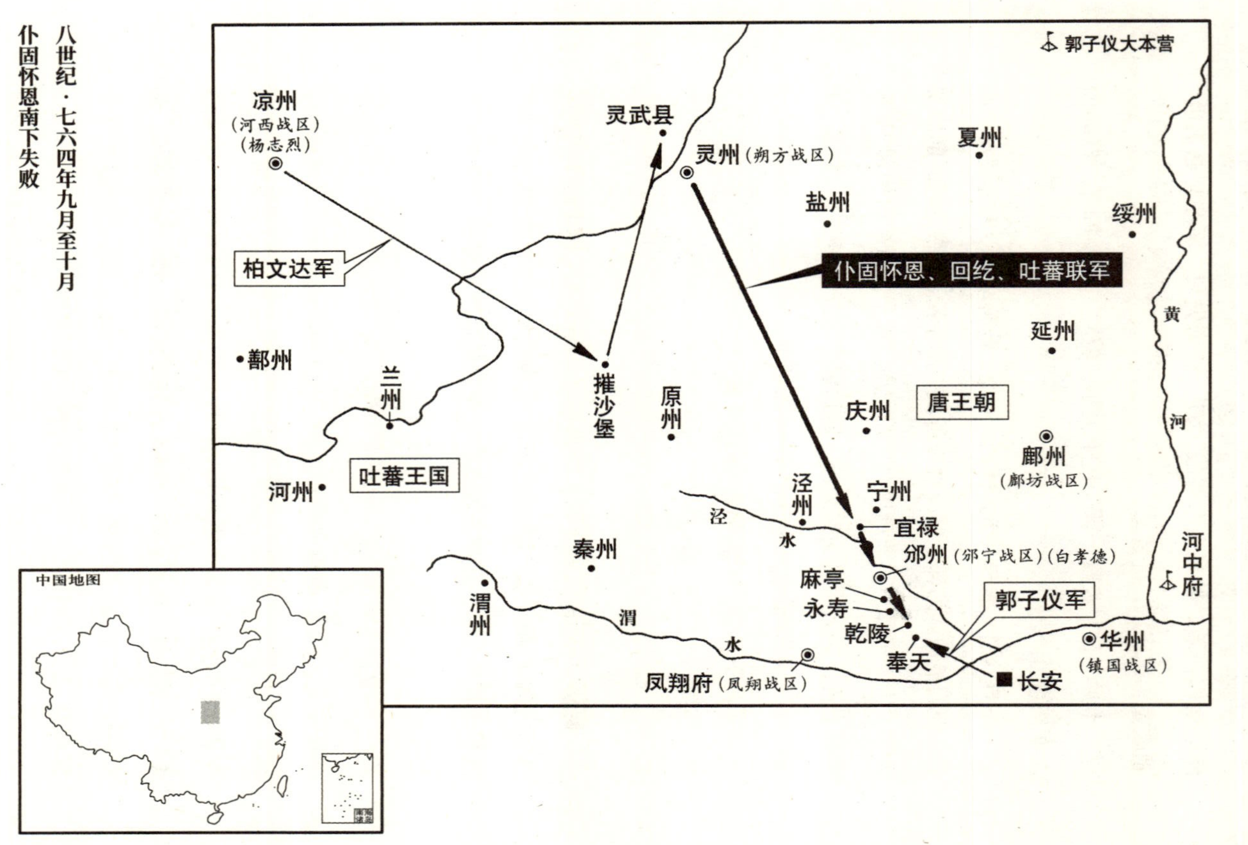

姓朱邪，世代居住沙陀碛（新疆古尔班通古特沙漠南部），遂称沙陀（沙陀历史，参考七一二年十月）。

35 十一月十四日，关内、河东地区（陕西及山西两省）野战军副元帅郭子仪自前线作战指挥部（行营）返首都长安（陕西省西安市）。

郭晞仍留邠州（陕西省彬州市），放纵他的士卒掳掠烧杀，横暴凶残，战区司令官（节度使）白孝德深为苦恼，但因为郭晞的老爹是副元帅郭子仪的缘故，不敢声张。泾州（甘肃省泾川县）州长段秀实自告奋勇当战区总纠察官（都虞候），白孝德同意。段秀实到差一个月，郭晞部下士卒十七人，到街上买酒，用刀刺死卖酒的人，并砸坏酿酒器具。段秀实把他们逮捕，斩首，人头插在长矛顶端，竖在市场门口，任由人民参观。郭晞整个军营霎时间天翻地覆，呐喊震天，士卒全都穿上铠甲，准备发动攻击。白孝德吓得要死，急召唤段秀实，质问说："现在，怎么办？"段秀实说："没有关系，我去化解。"白孝德派数十名勇士随从保护，段秀实拒绝，只带一个跛脚的老汉牵马，一直牵到郭晞门口。武装士卒冲出来，段秀实一面笑一面进门，对他们说："为了一个老兵，何必穿铠披甲，我带着我的人头来此！"武装士卒呆了一下，段秀实乘势开导他们说："作战司令（郭晞）有什么地方对不起你们？副元帅（郭子仪）又有什么地方对不起你们？为什么一定要摧毁他们郭家？"郭晞出来接见，段秀实责备他说："老太爷（郭子仪）的功勋，充满天地，自应该有始有终。现在，你放纵士卒行凶作恶，甚至发动兵变，兵变一起，定会连累老太爷（郭子仪）。战乱却由你引起，郭家盖世功名，还能剩下多少？"话还没有说完，郭晞向他叩头说："幸而先生指示我一条正道，重恩大德，怎么敢不听你的教训！"

回头大声斥责武装士卒说："全都脱下铠甲，回到自己的单位，敢大声喧哗的，斩首！"

当晚，段秀实留在军营住宿，郭晞一夜不脱衣服戒备，并派警卫彻夜巡逻，加强保护。第二天一早，二人同到白孝德那里，郭晞为军纪不严的事道歉，誓言改过。从此，邠州（陕西省彬州市）士卒再没有暴行。

36 秦岭五谷警备区司令官（五谷防御使）薛景仙，讨伐南山（秦岭）变民，一连几个月，不能肃清。李豫（李俶）命李抱玉（安抱玉）进军攻击。

变民首领中，以高玉的力量最为强大，李抱玉（安抱玉）派作战司令（兵马使）李崇客，率四百名骑兵，自洋州（陕西省洋县）入山，在桃虢川（陕西省太白县西）发动袭击，大破高玉变民军；高玉投奔成固（陕西省城固县）。

十一月二十七日，山南西道战区（总部设梁州〔陕西省汉中市〕）司令官（节度使）张献诚，生擒高玉，呈献中央；其他民变全部平息。

37 十二月二日，加授郭子仪：国务院总理（尚书令），郭子仪认为："自太宗（二任帝李世民）当过这个官后，历代从不再设此官，只有最近曾经一度加授给皇太子（李适〔音kuò·阔〕，参考去年〔七六三〕七月），不是卑微的臣属所应拥有。"坚决辞让，不肯接受。返回河中（山西省永济市）。

38 本年（七六四），国务院财政部（户部）奏称：全国共二百九十余万户、一千六百九十余万人（据《旧唐书·代宗本纪》，确切数字为：二百九十三万三千一百二十五户，一千六百九十二万零三百八十六人）。

39 李豫（李俶）欢送于阗王国（新疆和田市）国王尉迟胜回国；尉迟胜一再要求留在唐王朝当皇家禁卫军官，而把王位禅让给他的老弟尉迟曜（尉迟胜率军入援事，参考七五八年十二月），李豫（李俶）允许。加授尉迟胜开府仪同三司（文散官一级，从一品），封武都王。

1 春季，正月一日（原文“癸卯朔”〔正月十一日〕，据两《唐书》改），唐王朝（首都长安〔陕西省西安市〕）改年号永泰；赦免天下。

2 正月十六日，唐帝（十一任代宗）李豫（李俶，本年四十岁），命陈郑泽潞战区（总部设潞州〔山西省长治市〕）司令官（节度使）李抱玉（安抱玉），当凤翔陇右战区（总部设凤翔府〔陕西省宝鸡市凤翔区〕）司令官（节度使）；这时李抱玉（安抱玉）正率陈郑泽潞战区特遣兵团，驻扎首都长安以西，为了实际需要，使他转任凤翔战区（总部凤翔府。至于陇右战区〔总部设鄯州，青海省海东市乐都区〕故地，早已沦为吐蕃版图，因陇右特遣兵团驻扎凤翔境内，故李抱玉兼任司令官）。另任命李抱玉（安抱玉）的堂弟、宫廷副总管（殿中少监）李抱真（安抱真）当泽潞战区（总部设潞州〔山西省长治市〕）副司令官（节度副使）。

李抱真（安抱真）认为，山东（太行山以东）一旦发生事变，上党（潞州州政府所在县）形势重要，是兵家必争之地，必须有强大的军力，才可以保护自己。可是，饥馑战乱之后，土地荒芜，人民贫困，没有办法维持一支军队，于是调查户口，每三名青年中，遴选一名体格强壮的，免除他们的田赋、税捐、差役，发给他们弓箭武器，使他们在农耕休闲时，练习射击，进行战斗训练，年终举行大规模检阅及考试，分别给予赏罚。三年之后，精兵有二万人之多，既不需要政府供给粮食，仓库因而得以充实，声威震撼山东（崤山以东）。天下称赞泽潞战区（总部潞州）步兵，是各战区中最强悍的勇士。

3 二月十六日，党项部落（四川省西北部）攻击富平（陕西省富平县），纵火焚烧定陵（富平县北，六任帝李显墓）祭殿。

4 二月十八日，仪王李璲（九任帝李隆基的儿子）逝世。

5 三月一日，李豫（李俶）命国务院左最高执行长（左仆射）裴冕、右最高执行长（右仆射）郭英乂等文武高级官员十三人，集合集贤殿，等候皇帝咨询。

稍后，见习监督官（左拾遗，从八品上）洛阳（东都洛阳所在县）人独孤及，上疏说：

“陛下召集裴冕等，在集贤殿等候咨询，这是五帝时代（前二十七世纪至前二十二世纪）才有的神圣措施（五帝：黄帝王朝一任帝黄帝姬轩辕、三任玄帝姬颛顼、四任帝喾姬夋、六任尧帝伊祁放勋、七任舜帝姚重华）。不过，陛下虽能容忍他们的体直，却不能采纳他们的意见。结果徒有大度包涵的美名，没有接受规劝的事实。因而使直言谏诤的人，逐渐闭口，饱食终日，互相引荐，目的只为了做官。这正是忠贞之士暗中叹息的原因，我深为此感到羞耻。

“现在，战争已连续十年（七五五年安禄山兵变，迄今整十年），农夫不能下田，妇女无法纺织，可是将领们手握军队，家宅房舍，连街带巷，家奴婢女连酒肉都吃厌了，贫苦人民却忍饥受冻，去服政府差役；暴政剥下人民皮肤，已见骨髓。首都长安街上，光天化日之下，盗匪公开杀人抢劫，谁都不敢查问。官员情绪低落，职责废弃；将领们态度傲慢鄙劣，士卒们行动凶恶残暴，政府功能全部停止，几乎无法维持互相间的正常关系，好像滚烂的稀粥，也好像一团乱麻。

“更重要的是，人民不敢把痛苦告诉有关官员，有关官员也不敢奏报陛下，人民吞下剧毒、饮下剧痛，穷苦到了极致，却哭诉无门。陛下不在这时候考虑用什么方法拯救他们，使我感到恐惧。而今，全国只有朔方（黄河河套地区）及陇西（陇山以西）一带，有吐蕃军（西藏）跟仆固怀恩军的威胁，但邠州（陕西省彬州市）、泾州（甘肃省泾川县）、凤翔（陕西省宝鸡市凤翔区）的武装部队，足可以抵抗。除了西北一角外，其他国土，东到东海，南到番禺（广东省广州市），西到巴蜀（四川省），连小小的偷盗都没有，可是军队却不能复员。榨尽天下所有财物、搜光天下所有粮食，去供给并不需用的军队，我不知道原因何在？

“假定说：我们要居安思危，用兵一时，养兵千日，则应在要害的地方，武装屯垦，担任防御任务；其他士卒，都应解甲归田，把供应军队粮食、衣服、鞋袜的费用，节省下来，充当贫苦人民的田赋和捐税，则国家每年的总支出，可以减少一半。陛下怎么可以对改革这么迟疑不决，而使全国灾难，一天比一天，更为严重！”

李豫（李俶）不能接受。

6 三月十五日，命李抱玉（安抱玉）遥兼二级宰相（同平章事·使相），仍镇守凤翔（陕西省宝鸡市凤翔区）。

7 三月十九日，吐蕃王国（首都逻些城〔西藏拉萨市〕）派使节前来唐王朝，请求和解。李豫（李俶）派宰相（同平章事）元载、杜鸿渐，到兴唐寺（在长安县长乐坊），跟吐蕃使节盟誓。

李豫（李俶）询问汾阳王郭子仪说：“吐蕃（西藏）跟我们盟誓的事，你的意见如何？”郭子仪回答说：“吐蕃希望我们从此不再设防，我们如果真的不再设防，大唐就完了。”于是陆续调派河中兵团（总部河中府）进驻奉天（陕西省乾县），又派军巡逻泾州（甘肃省泾川县）平原地带，侦察吐蕃军动静。

8 本年（七六五）春季，没有降雨，谷米每斗卖一千钱。

9 夏季，四月十六日，命总监察官（御史大夫）王翊，担任全国各战区道税捐催缴特派官（诸道税钱使）。

河东道（山西省）物资调节及盐铁专卖暨运输总监（河东道租庸盐铁使）裴谞，进京（首都长安）奏报公事，李豫（李俶）问说：“酒类专卖，一年能收入多少？”裴谞很久不回答。李豫（李俶）再问一次，裴谞说：“我从河东（山西省）来京（首都长安），沿途看到土地干旱，连杂粮都不能下种，农夫满腹愁苦怨恨！我以为陛下见到我，一定先问民间痛苦，想不到先问的却是一年有多少钱？因此我不敢马上回答。”李豫（李俶）表示歉意，调他当国务院左主任秘书（左司郎中，从五品上）。裴谞，是裴宽的儿子（裴宽，参考七四六年七月）。

10 四月三十日，剑南战区（总部设成都府〔四川省成都市〕）司令官（节度使）严武逝世（年四十岁）。

严武曾三次出任剑南战区司令官（七五七年十二月，分剑南为东川、西川；严武当东川战区〔总部设梓州，四川省三台县〕司令官〔节度使〕；七六二年六月，严武任国务院国防部副部长〔兵部侍郎〕，调西川战区〔总部成都府〕司令官〔节度使〕；去年〔七六四〕正月，东西川合并，时严武任副监督长〔黄门侍郎〕，调剑南战区〔总部成都府〕司令官〔节度使〕；前后三次），对辖区人民加赋加税，供给自己豪华奢侈，任意挥霍。梓州（四川省三台县）州长章彝，因一点小事使他不满，严武把他召唤前来，乱棍打死。然而吐蕃军（西藏）对他畏惧，不敢侵犯边疆。严武的娘亲对他的骄傲凶暴，一再提出警告，严武都不理会。严武逝世，娘亲说：“我今天才敢肯定不会被政府没收，去当婢女！”（严武因收容招待诗人杜甫而闻名。）

五月二十二日，唐政府命国务院右最高执行长（右仆射）郭英乂，当剑南战区（总部设成都府〔四川省成都市〕）司令官（节度使）。

11 京畿地区小麦丰收，首都长安特别市长（京兆尹）第五琦（第五，复姓），建议中央加强农田税，十亩收一亩，说：“这是古代的‘十一税制’（参考九年四月）。”

李豫（李俶）批准。

八世纪·七六五年五月 藩镇割据形势

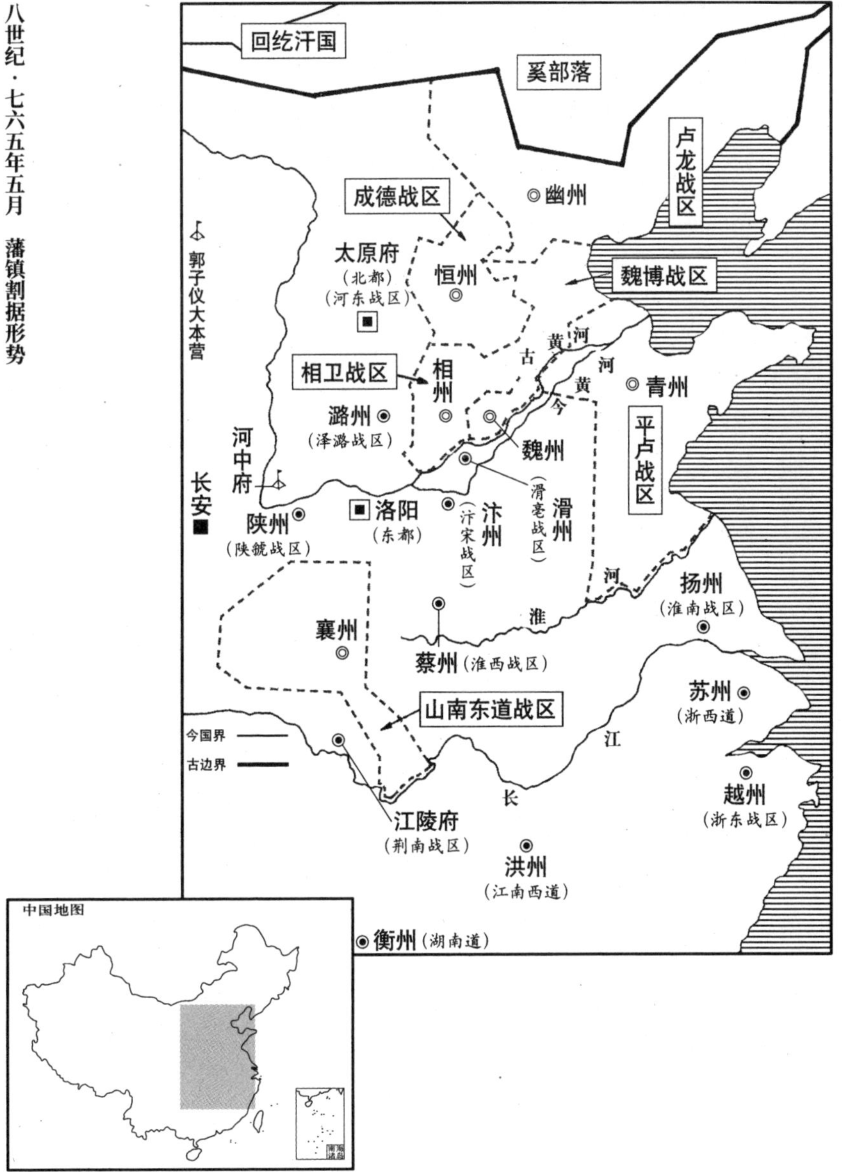

12 平卢战区（总部原设营州〔辽宁省朝阳市〕）司令官（节度使）侯希逸，兼任淄青战区（总部设青州〔山东省青州市〕。参考七六二年五月）以来，喜爱打猎出游，盖塔建庙，军队本身及行政单位，都苦不堪言。作战司令（兵马使）李怀玉，深得士卒爱戴，侯希逸感到威胁，找个借口，把他解除军职（李怀玉，参考七五八年十二月）。

有一天，侯希逸跟巫法师住到青州（山东省青州市）城外，士卒遂紧闭城门，不准他回来，而拥护李怀玉当首领。侯希逸逃到滑州（滑亳战区总部，河南省滑县），上疏自请处罚；李豫（李俶）下诏赦免，召他返回京师（首都长安）。

秋季，七月二日，命皇子、郑王李邈，当平卢淄青战区（总部设青州〔山东省青州市〕）司令长官（节度大使），而命李怀玉当候补司令官（知留后），命李怀玉改名李正己。

当时，成德战区（总部设恒州〔河北省正定县〕）司令官（节度使）李宝臣（张忠志）、魏博战区（总部设魏州〔河北省大名县〕）司令官（节度使）田承嗣、相卫战区（总部设相州〔河南省安阳市〕）司令官（节度使）薛嵩、卢龙战区（总部设幽州〔北京市〕）司令官（节度使）李怀仙，分别收容安禄山、史思明的残余部众，每人都拥有精锐战士数万人，训练士卒，加强防御工事，境内文武官员，都由自己任命；也不向中央缴纳田赋捐税，简直就是一个独立王国，跟山南东道战区（总部设襄州〔湖北省襄阳市〕）司令官（节度使）梁崇义，现在再加上李正己（李怀玉），六个割据军阀，通婚结亲，互相呼应声援。中央一味姑息容忍，再不能控制，虽名义上是臣属，实际上只维持一个虚名。

13 七月四日，李豫（李俶）把皇女、升平公主，嫁给郭子仪的儿子郭暧。

14 皇太子李适（音kuò〔阔〕）的娘亲沈女士，是吴兴（浙江省湖州市）人，安禄山部将孙孝哲攻陷长安（陕西省长安市）时（参考七五六年六月），把皇宫里嫔妃宫女全部押送到洛阳宫（河南省洛阳市），沈女士也在其中。李豫（李俶）克复洛阳（参考七五七年十月），曾经看到沈女士，还没有来得及迎回长安（陕西省长安市），而洛阳又被史思明攻陷（参考七五九年九月），沈女士从此失踪，不知流落何方。李豫（李俶）登上皇帝宝座（参考七六二年四月），曾派使节到各地寻找，没有找到。

七月九日，寿州（安徽省寿县）崇善寺女尼广澄，声称她就是李适（音kuò〔阔〕）的娘亲，调查盘问的结果，发现她只不过是当时少阳院（太子所住）的乳娘。李豫（李俶）下令把她乱鞭打死。

乳娘怀中的婴儿，虽不是亲生，但喂奶难道不是恩情？广澄女士不过贪图荣华富贵，冒充混骗而已，不犯死罪，更不应承受乱鞭打死的酷刑。而且，宫廷夺床斗争惨烈，有多少人在恐惧"太子母"返宫！说不定广澄就是真的，所以才施乱鞭泄恨。然而不论如何，李豫（李俶）只是对枪杆的军阀宽厚而已，对一个可怜弱女却勇不可当。

15 九月一日，在京师（首都长安）资圣（在崇仁坊）及西明（在延康坊）两座寺庙中，设置"百高座"（即高达一百尺〔约三十一公尺〕的讲台），宣讲《护国仁王经》。从皇宫运出两车佛经，由人扮成菩萨、鬼神，在音乐声中和盛大仪队的前导下，缓缓出宫，文武百官在光顺门（大明宫西门）外恭迎，一直护送到两座寺庙。

16 仆固怀恩联合回纥汗国（瀚海沙漠群）、吐蕃王国（首都逻些城

〔西藏拉萨市〕)、吐谷浑部落（青海省)、党项部落（四川省西北部)、奴剌部落（四川省西北部)，共集结数十万大军，同时向唐王朝展开攻击。吐蕃军大将尚结悉赞摩、马重英等，从北路攻击奉天（陕西省乾县)；党项部落军大将任敷、郑庭、郝德等，由东路攻击同州（陕西省大荔县)；吐谷浑及奴剌部落军，由西路攻击盩厔（陕西省周至县)；回纥军在吐蕃军后面续进，仆固怀恩率朔方兵团（总部灵州）在回纥军后面续进。

关内、河东地区（陕西省及山西省）野战军副元帅郭子仪派作战参谋长（行军司马）赵复，前往京师（首都长安）奏报李豫（李俶)，警告说："蛮夷部队，全是骑兵，进军如同鸟飞，绝不可以掉以轻心，请训令各战区及各特遣兵团司令官（节度使)：凤翔（总部凤翔府）李抱玉（安抱玉)、滑濮（总部滑州）李光进、邠宁（总部邠州）白孝德、镇西（总部龟兹）马璘、河南（总部汴州）郝庭玉、淮西（总部蔡州）李忠臣（董秦)，立即派军入援，据守险要。"（此时李光进、郝庭玉、李忠臣〔董秦〕，各在本战区，其他则各率战区特遣兵团，驻防京师〔首都长安〕以西。）李豫（李俶）接受。可是各战区并不立即发兵，只有李忠臣（董秦）接到诏书时，正在跟各将领踢球，马上下令全军整装开拔。各将领和监军宦官都建议："大军出动，必须选择一个黄道吉日！"李忠臣（董秦）大发雷霆说："爹娘忽然有了急难，做子女的怎么可以选择好日子才去救！"当天率军上道。

仆固怀恩中途得到急病。九月八日，仆固怀恩在鸣沙（宁夏中宁县）逝世（年龄不详)。大将张韶（参考去年〔七六四〕二月）接管他的部众，别动部队将领徐璜玉格杀张韶，而范志诚又格杀徐璜玉，接管全军。仆固怀恩反抗中央，前后三年（自前年〔七六三〕八月迄今)，两次引导蛮夷入侵，成为国家最大的忧患，但身为皇帝的李豫（李俶)，却始，终淡化处理，前后所颁布的诏书，从没有指他叛乱。后来听到他逝世消息，哀痛的说："仆固怀恩并没有叛乱，只是受他左右亲信的误导！”（仆固怀恩被辛云京、骆奉仙逼反，也被李豫〔李俶〕的不明是非逼反，国家人才，丧失在辛云京、骆奉仙、李豫〔李俶〕少数当权者之手。）

吐蕃军进抵邠州（陕西省彬州市），邠宁战区（总部邠州）司令官（节度使）白孝德登城固守。

九月十五日，李豫（李俶）训令各宰相和中央各机关首长，在西明寺摆设素食筵席，焚香奏乐，祈求佛祖降福。当天（九月十五日），吐蕃军十万人进抵奉天（陕西省乾县），京城（首都长安）大为恐慌。朔方战区（总部设灵州〔宁夏灵武市〕）作战司令（兵马使）浑瑊（音jiān〔坚〕）、征剿司令（讨击使）白元光，正巧在奉天（陕西省乾县）驻防；吐蕃军刚刚扎营，浑瑊就率精锐骑兵二百人冲锋，身先士卒，吐蕃军四散逃走。浑瑊生擒吐蕃军一位将领，策马奔驰而回，随从骑士没有一个人被刀箭所伤。守城士卒在城墙上望见，才生出勇气。

九月十六日，吐蕃军发动攻击，死伤惨重。几天之后，突然撤退。浑瑊于夜晚率军袭击，斩杀一千余人；计前后跟吐蕃军会战二百余次，斩首五千人。

九月十七日，李豫（李俶）下令撤除“百高座”讲台，命驻防河中（山西省永济市）的郭子仪，移军守卫泾阳（陕西省泾阳县）。

九月二十日，再命李忠臣（董秦）进驻东渭桥（陕西省西安市高陵区南），李光进进驻云阳（陕西省泾阳县北云阳镇），马璘、郝庭玉进驻便桥（西渭桥，陕西省咸阳市西南），李抱玉（安抱玉）进驻凤翔（陕西省宝鸡市凤翔区）；宦官总管（内侍）骆奉仙、将军李日越进驻盩厔（陕西省周至县），同华战区（总部设同州〔陕西省大荔县〕）司令官（节度使）周智光进驻同州（陕西省大荔县），鄜坊战区（总部设鄜州〔陕西省富县〕）司令官（节度使）杜冕进驻坊州（陕西省黄陵县）。唐帝李豫（李俶）亲统禁军六军，进驻皇家林园。

九月二十一日，李豫（李俶）下诏声称御驾亲征。

九月二十二日，宦官鱼朝恩建议：在京师（首都长安）作地毯式搜刮，强夺民间私人马匹；又命城中男人全部改穿黑衣（卑贱的人穿黑），组成国民兵团；所有城门，三个关闭两个，只留一个敞开通行。无论官员人民，都大为震骇，很多人翻墙或在城墙上凿开洞穴，向外逃亡，官员无法禁止。鱼朝恩打算把李豫（李俶）护送到河中（山西省永济市），恐怕文武百官反对。一天早上，官员们进宫朝见时，在宫门前站了很久，宫门紧闭不开，忽然间，鱼朝恩带领禁军十余人，每人手提耀眼的利刀，大踏步出来，鱼朝恩宣称："吐蕃军（西藏）不断侵犯京师（首都长安）近郊，皇上打算前往河中（山西省永济市），大家意见如何？"三公以及部长级高级官员，霎时间呆在那里，不知道如何回答。御前监督官（给事中）刘先生（名不详）走出行列，厉声警告说："钦差大臣（唐王朝对宦官一律称钦差大臣〔敕使〕）是不是想要谋反！现在大军云集，你不同心合力抵御盗匪，却突然间打算胁迫天子，抛弃祖宗祭庙（太庙）和帝国中央政府，拔腿逃走，不是叛徒是什么？"鱼朝恩吃了一惊，无法回答，在沮丧中退回，事情遂不再提起。（胡三省原注："御前监督官〔给事中〕刘先生，身立庙堂，刚正不阿，有如此英雄表现，而史书竟没有他的名字，唐政府设立史馆，不知道做些什么事。"）

自九月十七日到九月二十五日，大雨不停，吐蕃军队不能推进，于是转移方向，吐蕃军攻击醴泉（陕西省礼泉县）、党项军向西劫掠白水（陕西省白水县），向东劫掠蒲津关（陕西省大荔县东黄河渡口）。

九月二十八日，吐蕃军大肆掳掠唐王朝男女数万人，撤退而去，所经过的地方，纵火焚烧房舍，人马践踏庄稼，几乎全部摧毁。同华战区（总部设同州〔陕西省大荔县〕）司令官（节度使）周智光，率军截击，在澄城（陕西省澄城县）北方，把吐蕃军击破，一路追赶，追到鄜州（陕西省富县。鄜，音fū〔夫〕）。周智光一向跟鄜坊战区（总部设鄜州〔陕西

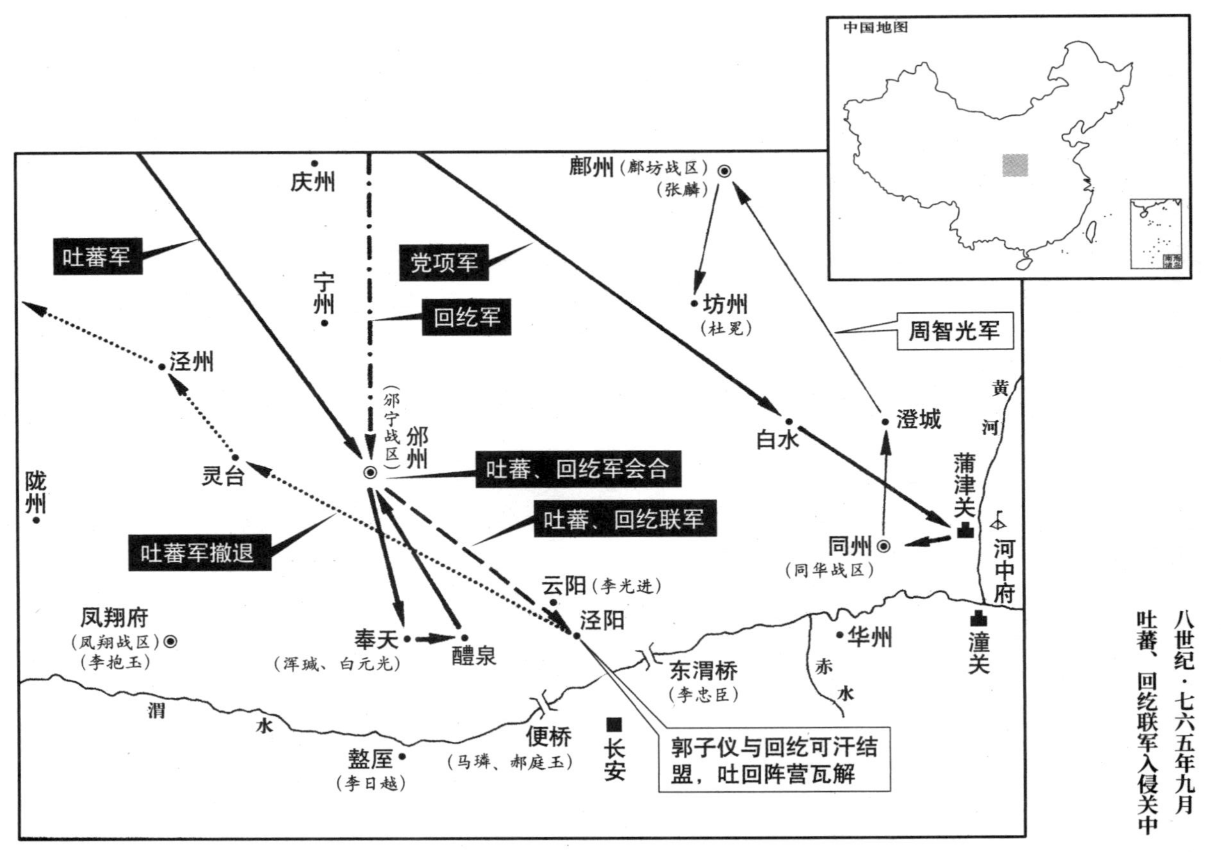

八世纪·七六五年九月
吐蕃、回纥联军入侵关中
中国地图
周智光军
黄
河
河中府
蒲津关
潼关
澄城
同州
（同华战区）
华州
赤
水
白水
鄜州（鄜坊战区）
（张麟）
坊州
（杜冕）
郭子仪与回纥可汗结盟，吐回阵营瓦解
东渭桥
（李忠臣）
长安
云阳（李光进）
泾阳
便桥
（马璘、郝庭玉）
党项军
回纥军
吐蕃、回纥军会合
吐蕃、回纥联军
醴泉
邠州
（邠宁战区）
奉天
（浑瑊、白元光）
盩厔
（李日越）
庆州
宁州
吐蕃军撤退
水
灵台
泾州
渭
凤翔府
（凤翔战区）
（李抱玉）
吐蕃军
陇州

省富县〕）司令官（节度使）杜冕，感情不睦，于是斩鄜州州长张麟，活埋杜冕家属八十一人，纵火焚烧坊州（陕西省黄陵县）房屋三千余家。

冬季，十月一日，恢复在资圣寺讲解佛经。

吐蕃军撤退到邠州（陕西省彬州市）时，遇到回纥军，于是联合回纥军，再度深入唐王朝心脏地带。

十月三日，吐回联军进抵奉天（陕西省乾县）。

十月五日，党项军纵火焚烧同州（陕西省大荔县）政府机关和民宅，撤走。

十月八日，回纥、吐蕃联军，包围泾阳（陕西省泾阳县），郭子仪命各将领严密戒备，不准出战。傍晚，回吐联军稍向后撤，在北原（城北平原）扎营。

十月九日，回吐联军再进抵泾阳（陕西省泾阳县）城下。

这时候，回纥及吐蕃都听到仆固怀恩逝世消息，开始争夺领导地位，感情破裂，两军遂分开扎营，互相戒备。郭子仪得到情报：回纥大营在泾阳（陕西省泾阳县）城西。郭子仪派帐前侍卫官（牙将）李光瓒等，前往游说，希望唐回联合，共同攻击吐蕃。回纥不相信李光瓒，说："郭子仪难道真的在这里，你存心骗我，如果真的在这里，能不能亲眼一见？"李光瓒回来报告，郭子仪说："现在敌人强大，我们人少兵少，无法在战场上取得胜利。从前，回纥跟我们的情谊盟誓，非常深厚，不如我挺身前去把他们说服，希望免去这场战争，换取和平。"各将领要求派铁甲骑兵五百名保护，郭子仪说："这不但不能保护我，反而会惹出麻烦。"他的儿子郭晞拦住马头劝阻说："他们是一群虎狼，老爹是帝国的统帅，怎么能轻率的拿自己的生命去赌！"郭子仪说："今天如果决战，我们父子会死在沙场，而国家陷入危境。我诚心诚意前去会商，万一他们接受，将为全国带来幸福。即令失败，我身虽死，我们家至少可以保全。”用马鞭抽郭晞的手，喝声：“走开！”大开城门，只带数名骑兵出城，命人大声传话说：“郭子仪拜访！”回纥军大吃一惊，统帅胡禄军区总司令（都督）药葛罗，是登里可汗（三任）药罗葛移地健的老弟（统帅药葛罗，当系药罗葛之误，史书误为统帅名字），把箭搭到弦上，站在阵前。郭子仪脱下头盔，解下铠甲，把武器丢到地上，继续前进。回纥各酋长你看我，我看你，异口同声说：“是他！”都翻身下马，围绕着郭子仪跪下叩头。郭子仪也下马，握住药葛罗的手，抱怨说：“你们回纥对大唐有过大的帮助，大唐对回纥的酬庸也并不薄，为什么定要辜负盟誓，深入唐王朝国土，逼近京畿？抛下从前功劳，结下新近仇恨？背叛唐王朝的恩德，而去协助唐王朝的叛徒，怎么这般愚昧！而且，仆固怀恩叛离君王，抛弃娘亲，对回纥有什么好处？我今天独自来到这里，要杀要剐，随你们的意，我部下将士恐怕跟你们会有一场死战！”药葛罗说：“仆固怀恩谎话连篇，他说天可汗（唐王朝皇帝）已死，令公（郭子仪当时是中书令）也不在人世，唐王朝没有主人，我们才敢跟他一齐出兵。现在既知道天可汗在上都（首都长安），令公又亲率大军到这里，仆固怀恩又被上天诛杀，我们怎么会跟令公作战！”郭子仪遂乘势向他分析说：“吐蕃（西藏）无情无义，乘唐王朝有难，毫不念及舅父和外甥之间的亲密关系（唐王朝公主嫁吐蕃，所以唐王朝以舅家自居），吞并我们的边疆，焚烧我们的京畿，掳走的财产无法计算，猪马牛羊以及其他家畜，满山遍野，长达数百华里，这些都是上天赏赐给你们的东西。保持自己的军队，不伤一人，继续维持跟大唐的友谊，同时又击破敌人，夺取财富。为你们打算，哪有比这个更有利的事情。千年难逢的机会，不可失去。”药葛罗说：“我们受仆固怀恩误导，实在对令公不起。

现在为你尽力，击退吐蕃军赎罪。然而，仆固怀恩的儿子，是我们皇后的弟弟，希望得到赦免，不要诛杀。”郭子仪承诺。此时，围绕在左右的回纥部队，突然进入两翼战斗位置，缓缓向前逼近；在戒备中的唐王朝军队察觉到情势有变，也立即紧急向前移动，大战一触即发，郭子仪挥手命唐王朝军队停止，拿出酒来跟各酋长共同干杯，药葛罗要求郭子仪先浇酒盟誓，郭子仪把酒浇到地上，说：“唐王朝皇帝万岁，回纥可汗万岁，两国宰相将领万岁！如果背叛盟誓，教他身死战场，家族灭绝。”酒杯传到药葛罗，药葛罗也把酒浇到地上，说：“我跟令公（郭子仪）的誓言一样。”回纥各部落酋长大为欢喜，说：“有两位巫法师随大军行动，指出这次出征，平安无事，不会跟唐朝发生战争。而且看见一位大人物，平安归来，现今果然应验！”郭子仪馈赠他们彩色绸缎三千匹，酋长们分出一部分赏给巫法师。最后，郭子仪跟药葛罗签订盟约，回营。吐蕃军得到消息，利用夜晚，悄悄逃走。回纥军派酋长石野那等六人，进京（首都长安）朝见唐王朝皇帝。

药葛罗率军追击吐蕃，郭子仪派征剿司令（招讨使）白元光率精锐骑兵一同出发。

十月十五日，在灵台（甘肃省灵台县）西原大战，击破吐蕃军，杀吐蕃军以万为单位计算，夺回所掳掠的唐王朝男女四千人（史书没有说明这些可怜的俘虏是回到自己家园，或是再沦入回纥之手，我们有理由相信他们的命运悲惨）。

十月十八日，在泾州（甘肃省泾川县）东，再大破吐蕃军。

十月十九日，仆固怀恩旧有部将张休藏等，向中央军投降。

十月二十三日，李豫（李俶）下诏取消御驾亲征，京师（首都长安）解除戒严。

17 最初，十任帝（肃宗）李亨，命陕西战区（总部设陕州〔河南省三门峡市〕）司令官（节度使）郭英乂，兼任神策军（神策军基地设甘肃省临潭县西，设于七五四年七月）特遣兵团司令官（节度使），而命宦官总管（内侍）鱼朝恩当监军宦官。后来，郭英乂到中央当国务院最高执行长（仆射），鱼朝恩遂单独率领神策军。等到李豫（李俶）逃奔陕州（参考前年〔七六三〕十月），鱼朝恩征调驻防陕州（河南省三门峡市）的所有军队，连同神策军，共同迎接大驾，都称神策军，把李豫（李俶）安顿在大营之中。京师（首都长安）光复后，鱼朝恩率大肆扩充后的神策军，回到京师（首都长安），仍由自己率领，但继续保持特遣兵团性质，不能跟皇家禁军相比。而现在，鱼朝恩率神策军护卫李豫（李俶）进驻皇家林苑，势力逐渐稳固，遂将神策军分为左翼、右翼，地位居禁军六军之上。

18 郭子仪因仆固名臣、李建忠等，都是仆固怀恩旧部勇将，恐怕逃奔境外，建议皇帝召唤他们回归。仆固名臣，是仆固怀恩的侄儿，当时留在回纥大营。李豫（李俶）同意，并且连同从前其他有功将士也一起赦免，请回纥送回。

十月二十四日，仆固名臣率一千余名骑兵，回归唐政府。郭子仪命开府仪同三司（文散官一级，从一品）慕容休贞，写信给党项部落军指挥官郑庭、郝德等。郑庭、郝德等也前往凤翔（陕西省宝鸡市凤翔区）投降。

19 十月二十六日，同华战区（总部设同州〔陕西省大荔县〕）司令官（节度使）周智光前往京师（首都长安）呈献战利品，住了两个夜晚才回防地。周智光身负擅自杀人的重罪，还没有审理，李豫（李俶）在准他走了之后，才开始后悔。

20 十月二十七日，回纥汗国（瀚海沙漠群）胡禄军区总司令（胡禄都督）等二百余人，来唐王朝晋见皇帝，李豫（李俶）前后共赏赐他们彩色绸缎及棉布十万匹。政府库藏搬运一空，只好强行扣除文武百官薪俸供应。

21 闰十月十七日，关内、河东（陕西及山西两省）野战军副元帅郭子仪进京（首都长安）朝见，他认为：灵武（宁夏灵武市）收复不久，人民贫苦，各部落仍心怀惊悸。因此建议中央：任命朔方战区（总部设灵州〔宁夏灵武市〕）粮食总监（军粮使）三原（陕西省三原县东北）人路嗣恭，继任司令官（节度使）。河西战区（总部设凉州〔甘肃省武威市〕）司令官（节度使）杨志烈逝世（参考去年〔七六四〕十月），郭子仪请皇帝派钦差大臣前去安抚当地官民，并设置凉州（甘肃省武威市）、甘州（甘肃省张掖市）、肃州（甘肃省酒泉市）、瓜州（甘肃省瓜州县）、沙州（甘肃省敦煌市）等政务秘书长（长史）。李豫（李俶）全都同意。

22 闰十月十九日，文武百官愿把自己的职田，缴还给政府，用以充实军队的粮食；李豫（李俶）批准（职田制度，参考七二二年正月注）。

23 闰十月二十日，任命国务院财政部副部长（户部侍郎）路嗣恭，继任朔方战区（总部设灵州〔宁夏灵武市〕）司令官（节度使）。

路嗣恭排除万般困难，建立总部，声威及命令，畅通无阻。

24 闰十月二十一日，郭子仪返河中（山西省永济市）。

25 最初，剑南战区（总部设成都府〔四川省成都市〕）司令官（节度使）

严武，向中央推荐将军崔旰（旰，音gàn〔干〕）当利州（四川省广元市）州长。当时，蜀地（四川省）已经动乱，山区的盗匪塞满道路，崔旰把他们一一肃清。后来，严武再度镇守剑南战区（参考七六二年六月），利州（四川省广元市）已改属山南西道战区（总部设梁州〔陕西省汉中市〕），严武贿赂山南西道战区司令官（节度使）张献诚，索取崔旰，张献诚命崔旰自称有病，辞职，南下晋见严武。严武命崔旰当汉州（四川省广汉市）州长，派他率军攻击盘踞西山（成都市以西山区）一带的吐蕃王国（首都逻些城〔西藏拉萨市〕）边防军，一连攻克几座城池，开拓疆土数百华里。严武为崔旰举行英雄凯旋仪式，制造装饰有七种宝玉的人力挽车，接他进入成都（四川省成都市），给崔旰空前盛大的荣耀。

严武逝世（本年〔七六五〕四月），作战参谋长（行军司马）杜济，代理战区军务（知军府事）。总作战司令（都知兵马使）郭英干，是郭英乂的老弟，联合总纠察官（都虞候）郭嘉琳，上疏请求任命郭英乂当战区司令官（节度使）；崔旰当时已是西山总作战司令（西山都知兵马使。司令部设茂州〔四川省茂县〕），联合他的部属，上疏请求任命大将王崇俊当战区司令官（节度使）。而中央却早已派定郭英乂接替严武，郭英乂因此对崔旰怀恨在心。到成都接事后只几天，就诬陷王崇俊犯罪，斩王崇俊；并召唤崔旰回成都（四川省成都市），崔旰自不会跳进明显的陷阱，于是推辞说：他正防备吐蕃（西藏），不能离开。郭英乂越发愤怒，遂断绝崔旰部队的粮饷，打算胁迫他就范。崔旰不能支持，就带领军队，深入山区。郭英乂声称协助崔旰阻挠吐蕃军进犯，亲自率军尾随而至，阴谋攻击崔旰。想不到天降大雪，山谷中雪深数尺，士卒马匹冻死的很多，崔旰乘机突击，郭英乂军大败，收拾残兵败将，仅只一千人，狼狈退回。

郭英乂骄傲奢侈，执行政令苛刻凶暴，对部属及士卒的生命，毫不珍惜，军心疏离怨恨。九任帝李隆基离开蜀地（四川省）时（参考七五七年十月），政府把流亡时的行宫，改作道士观（佛教称“庙”，道教称“观”），用黄金铸一个李隆基的塑像，接受善男信女的香火。郭英乂喜爱那里的竹木花草和庭院之美；上疏改作军营，而把李隆基的金像搬走，自己住了进去。崔旰抓住机会，宣称郭英乂谋反，否则，为什么把太上皇（李隆基）的金像抛弃，而自己去住？于是率部队五千余人，袭击成都（四川省成都市）。

闰十月二十三日，两军在成都西郊交战，郭英乂大败逃走，崔旰进入成都，屠杀郭英乂全家，郭英乂单人匹马投奔简州（四川省简阳市）。普州（四川省安岳县）州长韩澄，诛杀郭英乂，把人头送给崔旰。邛州（四川省邛崃市）营门官（牙将）柏茂琳、泸州（四川省泸州市）营门官（牙将）杨子琳、剑州（四川省剑阁县）营门官（牙将）李昌巙（音kuí〔奎〕），分别聚众起兵，讨伐崔旰，蜀中（四川省）大乱（李昌巙，是李道彦的四世孙。李道彦，参考六二八年正月）。崔旰，是卫州（河南省卫辉市）人。

26 华原（陕西省铜川市耀州区）县长顾繇，上疏皇帝，指控宰相元载的儿子元伯和等人，仗恃权势，收受贿赂。

十二月十一日，顾繇因此被流放锦州（湖南省麻阳县西南锦和镇）。

27 自从安禄山、史思明兵变以来，国立贵族大学（国子监）教室全部崩塌毁坏，军队常常借住。现在，国立贵族大学校长（祭酒）萧昕，上疏强调：“学校教育，不可以废止。”

八世纪·七六五年闰十月至七六六年三月　崔旰兵变，控制西川

中国地图
南海诸岛
扶州
兴州
梁州
（山南西道战区）
文州
张献诚军
松州
利州
集州
西山地区
龙州
悉州
翼州
剑州
（李昌巙）
巴州
静州
茂州
阆州
奉州
崔旰军
绵州
维州
蓬州
梓州
彭州
汉州
崔旰大破中央军于此
果州
渠州
成都府
（剑南战区）
简州
诛杀郭英乂
遂州
邛州
（柏茂琳）
韩澄军
普州
合州
眉州
陵州
郭英乂逃亡
资州
渝州
嘉州
荣州
（杨子琳）
泸州
溱州
江
南州
戎州
长

唐　永泰　二年
　　大历　元年

1 春季，正月二十九日，唐王朝（首都长安〔陕西省西安市〕）皇帝（十一任代宗）李豫（李俶，本年四十一岁），下令国立贵族大学（国子监）恢复上课，招收学生（国子学生）。

2 正月三十日，命国务院财政部长（户部尚书）刘晏，当都畿（洛阳，河南省洛阳市）、河南、淮南、江南、湖南、荆南、山南东道运输、粮食管理、造币、盐铁专卖等总监（转运、常平、铸钱、盐铁等使）；财政部

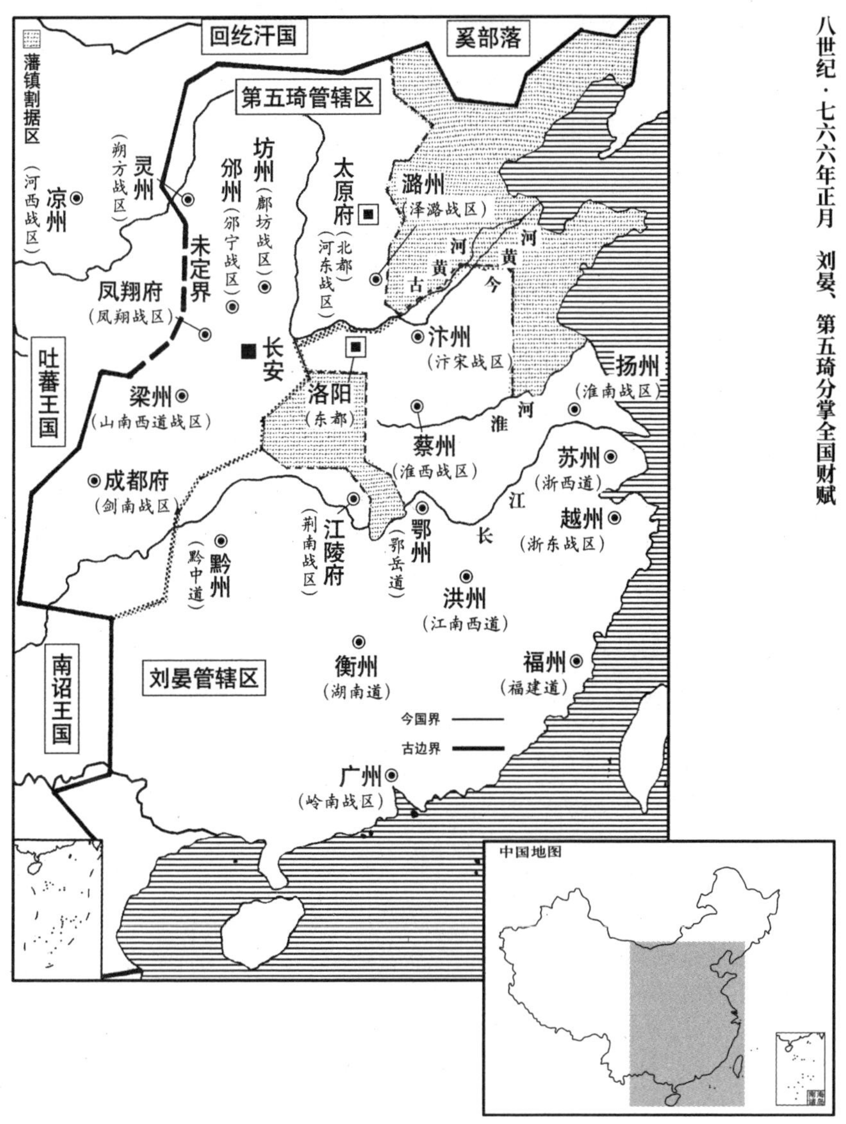

八世纪·七六六年正月　刘晏、第五琦分掌全国财赋

副部长（户部侍郎）第五琦（第五，复姓）当京畿（首都长安）、关内、河东、剑南、山南西道运输、粮食管理、造币、盐铁专卖等总监，把全国财赋分为东西两半，分别管理（以潼关为分界点，东部由刘晏负责，西部由第五琦负责）。

3 同华战区（总部设同州〔陕西省大荔县〕）司令官（节度使）周智光，自京师（首都长安）返抵华州（陕西省渭南市华州区。参考去年〔七六五〕十月），骄傲蛮横，不可一世，皇帝下诏召见，他根本不理。李豫（李俶）只好命鄜坊战区（总部设鄜州〔陕西省富县〕）司令官（节度使）杜冕，前去投奔山南西道战区（总部设梁州〔陕西省汉中市〕）司令官（节度使）张献诚，用以躲避周智光的愤怒（二人结怨，参考去年〔七六五〕九月）；周智光得到消息，派兵前往商山（陕西省商洛市商州区东）拦截，没有拦截到，周智光自己也知道犯下重罪，索性招兵买马，聚集亡命之徒和地痞流氓，部众多达数万，故意放纵士卒随意抢掠，以讨他们的欢心。擅自扣留过境的江淮（华东地区）稻米二万斛；各战区道向中央的贡品，周智光往往格杀运送官，而把贡品没收。

4 二月一日，李豫（李俶）主持国立贵族大学（国子监）祭神典礼，命宰相率参加朝会的全体官员，宦官总监（内侍）鱼朝恩率禁军六军各将领，前往听讲，官员、将领的子弟们，都穿红色（四品、五品官服）或紫色衣服（三品以上官服），充当学生。

鱼朝恩地位尊贵，名声显赫之后，才开始读书，学习儒家学派经典，但也仅能提笔写几个字，粗略分辨章句段落而已；不过也足够使他立即认为自己是文武全才，没有人能比得上他。

二月五日，命有关单位修建国立贵族大学（国子监）。

5 宰相元载独揽大权，唯恐怕有人在奏报皇帝时，打小报告揭发他的隐私，于是建议李豫（李俶）说："文武百官讨论国事，都应先把内容报告他的长官，长官再报告宰相，然后再奏明皇上。"李豫（李俶）同意，元载遂传达圣旨说："近来各单位奏事的人很多，所说的不外是人身攻击，所以要各单位长官，以及宰相，先确定他的发言有没有价值。"

国务院司法部长（刑部尚书）颜真卿反对，上疏说：

"国务院各部所属各司官员（郎官）、总监察署所属监察官员（御史），都是陛下的耳目。现在规定：凡向陛下进言的，都要先报告宰相，是陛下自己掩住自己的耳朵和眼睛。陛下厌恶官员之间互相排斥，诋毁对方，为什么不考察他所说的是真是假？如果说的是假，就应诛杀；如果说的是真，就应赏赐。不做这件事，却使全国人民认为陛下不过厌倦群臣们的直言规劝，随便找个理由封他们的口而已，事实上是为了阻塞下情上达的管道，我暗中为陛下痛惜。

"太宗（二任帝李世民）著《守门细则》（李世民著《唐式》，即《唐王朝中央机关办事细则》，参考六三七年正月），明确规定：'没有官籍登记的人，如果有急事奏报皇帝，皇宫守门人及警卫官应立即带领奏报，不准阻挠。'目的就在防止被欺骗、被蒙蔽。本世纪（八）四〇年代以后，李林甫当宰相（七三四至七五二），痛恨别人讲话，以致大家路上相逢，都只敢用眼神招呼，不敢开口寒暄。领袖的意思，不能正确的传达给部属，在下位的苦情，也无法向上传达给领袖得知，领袖耳聋目盲，人民心怀愤怒，终于爆发出逃奔蜀中（四川省）的大祸。

"政治风气的衰败，是逐渐累积，而终于到了今天这个地步。最高领袖广开毫无忌讳的言路，部属们还不敢有什么说什么，何况又下令宰相及高级官员裁剪和压制？陛下的资讯来源，恐怕只剩下三几个人！天下所有知识分子，嘴巴从此都被封闭，舌头从此也被打结。陛下发现再没有人批评政治，自会认为政治清明，没有什么可以挑剔，这正是李林甫当权时的局面。

“不过，李林甫虽然独揽大权，专制横行，文武百官中还有不先禀告宰相，而直接奏报的，李林甫也不过找个别的事作为借口，暗中陷害，尚不敢明目张胆，下令中央各机关奏事时，先禀告宰相批准。陛下如果不早早醒悟，恐怕将逐渐被人孤立，以后即令后悔，已无法补救。”

元载听到消息，怀恨在心，弹劾颜真卿恶意诽谤。

二月九日，李豫（李俶）贬颜真卿当峡州（湖北省宜昌市）总秘书长（别驾）。

6 二月十三日，派最高法院副院长（大理少卿）杨济，出使吐蕃王国（首都逻些城〔西藏拉萨市〕），敦睦唐吐两国邦交。

7 二月二十六日，任命宰相杜鸿渐当山南西道、剑南东西川地区野战军副元帅，兼剑南西川战区（总部设成都府〔四川省成都市〕）司令官（节度使），负责平定蜀中（四川省）变乱（崔旰屠郭英乂全家，参考去年〔七六五〕闰十月）。

8 任命四镇战区、北庭战区特遣兵团（四镇、北庭行营。时驻邠州〔陕西省彬州市〕）司令官（节度使）马璘，兼邠宁战区（总部设邠州〔陕西省彬州市〕）司令官（节度使）。马璘命段秀实当三军总纠察官（三使都虞候）。有一位臂力强大、可以拉开二百四十斤巨弓的士卒，犯了强盗重罪，被判处死刑。马璘认为他是勇士，打算赦他一死，段秀实说：“一个将领如果有所偏爱、有所憎恨，执法就难公平。即令是韩信、彭越，也不能指挥军队。”马璘赞同他的意见，终于把那士卒斩首。

马璘处理公务，有不太合理时，段秀实总是竭力反对。马璘有时候大怒若狂，左右官员都吓得发抖。段秀实说：“我如果有罪应该诛杀，就请诛杀，发什么脾气！我如果没有罪，而把我诛杀，恐怕不合正义。”马璘站起来就走，段秀实也慢慢出来。过了很久，马璘设宴招待段秀实，表示歉意。自此，军政情势，都和段秀实商议后施行，因为有段秀实的制衡，马璘在邠宁战区（总部设邠州〔陕西省彬州市〕），传出很好的名声。

9 二月二十七日，中央命山南西道战区（总部设梁州〔陕西省汉中市〕）司令官（节度使）张献诚，兼任剑南东川战区（总部设梓州〔四川省三台县〕）司令官（节度使，两川合并，参考前年〔七六四〕正月）；擢升邛州（四川省邛崃市）州长柏茂琳，当邛南警备区（总部邛州）司令官（邛南防御使）；崔旰当茂州（四川省茂县）州长，兼西山警备区（总部茂州）司令官（西山防御使）。

三月二十八日，张献诚在梓州（四川省三台县）跟崔旰会战，张献诚大败，仅逃出一命，旗帜符节都被崔旰等俘获。

10 夏季，五月，河西战区司令官（节度使）杨休明，把总部移迁至沙州（甘肃省敦煌市。总部原址凉州〔甘肃省武威市〕，已陷吐蕃王国）。

11 秋季，八月，国立贵族大学校舍落成。

八月四日，祭奠古圣先贤。宦官鱼朝恩手拿《易经》，登上高台，讲解《鼎卦》，说：“鼎的脚折断，把鼎里的食物，全都倾倒在地。”（“鼎足折，覆公悚。”）用以讥刺宰相（鼎脚表示宰相，宰相如果不是适当人选，犹如鼎脚折断，鼎里的东西就被糟蹋）。宰相王缙大怒，另一宰相元载却谈笑风生。鱼朝恩对人说：“怒的人是常情，笑的人深不可测。”

12 杜鸿渐抵达蜀地（四川省），接到张献诚被击败消息，心怀恐惧；于是派人先去和崔旰会晤，承诺给崔旰绝对安全保障。崔旰态度谦卑，把使节恭恭敬敬迎接到总部，馈赠贵重的贿赂。杜鸿渐大喜过望，进入成都（四川省成都市），跟崔旰见面，杜鸿渐和颜悦色的慰问安抚，没有一句话责备他违法乱纪，每天跟各将领宴会，军政大事，全部委任崔旰负责处理。一方面不断向中央推荐崔旰，请求把自己的官位，让给崔旰；并任命柏茂琳（邛州〔四川省邛崃市〕）、杨子琳（泸州〔四川省泸州市〕）、李昌巙（剑州〔四川省剑阁县〕），各当本州州长。李豫（李俶）不得已，只好批准。

八月十九日，发布人事命令，命崔旰当成都特别市长（成都尹）、西川战区（总部设成都府〔四川省成都市〕）作战参谋长（行军司马）。

13 八月二十一日，李豫（李俶）命宦官鱼朝恩代理宦官总管（行内侍监），并代理国立贵族大学校长（判国子监事）。立法官（中书舍人）京兆（首都长安）人常衮（音gǔn〔滚〕）上疏说：“国立贵族大学校长（成均，国子学的另称），应命儒家学派高级知识分子担任，不应由宦官主持。”

八月二十四日，李豫（李俶）命宰相以下官员，送鱼朝恩前往国立贵族大学上班办公。

14 九月（原文误置于八月，据《旧唐书》改），首都长安特别市长（京兆尹）黎干，计划从南山（秦岭）开凿一条运河，进入京师（首都长安），但始终不能成功。

15 冬季，十月十三日，是李豫（李俶）的生日，各战区司令官（节度使）纷纷呈献生日礼物：金银绸缎、器具衣裳、饰物珠宝以及骏马良驹，共值钱二十四万串。立法官（中书舍人）常衮上疏，指出："战区司令官（节度使）并不是农夫织女，哪里来的财货？事实上全是剥削人民！制造民怨，只为谄媚，这种风气不可以鼓励，请原封退回。"李豫（李俶）不理。

16 首都长安特别市长（京兆尹）第五琦制定"十一税法"（参考去年〔七六五〕五月），人民无法承担这项沉重的赋税，纷纷抛弃家乡，向远方流亡。

十一月十二日，冬至，李豫（李俶）赦免天下，改年号（之前是永泰二年，之后是大历元年），下令废除"十一税法"。

17 十二月二十二日，同华战区（总部设同州〔陕西省大荔县〕）司令官（节度使）周智光，诛杀陕州（河南省三门峡市）监军宦官张志斌。

周智光向来跟陕州（河南省三门峡市）州长皇甫温感情不和睦，张志斌进京（首都长安）奏报事务，途经同州（陕西省大荔县），周智光招待他住宿宾馆，张志斌责备周智光军风纪败坏，周智光咆哮说："仆固怀恩本来没有叛变，都是你们这些狗东西，逼他叛变。我也没有叛变，今天为了你的缘故叛变。"叱令把张志斌拉下座位斩首，把他的肉剁成肉酱，由将领士卒们分别吞食。全国各地保荐前往首部长安（陕西省西安市）参加考试的知识分子，畏惧周智光的残暴，都绕过同州（陕西省大荔县）悄悄溜走，周智光老羞成怒，派部将率军到中途拦阻诛杀，很多人死在刀下。

十二月二十七日，李豫（李俶）下诏加授周智光中央官位：国务院摄理左最高执行长（检校左仆射·使相）；派宦官余元仙把人事命令送给他。周智光破口大骂说："我对国家立过大功，不给我宰相（平章事），却只给我最高执行长（仆射）！而且同州（陕西省大荔县）、华州（陕西省渭南市华州区）地方这么狭小，不够我施展我的雄才大略，如果增加陕州（河南省三门峡市）、虢州（河南省灵宝市）、商州（陕西省商洛市商州区）、鄜州（陕西省富县。鄜，音fū〔夫〕）、坊州（陕西省黄陵县）五州，似乎还差不多。"然后一个接一个斥责中央官员们的过失，并且恐吓说："这里距长安（陕西省西安市）一百八十华里（二地航空距离一百一十公里），我晚上睡觉连脚都不敢伸，唯恐怕踹破长安城墙。所谓'挟天子以令诸侯'，只有我周智光办得到。"听得余元仙两腿发抖。

郭子仪屡次请求讨伐周智光，李豫（李俶）不准。

18 郭子仪因河中战区（总部设河中府〔山西省永济市〕）军队经常缺少粮食，于是推行武装屯垦，自己亲耕一百亩作为倡导。军官以一百亩作为最高标准，依照等级，顺序减少。用不着劝告奖励，全军士卒都投身农田。

本年（七六六），河中战区（山西省西南部）郊野没有空地，军中粮食除吃用外，还有多余。

19 任命陇右战区特遣兵团作战参谋长（行军司马）陈少游，当桂州道（首府设桂州〔广西桂林市〕）行政长官（观察使）。

陈少游，是博州（山东省聊城市）人，精明能干，但贪赃枉法，有精密的谄媚技术，结交很多有权势的人，因之步步高升。既取得桂州道行政长官（桂管观察使）高位，但那里距京师（首都长安）太远（桂州、长安间航空距离一千公里），而且又有瘴气瘟疫，心里并不十分满意。宦官董秀在宫内负责管理机密文案，陈少游承诺每年馈赠他五万串钱，同时贿赂元载的儿子元仲武，内外呼应，没有几天，李豫（李俶）就下诏改调陈少游当宣歙道（首府设宣州〔安徽省宣城市〕）行政长官（观察使）。

七六七年 丁未

唐　大历　二年

1 春季，正月六日，唐王朝（首都长安〔陕西省西安市〕）皇帝（十一任代宗）李豫（李俶，本年四十二岁）下密诏给关内、河东地区（陕西省及山西省）野战军副元帅郭子仪（时驻河中府〔山西省永济市〕），讨伐同华战区（总部设同州〔陕西省大荔县〕）司令官（节度使）周智光。郭子仪命大将浑瑊、李怀光，驻军渭水，加强河防（预防周智光渡渭水攻击京师〔首都长安〕）。周智光部下听到消息，军心瓦解。

正月八日，周智光的大将李汉惠，率领他的部队，开出同州(陕西省大荔县)，向郭子仪投降。

正月十一日，李豫(李俶)贬周智光当澧州(湖南省澧县)州长。

正月十三日，华州(陕西省渭南市华州区)营门官(牙将)姚怀、李延俊，诛杀周智光，砍下人头，呈献中央。

淮西战区(总部设蔡州〔湖南省汝南县〕)司令官(节度使)李忠臣(董秦)，进京(首都长安)朝见皇帝，借口讨伐周智光，进入华州(陕西省渭南市华州区)，率领他的部队，大肆奸淫烧杀、强暴掳掠，自潼关(陕西省潼关县)到赤水(流经陕西省渭南市华州区西，注入渭水)二百华里之间，民间所有财产家畜，被洗劫一空，官员们的衣服都被剥光，有的只好用纸张遮蔽身体，有的几天都吃不到一口饭。(当初，李豫〔李俶〕下诏征召各地将领勤王，大家意兴阑珊，只李忠臣〔董秦〕拍案而起，有人劝他选择一个黄道吉日再启程时，他慷慨激昂说："爹娘忽然有了急难，做子女的怎么可以选择好日子才去救？"〔参考前年【七六五】九月〕大义凛然，使人动容。可是看了这段潼赤之间二百华里惨状记载，原来如此。)

正月十八日，中央决定在潼关(陕西省潼关县)进驻卫戍部队二千人。

2 正月二十一日，分割剑南战区(总部设成都府〔四川省成都市〕)，另行成立东川战区(之前命张献诚讨伐崔旰时，已把原剑南战区的东部分割出东川战区，由张献诚兼领，参考去年〔七六六〕二月；或是杜鸿渐、崔旰二人交好，东川各州并未实际脱离成都的管治)，总部设遂州(四川省遂宁市)。

3 二月六日，郭子仪进京(首都长安)朝见。李豫(李俶)命宰相元载、王缙、宦官鱼朝恩等，轮流在家摆设筵席，宴请郭子仪，宴会盛大，每次费用，都高达十万串钱。李豫（李俶）对郭子仪十分礼敬，只称他“大臣”，而不叫他的名字。

郭暧曾经跟升平公主吵架（升平公主嫁郭子仪的儿子郭暧，参考前年〔七六五〕七月），郭暧忿怒的说：“你仗恃你老爹是皇上，对不对？老实告诉你，我老爹根本瞧不起皇上，不屑于干那玩意！”升平公主气得发疯，立刻上车回宫，报告老爹，李豫（李俶）安抚女儿说：“这事你不能了解，你丈夫说的都是真话，假使你公公（郭子仪）一定想当皇上，天下岂是咱们李家的天下！”慰问劝解，送她回去。郭子仪听到消息，逮捕郭暧，进宫请求定罪。李豫（李俶）说：“俗话说：‘不痴不聋，不作阿家翁。’儿女们闺房里说的气话，怎么可以认真！”郭子仪回来，责打郭暧数十棍。

4 夏季，四月二十一日，命各宰相，以及宦官鱼朝恩，前往兴唐寺，跟吐蕃王国（首都逻些城〔西藏拉萨市〕）缔结和约。

5 西川战区（总部设成都府〔四川省成都市〕）司令官（节度使）杜鸿渐，请求进京奏报事务，并保荐崔旰（音gàn〔干〕）代理候补司令官（知留后），李豫（李俶）批准。

六月二十日（原文“甲戌”，据《旧唐书》改），杜鸿渐返抵京师（首都长安），广行贿赂，呈献贵重金银珍宝，并分析利害，竭力推荐崔旰的才能足可以担当大任；李豫（李俶）只求姑息无事，于是把杜鸿渐留下仍担任宰相。

秋季，七月十九日，李豫（李俶）命崔旰当西川战区（总部设成都府〔四川省成都市〕）司令官（节度使），杜济当东川战区（总部设遂州〔四川省遂宁市]）司令官（节度使）。崔旰大肆敲诈勒索民间财产，贿赂掌握权柄的高官，元载遂擢升崔旰的老弟崔宽，当副总监察官（御史中丞），崔宽的老哥崔审，当御前监督官（给事中）。

6 七月二十日，宦官鱼朝恩奏称，他愿把从前赏赐给他的庄园，改作章敬寺（首都长安通化门外），专为皇帝的亡母章敬太后吴女士祈福；建筑和布置豪华富丽，无以复加，搜刮京师（首都长安）城里所有的木材，仍不够用。于是李豫（李俶）批准撤除曲江（首都长安东南角）各寺庙，跟华清宫里的亭台馆阁（骊山温泉宫改华清宫，参考七四七年十月），移用它们的建材，费用超过一万亿钱。

卫州（河南省卫辉市）进士（推荐到中央的应考学生）高郢上疏，大略说："先太后（吴女士）的圣洁品德，不必再用一座寺庙去增加光荣。为帝国的将来设计，不如把人民当作基石。舍弃人民，全力经营一座寺庙，怎么会有福气！"又说："没有寺庙照样过日子，没有人民还能活么？"又说："陛下应该尽量节约，使皇家宫殿简朴低小，应该效法姒文命（夏王朝一任帝），怎可以效法萧衍（南梁帝国一任帝），学他的样，拼命修塔盖庙（参考五三六年正月）！"在得不到答复后，高郢第二次上疏，大略说："古代圣明的君王，累积够多的善行，自然有福，绝不会花钱去买福。同样的，他们砥砺自己的品德，灾难自消，也不会靠念经做佛事去化解灾祸。而今，兴建章敬寺，加紧赶工，日夜不停；体力不能支持的工匠，立刻受到鞭抽棍打，忧愁痛苦的呻吟哀号，传到道路之上，行人都听得见，用这种残忍凶暴手段去祈福，我不认为会有效果。"又说："陛下心里已不再相信正常法则，只希望得到外力轻微的帮助，听信左右侍从错误的献策，伤害做一个领袖应有的广大胸襟，我为陛下深深惋惜。"全没有回音。

最初，李豫（李俶）喜爱道教的鬼神祭祀，并不太重视佛教。可是宰相元载、王缙、杜鸿渐，三个人都信奉佛教；王缙尤其虔诚，不再吃肉，只吃素菜，跟杜鸿渐二人，建造了无数寺庙。李豫（李俶）曾经问他们说：“佛教所说的‘因果报应’，到底有没有？”元载等回答说：“唐王朝建立如此长久，如果不是累积的福分太厚，怎么能够做到！福分太厚，偶尔有点小毛病、小灾难，转眼也就过去，始终无法形成重大伤害。所以，安禄山、史思明叛变，都被亲生儿子诛杀（安禄山参考七五七年正月，史思明参考七六一年三月）；仆固怀恩大军内犯，出门就一病而死（参考前年〔七六五〕九月），回纥（瀚海沙漠群）、吐蕃（西藏）大军进攻，竟然没有战争就自己撤退（参考前年〔七六五〕十月）。这都是人力无法办到的，怎么可以说没有因果报应！”李豫（李俶）遂深信入迷，经常在皇宫里用素食招待佛教和尚一百余人祈福；遇到敌人攻击，就命和尚讲解《护国仁王经》消灾解难，敌人撤退，就对他们重赏。

和尚不空，做官做到直属部长级（卿监）高位，封“国级”公爵（即民间俗称的“一字并肩”，“国”级，往往只一个字，如凉国公爵、赵国公爵；次级则为“郡级”，则多用二字，如范阳公爵、平原公爵），出入皇宫，权势超过掌握权柄的贵官，京畿的肥沃田地，或其他美好的东西，很多都在寺庙和尚之手。李豫（李俶）训令全国地方政府及司法机关，不准对和尚、尼姑用刑。又在五台山（山西省五台县东北）建筑金阁寺，屋瓦都用铜铸，上面涂金，费用高达亿亿。王缙更发给五台山和尚数十人每人一份立法院（中书省）正式公文，使他们合法的到全国各地，做生意赚钱。元载等每次陪伴李豫（李俶），等皇帝心情愉快时，往往谈论佛经。因此之故，无论中央或地方，官员或平民，潜移默化，都不肯在现实社会上奋发努力，而只一味信佛；政治、司法，一天比一天混乱。（佛教地位，在九任帝李隆基刚即位时，一度受挫，参考七一四年正月；在十任帝李亨时复苏，参考七六一年九月。如今恢复兴盛。）

7 八月三日，凤翔（总部设凤翔府〔陕西省宝鸡市凤翔区〕）等战区司令官（节度使）、国务院左最高执行长（左仆射·使相）、遥兼二级宰相（平章事·使相）李抱玉（安抱玉），前来京师（首都长安）朝见，坚决辞让国务院左最高执行长（左仆射·使相），言词诚恳，李豫（李俶）允许。

八月癸丑日（八月戊寅朔，没有癸丑），李抱玉（安抱玉）再辞凤翔战区（总部凤翔府）司令官，李豫（李俶）不准。

8 八月二十日，宰相杜鸿渐摆设盛大素筵，宴请一千名佛教和尚；因他任职剑南战区（总部设成都府〔四川省成都市〕）期间，佛祖保佑他平安，现在舍饭酬谢。

9 九月，吐蕃军（西藏）数万人包围灵州（宁夏灵武市），斥候部队抵达潘原（甘肃省平凉市东）、宜禄（陕西省长武县）。李豫（李俶）命关内、河东地区（陕西省及山西省）野战军副元帅郭子仪，率武装战士三万人，西上进驻泾阳（陕西省泾阳县），京师（首都长安）戒严。

九月十七日，郭子仪移驻奉天（陕西省乾县）。

10 山獠部落攻陷桂州（广西桂林市），把州长李良赶走。

11 冬季，十月一日，朔方战区（总部设灵州〔宁夏灵武市〕）司令官

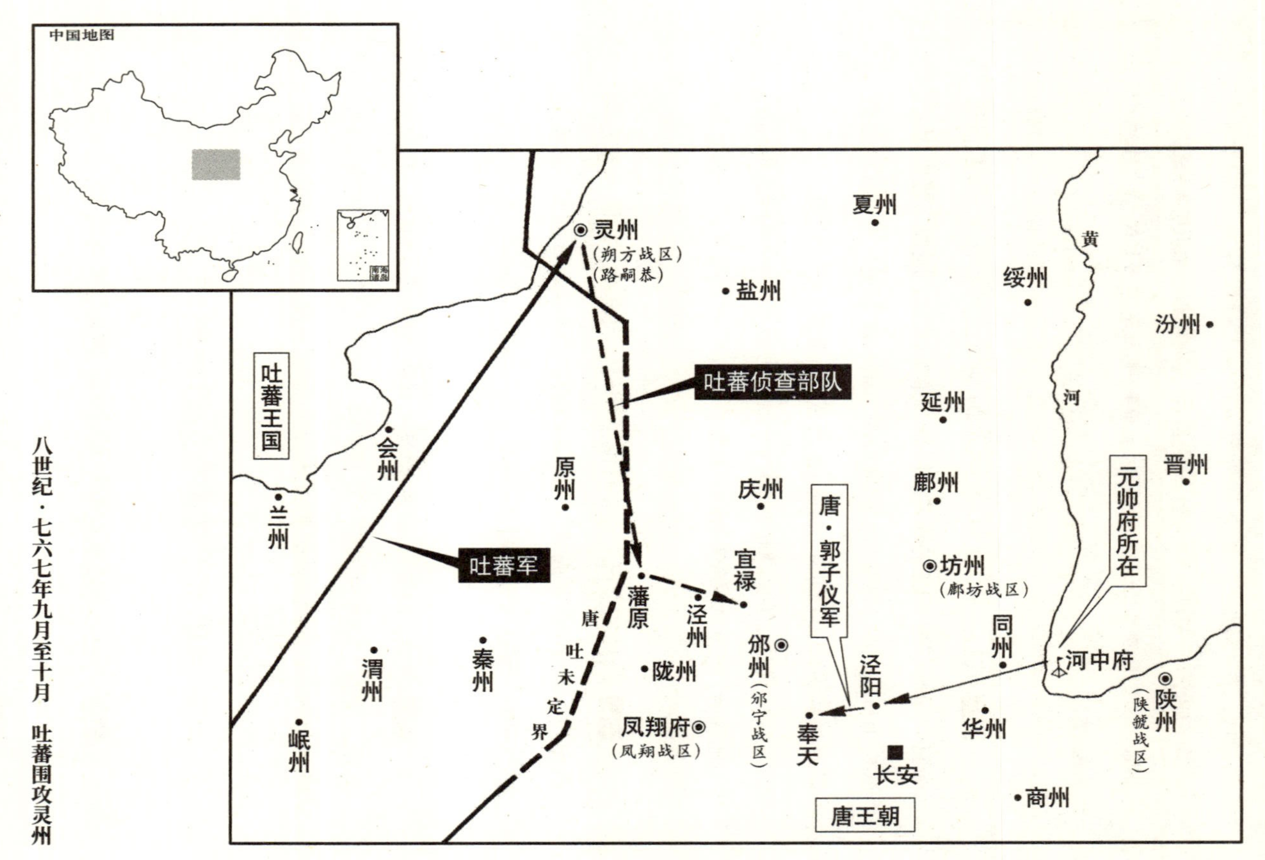

八世纪・七六七年九月至十月　吐蕃围攻灵州

（节度使）路嗣恭，在灵州（宁夏灵武市）城下，击破吐蕃军（西藏），杀二千余人，吐蕃军退走。

12 十二月四日，盗墓贼挖掘郭子仪老爹的坟墓，政府搜捕，无法破获。人们都认为宦官鱼朝恩向来厌恶郭子仪，定是他主使。郭子仪从奉天（陕西省乾县）回京（首都长安）朝见，中央惊恐忧虑，担心可能发生事变。郭子仪晋见李豫（李俶），李豫（李俶）谈到这件事，郭子仪哭泣说："长久以来，带兵在外，不能完全没有暴行，很多官兵们也挖掘别人的坟墓。今天轮到我头上，乃是老天爷的惩罚，跟别人没有关系。"京师（首都长安）民心才行安定。

13 本年（七六七），镇西战区（总部设龟兹〔新疆库车市〕）恢复旧名安西战区（安西改镇西，参考七五七年十二月）。

14 新罗王国（首都金城〔朝鲜半岛庆州市〕）国王（三十五任景德王）金宪英逝世（又名金嶷，参考七六一年二月），太子金乾运继位（三十六任惠恭王）。

七六八年 戊申

唐　大历　三年

1 春季，正月二十日，唐王朝（首都长安〔陕西省西安市〕）皇帝（十一任代宗）李豫（李俶，本年四十三岁。俶，音chù〔处〕），前往章敬寺（娘亲吴女士祈福专寺），剃度和尚、尼姑一千人。

2 追赠建宁王李倓（音tán〔谈〕）封号齐王（李倓之死，参考七五七年正月）。

3 二月十八日，商州（陕西省商洛市商州区）作战司令（兵马使）刘洽，诛杀警备区司令官（防御使）殷仲卿（殷仲卿，参考七六二年五月）。

中央不久就讨平祸乱。

4 二月十九日，关内、河东地区（陕西省及山西省）野战军副元帅郭子仪（时仍驻河中府〔山西省永济市〕），禁止官兵没有事而在大营中骑马奔驰，南阳夫人（郭子仪的正妻）乳娘的儿子，偏不在乎这项禁令；总纠察官（都虞候）用军棍把他打死。郭子仪的儿子们向郭子仪哭诉，指控总纠察官（都虞候）骄傲蛮横；郭子仪大怒，把他们骂走。

明天（二月二十日），郭子仪把这件事告诉他的幕僚及侍从官员，叹息说：“我的儿子，全是奴才，不能赏识老爹的总纠察官（都虞候），却去爱惜老娘乳母的儿子！不是奴才，又是什么！”

5 二月二十五日，李豫（李俶）封宫女独孤女士当贵妃（小老婆群第一级）。

6 三月一日，日蚀。

7 夏季，四月四日，山南西道战区（总部设梁州〔陕西省汉中市〕）司令官（节度使）张献诚，因患病在身，辞职，推荐堂弟、右羽林（禁军第二军）将军张献恭接任。李豫（李俶）批准。

8 四月二十八日，西川战区（总部设成都府〔四川省成都市〕）司令官（节度使）崔旰，进京（首都长安）朝见。

9 最初，李豫（李俶）派宦官前去衡山（南岳，湖南省衡山县西）征召李泌（李泌退隐事，参考七五七年十月），李泌到长安（陕西省西安市）后，李豫（李俶）再命他穿上紫袍及佩带金鱼符信（参考七五六年九月），在蓬莱殿旁边，特地给李泌另行兴建一座书院。李豫（李俶）时常身穿汗衫，脚拖木屐、布鞋，去看李泌。凡有关御前监督官（给事中，正五品上）、立法官（中书舍人，正五品上）以上官员，以及战区司令官（方镇）的任免，军事政治等国家大事，李豫（李俶）都跟他商议，征求他的意见；又命宦官鱼朝恩在白花屯（今地不详）兴筑度假别墅，请李泌到那里跟老友故交见面。

李豫（李俶）打算命李泌当副监督长（门下侍郎）兼二级实质宰相（同平章事），李泌坚决辞让，李豫（李俶）说："你说得也对，宰相事务太多，一忙起来，我们早晚就见不到面了。只要能够这么接近，何必一定要发布诏书任命，才算宰相！"后来，端午节（五月五日），亲王、公爵、嫔妃、公主，分别呈献衣服珍宝，李豫（李俶）问李泌说："你为什么不送我一点礼物？"李泌回答说："我住在皇宫里面，上自头巾，下到鞋袜，都出于陛下的赏赐，只有这个身子是自己的，怎么呈献？"李豫（李俶）说："我要的就是这个。"李泌说："我的身子如果不属于陛下，还属于谁？"李豫（李俶）说："先帝（十任肃宗李亨）打算委屈你当宰相，你却不肯（参考七五六年七月）。而今你既然把身子呈献出来，就得听我的指使，自己就不能再当家作主。"李泌说："陛下打算教我做什么？"李豫（李俶）说："我打算要你喝酒吃肉、娶妻生子、接受帝国的官位俸禄，当一个平凡世俗的人。"李泌流泪说："我不食酒肉，已二十余年，陛下何必让我前功尽弃！"李豫（李俶）说："哭有什么用，你在深宫之中，还想往哪里跑？"派宦官前往安葬李泌的双亲，又给李泌娶卢家（当时第一等的豪门世家，参考六五九年十月）的女儿当妻子，所有费用，都由皇家供应。赏赐坐落在光福坊（在长安东半城万年县）家宅一座，命李泌几天住自己家，几天住皇宫蓬莱院。

李豫（李俶）跟李泌谈到建宁王李倓，打算特别优厚的加以褒扬和追赠，李泌请比照追赠岐王李范（李隆范）为惠文太子（参考七二六年四月）、追赠薛王李业（李隆业）为惠宣太子（参考七三四年七月）前例，追赠李倓太子名号。李豫（李俶）流泪说："我这位老弟第一个提出投奔灵武郡（宁夏灵武市）的建议，终于完成中兴大业（参考七五六年六月十五日），岐王（李范〔李隆范〕）、薛王（李业〔李隆业〕），岂有这种功勋！尽忠尽孝，最后竟被奸人谗言害死。如果他还活着，我一定封他当皇太弟，既已去世，我当封他尊贵的帝号，完成我的心愿。"

五月十二日（原文误置于四月，据两《唐书》改），李豫（李俶）下诏追赠李倓绰号承天皇帝。

五月十七日，把李倓迁葬到顺陵（陕西省咸阳市咸阳原）。

10 西川战区（总部设成都府〔四川省成都市〕）司令官（节度使）崔旰，到京师（首都长安）朝见时，命他的老弟崔宽当候补司令官（留后）。泸州（四川省泸州市）州长杨子琳率精锐骑兵数千人，乘虚突袭成都（四川省成都市），占领城池。中央政府得到消息，加授崔旰中央官位：国务院摄理工程部长（检校工部尚书）；命崔旰改名崔宁，放他返回任所。

11 六月二十日，卢龙战区（总部设幽州〔北京市〕）作战司令（兵马使）朱希彩、副军事指挥官（经略副使）昌平（北京市昌平区）人朱泚（音cǐ〔此〕）、朱泚的老弟朱滔，联合格杀战区司令官（节度使）李怀仙（七六一年三月，燕帝史朝义任命李怀仙留守范阳〔幽州〕，史朝义亡，而李怀仙降唐，仍割据幽州。前后割据八年，迄今灭亡）；朱希彩自称候补司令官（留后）。

闰六月，成德战区（总部设恒州〔河北省正定县〕）司令官（节度使）李宝臣（张忠志），派部将率军讨伐朱希彩，被朱希彩击败。中央政府无可奈何，只好承认既成事实。

闰六月十八日，李豫（李俶）任命宰相王缙兼卢龙战区（总部幽州）司令官（节度使）。

闰六月二十五日，命朱希彩兼卢龙战区候补司令官（留后）。

12 崔宽攻击杨子琳，不断失败。

秋季，七月，崔宁（崔旰）的小老婆任女士，拿出私房钱数十万，招募兵马数千人，崔宽率他们反攻，把杨子琳军击破，杨子琳撤出成都（四川省成都市），退走。

战区司令官（节度使）的一个小老婆，就可拿出供应数千人马的巨款，这钱是从哪里来的？

13 七月四日，王缙抵达幽州（北京市），候补司令官（留后）朱希彩出动所有武装部队，严密戒备，到城外恭迎。王缙神色镇定，缓缓前进，朱希彩晋见迎接，态度十分恭敬。但王缙看出自己无法控制局势，慰劳三军后，停留十余天，回京（首都长安）。

14 回纥汗国（瀚海沙漠群）皇后（三任登里可汗之妻）仆固女士（仆固怀恩的女儿）逝世。

七月九日，李豫（李俶）命立法院最高顾问官（右散骑常侍）萧昕，当吊丧大使（吊祭使）。登里可汗（三任）药罗葛移地健当面质问萧昕说："我们为唐王朝立过大功，唐王朝为什么不守信用，买我们的马，不立刻给我们钱？"萧昕说："回纥所立的大功，唐王朝已经回报。仆固怀恩背叛中央，回纥却帮助他，联合吐蕃（西藏）侵略唐王朝，紧逼我们京畿。等到仆固怀恩去世，吐蕃撤退，回纥才感到害怕，请求和解，大唐念及回纥从前的情谊，特别加厚赏赐，让你们回国，否则的话，一匹马也回不去（这是自欺欺人，事实上是回纥接受唐王朝的请求，慨允和解，吐蕃军才撤退的，回纥如拒绝和解，匹马不回的则是唐王朝，参考七六五年十月）。这是回纥背誓，怎么是唐王朝失信！"药罗葛移地健大为惭愧，馈赠萧昕很多厚重礼物，送他回国。

15 七月十五日，皇宫拿出"盂兰盆"，送到章敬寺，给李豫（李俶）的娘亲吴女士祈求冥福（盂兰，是印度梵语，意为"拯救倒悬之苦"。依照《盂兰盆经》规定，把百种食物，五种水果，放到盆中，称"盂兰盆"；供养佛祖及和尚尼姑，仰仗他们念经祈祷，可以解除饿死鬼那种像倒悬一样的痛苦。民间于七月十五日中元节，延请和尚尼姑念经及施舍食物，称"盂兰盆会"，也称"放焰口""普度"）。另设皇家七位祖先的牌位，把他们的绰号写在狭长的旗子上，文武百官都要在光顺门迎接。

自此，每年都援例举行。

16 八月二十一日，吐蕃军（西藏）十万人攻击灵武（宁夏灵武市）。

八月二十六日，吐蕃大将尚赞摩，率军二万人，攻击邠州（陕西省彬州市），京师（首都长安）戒严。邠宁战区（总部设邠州〔陕西省彬州市〕）司令官（节度使）马璘，把吐蕃军击破。

17 八月二十九日，河东战区（总部设太原府〔山西省太原市〕）司令官（节度使）遥兼二级宰相（同平章事·使相）辛云京逝世（年五十五岁）。

中央命宰相王缙兼河东战区（总部太原府）司令官（节度使），其他官职仍然保持。

18 九月一日，命郭子仪率军五万人进驻奉天（陕西省乾县），预防吐蕃军（西藏）进击（去年〔七六七〕九月，已经下诏，今再下诏）。

19 九月六日，济王李环（九任帝李隆基的儿子）逝世。

20 九月十一日，朔方战区（总部设灵州〔宁夏灵武市〕）骑兵将领白元光攻击吐蕃军（西藏），把吐蕃军击破。

九月二十一日，白元光在灵武（宁夏灵武市）再击破吐蕃军（西藏）二万人。凤翔战区（总部设凤翔府〔陕西省宝鸡市凤翔区〕）司令官（节度使）李抱玉（安抱玉）命右翼大将、临洮（甘肃省临潭县）人李晟（音shèng〔胜〕），率军五千人攻击吐蕃军。李晟说："如果作战，五千人太少；如果使用谋略，五千人太多。"于是率一千人从大震关（甘肃省张家川县东南）西进，抵达临洮（甘肃省临潭县），攻陷定秦堡（吐蕃在夺取唐王朝的土地上筑堡，泛称"定秦堡"），屠城，焚烧所有粮食及积存的物资辎重，生擒吐蕃驻军司令慕容谷种，班师。正在前方的吐蕃军得到消息，立即解除灵州（宁夏灵武市）包围，撤退。

九月二十七日，京师（首都长安）解除戒严。

21 颍州（安徽省阜阳市）州长李岵（音hù〔户〕），因公事冒犯滑亳战区（总部设滑州〔河南省滑县〕）司令官（节度使）令狐彰，令狐彰派军事执行官（节度判官）姚奭，前去颍州（安徽省阜阳市）巡察，并顺便代理州长，并且说："李岵如果拒绝，就把他诛杀。"李岵得到消息，激怒将士，反过来诛杀姚奭，连同姚奭的随行官员眷属，共杀一百余人。李岵逃走，投奔总部设于汴州（河南省开封市）的河南战区司令官（节度使）田神功（根据《新唐书·方镇表》，此时颍州隶属河南战区）。

冬季，十月五日，令狐彰上疏说明经过情形，李岵也上疏为自己辩护。李豫（李俶）派御前监督官（给事中）贺若察，前往调查。（李岵，是嗣吴王李祇之子。李祇，参考七五五年十二月十二日。）

22 十月二十七日，郭子仪自奉天（陕西省乾县）回京（首都长安）朝见。

23 十一月十七日，擢升卢龙战区（总部设幽州〔北京市〕）候补司令官（留后）朱希彩，实任司令官（节度使）。

24 郭子仪返河中（山西省永济市）。

宰相元载认为，吐蕃王国（首都逻些城〔西藏拉萨市〕）连年侵略唐王朝，甚至深入心脏地带；虽然马璘率四镇（龟兹〔新疆库车市〕、于阗〔新疆和田市〕、疏勒〔新疆喀什市〕、焉耆〔新疆焉耆县〕）战区（总部龟兹）特遣兵团，驻防邠州（陕西省彬州市）、宁州（甘肃省宁县），但兵力单薄，不能拒抗；而郭子仪率朔方战区（总部设灵州〔宁夏灵武市〕）特遣兵团的强大兵力，驻防河中（山西省永济市），深藏内地，平静无事。于是跟郭子仪和其他将领商议，准备调马璘率四镇特遣兵团进驻泾州（甘肃省泾川县），调郭子仪率朔方特遣兵团进驻邠州（陕西省彬州市），承诺说："如果担心边疆荒凉残破，粮饷不足，中央同意供应内地的租税和金银绸

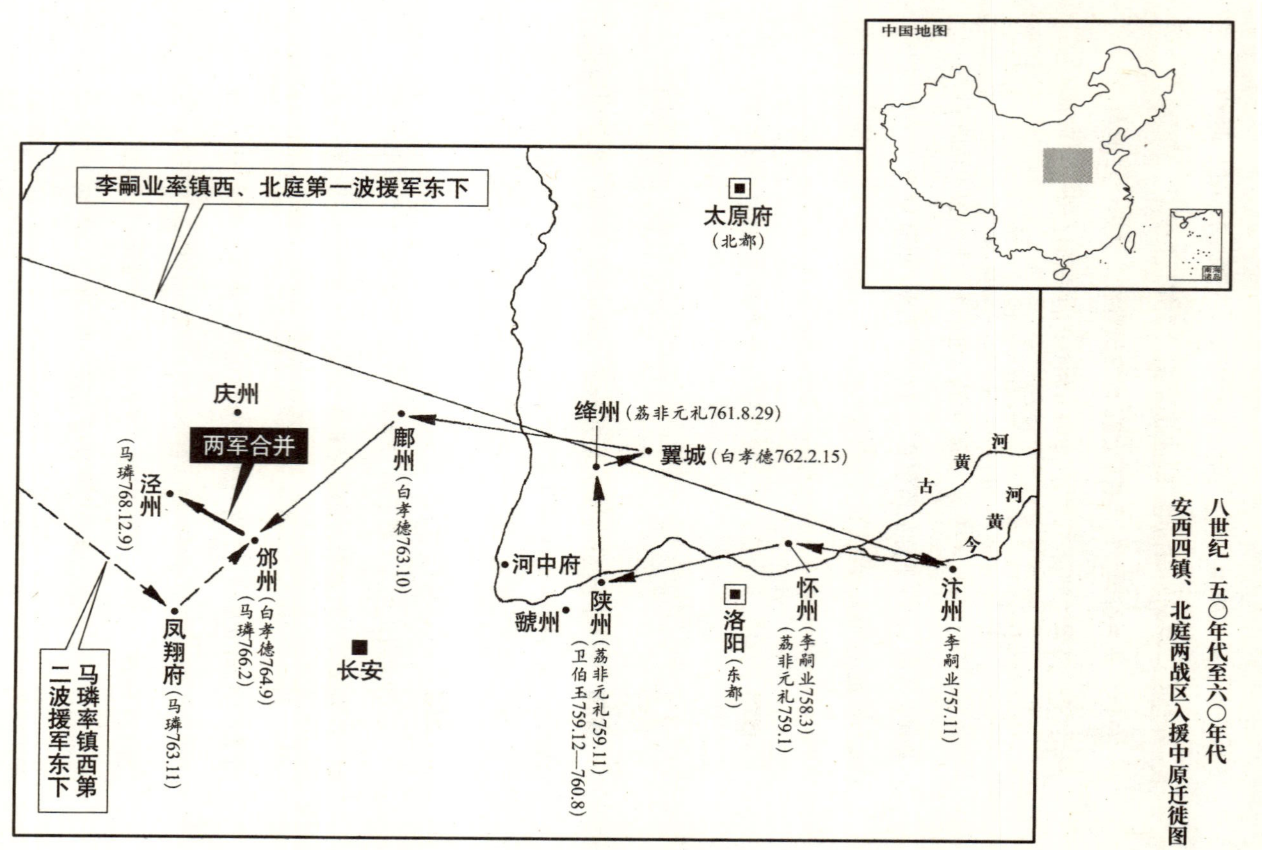

八世纪·五〇年代至六〇年代
安西四镇、北庭两战区入援中原迁徙图

缎。”各将领认为这是一个良好的部署。

十二月九日，李豫（李俶）下诏任命马璘当泾原战区（总部设泾州〔甘肃省泾川县〕）司令官（节度使），把邠州（陕西省彬州市）、宁州（甘肃省宁县）、庆州（甘肃省庆阳市）三州，划归朔方特遣兵团防区（原先邠宁战区（李俶）管辖邠、宁、庆、泾、原五州，如今邠宁庆三州并入朔方，而泾原二州则另设战区）。马璘先去泾州（甘肃省泾川县）兴筑城池，由总纠察官（都虞候）段秀实当邠宁战区（总部设邠州〔陕西省彬州市〕）代理候补司令官（知留后）。

最初，四镇、北庭战区（总部设北庭府〔新疆吉木萨尔县〕）特遣兵团，远来中原，共赴国难，长期停留异乡，辗转征战，不断迁移。四镇特遣兵团历经汴州（河南省开封市）、虢州（河南省灵宝市）、凤翔特别市（陕西省宝鸡市凤翔区）；北庭特遣兵团历经怀州（河南省沁阳市）、绛州（山西省新绛县）、鄜州（陕西省富县。鄜，音fū〔夫〕）；最后终于驻扎邠州（陕西省彬州市），辛苦疲惫，刚刚安定，忽听又要移防泾州（甘肃省泾川县），立刻怨声载道。（四镇〔总部龟兹〕、北庭〔总部北庭府〕两战区特遣兵团入援中原的情况，《资治通鉴》描述不确。实际上，两战区的入援，分两个阶段。第一阶段是七五五年安史之乱刚刚爆发时，李嗣业率四镇、北庭两战区特遣兵团东下，至汴州〔参考七五七年十一月〕、怀州〔参考七五八年三月〕，荔非元礼接任，迁陕州〔参考七五九年十一月〕、绛州〔参考七六一年八月〕、翼城〔参考七六二年二月〕，白孝德接任，不久迁坊州〔参考七六三年十月〕。七六三年十月九日，吐蕃攻陷首都长安，马璘远自河西〔甘肃省武威市〕率镇西特遣兵团入援，这是第二波的援军。之后，马璘兼任邠宁战区〔总部邠州〕司令官，两拨特遣兵团，应在此时合并。）刀斧作战司令（刀斧兵马使）王童之，打算反抗，约定十二月二十一日凌晨大营擂起床鼓警众的时候发动。但在前一天晚上，有人向段秀实告密。

段秀实假装没事人一样，召见负责报时的主管，为他不能准确的报时，而大发雷霆，下令每次换“更”时，都要前来禀报。于是，就在他禀报之际，段秀实故意延迟数刻时间，本来五更天亮，现在，打四更时天已大亮，王童之竟来不及发动。段秀实打算惩办他，可是兵变的形迹并不明显，恐怕军心怀疑他制造冤狱。恰巧，告密的人又检举：“今天夜晚他们打算纵火焚烧马坊草料，利用救火的机会，武装作乱。”夜半，马坊果然起火，段秀实下令不准救火，正在走动的官兵，一律站在原地，原来坐着躺着的官兵，仍继续坐着躺着。各自监视自己的部队，加强戒备。王童之请求救火，段秀实拒绝。等到天亮，逮捕王童之跟他的同党八人，全部斩首。下令说：“最后开拔的，屠杀全族。散布谣言的，军法审判。”全军遂移防泾州（甘肃省泾川县）。

25 十二月二十三日，西川战区（总部设成都府〔四川省成都市〕）击破吐蕃军（首都逻些城〔西藏拉萨市〕）一万余人。

26 平卢战区（总部设青州〔山东省青州市〕）作战参谋长（行军司马）许杲，率特遣兵团三千人驻防濠州（安徽省凤阳县东北临淮关镇），不肯撤走，有侵入淮南（淮河以南）的迹象（濠州属淮南战区），淮南战区（总部设扬州〔江苏省扬州市〕）司令官（节度使）崔圆命副司令官（副使）元城（河北省大名县）人张万福，摄理濠州（安徽省凤阳县东北临淮关镇）州长。许杲听到消息，立即率军南下，在当涂（安徽省当涂县）扎营。

本年（七六八），李豫（李俶）召见张万福，命他当和州（安徽省和县）州长、特遣兵团警备区司令官（行营防御使），讨伐许杲。张万福抵达和州（安徽省和县），许杲畏惧，渡长江进驻上元（江苏省南京市），然后再北上楚州（江苏省淮安市），大肆烧杀掳掠。淮南战区（总部设扬州〔江苏省扬州市〕）新任司令官（节度使）韦元甫，命张万福追击，张万福还没有到淮阴（江苏省淮安市淮阴区），许杲已被他的部将康自劝驱逐。

康自劝率军继续烧杀掳掠，顺淮河向东推进，张万福加倍急行军追赶，终于追上，展开屠杀，变军只剩下十分之二三。韦元甫对出征官兵发下重赏，张万福说："国家训练军队，消耗多少衣服粮食，平常什么事都没有做，现在刚立了一点小功劳，不应该过分奖励，发给三分之一就足够！"

七六九年 己酉

唐　大历　四年

1 春季，正月七日，唐王朝（首都长安〔陕西省西安市〕）关内、河东地区（陕西省及山西省）野战军副元帅郭子仪，前往京师（首都长安）朝见，宦官鱼朝恩招待他参观章敬寺（皇太后吴女士专寺）。宰相元载恐怕二人结合，秘密请郭子仪的一名侍从官警告郭子仪说："鱼朝恩设下埋伏，恐怕对你采取行动（十年前，鱼朝恩已厌恶郭子仪，参考七五九年六月）。"郭子仪不理。侍从官也警告各将领，各将领请郭子仪内穿铠甲，携带三百人武士侍卫。郭子仪说："我，是帝国的重要高官，他没有皇上的命令，怎么敢谋害我！如果奉有皇上命令，你们打算干什么！”只携带几个随身小厮前往。鱼朝恩迎接，对随从之少，大为惊奇，郭子仪告诉他所听到的消息，并且说：“人数太多，恐怕你动手时增加麻烦。”鱼朝恩捶着胸脯，拉住郭子仪的手，流下眼泪，说：“如果你不是一位忠厚长者，怎么能不疑心。”

2 正月十三日，唐政府把前颍州（安徽省阜阳市）州长李岵，贬窜夷州（贵州省凤冈县）。

3 正月十六日，郭子仪返河中（山西省永济市）。

4 正月二十二日，中央政府下令李岵自杀。

5 二月三日，唐帝（十一任代宗）李豫（李俶，本年四十四岁）批准宦官鱼朝恩请求：从首都长安特别市（京兆），划出好畤（陕西省永寿县西南）；从凤翔（陕西省宝鸡市凤翔区）特别市（凤翔府）划出麟游（陕西省麟游县）、普润（陕西省宝鸡市凤翔区北），作为神策军基地。

6 泸州（四川省泸州市）州长杨子琳，自从成都（西川战区总部，四川省成都市）战败（参考去年〔七六八〕七月），回到泸州（四川省泸州市），招兵买马，集结数千人，沿长江东下，对外宣称前往京师（首都长安）朝见皇帝。涪州（重庆市涪陵区）保安司令（守捉使）王守仙，在黄草峡（重庆市长寿区东南）设下伏兵；杨子琳把伏兵搜出，全部生擒，在忠州（重庆市忠县）攻击王守仙，王守仙仅逃出一命。杨子琳遂诛杀夔州（重庆市奉节县）总秘书长（别驾）张忠，占据城池。荆南战区（总部设江陵府〔湖北省江陵县〕）司令官（节度使）卫伯玉，打算结交杨子琳，作为外援，答应把夔州（重庆市奉节县）交付给他，并向中央提出这项保荐（以上夔忠涪三州，都隶属荆南战区）。阳曲（山西省阳曲县）人刘昌裔，是杨子琳的智囊，建议他派人前往京师（首都长安），请求皇帝宽恕，杨子琳接受。

二月六日，李豫（李俶）任命杨子琳当峡州（湖北省宜昌市）民兵司令（团练使）。

7 最初，仆固怀恩逝世（参考七六五年九月），李豫（李俶）怀念他对国家所作的贡献，把他的女儿收养在宫里，作为自己的女儿。回纥汗国（瀚海沙漠群）登里可汗（三任）药罗葛移地健，请求娶她当皇后（前妻也是仆固怀恩的女儿，刚刚逝世，参考去年〔七六八〕七月）。

夏季，五月二十四日，封仆固女士当崇徽公主，下嫁药罗葛移地健。

五月二十五日，派国务院国防部副部长（兵部侍郎）李涵护送崇徽公主启程，李涵奏准：命国务院教育部祭祀司长（祠部郎中）虞乡（山西省永济市东北虞乡镇）人董晋当执行官（判官）。

六月一日，崇徽公主仆固女士，向皇帝辞行。抵达回纥汗国（瀚海沙漠群）王庭（设蒙古国哈拉和林市）时，药罗葛移地健派人质问李涵说："唐王朝买我们的马，马送去后，欠我们的钱一直不给，我们只好向你索取。"李涵畏惧，不敢回答，只望着董晋，董晋代他回答说："我国并不是缺马才买你们的马，而且给你们的钱，已经够多了。你们的马每年到达后，我们不管它是死是活、是瘦是肥、是老是少，只要是匹马，就照价付钱。边防军将领一直请求向你们抗议，但天子想到你们过去所立的功劳，所以训令不必跟你们认真

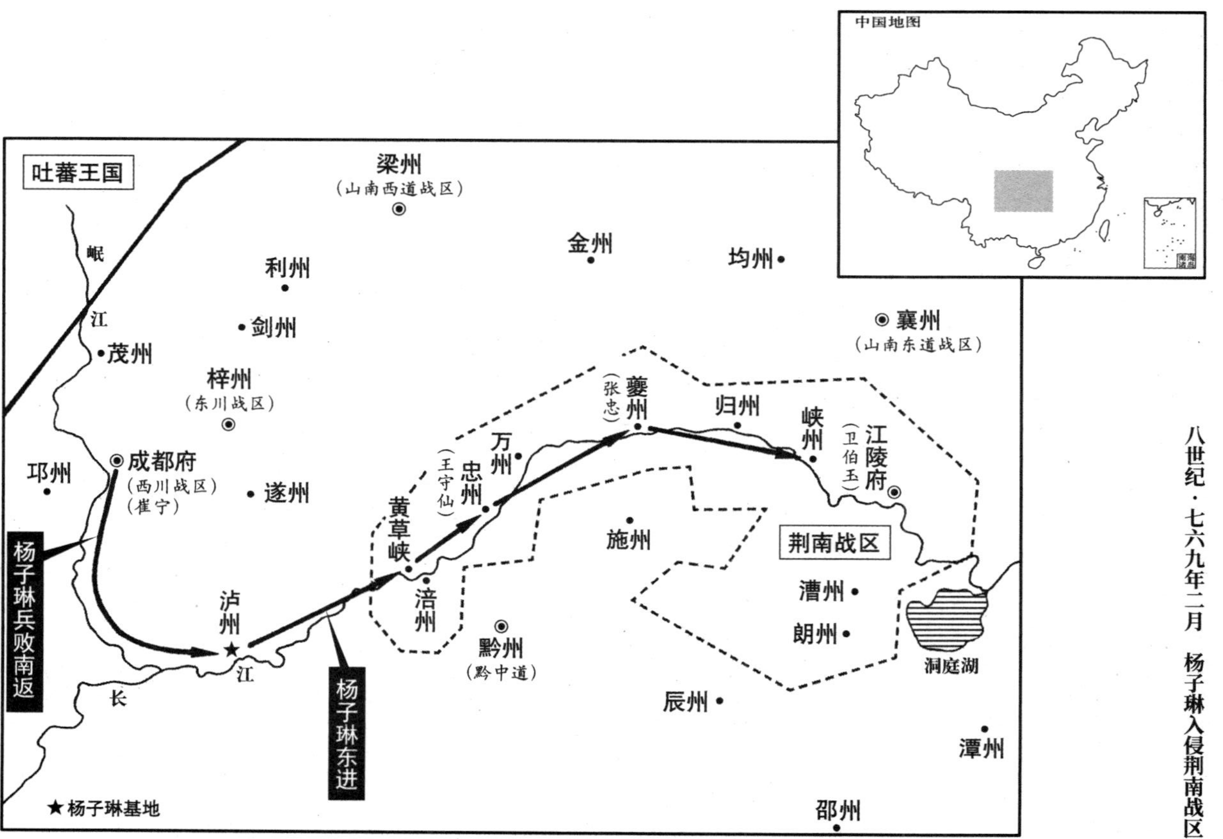

八世纪·七六九年二月　杨子琳入侵荆南战区

计较。各蛮族部落因为你们跟大唐联盟，没有人敢跟你抗衡。你们父子之所以得享安静生活，养那么多的马，不靠大唐靠谁？”回纥高级官员们都围绕董晋叩头参拜，接着又向南方唐王朝皇帝所在地顺序叩头参拜，一齐举起两手，说：“对唐王朝不敢有一丝不敬。”（胡三省原注：“这是董晋的部属韩愈的记载，未免夸张。”）

8 六月十二日，河东战区（总部设太原府〔山西省太原市〕）司令官（节度使）王缙，上疏请辞下列官职：河南（黄河以南）野战军副元帅，河南、淮西、山南东道各战区特遣兵团总指战官（都统河南、淮西、山南东道诸道行营）。李豫（李俶）批准。

9 六月二十五日，郭子仪自河中（山西省永济市）移驻邠州（陕西省彬州市），精锐部队全部随同前往；其他部队则分别留在河中（山西省永济市）、灵州（宁夏灵武市）。官兵们在河中（山西省永济市）驻屯已久（自七六四年正月便驻河中），不乐意远调，往往从邠州（陕西省彬州市）逃回河中（山西省永济市）。作战参谋长（行军司马）兼河中（山西省永济市）总部留守官（领留府）严郢，把他们全部逮捕，斩领导人，军心才定。

10 秋季，九月，吐蕃军（西藏）攻击灵州（宁夏灵武市）。

九月十二日，朔方战区（总部设灵州〔宁夏灵武市〕）候补司令官（留后）常谦光，把吐蕃军击破。

11 河东战区（总部设太原府〔山西省太原市〕）作战司令（兵马使）王无纵、张奉璋等，仗恃自己的功劳，骄傲蛮横，认为司令官（节度使）王缙是一个文官，根本没有把他瞧到眼里，经常不守法令、违背军纪。中央命王缙派军进驻盐州（陕西省定边县），参加边疆秋防，王缙派王无纵、张奉璋率步骑兵三千人前往。张奉璋一直逗留太原（山西省太原市），不肯出发，王无纵借口有别的事情，擅自返回太原（山西省太原市）；王缙把他们逮捕，连同他们的同党七人，一齐斩首。暴戾凶悍的将领，几乎全被铲除，总部才恢复平静。

12 冬季，十月，朔方战区（总部设灵州〔宁夏灵武市〕）候补司令官（留后）常谦光奏报：吐蕃军（西藏）攻击鸣沙（宁夏中宁县东），军队连绵四十华里。郭子仪派作战司令（兵马使）浑瑊，率精锐部队五千人，增援灵州（宁夏灵武市），郭子仪自己率军进抵庆州（甘肃省庆阳市），接到吐蕃军撤退的报告才班师。

13 监督院副监督长（黄门侍郎）、二级实质宰相（同平章事）杜鸿渐，因病辞职。

十一月八日（原文误置于十月，据《新唐书》改），李豫（李俶）批准。

十一月十一日，杜鸿渐逝世（年六十一岁）。杜鸿渐病重时，命和尚为他剃光头发，遗嘱兴筑宝塔，安葬其中。

14 十一月十二日，任命国务院左最高执行长（左仆射）裴冕，兼二级实质宰相（同平章事）。

最初，元载当新平（邠州州政府所在县，陕西省彬州市）县政府防卫员（尉），裴冕曾经保荐过他，所以元载推荐他当宰相，同时也因为他年老而又多病，容易控制。裴冕在接受任命、蹈舞叩头拜谢时，跌倒在地，元载赶紧把他扶起来，代他致词谢恩。

十二月四日，裴冕逝世（年六十七岁）。

唐王朝

- 卢龙将领杀战区司令官朱希彩，拥立朱泚。
- 中央命各战区讨伐田承嗣，宦官逼反李宝臣，中央军大败。
- 宰相元载奉命自杀。
- 唐王朝十一任帝代宗李豫卒，子十二任帝德宗李适继位。

- 日本称德女天皇逝世，光仁天皇（四十九代）继位。
- 法兰克国王卡洛曼逝世，查理曼大帝主持国政。
- 查理曼灭伦巴王国。
- 查理曼越庇里牛斯山北返时，被拦击，全军覆没；法国歌颂是役主将罗兰，西班牙歌颂是役英雄柏那多。

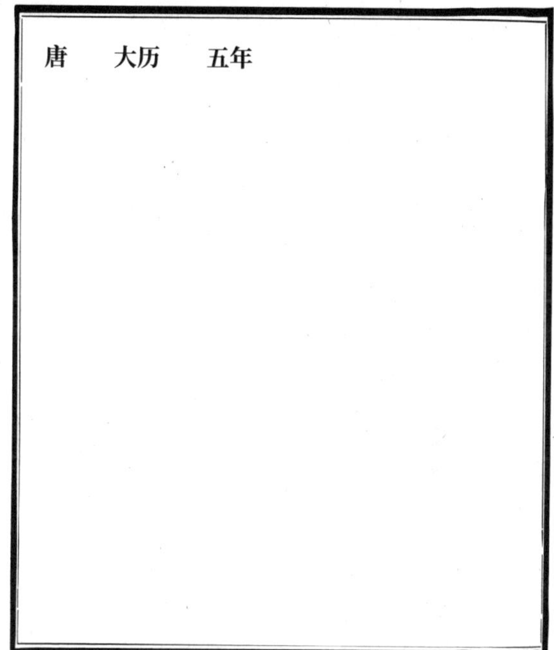

1 春季，正月五日，羌民族部落（不知什么地方羌部落）酋长白对蓬等，率各人的部众，归附唐王朝（首都长安〔陕西省西安市〕）。

2 神策军观察兵马阵容特派高级监军宦官（观军容宣慰处置使）、左监门卫（卫军第十三军）大将军，兼神策军基地司令（兼神策军使）、宦官总管（内侍监）鱼朝恩，专门负责禁军，所受的宠爱和信任，没有人可以相比。唐帝（十一任代宗）李豫（李俶，本年四十五岁）时常跟他讨论政治及军事大事，权势震动全国。鱼朝恩喜爱在大庭广众中，大发议论批评时局，侮辱宰相。元载虽有敏捷的口才，也只好紧闭嘴巴，不敢说一句话。

神策军总纠察官（都虞候）刘希暹、总作战司令（都知兵马使）王驾鹤，都是鱼朝恩的亲信。刘希暹说服鱼朝恩，在禁军体制内，设立特别军事法庭，指使街头巷尾的地痞流氓，调查收集有钱人家的一举一动，然后诬陷他们犯罪，逮捕囚禁在地牢之中，苦刑拷打，教他们坦承不讳，自动招认；然后把他们的家产和男女老幼，全部没收，用其中一部分赏赐给检举的人。法庭及监狱都设在禁军重地，没有人敢表示关切。鱼朝恩每次作什么请求，一定要皇帝批准。政府决策有时没有他参加，他就大发雷霆，咆哮说："天下事难道有不经过我手的！"李豫（李俶）听到，心里开始不高兴。

鱼朝恩最小的养子鱼令徽，年纪还轻，当宦官总管署事务官（内给使），穿绿色官服（六品及七品），因跟同事们争吵，回家报告鱼朝恩。第二天，鱼朝恩晋见皇帝，说："我儿子的官位太低，被他的同事欺负羞辱，请准他改穿紫衣（三品以上高官）。"李豫（李俶）还没有回答，有关单位首长已拿着紫衣，站在面前，鱼令徽当场穿上，叩头谢恩。李豫（李俶）勉强笑了笑，说："这孩子穿上紫袍，应该满意了吧。"但越发不高兴。

元载看出皇帝的心意，找一个机会，秘密检举鱼朝恩专权独断，蛮横凶暴，阴谋背叛，请把他铲除。李豫（李俶）也知道天下人都对鱼朝恩怨恨忿怒，于是命元载拟定计划。鱼朝恩每次进宫，经常命神箭侍卫官（射生将）周皓，率一百人，保护自己；又使他的同党、陕州战区（总部设陕州〔河南省三门峡市〕）司令官（节度使）皇甫温，手握重兵，在外作为声援。元载用重金跟他们结交为亲密朋友，所以，鱼朝恩背后所说的私话和暗中所作的活动，李豫（李俶）全都知道，而鱼朝恩却被蒙在鼓里。

正月二十七日，元载向李豫（李俶）皇帝献策：调李抱玉（安抱玉，凤翔〔总部凤翔府〕司令官）当山南西道战区（总部设盩厔〔陕西省周至县〕）司令官（节度使），调皇甫温当凤翔战区（总部设凤翔府〔陕西省宝鸡市凤翔区〕）司令官（节度使）；表面上加强皇甫温的权力，实际上是使皇甫温接近京师（首都长安）作为助手。元载又建议把郿县（陕西省眉县）、虢县（陕西省宝鸡市陈仓区）、宝鸡（陕西省宝鸡市）、鄠县（陕西省西安市鄠邑区）、盩厔（陕西省周至县）等县，划归李抱玉（安抱玉）；而把兴平（陕西省兴平市）、武功（陕西省武功县西）、天兴（凤翔府所在县）、扶风（陕西省扶风县）等县，划归神策军。鱼朝恩对神策军凭空得到四个县的土地和财富，大为欢喜，一点也不把元载放到心上，骄傲蛮横，跟从前一样。

3 正月二十八日，擢升东都洛阳（河南省洛阳市）特别市长（河南尹）张延赏，当东都洛阳留守长官；撤销河南等地区野战军副元帅（河南等道副元帅），把元帅府所属军队，移交给留守长官部（河南元帅府之设，参考七六一年五月）。张延赏，是张嘉贞的儿子（张嘉贞当过宰相，参考七二〇年正月）。

4 二月五日，李抱玉（安抱玉）移防盩厔（陕西省周至县），官兵们的愤怒无法发泄，遂在凤翔（陕西省宝鸡市凤翔区）城里大肆劫掠，几天之后才被平定。

5 刘希暹察觉到李豫（李俶）心意的变化，警告鱼朝恩；鱼朝恩才开始惊疑恐惧。可是，李豫（李俶）每次见到鱼朝恩，恩情和礼遇，更为隆重，鱼朝恩也用这些表相安慰自己，戒备完全松懈。皇甫温抵达京师（首都长安）后，元载留下他，暂时不前往凤翔（陕西省宝鸡市凤翔区）到职，于是会同皇甫温、周皓，一同秘密拟定诛杀鱼朝恩计划，定案之后，元载报告李豫（李俶）。李豫（李俶）勉励说：“你们要确实执行，如果不小心，反而会大祸临头。”

三月十日，寒食（冬至后一百零四日到一百零六日，全国不准有火，人民只好吃冷饭，因称寒食。传说起因于介之推：前七世纪六〇年代，晋国第二十四任国君〔文公〕姬重耳返国登位，大赏功臣；而一同逃亡，在姬重耳饥饿时曾割下自己的肉供应的介之推，却被遗忘，介之推遂逃入深山。姬重耳发觉后四处寻找，无法找到，姬重耳命烧山，希望火势把他逼出来，但介之推竟死在火窟，姬重耳至为哀悼，下令全国人民，每逢当天，不可以引火），李豫（李俶）在宫中摆设酒席，邀请尊贵的和亲近的官员赴筵，而命元载暂管立法院（守中书省）。宴会结束后，李豫（李俶）单独留下鱼朝恩，商讨机密大事，于是，责备他竟心怀不轨。鱼朝恩为自己辩护，口出恶言，态度傲慢，周皓和左右侍从遂把他制服，绞死（年四十九岁），外边没有人知道。

李豫（李俶）下诏，免除鱼朝恩的神策军观察兵马阵容特派高级监军宦官（观军容使）等职，但仍保留宦官总管（内侍监）。然后宣布说："鱼朝恩接到诏书后，自己上吊身死。"把尸首送回他家，赏赐六百万钱作安葬费。

三月十四日，加授刘希暹、王驾鹤二人中央官位：副总监察官（御史中丞），用以安慰禁军军心。

三月二十三日，赦免京畿囚犯及鱼朝恩的所有党羽，李豫（李俶）强调说："禁军（北军）将士，都是我的子弟兵，一切跟平常一样，我现在亲自统率你们，不要有任何忧虑恐惧。"

6 三月二十六日，撤销中央财政总监（度支使），跟关内（潼关以西）等道运输总监（转运）、粮食管理总监（常平）、盐铁专卖暨运输总监（盐铁使），有关财政事务，由宰相直接负责处理。

7 命皇甫温返陕州战区（总部设陕州〔河南省三门峡市〕）原职（既诛

杀鱼朝恩，不需调往凤翔府〔陕西省宝鸡市凤翔区〕）。

8 宰相元载既参与诛杀鱼朝恩高级密谋，唐帝李豫（李俶）对他更加宠爱和信任。元载遂得意洋洋，骄慢高傲，不可一世。在大庭广众中，他都提高嗓门宣称他自己文可安邦，武可定国，才华盖世，谋略空前。元载深信自己有高度的权术和智慧，大肆收受金银财宝，政令执行，全看贿赂多少，生活奢侈豪华，挥霍无度。国务院文官部副部长（吏部侍郎）杨绾，主持官员遴选工作，公平适当，性格鲠直，不肯攀附元载；岭南战区（总部设广州〔广东省广州市〕）司令官（节度使）徐浩，贪赃枉法，但精于谄媚，搜刮南方（华南地区）所有的金银珍宝，送给元载。

三月二十八日，元载调杨绾当国立贵族大学校长（国子祭酒），命徐浩接替杨绾的官职。徐浩，是越州（浙江省绍兴市）人。元载的一位长辈从宣州（安徽省宣城市）来京师（首都长安），请元载给他弄个官来做，元载看出这位长辈没有这种能力，于是只为他写一封信给河北（黄河以北）某官，把他打发走。那位长辈大不高兴，但也无可奈何，走到幽州（北京市），私下把信拆开来看，只看到一张信纸，上面没写一个字，只签了元载自己的名字，长辈气得发昏，不得已，只好前往战区总部（应是卢龙战区）试探。执行官（判官）听说有元载的函件，大吃一惊，立即报告战区司令官（节度使。此时是朱希彩在任），派高级将领携带小匣，恭恭敬敬，把元载的信收下，请那位长辈住进高等宾馆，留他欢宴好几天，才送他回去，馈赠绸缎一千匹。元载的权势威力，这是一件例证。

9 夏季，四月八日，湖南道（首府设潭州〔湖南省长沙市〕）作战司令（兵马使）臧玠，杀行政长官（观察使）崔灌；澧州（湖南省澧县。澧，音lǐ〔理〕）州长杨子琳出兵讨伐，接受臧玠的贿赂，回军。

10 泾原战区（总部设泾州〔甘肃省泾川县〕）司令官（节度使）马璘，不断向中央申诉辖区人民贫苦，没有能力供养大军；李豫（李俶）暗示山南西道战区（总部设盩厔〔陕西省周至县〕）司令官（节度使）李抱玉（安抱玉），让出郑州（河南省郑州市）、颍州（安徽省阜阳市）。

四月十三日，命马璘遥兼郑颍战区司令官（兼郑颍节度使）。

11 四月二十八日，河东战区（总部设太原府）司令官（节度使）王缙，自太原（山西省太原市）进京（首都长安）朝见。

12 五月二十一日（原文误置于四月，据《旧唐书》改），任命左羽林（禁军第一军）大将军辛京杲，当湖南道（总部设潭州〔湖南省长沙市〕）行政长官（观察使）。

13 荆南战区（总部设江陵府〔湖北省江陵县〕）司令官（节度使）卫伯玉的娘亲逝世。

六月七日，中央派宫廷总管（殿中监）王昂接替卫伯玉。

卫伯玉发动大将杨钵（音shù〔树〕）等拒绝王昂而挽留自己。

六月二十三日，李豫（李俶）下诏命卫伯玉复任原职。

14 秋季，七月，京畿（陕西省中部）饥馑，谷米每斗值一千钱。

15 神策军总纠察官（都虞候）刘希暹，一直心神不安，谩骂怨恨。总作战司令（都知兵马使）王驾鹤奏报皇帝。

九月十二日，李豫（李俶）下令刘希暹自杀（刘希暹、王驾鹤都是鱼朝恩的亲密战友）。

16 吐蕃军（西藏）攻击永寿（陕西省永寿县）。

17 冬季，十一月，郭子仪自邠州（陕西省彬州市）进京（首都长安）朝见。

18 李豫（李俶）对元载的所作所为，了如指掌，只因他担任宰相职务的时间很久（自七六二年三月上任，迄今九年），打算让他有始有终；所以特别利用单独见面的机会，向他深刻告诫。但元载不能改正，李豫（李俶）开始对他有点讨厌。

元载因隐士李泌受到皇帝的宠信（参考前年〔七六八〕四月），心里忌恨，因而奏称：“李泌时常跟亲戚朋友在禁军大营（北军）欢宴，而过去又跟鱼朝恩感情和睦，恐怕他知道鱼朝恩的阴谋。”李豫（李俶）说：“禁军（北军），是李泌的旧部（指十任帝李亨由灵武到凤翔，军政大事，都由李泌裁决），所以我教他去大营探视他的亲戚朋友。诛杀鱼朝恩，李泌也参与计划，对他，你不必怀疑。”但元载跟他的同党，仍不停的打小报告。就在这时候，江西道（首府洪州〔江西省南昌市〕）行政长官（观察使）魏少游，上疏皇帝，请派辅佐官员，李豫（李俶）对李泌说：“元载不会放过你，我今天把你寄存到魏少游那里，等我决心铲除元载，定会写信告诉你，你再回京（首都长安）。”于是命李泌当江西道（首府设洪州）执行官（江西判官）；嘱咐魏少游好好接待李泌。

七七一年 辛亥

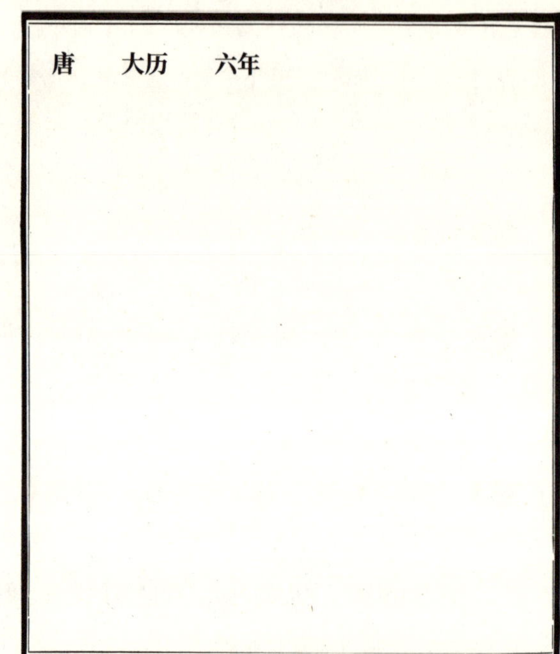
唐　大历　六年

1 春季，二月十五日，唐王朝（首都长安〔陕西省西安市〕）河西、陇右、山南西道等地区野战军副元帅（河西、陇右、山南西道副元帅）兼泽潞、山南西道战区（总部设盩厔〔陕西省周至县〕）司令官（节度使）李抱玉（安抱玉），上疏说：“我所统御的军队，一向都由我自己训练。可是现在北自河陇（甘肃省及青海省东部），南到扶州（四川省九寨沟县）、文州（甘肃省文县），疆域长达二千余华里，安抚调动，都十分困难。如果吐蕃军（西藏）兵分两路，同时发动，一路进攻岷州（甘肃省岷县），一路进攻陇州（陕西省陇县）；我如果守卫汧水（渭水支流千水）、陇山，则救不了梁州（陕西省汉中市）、岷山；我如果增援扶州（四川省九寨沟县）、文州（甘肃省文

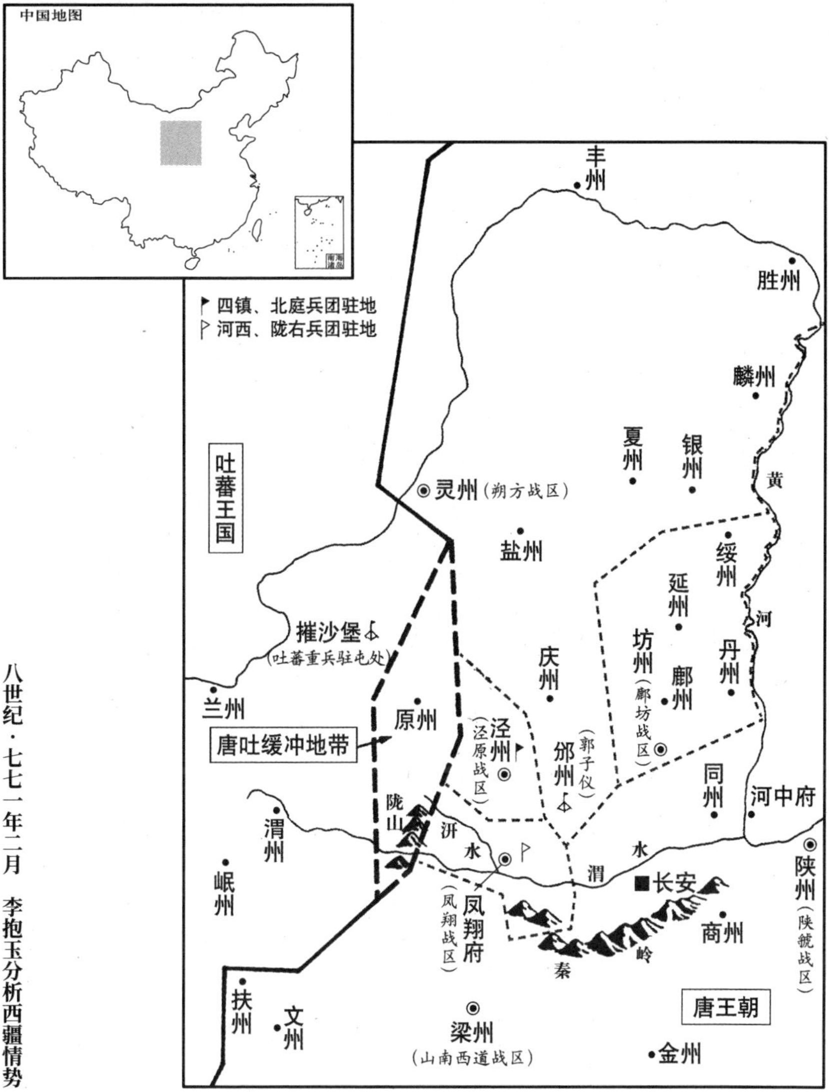

中国地图

四镇、北庭兵团驻地
河西、陇右兵团驻地

丰州
胜州
麟州
夏州
银州
黄
灵州（朔方战区）
吐蕃王国
盐州
绥州
延州
河
摧沙堡
（吐蕃重兵驻屯处）
坊州
（鄜坊战区）
丹州
庆州
鄜州
兰州
原州
泾州
（泾原战区）
邠州
（郭子仪）
唐吐缓冲地带
同州
河中府
陇山
渭州
汧
水
水
陕州
（陕虢战区）
岷州
渭
长安
凤翔府
（凤翔战区）
商州
秦
岭
扶州
文州
梁州
（山南西道战区）
唐王朝
金州

八世纪·七七一年二月　李抱玉分析西疆情势

县），则强盗（吐蕃军）紧逼京畿（关辅），我就首尾不能相应，进退无所适从。请中央另派有才干的将领，使他出任山南西道战区司令官，使我得以专心保护陇坻（甘肃省东部）。”

唐帝（十一任代宗）李豫（李俶，本年四十六岁）下诏允许。

2 关西、河东地区野战军副元帅郭子仪，自京师（首都长安）返邠州（陕西省彬州市）。

3 岭南蛮（南岭以南蛮夷）酋长梁崇牵，自称“平南十道最高指战官”（平南十道大都统），据守容州（广西北流市），跟西原蛮（广西靖西市境蛮夷）首领张侯、夏永等，联合聚众起兵，派军四出夺取城池。容州军管区（首府设容州〔广西北流市〕）前任军事指挥官（经略使）元结等，全侨居苍梧（梧州州政府所在县，广西梧州市）办公（容州军管区辖十四州：容州、辩州〔广东省化州市〕、窦州〔广东省信宜市南〕、白州〔广西博白县〕、牢州〔广西玉林市〕、禺州〔广西陆川县东北〕、汤州〔越南谅山市东南〕、廉州〔广西合浦县东北〕、岩州〔今地不详〕、党州〔广西玉林市北〕、平琴州〔玉林市西北〕、义州〔广西岑溪市〕、郁林州〔玉林市西北〕、绣州〔玉林市北〕）。新任军事指挥官（经略使）王翃（音hóng〔红〕），抵达藤州（广西藤县），变卖自己家产，招兵买马，不到几个月，击斩变民首领欧阳珪，然后骑马奔往广州（广东省广州市），晋见岭南战区（总部广州）司令官（节度使）李勉，请求增兵，准备收复容州（广西北流市）；李勉有他的困难，王翃说：“你如果没有时间派军远征，那么，希望用正式公文通知各州，扬言派出一千人支援。借着这项声势，也可以成功。”李勉同意。

王翃乃会同义州（广西岑溪市）州长陈仁璀、藤州（广西藤县）州长李晓庭等，缔约结盟，誓言讨平变乱。王翃招募新兵，集结三千余

八世纪·七七一年二月 王翃收复容州

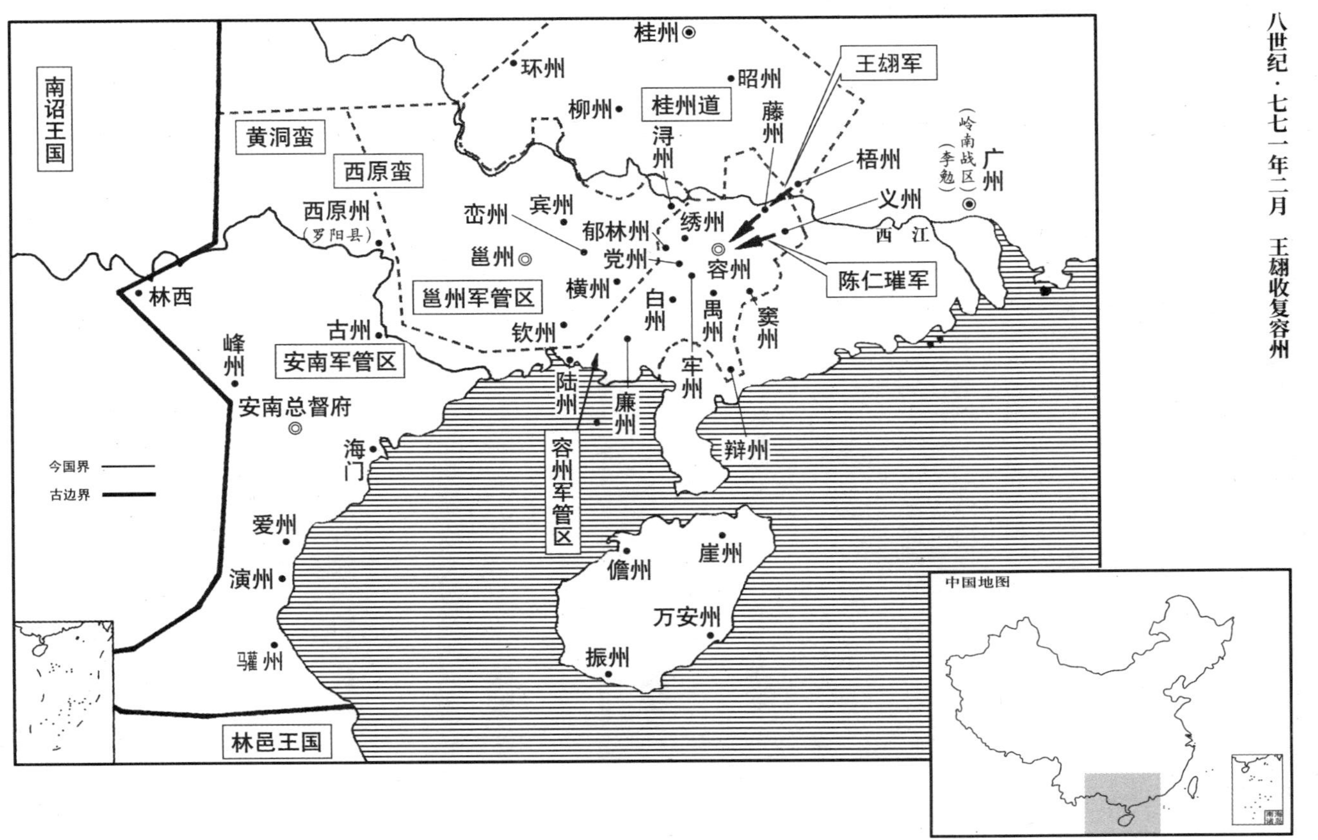

人，击破变民军数万人；继续攻击容州（广西北流市），克复城池。生擒梁崇牵；再经过前后大小一百余次苦战，最后终于收回容州军管区原来疆域。另派将领袭击西原蛮（广西靖西市蛮夷），收回郁林州（广西玉林市西北）等各州。

最初，番禺（广州州政府所在县）变民首领冯崇道、桂州（广西桂林市）变兵首领朱济时，都据守险要，拒抗政府，攻陷十余州之多，政府军讨伐，一连几年都不能攻克。李勉派他的将领李观，会同王翃联合进攻，把他们全都斩首。

三月，五岭（南岭山脉）战乱完全平定。

4 河北（黄河以北）大旱成灾，每斗米值一千钱。

5 夏季，四月三日，澧州（湖南省澧县）州长杨子琳，进京（首都长安）朝见。李豫（李俶）待他优厚，命他改名杨猷。

6 四月四日，擢升宦官总管署太子宫寝殿管理官（典内，从五品下）董秀，当宦官总管署秘书长（内常侍，正五品下）。

7 吐蕃王国（首都逻些城〔西藏拉萨市〕）向唐王朝请求和解。

四月二十四日，唐政府派兼任总监察官（兼御史大夫）吴损，出使吐蕃（西藏）。

8 成都（四川省成都市）特别市政府总务官（成都司录，正七品上）李少良，上疏抨击元载奸邪贪污等不为人知的私事，李豫（李俶）把李少良召到京师（首都长安），安顿在立法院（中书省）礼宾馆（客省）。李少良把皇帝对他说的话，告诉他的好友韦颂；韦颂再告诉他的好友宫廷监察官（殿中侍御史）陆珽，陆珽再告诉他的好友元载，元载于是上疏辩护。

李豫（李俶）怒不可遏，逮捕李少良、韦颂、陆珽，囚禁总监察署（御史台）监狱。监察官（御史）指控李少良、韦颂、陆珽，凶恶险诈，狼狈为奸，挑拨君王与臣属之间的感情。

五月二十三日，李豫（李俶）下令首都长安特别市政府（京兆），把三人乱棍打死。

9 秋季，七月二十二日，元载上疏说："凡皇上指令任用的六品以下文武官员，国务院文官部（吏部）及国防部（兵部），不必依照正常手续调查考核（唐王朝初期铨叙制度，参考七一〇年十二月）。"李豫（李俶）批准。

当时，元载奏请任命的低级官员，很多资格不合，或违反法令，深恐有关单位反驳，所以作此项建议。

10 八月十四日，淮西战区（总部设蔡州〔河南省汝南县〕）司令官（节度使）李忠臣（董秦），率特遣兵团二千人，驻扎奉天（陕西省乾县），参加秋季边防任务。

11 李豫（李俶）对元载所作所为，越发厌恶，计划物色一位不拍元载马屁的知识分子，当自己心腹，渐渐收回元载手里的权柄。

八月二十三日，李豫（李俶）直接下诏，擢升浙西道（首府设苏州〔江苏省苏州市〕）行政长官（观察使）李栖筠，当总监察官（御史大夫）。宰相完全不知道这回事，元载的权势从此开始下坡。

12 九月，吐蕃军（西藏）穿过青石岭（甘肃省镇原县西南），进驻那城（宁夏彭阳县西古城镇）。郭子仪派人前去劝告，明天，吐蕃军撤退。

13 本年（七七一），命国务院右秘书长（尚书右丞）韩滉，当国务院财政部副部长（户部侍郎）、全国财务总监（判度支）。

自从战乱（指七五五年安禄山兵变）发生以来，政府征收田赋捐税，毫无节制，仓库收入和支出，也没有法令规则可以遵循，国家财源枯竭（事实上，在九任帝李隆基在位末年时，王铁掌管财政，税制已开始破坏，以搜刮大量赋税，供皇帝挥霍，参考七四五年十月。到了安史之乱后，更全面破坏）。韩滉廉洁勤快，对账务运作，尤其精通，于是制定田赋征收及运输法规，严格执行，对部属赏罚分明，部属对他不敢欺骗。同时，也恰巧遇上连年丰收和边境平安，因此仓库逐渐积存，开始充实。韩滉，是韩休的儿子（韩休，九任帝李隆基初期宰相，参考七三三年三月）。

七七二年 壬子

唐　大历　七年

1 春季，正月二十二日，回纥汗国（瀚海沙漠群）使节，擅自离开招待他们的藩属事务部（鸿胪寺），出来掳掠民间女子，有关单位阻止，回纥使节殴打治安人员，并出动骑兵三百名，攻击金光门（首都长安西面中门）及朱雀门（宫城正南门）。当天（正月二十二日），皇宫所有城门，全部关闭。唐王朝（首都长安〔陕西省西安市〕）皇帝（十一任代宗）李豫（李俶，本年四十七岁）派宦官刘清潭（参考七六二年九月）出面劝解，回纥才算停止。

2 三月，关内、河东地区（陕西省及山西省）野战军副元帅郭子仪进京（首都长安）朝见。

三月二十五日，郭子仪返邠州（陕西省彬州市）。

3 夏季，四月，吐蕃军（西藏）骑兵五千人，进抵灵州（宁夏灵武市），没有攻击，不久即行撤退。

4 五月十五日，赦免天下。

5 秋季，七月十四日，回纥使节再擅自冲出藩属事务部（鸿胪寺），把长安（首都长安西半城）县长邵说，逼到含光门街，抢走他的坐骑。邵说只好骑另一匹马离去，不敢争论（七世纪时突厥在中国国土上横暴〔参考六一八年五月二十七日〕；八世纪时回纥在中国国土上横暴）。

6 卢龙战区（总部设幽州〔北京市〕）司令官（节度使）朱希彩，既夺到统帅高位（朱希彩杀李怀仙，参考七六八年六月），对中央态度傲慢，对部下将领士卒残酷暴虐。文书官（孔目官）李怀瑗，趁军心忿怒，抓住机会，诛杀朱希彩。大家不知道应该怎么善后，军事副指挥官（经略副使）朱泚，正驻扎城北，他的老弟朱滔，率总部侍卫军（牙内兵）驻扎城里，暗中派一百余人，到将士中间大声宣称："司令官（节度使）非朱副指挥官（副使朱泚）不行！"大家一致同意。朱泚遂暂代候补司令官（权知留后），派使节前往京师（首都长安）奏报经过情形。

冬季，十月二十四日，李豫（李俶）命朱泚当监督院摄理最高顾问官（检校左常侍）、卢龙战区（总部设幽州〔北京市〕）司令官（节度使）。

7 十二月二十五日，把永平军基地迁移到滑州（滑亳战区总部，河南省滑县。永平军基地原设江陵府〔湖北省江陵县〕，参考七六〇年九月）。

唐　大历　八年

1 春季，正月，唐王朝（首都长安〔陕西省西安市〕）昭义战区（总部设相州〔河南省安阳市〕）司令官（节度使）、兼相州（河南省安阳市）州长薛嵩逝世。薛嵩的儿子薛平，本年十二岁，将士们包围他，逼他继位司令官（节度使），薛平假装允许；但不久就把职位让给他的叔父薛崿，于半夜时分，带上老爹的灵柩，逃回故乡（绛州万泉县，今山西省万荣县）。

正月六日，唐帝（十一任代宗）李豫（李俶，本年四十八岁。俶，音chù〔处〕）下诏，命薛崿代理候补司令官（知留后）。

2 二月二十七日，永平战区（总部设滑州〔河南省滑县〕）司令官（节度使）令狐彰逝世。

令狐彰在天下大乱、人民流离之后，约束军队，鼓励农民耕田种桑，充实仓库。当时，各战区都嚣张跋扈，只令狐彰解缴田赋捐税，进贡产物，从来不缺。每年都派特遣兵团三千人，前往京西（首都长安以西）参与边疆秋防，而且自行携带粮食，对沿途政府和民间的供应，一律拒绝，经过的地方，丝毫没有侵犯（仅这一项，就够使我们向令狐彰致无限尊敬）。 308

令狐彰病重，召见机要秘书（掌书记）高阳（河北省高阳县）人齐映，讨论死后各项事务，齐映建议令狐彰把儿子们都叫回家，而请中央另派适当人选接任。令狐彰接受，在遗疏上说："从前，鱼朝恩击破史朝义（参考七六一年十月），打算乘胜劫掠滑州（河南省滑县），是我坚决拒绝，因此他对我深为不满。后来，鱼朝恩伏诛（参考七七〇年三月），而我正患病卧床，是以不能进京（首都长安），生前死后，都感惭愧，有负陛下。我的病不可能痊愈，仓库已经封闭，牛马已经点清，军队将领士卒、州县政府官员，都安心等候中央命令。我幼稚的见解，认为国务院文官部长（吏部尚书）刘晏、工程部长（工部尚书）李勉，都是帝国栋梁，可以担当大事，但愿能指派他们接替我的职位。我的儿子令狐建等，都命他们回东都（洛阳，河南省洛阳市）私宅。"令狐彰逝世后，将领们打算拥护令狐建，令狐建发誓宁死也不接受，全家西返。（令狐彰于七六一年五月降唐，任滑卫战区司令官，镇守滑州共十三年。）

三月一日，李豫（李俶）命李勉当永平战区（总部设滑州〔河南省滑县〕）司令官（节度使）。

3 国务院文官部副部长（吏部侍郎）徐浩、薛邕，都是宰相元载以及河东战区（总部设太原府〔山西省太原市〕）司令官（节度使）王缙的一党。徐浩小老婆的弟弟侯莫陈怤（侯莫陈，三字姓。怤，音fū〔夫〕），在美原（陕西省富平县东北美原镇）县政府当防卫员（尉）；徐浩拜托首都长安特别市长（京兆尹）杜济，捏造“主管驿马车，成绩优异”理由，予以专案奏报；同时拜托薛邕，在杜济奏报之后，把侯莫陈忲调到长安（首都长安西半城）县政府当防卫员（尉）。

侯莫陈忲到职后，前往总监察署（御史台）参见，总监察官（御史大夫）李栖筠提出弹劾，并且把他们营私舞弊情形，奏报皇帝。李豫（李俶）训令国务院教育部副部长（礼部侍郎）万年（首都长安东半城）人于劭等调查审问（于劭，是于筠的五世孙；于筠，参考六一九年十月）。于劭回奏说：他们犯罪的时间，在大赦之前，不应该加以处罚，李豫（李俶）大怒。

夏季，五月十一日，贬徐浩为明州（浙江省宁波市）总秘书长（别驾），薛邕为歙州（安徽省歙县）州长。

五月十二日，贬杜济为杭州（浙江省杭州市）州长、于劭为桂州（广西桂林市）政务秘书长（长史）；中央政府的政风，稍稍改正。

4 五月十七日，郑王李邈（李豫〔李俶〕的次子）逝世，追赠绰号昭靖太子。

5 回纥汗国（瀚海沙漠群）自从七五八年以来（迄今十六年），每年都向中国要求讨论一次双边贸易，一匹马要价四十匹绸缎，而且数量庞大，动不动就数万匹，可是马却不是好马，老弱瘦小，根本没有什么用处，唐政府十分苦恼，收购的数量，每次都不能使回纥满意。回纥的态度强硬，送来多少马，就要收多少绸缎，不给的话，就住下来催缴，前面的人还没有走，后来的人跟着又到，藩属事务部（鸿胪）招待所从来没有空过。现在，李豫（李俶）为了讨回纥人的喜悦，下令管他什么好马坏马，一律收购。

秋季，七月二十八日，回纥使节全体告辞回国，运送卖马的绸缎和中国皇帝的赏赐，共用车一千余辆。

6 八月十六日，吐蕃军（西藏）骑兵六万余人，攻击灵武（宁夏灵武市），践踏摧毁田中庄稼，然后撤退。

7 八月二十八日，卢龙战区（总部设幽州〔北京市〕）司令官（节度使）朱泚，派他的老弟朱滔，率精锐骑兵五千人，前往泾州（泾原战区总部，甘肃省泾川县）参加边疆秋防。

自从安禄山兵变（参考七五五年十月）以来，幽州（北京市）军人从没有为国效过力，所以朱滔率军抵达，李豫（李俶）大为喜悦，慰劳赏赐，十分优厚。

8 八月二十九日，回纥汗国（瀚海沙漠群）再派使节赤心，驱策一万匹牧马，进入唐王朝，要求收购。

9 九月十日，循州（广东省惠州市）州长哥舒晃（哥舒，复姓），斩岭南战区（总部设广州〔广东省广州市〕）司令官（节度使）吕崇贲，控制南岭以南地区，脱离中央。

10 九月十一日，晋州（山西省临汾市）男子郇模，用绳把头发扎成辫子，手拿着一只竹篓和一张苇草做的床席，在京师（首都长安）东市痛哭流涕。人们问他什么缘故，他回答说：“我愿向皇上呈献三十个字，一个字是一件事。如果认为我胡说八道，请把我的尸首裹到草席中，装到竹篓里，扔到荒野。”首都长安特别市政府（京兆）

奏报中央。

李豫（李俶）召见郇模，赏赐他新衣服，招待他住在立法院（中书省）礼宾馆（客省）。郇模说的“团”字，是请求撤销各州的民兵司令（团练使）；说的“监”字，是请求撤销派往各战区的监军宦官。

11 魏博战区（总部设魏州〔河北省大名县〕）司令官（节度使）田承嗣，给安禄山父子、史思明父子，修建纪念寺庙，称他们为“四圣”；同时，要求担任宰相。李豫（李俶）命宦官总管（内侍）孙知古前往魏州（河北省大名县）之际，暗示田承嗣把它拆毁。

冬季，十月二日，命田承嗣遥兼二级宰相（同平章事·使相），作为褒奖。

12 灵州（宁夏灵武市）击破一万余人的吐蕃军（西藏）。

吐蕃军十万人，进攻泾州（泾原战区总部，甘肃省泾川县）、邠州（郭子仪副元帅府所在，陕西省彬州市）。关内、河东（陕西省及山西省）野战军副元帅郭子仪，派朔方战区作战司令（朔方兵马使）浑瑊（音jiān〔坚〕），率步骑兵五千人拒抗。

十月十八日，在宜禄（陕西省长武县）会战，浑瑊登黄萯原（萯，音fù〔父〕。渭水流域一带，把“台地”称为“原”。黄萯原，陕西省长武县北），远远眺望敌情，下令占据险要，设立拒马，防备吐蕃军乘锐攻击。沙场老将史抗、温儒雅等，相当看不起统帅浑瑊，不听指挥。当浑瑊下令二人攻击时，二人已醉得差不多，看见拒马，说：“野外会战，要这玩意干什么？”命士卒撤除，率骑兵直冲吐蕃阵地，但无法攻入，只好撤退。吐蕃军乘势追击，唐王朝边防军全部崩溃，士卒阵亡十之八九，平民被吐蕃军掳掠去一千余人。

十月二十二日，马璘（泾原〔总部泾州〕司令官）跟吐蕃军在盐仓（甘肃省泾川县西北）会战，又失败；马璘被困在吐蕃军阵后，到天色渐黑，还没有回营，泾原战区（总部设泾州〔甘肃省泾川县〕）作战司令（兵马使）焦令谌等，跟溃败下来的士卒，互相攻击，争先恐后挤进城门。有人劝作战参谋长（行军司马）段秀实闭城守卫，段秀实说：“统帅不知道下落，我们只有向前奋战，怎么可以只求自己安全？”召见焦令谌等责备说：“依照军法，丧失统帅，部下全部诛杀，你们忘了这一条。”焦令谌等大为惶恐，请求宽恕。段秀实动员城里全部未出战的士卒，奋勇出城，在东方台地上筑阵，一面集结陆续逃回来的残兵败将，表示即将发动攻击。吐蕃军有点畏惧，稍稍向后撤退。入夜，马璘才得以返回。

郭子仪召开军事会议，说：“战败的责任，我应承当，不在你们肩上。然而，朔方战士的英勇，闻名天下，今天却被蛮虏打败，有什么办法雪除这项耻辱？”没有一个人回答。浑瑊说：“打败仗的将领，没有资格再提出意见，但我特别谈一谈今天的事，请把我交给军法审判，不然的话，请给我一次机会。”郭子仪赦免他战败之罪，派他率军迅速增援朝那（宁夏彭阳县西古城镇）。当时，吐蕃军既击破唐王朝边防军，打算在汧水（渭水支流千水）、陇山（陕西省及甘肃省交界）一带，大肆烧杀掳掠。盐州（陕西省定边县）州长李国臣提醒郭子仪说：“蛮虏一定乘胜攻击京畿，我如果切断他们的后路，他们一定回头。乃率军直往秦原（甘肃省清水县东），擂动战鼓西进。吐蕃军得到消息，前锋已经抵达百城（百里城，甘肃省灵台县西），立即撤退；浑瑊在狭路设下埋伏，发动截击，把吐蕃军掳掠的男女和物资，全部夺回。马璘也派精锐部队前往潘原（甘肃省平凉市东）袭击吐蕃军的后勤辎重，杀数千人，吐蕃军逃走。

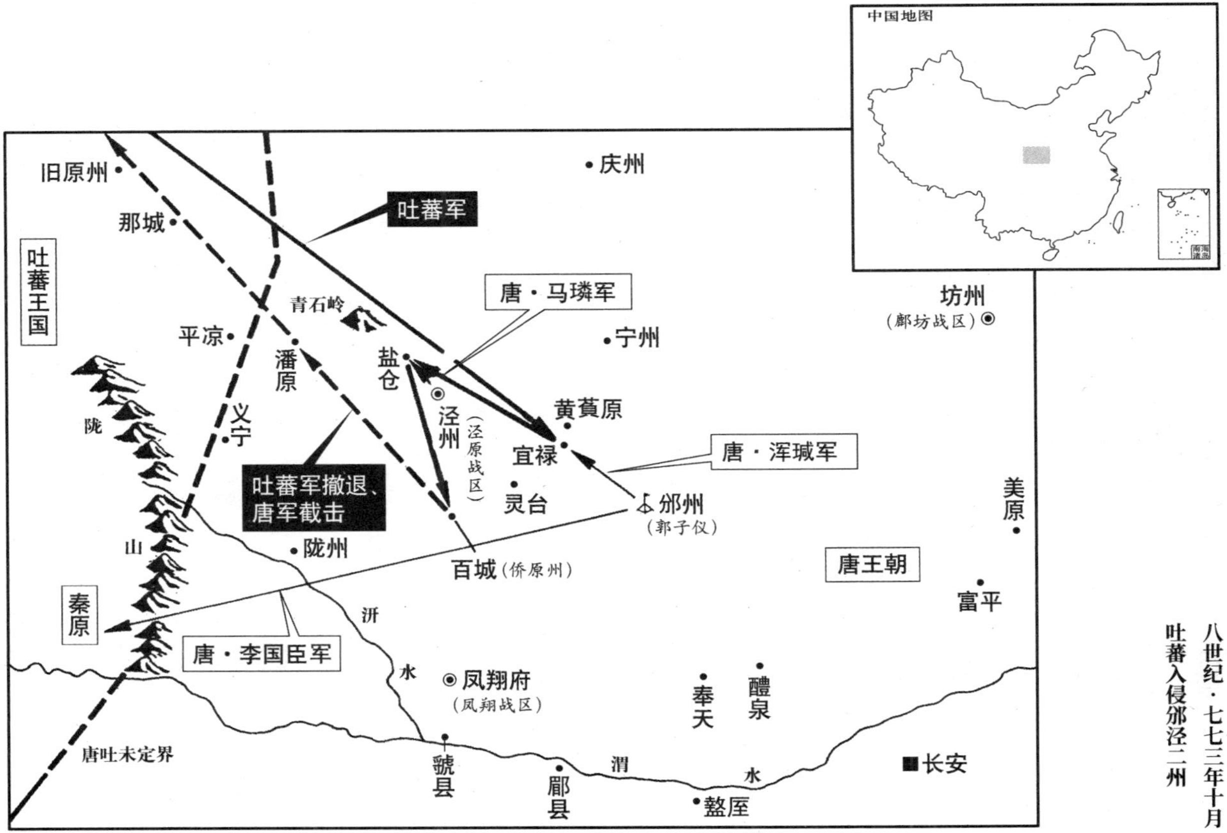

八世纪·七七三年十月
吐蕃入侵邠泾二州

中国地图
旧原州
庆州
吐蕃军
那城
吐蕃王国
唐·马璘军
坊州
（鄜坊战区）
青石岭
平凉
潘原
盐仓
宁州
泾州
（泾原战区）
黄蕒原
宜禄
唐·浑瑊军
义宁
陇
吐蕃军撤退、
唐军截击
灵台
邠州
（郭子仪）
美原
陇州
百城（侨原州）
唐王朝
富平
山
秦原
汧
唐·李国臣军
水
凤翔府
（凤翔战区）
奉天
醴泉
唐吐未定界
虢县
郿县
渭
水
盩厔
长安

13 十月二十三日，命江西道（首府设洪州〔江西省南昌市〕）行政长官（观察使）路嗣恭，出军讨伐哥舒晃。 314

14 最初，元载曾经当过西州（新疆吐鲁番市东）州长，了解河西（甘肃省中部西部）、陇右（甘肃省南部及青海省东部）山川形势。

而今，吐蕃军（西藏）不断深入唐王朝边界，元载向李豫（李俶）建议说：

"四镇及北庭战区（四镇：龟兹〔新疆库车市〕、焉耆〔新疆焉耆县〕、疏勒〔新疆喀什市〕、于阗〔新疆和田市〕；北庭战区总部设北庭府〔新疆吉木萨尔县〕）特遣兵团，一向驻防泾州（甘肃省泾川县），没有险要可以据守（特遣兵团移防泾州〔甘肃省泾川县〕事，参考七六八年十二月）。而陇山（陕西省及甘肃省交界）高大而又险峻，南接秦岭，北连黄河。现在，帝国的边界，西方只到潘原（〔甘肃省平凉市东〕安禄山兵变之后，唐王朝西方失地，从潘原到葱岭〔帕米尔高原〕，航空距离二千八百公里）。而吐蕃军（西藏）则集中摧沙堡（宁夏海原县）。原州（故州，宁夏固原市）恰恰位于中间，正对陇山山口。以西土地，都是从前帝国放马的原野牧场（唐王朝国家牧马场设于陇右，参考七二五年十一月），牧草茂盛，水源充足，稍东就是平凉（甘肃省平凉市），只要能耕种一个县，就可以供应军粮。从前的城池仍然存在，吐蕃军并没有驻扎。每年夏季，吐蕃军都要南下青海湖放牧，离开边塞很远，如果抓住这个机会，紧急修复，二十天就可完毕。然后命现在驻防泾州（甘肃省泾川县）的边防军（马璘），进驻原州（宁夏固原市），而命驻防邠州（陕西省彬州市）的边防军（郭子仪），进驻泾州（甘肃省泾川县）。把原州（宁夏固原市）作为基地，分别派兵据守石门（宁夏海原县东南）、木峡（宁夏固原市西南），逐渐打开陇右（陇山以西），最后推进到安西（龟兹，新疆库车市），夺取吐蕃王国（首都逻些城〔西藏拉萨市〕）的心脏地带，西方大患，政府

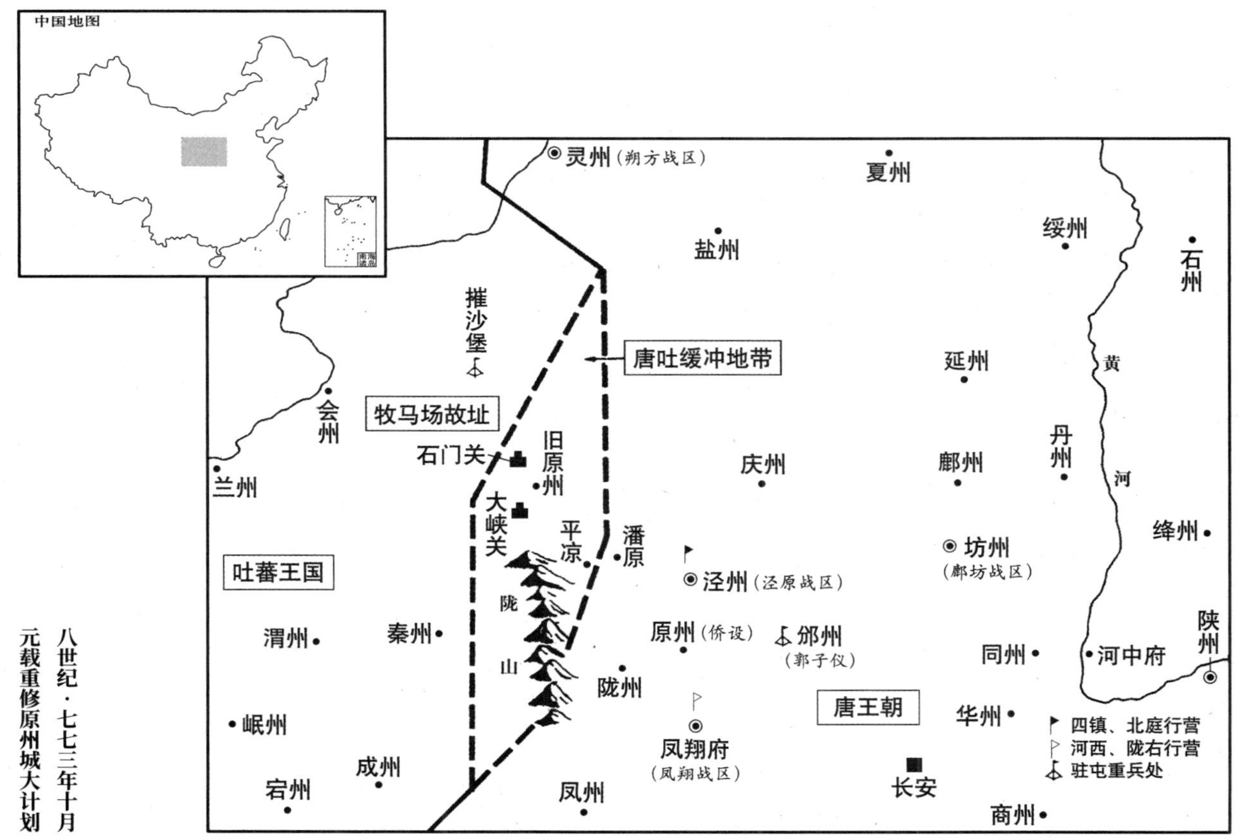

八世纪·七七三年十月
元载重修原州城大计划

就可以不再忧虑。”并且绘制地图，一并呈报；一面秘密派间谍越过陇山，作实地勘察。

汴宋战区（即河南战区，总部设汴州〔河南省开封市〕）司令官（节度使）田神功，进京朝见，李豫（李俶）征求他的意见，田神功说：“作战出征，判断敌情，沙场老将都感到困难，陛下为什么采纳一个文官的建议，动员全国的力量去听他指挥！”元载不久就出事（参考七七七年三月），事情遂被搁置。

15 唐政府有关单位，认为回纥使节赤心贩卖的马匹太多，建议只买一千匹。郭子仪认为，这样做对回纥的伤害恐怕太重，请求捐出一年的俸禄，代政府收购其他的九千匹，李豫（李俶）不许。

十一月十七日，命收购六千匹。

1 春季，正月三日，唐王朝（首都长安〔陕西省西安市〕）汴宋战区（总部设汴州〔河南省开封市〕）司令官（节度使）田神功在京师（首都长安）逝世。

2 澧朗地区（总部设澧州〔湖南省澧县〕）卫戍司令（镇遏使）杨猷（杨子琳），突然自澧州（湖南省澧县。澧，音〃〔理〕）沿长江而下，擅自离开辖区，进抵鄂州（鄂岳道首府，湖北省武汉市）。唐帝（十一任代宗）李豫（李俶，本年四十九岁）接受杨猷（杨子琳）的请求，允许他进京（首都长安）朝见。杨猷（杨子琳）遂逆汉水而上。沿途经过复州（湖北省天门市）、郢州（湖北省钟祥市），各州都紧闭城门、严密保卫。山南东道战区（总部设襄州〔湖北省襄阳市〕）司令官（节度使）梁崇义，命全军进入紧急状态（郢复二州属山南东道战区）。

3 二月二日，徐州（江苏省徐州市）兵变，州长梁乘，翻城逃走（徐州属汴宋战区）。

4 监督院高级顾问官（谏议大夫）吴损，出使吐蕃王国（参考七七一年四月），被吐蕃政府拘留数年，竟在吐蕃（西藏）病死。

5 二月十一日，参加京西（首都长安以西）秋防任务的汴宋战区（总部设汴州〔河南省开封市〕）特遣兵团一千五百人，听到司令官（节度使）田神功逝世消息，偷盗仓库里的金银绸缎财宝，一哄而散，逃回故乡。

二月二十日，中央命田神功的老弟田神玉，代理候补司令官（知汴宋留后）。

6 二月二十四日，关内、河东地区（陕西省及山西省）野战军副元帅郭子仪进京（首都长安）朝见，警告皇帝李豫（李俶）说：“朔方（宁夏灵武市），是帝国的北方门户，二十年来，战士们死亡失散的结果，现在剩下的，十人中不过一人（可哀）。而今，吐蕃（西藏）兼并河陇（甘肃省及青海省东部），军队中掺杂羌部落及吐谷浑部落战士，力量增强十倍，我们用来对抗的边防军，必须加强，中央应要求各战区再派出精锐部队，必须集结四五万人，才有制服敌人的把握。”

7 三月九日，李豫（李俶）把女儿永乐公主，许配给魏博战区（总部设魏州〔河北省大名县〕）司令官（节度使）田承嗣的儿子田华。

李豫（李俶）打算利用婚姻关系，希望使田承嗣心向中央，但田承嗣却越发傲慢骄横。

8 三月十九日，命澧朗地区（总部澧州）卫戍司令（镇遏使）杨猷（杨子琳）当洮州（甘肃省临潭县）州长、陇右战区作战司令（兵马使。洮州〔甘肃省临潭县〕已陷吐蕃，陇右战区原总部所在鄯州〔青海省海东市乐都区〕也陷吐蕃，陇右特遣兵团则驻凤翔府〔陕西省宝鸡市凤翔区〕境协防）。

9 夏季，四月十六日，郭子仪向皇帝叩辞，返邠州（陕西省彬州市）防地；再一次向李豫（李俶）提出边疆军事，说到痛切处，不禁涕泪交流。

10 四月二十四日，赦免天下。

11 五月八日，杨猷（杨子琳）抵达京师（首都长安）。

12 泾原战区（总部设泾州〔甘肃省泾川县〕）司令官（节度使）马璘，进京（首都长安）朝见，鼓动将士们上疏，要求任命自己当宰相（平章事）。

五月二十八日，李豫（李俶）加授马璘：国务院左最高执行长（左仆射·使相）。

13 六月，卢龙战区（总部设幽州〔北京市〕）司令官（节度使）朱泚（音cǐ〔此〕），派他的老弟朱滔携带奏章，表示愿进京（首都长安）朝见，并将亲率步骑兵五千人，参加西部边疆秋防。李豫（李俶）批准，并在京师（首都长安）先行兴建高楼大院，准备接待。

14 六月十五日，京师（首都长安）兴善寺的外籍和尚不空逝世（不空，参考七六七年七月）。李豫（李俶）追赠他官衔：开府仪同三司（文散官一级，从一品）、司空（三公之三），封肃国公爵，绰号大辩正广智不空三藏和尚。

15 京师（首都长安）大旱成灾。首都长安特别市长（京兆尹）黎干，用泥土塑造一条龙，向上天祈雨，亲自和男女巫法师轮流舞蹈，可是，一个月之久，仍没有落雨；无可奈何，又向孔丘庙祈祷，仍没有反应。李豫（李俶）听到这个消息，下令撤除土龙，减少自己进餐时菜肴的数目，节省宫廷费用。

秋季，七月二十一日，落雨。

16 朱泚进京朝（首都长安）见，抵达蔚州（河北省蔚县），患病（朱泚采取的是太原路线），各将领请先行折回，等病情稍轻时再走。朱泚说：“我就是死了，抬着尸首也要走。”各将领不敢再坚持。

九月四日，抵达京师（首都长安），夹道欢迎的官员和居民，好像两道长墙（七五五年以后，二十年之久，朱泚是河朔〔河北平原〕各战区司令官来京的第一人）。

九月五日，李豫（李俶）在延英殿摆设筵席，宴请朱泚和他的将领；犒劳赏赐的丰盛，数年来从没有过。

17 九月六日，回纥汗国（瀚海沙漠群）使节再度擅自冲出藩属事务部（鸿胪寺）招待所，光天化日之下，在街上格杀市民，有关单位生擒凶手，李豫（李俶）下令释放，命不再追究。

18 九月八日，命关内、河东地区（陕西省及山西省）野战军副元帅（元帅府设邠州〔陕西省彬州市〕）郭子仪、凤翔战区（总部设凤翔府〔陕西省宝鸡市凤翔区〕）司令官（节度使）李抱玉（安抱玉）、泾原战区（总部设泾州〔甘肃省泾川县〕）司令官（节度使）马璘、卢龙战区（总部设幽州〔北京市〕）司令官（节度使）朱泚，分别统御各战区道秋防部队。

19 冬季，十月六日，信王李瑝逝世。

十月九日，梁王李璿逝世（二人都是九任帝李隆基的儿子）。

20 魏博战区（总部设魏州〔河北省大名县〕）司令官（节度使）田承嗣，挑拨昭义战区（总部设相州〔河南省安阳市〕）兵变。

七七五年 乙卯

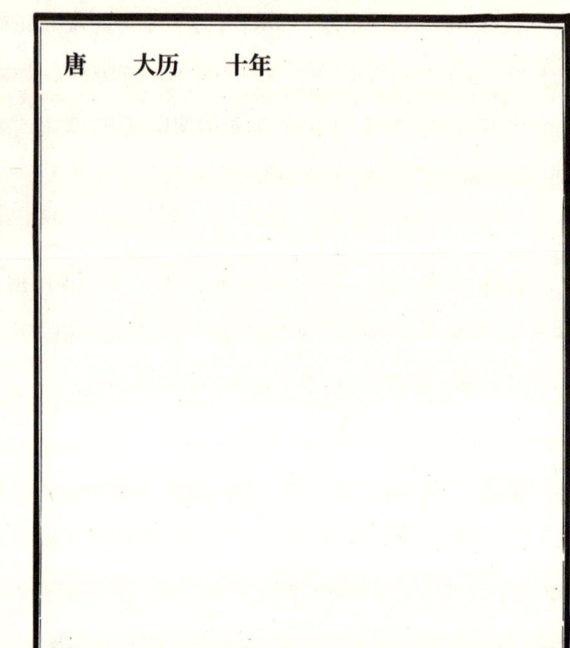

1 春季，正月三日，唐王朝（首都长安〔陕西省西安市〕）昭义战区（总部设相州〔河南省安阳市〕）作战司令（兵马使）裴志清，驱逐候补司令官（留后）薛崿（薛崿接替老哥薛嵩官位，参考前年〔七七三〕正月），率领他的部众投降魏博战区（总部设魏州〔河北省大名县〕）司令官（节度使）田承嗣。田承嗣声言增援，率军袭击相州（河南省安阳市），占领城池。薛崿逃到洺州（河北省邯郸市永年区东南广府镇），上疏请求进京（首都长安）朝见。

唐帝（十一任代宗）李豫（李俶，本年五十岁）批准。

2 正月七日，关内、河东地区（陕西省及山西省）野战军副元帅郭子仪，自邠州（陕西省彬州市）进京（首都长安）朝见。

3 正月八日，寿王李瑁逝世（李瑁，是杨玉环的前夫，杨玉环如不死，本年五十九岁）。

4 正月十一日，卢龙战区（总部设幽州〔北京市〕）司令官（节度使）朱泚，上疏请求留在京师（首都长安）当官，推荐老弟朱滔当卢龙战区代理候补司令官（知留后）。李豫（李俶）批准。

5 昭义战区（总部设相州〔河南省安阳市〕）初级将领薛择当相州（河南安阳市）州长、薛雄当卫州（河南省卫辉市）州长、薛坚当洺州（河北省邯郸市永年区东南广府镇）州长，都是故司令官（节度使）薛嵩的家族（薛嵩逝世，参考前年〔七七三〕正月）。

正月十四日，李豫（李俶）命宦官总管（内侍）魏知古，前往魏州（河北省大名县），传话给田承嗣（魏博〔总部魏州〕司令官），命他跟薛家班州长们各自严守疆界，田承嗣拒绝。

正月十九日，田承嗣派大将卢子期攻洺州（河北省邯郸市永年区东南广府镇）、杨光朝攻卫州（河南省卫辉市）。

6 正月二十一日，西川战区（总部设成都府〔四川省成都市〕）司令官（节度使）崔宁（崔旰）奏称在西山（成都以西山区）击破吐蕃王国（首都逻些城〔西藏拉萨市〕）数万人，其中格杀一万人，俘虏数千人。

7 正月二十二日，李豫（李俶）下诏说：“各战区士卒有逃亡

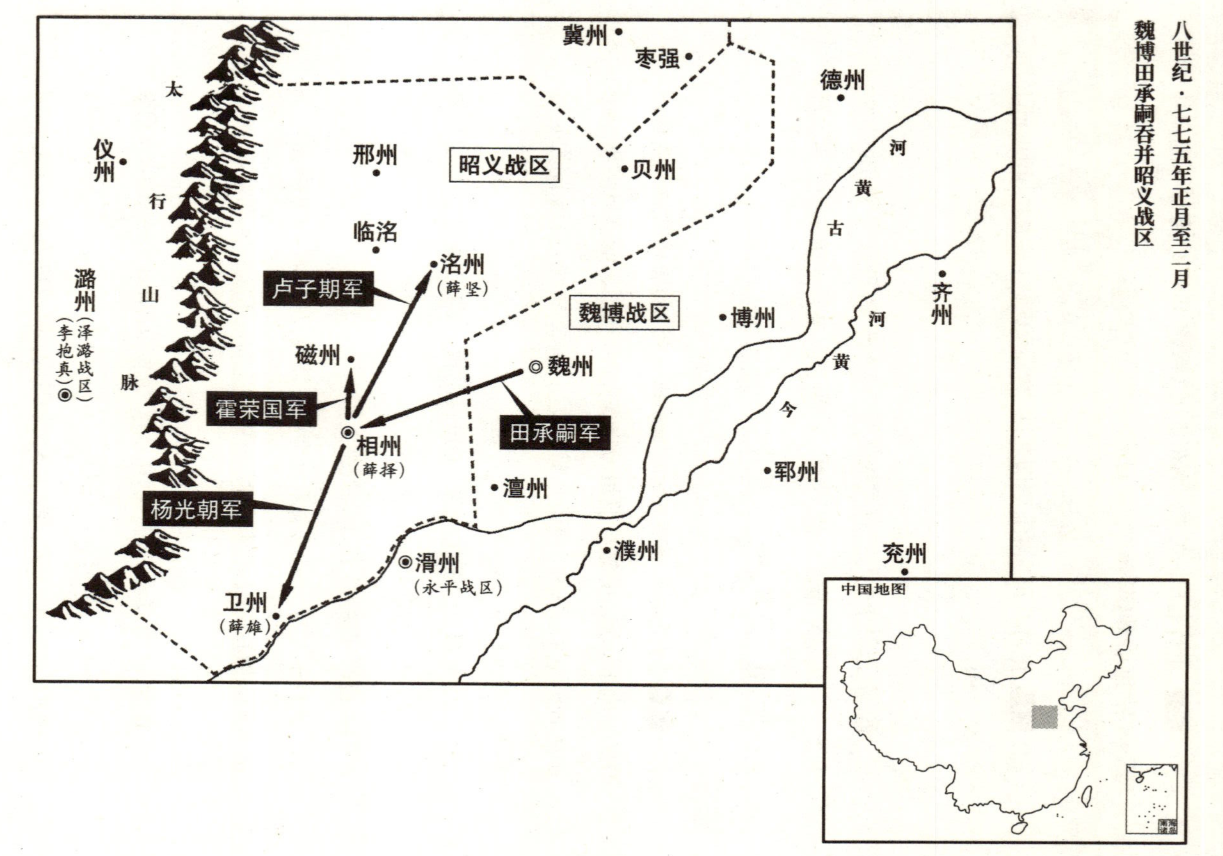

八世纪·七七五年正月至二月
魏博田承嗣吞并昭义战区

的，除非奉到中央指令，不准招募补充。”

8 二月一日，田承嗣引诱卫州（河南省卫辉市）州长薛雄弃城投降，薛雄拒绝。田承嗣派刺客格杀薛雄，屠灭薛雄全家，遂把相州（河南省安阳市）、卫州（河南省卫辉市）、洺州（河北省邯郸市永年区东南广府镇）、磁州（河北省磁县）四州，全部并吞，直接任命州长等官员，收编所有精兵良马，集中魏州（魏博战区总部，河北省大名县）。

田承嗣强迫钦差宦官魏知古，陪他一同巡视磁州（河北省磁县）、相州（河南省安阳市），教一些将士刀割耳朵、划破面孔，坚决请求中央任命田承嗣当他们的统帅。

9 二月七日，封皇子李述当睦王、李逾当郴王、李连当恩王、李遘当鄜王（鄜，音fū〔夫〕）、李迅当随王、李造当忻王、李暹当韶王、李运当嘉王、李遇当端王、李遹当循王、李通当恭王、李达当原王、李逸当雅王。

10 二月十二日，命华州（陕西省渭南市华州区）州长李承昭，当昭义战区（总部设相州〔河南省安阳市〕）代理候补司令官（知留后。唐政府此项任命，只是显示不承认昭义战区被并）。

11 河阳三城（河南省孟州市）基地司令（河阳三城使）常休明，刻薄寡恩、没有情义。基地参加西疆秋防的特遣兵团，由京师（首都长安）回军返镇，常休明出城迎接慰劳，特遣兵团跟基地留守部队，联合兵变，攻击常休明，常休明逃到东都洛阳（河南省洛阳市）。将士们拥护作战司令（兵马使）王惟恭当统帅，大肆烧杀掳掠，几天之后才恢复秩序。

李豫（李俶）命监军宦官冉庭兰前去慰问安抚。

12 三月一日，陕虢道（首府设陕州〔河南省三门峡市〕）兵变，驱逐作战司令（兵马使）赵令珍；陕虢道行政长官（观察使）李国清无法阻止，只好卑屈求全，低声下气，向所有的将士叩头，才算逃出一命，变兵遂乘势大肆抢劫。正巧，淮西战区（总部设蔡州〔河南省汝南县〕）司令官（节度使）李忠臣（董秦），前往京师（首都长安）朝见，路过陕州（河南省三门峡市），李豫（李俶）命李忠臣（董秦）顺便调查处理。陕州（河南省三门峡市）将士畏惧李忠臣（董秦）的强大军队，不敢反抗。李忠臣（董秦）用篱笆围一个空地，下令说："把所抢劫的东西丢进去，就不再追究。"为了脱罪，大家纷纷丢入，只一天时间，丢进去的东西价格便至一万串钱，李忠臣（董秦）并不发还民间，而全数分给随从士卒，当作赏赐。

13 三月十二日，薛崿、常休明，前往皇宫门前，请求宽恕。李豫（李俶）一律赦免，不追究责任。

14 最初，成德战区（总部设恒州〔河北省正定县〕）司令官（节度使）李宝臣（张忠志）、平卢战区（总部设青州〔山东省青州市〕）司令官（节度使）李正己（李怀玉），都受魏博战区（总部设魏州〔河北省大名县〕）司令官（节度使）田承嗣的轻视。

李宝臣（张忠志）的老弟李宝正，娶田承嗣的女儿为妻。李宝正在魏州（河北省大名县）跟田承嗣的儿子田维，打马球游戏，李宝正的坐骑忽然受惊狂奔，无法控制，竟把田维撞死。田承嗣大怒若狂，逮捕李宝正囚禁，派人通知李宝臣（张忠志）。李宝臣（张忠志）承认自己管教不严，特别送上一根木棍，请田承嗣代为责打教训。田承嗣为子报仇，竟把女婿乱棍打死，这项凶蛮的反应，使李宝臣（张忠志）大为惊骇，两个战区的友谊，从此破裂。现在，田承嗣反抗中央，李宝臣（张忠志）、李正己（李怀玉）都上疏请求讨伐，而李豫（李俶）也正想利用他们之间的矛盾，对田承嗣采取行动。

夏季，四月三日（原文“乙未”，据《旧唐书》改），李豫（李俶）下诏贬田承嗣当永州（湖南省永州市）州长。另训令河东战区（总部设太原府〔山西省太原市〕）、成德战区（总部设恒州〔河北省正定县〕）、卢龙战区（总部设幽州〔北京市〕）、平卢战区（总部设青州〔山东省青州市〕）、淮西战区（总部设蔡州〔河南汝阳县〕）、永平战区（总部设滑州〔河南省滑县〕）、汴宋战区（总部设汴州〔河南省开封市〕）、河阳军基地（设河阳〔河南省孟州市〕）、泽潞战区（总部设潞州〔山西省长治市〕）各派特遣兵团，向魏州（河北省大名县）前进，如果田承嗣推拖延迟，不肯前往就职，大家立即发动攻击。诏书并声明说：罪犯只限于田承嗣跟他的侄儿田悦，其他将士以及田家班兄弟侄儿等，只要能跟叛徒划清界限，政府对他们过去的行为，一律不予追究。

当时，卢龙战区（总部设幽州〔北京市〕）司令官（节度使）朱滔，对中央最为恭顺，遂会同李宝臣（张忠志）跟河东战区（总部设太原府〔山西省太原市〕）司令官（节度使）薛兼训，攻击魏州（河北省大名县）北部（河东兵团应绕过太行山北段，进入卢龙战区〔总部幽州〕，与朱滔会合南下）；李正己（李怀玉）跟淮西战区（总部设蔡州〔河南汝阳县〕）李忠臣（董秦）等，攻击魏州（河北省大名县）南部。

五月三日，田承嗣部将霍荣国，献出磁州（河北省磁县），投降。

五月十五日，李正己（李怀玉）攻击德州（山东省德州市陵城区），攻

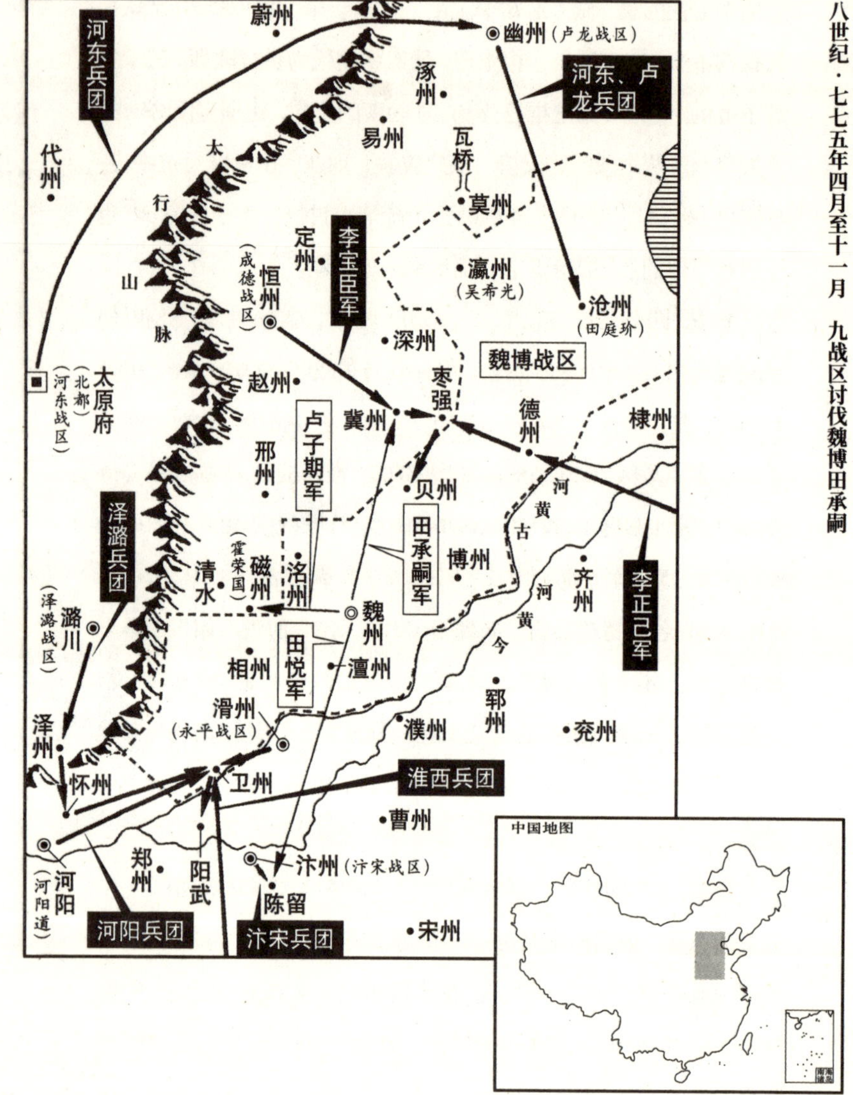

八世纪·七七五年四月至十一月　九战区讨伐魏博田承嗣

克。李忠臣（董秦）率永平（滑州，河南省滑县）、河阳（河南省孟州市）、怀州（河南省沁阳市）、泽州（山西省晋城市）等步骑兵四万人庞大军团，攻击卫州（河南省卫辉市）。

六月九日，田承嗣派将领裴志清等攻击冀州（河北省衡水市冀州区。属成德战区），裴志清率领部队投降李正己（李怀玉）。

六月十二日，田承嗣亲自率军攻击冀州（河北省衡水市冀州区）。李宝臣（张忠志）派高阳军（驻易州，河北省易县）基地司令（使）张孝忠，率精锐骑兵四千人迎战，李忠臣（董秦）主力随后抵达；田承嗣发现形势不利，遂焚烧粮草辎重，迅速撤退。张孝忠，是奚部落（滦河上游）人（当过安禄山的前锋官，参考七五五年十二月八日）。田承嗣因各战区特遣兵团从四方涌来，而部将又有很多人背叛逃走，才感到恐惧。

秋季，八月，田承嗣派人携带奏章，前往京师（首都长安）呈递，请准许他以有罪之身，回归中央。

15 八月二十日，郭子仪返邠州（陕西省彬州市）。

郭子仪曾经上疏保荐一个县长，中央不作答复。僚属们互相议论说："就凭令公的功勋超人（郭子仪中央官称"中书令〔最高立法长〕"），德高望重，保荐一个部下当地方官，中央竟然不理，当宰相的怎么不识大体！"郭子仪听到消息，告诉僚属们说："自从天下大乱，驻扎各地的军事将领，多数专横凶暴，只要提出要求，中央总是委曲求全，想尽办法使他们满意。没有什么特别原因，只是怀疑他们而已。我今天上疏所作建议，领袖认为它不可行，而予以搁置，这正表示不把我当作军阀看待，是对我特别亲厚，你们应该为我祝贺才对，有什么好奇怪的。"听到郭子仪这番话的人，都口服心服。

16 八月二十八日，田承嗣派将领卢子期，进攻磁州（河北省磁县）。

17 九月十七日，留在首都长安（陕西省西安市）的回纥人，光天化日之下，攻击市民，受到攻击的市民连肠子都被刺出来。主管单位把凶手逮捕，囚禁万年县（首都长安东半城）监狱。回纥人的酋长赤心，攻进监狱，砍伤警卫人员，把囚犯救走。李豫（李俶）不准追究（赤心运马来卖，参考前年〔七七三〕八月，流连不去，可能对唐王朝只购六千匹不满，参考该年〔七七三〕十一月）。

18 九月二十一日，吐蕃军（西藏）攻击临泾（甘肃省镇原县）。

九月二十二日，再攻击陇州（陕西省陇县）及普润（陕西省宝鸡市凤翔区北），大肆掳掠男女及家畜，向西撤走；官员们只好把自己的家属，送到城外躲藏。

九月二十五日，凤翔战区（总部设凤翔府〔陕西省宝鸡市凤翔区〕）司令官（节度使）李抱玉（安抱玉）奏报：在义宁（甘肃省华亭市）击破吐蕃军。

19 成德战区（总部设恒州〔河北省正定县〕）司令官（节度使）李宝臣（张忠志）、平卢战区（总部设青州〔山东省青州市〕）司令官（节度使）李正己（李怀玉），在枣强（河北省枣强县）会师，进围贝州（河北省清河县。贝州原是昭义战区〔总部相州〕属州，田承嗣吞并昭义时，同时夺取贝州，但《资治通鉴》没有特别记载）。田承嗣出军增援。两战区分别犒劳他们的士卒，成德战区的赏赐较多，平卢战区的赏赐较少。事后，平卢战区士卒口吐怨言，李正己（李怀玉）恐怕军心有变，立即率部队退出战场，李宝臣（张忠志）也跟着撤退。淮西战区（总部设蔡州〔河南汝南县〕）司令官（节度使）李

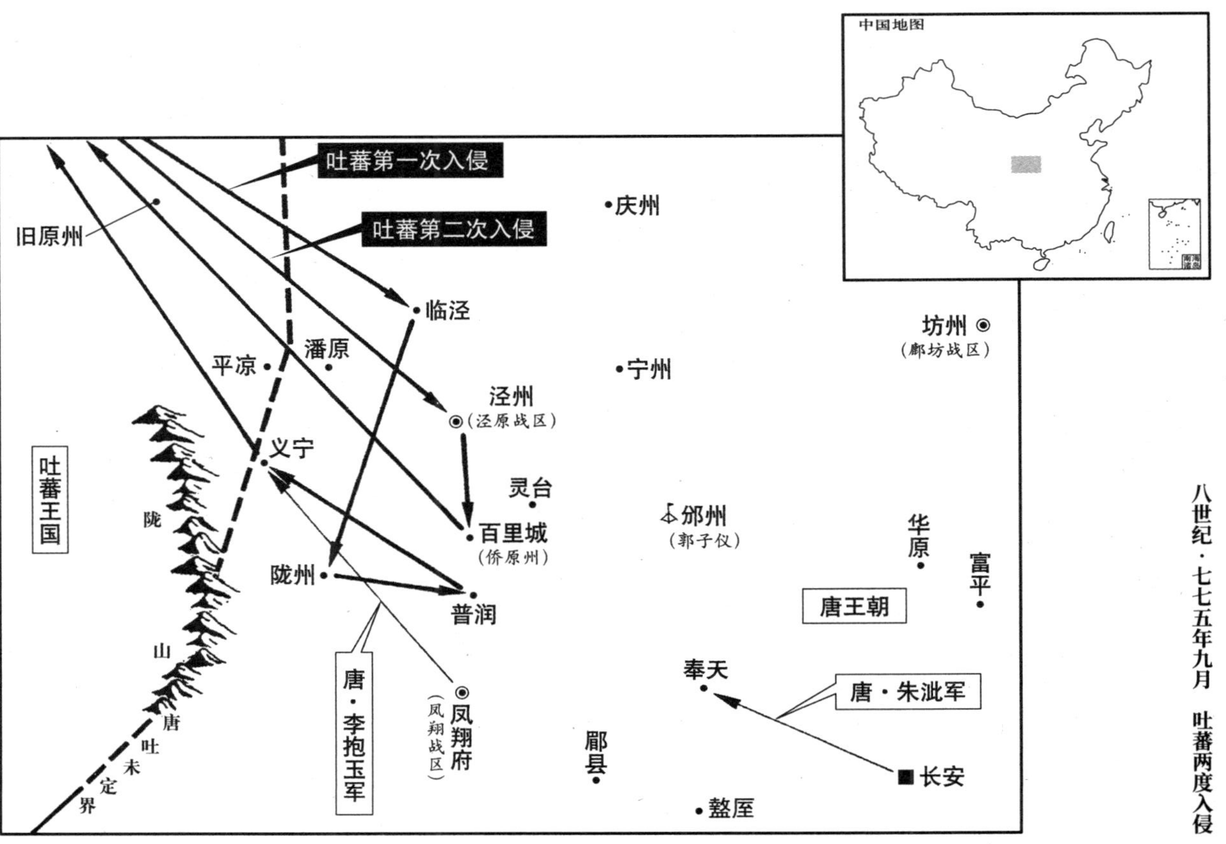

八世纪·七七五年九月　吐蕃两度入侵

忠臣（董秦）听到消息，也解除卫州（河南省卫辉市）包围，渡黄河南下，驻扎阳武（河南省原阳县），观望形势。

李宝臣（张忠志）跟卢龙战区（总部设幽州〔北京市〕）候补司令官（留后）朱滔，转而攻击沧州（河北省沧州市东南），田承嗣的堂弟田庭玠守城，李宝臣（张忠志）不能攻克。

20 吐蕃军（西藏）攻击泾州（甘肃省泾川县），泾原战区（总部设泾州〔甘肃省泾川县〕）司令官（节度使）马璘，在百里城（甘肃省灵台县西）把他们击败。

九月二十七日，李豫（李俶）命卢龙战区（总部设幽州〔北京市〕）司令官（节度使）朱泚（音cǐ〔此〕），前往奉天（陕西省乾县）坐镇。

21 冬季，十月一日，日蚀。

22 田承嗣部将卢子期，进攻磁州（河北省磁县），几乎把城攻破，成德战区（总部设恒州〔河北省正定县〕）司令官（节度使）李宝臣（张忠志），会同昭义战区（总部原设相州〔河南省安阳市〕）候补司令官（留后）李承昭，联合增援，在清水（河北省磁县西北）大破卢子期军，生擒卢子期，押送京师（首都长安）斩首。河南（黄河以南）中央各将领又在陈留（河南省开封市东南陈留镇）大破田悦；田承嗣大为恐惧。

最初，平卢战区（总部设青州〔山东省青州市〕）司令官（节度使）李正己（李怀玉）派使节去魏州（河北省大名县），田承嗣把他扣留囚禁；现在，把那位使节当作贵宾，放他回去，并把全部户籍、官兵名册、粮食绸缎账簿，送给那位使节，请他转述田承嗣的话说："我今年已八十六岁（本年田承嗣七十一岁，故意多报，欺骗呆瓜），随时都会死去，儿子们没有一个成材，侄儿田悦也懦弱无能，我今天所有的这些东西，只是替大帅暂时保管罢了，何至劳大帅兴师动众！”请那位使节面向南方站在庭院里，田承嗣向他叩头，把信件交给他带回去；又绘制李正己（李怀玉）的肖像悬挂，烧香膜拜。李正己（李怀玉）心花怒放，遂按兵不动。而河南（黄河以南）中央军其他各特遣兵团，都不敢单独前进。田承嗣既然解除南面的威胁，就专心对付北面。

李豫（李俶）嘉勉成德战区（总部设恒州〔河北省正定县〕）司令官（节度使）李宝臣（张忠志）的功劳，特派宦官马承倩，携带诏书，前去慰劳。马承倩将回京（首都长安）复命时，李宝臣（张忠志）亲自去宾馆给他饯行，致送绸缎一百匹，但马承倩预期的数字要多得多，大为失望，于是霎时间翻脸，破口大骂，把绸缎统统扔到马路上，李宝臣（张忠志）在左右侍从面前受到侮辱，十分羞惭。作战司令（兵马使）王武俊（参考七六二年十一月）警告说：“你刚刚立下大功，小瘪三还敢这样。一旦盗匪平息，上面只要用一道命令教你去京师（首都长安）宫门报到，你就不过一个小民而已。依我之意，不如放田承嗣一马，把他当作你的资本。”李宝臣（张忠志）遂生豢养盗匪保护自己的念头。

田承嗣知道：范阳（幽州州政府所在城，北京市）是李宝臣（张忠志）的故乡，李宝臣希望能并入自己战区（《新唐书·藩镇传》：“李宝臣本是奚部落〔滦河上游〕人，范阳将领张琐高收作养子，因名张忠志〔琐高，参考七三六年四月〕。”曾一度为安禄山养子，改姓安〔参考七五五年十一月十九日〕；归降中央后，皇帝赐姓名李宝臣〔参考七六二年十一月〕），于是田承嗣大做手脚，在石头上刻下神秘预言书上特有的似通非通文字：“二帝同功势万全，将田为侣入幽燕。”派人暗中埋在成德战区（总部设恒州〔河北省正定县〕）境内，然后要巫法师警告李宝臣(张忠志)说，该地有帝王之气！李宝臣(张忠志)挖掘，把那块石头挖出来。田承嗣再派人去向李宝臣(张忠志)游说："你跟朱滔(卢龙〔总部幽州〕候补司令官)联合攻击沧州(河北省沧州市东南)，把它攻克，土地缴回中央，不会归你所有。你如果能赦免田承嗣的罪，他愿把沧州(河北省沧州市东南)呈献给你，并愿替你攻击范阳(北京市)，你率骑兵当前锋，田承嗣率步兵在后面接应，没有不攻克之理(根据《新唐书·方镇表》，魏博确实把沧州割给成德，事实上，本年〔七七五〕五月，平卢〔总部青州〕攻取德州〔山东省德州市陵城区〕，魏博〔总部魏州〕最北境的沧州、瀛州〔河北省河间市〕与总部的交通线便被完全切断，成为"飞地"。就算田承嗣不放弃二州，也不可能久守)。"李宝臣(张忠志)大喜过望，认为事情的发展，符合石头上的预言，立场遂剧烈改变，反而跟田承嗣结合，阴谋夺取范阳(北京市)，田承嗣更率军进驻北方边境，表示随时可以出动，一切都在秘密进行，没有人料到会发生阵前叛变。

事先，李宝臣(张忠志)对卢龙战区(总部设幽州〔北京市〕)候补司令官(留后)朱滔的使节说："听说朱大帅的容貌仪态，如同天神，很盼望能看到他的画像。"朱滔遂送给他一幅。李宝臣(张忠志)把它悬挂在演武堂上，跟各将领共同瞻仰，赞叹说："真是神仙人物！"朱滔驻军瓦桥(河北省雄县)，李宝臣(张忠志)挑选精锐骑兵二千人，一夜之间，奔驰三百华里，向朱滔发动奇袭，下达指示说："格杀演武堂画像上那个人！"当时，两支友军并肩作战，感情和睦，朱滔绝想不到变起眉睫，狼狈应战，大败，幸而朱滔改穿别的衣服，没有穿画像上的衣服，才逃出一命。李宝臣(张忠志)打算乘胜攻取范阳(北京市)，而朱滔派雄武军(河北省兴隆县南)基地司令(使)昌平(北京市昌平区)人刘怦，坐镇留守长官府。李宝臣(张忠志)发现范阳(北京市)已有戒备，不敢前进。

田承嗣在边界得到卢龙兵团（总部幽州）跟成德兵团（总部恒州）交战消息，立刻率军南返，派人告诉李宝臣（张忠志）说：“河内（河南省黄河以北）有紧急情况，没有办法追随你攻打幽州（北京市），至于石头上的预言，是我搞的小把戏，阁下不必当真！”李宝臣（张忠志）羞怒交加，但又无可奈何，虽然毫无所获，也只好退军。可是既然跟朱滔破裂，命高阳军（河北省易县）基地司令（使）张孝忠，当易州（河北省易县）州长，率精锐骑兵七千人，防备朱滔复仇。

23 十月六日，贵妃（小老婆群第一级）独孤女士逝世。

十月七日，追赠绰号贞懿皇后。

24 十一月七日，田承嗣部将吴希光，献出瀛州（河北省河间市），投降中央讨伐军（据《新唐书·方镇表》，瀛州应是向卢龙战区〔总部幽州〕投降）。

25 岭南战区（总部设广州〔广东省广州市〕）司令官（节度使）路嗣恭，擢升流刑人犯孟瑶、敬冕，充当将领，讨伐变军首领哥舒晃（参考前年〔七七三〕九月）。孟瑶率大军封锁正面所有道路，敬冕率轻装备部队从小路深入。

十一月十七日，攻克广州（广东省广州市），斩哥舒晃，诛杀变军一万余人。

路嗣恭讨伐哥舒晃时，容州军管区（总部设容州〔广西北流市）军事指挥官（经略使）王翃，派将领率军会师，共同出击。西原（广西靖西市）变民首领覃问，乘机袭击容州（广西北流市），王翃发动埋伏，生擒覃问。

26 十二月，回纥汗国（瀚海沙漠群）骑兵一千人，攻击夏州（陕西省靖边县北白城则村），州政府将领梁荣宗，在乌水（靖边县西北红柳河支流）把他们击破。

郭子仪派军三千人增援夏州（陕西省靖边县北白城则村），回纥军逃走。

27 宰相元载、王缙，上疏说：魏州（河北省大名县）食盐全靠外地输入，请禁止运盐入境，使田承嗣（魏博〔总部魏州〕首领）困窘。李豫（李俶）不同意说："田承嗣一个人辜负我，人民有什么罪！"

28 田承嗣请求前往京师（首都长安）朝见。平卢战区（总部设青州〔山东省青州市〕）司令官（节度使）李正己（李怀玉）一再上疏为田承嗣求情，请准许田承嗣改过自新。

七七六年 丙辰

唐 大历 十一年

1 春季，正月三日，唐王朝（首都长安〔陕西省西安市〕）皇帝（十一任代宗）李豫（李俶，本年五十一岁），派监督院高级顾问官（谏议大夫，正四品下）杜亚，前往魏州（河北省大名县）安抚慰问田承嗣。

2 正月二十二日，西川战区（总部设成都府〔四川省成都市〕）司令官（节度使）崔宁（崔旰）奏报：击破吐蕃王国（首都逻些城〔西藏拉萨市〕）四个战区司令官（节度使），以及突厥部落（所在地不详）、吐谷浑部落（青海省)、氐部落(甘肃省东南部)、羌部落(甘肃省南部)各部落军二十余万,杀一万余人。

3 二月二十二日,魏博战区(总部设魏州〔河北省大名县〕)司令官(节度使)田承嗣再派使节上疏请求准许他前往京师(首都长安)朝见。

李豫(李俶)乃下诏,赦免田承嗣叛乱罪行,恢复他的爵位和官职,准许他和他的家属前来京师(首都长安)朝见。他部属中所有参加反抗中央的官员,一律不再追究。

4 二月二十三日,增加朔方战区(总部设灵州〔宁夏灵武市〕)五个城池的边防军,防备回纥汗国(瀚海沙漠群)出军南下(朔方所属塞下五城:丰安〔宁夏中卫市西〕、定远〔宁夏平罗县〕、新昌〔宁夏灵武市东北〕、丰宁〔今地不详〕、保宁〔今地不详〕)。

5 三月一日,河阳军(河南省孟州市)基地兵变,把监军宦官冉庭兰赶出城外,大肆烧杀掳掠三天。冉庭兰率援军回城,诛杀领导兵变的官兵数十人,情势才告稳定。

6 夏季,五月,汴宋战区(总部设汴州〔河南省开封市〕)候补司令官(留后)田神玉逝世。总纠察官(都虞候)李灵曜格杀作战司令(兵马使)、兼濮州(山东省鄄城县)州长孟鉴,跟北方的田承嗣勾结,引作外援。

五月七日,中央命永平战区(总部设滑州〔河南省滑县〕)司令官(节度使)李勉,兼汴宋战区(总部设汴州〔河南省开封市〕)候补司令官(留后。汴宋战区辖八州:汴州、宋州〔河南省商丘市〕、曹州〔山东省菏泽市定陶区〕、濮州〔山东省鄄城县〕、兖州〔山东省济宁市兖州区〕、郓州〔山东省东平县〕、徐州〔江苏省徐州市〕、泗州

〔江苏省盱眙县淮河北岸〕)。

五月九日，命李灵曜当濮州(山东省鄄城县)州长；李灵曜拒绝。

六月二日，中央屈服，命李灵曜当汴宋战区(总部设汴州〔河南省开封市〕)候补司令官(留后)，派使节前去安抚慰问。

7 秋季，七月，田承嗣派军攻击永平战区总部所在滑州(河南省滑县)，击败战区司令官(节度使)李勉。

8 吐蕃军(西藏)攻击石门(宁夏海原县)，深入长泽川(宁夏固原市北)。

9 八月十一日，擢升卢龙战区(总部设幽州〔北京市〕)司令官(节度使)朱泚，遥兼二级宰相(同平章事·使相)。

10 李灵曜既被任命为战区候补司令官(留后)，越发骄傲自大，不可一世，分别遴派他的党羽当辖境里八州州长和八州所属所有县长，打算效法河北(黄河以北)各战区，实行割据。

八月二十九日，李豫(李俶)下令淮西战区(总部设蔡州〔河南省汝南县〕)司令官(节度使)李忠臣(董秦)、永平战区(总部设滑州〔河南省滑县〕)司令官(节度使)李勉、河阳三城(河南省孟州市)军事基地司令(河阳三城使)马燧、淮南战区(总部设扬州〔江苏省扬州市〕)司令官(节度使)陈少游、平卢战区(总部设青州〔山东省青州市〕)司令官(节度使)李正己(李怀玉)，讨伐李灵曜。

汴宋战区(总部设汴州〔河南省开封市〕)作战司令(兵马使)、摄理副司令官(摄节度副使)李僧惠，是李灵曜的智囊；宋州(河南省商丘市)营门

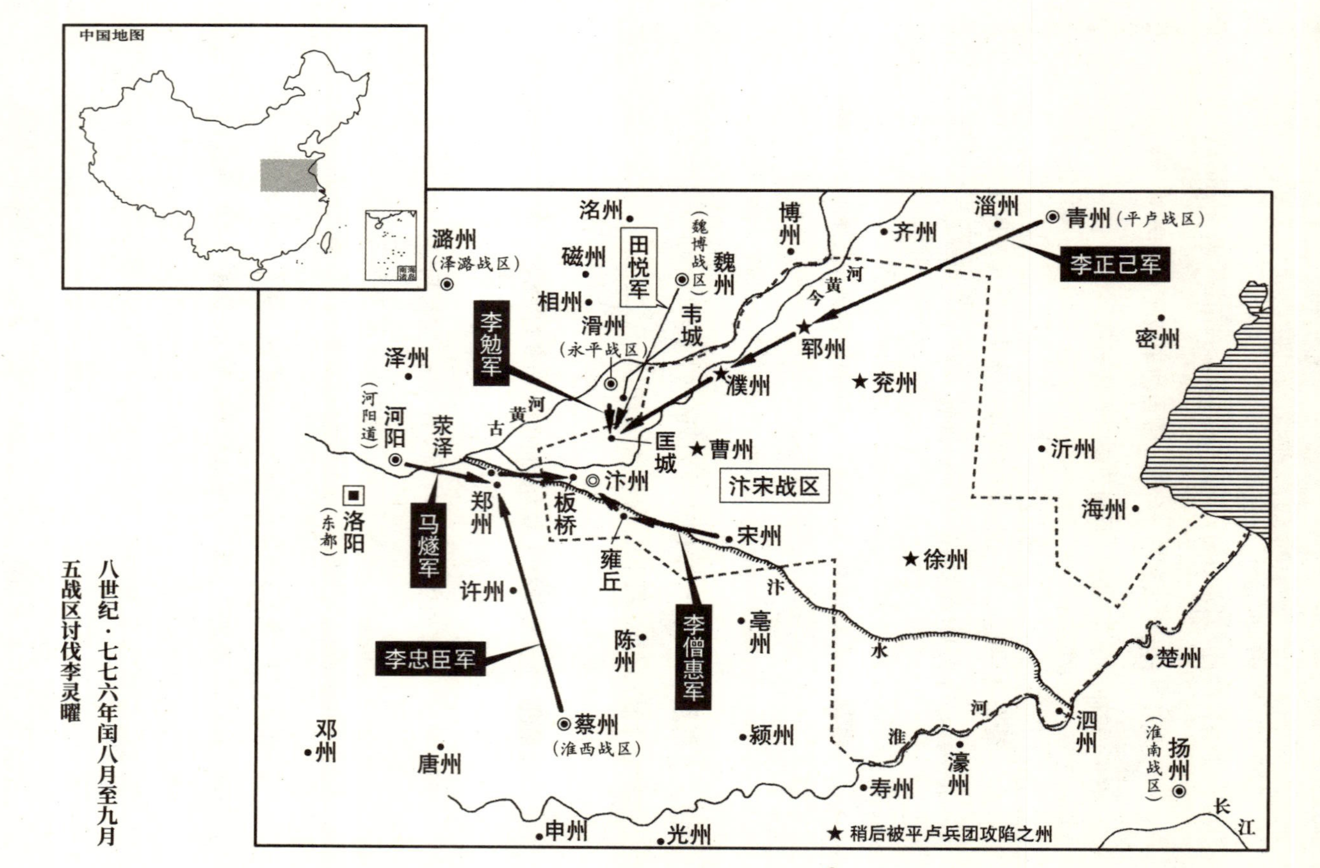

八世纪·七七六年闰八月至九月
五战区讨伐李灵曜

官（牙门将）刘昌，派密使曾神表，暗中游说李僧惠。李僧惠召见刘昌，征求意见，刘昌向他分析叛逆的后果，声泪俱下。李僧惠遂跟战区营门官（汴宋牙将）高凭、石隐金，派曾神表携带奏章，前往京师（首都长安），请准许他们戴罪立功，讨伐李灵曜。

九月八日，中央命李僧惠当宋州（河南省商丘市）州长、高凭当曹州（山东省菏泽市定陶区）州长、石隐金当郓州（山东省东平县）州长。

九月十一日，李忠臣（董秦）、马燧，在郑州（河南省郑州市）扎营，李灵曜率军出击；两军想不到敌人突然出现，霎时溃散，退到荥泽（郑州市西），李忠臣（董秦）的淮西兵团士卒逃亡十分之五六，郑州（河南省郑州市）官民惊恐，纷纷投奔东都洛阳（河南省洛阳市。郑州属泾原战区〔总部泾州〕）。李忠臣（董秦）打算撤退，马燧坚决反对，说："政府正规军讨伐叛逆，为什么担心失败？为什么放弃这个立功成名的良机？"下令巩固阵地，一步也不移动。李忠臣（董秦）听到消息，开始集合散兵游卒，几天工夫，集结完毕，威势再度振作。

九月十四日，李正己（李怀玉）上疏称：攻克郓州（山东省东平县）、濮州（山东省鄄城县）。

九月十八日，李僧惠在雍丘（河南省杞县）击败李灵曜。

冬季，十月，李忠臣（董秦）、马燧，向李灵曜发动总攻。李忠臣（董秦）负责汴州（河南省开封市）南部，马燧负责汴州（河南省开封市）北部，不断击破李灵曜变军。

十月十八日，李忠臣（董秦）的淮西兵团、马燧的河阳三城兵团，跟陈少游的淮南兵团会师，在汴州（河南省开封市）城西，跟李灵曜发生大战；李灵曜失败，进城坚守。

十月十九日，李忠臣（董秦）等包围汴州（河南省开封市）。

魏博战区（总部设魏州〔河北省大名县〕）司令官（节度使）田承嗣，派侄儿田悦率军增援李灵曜，在匡城（河南省长垣市）击败永平（总部滑州）、平卢（总部青州）两战区特遣兵团，乘胜直指汴州（河南省开封市），在城北数华里路的地方扎营。

十月二十二日，李忠臣（董秦）派初级将领李重倩，率数百名轻装备骑兵，于夜晚突袭田悦大营，东杀西砍，如入无人之境，共斩数十人才撤退，田悦官兵大为震骇。

李忠臣（董秦）、马燧乘势率主力进攻，战鼓如雷，士卒们大声呐喊，冲入田悦大营，田悦所率魏博兵团，还没有接战，就先溃散，田悦一个人脱身，向北逃走，士卒们死亡惨重，尸首相连，多到无法计数。李灵曜得到消息，夜晚大开汴州（河南省开封市）城门，向西北逃走。汴州（河南省开封市）战乱，全部平息。李重倩，本是奚部落（滦河上游）人。

十月二十三日，李灵曜逃到韦城（河南省滑县东南二十五公里），永平战区（总部设滑州〔河南省滑县〕）将领杜如江，把他生擒活捉。

马燧知道李忠臣（董秦）残暴凶狠，遂把自己的功劳全让给他，所以不进汴州（河南省开封市），率军进驻汴州（河南省开封市）西方的板桥（河南省开封市西）。李忠臣（董秦）进城，果然把所有功劳，都归自己。宋州（河南省商丘市）州长李僧惠跟他争论，李忠臣（董秦）利用举行军事会议时，把他击斩；又打算诛杀刘昌，刘昌逃走，得免一死。

十月三十日，永平战区（总部设滑州〔河南省滑县〕）司令官（节度使）李勉，把李灵曜押解到京师（首都长安），斩首。

11 十二月四日，同时命平卢战区（总部设青州〔山东省青州市〕）司令官（节度使）李正己（李怀玉）及成德战区（总部设恒州〔河北省正定县〕）司令官（节度使）李宝臣（张忠志）：遥兼二级宰相（同平章事·使相）。

12 泾原战区（总部设泾州〔甘肃省泾川县〕）司令官（节度使）马璘病重，命作战参谋长（行军司马）段秀实代理司令官（知节度事），托付给他死后的事。段秀实下令全军戒备，防范非常情况。

十二月十三日，马璘逝世（年五十六岁），军中得到消息，奔丧痛哭的有数千人，在门外喧哗呜咽，段秀实一律禁止他们进门。命内营管理官（押牙）马頔（音dí〔笛〕）在营内办理丧事，另一内营管理官（押牙）李汉惠在营外接待宾客；马璘的正妻、小老婆、子孙，在室里哀悼，马姓家族在院里哀悼，将领军官们在大营门前哀悼，士卒留在营帐、居民留在家里哀悼。有离开自己的位置，到街上和另外的人聚会谈话的，立即逮捕囚禁。送葬时，不是护丧人员，不准远送。至于祭奠仪式，都有严格规定；送丧路程远近，都有明确指示，违犯的一律军法审判。总纠察官（都虞候）史廷干、作战司令（兵马使）崔珍、带兵官（十将）张景华，阴谋利用这次葬礼，发动兵变，段秀实得到情报，上疏保荐史廷干前去中央充当禁卫军官，调崔珍移防灵台（甘肃省灵台县），调张景华到外州县任职，不杀一个人，战区却得以安然无事。

八世纪五〇年代之后，唐王朝传统的政治伦理，全部破坏；马璘是中央直属战区的司令，一旦身死，从段秀实种种激烈措施，可看出军营已成为一个火药库，随时都会爆炸。皇家大军尚且如此，割据称雄的地方军阀——藩镇，更危机四伏。于是，凶暴的人有福了，既不要命、又不要脸的人有福了，权力、荣耀，都是他们的，社会已成反淘汰漩涡，老虎生狗、狗生耗子，一代不如一代。

马璘家产多到无法计算，京师（首都长安）家宅，豪华奢侈，超过其他所有权贵，仅主厅就用钱二十万串，其他房屋，也都跟主厅相差无几。马璘的子孙都不成才，这笔庞大无比的家产，不久就被卖光。

13 十二月十五日，昭义战区（此时仅有磁州〔河北省磁县〕、邢州〔河北省邢台市〕）司令官（节度使）李承昭，上疏报告自己病重。

李豫（李俶）命泽潞战区（总部设潞州〔山西省长治市〕）作战参谋长（行军司马）李抱真（安抱真），兼昭义战区代理候补司令官（兼知磁邢二州留后）。

14 十二月二十七日，李豫（李俶）命淮西战区（总部设蔡州〔河南省汝南县〕）司令官（节度使）李忠臣（董秦）：遥兼二级宰相（同平章事·使相），仍兼汴州（河南省开封市）州长，总部迁到汴州（河南省开封市）。

七七七年
丁巳

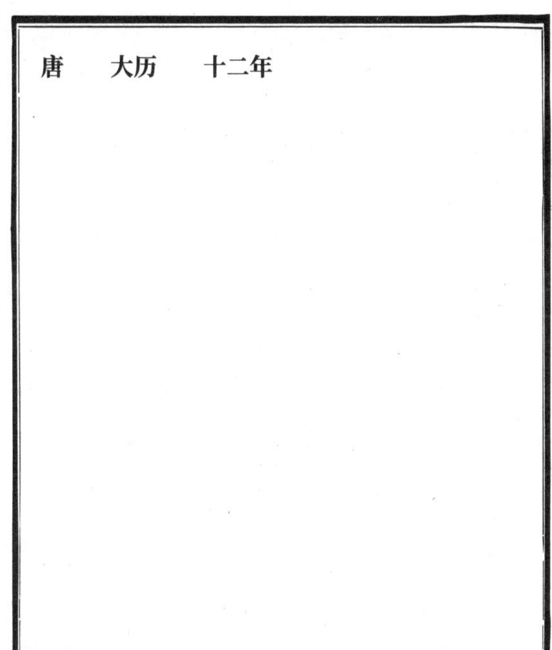
唐　大历　十二年

1 春季，三月三日，唐王朝（首都长安〔陕西省西安市〕）国务院国防部长（兵部尚书）、遥兼二级宰相（同平章事·使相），凤翔怀泽潞秦陇战区（总部设凤翔府〔陕西省宝鸡市凤翔区〕）司令官（节度使）李抱玉（安抱玉）逝世（年七十四岁）。命堂弟李抱真（安抱真）兼怀泽潞战区（总部设潞州〔山西省长治市〕）候补司令官（领怀泽潞留后）。

2 三月十一日，唐帝（十一任代宗）李豫（李俶，本年五十二岁）擢升河东战区（总部设太原府〔山西省太原市〕）作战参谋长（行军司马）鲍防当司令官（节度使）。鲍防，是襄州（湖北省襄阳市）人。

3 魏博战区（总部设魏州〔河北省大名县〕）司令官（节度使）田承嗣，拖到最后仍然不肯前往京师（首都长安）朝见，反而出军援助变军首领李灵曜（参考去年〔七七六〕十月），李豫（李俶）再下诏讨伐。田承嗣再上疏请求宽恕。李豫（李俶）无可奈何。

三月十八日，恢复田承嗣全部爵位官职，并同意他不必进京（首都长安）。

4 立法院副立法长（中书侍郎）、二级实质宰相（同平章事）元载，独揽大权，专制蛮横；监督院副监督长（黄门侍郎）、二级实质宰相（同平章事）王缙，逢迎攀附，二人组成一个庞大的贪污网。元载的正妻王女士，跟他的儿子元伯和、元仲武，以及王缙的老弟、妹妹，跟一些出入二人家宅的尼姑，都比赛着看谁收受贿赂收得最多。而二人又把大权交到属下一些低级官员之手；知识分子打算当官的，如果不结交元、王两家子弟，或文书员（主书）卓英倩等，就毫无办法。李豫（李俶）多少年来，一直包容忍耐，而元载、王缙，却没有稍稍收敛。

李豫（李俶）准备采取行动，恐怕消息泄露，没有人可以商量，于是单独跟左金吾卫（卫军第十一军）大将军吴凑暗中计划。吴凑，是李豫（李俶）的舅父（娘亲章敬皇后吴女士，参考七六二年五月）。正巧，有人检举元载、王缙于夜晚设坛，请和尚道士向神灵祈祷，有不法的企图。

三月二十八日，李豫（李俶）登延英殿，命吴凑前往宰相联合办公厅（政事堂）逮捕元载、王缙，又逮捕元仲武、卓英倩等，囚禁监狱，指定国务院文官部长（吏部尚书）刘晏，跟总监察官（御史大夫）李涵等，组合议法庭，共同审问。所有调查要点，都由李豫（李俶）从宫中送出；公开调查后，李豫（李俶）更派宦官调查若干隐密的事，元载、王缙二人低头认罪。当天（三月二十八日），先在宫内逮捕左卫（卫军第一军）将军、代理宦官总管（知内侍省事）董秀，乱棍打死；再命囚禁在万年县（首都长安东半城）监狱的元载自杀。元载向行刑手求情说："请让我快一点死！"行刑手说："宰相老爷，恐怕你多少得受点侮辱，不要见怪！"当场脱下臭袜子，塞到元载口中，然后处决。

王缙最初也奉令自杀，刘晏提醒李涵说："依照惯例，遇到判处重刑的案件，都要再一次奏报皇上，何况王缙是帝国宰相！而且，法律规定，有主犯有从犯，更应该上疏听候进一步指示。"李涵同意。李豫（李俶）乃贬王缙当括州（浙江省丽水市）州长。元载的正妻王女士，是王忠嗣的女儿（王忠嗣，参考七四七年十一月），以及元载的儿子元伯和、元仲武、元季能，一律诛杀。有关单位没收元载的财产，仅胡椒一项，就有八百石；其他金银珠宝，跟这个相等。

刘昫曰

孔丘说："财富和尊荣，是人生的欲望，但是用违法的或不道德的方法得到它，宁可不要。如果跟这项原则相反，就是小人。"元载谄媚宦官李辅国，出任政府官职（参考七六二年三月），利用当时环境，玩权弄势，用来强化自己的地位。然而，广大人民的愤怒无法抵抗，长期作恶多端的结果是，家破人亡、妻子儿女被屠，不但自己一死，还要连累祖宗

（参考本年〔七七七〕五月）。王缙奸邪之徒，终于翻覆。杨炎摧毁崔祐甫的政绩（参考七八〇年正月），痛恨段秀实的正直（参考七八〇年二月），报恩报怨，全从自私自利出发，而不管对国家造成多少伤害。元载、王缙、杨炎三个知识分子，都会撰写正义道德的文章，但品行卑劣，反复无常，用不尊严的方法博取荣华富贵，这岂不正是小人干的勾当！

5 夏季，四月一日，李豫（李俶）命祭祀部长（太常卿）杨绾，当副立法长（中书侍郎），国务院教育部副部长（礼部侍郎）常衮，当副监督长（门下侍郎）；同时兼任二级实质宰相（同平章事）。

杨绾性情清静、生活简单朴素，诏书下达的那一天，无论政府民间，同声庆贺（杨绾，参考七六三年六月）。关内、河东（陕西省及山西省）各野战军副元帅郭子仪，正在宴请宾客，得到消息，立刻撤除宴会上五分之四的歌舞女郎。首都长安特别市长（京兆尹）黎干，卫队烜赫盛大，当天大肆裁减，只剩下十位骑兵侍从。副总监察官（中丞）崔宽，家宅广大，豪华盖世，急下令拆毁。

6 四月二日，贬国务院文官部副部长（吏部侍郎）杨炎，监督院高级顾问官（谏议大夫）韩洄（音huí〔回〕）、包佶，皇家言行记录官（起居舍人，从六品上）韩会等十余人，都是元载的一党。杨炎，是凤翔（陕西省宝鸡市凤翔区）人。元载经常遴选一位有文学素养，和有相当声望的高级知识分子，特别亲近厚待，作为自己的接班人，准备将来代替自己，杨炎因此受到贬谪。韩洄，是韩滉的老弟（韩滉，参考七七一年九月）。韩会，是南阳（河南省南阳市）人。

李豫（李俶）最初打算把杨炎等全部诛杀，吴凑竭力劝解阻止，因之只把他们贬官。

7 四月十六日，吐蕃王国（首都逻些城〔西藏拉萨市〕）攻击黎州（四川省汉源县）、雅州（四川省雅安市）。

西川战区（总部设成都府〔四川省成都市〕）司令官（节度使）崔宁（崔旰），把他们击破。

8 元载掌握权柄时，因官员们大多喜欢在京师（首都长安）任职，而不希望外放州县，但集中京师（首都长安），显然对元载构成威胁。于是，元载更改薪俸数目，大幅提高地方官员待遇，企图用高薪吸引人才外流；留在京师（首都长安）的官员，遂无法维持生活，不得不经常向地方官员借钱。新上任的宰相杨绾、常衮，上疏指出京师（首都长安）官员俸禄太薄。

四月二十八日，李豫（李俶）下诏提高京师（首都长安）官员的俸禄，每年约增加国库开支十五万六千余串。

五月一日，李豫（李俶）训令，除了民兵司令官（都团练使）仍保留外，各州民兵司令（团练使）及保安司令（守捉使），一律撤销。又训令各特设机关首长（诸使），除非发生紧急军事情况，不准随意征调州长，更不准随意停止州长的职务，派人代理。又训令各州民兵，应有一定人数，凡招募来的，由政府供给他家里粮食及春秋衣裳，称为“招募兵”（官健）；凡本地土生土长居民充当的，春夏两季回家耕种，秋冬两季集中训练，政府只供给他们个人的口粮和菜钱，称“乡土兵”（团结）。自从七五五年天下大乱，州县官员的俸禄，标准不一致，再加上元载、王缙全凭自己高兴或不高兴，徇私舞弊，州长俸禄，有的一千串，有的数十串，现在才制定战区司令官（节度使）

以下，直到县政府主任秘书（主簿）、防卫员（尉）俸禄。全国法令秩序，才大略建立。

9 五月二十日，李豫（李俶）派宦官挖掘元载祖父的坟墓，摧毁棺木，抛弃尸体，摧毁元家祠堂，焚烧元家祖先牌位。

五月二十八日，元载的文书员（主书）卓英倩等，被乱棒打死。卓英倩当权时，老弟卓英璘在家乡横行霸道，没有人敢冒犯；后来卓英倩下狱，卓英璘占领险要，反抗政府，李豫（李俶）下令禁军（北军）讨伐。六月二十五日（原文误置于五月，据《新唐书》改），金州（陕西省安康市）州长孙道平把他击破，生擒卓英璘。

10 李豫（李俶）正倚靠杨绾改革政治上的弊端，想不到杨绾患病。秋季，七月二十日，杨绾逝世。李豫（李俶）痛心不已，告诉文武百官说："难道上天不打算让我使天下太平，为什么这么快就夺走杨绾！"

11 八月四日，命东川战区（总部设梓州〔四川省三台县〕）司令官（节度使）鲜于叔明（鲜于，复姓），改姓皇家李姓。

12 元载、王缙当宰相时，李豫（李俶）每天送给他们皇宫御厨房专给皇帝烹饪的菜肴，可供十个人的午餐，遂成为制度。

八月二十四日，宰相常衮、朱泚上疏说："政府发给的餐费，已经够多，敬请停止供应御膳。"李豫（李俶）批准。常衮又打算辞让宰相联合办公厅的特别津贴（堂封），其他同僚认为不可以，才不坚持（特别津贴：每年绸缎三千六百匹）。当时的人讥讽常衮，说："政府发给优厚的俸禄，目的在于礼遇贤才。没有能力，应该辞官职，不应该辞薪俸。”

正人君子最羞耻的一件事，是所得的俸禄太多，而为国家做的事太少。常衮辞让他的俸禄，至少还有廉耻之心；跟那些坐到官位上，照拿薪俸，死也不放的人相比，岂不是好得太多！《诗经》说：“他是一个君子，不白吃饭！”（《伐檀篇》）常衮这种做法，似不应对他刻薄讥讽！

13 杨绾逝世前，曾跟常衮联合推荐湖州（浙江省湖州市）州长颜真卿（因冒犯元载被贬，参考七六六年二月），李豫（李俶）立即把他召回京师（首都长安）。

八月二十五日，命颜真卿当国务院司法部长（刑部尚书）。杨绾、常衮又推荐淮南战区（总部设扬州〔江苏省扬州市〕）执行官（判官）汲县（河南省卫辉市）人关播，李豫（李俶）擢升关播当国务院司法部狱政司副司长（都官员外郎）。

14 九月十三日，命四镇、北庭特遣兵团（驻泾州〔甘肃省泾川县〕）副司令官兼泾原郑颍战区（总部设泾州〔甘肃省泾川县〕）副司令官（节度副使）段秀实，升任司令官（节度使）。

段秀实军令简单明了，对士卒有威严，也有恩惠，生活廉洁，除正妻外，没有小老婆（在多妻制度下，仅这一点就是圣洁）；除非出席公众宴会，从来不饮酒和听音乐。

15 吐蕃军（西藏）八万人挺进到原州（宁夏固原市）北方的长泽

监（唐政府从前牧马场）。

九月二十一日，吐蕃军攻陷方渠（甘肃省环县），进入拔谷（今地不详）。郭子仪派将领李怀光增援，吐蕃军撤退。

九月二十二日，吐蕃军再进攻坊州（陕西省黄陵县）。

16 冬季，十月七日，西川战区（总部设成都府〔四川省成都市〕）司令官（节度使）崔宁（崔旰）奏报，在望汉城（四川省理县西）大破吐蕃军。

17 先前，秋雨连绵，河中特别市（河中府，山西省永济市）所属盐池，很多都被破坏。国务院财政部副部长（户部侍郎）兼全国财政总监（判度支）韩滉，恐怕负责管理盐池的当地居民（盐户）要求减税，采取预防措施。

十月九日，韩滉奏报：秋季落雨虽多，但对盐池并没有造成伤害，而且还有一种显示灵瑞的天然盐产生。李豫（李俶）怀疑它的真实性，派监督院高级顾问官（谏议大夫）义兴（江苏省宜兴市）人蒋镇，前往调查。

18 吐蕃军（西藏）攻击盐州（陕西省定边县）、夏州（陕西省靖边县北白城则村）；又攻击长武（陕西省长武县西北）。郭子仪派将领抵抗，把他们击退。

19 命永平战区（总部设滑州〔河南省滑县〕）内营管理官（押牙）匡城（河南省长垣市）人刘洽（非七六八年二月商州兵变主角刘洽），当宋州（河南省商丘市）州长。

命宋州（河南省商丘市）、泗州（江苏省盱眙县淮河北岸）仍隶属永平战区（汴宋战区原辖八州，因兵变，中央下令四邻讨伐，参考去年〔七七六〕八月；其中六个州，分别被平卢〔总部青州〕、淮西〔总部蔡州〕占据，只剩下宋泗二州，直到如今才改隶永平〔总部滑州〕）。

20 首都长安特别市长（京兆尹）黎干奏报说：秋季连绵大雨，田里庄稼深受损害。韩滉立即反驳，指责黎干说谎，所言不是事实。李豫（李俶）命监察官（御史）调查。

十月二十九日，监察官（御史）回来奏报说："庄稼受到损害的，有三万余顷（三百余万亩）。"渭南（陕西省渭南市）县长刘藻，拍韩滉的马屁，坚称渭南县境内，连一根青苗都没有受伤，李豫（李俶）派监察官（御史）赵计前往调查，赵计回来证实确是如此。李豫（李俶）说："连日以来，大雨普降，渭南近在咫尺（渭南在长安东航空距离六十公里），怎么只它没有灾害？"再派监察官（御史）朱敖前去调查，发现受到灾害的地区高达三千余顷（三十余万亩）。李豫（李俶）叹息不已，说："县长，是护民的官员，民间没有灾害，还应该强调有灾害，怎么不仁不义到这种程度！"贬刘藻为南浦县（重庆市万州区）防卫员（尉），赵计为澧州（湖南省澧县）户籍官（司户），但对韩滉却不追究（对罪恶不追究，就是鼓励罪恶）。

21 十一月四日，山南西道战区（总部设梁州〔陕西省汉中市〕）司令官（节度使）张献恭，奏报在岷州（甘肃省岷县）击破吐蕃军（西藏）一万余人。

22 十一月八日，监督院高级顾问官（谏议大夫）蒋镇，调查河中特别市（河中府，山西省永济市）盐池灾情完毕，回京（首都长安），奏报说："确有'瑞盐'，韩滉说的全是事实。"遂上疏祝贺，请求把这种祥瑞，交给国史馆官员，记载在史书之上；并请赐给盐池美名。李豫（李俶）接受，命名宝应灵应池（据《新唐书·地理志》，该盐池是在安邑〔山西省运城市东北〕、解县〔运城市西南解州镇〕之间的两池，今称解池）。当时的人认为这是一件丑闻。

23 十二月八日，卢龙战区（总部设幽州〔北京市〕）司令官（节度使）朱泚，从秋防基地邠州（陕西省彬州市）返回京师（首都长安）。

24 十二月九日，崔宁（崔旰）奏报，击破吐蕃军（西藏）十余万人，杀八千余人。

25 十二月二十二日，命朱泚兼陇右战区（总部设普润〔陕西省宝鸡市凤翔区北〕）司令官（节度使）、河西战区及泽潞战区特遣兵团（驻凤翔府〔陕西省宝鸡市凤翔区〕）代理司令官（知河西泽潞行营。接替李抱玉〔安抱玉〕）。

26 平卢战区（总部设青州〔山东省青州市〕）司令官（节度使）李正己（李怀玉），早先已管辖淄州（山东省淄博市）、青州（山东省青州市）、齐州（山东省济南市）、海州（江苏省连云港市）、登州（山东省烟台市蓬莱区）、莱州（山东省莱州市）、沂州（山东省临沂市）、密州（山东省诸城市）、德州（山东省德州市陵城区）、棣州（山东省惠民县），共计十州；后来李灵曜在汴州（河南省开封市）聚众起兵（参考去年〔七七六〕八月），各战区大军会师讨伐，攻克的城池，各自据为己有，李正己（李怀玉）遂增加曹州（山东省菏泽市定陶区）、濮州（山东省鄄城县）、徐州（江苏省徐州市）、兖州（山东省济宁市兖州区）、郓州（山东省东平县），于是把战区总部从青州（山东省青州市）迁到郓州（山东省东平县），派他的儿子、前淄州（山东省淄博市）州长李纳，留守青州

（山东省青州市）。李正己（李怀玉）刑法严厉残酷，在他的辖区内，人民不敢交谈；但法令简单明了，田赋税收，贫富平均。而且负担很轻，拥有大军十万人，独霸东方，跟他相邻的战区，都很畏惧。

当时，魏博战区（总部设魏州〔河北省大名县〕）司令官（节度使）田承嗣，管辖魏州（河北省大名县）、博州（山东省聊城市）、相州（河南省安阳市）、卫州（河南省卫辉市）、洺州（河北省邯郸市永年区东南广府镇）、贝州（河北省清河县）、澶州（河南省内黄县东南），共计七州。成德战区（总部设恒州〔河北省正定县〕）司令官（节度使）李宝臣（张忠志）管辖恒州（河北省正定县）、易州（河北省易县）、赵州（河北省赵县）、定州（河北省定州市）、深州（河北省深州市）、冀州（河北省衡水市冀州区）、沧州（河北省沧州市东南），也共计七州；两战区各有大军五万人。

山南东道战区（总部设襄州〔湖北省襄阳市〕）司令官（节度使）梁崇义，管辖襄州（河北省襄阳市）、邓州（河南省邓州市）、均州（湖北省丹江口市西北）、房州（湖北省房县）、复州（湖北省天门市）、郢州（湖北省钟祥市），共计六州，有大军二万人。

以上四战区（藩镇）各自盘踞一方，互相结盟，虽然口头上宣称服从中央政府，但事实上拒绝执行中央政府的法令；所有官属的任命、军队的调遣，都自己作主；田赋捐税，全部留作自用，杀人活人等法庭审判，更由自己裁决。李豫（李俶）宽厚仁慈，完全放任他们为所欲为（这不是宽厚仁慈，而是畏惧和无能，史书总是往自己脸上贴金，失去真相）。中央在邻近战区每修建一座城池、增加一个士卒，各战区司令官（节度使）就口出怨言，指摘中央对他们猜忌怀疑；为了这个缘故，中央经常半途停工。可是他们在自己境内，却兴筑碉堡，铸造武器，没有一天休息。外貌看起来他们虽然是帝国的战区，实际却像蛮夷盘踞的洪荒世界。

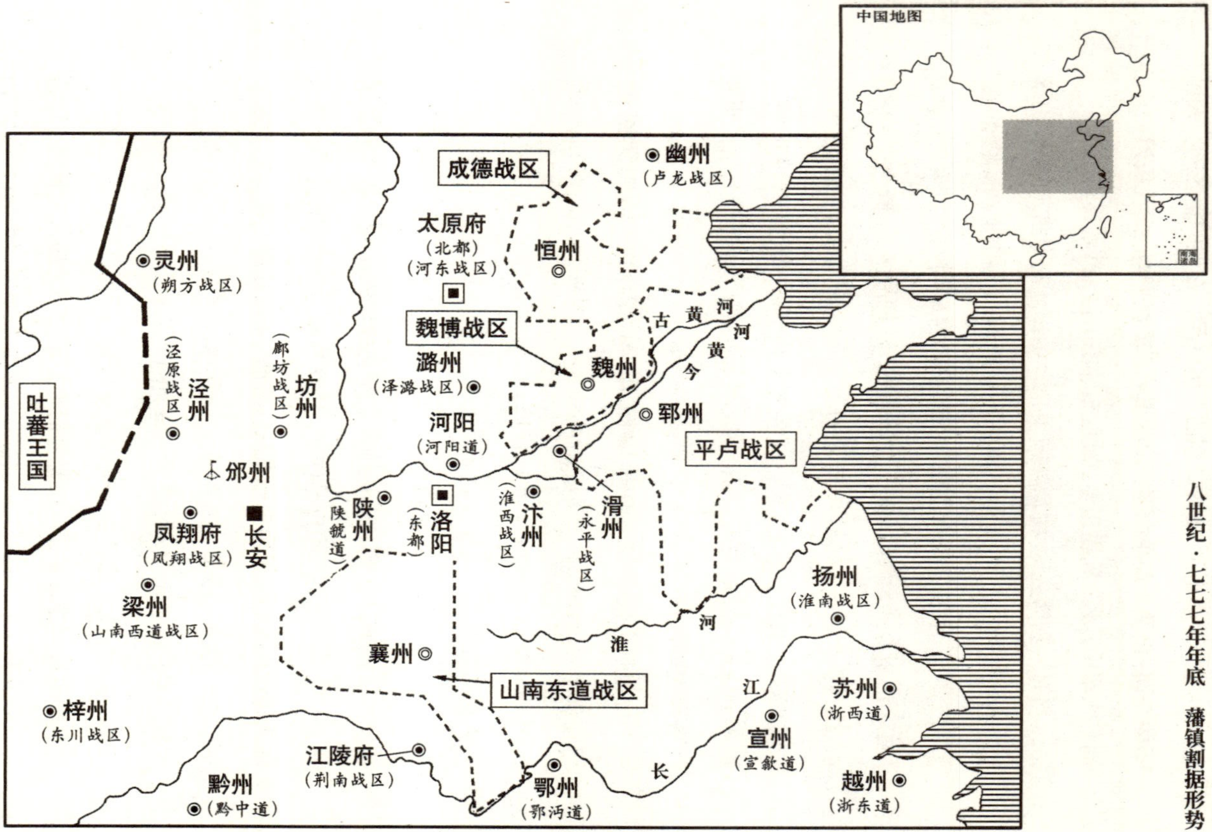

八世纪·七七七年年底　藩镇割据形势

七七八年 戊午

唐　大历　十三年

1 春季，正月十四日，唐王朝（首都长安〔陕西省西安市〕）皇帝（十一任代宗）李豫（李俶，本年五十三岁），训令拆除白渠（泾水跟渭水之间灌溉用的人工水道）上所有的水磨（用水流推动轮轴，磨盘自行转动，不用人力或兽力），让有足够的渠水，供应灌溉。升平公主（李豫〔李俶〕的女儿）在白渠上有两个水磨，不愿毁弃，特地进宫晋见老爹，要求保留。李豫（李俶）说："我打算造福人民，你如果了解我的心意，应该在别人之前，先行动手拆除。"升平公主当天就命毁弃。

2 正月二十一日，回纥军（瀚海沙漠群）进攻太原（山西省太原市），河东战区（总部设太原府〔山西省太原市〕）内营管理官（押牙）泗水（山东省泗水县）人李自良，向候补司令官（留后）鲍防建议说：“回纥派他们的精锐部队，从遥远的北方，南下挑战，恐怕很难抵挡。不如在他们撤退的道路上，赶筑两座堡垒，派军驻守。蛮虏到的时候，我们坚守城池，不要交战，他们精疲力尽后，一定撤退，我们再出动主力追击。两个堡垒在前阻拦，主力大军在后紧跟，前后夹攻，不可能不传出捷音。”鲍防不接受，派大将焦伯瑜等迎战。

正月二十六日，两国大军在阳曲（山西省阳曲县）百井（阳曲县北）相遇，焦伯瑜大败，退回，阵亡一万余人，回纥军大肆烧杀掳掠。

二月，代州军区（总部设山西省代县）总司令（都督）张光晟，在羊武谷（山西省原平市北）把他们击破，回纥军遂撤退。李豫（李俶）也不追查回纥军深入疆土的原因，对待他们如同没有发生这件事一样。

3 二月二十二日，吐蕃王国（首都逻些城〔西藏拉萨市〕）派将领马重英，率大军四万人攻击灵州（宁夏灵武市），夺取填汉渠（可能是光禄渠，在宁夏灵武市东）、御史渠（在宁夏银川市）、尚书渠（银川市东）等三条渠道入水口，打算扼杀中国边防军的屯田。

4 三月二十八日，回纥汗国（瀚海沙漠群）使节从首都长安（陕西省西安市）返回本国，经过河中（山西省永济市）时，留守河中（山西省永济市）的朔方特遣兵团士卒劫掠他们的辎重行李；回纥遂大肆劫掠街市民宅，作为报复。

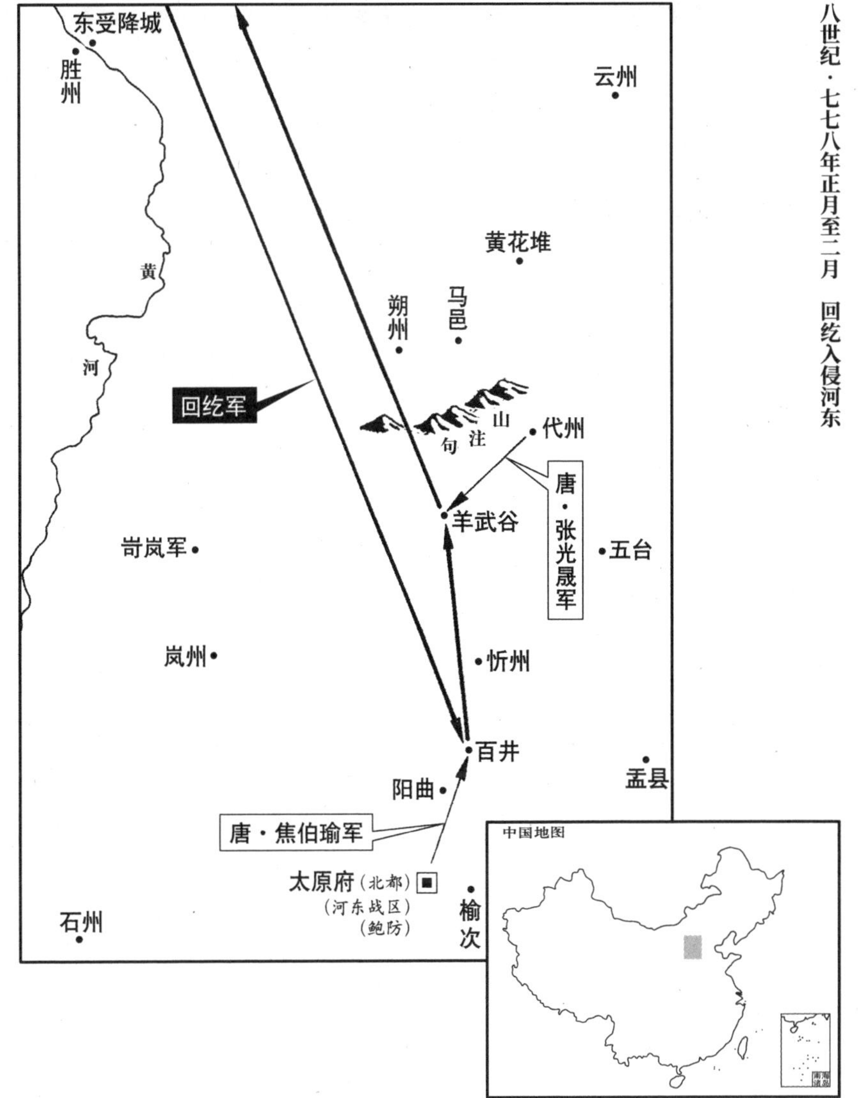

八世纪·七七八年正月至二月　回纥入侵河东

5 夏季，四月二十八日，吐蕃军（首都逻些城〔西藏拉萨市〕）进攻灵州（宁夏灵武市），朔方战区（总部设灵州〔宁夏灵武市〕）候补司令官（留后）常谦光把他们击破。

6 六月二十四日，陇右战区（总部设普润〔陕西省宝鸡市凤翔区北〕）司令官（节度使）朱泚，向皇帝呈献同吃一个奶，却不互相伤害的一只猫和一只老鼠，认为是一项祥瑞；宰相常衮率领文武百官祝贺。只立法官（中书舍人）崔祐甫拒绝，警告说："凡违反大自然运转法则的行为，就是妖孽。猫捉老鼠，是它的天性；而今竟跟老鼠挤在一起，亲热的同吃一个奶，明显的就是妖孽，为什么还要祝贺！负责监察责任的官员，不能检举奸邪；负责边疆安全的大将，不能阻止敌人进犯；对他们加以惩罚，才是奉行天意。"李豫（李俶）对他十分嘉许。崔祐甫，是崔沔的儿子（崔沔，参考七三六年六月）。

秋季，七月八日，命崔祐甫负责主持国务院文官部（吏部）全国官员升迁调补事宜。崔祐甫很多次因公事跟常衮争论，常衮对崔祐甫十分憎恨。

7 七月十四日，关内、河东地区（陕西省及山西省）野战军副元帅郭子仪奏称：回纥军（瀚海沙漠群）仍逗留塞上，沿边居民都惶恐不安，建议派邠州（陕西省彬州市）州长浑瑊（音jiān〔坚〕）率军进驻振武军（内蒙古和林格尔县）。李豫（李俶）批准。回纥军这才返国。

8 七月二十七日，吐蕃军（西藏）统帅马重英，率二万人进攻盐（陕西省定边县）、庆（甘肃省庆阳市）二州，郭子仪派朔方战区（总部设灵州〔宁夏灵武市〕）总纠察官（都虞候）李怀光，把他们击退。

9 八月二日，成德战区（总部设恒州〔河北省正定县〕）司令官（节度使）李宝臣（张忠志），请求恢复本姓（张忠志赐姓名李宝臣，参考七六二年十一月），李豫（李俶）批准（可看出此时皇家的姓已不能给人荣耀）。

10 吐蕃军（西藏）二万人进攻银州（陕西省榆林市东南鱼河镇）、麟州（陕西省神木市），抢夺劫掠那一带党项部落（陕西省北部）的牛羊家畜。郭子仪派李怀光把他们击破。（党项部落最初的分布地，在今四川省西北部一带，在唐王朝二任帝李世民时，便投降唐王朝，参考六二九年闰十二月。南周王朝时，部分党项人迁到灵州〔宁夏灵武市〕、夏州〔陕西省靖边县北白城则村〕一带，参考六九二年二月。七六五年平定仆固怀恩之叛后，副元帅郭子仪因党项牧地在中国西北边境，恐怕他们与吐蕃〔西藏〕联结，遂把党项东迁到银州〔陕西省榆林市东南鱼河镇〕以北、夏州以东。以后党项部落衍盛，散布于黄河河套及陕西省北部一带〔参考八四三年十一月〕，数目远多于留在原地〔四川省西北部〕的部落。）

11 李豫（李俶）一直哀悼亡妻、贞懿皇后独孤女士（七七五年十月逝世），把灵柩停在皇宫内殿，一连数年，不忍心埋葬。

八月二十四日，才埋葬庄陵（陕西省三原县东北十五公里）。

12 九月二十七日，吐蕃军（首都逻些城〔西藏拉萨市〕）骑兵一万余人，攻陷青石岭（甘肃省镇原县西南），逼近泾州（甘肃省泾川县）。

李豫（李俶）下诏，命郭子仪、朱泚（卢龙〔总部幽州〕、陇右〔总部普润〕司令官）、段秀实（泾原〔总部泾州〕司令官），共同把他们击退。

13 冬季，十二月十四日，任命国务院文官部长（吏部尚书）、运输总监（转运使）、盐铁专卖总监（盐铁使）等特设机关首长（使）刘晏，

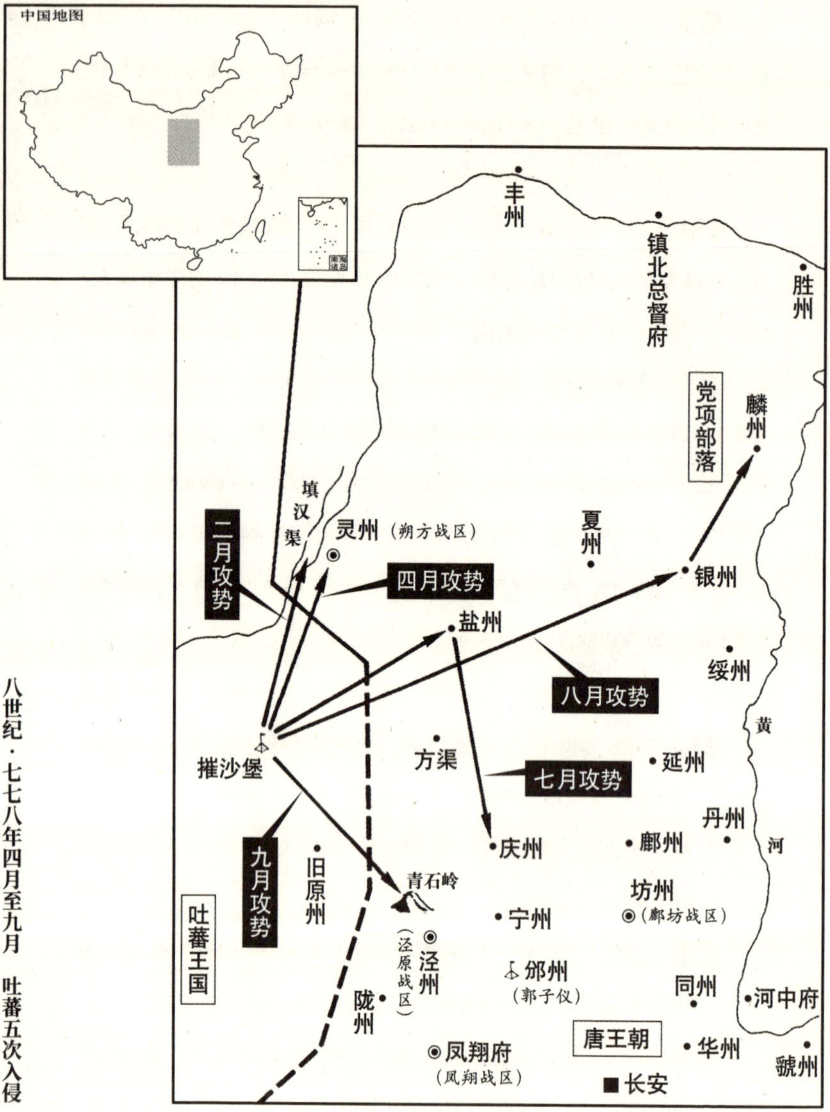

八世纪·七七八年四月至九月　吐蕃五次入侵

当国务院左最高执行长（左仆射），仍主持“三铨”（唐政府对文武官员的管理〔包括选拔、授职、考绩〕，称“铨”；部长管理五品至七品，称“部长铨”〔尚书铨〕；副部长二人，一人管理八品，称“中铨”，一人管理九品，称“东铨”），所兼各特设机关首长（使），依然保留。

14 郭子仪从邠州（陕西省彬州市）返京师（首都长安）朝见，命执行官（判官）京兆（首都长安）人杜黄裳留守。

总纠察官（都虞候）李怀光秘密计划取代郭子仪，遂伪造皇帝诏书：诛杀大将温儒雅等。杜黄裳发现真相，盘问李怀光，李怀光大为恐惧，汗流浃背，承认自己犯罪。杜黄裳遂假传郭子仪的命令，把一些桀骜不驯、难以控制的将领，全部派到外地。总部内斗，才告结束。

李怀光阴谋代替郭子仪，事情十分突兀，这是一件严重的叛逆，仅矫诏一项，就是死刑，何况还要处决一批正在前方作战的高级将领，罪状更不容诛，可是，事发之后，没有任何惩戒行为，可谓怪诞。这不过是冰山一角，隐藏在水面下的政风军纪，恐怕已败坏到不堪闻问，不但杜黄裳无奈，郭子仪也无奈。

15 任命御前监督官（给事中）杜亚，当江西道（首府设洪州〔江西省南昌市〕）行政长官（观察使）。

16 李豫（李俶）征召江西道（首府设洪州〔江西省南昌市〕）执行官（判官）李泌，前来首都长安（陕西省长安市）相见（李泌往江西事，参考七七〇年十一月），告诉他除掉元载的经过（参考去年〔七七七〕三月），说：“跟你分开八年，才铲除这个蟊贼。幸亏太子（李适）揭发他的阴谋，不然的话，几乎见不到你。”李泌回答说：“从前，我就曾经建议，陛下发现部属中有人心存邪恶时，就应免除他的职务，包容得太过分，才会到这步田地！”李豫（李俶）说：“事情总要有万全准备，不可以轻率发动。”于是又说：“我曾经亲口把你托付给路嗣恭（路嗣恭任江西〔首府洪州〕行政长官，参考七七三年十月。而当时李泌仍在江西），可是路嗣恭为了讨好元载，却上疏贬你当虔州（江西省赣州市）总秘书长（别驾）！路嗣恭刚削平岭南（南岭以南）变乱时（参考七七五年十一月），呈献直径九寸的水晶盘，我认为是天下至宝。等到查抄元载的家产（参考去年〔七七七〕三月），发现路嗣恭送给他的水晶盘，足有一尺。我已教他回京（首都长安），等他来了，我再跟你商议。”李泌说：“路嗣恭这个人，小心谨慎，害怕权势，很会巴结人，做小事勤快敏捷，却不识大体。从前当县长时，有能干的美名（路嗣恭原名路剑客，当萧关〔宁夏同心县东南〕县长，后来调神乌、姑臧〔二县都是凉州州政府所在县，甘肃省武威市〕县长，考绩全国第一，九任帝李隆基认为他有东汉王朝鲁恭的遗风〔参考八九年春季〕，遂命他改名路嗣恭），只因陛下对他没有深刻印象，而元载却对他不断提拔，所以对元载尽力。陛下如果真正了解他，加以重用，他同样对陛下也会尽力。至于虔州（江西省赣州市）总秘书长（别驾），是我自己请求，不是他的罪过。况且，路嗣恭新近为帝国立了大功，陛下怎么可以因为一个水晶盘，怪罪于他！”李豫（李俶）的气才平下来，命路嗣恭当国务院国防部长（兵部尚书）。

17 朔方战区（总部设灵州〔宁夏灵武市〕）副司令官（节度副使）张昙，是一位文官，性情刚强直率，郭子仪认为张昙瞧不起自己武官出身，怀恨在心。文书官（孔目官）吴曜，深受郭子仪信任，遂从中挑拨陷害，郭子仪大为震怒，上疏诬告张昙煽动军队叛变，中央遂斩张昙。机要秘书（掌书记）高郢，曾为张昙竭力辩解，郭子仪全听不进去，并奏请中央，贬高郢为猗氏（山西省临猗县）主任秘书（丞）。不久，幕僚们声称有病，纷纷辞职他去，郭子仪深感后悔，把他们全部推荐给中央政府，说：“吴曜害了我！”把吴曜赶走。

18 宰相常衮建议李豫（李俶）说：“陛下很久以来，都想重用李泌，从前，刘病已（西汉王朝十任帝）打算擢升某人当部长级高官，一定先要他去直接治理平民（参考前六八年四月）。我建议先命李泌担任州长，使他深刻了解民间疾苦，等他有好的成绩表现，再加擢升。”

七七九年 己未

唐　大历　十四年

1 春季，正月二十一日，唐王朝（首都长安〔陕西省西安市〕）皇帝（十一任代宗）李豫（李俶，本年五十四岁。俶，音chù〔处〕）任命李泌当澧州（湖南省澧县）州长（澧，音lǐ〔里〕）。

2 二月十二日，魏博战区（总部设魏州〔河北省大名县〕）司令官（节度使）田承嗣逝世（年七十五岁）。田承嗣有十一个儿子，但以他的侄儿、中军作战司令（中军兵马使）田悦，最有才干，一直由他指挥军队，而让儿子们作他的辅佐。

二月十三日，中央命田悦当魏博战区（总部设魏州〔河北省大名县〕）候补司令官（留后）。

3 淮西战区（总部设汴州〔河南省开封市〕）司令官（节度使）李忠臣（董秦）贪污残忍，荒淫好色，部将或官属中有美丽妻子或美丽女儿，他都强行奸淫；平常不过问公务，把军政大权交给妹夫、副司令官（节度副使）张惠光。张惠光仗势横行暴虐，文武官员及民间，都深受毒苦。李忠臣（董秦）再命张惠光的儿子当营门官（牙将），残忍疯狂，比他的老爹更为凶暴。左翼总纠察官（左厢都虞候）李希烈，是李忠臣（董秦）的堂侄，很得大家拥护，李希烈利用官兵忿怒怨恨的情绪，发动兵变。

三月六日，李希烈联合大将丁暠等，诛杀张惠光父子，驱逐李忠臣（董秦）。李忠臣（董秦）单人匹马，逃奔京师（首都长安）。李豫（李俶）认为他立过功劳（指击败李灵曜，参考七七六年十月），命他摄理司空（检校司空，三公之三）兼二级实质宰相（同平章事），留在京师（首都长安）；命李希烈当蔡州（河南省汝南县）州长、淮西战区（总部自汴州迁到蔡州）候补司令官（留后）。命永平战区（总部设滑州〔河南省滑县〕）司令官（节度使）李勉，兼汴州（河南省开封市）州长，辖区增加汴州、颍州（安徽省阜阳市），总部迁到汴州（河南省开封市）。

4 三月二十日，调任桂州军管区（首府设桂州〔广西桂林市〕）军事指挥官（经略使）王翃（音hóng〔红〕）当河中（山西省永济市）特别市副市长（河中少尹），代理市长（知府事）。

关内、河东地区（陕西省及山西省）野战军副元帅留守办事处的将领凌正，野蛮凶暴，王翃加以限制。凌正跟他的党羽打算在夜晚发动兵变；王翃得到消息，故意减少报时的滴漏水量，使他们错过约定起事的时间；凌正等大吃一惊，溃散逃走。王翃生擒凌正，斩首，军营才恢复安定。

5 成德战区（总部设恒州〔河北省正定县〕）司令官（节度使），张宝臣（李宝臣），恢复本姓后（参考去年〔七七八〕八月），心里忽然产生恐惧，于是，上疏请求皇帝仍准他姓皇帝的姓。

夏季，四月十三日，李豫（李俶）命张宝臣（李宝臣）再改回李宝臣（张忠志）。

6 五月三日，李豫（李俶）染病。

五月二十一日，下诏命太子李适（音kuò〔阔〕）监督国政。当天夜晚，李豫（李俶）在紫宸内殿逝世（年五十四岁），遗诏命郭子仪当帝国最高摄政（摄冢宰）。

五月二十三日，皇太子李适（年三十八岁）登极即位（十二任帝德宗），在守丧期中，一举一动都遵循儒家学派的礼仪规则。曾经跟老弟、韩王李迥在一块吃饭、喝马齿苋（一种草一样的青菜）煮的稀粥，不加盐，也没有乳酪。

7 宰相常衮，性情刚强急躁，做事专挑小节，大家都对他不满。当时，文武百官早晚两次到前任帝（十一任）李豫（李俶）灵柩前，哀悼哭泣。常衮悲伤过度，曾跌倒在地，随从人员把他扶起来，立法官（中书舍人）崔祐甫指着常衮对大家说：“臣属在君王灵柩前哭泣，有没有搀扶的礼节？”常衮听到，对崔祐甫越发怀恨。这时候，正在讨论文武百官的丧服，常衮主张：“依照传统礼仪，臣属给君王穿丧服三年，刘恒（西汉王朝五任帝）权衡轻重，大为缩短，但仍穿三十六天（参考前一五七年六月）。高宗（三任帝李治）以后，都遵循西汉王朝这项制度。到了玄宗（九任帝李隆基）、肃宗（十任帝李亨），才规定再缩短到二十七天。而今，遗诏说：‘全国官员，丧服只穿三天，就可脱下。’古代，部长级高官穿丧服的时间，跟君王一样，皇上既二十七天脱下丧服，文武百官也应如此，不能只穿三天。”崔祐甫认为：“遗诏十分明白，没有区分官员和庶民，无论在朝当官，或在野为民，事实上都在‘全国’之内，千百个办事人士，哪一个不是官员？皇上既训令三天脱下丧服，全国官员自应三天就脱丧服。”两人互相争执，声调脸色，十分严厉。常衮无法忍受，上疏弹劾崔祐甫，说他：“轻率的擅自变更古礼，请贬作潮州（广东省潮州市）州长。”李适（音kuò〔阔〕）认为太重。

闰五月三日，贬崔祐甫为东都洛阳（河南省洛阳市）特别市副市长（河南少尹）。

最初，十任帝（肃宗）李亨在位时代，天下事务繁忙，宰相经常有若干人，轮流到宰相联合办公厅（政事堂）值班办公，遇到有人休假，李亨命值班宰相，把他们的名字，写到奏章上呈递，遂成为定例，以后一直遵循。当时，郭子仪、朱泚，虽然因战功被擢升宰相，但都不过问政事，只常衮一人执行宰相职务，独自到宰相联合办公厅（政事堂）上班，所以代替二人署名弹劾崔祐甫。崔祐甫既被贬谪，二人上疏为崔祐甫辩护，认为他没有过失，李适（音kuò〔阔〕）问说：“你们以前说崔祐甫应该贬谪，现在又说他没有过失，什么缘故？”郭子仪、朱泚回答说，他们并不知道弹劾崔祐甫这回事。李适（音kuò〔阔〕）刚坐上宝座，不知道这种宰相可以代为签名的惯例，对常衮竟敢欺骗蒙蔽，大为惊骇。

闰五月五日（原文“甲辰”，据两《唐书》改），命身穿丧服的文武百官，依照顺序，站在月华门前，下诏贬常衮当潮州（广东省潮州市）州长；擢升崔祐甫当副监督长（门下侍郎）、二级实质宰相（同平章事）。听到这项宣布，大家恐惧震惊得发抖。崔祐甫已走到昭应（陕西省西安市临潼区），折返。但是稍后，文武百官穿丧服的日子，仍采用常衮的意见。

李适（音kuò〔阔〕）给老爹守丧期间，国家大事都交给崔祐甫，崔祐甫所作请求，没有一件事不同意。

最初，七五五年以后，军事全面动员，各将领邀功争赏，政府封爵任官，难免混乱泛滥。七六五年以后，社会秩序，稍稍恢复正常，可是元载、王缙掌握中央大权，家门挤满了从四面八方前来行贿求官的人；大官由元载、王缙卖出，小官由卓英倩等卖出，没有人不满意而归。后来，常衮当宰相，打算革除弊端，杜绝侥幸心理，对各方推荐保举的奏章，不作任何考察甄别，一律不准，于是贤能的人和愚劣的人，同受压迫。崔祐甫当宰相，打算收买人心，或接受别人推荐，或自己直接擢升，没有一天停止，当宰相不满二百天，任命官员已达八百人。前后两任宰相所作强烈的矫正，结果都不能适当。李适（音kuò〔阔〕）曾经问崔祐甫说：“有人抨击你，认为你任用的官员，大多数都沾亲带故，为什么？”崔祐甫回答说：“我替陛下选择干部，不敢不小心谨慎。假如平常日子对他丝毫没有认识，怎么能知道他的才能品德而用他！”李适（音kuò〔阔〕）同意。

我听说过，任用人才，不因亲近或疏远，也不因旧交或新友，而有差别；只是衡量他的贤能和愚劣，在贤能和愚劣之间，才有差别。该人未必贤能，只因他是我的亲近旧友，就用他当官，固然不公平；该人确实贤能，只因他是我的亲近旧友，而故意排除，也同样不公平。天下人才，一个人不可能全部认识，如果一定要等到相当熟悉，相当了解，才用他当官，则所遗漏的人才，一定很多。

古代宰相就不是这样，而是由众人推荐贤能，再用公正的态度考察，量才适用。大家都说他贤能，我虽然不了解他，也要姑且用他，等他不能胜任，然后罢黜，或等他有优异的成绩，然后擢升。被推荐的如果是人才，则奖励推荐的人；被推荐的人如果愚劣，则对推荐的人就应惩罚。无论罢黜、擢升、奖赏、惩罚，都是大家公意，宰相没有一丝一毫的私心。假设用这种态度去做事，就不会发生野有遗贤，官不称职的病态现象。

8 李适（音kuò〔阔〕）下诏，拒绝各地方政府进贡非急需物品；又遣散皇家梨园剧团总监（梨园使）及乐队三百余人（参考七五六年八月），剩下的全部拨给祭祀部（太常）。

9 郭子仪以司徒（三公之二）、最高立法长（中书令·使相）的身份，兼河中（山西省永济市）特别市长（领河中尹）、灵州军区（总部设宁夏灵武市）总司令官（大都督）、单于大总督（驻内蒙古和林格尔县）、镇北大总督（驻内蒙古包头市）、关内河东地区（陕西省及山西省）野战军副元帅（关内河东副元帅）、朔方战区（总部设灵州〔宁夏灵武市〕）司令官（节度使）、关内（陕西省）后勤补给总监（关内支度使）、盐池管理总监（盐池使）、六城河川运

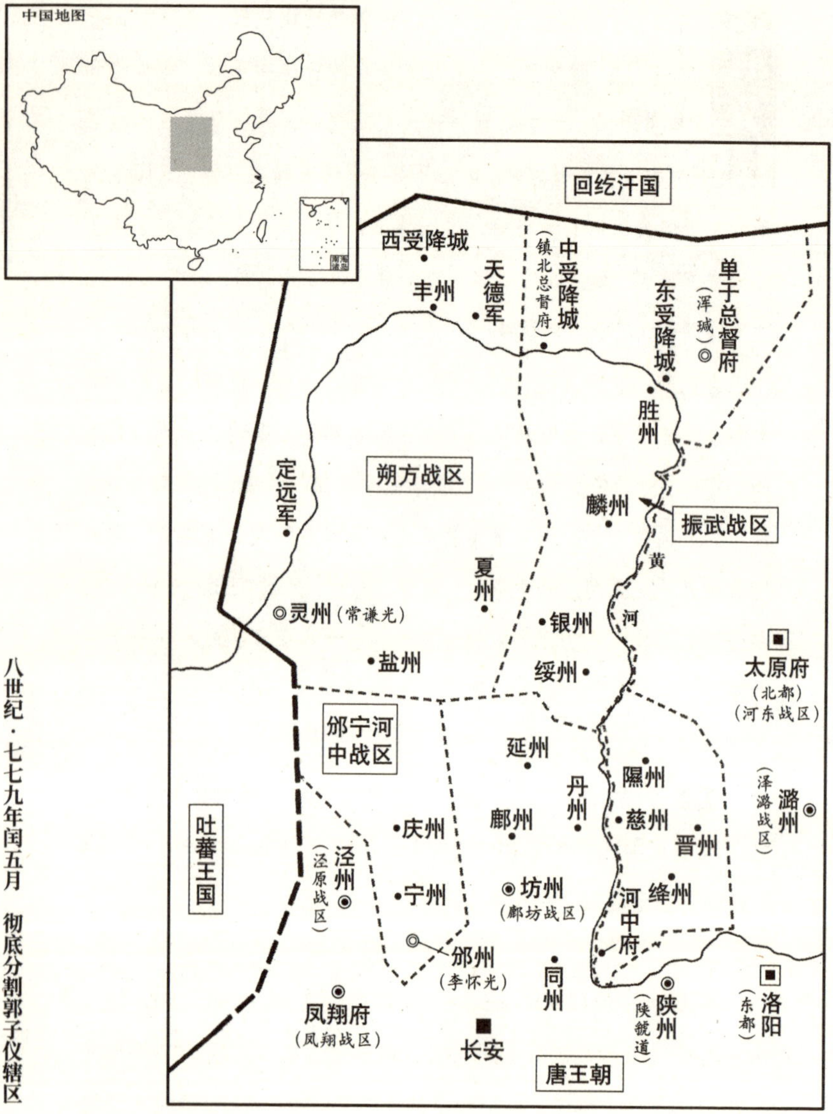

中国地图

回纥汗国
西受降城
丰州
天德军
中受降城
（镇北总督府）
东受降城
单于总督府
（浑瑊）
胜州
定远军
朔方战区
麟州
振武战区
夏州
黄
河
灵州（常谦光）
银州
太原府
（北都）
（河东战区）
盐州
绥州
邠宁河中战区
延州
隰州
潞州
（泽潞战区）
丹州
慈州
吐蕃王国
庆州
鄜州
晋州
泾州
（泾原战区）
宁州
坊州
（鄜坊战区）
绛州
河中府
邠州
（李怀光）
同州
陕州
（陕虢道）
洛阳
（东都）
凤翔府
（凤翔战区）
长安
唐王朝

八世纪·七七九年闰五月　彻底分割郭子仪辖区

输司令（水运使。六城，指朔方战区塞下六城，参考七七六年二月）、归化外国人管理总监（押蕃部）、武装部队屯田司令（营田使），以及河阳道（首府设河阳〔河南省孟州市〕）行政长官（观察使）等特设机关首长，权力极大，责任极重，功劳及声望又极高。郭子仪性情宽厚，军纪政令，相当松懈，十一任帝李豫（李俶）在位时，一直想分割他的大权，感到重重困难，很久不能决定。

闰五月十五日，李适（音kuò〔阔〕）下诏尊郭子仪为“尚父”（皇家老爹），授太尉（三公之一），仍兼最高立法长（兼中书令），增加采邑实封二千户，每月给付一千五百人的粮食、二百匹马的马料。郭家子弟和女婿，升官的有十余人；郭子仪其他兼职：关内、河东地区（陕西省及山西省）野战军副元帅，跟其他各特设机关首长（使），全部免除。任命郭子仪的部将河东朔方战区总纠察官（都虞候）李怀光，当河中（山西省永济市）特别市长（河中尹），兼邠、宁、庆、晋、绛、慈、隰战区（总部设邠州〔陕西省彬州市〕）司令官（节度使）；命朔方战区（总部设灵州〔宁夏灵武市〕）候补司令官（留后）兼灵州（宁夏灵武市）政务秘书长（长史）常谦光，当灵州军区（总部设灵州〔宁夏灵武市〕）总司令官（大都督）兼西受降城、定远、天德、盐夏丰战区（总部设灵州〔宁夏灵武市〕）司令官（节度使）；命振武军（内蒙古和林格尔县）基地司令（使）浑瑊，当单于大总督（内蒙古和林格尔县），兼东中受降城、振武、镇北、绥、银、麟、胜战区（总部设单于府〔内蒙古和林格尔县〕）司令官（节度使）；彻底分割郭子仪原有的辖区。（在八世纪五〇年代中期、安史之乱前，朔方战区辖地相等于关内道，即今黄河河套以南至渭水盆地以北，总部设灵武郡〔宁夏灵武市〕。后来析置凤翔战区〔总部凤翔府〕、泾原战区〔总部泾州〕、鄜坊战区〔总部坊州〕，又把河中战区〔总部河中府〕撤销，土地并入朔方。最后辖区包括今黄河河套、宁夏中部北部、甘肃省东部、陕西省北部及山西省西南部。总部名义上仍设灵州，但司令官〔节度使〕兼副元帅郭子仪，经常驻扎河中府〔山西省永济市〕及邠州〔陕西省彬州市〕，精兵遂分别驻守三地〔参考七六九年六月〕，所以郭子仪之下，设有候补司令官〔留后〕和军事基地司令，分别管理辖土。如今，正式把原战区分拆为三个独立战区，而不再使用“朔方”旧名。）

10 闰五月十七日，李适（音kuò〔阔〕）下诏说：“泽州（山西省晋城市）州长李鹦（音yàn〔燕〕）呈献‘庆云图’，我认为风调雨顺、国泰民安，才是祥瑞；推荐贤能、表扬忠良，才是喜庆。像彩云、灵芝、奇异珍贵的飞禽走兽，怪模怪样的花草树木，对人民有什么裨益！现在公告天下，从此以后，不要呈献祥瑞。”皇家庄园管理宦官（内庄宅使）奏称：各州皇家庄园共收到田租四千余斛。李适（音kuò〔阔〕）训令分别送给所在州县，充作军粮。从前，各国屡次向中国进贡驯良的大象，累积到四十二头，李适（音kuò〔阔〕）说：“饲养大象，费用太多，而且大象是野生动物，锁在园子里，违背大自然法则，有什么用！”命把它们带到荆山（陕西省富平县西南）南麓，连同花豹、山猴、斗鸡、猎狗等，解开绳索，全部放它们回归原野。又释放数百名宫女出宫。于是全国一片欢腾，平卢战区（总部设郓州〔山东省东平县〕）官兵，甚至把武器扔到地上，互相传话说：“英明的领袖出现，我们难道还要当叛徒？”

11 闰五月十九日，擢升淮西战区（总部设蔡州〔河南省汝阳市〕）候补司令官（留后）李希烈实任司令官（节度使）。

12 闰五月二十二日，命河阳（河南省孟州市）卫戍司令（镇遏使）马燧，当河东战区（总部设太原府〔山西省太原市〕）司令官（节度使）。

河东战区于百井（山西省阳曲县北）之战（参考去年〔七七八〕正月）溃败

后，骑兵部队的力量突然削弱，马燧集合所有养马的士卒，约数千人，训练他们骑马射箭，都成为精锐。制造铠甲，分为大中小三等，务必适合士卒的身材，以便行动。又制造战车，行军时装载武器铠甲，住宿时则结成城阵，用以保护据点，阻止敌人奔驰冲击；所制武器，都十分精良锋利。马燧到差一年，拥有经过挑选后的精锐部队三万人。聘请兖州（山东省济宁市兖州区）人张建封当执行官（判官），派李自良当代州（山西省代县）州长，对二人十分信任。

13 国务院国防部副部长（兵部侍郎）黎干，阴险狡猾，精于谄媚，跟宦官、特进（文散官二级，正二品）刘忠翼，十分友善亲近。刘忠翼本名刘清潭（参考七六二年九月），仗恃前任帝（十一任）李豫（李俶）对他的宠爱，贪赃枉法，纵情任性，二人都受大家厌恶痛恨。当时传言说：黎干、刘忠翼曾经建议李豫（李俶）擢升独孤贵妃为皇后，晋封她生的儿子韩王李迥当太子。李适（音kuò〔阔〕）登极后，黎干改坐人力小车，秘密拜访刘忠翼，进行磋商，被人告发。

闰五月二十七日，开除黎干、刘忠翼官籍，并终身流放；走到蓝田（陕西省蓝田县），李适（音kuò〔阔〕）追令二人自杀。

14 命国务院财政部副部长（户部侍郎）全国财政总监（判度支）韩滉，当祭祀部长（太常）；命国务院文官部长（吏部尚书）刘晏，当全国财政总监（判度支）。

先前，刘晏、韩滉分别负责全国财赋，刘晏负责江南（湖南省及江西省）、山南（湖北省）、江淮（华东地区）、岭南（广东省、广西、海南省及越南北部），韩滉负责关内（陕西省）、河东（山西省）、剑南（四川省）。直到现在，刘晏才总揽全局。李适（音kuò〔阔〕）听说韩滉搜刮苛刻，所以剥夺他的权力，不久，外放韩滉当晋州（山西省临汾市）州长。

本世纪（八）五〇年代稍后，第五琦开始实行食盐专卖，供给军费（参考七五六年十月）。刘晏既总揽全局，法令越发精密。最初，每年收入钱六十万串，后来每年收入超过十倍，而人民没有怨言。七〇年代末期，国家岁收总计一千二百万串，而食盐专卖占一大半。水路运盐的工人，自江淮（华东地区）到渭桥（东渭桥，陕西省西安市高陵区南），每一万斛，工资七千串。从淮河以北开始，沿岸设置若干巡察监督盐运的机关，派干练的人才主持，不增加州县政府一点麻烦，而都能完成任务。

15 六月一日，赦免天下。

16 命西川战区（总部设成都府〔四川省成都市〕）司令官（节度使）崔宁（崔旰）、永平战区（总部设汴州〔河南省开封市〕）司令官（节度使）李勉，遥兼二级宰相（同平章事·使相）。

17 李适（音kuò〔阔〕）下诏说："全国人民有含冤难伸，州县政府拒绝审理的，准许他们直接到中央上诉三司官员（三司：总监察署〔御史台〕、最高法院〔大理寺〕、国务院司法部〔刑部〕）。由副总监察官（御史中丞）、立法院立法官（中书舍人）、监督院御前监督官（给事中）各一人，每天到政府办公处所，接受诉状。被告如认为州县政府判决不公，准许他们擂'登闻鼓'（参考五〇三年十二月）伸冤。今后不准各地再奏报设置寺庙，和请求剃度和尚尼姑（李豫〔李俶〕在位时，佛教大盛，参考七六七年七月）。"于是，成群结队的人擂登闻鼓请求伸冤。右金吾（卫军第十二军）将军裴谞上疏说："擂登闻鼓的原告，争论的全是鸡毛蒜皮小事，如果天子一一亲自处理，设立法官的意义是什么？”李适（音kuò〔阔〕）命全部移送有关单位。

18 李适（音kuò〔阔〕）下诏：“新建皇家陵墓的修护保养，以及祭奠仪式，都要优厚盛大，政府应竭尽力量供应。”国务院司法部法务司副司长（刑部员外郎）令狐峘（令狐，复姓。峘，音héng〔恒〕）上疏劝阻，大略说：“我恭敬捧读先帝（十一任帝李豫〔李俶〕）遗诏，嘱咐务必节约，如果特别优厚，岂是遗诏的本意！”李适（音kuò〔阔〕）下诏回答，大略说：“你不但批评我的错误，也成全我的美德，听到正义之言，岂敢不马上接受！”令狐峘，是令狐德棻的玄孙（令狐德棻，二任帝李世民部属，参考七四三年四月）。

19 六月二日，封皇子李诵当宣王、李谟当舒王、李谌当通王、李谅当虔王、李详当肃王。六月七日，封皇弟李迺当益王、李傀当蜀王。

20 六月八日，依照七一二年规定，凡六品以上清廉而有声望的官员，即令不在宫中上班，也不是皇家侍卫，每天也要遴选两个人，轮流到宫廷值班，准备皇帝随时咨询。

21 六月十二日，命朱泚（卢龙〔总部幽州〕、陇右〔总部普润〕司令官）当凤翔（陕西省宝鸡市凤翔区）特别市长（凤翔尹）。

22 前任帝（十一任代宗）李豫（李俶）对宦官特别宠爱信任，派他们到各地出差，不但不禁止他们索取贿赂，反而认为他们接受贿赂是维护皇帝的尊严。有一次，派宦官送东西给一位小老婆的娘家，回来后，李豫（李俶）发现小老婆的娘家给宦官的酬劳太少，认为简直瞧不起自己的赏赐，大不高兴；小老婆害怕，把私房钱暗中送给宦官，作为补偿，因此，钦差宦官公开要求贿赂馈赠，没有任何顾忌。宰相们都在办公室贮存金钱，皇帝每派宦官赏赐一件东西，或派宦官传达一次命令，从没有空手回去的。至于派到外地的宦官，沿途所经过的州县，往往用正式公文索取金钱珍宝，像是征收赋税一样，全都装满了车队而回。（李豫〔李俶〕有严重的自卑，身为皇帝，却怕人瞧不起！怕拥兵自雄的军阀瞧不起，还有话可说，怕小老婆家瞧不起，就难以理解。而把对方贿赂的数目，作为检验瞧得起瞧不起的标准，好像一个黑社会瘪三！十分奇特。）

李适（音kuò〔阔〕）一向知道这种弊政，打算用激烈的手段改革。派宦官邵光超到淮西战区（总部设蔡州〔河南省汝南县〕），致送司令官（节度使）李希烈旌旗符节，李希烈送给邵光超奴仆、马匹，以及绸缎七百匹、老茶叶二百斤。李适得到报告，大怒，打邵光超六十棍，流放外地，于是出使在外，还没有回来的钦差宦官，听到消息，立刻把所收的贿赂抛弃到深山峻谷；地方官虽然照样致送，但没有人再敢接受。

23 六月二十六日，调神策军（禁军第七、八军）总作战司令（都知兵马使）、右领军卫（卫军第八军）大将军王驾鹤，当东都洛阳（河南省洛阳市）皇家庄园管理总监（园苑使），命农林部长（司农卿）白琇珪接替王驾鹤职务，并改名白志贞。

王驾鹤率领禁卫两军十余年，权力声威，震动朝野内外。诏书颁发前，李适（音kuò〔阔〕）恐怕发生变化。宰相崔祐甫特别延见王驾鹤，跟他长谈，流连很久，等王驾鹤告辞出来，诏书已经发布，白志贞（白琇珪）已经到差接管。

24 平卢战区（总部设郓州〔山东省东平县〕）司令官（节度使）李正己（李怀玉），对李适（音kuò〔阔〕）十分畏惧尊敬，上疏呈献钱三十万串。李适（音kuò〔阔〕）很想收下来，但又怕李正己（李怀玉）忽然变卦，不拿出来，受到作弄，被人耻笑；要想拒绝，又找不出适当的理由。宰相崔祐甫建议，说："派使节前去慰劳，就用李正己（李怀玉）呈献的巨款，赏赐给将士，使将士感恩陛下。同时，也作一个榜样，使各地知道，中央并不重视金钱。"李适（音kuò〔阔〕）大为高兴，采取行动。李正己（李怀玉）既惭愧又佩服。

全国军民都认为天下太平的日子，近在眼前。

25 秋季，七月一日，日蚀。

26 皇家大典礼仪总监（礼仪使）、国务院文官部长（吏部尚书）颜真卿，上疏说：

"七世纪七〇年代中期，中央权柄握在当时皇后武曌之手，开始增加皇家祖宗绰号的字数（参考六七四年八月）。玄宗（九任帝李隆基）在位末期（八世纪四〇年代至五〇年代中期），奸邪当道，皇家祖宗的绰号，有多到十一个字的（文武百官呈献给李隆基的绰号，多达十四字：开元天地大宝圣文神武证道孝德。参考七五四年二月）。案查周王朝的绰号，有文王（西伯姬昌）、有武王（一任王姬发），既强调'文'，就不应强调'武'，难道他们没有这两种才能品德？只是突出他们最特殊的一部分而已。所以，绰号字数多，未必是褒扬；绰号字数少，也不等于贬低。而今，历代皇家祖先的绰号，文字太繁，违背古代制度。我建议，自中宗

（四、六任帝李显）以上，都用他们最初的绰号（一任帝李渊绰号太武帝，二任帝李世民绰号文帝，三任帝李治绰号天皇大帝，四、六任帝李显绰号孝和帝）；以下，睿宗（五、八任帝李旦）称‘圣真皇帝’，玄宗（九任帝李隆基）称‘孝明皇帝’，肃宗（十任帝李亨）称‘宣皇帝’，省去虚浮的形容词，崇尚实质，端正名分，重视根本。”

李适（音kuò〔阔〕）命文武百官集会讨论，儒家学派人士，都赞成颜真卿的建议，只国务院国防部副部长（兵部侍郎）袁傪（音cān〔餐〕），是武官出身，奏称：“皇陵祖庙的家谱名册，神主牌位，都已雕刻书写，不可以轻率改动。”事情遂被搁置。袁傪却不知道，家谱名册以及神主牌位上的御名，本来就是最初拟定的绰号（八任帝睿宗李旦以上，固是最初拟定的绰号，九任帝玄宗李隆基以下，却是最后定案的绰号，袁傪并没有错）。

27 最初，十一任帝李豫（李俶）在位，国事近乎停顿，各国使节跟各地呈报经费表册的专差，抵达京师（首都长安）后，有的一留几年都不能回去。政府在右银台门（东内宫城西城）设置宾馆（客省），招待他们食住。后来，有些上疏批评时政，冒犯皇帝，而被免职，还没有另派职务的官员，也被安置在那里，往往一住就是十年。宾馆经常有数百人，连同他们的部属，以及喂养家畜的仆役，总数以“千”为单位计算，由全国财政总监署（度支）发给薪俸津贴，开支庞大。李适（音kuò〔阔〕）下令彻底清查，被囚禁的释放，事情办妥了的遣送回去，应该改派新职的马上改派；每年节省谷米一万九千二百斛。

28 七月五日，拆除元载、马璘、刘忠翼的豪华家宅。

最初，本世纪（八）四〇年代（九任帝李隆基在位），皇亲国戚兴筑

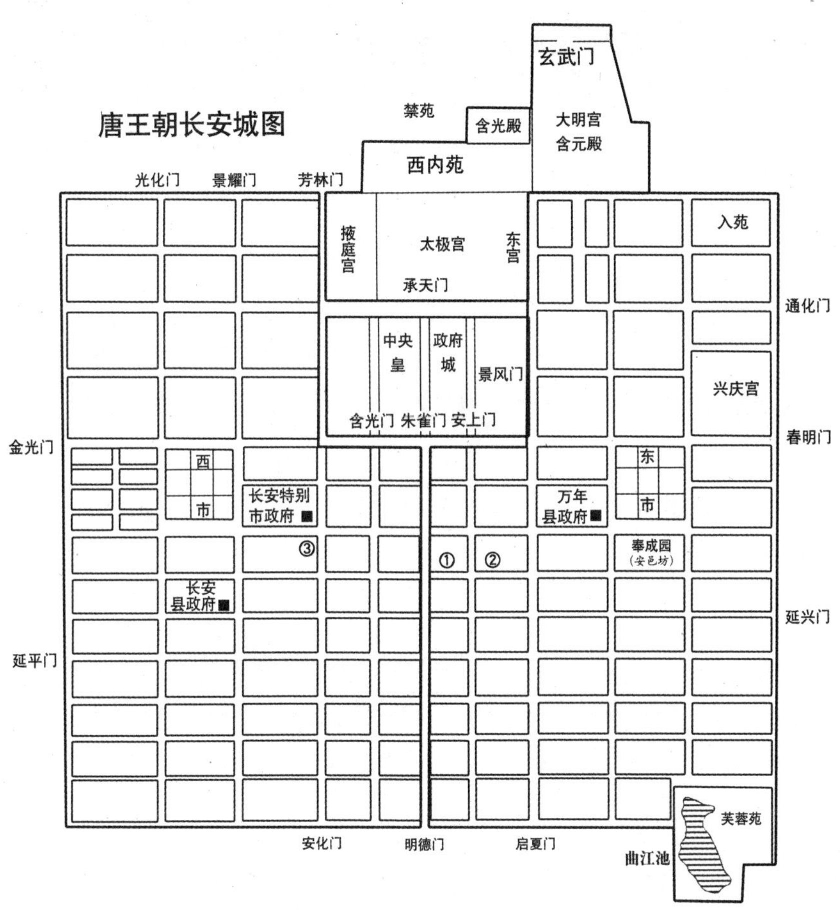

①元载宅（安仁坊）　③马璘宅（延康坊）
②马璘宅（长兴坊）

八世纪·七七九年七月　李适毁宅

家宅，虽然富丽堂皇，但院墙和房屋的高度，仍遵守法令限制。可是不久，李靖（参考六四九年五月）的家庙，就被以贵妃杨玉环为首的杨家班，当作马厩。安禄山、史思明兵变之后，法令扫地，高官、大帅、宦官，纷纷兴筑家宅，互相比赛奢侈，各自榨干自己的财力，然后才能停止；当时人们把这种竞争，形容为“土木妖”。李适（音kuò〔阔〕）对这种现象，一向痛恨，所以拆除几家特别豪华的房舍，并命马璘的子女捐献出园林，由皇宫有关单位接管，命名奉成园（在万年县〔首都长安东半城〕安邑坊）。

29 七月六日，削减进贡织锦绸缎一千匹，以及其他玩物、服装等数千项。

30 七月十三日，李适命回纥汗国（翰海沙漠群）以及其他部落人民，留在京师（首都长安）的，一律各穿本国传统服装，不准仿效唐王朝人，穿唐王朝服装。

从前，回纥人（瀚海沙漠群）留在首都长安的，经常有一千人，穿唐王朝衣服的其他民族商人，跟唐王朝人杂住在一起，比回纥人多出两倍，政府每天都要供给粮食。他们则大肆购买房产，兴建家宅店铺，厚利全被他们赚去，不但没有感谢之情，反而一天比一天花样百出，贪婪凶暴，欺负唐朝人民，政府官员从不敢多问。他们更改穿唐朝衣服，骗娶唐朝女子为妻；所以下令禁止。

31 七月二十四日，解除酒禁，准许自由买卖，不再抽税。（《新唐书·食货志》：七五八年，禁京师〔首都长安〕酿酒，七六四年，确定全国酿酒户，每月抽税）。

32 李适（音kuò〔阔〕）当太子的时候，国立贵族大学教授（国子博士）河中（山西省永济市）人张涉，当伴读官（侍读）；李适登极的当天晚上，就把张涉请进皇宫，事情无论大小，都询问张涉的意见。明天（七月二十五日），把张涉安置在皇家文学研究院（翰林院）当文学研究官（学士），信任尊重，没有人可以跟他相比。

七月二十八日，命张涉当监督院最高顾问官（左散骑常侍，正三品），仍兼皇家文学研究官（学士）。

33 八月七日，擢升道州（湖南省道县）军务秘书长（司马）杨炎（被贬事，参考前年〔七七七〕四月），当副监督长（门下侍郎）；怀州（河南省沁阳市）州长乔琳，当总监察官（御史大夫）；二人同时兼二级实质宰相（同平章事）。

李适（音kuò〔阔〕）正力求治理好帝国，所以打破传统规定，破格选拔人才，曾经要崔祐甫推荐宰相，崔祐甫推荐杨炎的器度和见识，李适（音kuò〔阔〕）也早听说过杨炎，所以把他从贬谪中擢升到高位。乔琳，是太原（山西省太原市）人，性情粗疏草率，言辞幽默，并没有特别才干，只因是张涉的老友，张涉推荐他有治国理民的大才，可以重用，李适（音kuò〔阔〕）相信张涉的话。但听到这项人事命令的人，都大为惊骇错愕。

34 十一任帝李豫（李俶〔音chù·处〕）在位时，吐蕃王国（首都逻些城〔西藏拉萨市〕）派来好几次使节，要求跟唐王朝和解（自七七一年四月迄今），但仍不停的对边疆攻击掳掠，李豫（李俶）就把他们的使节全部软禁，共计前后八批，有的直到老死，都不能回国。战场上俘虏的吐蕃士卒，一律流放到江南（长江以南）、岭南（南岭以南）。李适打算解除唐吐两国间这项紧张状态。

八月八日，擢升随州（湖北省随州市）军务秘书长（司马）韦伦，当祭祀部副部长（太常少卿），派他出使吐蕃；把所有吐蕃俘虏都集中京师（首都长安），共五百人，每人赏赐一套衣服，送他们回国。

35 祭祀部（太常）御用作曲官（协律郎，正八品上）沈既济，上疏皇帝，就政府的人事行政，提出建议，他说：

“遴选官员的标准，不过根据三项：一是品德、二是才干、三是工作绩效。可是，现在负责遴选官员的单位，对这三项，都不重视。考核的时候，只看他的书法是否恭正？裁决书写得是否通顺？档案记录历年考绩是否高等？言词是否流利？举动是否合乎礼法？如此而已。走路规规矩矩，说话慢慢吞吞，不是品德；文章华丽、条理分明，不是才干；每年的考核都是高等，不是工作绩效。根据这三个标准，而企图物色可以担当国事的人才，绝对不够。

“而今，有些人远离家乡，在本土没有户籍，缺少资料，政府根本无法推荐。连家乡亲友都不了解他的为人，国务院文官部（吏部）又怎么能够鉴定！我参考古今事例，谨慎的提出建议：五品以上及国务院各部所属司长以上官员，应命宰相推荐，而由文官部（吏部）及国防部（兵部）分别参加意见。六品以下，或担任参谋幕僚工作的官员，则由州政府及特别市政府（府）直接延聘。如果州长、县长、将领、统帅失职，遴选不公，则文官部（吏部）、国防部（兵部）应该收集证据，向陛下检举。由陛下惩罚那些满怀私心，作不实保荐的人，小者免职，大者斩首。政府委任官职，一定要求成绩，一旦坚持，谁敢不勉励奋发！必须如此，用不着奖赏，贤才自会前来要求派遣工作；用不着压制，邪恶小人自会退缩。大量的贤才云集，政治自然走上轨道。

“现行的全国官员遴选办法，是各单位先向国务院文官部（吏部）索取贤才，然后由文官部（吏部）派到州县，由州县考察他的行政能力；万一他不能胜任，滥竽充数，如果责备州长，州长就把责任推给文官部（吏部），说是文官部（吏部）派来，不敢不用。如果责备副部长（侍郎。无论文官部〔吏部〕或国防部〔吏部〕，基层人事都由副部长〔侍郎〕负责），副部长（侍郎）就声明那人的书法、裁决书文字、资格、考绩，完全及格，才授给官位，并不保证他日后如何如何。如果责备承办人员，承办人员会说，他们完全依照法令规章办事，其他一概不知。人民白白受到伤害，却找不到谁应负责。

“假设官员由州长、县长自己聘用，责任就十分清楚。州长滥用权力，只要把州长革除就可以了。而国务院文官部（吏部）滥用权力，虽把副部长（侍郎）革除，却对事实无补，只因天下人才太多，不可能全部录用，受法令规章限制，主管并没有过失。现在，我建议的是：各战区司令官（节度使）、各道民兵司令官（都团练使）、各道行政长官（观察使）、各地区物资调节总监（租庸使）等特设机关首长，使他们有权遴选执行官（判官）、副将领（副将）以下官员，自行任命，即令有什么弊端，但大体说来，十个人中至少有七个人可以胜任愉快。事实上，这种自行延聘属官的办法，在中央已经盛行，只是还没有普及到州县而已。哪一种有利？哪一种有害？至为明白。如果各特设机关首长（使）的部属，都由文官部（吏部）选派的话，现在怎么还能负起镇守一方的重任，处理征收财税的繁重工作？”

沈既济，是吴县（江苏省苏州市）人。

36 最初，衡州（湖南省衡阳市）州长、曹王李皋，有优越的政绩。湖南道（首府设潭州〔湖南省长沙市〕）行政长官（观察使）辛京杲，心怀忌恨，诬陷他犯法，贬作潮州（广东省潮州市）州长。当时，杨炎在道州（湖南省道县）贬所，深知李皋为人正直；等到调升宰相，遂命李皋回任衡州（湖南省衡阳市）州长。

李皋刚被诬陷时，受地方法官审问，考虑到娘亲年纪太老，如果听到消息，可能因惊骇过度，发生意外。于是每天出门后，换上囚服应讯，回家时再穿上官服，手拿笏版，腰挂金鱼袋（亲王、嗣王，都佩金鱼袋）。后来贬到潮州（广东省潮州市），李皋说他深受中央宠信，特向娘亲致贺。直到现在，再调回衡州（湖南省衡阳市），才跪在娘亲面前，告诉实情。

李皋，是李明的玄孙（李明，是二任帝李世民的儿子，参考六八二年七月）。

37 朔方邠宁战区（总部设邠州〔陕西省彬州市〕）司令官（节度使）李怀光，接替郭子仪的官职之后，总部一些老将：史抗、温儒雅、庞仙鹤、张献明、李光逸，无论功劳和声誉，都在李怀光之上，十分失望，不能心服。李怀光派军赴西界参加秋防，进驻长武城（陕西省长武县西北），那些老将常常延误。监军宦官翟文秀建议李怀光上疏派他们前往京师（首都长安）当禁卫军官，中央批准，但在他们离开大营之后，李怀光即行派人追捕，随意加上一个罪名，并且指控说：“黄萯（参考七七三年十月）之役所以战败（参考七七三年十月），你们应负全责。”全部斩首。

38 九月七日，把淮西战区（总部设蔡州〔河南省汝南县〕）改称淮宁战区。

39 西川战区（总部设成都府〔四川省成都市〕）司令官（节度使）、遥兼二级宰相（同平章事·使相）崔宁（崔旰），在蜀地（四川省）十余年（自七六五年四月迄今），仗恃地势险要、兵力强盛，随心所欲的淫乱奢侈，中央认为是心头大患，但无法改变。直到现在，崔宁（崔旰）前来京师（首都长安）朝见。李适（音kuò〔阔〕）加授他中央官位：司空（三公之三），兼皇帝坟墓兴建总监（兼山陵使）。

南诏王国（首都太和城〔云南省大理市〕）国王（二任云南王）阁罗凤逝世，太子凤迦异早死，由太孙异牟寻继承王位（三任南诏王）。

冬季，十月一日，吐蕃王国（首都逻些城〔西藏拉萨市〕）跟南诏王国出动联军十万人，分三路侵入唐王朝，一路攻击茂州（四川省茂县），一路攻击扶州（四川省九寨沟县）、文州（甘肃省文县），一路攻击黎州（四川省汉源县）、雅州（四川省雅安市）；声称："我们打算夺取蜀地（四川省中部），作为东方仓库。"崔宁（崔旰）这时正在京师（首都长安），留在成都的将领，不能抵御。吐南联军一连攻陷很多州县，州长们都放弃城池逃走，人民也都逃到高山深谷躲藏。李适（音kuò〔阔〕）深为忧虑，催促崔宁（崔旰）赶紧回去。崔宁（崔旰）已在金銮殿上正式辞行，就要动身，宰相杨炎警告李适说："蜀地（四川省中部），十分富有，崔宁（崔旰）据为己有，中央丧失主权已长达十四年。崔宁（崔旰）虽然到中央朝见，但他的私人军队，仍留守原处，田赋捐税以及应行呈献的贡品，完全停止。中央之有蜀地（四川省中部），跟没有蜀地，完全相同。而且，崔宁（崔旰）跟他的那些将领，本来都是平辈，利用战乱取得高位，他的声威和命令，其他将领并不完全接受。即令他回去，也不可能建立功勋。如果建立功勋，在大义上，以后更不能调动他的职务（之前便放了他一次，参考七六八年五月）。是以，如果战败，蜀地（四川省中部），固然失去，即令战胜，中央也毫无所获，请陛下仔细考虑。"

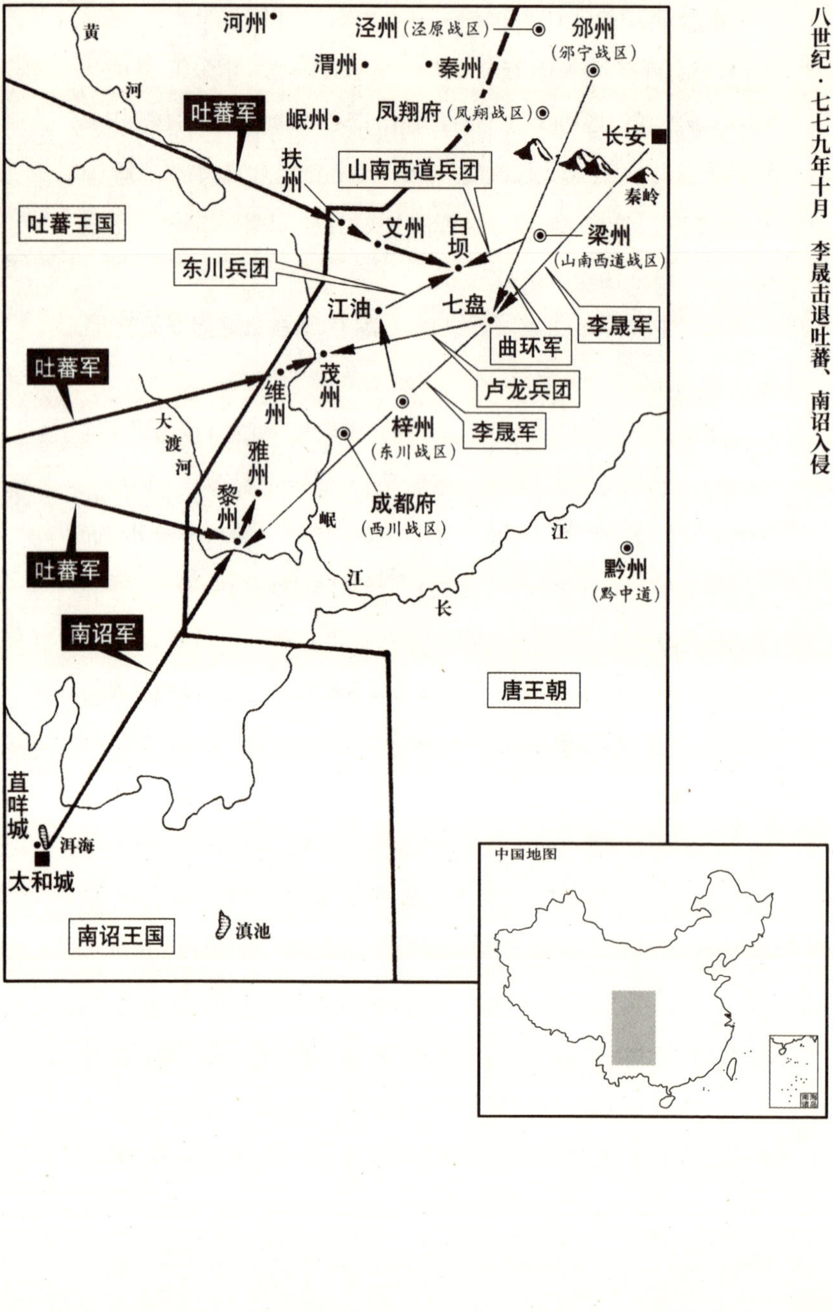

八世纪·七七九年十月 李晟击退吐蕃、南诏入侵

河州
泾州（泾原战区）
邠州（邠宁战区）
渭州
秦州
岷州
凤翔府（凤翔战区）
长安
秦岭
吐蕃军
扶州
山南西道兵团
文州
白坝
梁州（山南西道战区）
吐蕃王国
东川兵团
江油
七盘
李晟军
曲环军
卢龙兵团
李晟军
茂州
维州
吐蕃军
梓州（东川战区）
大渡河
雅州
黎州
成都府（西川战区）
岷江
长江
黔州（黔中道）
吐蕃军
南诏军
唐王朝
苴咩城
洱海
太和城
南诏王国
滇池
黄河
中国地图

李适（音kuò〔阔〕）问说："那么，应该怎么办！"杨炎回答说："请把崔宁（崔旰）留下来，而征调朱泚的范阳兵团（卢龙战区特遣兵团）数千人，连同皇家禁军，混合编组，南下迎战，用不着担心不能克服。胜利之后，就把禁军留在那里，驻防心脏地带，原有的将领，绝对不敢妄动，然后派亲信大将前去接管，千里沃土，重回中央，岂不是因小的灾祸，反而得到大的利益！"李适（音kuò〔阔〕）高兴说："好极！"于是把崔宁（崔旰）留在京师（首都长安）。

最初，泾原战区（总部设泾州〔甘肃省泾川县〕）司令官（节度使）马璘，嫉恨总作战司令（都知兵马使）李晟（音shèng〔胜〕）的声名和功劳，派他到京师（首都长安）出任禁卫军官，当右神策军（禁军第八军）大将（都将）。李适征调禁军四千人，由李晟率领；另征调邠宁战区（总部设邠州〔陕西省彬州市〕），以及陇右战区特遣兵团（驻普润〔陕西省宝鸡市凤翔区北〕）、卢龙战区特遣兵团（驻凤翔府〔陕西省宝鸡市凤翔区〕）共五千人，命金吾卫（卫军第十一、十二军）大将军、安邑（山西省运城市东北安邑街道）人曲环率领（曲，姓。曲环，参考七五四年三月），增援蜀地（四川省中部）。

东川战区（总部设梓州〔四川省三台县〕）特遣兵团从江油（四川省平武县东南）直向白坝（四川省广元市北）；跟山南西道战区（总部设梁州〔陕西省汉中市〕）特遣兵团，南北夹击，大破吐南联军。卢龙战区特遣兵团追击，抵达七盘（四川省巴中市西北），再大破吐南联军，乘胜克复维州（四川省理县）、茂州（四川省茂县）。李晟率神策军追击，抵达大渡河（岷江支流）以西，再大破吐南联军。吐南联军一败再败，饥饿和寒冷交加，跌下悬崖摔死的就有八九万人。吐蕃既后悔又忿怒，迁怒到引诱他们东进的向导身上，认为他提供不实情报，斩首。

南诏国王（三任）异牟寻恐惧，兴筑苴咩城（在首都太和城北六公里。苴咩，音xié miē），城墙长度十五华里，把首都迁到那里。

吐蕃王国（首都逻些城〔西藏拉萨市〕）封异牟寻当日东王（太阳东出处之王）。

40 李适（音kuò〔阔〕）动辄动用重刑，十分严厉，文武百官无不颤栗恐惧。因安葬前任皇帝（十一任李豫〔李俶〕）的日期渐渐接近，所以禁止屠宰。

汾阳王郭子仪的一个差役，偷杀了一只羊，运进城里；右金吾（卫军第十二军）将军裴谞上疏弹劾。有人告诉裴谞说："汾阳王（郭子仪）对帝国有天大的功劳，你为什么偏偏不给他留一点余地？"裴谞说："我这样做，正是要替他留一点余地。郭公官位高而声望大，皇上刚刚登极，认为文武百官对郭公一定都附和顺从（裴谞看透了李适），我故意检举他一点小小过失，显示他的权势没有什么。对上尊敬天子，对下安定人心，难道不行？"

41 十月十三日，把前任皇帝（十一任）李豫（李俶）安葬元陵（陕西省富平县西北十二公里檀山），缉号睿文孝武皇帝，庙号代宗。

灵柩将要启程时，李适（音kuò〔阔〕）亲自送丧，看见灵柩车不走笔直南下的御用大道（驰道），而稍稍偏西，询问什么缘故，主管官员回答说："陛下本命在'午'（正南），不敢冒犯。"（《马屁经》精密如此！）李适（音kuò〔阔〕）流下眼泪，说："怎么可以让老爹的灵柩绕道，只为自己求福！"命向正南而行。

十任帝李亨、十一任帝李豫（李俶）都深信阴阳鬼神，事情无论大小，都要请巫法师求神问鬼。所以王屿（参考七五八年五月）、黎干（参考七七四年六月），都靠左道旁门，当上高官。而李适（音kuò〔阔〕）却不信这一套，日期只择定七月，准备妥当，即行安葬，并不择定日子。

42 十一月十一日，擢升晋州（山西省临汾市）州长韩滉，当苏州（江苏省苏州市）州长兼浙江东西道（首府设苏州〔江苏省苏州市〕）行政长官（观察使）。

43 宰相乔琳年纪太老，耳朵又聋，李适（音kuò〔阔〕）有时向他垂询，乔琳听不清楚，往往答非所问，语无伦次，或者见解空洞、不切实际。

十一月十六日，命乔琳改任国务院工程部长（工部尚书），免除宰相职务。李适（音kuò〔阔〕）因此疏远张涉（乔琳是张涉所荐）。

44 自从杨炎建议不放崔宁（崔旰）回去，留在京师（首都京师），二人遂互相怨恨。杨炎声称：北方边疆需要帝国重要高官镇守。

十一月二十七日，李适（音kuò〔阔〕）擢升京畿道（首府设京师〔首都长安〕）行政长官（观察使）崔宁（崔旰），当单于大总督、镇北大总督、朔方战区司令官（节度使），镇守坊州（陕西省黄陵县）；调荆南战区（总部设江陵府〔湖北省江陵县〕）司令官（节度使）张延赏，当西川战区（总部设成都府〔四川省成都市〕）司令官（节度使）。命灵盐战区（原朔方战区，总部设灵州〔宁夏灵武市〕）总纠察官（都虞候）醴泉（陕西省礼泉县）人杜希全，当代理候补司令官（知留后）；代州（山西省代县）州长张光晟，当单于总督府、振武军基地司令、绥银麟胜战区（总部设单于府〔内蒙古和林格尔县〕）代理候补司令官（知留后）；延州（陕西省延安市）州长李建徽，当鄜坊丹战区（总部设坊州〔陕西省黄陵县〕）代理候补司令官（知留后）。

依照惯例，崔宁（崔旰）既出任战区司令官（节度使），辖境内就不应再有候补司令官（留后），可是，杨炎为了剥夺崔宁（崔旰）的大权和侦察他的行动，所以在他辖境内，一连任命三位候补司令官（留后)，并且都有权单独上奏(刚刚把原朔方战区分为三个新的战区〔参考本年〔七七九〕闰五月〕，现在为了授予崔宁〔崔旰〕崇高官位，故又把灵盐、振武、鄜坊三战区复合为新的朔方战区。但战区总部坊州〔陕西省黄陵县〕不属旧朔方战区，而属鄜坊战区〔总部鄜州〕；而三个原战区总部，都设候补司令官〔留后〕，治理原来辖区，并且可以上奏，则与合并之前的情形无异。崔宁〔崔旰〕只得到一个虚名)。杨炎暗示三个人：注意崔宁(崔旰)。

45 十二月十九日，封宣王李诵(本年十九岁)当皇太子。

46 依照惯例：中央政府每年收入的现金及绸缎，都储存左国库(左藏)，春夏秋冬四季，由库藏部(太府寺)呈报数量多少(左右国库皆隶属库藏部)，国务院司法部审计司(比部)实地查对。后来，第五琦当全国财政总监(度支使)及盐铁专卖暨运输总监(盐铁使)时，京师(首都长安)多的是权势烜赫的武将军阀，索取供应，毫无限制，而且行为凶暴，第五琦无法拒抗，只好上疏建议全部储存皇宫里的大盈库(参考七五六年六月十三日)，交给宦官管理。然而，这固然阻止悍将逞凶，但皇帝使用起来，也大为方便，所以再也不能迁出。政府的公赋，遂成为君王的私房，主管机关不知道国库存量，无法统计查考，几达二十年。主管大盈库的宦官，有三百余人，侵占其中财产，勾结袒护，结成一个坚固的既得利益团体，不可动摇。

宰相杨炎，跪在李适(音kuò〔阔〕)面前，叩头请求说："财政赋税，是立国的基础、人民的命脉，国家治乱安危的关键，没有一件事不跟它有关。所以，从前都派重要官员负责主持，仍难免有无谓消耗或账目不清情事。而今，单由宦官管理，以致开支多少，收入多少，有没有盈余及亏损，高级官员全都不知，政治上的弊害，没有比这更为严重。因之我建议把公赋从宫里迁出，交还给政府主管机关。宫中所需，请估计一个数目，由国库如数缴纳，不敢缺少。如此，政府才可以推行政令。”

李适（音kuò〔阔〕）当天即行下诏，说：“全国所有财赋收入，一律遵照过去惯例，全部归还左国库（左藏）。只每年选择精致的上好绸缎三五千匹，送交大盈库。”

杨炎只用几句话就使领袖改变主意，受到很多人称赞。

47 十二月三十日，日蚀。

48 湖南（湖南省）变民首领王国良，利用山川险要形势，聚众起兵。李适（音kuò〔阔〕）派国务院司法部狱政司副司长（都官员外郎）关播，前去安抚招降。在金銮宝殿上辞行时，李适（音kuò〔阔〕）问他主持国政的基本任务是什么，关播回答：“基本任务，必须寻觅有才干的贤人，作自己的助理。”李适说：“我最近下诏征求有才干的贤人，又派使节到各地广泛查访，或许对治理天下，有点帮助。”关播说：“下诏征求和使节推荐，只能得到一些会写文章而渴望当官的知识分子，哪有真正有才干的贤人，一听到命令，就报名参加！”李适（音kuò〔阔〕）大为高兴。

49 宰相崔祐甫患病，李适（音kuò〔阔〕）命他乘双人小轿到立法院（中书省）办公；崔祐甫在家休假时，遇到大事，皇帝就派宦官前去当面磋商裁决。

唐王朝

◉ 宰相杨炎诬杀刘晏。

◉ 新罗惠恭王（三十六任）金乾运荒淫，大臣金良相杀之自立，称宣德王（三十七任）。

◉ 查理曼封子丕平当意大利王。

七八〇年 庚申

唐 建中 元年

1 春季，正月一日，唐王朝（首都长安〔陕西省西安市〕）改年号建中。文武百官向唐帝（十二任德宗）李适（本年三十九岁。适，音kuò〔阔〕）呈献绰号，称圣神文武皇帝。赦免天下。采用宰相杨炎的建议，下诏说："中央擢升罢黜特使（黜陟使）、道政府行政长官（观察使）、州长，应负责评估人民财产，厘定等级，实行'两税法'（唐王朝本行"租庸调法"，参考六二四年四月，租是田赋、庸是劳役、调是捐税，现在合并，一律用钱缴纳，每年两次，夏季缴纳者称"夏税"，不超过六月；秋季缴纳者称"秋税"，不超过十一月，合称“两税”）。其他所有新旧各种名目的苛捐杂税，全都取消。政府除了‘二税’外，如有人敢多征收一文钱的，以知法犯法定罪。”

唐王朝初年，政府征税的方式，分为“田赋”（租）、“劳役”（庸）、“捐税”（调）。有田地就应缴田赋（租）、有成年人就应服劳役（庸）、有户籍就应缴捐税（调）。九任帝李隆基在位末年（本世纪〔八〕四〇年代及五〇年代），政府档案逐渐破坏失散，残留下来的记载，也很多跟实际不合。七五六年，全国战乱，各地征收，急如星火，完全不依常规。负责征收的机关不断增加，可是互相间谁也管不着谁；于是各自巧立名目，增加法条，旧的还没有废除，新的已经实施，没有停止的一天。富家子弟不是当官，就是出家当和尚，都可以免除赋税劳役；贫家子弟却无法逃避。于是，富家越发优裕，贫家越发穷苦，贪官污吏们利用机会，剥削压迫，十天半月就征收一次，人民无法负担这项苛刑，大多数都弃家逃走，流向四方谋生，仍留在本乡的，不会超过十分之四五。

到了现在，宰相杨炎创立“两税法”：事先估计州县每年开支，加上呈缴中央的数目，然后，量出为入，要求人民缴纳这个数目。户口不管是土著或流民，只要定居，就登记入籍，人口不论青年（十八岁以上）、壮年（二十三岁以上），而只依照贫富划分等级。至于做生意的商人，负担所在州县总岁收的三十分之一，使他们跟定居不动的农业户一样，不能逃避纳税义务。农业户的税收，分为秋、夏两季征取。所有田赋（租）、劳役（庸）、捐税（调以及其他苛捐杂税，全部取消，由全国财政总监（度支）负责统筹办理。

李适（音kuò〔阔〕）接受这项改革，利用颁布大赦令的机会，颁布这项新的税法。

2 最初，国务院左最高执行长（左仆射）刘晏，当文官部长（吏部尚书）时，杨炎当文官部副部长（吏部侍郎），互相不喜欢对方。元载被诛杀（参考七七七年三月），刘晏暗中尽了大力。等到李适登上帝位，刘晏因长期掌握国家财富（自七六〇年五月迄今），大家对他都很忌恨，于是很多人提醒皇帝，应该撤销运输总监（转运使）。而且传出谣言说：刘晏曾经呈递密奏，建议前任帝（十一任）李豫（李俶）封独孤贵妃当皇后（独孤如果当上皇后，她的亲生儿子，韩王李迥，势必夺嫡，李适即陷危境）。杨炎既被擢升当宰相，打算替元载报仇（世界上任何坏蛋，都有赞美他的朋友，任何凶恶的政治领袖，都有拥护他的群众），于是找一个机会，在李适面前涕泪交流，说："刘晏跟黎干、刘忠翼，共同进行阴谋（参考去年〔七七九〕闰五月），我身为宰相，不能铲除国贼，真应受到严厉处罚。"另一位宰相崔祐甫说："这种无法证实的暧昧谣言，不应该在意。而且，陛下已下令大赦，也不应再去追究这种风言风语。"但杨炎仍锲而不舍，建议说："国务院（尚书省）是帝国的神经中枢，最近却特设很多总监（使），分割它的权力，最好是恢复原来体制。"李适批准。

正月二十八日（原文"甲子"，据《旧唐书》改），下诏全国钱粮工作，全部交还给国务院财政部财务司（金部）及粮秣司（仓部）；刘晏解除运输总监（转运使）、物资调节总监（租庸使）、地亩青苗税征收总监（青苗使）、盐铁专卖总监（盐铁使）等特设机关首长职务。

3 二月一日，命十一位擢升罢黜特使（黜陟使），分别巡视各地。

当时，魏博战区（总部设魏州〔河北省大名县〕）司令官（节度使）田悦，对中央政府还相当尊敬顺从，可是河北道（河北省）擢升罢黜特使（河北黜陟使）洪经纶，颟顸无知，完全不了解他所面对的局势，听说战区武装部队有七万人之多，于是，一道命令下达，要田悦裁军四万人，遣送回乡耕田。田悦假装奉命唯谨，立刻裁减四万人，然后不久，集合这些被遣散的士卒，把他们激怒，田悦说："你们长期过着军队生活，上有父母，下有妻子，都在军营，一旦被擢升罢黜特使（黜陟使）淘汰，将来靠什么维生？"士卒们大哭。田悦就拿出自己的家产，作为军饷，仍使他们留在军中。于是士卒都感激田悦，怨恨中央。

4 宰相崔祐甫因身患重病，多半不大管事；杨炎遂大权在握，专门为自己报仇雪恨。上疏重提元载的开疆建议（参考七七三年十月），打算先行兴筑原州（故州城，宁夏固原市）城池，又打算动员两京（首都长安、东都洛阳）、关内（陕西省中部）青年，前去丰州（内蒙古五原县）整修疏浚灌溉系统陵阳渠（五原县境），准备开荒垦田。李适派宦官去泾原战区（总部设泾州〔甘肃省泾川县〕）询问司令官（节度使）段秀实的意见，段秀实认为："仅只沿边防务，还感到兵力不足，不应该先向敌人挑衅，刺激他们反击。"杨炎大怒，认为他破坏自己，于是解除段秀实战区司令官（节度使）职务，调回中央当农林部长（司农卿）。

二月十二日，任命邠宁战区（总部设邠州〔陕西省彬州市〕）司令官（节度使）李怀光，兼四镇及北庭战区特遣兵团（驻泾州〔甘肃省泾川县〕）司令官（节度使），更兼泾原战区（总部设泾州〔甘肃省泾川县〕）司令官（节度使），训令他把大军推进到原州（宁夏固原市）；再任命四镇及北庭战区特遣兵团候补司令官（留后）刘文喜，改当总秘书长（别驾）。首都长安特别市长（京兆尹）严郢反对，上疏说："朔方塞下五城（参考七七六年二月），土地本来肥沃，七五五年天下大乱以后，人力不足，以致荒废，现在实际耕种的田亩，不到过去十分之一。如果有充足的人力投入，用不着等到今天。征调两京（首都长安、东都洛阳）及关辅（陕西省中部）人民，前去丰州（内蒙古五原县）疏浚渠道，开荒屯田，所得到的不抵所付出的，而关辅（陕西省中部）人民却免不了流散四方，不但使京畿田地荒废，对军粮也毫无帮助。”奏章呈上后，没有下文。

然而，陵阳渠（内蒙古五原县境）疏浚工程始终无法完成，完全放弃。

5 李适采纳杨炎的建议，借口刘晏的奏章跟事实不符。二月十四日，贬刘晏当忠州（重庆市忠县）州长。

6 二月十八日，擢升泽潞战区（总部设潞州〔山西省长治市〕）候补司令官（留后）李抱真（安抱真）实任司令官（节度使。《新唐书·方镇表》：本年〔七八〇〕，昭义战区总部迁潞州，泽潞战区并入）。

7 杨炎打算兴建原州城（故州城，宁夏固原市），作为基地，然后收复秦原（甘肃省南部），于是命李怀光先到前方担任总监，督促施工；命卢龙战区（特遣兵团驻凤翔府〔陕西省宝鸡市凤翔区〕）司令官（节度使）朱泚及朔方战区（总部设坊州〔陕西省黄陵县〕）司令官（节度使）崔宁（崔旰），各率一万人，在后续进，保护工程进行。皇帝诏书下达泾州（甘肃省泾川县），命准备筑城工具。泾原战区（总部设泾州〔甘肃省泾川县〕）将士怒不可遏，说：“我们充当帝国西方屏障，有十余年。最初，我们驻防邠州（陕西省彬州市），耕田种桑，好不容易安定下来，却调到泾州（甘肃省泾川县。参考七六八年十二月），披荆斩棘，安营扎寨，还没有把凳子坐暖，又要把我们驱逐到塞外！我们犯了什么罪，竟受到这种待遇！”

李怀光刚接任邠宁战区（总部设邠州〔陕西省彬州市〕）司令官（节度使）时，就诛杀大将温儒雅等（参考去年〔七七九〕八月），军令森严；后来，中央命李怀光兼泾原战区（总部设泾州〔甘肃省泾川县〕）司令官（节度使），泾原将士大为恐惧，说："他们五个将领（温儒雅、史抗、庞仙鹤、张献明、李光逸），犯了什么滔天大罪，全体斩首？现在又来我们这里，怎么不忧心忡忡！"总秘书长（别驾）刘文喜遂利用大家忿怒恐惧心理，占领泾州（甘肃省泾川县），不接受命令，上疏中央请求再派段秀实回来，如果有困难，派朱泚也行。

二月二十八日，李适同意，命朱泚兼四镇及北庭战区特遣兵团（驻泾州〔甘肃省泾川县〕）及泾原战区（总部泾川）司令官（节度使），接替李怀光。

8 三月，皇家文学研究官（翰林学士）、监督院最高顾问官（左散骑常侍）张涉，接受前湖南道（首府设潭州〔湖南省长沙市〕）行政长官（观察使）辛京杲的金钱贿赂，事情被发觉，李适大怒，打算依法处死。这时，那个被淮西战区（总部设蔡州〔河南省汝南县〕）赶走（参考去年〔七七九〕三月）的李忠臣（董秦），正以摄理司空（检校司空，三公之三）、二级实质宰相（同平章事）的身份，特准参加御前会报（奉朝请），对李适说："陛下以皇帝的尊贵，却使老师因生活贫苦而去犯罪，依我看来，不是老师的过失。"李适的怒气稍稍平息。

三月六日，免除张涉官职，遣送回乡。

辛京杲因自己的私忿，把部属乱棍打死，有关单位奏称："辛京杲罪该处决。"李适打算批准。李忠臣（董秦）说："辛京杲早就应该死。"李适问什么缘故，李忠臣（董秦）说："辛京杲的老爹、叔父、兄弟（堂兄辛云京、弟辛旻），都为国战死，只辛京杲到今天还活着，所以我认为他早就应该死。”李适也感到悲戚，只把辛京杲贬作亲王师傅（从三品）。李忠臣（董秦）利用机会救人，多半用这种方法。

李忠臣（董秦）这种貌似忠厚的行为，就是官场文化的“三救三不救学”：“救生不救死，救富不救贫，救官不救民。”救“生”，活人可能有回报；死人冤屈得伸，遗族自认为本应如此，难有感恩之心。救“富”，有钱人可以把金银财宝，立刻送上大门（或送进银行），享受是立竿见影的；穷光蛋顶多歌颂你是“青天老爷”，焚香为你祝福而已，怎能拿出政治献金？救“官”，道理比二加二等于四还要明显，官有权使你贵，也有权使你富，普通小民顶多心存感激，有什么用？李忠臣这种出卖良知人格，出卖人性尊严的“三救牌”，竟得到“救人”的好评，正是中华文化中的一种毒素。

9 宰相杨炎撤销全国财政总监（度支）、运输总监（转运使）后，命国务院财政部财务司（金部）、粮秣司（仓部）接管，可是国务院（尚书省）的机能，停顿得太久，资讯既十分缺少、人才也不足以担当，接管之后，无法着手，全国应缴的金钱粮食，没有人处理。

三月二十八日，李适命监督院高级顾问官（谏议大夫）韩洄，当国务院财政部副部长（户部侍郎），兼全国财政总监（判度支）；命财政部财务司长（金部郎中）万年（首都长安东半城）人杜佑，暂任江淮（华东地区）水陆运输总监（权江淮水陆转运使），恢复刘晏旧有制度。

10 占据泾州（甘肃省泾川县）的刘文喜，拒绝接受他推荐的朱泚，打算自己当战区司令官（节度使）。

夏季，四月一日，刘文喜正式背叛中央，派他的儿子前去吐蕃王国（首都逻些城〔西藏拉萨市〕）充当人质，请求派军救援。李适命朱泚、李怀光讨伐；又命神策军（禁军第七、八军）基地司令（使）张巨济，率禁军二千人增援。

11 吐蕃王国（首都逻些城〔西藏拉萨市〕）听到唐政府派祭祀部副部长（太常少卿）韦伦，护送吐蕃俘虏回国消息（参考去年〔七七九〕八月），并不敢相信，等韦伦及俘虏们进入国境，俘虏们各返各人所属的部落，声称："唐王朝新皇帝登极，释放宫女回家，释放飞禽野兽回山，在英明威武的领袖领导下，唐王朝一片祥和之气。"吐蕃国王（三十六任）墀松得赞大为高兴，清扫道路，迎接韦伦。然后，派遣使节随韦伦前来长安朝见，并致送前任帝（十一任）李豫（李俶）的奠仪。

四月九日，吐蕃使节抵达京师（首都长安），李适用盛大的礼仪接待，并命沿边释放吐蕃俘虏。西川战区（总部设成都府〔四川省成都市〕）将领们反对，上疏说："吐蕃（西藏）人都是豺狼，被我们生擒的人，不可以让他们回去。"李适说："蛮夷侵犯边塞，我们迎击；蛮夷顺服，就送他们回去。作战表示威力，归还表示诚信。威力不能发挥，诚信不能遵守，怎么能使远方的人产生向心力！"命全部遣送。

12 十一任帝李豫（李俶）在位时，每年元旦、冬至日、端午节、皇帝生日，州府县在正规捐税之外，还互相竞争另行呈献特别祝福礼物（参考七六六年十月）；谁呈献得多，李豫（李俶）对谁的印象就好（这跟隋王朝二任帝杨广同好，参考六一六年十二月）。带兵武官和奸诈的文职官吏，借着这个机会，压榨平民。

四月十九日，是李适的生日，各地依照惯例，都作额外呈献，李适一律不接受。平卢战区（总部设郓州〔山东省东平县〕）司令官（节度使）李正己（李怀玉）、魏博战区（总部设魏州〔河北省大名县〕）司令官（节度使）田悦，分别呈献绸缎三万匹，李适命送给全国财政总监署（度支），作为应缴中央政府的赋税。

13 五月五日，擢升韦伦当祭祀部长（太常卿）。

五月二十二日，再派韦伦出使吐蕃（首都逻些城〔西藏拉萨市〕）王国。韦伦请李适出面署名誓书，跟吐蕃（西藏）结盟。宰相杨炎认为有伤唐王朝尊严，建议由汾阳王郭子仪出面署名誓书，由李适在上批一“可”字。李适接受。

14 中央讨伐军朱泚等，包围变兵首领刘文喜盘踞的泾州（甘肃省泾川县），切断所有交通线，紧闭营垒，不发动攻击，历时很久，不能攻克。这时，天气久不落雨，骄阳如火，旱灾已成，征收捐税粮草，东西转运，国内外骚动不安，中央官员中上疏请求赦免刘文喜，以解救军民疲惫痛苦的，多到无法统计。李适一律拒绝，说：“一个小丑都不能铲除，怎么能治理一个庞大帝国！”刘文喜派大将刘海宾，到京师（首都长安）请愿，刘海宾向李适报告说：“我是陛下当亲王时旧部（李适封雍王，当过全国野战军元帅〔天下兵马元帅〕，参考七六二年四月；特遣兵团〔行营〕军官，都是部属），怎么肯听从叛徒？一定要替陛下砍下他的人头。刘文喜所请求的，不过一个任官符节而已，希望陛下姑且给他，他的戒备一定松懈，我的计划就可实施。”李适说：“名分和官职，绝不可以随便给人。你能够立功，固然很好，我的任官符节，他得不到。”命刘海宾回去告诉刘文喜，训令讨伐军继续攻击。并且减少自己的饮食，犒劳士卒，围城中官兵应领春季服装的，照常发给；于是，大家了解李适不会改变主意。此时，吐蕃王国（首都逻些城〔西藏拉萨市〕）跟唐王朝的邦交正在和睦，拒绝支援刘文喜，围城中势孤力弱，变兵绝望。

五月二十七日，刘海宾和各将领共同起事，诛杀刘文喜，砍下人头，送到京师（首都长安），但原州（故州城，宁夏固原市）城池，始终不能修筑。

自从李适登极，平卢战区（总部设郓州〔山东省东平县〕）司令官（节度使）李正己（李怀玉）内心一直惶惶不安，曾派一位助理前往京师（首都长安）奏事，正巧泾州（甘肃省泾川县）传来捷报，李适命他观看刘文喜的人头之后再回去。李正己（李怀玉）更加恐惧。

15 六月一日，监督院副监督长（门下侍郎）、二级实质宰相（同平章事）崔祐甫逝世（年六十岁）。

16 巫法师桑道茂上疏说："不出数年，陛下有离开皇宫的坏运。我瞭望到，奉天（陕西省乾县）有天子气，最好是增加城墙的高度和厚度，准备应付突然发生的非常事变。"

六月八日，李适命首都长安特别市政府（京兆）征调民夫数千人，配合禁军士卒，修筑奉天城墙（陕西省乾县）。

17 最初，回纥汗国（瀚海沙漠群）风俗敦厚，生活朴实，可汗和臣属之间的距离，并不太大，所以上下一心，力量强盛，军队勇敢，所向无敌。后来，在唐王朝内战中，帮助唐政府，建立大功，唐政府送给他们丰厚的礼物，作为回报。登里可汗（三任大可汗）药罗葛移地健遂开始膨胀，觉得自己伟大非凡，大肆兴建宫殿，供给皇后以及小老婆、宫女居住，房舍装潢豪华，更十分重视她们的衣服穿着和梳妆打扮；唐政府为了供应这种挥霍，搜刮得民穷财尽，而回纥自己的善良风俗，也全都被腐蚀败坏。唐王朝十一任帝李豫（李俶）逝世（参考去年〔七七九〕五月），继任帝（十二任帝）李适派宦官梁文秀，前往报丧，药罗葛移地健桀骜不驯，态度冷淡，不把梁文秀当作贵宾接待。

九姓胡部落（山西省西北部）中有投降回纥的部众，向药罗葛移地健强调唐王朝的繁华富饶，建议药罗葛移地健利用唐王朝皇家大丧之际，发动攻击，定可获得大批财富。药罗葛移地健怦然心动，打算倾全国之力，南下入侵。宰相药罗葛顿莫贺亲王，是药罗葛移地健的堂兄，劝阻说："唐朝，是一个庞大帝国，没有任何地方辜负我们。前年，我们深入太原（山西省太原市），俘获羊马数万只，应该算是大捷（参考前年〔七七八〕正月），可是路途太远，粮食无法供应，等到回国，很多士卒不得不双脚步行（杀自己的马充饥）。而今，全国南下，即令大捷，也不过如此，万一不能大捷，我们怎么回来？"药罗葛移地健不接受。药罗葛顿莫贺利用大家强烈反对南侵的心理，发动政变，诛杀药罗葛移地健，并诛杀九姓胡部落（山西省西北部）归降部众二千人，自己登极，称合骨咄禄毗伽可汗（四任大可汗），派他的部属药罗葛聿亲王，随同宦官梁文秀，前来长安朝见，誓言作唐王朝藩属，恁由长发下垂，不再剪断（表示接受唐王朝风俗），等候唐王朝皇帝进一步指示。

六月二十二日，李适派首都长安特别市副市长（京兆少尹）临漳（河北省临漳县南）人源休，前往册封药罗葛顿莫贺，称武义成功可汗。

18 秋季，七月四日，邵州（湖南省邵阳市）变民首领王国良归降（参考去年〔七七九〕十二月）。

王国良本是湖南道（首府设潭州〔湖南省长沙市〕）营门官（牙将），行政长官（观察使）辛京杲，派他驻防武冈（湖南省城步县），用来防御西原蛮（广西靖西市蛮夷部落）侵扰。辛京杲贪残暴虐，而王国良家庭富有，辛京杲遂诬陷王国良死罪，打算害命谋财。王国良申诉无门，十分恐惧，遂据守武冈（湖南省城步县）县城兵变，跟西原蛮结盟，集结一千人，袭击掳掠附近州县，沿着湖南道边界，长达一千华里，都受到伤害。李适（音kuò〔阔〕）命荆南战区（总部设江陵府〔湖北省江陵县〕）、黔中道（首府设黔州〔重庆市彭水县〕）、江南西道（首府设洪州〔江西省南昌市〕）、桂州道（首府设桂州〔广西桂林市〕）出军联合讨伐，一连几年，不能攻克。

后来，曹王李皋，接任湖南道（首府潭州）行政长官（观察使），说：“驱使精疲力尽的平民，追杀动乱不安的人群，不是上等谋略。”于是写信给王国良，说：“将军并不是胆大包天的叛逆，只不过为了救自己一命而已。我跟你一样，都受辛京杲的陷害，我已被中央昭雪，怎么忍心把刀锋加到你的头上？你遇到我而不马上投降，后悔时已来不及。”王国良又高兴又害怕，派使节呈递降书，但仍迟疑不敢作最后决定。李皋于是伪装成自己的信差，只带一个骑兵护卫，穿山越岭，行军五百华里，直抵变民军营，用鞭拍打营门，大声喊叫说：“我是曹王，来接受你们投降！”变民军大为吃惊。王国良急急出迎，在马前下跪叩头，请求宽恕。李皋握住他的手，约定结拜为义兄弟。王国良遂焚烧攻城和防御用的武器及装备，解散变民军，使他们各自回乡务农。

李适下诏赦免王国良的罪状，赐给他新名王惟新。

19 七月十九日，李适遥尊失踪的娘亲沈女士为皇太后（失踪事，参考七六五年七月）。

20 荆南战区（总部设江陵府〔湖北省江陵县〕）司令官（节度使）庾准，迎合宰相杨炎的旨意，上疏检举忠州（重庆市忠县）州长刘晏：写信给凤翔（陕西省宝鸡市凤翔区）特别市长（凤翔尹）朱泚，求他营救，措辞充满怨愤（忠州属荆南战区）。而且，庾准更指控刘晏曾上疏请求增加州政府所属民兵名额，事实上是准备背叛中央。当李适询问杨炎意见时，杨炎证实刘晏确有这种阴谋。李适遂秘密派宦官前去忠州（重庆市忠县），把刘晏绞死（年六十五岁）。

七月二十七日，李适下诏命刘晏自杀，天下人为刘晏呼冤。

最初，安史之乱（参考七五五年十一月），几年之间，全国户口流失十分之八九，州县被军阀割据，贡物和赋税全到不了中央，国库枯竭。天灾人祸，又接连不断；蛮夷每年侵犯，沿边驻扎大量国防军，都靠政府供应，费用多到无法计算，全部倚靠刘晏筹划。刘晏开始时担任运输总监（转运使），负责陕东（东中国）各道财政（参考七六二年六月），陕西（西中国）各道，则仍归国务院财政部（户部），后来兼管陕西（参考去年〔七七九〕闰五月），但不久即被免职（参考本年〔七八〇〕正月）。

刘晏精力充沛，聪明智慧，反应迅速，调节物资的有无多寡，方法神奇，经常用高薪雇用健步如飞的人，在各重要地方，设置物价情报站，调查各种物价，即令是遥远的城市，用不了几天，报告就送到总监署（使司），粮食、货物价格贵贱，全在总监署控制之下，国家获得大量财源，人民却不忧虑物价飞涨或惨跌。刘晏强调说：“打算办成一件事情，全靠贤能的人才，所以必须遴选见识通达、性情敏捷、精明强悍、廉洁勤快的人，把任务交给他们执行。至于核对账簿、稽查数目，收支管理金银粮食，则应委任知识分子。雇员（胥吏）之类低层干部，只能负责文书工作，不可以随便发言。”又强调说：“知识分子（士）一旦被指控贪赃受贿，就会被世人诟骂，所以爱名远超过爱钱，因之他们多数清廉自爱；雇员之类低级官员（胥使），即令廉洁如水，终身也不可能升迁，所以爱钱远超过爱名。雇员级官员，自然很多贪污受贿。”然而，只有刘晏能做得圆满，而效法他的人，都无法赶得上。刘晏的属官虽然分散四方，有的甚至远在数千华里以外，可是命令一旦抵达，刘晏就好像站在他面前，连私人行为，包括一举一动，一言一行，对刘晏都不能欺骗怠慢。有些当权人士把亲友故旧，推荐给刘晏，刘晏也都接受，但给他一个闲差事，俸禄多少、升迁快慢，一切都纳入正常轨道，却不让那些人负实际责任。刘晏所属各单位，凡是重要、艰难的位置，一定交由当时最杰出的贤才。刘晏被李适诬杀之后，唐政府负责财政赋税的官员，大多数都是刘晏的旧属。

刘晏了解，户口越多，赋税的来源越多，所以他掌管全国财务，最优先的工作，就是要全国人民富裕。所以在各道设置特遣官（知院官），每隔十天，以及每隔一个月，都要把该道所属州县落雨量、降雪量，跟粮食是丰收或歉收等情况，呈报总监署（使司）。如果丰收，即用高价买进，如果歉收，即用低价卖出，或用粮食换取其他日常生活用品，供应政府官员，或运到粮食丰收的地区卖出。特遣官（知院官）发现庄稼有歉收预兆时，就先行呈报总监，然后，刘晏就预定某月需要免除若干赋税、某月需要作若干补助。到时候，不等州县申请，刘晏已主动呈报皇帝实施。反映人民的紧急需要，从没有错过时机，不会等到人民已经困苦、流亡、饿死，然后才去赈济。因此，人民才能安居乐业，户口繁衍增加。刘晏当运输总监

(转运使)的时候(参考七六二年六月),全国不过二百万户,到了后来,已达三百余万户。刘晏管辖的地方,户口都有增加;其他地区,都没有增加。最初财赋年收不过四百万串,后来则高达一千余万串。

刘晏主要的办法,是用食盐专卖制度,供应政府以及军事庞大开支。当时,自许州(河南省许昌市)、汝州(河南省汝州市)、郑州(河南省郑州市)、邓州(河南省邓州市)以西,人民都用河东(山西省)池盐,由全国财政总监(度支)主管。自汴州(河南省开封市)、滑州(河南省滑县)、唐州(河南省泌阳县)、蔡州(河南省汝南县)以东,人民都用海盐,由刘晏主管。刘晏认为:官员越多,人民受到的骚扰也越多,所以,只在产盐的地方,设置食盐管理官(盐官),收集盐户生产的盐,转卖给商人,随他们的意,想运到什么地方,就运到什么地方,其他州县不再设官。山区距离产盐地太远的,恐怕商人不愿前去,则设运盐官,由政府把盐运到山区储存。有时候盐商受到阻碍,不能供应,盐价蹿升,政府就压低盐价卖出,称为"常平盐",政府既可赚到利润,而民间也可不再缺盐。开始时,海盐税收不过四十万串钱,后来收入已高达六百万串钱,因此,国库充足,人民却没有增加负担。河东(山西省)池盐的税收,每年不过八十万串钱,价格比海盐昂贵。(根据《新唐书·食货志》记载,当时产盐的分布,大致分两类。沿海地区,有四大盐场,分布在涟水〔江苏省涟水县〕、湖州〔浙江省湖州市〕、越州〔浙江省绍兴市〕、杭州〔浙江省杭州市〕。政府设置以下十个管理局〔盐官监〕:嘉兴监〔浙江省嘉兴市〕、海陵监〔江苏省泰州市〕、盐城监〔江苏省盐城市〕、新亭监〔杭州,浙江省杭州市〕、临平监〔同在杭州〕、兰亭监〔越州,浙江省绍兴市〕、永嘉监〔温州,浙江省温州市〕、大昌监〔今地不详〕、候官监〔福州,福建省福州市〕、富都监〔今地不详〕,管理沿海盐场。又设置十三巡奏事务处〔巡院〕:扬州院〔江苏省扬州市〕、陈许院〔陈州,河南省周口市淮阳区〕、汴州院〔河南省开封市〕、庐寿院〔寿州,安徽省寿县〕、白

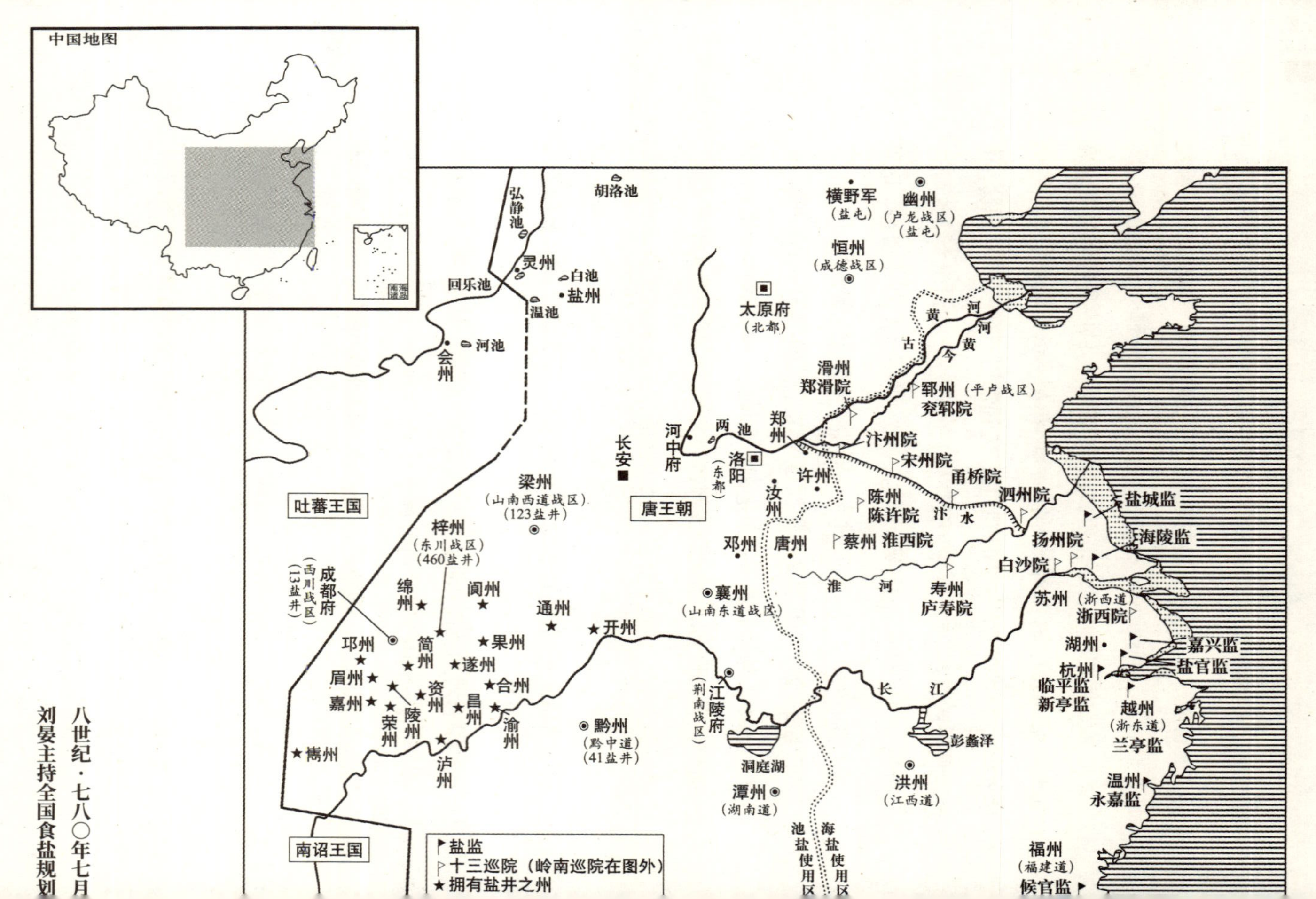

八世纪·七八〇年七月

刘晏主持全国食盐规划

沙院〔江苏省仪征市〕、淮西院〔蔡州，河南省汝南县〕、甬桥院〔安徽省宿州市〕、浙西院〔苏州，江苏省苏州市〕、宋州院〔河南省商丘市〕、泗州院〔江苏省盱眙县淮河北岸〕、岭南院〔广州，广东省广州市〕、兖郓院〔郓州，山东省东平县〕、郑滑院〔滑州，河南省滑县〕。十三院主要职责，是逮捕私盐贩卖者，以及盐商路过时，征收税款。所以各院同时具备全国各地食盐差价的宏观调控作用。至于内陆地区，均依靠盐池及盐井。计：河中府安邑〔山西省运城市东北〕、解县〔运城市西南解州镇〕有五盐池，总称“两池”，每年得盐万余斛，供应京师〔首都长安〕使用。盐州〔陕西省定边县〕有乌池、白池、瓦池、细项池，灵州〔宁夏灵武市〕有温泉〔灵武市东南〕等八池，会州〔甘肃省靖远县，已沦陷吐蕃〕有河池〔靖远县东〕，三州皆以盐换米。安北总督府〔内蒙古包头市〕有胡洛池〔内蒙古杭锦旗西北〕，供振武〔内蒙古和林格尔县〕、天德〔内蒙古乌拉特前旗东北〕二军事基地。黔州〔重庆市彭水县〕有四十一盐井，成州〔甘肃省西和县南，已沦陷吐蕃〕、嶲州〔四川省西昌市〕各有一盐井，山南西道战区〔总部梁州〕有一百二十三盐井，东川战区〔总部梓州〕有四百六十盐井，西川战区〔总部成都府〕有十三盐井。除海盐、池盐之外，又有“盐屯”，在幽州〔北京市〕及横野军〔河北省蔚县〕，屯有劳役及士卒看守。）

从前，关东（潼关以东）粮食运到首都长安（陕西省西安市），因沿途河流凶险湍急，时常舟毁人亡，平均下来，一斛米能运到八斗（看情形一斛就是一石）就算功劳，有功劳就可以受优厚的奖赏。刘晏认为：长江、汴水、黄河、渭水，水流的速度和承载能力，都不相同，一条船从长江出发，直抵京师（首都长安），自然容易发生意外；于是依照各河川的实际情况，拟定分段运输计划，各自建造各自的粮船，训练各自的水手。长江粮船只到扬州（江苏省扬州市），汴水粮船只到河阴（河南省郑州市西北桃花峪），黄河粮船只到渭口（陕西省潼关县，渭水注入黄河处），渭水粮船则到首都长安仓库。同时在沿途设置粮仓，逐次积存。自此之后，每年运输总量高达一百余万斛，没有一斗沉没损失。粮船以十艘组成一个船队，称“纲”，由各该地区驻军将领率领，一

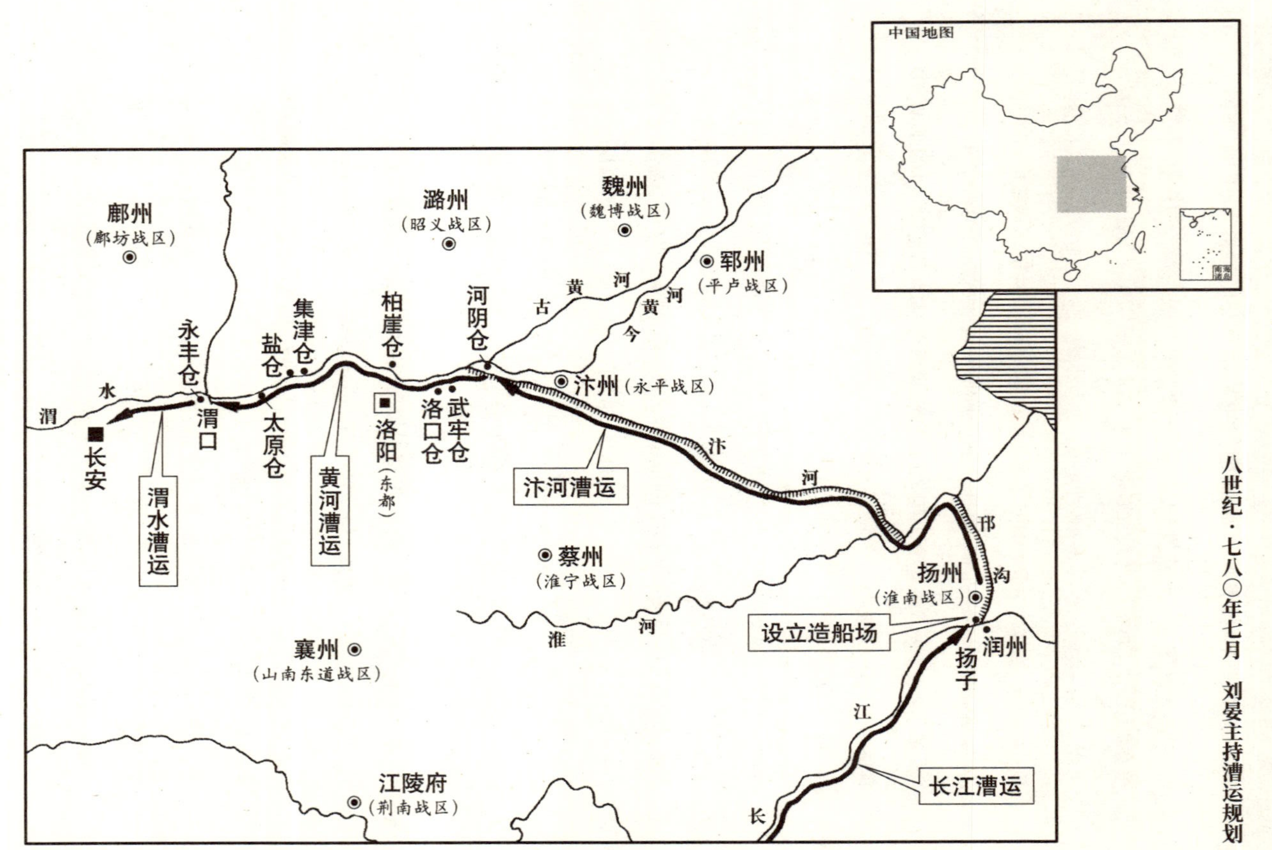

八世纪·七八〇年七月 刘晏主持漕运规划

连十次没有损失，才计功劳，用升官来奖励。所以都小心翼翼，用心保护粮船，运了几趟之后，连头发都会变白。

刘晏在扬子（江苏省扬州市南长江渡口）设立十个造船厂，每艘造价高达一千串钱，有人说：“每艘船的成本，还不到五百串钱，岂不是浪费得太多。”刘晏说：“恰恰相反，成就大的事业，不可以在小的地方苛求，做任何事情，都要有长程计划，考虑到以后的发展。现在，才开始设立造船厂，用人很多，必须先教他们维持某一个水平的生活程度，衣食及日常费用，都比较宽裕，他们给政府制造的东西，才可能坚固。如果马上跟他们连一个钉子的钱都算得清清楚楚，怎么能维持长久？我几乎可以预见，将来一定有人指责我付给工人的钱太多，而坚持减少；如果减少一半，还可以勉强维持水准；如果减少到一半以下，造出来的船就不能使用了。”

刘晏逝世后五十年间，主管官员果然把造价减到一半，到了九世纪七〇年代（二十任帝李漼在位），主管官员完全依照成本付费，造船厂没有利润，船身就越来越薄，越来越脆弱，一撞就坏，整个水上粮运，遂完全停顿。

刘晏做事，反应迅速而责任心重，事情不管重要不重要，都要当天裁决，绝不拖延到明天，后来的财政专家，都无法跟他相比。

历代负责国家财政的人，没有一个不压榨人民，去奉养君王；伤害别人，来奉养自己；变更法令，借以弄权作威；制造怨恨，终于惹祸上身。种种情形，都曾发生。像刘晏这种调节物资，任用贤能，使国家富有却不加重人民负担，自己节俭而使大众蒙受利益的人，历史上绝无仅有。或许有人质疑，说：“郑国的姬产，官员不能骗他；宋国的宓子，官员不忍心骗他：

魏国的西门豹，官员不敢骗他（姬产，参考五一九年二月注；西门豹，参考前四〇三年）。这三位先生，是古代的贤人，部属们都有骗他们的心，只是不能、不忍、不敢而已。而刘晏的部属们，无论远近，连骗的心都没有，什么缘故？”回答说：“因为刘晏遴选的是适当人才，而且任由他们施展才干！”刘晏逝世后，部属们掌握中国财政二十余年，岂不是可以说明一切。《史记 · 货殖传》说：“平抑物价，市场上不缺乏物资，是使社会安定的方法。”刘晏管理全国赋税，物价平稳，没有什么东西特别贵，也没有什么东西特别贱（参考七六四年三月）！一些高谈阔论治国平天下的人，怎能相比！刘晏推荐颜真卿，是忠诚（刘晏曾把国务院财政部副部长〔户部侍郎〕官位让给颜真卿）；减轻王缙的罪罚，是公正（参考七七七年三月）。忠诚公正，都超越同僚。然而，森林中如果有一棵特殊的树，直插霄汉，狂风定会把它摧折。之前，常衮妒忌，之后，杨炎陷害，使人长长叹息（常衮妒忌刘晏，故推荐刘晏当国务院左执行长〔左仆射〕，希望削除他的财政大权，但李豫〔李俶〕命刘晏仍兼各机关首长。参考前年〔七七八〕十二月）！当时也有人讥刺刘晏，说他对抨击他的人，都用钱封他们的口！问题是，如果不封这种可以说出伤人谗言的口，刘晏怎么能获得大权，如不能获得大权，又怎么能施展他的才干，拯救国家。这只是他的权术，有什么可讥刺的。

21 八月三日，振武战区（总部设单于府〔内蒙古和林格尔县〕）候补司令官（留后）张光晟，屠杀回纥汗国（瀚海沙漠群）使节药罗葛突董等九百余人。

药罗葛突董，是武义可汗（四任大可汗）药罗葛顿莫贺的叔父。唐王朝十一任帝李豫（李俶）在位时，九姓部落（山西省西北部）人曾经冒充回纥人，跟汉人混杂在一起，住在京师（首都长安），做生意、置产业，残忍凶暴，横行霸道，跟回纥人一样，成为唐政府与人民的灾难。李适登极后，下令药罗葛突董，率领他的部众回国。药罗葛突董携带大批行李辎重，抵达振武战区（总部单于府），不肯马上回国，反而逗留数月之久，一直向地方政府要求优厚供应，每天仅牛羊肉，就要一千斤，其他东西如同这个比例，但他们仍然任意砍柴放牧，踩践庄稼，态度蛮横，振武军民，痛苦难言。张光晟打算发动一场突击，屠杀所有回纥人，掠夺他们满载而归的行李辎重；但畏惧回纥人强悍，不敢动手。九姓部落（山西省西北部）这时已听到新可汗屠杀他们族人的消息，很多人开始中途逃走，药罗葛突董严加防范，于是九姓部落既不能逃亡，又不敢回去，陷入绝境，为了自救，就向张光晟呈献密计，请求铲除回纥人。张光晟对回纥与九姓部落的分裂，大为兴奋，遂一口答应。李适自从在陕州（河南省三门峡市）被回纥羞辱（参考七六二年十月），对回纥至为痛恨，张光晟了解皇帝这种心理，乃上疏奏称："回纥本部人马，并不是很多，所以强大的原因，靠其他蛮夷部落的顺服，现在听说他们自相残害。新可汗药罗葛顿莫贺刚上台，旧可汗药罗葛移地健的儿子，以及原来的宰相、将军，各率军队数千人，互相攻击，政治情势，还没有稳定。他们没有充足的钱财，就不能驱使他们的部众，陛下如不利用这个机会予以铲除，而放他们回去，送上钱财，正是把武器拿给强盗，把粮食送给匪徒，请准许我动手诛杀。"上疏三次，李适都不准许。

张光晟乃决定刺激回纥人挑衅，于是派一位副将领经过回纥宾馆门口，故意趾高气扬，傲慢无礼，药罗葛突董果然大怒，把那位副将领揪住，打数十马鞭。张光晟挥军突击，把包括药罗葛突董在内所有回纥人和九姓部落人，全部屠杀，尸首堆成一个高台，只留下一个九姓人，命他回国说明："回纥人鞭打唐朝大将，而且阴谋夺取振武战区（总部单于府）要塞，边防军迫不得已，先行诛杀。"李适调张光晟回京师（首都长安）当右金吾（卫军第十二军）将军，派宦官王嘉祥，前往回纥王庭（设蒙古国哈拉和林市），致送礼物及信函。回纥政府要求把擅自诛杀回纥的人交给他们，由他们复仇；李适为此特别再贬张光晟当睦王李述的师傅（李述是李适的老弟），以安抚回纥的愤怒。

22 八月十六日，加授卢龙（总部幽州）、陇右（总部普润）、泾原（总部泾州）三战区司令官（节度使）朱泚；兼任立法院最高立法长（兼中书令·使相），仍保有卢龙、陇右司令官（节度使）。命舒王李谟当四镇、北庭特遣兵团（驻泾州）司令官（行军节度使）、泾原战区（总部设泾州〔甘肃省泾川县〕）司令长官（节度大使），擢升泾州（甘肃省泾川县）前营作战司令（牙前兵马使）河中（山西省永济市）人姚令言，当候补司令官（留后）。

李谟，是李邈的儿子（李邈，是李适的老弟，七七三年五月逝世），因早年丧父，李适收养作自己的儿子。

23 八月二十二日，李适下诏追赠娘亲皇太后沈女士的老爹、祖父、老哥、老弟以及沈家男女们，纷纷任官封爵，赐给采邑的人事任命状，跟土地授权证，总共一百二十七件，驮到马背上，由宦官一一送到沈家。

24 九月二十一日，建筑部长（将作）奏称：宣政殿走廊损坏，但是下月（十）河魁、天罡二位凶神出现（阴阳家认为：天上有河魁星群、天罡星群，是两位凶神。巫法师说：当这两位凶神出现之时，任何事都不要做，否则，将有大祸。罡，音gāng〔刚〕），不可以动工。李适说："只要不妨碍公务，不伤害人民，就是吉祥，何必管什么时辰？"命马上修建。

25 立法院立法官（中书舍人）高参，建议皇帝，派沈姓族人分别到各地明察暗访失踪的皇太后沈女士。

九月二十九日（原文误置于十月，据《新唐书》改），李适命睦王李述当奉迎特使、国务院工程部长（工部尚书）乔琳当副奉迎特使，又命沈姓家族四人当执行官（判官），会同宦官，分别到各道寻访。

26 本世纪（八）七〇年代之前，田赋捐税的征收、开支，以及官员薪俸的多少，都没有法令可以根据，一切由机关首长决定，加上元载、王缙当权，贿赂公开，全国不惩治贪污，将近二十年。只发生一件：江西道（首府设洪州〔江西省南昌市〕）行政长官（观察使）路嗣恭，检举虔州（江西省赣州市）州长源敷翰，判处流刑（虔州属江西道）。

李适认为宣歙道（首府设宣州〔安徽省宣城市〕）行政长官（观察使）薛邕，温文儒雅，又是过去的旧部（薛邕贬歙州，参考七七三年五月），特地擢升他到中央任国务院左秘书长（左丞）。薛邕临离开宣州（安徽省宣城市）时，侵吞政府财产以万万钱为计算单位，宫廷监察官（殿中侍御史）员寓（员，姓）揭发。

冬季，十月九日，贬薛邕当连山县（广东省连山县）防卫员（尉）。于是州县官员才开始畏惧法律的尊严，不敢贪赃枉法。

李适刚登极时，疏远宦官，亲近高级知识分子，张涉因对儒家学派经典有高深的研究，而调到中央；薛邕也因是一介书生，而进入中枢，结果都因贪污有据，身败名裂。宦官、武职官员反而拿他们当作例证，辩解说："政府文官，动不动就贪赃万万钱，却一口咬定我们搞乱天下，岂不是诬害我们，欺骗人民。”

于是，李适才开始迷惑，不知道要依靠谁才对。

27 十一月，李适训令：除了待诏官外，更增加地方政府进京朝贡特使（朝集使）二人，以便向他们查访政治上的缺失，跟边疆人民的疾苦（朝集使，参考六四三年九月）。

28 从前，公主结婚后，端坐上座，公公、婆婆向她下跪叩头，公主并不回礼。现在，李适命礼仪官员制定公主叩见公公、婆婆，以及叩见丈夫的伯父、叔父、老哥、姐姐的礼仪。新礼仪规定：公公、婆婆坐在上座，老哥、姐姐站在东厢，由公主向他们下跪叩头，跟民间的普通家庭一样（公主出嫁后，仍以媳妇身份事奉公婆，自南平公主时开始，参考六三七年三月）。有一位县主（亲王的孙女称县主）已经择定十一月十七日那天结婚，可是，到了那天，李适的一位堂妹逝世，李适遂命婚礼停止。有关官员奏称：“所有准备都已完成，而且，未成年人死亡，不应妨碍其他喜庆。”李适说：“你注重钱财，我注重礼仪。”结婚仪式终于停止。

七五六年以来，国家多事，公主、郡主、县主很多不能在适婚年龄出嫁，有的甚至头发已白，虽然也住在皇宫里，有的甚至十年之久，见不到皇帝一面。直到李适，才接见没有结婚的皇女，对长辈致敬，对晚辈慰问，全都把她们嫁出，致送的嫁妆，无论大小，李适都亲自过目。

十一月十九日、二十日两天，岳阳等九十一位县主，同时结婚。

29 吐蕃王国（首都逻些城〔西藏拉萨市〕）看见唐王朝使节韦伦，再次抵达，越发高兴。

十二月一日，韦伦回国，吐蕃派他们的宰相论钦明思等随同到长安朝贡。

30 本年（七八〇），李适封太子李诵的娘亲王女士为淑妃（此时唐王朝的小老婆群编制，没有“淑妃”）。

31 本年（七八〇）统计，全国纳税人三百零八万五千零七十六户，适龄青年七十六万八千余人，全国税收一千零八十九万八千余串，米谷二百一五万七千余斛。

泾原兵变

导读

《泾原兵变》只包括四年，其中七八三及七八四年，跟六一八年一样，在《资治通鉴》中篇幅最长。对历史学家而言，天下太平表示无事可记，天下大乱才有用武之地。读者阅读前如果数一数每年的页数，就可发现篇幅少的一定天下太平，篇幅多的一定充满灾难。七八三及七八四年，正是充满灾难的年份。

我们向读者特别推荐《资治通鉴》中所有的奏章，那是当时社会的横切面，是对社会现象的一种深层分析和一种解说，尤其本册中陆贽先生的奏章。过去，《资治通鉴》读者差不多都不阅读奏章，因为它措辞深奥、典故堆砌，使人生厌。经过翻译，等于打开宝藏的大门。陆贽先生所描绘的昏暴猜忌，使人气结的政治领袖嘴脸，一千年后仍可在政治舞台上看到，而所描绘的人民惨苦，一千年后依然存在。酱缸的庞大威力，使人目瞪口呆。

柏杨　一九八九·一二·一五

八世纪

唐王朝

八〇年代

七八一—七八四年

唐王朝

- ◉ 卢杞诬杀杨炎。
- ◉ 中国再陷战乱，两河（黄河南北）四战区分别称王。
- ◉ 泾原兵团叛变，拥护朱泚称帝。
- ◉ 李希烈称帝，李怀光叛。

- ◉ 日本“奈良时期”终。

1 春季，正月九日，唐王朝（首都长安〔陕西省西安市〕）成德战区（总部设恒州〔河北省正定县〕）司令官（节度使）李宝臣（张忠志）逝世（年六十四岁）。

李宝臣（张忠志）打算把割据的土地传给他的儿子、作战参谋长（行军司马）李惟岳，因李惟岳年纪还轻，而且软弱无能，于是发动预防性的屠戮，部将中稍为有点个性，难以控制的，全部诛杀。包括深州（河北省深州市）州长张献诚等在内，甚至十余个人，在同一天内，全数处决（张献诚，参考七五五年十一月十九日）。李宝臣（张忠志）召见易州（河北省易县）州长张孝忠，张孝忠不接受。李宝臣（张忠志）派张孝忠的老弟张孝节前去催促上路。张孝忠命张孝节转告李宝臣（张忠志）说："那些将领有什么罪，一个接一个被杀？我怕死，不敢前去，但也不会背叛，这情形就跟大帅不肯到京师（首都长安）朝见一样！"张孝节流泪说："如果这样，我一定死。"张孝忠说："我如果去，弟兄二人会同时毙命。我不去的话，他决不敢杀你。"张孝节回去，李宝臣（张忠志）果然不敢找他的麻烦。作战司令（兵马使）王武俊，出身卑微而非常勇敢，所以李宝臣（张忠志）对他十分亲信，把女儿嫁给他的儿子王士真为妻，王士真用心结交岳父大人左右侍从亲信，所以部属中只有张孝忠、王武俊，得以保住性命。

李宝臣（张忠志）逝世后，文书官（孔目官）胡震、听差王他奴，建议李惟岳封锁老爹死讯二十余日，而用李宝臣（张忠志）名义，上疏中央，请求把战区司令官（节度使）位置，传给儿子。唐王朝皇帝（十二任德宗）李适（本年四十岁。适，音kuò〔阔〕）拒绝，派御前监督官（给事中）汲县（河南省卫辉市）人班宏，到恒州（河北省正定县）问候李宝臣（张忠志）的病情，向他解释这项决定。李惟岳用大量贵重的金银珠宝贿赂班宏，班宏不敢接受，返京（首都长安）奏报。李惟岳这时才发布李宝臣（张忠志）逝世消息，自称候补司令官（留后），发动文武部属，联名向中央请求发给李惟岳符节旌旗，李适又拒绝。

最初，李宝臣（张忠志）跟平卢战区（总部设郓州〔山东省东平县〕）司令官（节度使）李正己（李怀玉）、魏博战区（总部设魏州〔河北省大名县〕）司令官（节度使）田承嗣、山南东道战区（总部设襄州〔湖北省襄阳市〕）司令官（节度使）梁崇义，结成一体（参考七七七年十二月），打算把割据的土地，传给子孙。所以田承嗣逝世后，李宝臣（张忠志）竭力向中央推荐田悦继承（参考前年〔七七九年〕二月），前任帝（十一任代宗）李豫（李椒）同意。田悦刚刚到职，对中央的礼貌及态度，十分恭敬。但河东战区（总部设太原府〔山西省太原市〕）司令官（节度使）马燧，上疏预言田悦将来定会叛变，请求先行准备。现在，田悦也不断请求中央批准李惟岳的请求。李适打算矫正过去的姑息流弊，坚不同意。有人规劝说："李惟岳继承老爹现成的事业，已成定局。如果不能顺水推舟，势必发生祸乱。"李适说："盗匪本来没有制造祸乱的资本，是利用皇家的土地和皇家的官位名号，才聚集得到部众。过去，顺从他们的欲望而加以任命的事很多，祸乱反而更多，可看出任官封爵不但不足以消灭祸乱，反而鼓励祸乱。李惟岳如果非叛变不可，给他符节不给他符节，结果一样。"仍然不准。田悦遂跟李正己（李怀玉）各派使节晋见李惟岳，秘密备战，准备反抗中央。

魏博战区（总部设魏州〔河北省大名县〕）副司令官（节度副使）田庭玠，警告司令官（节度使）田悦说："你继承伯父（田承嗣）的事业，只要对中央谨慎服从，坐在这里，就可享受荣华富贵，岂不是很好！为什么无缘无故，跟恒州（成德战区）、郓州（平卢战区）同当叛徒？你应该看得清楚，自从战争发生（七五五年）以来，叛徒们有谁能保住自己的身家性命？你一定要照你的意思去做，就先杀掉我，不要使我看到田家全族屠灭。"遂声称有病，不出家门。田悦亲到他家道歉，田庭玠紧闭家门，不让他进来，最后忧郁而死。

成德战区（总部设恒州〔河北省正定县〕）执行官（判官）邵真，听到李惟岳的阴谋，流泪规劝说："先宰相（李宝臣〔张忠志〕）受国家的深厚恩德，而你正在服丧期间，就马上想背叛中央，实在太不应该。"建议李惟岳逮捕李正己（李怀玉）的使节，押送到京师（首都长安），并且声言讨伐李正己（李怀玉）；邵真强调说："如果这样，中央嘉勉你的忠贞，就有可能得到任命状。”李惟岳同意，命邵真撰写奏章。但政务秘书长（长史）毕华提醒说：“先宰相（李宝臣〔张忠志〕）跟两战区结交友好，凡二十余年（自七六二年十一月至今，共二十年），怎么可以突然翻脸，甚至逮捕他们的使节？即令这样做，中央也未必相信我们的诚意。如果李正己（李怀玉）突然发动袭击，我们孤军奋战，没有援助，怎么抵抗？”李惟岳又接受。

前定州（河北省定州市）州长谷从政，是李惟岳的舅父，有胆识谋略，喜爱读书，王武俊等将领对他都十分敬畏，但李宝臣（张忠志）对他却心怀猜忌，谷从政遂称病在家休养，闭门不见宾客。李惟岳对他也不放心，从不跟他讨论事情，而且一天到晚和胡震、王他奴等策划商议，为了取悦将领士卒，拿出大量金钱，作为赏赐。谷从政忧心如焚，晋见李惟岳，说：

“而今，全国一派祥和，从京师（首都长安）来的人，异口同声说皇上（李适）英明果断，有心促使升平，反对地方首长把土地传给子孙的割据局面。你却第一个违反这项国策，皇上一定会征调各路兵马讨伐。将士们接受你的赏赐时，都誓言为你效死，问题是，只要有一场战事失利，他们爱惜自己的性命，谁能不生出离心！手握军权的大将，到时候恐怕都虎视眈眈，抓住机会，图谋你的人头，作为自己的功劳。而且，你父亲所诛杀的高级将领，以百为计算单位；一旦遇到挫败，他们子弟中打算报仇的人，难道数得完！

“同时，你父亲跟卢龙战区（总部设幽州〔北京市〕）有仇（参考七七五年十月），朱滔（卢龙〔总部幽州〕候补司令官）兄弟把我们恨得咬牙切齿。皇上一定会用他当讨逆军统帅，朱滔的辖土跟我们紧紧相邻，军营中敲梆报时的声音，都互相听得清楚。他们一旦接到命令，立刻南下，就像饿虎饿狼扑杀绵羊一样，我们怎么抵挡得住！从前，田承嗣追随安禄山、史思明父子谋反，身经百战，凶悍勇猛，声名震动天下（参考七五五年十二月八日），反抗中央时，聚众起兵，自认没有敌手，可是等到卢子期被俘，吴希光反正（参考七七五年十月、十一月），田承嗣只有望天流泪，束手无策。后来还是靠你父亲按兵不动，为他向中央求情，前任皇上（十一任帝李豫〔李俶〕）宽厚仁慈，下诏赦免（参考七七五年十二月）；不然的话，田家难道还有后代！

“何况，你生下来就享荣华富贵，年纪又小，没有经过艰难困苦的磨练，怎么能相信左右亲信的话，打算效法田承嗣的做法！为你打算，最好是婉转拒绝将士们的拥戴，命你老哥李惟诚暂时接管战区总部，你自己前去京师（首都长安）朝见，请求留下来担任皇家禁卫军官，乘势推荐李惟诚摄理战区司令部，交由皇上裁决。皇上对你的忠义，一定喜悦，即令不给你一个高官，也绝不会丧失荣耀俸禄，终身没有忧患。不这样的话，大祸势将临头，后悔已来不及。我也知道你一向对我疏远、猜忌，但我念及我是你的舅父、你是我的外甥，事情紧急，不得不向你直言。”

李惟岳发现谷从政的分析和措辞，竟如此的直率，对老舅越发厌恶。谷从政只好仍回到家里，声称病还没有痊愈，闭门不出。李惟诚，是李惟岳的庶兄——异母老哥，谦卑厚道，喜爱读书，部众都对他非常倾心，李惟诚的同母妹妹，是李正己（李怀玉，平卢〔总部郓州〕司令官）的儿媳。就在当天，李惟岳把李惟诚送到李正己（李怀玉）那里，李正己（李怀玉）命他恢复张姓，张惟诚（李惟诚）遂留在平卢战区（总部设郓州〔山东省东平县〕）当官。

李惟岳派听差王他奴去谷从政家，调查他的行动，谷从政服毒自杀，临死时，说：“我不怕死，只是哀悼张家全族覆灭！”

刘文喜之死（参考去年〔七八〇〕五月），李正己（李怀玉）、田悦等都失去安全感。刘晏之死（参考去年〔七八〇〕七月），李正己、田悦等更加恐惧，互相告诉对方说："我们这些人所犯的罪，比刘晏怎么样？"就在这时候，汴州（永平战区总部，河南省开封市）城垣太小，动工扩建，关东（潼关以东）民间遂传出谣言，说："皇上打算到泰山（东岳，山东省泰安市北。在平卢战区辖境）举行大祭，乘势削平割据，所以在汴州（河南省开封市）筑城。"李正己（李怀玉）更为恐惧，派军一万人进驻曹州（山东省菏泽市定陶区）；田悦也加强各城防御工事，集结武装部队，跟山南东道（总部襄州）梁崇义、成德（总部恒州）李惟岳，互相呼应声援，河南（黄河以南）骚动，民心惊骇慌乱。

永平战区（总部设汴州〔河南省开封市〕）旧辖区包括汴州（河南省开封市）、宋州（河南省商丘市）、滑州（河南省滑县）、亳州（安徽省亳州市）、陈州（河南省周口市淮阳区）、颍州（安徽省阜阳市）、泗州（江苏省盱眙县淮河北岸）七州。

正月十七日，中央训令另组宋亳颍战区（总部设宋州〔河南省商丘市〕），命宋州（河南省商丘市）州长刘洽（参考七七七年十月）当司令官（节度使）。又把泗州（江苏省盱眙县淮河北岸）划入淮南战区（总部设扬州〔江苏省扬州市〕）。又命东都洛阳（河南省洛阳市）留守长官路嗣恭，当怀郑汝陕及河阳三城战区（总部设河阳城〔河南省孟州市〕）司令官（节度使）。十天以后，又命永平战区（总部汴州）司令官（节度使）李勉，当宋亳颍、河阳两战区总指战官（都统）；把郑州（河南省郑州市）划入永平战区（总部汴州），遴选曾经在军中作过战的退役将领，充当州长，加强防备李正己（李怀玉）等。

2 最初，高力士（九任帝李隆基贴身侍从宦官）有一个养女，丈夫逝世，寡居东都洛阳（河南省洛阳市），记得相当多宫中故事。洛阳宫女官李真一怀疑她就是李适的娘亲沈太后，派使节前往京师（首都长安）把

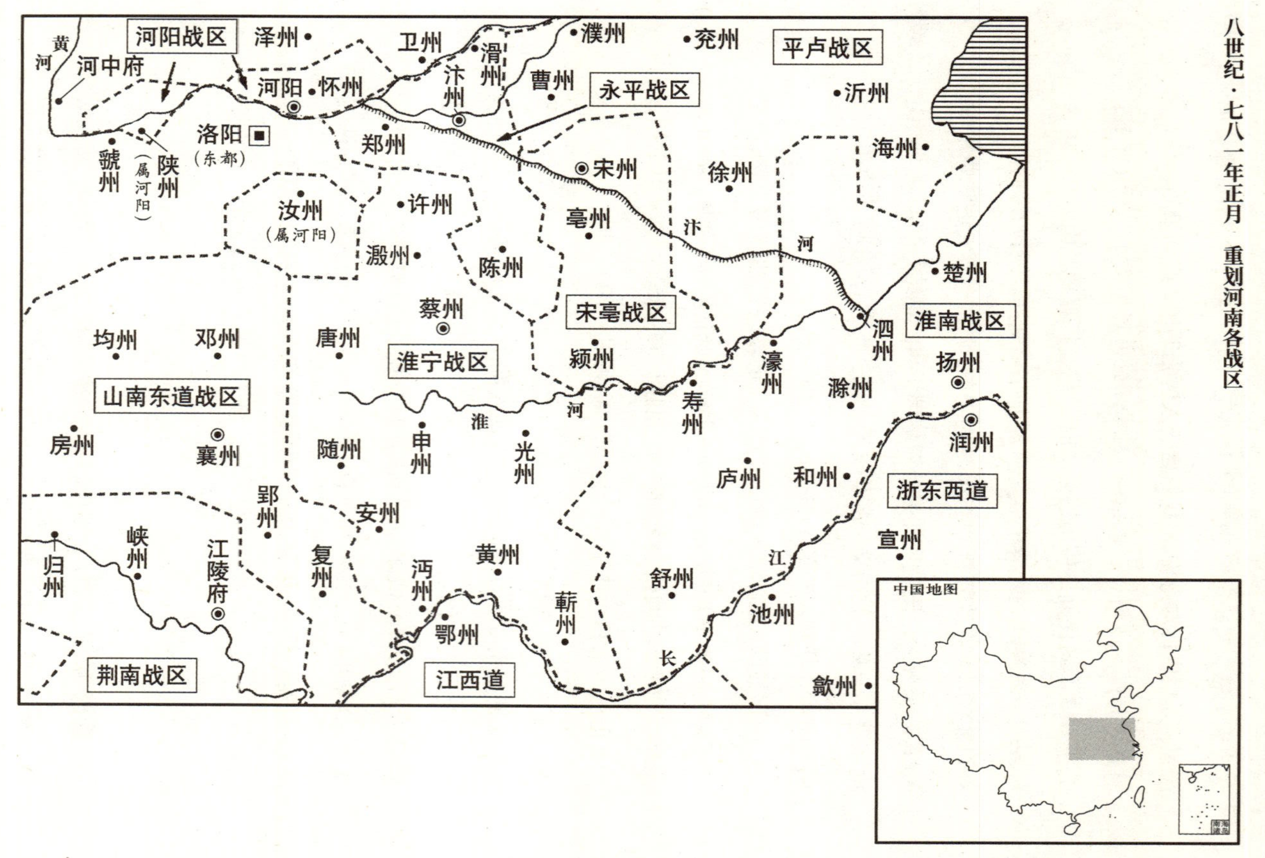

八世纪·七八一年正月　重划河南各战区

情形报告李适，李适大为惊喜。可是，跟沈太后同时代的人，都不在人世，没有一个人认识沈太后。李适派宦官、宫女前去查证，年岁容貌，都很相像，宦官、宫女从前全不认识沈太后，于是一致认为她就是。高女士开始时抱歉的说，她并不是沈太后，但查证的宦官、宫女更加怀疑，强行把她送到京师长安上阳宫。李适派出宫女一百余人，携带皇家车轿和皇太后穿的衣服、首饰等，到上阳宫服侍。左右伺候的人千方百计诱惑高女士承认自己就是沈太后，高女士怦然心动，遂自称她确实就是。调查人员飞马奔向皇宫，奏报李适，李适大喜过望。

二月二日，虽是双日，李适仍登金銮宝殿（唐王朝制度，皇帝于单日登殿接受朝见），文武百官都进殿祝贺，李适下诏有关单位拟定奉迎仪式。高女士有位老弟高承悦，住在长安，恐怕这样下去，将来内幕一旦拆穿，势将惹来欺君的滔天大祸，于是立即向李适奏报事实真相。李适命高力士的养孙樊景超前往辨认，樊景超到上阳宫内殿晋见，这时，高女士已以沈太后的身份自居，左右侍从卫士密麻如云，戒备森严，樊景超呼唤高女士说："姑妈，你怎么把自己放到剁肉板上！"侍从卫士厉声斥责樊景超退下，樊景超大声说："皇上有旨，太后是假的，左右全部撤退！"侍从卫士纷纷下殿，高女士向侄儿解释说："我被人强逼，不是我的本意。"樊景超遂用牛车把姑妈送回她家。

但李适并没有对高女士等所有的人有任何责罚，恐怕以后的人不敢继续寻找。李适说："我宁愿受骗一百次，只希望有一次真能找到娘亲。"自此以后，各地方找到沈太后的报告，有三四次之多，但都不是，而真正的沈太后，也就永远失踪，不知道下落。

3 副总监察官（御史中丞）卢杞（音qǐ〔起〕），是卢奕的儿子（卢奕死于安禄山攻陷洛阳之役，参考七五五年十二月），容貌丑陋，脸色像一张蓝纸。但口才流利、反应迅速，李适对他十分欣赏。

二月六日（原文“丁未”，即二月十八日，但此条之后是“二月十六日”，顺序不对。今据《旧唐书》改），擢升卢杞当总监察官（御史大夫），兼京畿道（首府设长安城）行政长官（观察使）。

汾阳王郭子仪接见宾客，无论什么时候，侍女、小老婆一向不离左右。卢杞有一次登门问病，郭子仪命她们统统避开，而独自靠着床几接待。有人问他什么缘故，郭子仪说：“卢杞长得那么丑，女人们看见他，一定忍俊不住，笑出声音，而他心地阴险，会怀恨在心，一旦手握生死大权，必定报复，到时候我们郭家恐怕连一个孩童都保不住！”

宰相杨炎诬害刘晏（参考去年〔七八〇〕七月），无论中外，都对他畏惧万分，不敢正眼相看。平卢战区（总部设郓州〔山东省东平县〕）司令官（节度使）李正己（李怀玉）不断上疏皇帝，要求公布刘晏的罪状，讽刺斥责，措词严厉，杨炎大为恐惧，于是派出心腹亲信，分别前往各战区道，名义上安抚慰劳，实际上是向各战区司令官（节度使）秘密为自己辩护，说：“刘晏从前拍奸党的马屁，曾建议先帝（十一任帝李豫〔李俶〕）封独孤女士当皇后（参考去年〔七八〇〕正月），当今皇上（李适）心里怨恨，把他诛杀，跟我没有关系！”李适不久就接到情报，对杨炎开始厌恶，决心把他除掉，但一直放在心上，没有发作。

二月十六日，李适擢升杨炎当副立法长（中书侍郎）、卢杞当副监督长（门下侍郎），同时都兼二级实质宰相（同平章事）。既有二位宰相，杨炎遂不能大权独揽。卢杞身材矮小，又没有学问，缺乏见识，杨炎根本看他不起，经常声称有病，不跟他共进午餐（唐王朝制度，宰相们每天中午都要在宰相联合办公厅〔政事堂〕共进午餐)。卢杞也把杨炎恨入骨髓。卢杞狡猾险恶，暗中下手，为了建立自己的势力和威望，对稍微不能使自己满意的人，一律置之死地。卢杞推荐祭祀官(太常博士)裴延龄当皇家编译院常设研究员(集贤殿直学士)，对他十分信任。

4 二月十七日，把宋亳战区(总部设宋州〔河南省商丘市〕)改称宣武战区。

5 振武战区(总部设单于府〔内蒙古和林格尔县〕)司令官(节度使)彭令芳，凶恶暴虐，监军宦官刘惠光贪污渎法，激起兵变。

二月二十六日，变兵把二人诛杀。

6 征调京师(首都长安)以西边疆防秋兵一万二千人，增援关东(潼关以东)防务(当时唐王朝跟吐蕃王国〔西藏〕邦交敦睦，没有西顾之忧，而关东正在骚动)，途经京师(首都长安)，李适派使节慰劳，李适亲自登上望春楼(在灞水西)，摆设筵席，宴请各军，神策军将士只进餐而不饮酒，李适派人询问什么原因，带兵官杨惠元回答说："我们从奉天(陕西省乾县)基地出发时，统帅张巨济告诫说：'这一次出征，要建立大功大名，战胜凯旋那天，当同欢庆祝，在没有打胜仗之前，千万不要饮酒。'所以不敢接受圣旨。"等到拔营东下，有关单位沿途摆设饮食招待，只神策军所分到的酒坛，一个都没有打开。李适深为赞叹，写信给杨惠元慰劳嘉勉。杨惠元，是平州(河北省卢龙县)人。

7 三月，在郾城(河南省漯河市郾城区)设置溵州(属淮宁战区〔总部蔡州〕。溵，音yīn〔因〕)。

8 三月二十二日，任命汾州（山西省汾阳市）州长王翃（音hóng〔红〕）当振武军（内蒙古和林格尔县）基地司令（使），兼镇北总督护府（内蒙古包头市）、绥州（陕西省绥德县）、银州（陕西省榆林市东南鱼河镇）等府州战区候补司令官（留后）。

9 派宫廷副总管（殿中少监，从四品上）崔汉衡，出使吐蕃王国（首都逻些城〔西藏拉萨市〕）。

10 山南东道战区（总部设襄州〔湖北省襄阳市〕）司令官（节度使）梁崇义，虽然跟平卢战区（总部设郓州〔山东省东平县〕）司令官（节度使）李正己（李怀玉）等结盟，但自己的军队太少，形势孤单（四邻都效忠中央），力量薄弱，所以对中央的态度，也最谨慎恭敬。有人劝他前去京师（首都长安）朝见，梁崇义说："来瑱先生对帝国立过大功（指平定安史之乱），六〇年代因被宦官一直打小报告，所以拖延不敢动身，只求多活几天。等代宗皇帝（十一任帝李豫〔李俶〕）登极，来瑱没有等到征召，就立刻进京（首都长安），却不能避免全族屠灭（参考七六三年正月）。像我这种累积太多罪状的人，怎么可以前往！"淮宁战区（总部设蔡州〔河南省汝南县〕）司令官（节度使）李希烈，不断请求中央下令讨伐，梁崇义恐惧，越发加强战备。身为流民的郭昔，上疏皇帝检举梁崇义谋反；梁崇义得到消息，请求中央定自己的罪；李适为了安抚，把郭昔棍打后，流放远方，并派国务院财政部财务司副司长（金部员外郎）李舟，前往襄州（湖北省襄阳市）慰问。

刘文喜在泾州（甘肃省泾川县）反抗中央时，中央曾派李舟往见刘文喜，向刘文喜分析利害祸福，刘文喜把他囚禁。不久，部将斩刘文喜出降，战乱平息（参考去年〔七八〇〕五月）；各军阀间遂有一种传言，认为李舟有能力颠覆城池，诛杀叛将。所以李舟抵达襄州（湖北省襄阳市）时，梁崇义对他十分厌恶，而李舟又劝梁崇义进京（首都长安）朝见，措词直率，分析深入，梁崇义越发不高兴。后来，中央再派使节分别前往各战区道安抚慰劳，李舟又被派往襄州（湖北省襄阳市），梁崇义拒绝他进入边境，上疏说："军心惊疑恐惧，请求另派使节。"当时，两河（黄河以北及黄河以南）各战区正对中央猜忌怀疑，隔阂日重，李适打算用恩德宠信使梁崇义安心。

夏季，四月二日，命梁崇义遥兼二级宰相（同平章事·使相），连他的妻子都封爵位，颁发赏赐，并赐给铁券；派监察官（御史）张著，携带皇帝亲笔写的诏书，前去襄州（湖北省襄阳市），征召梁崇义来京（首都长安）朝见。同时，依梁崇义的推荐，任命他的部将蔺杲当邓州（河南省邓州市）州长。

11 五月八日，因军事行动，提升商业税率为十分之一（原征三十分之一，参考去年〔七八〇〕正月）。

12 魏博战区（总部设魏州〔河北省大名县〕）司令官（节度使）田悦，跟平卢战区（总部设郓州〔山东省东平县〕）司令官（节度使）李正己（李怀玉）、成德战区（总部设恒州〔河北省正定县〕）作战参谋长（行军司马）李惟岳，终于决定结盟，联合作战，反抗中央，派作战司令（兵马使）孟祐，率步骑兵五千人，北上增援恒州（河北省正定县）。

薛嵩逝世时（参考七七三年正月），昭义战区（当时总部设相州〔河南省安阳市〕）被分割，田承嗣夺得洺州（河北省邯郸市永年区东南广府镇）、相州（河南省安阳市。还有贝州〔河北省清河县〕、卫州〔河南省卫辉市〕，此处没有提及）；中央仍保有邢州（河北省邢台市）、磁州（河北省磁县）以及临洺（河北省邯郸市永年

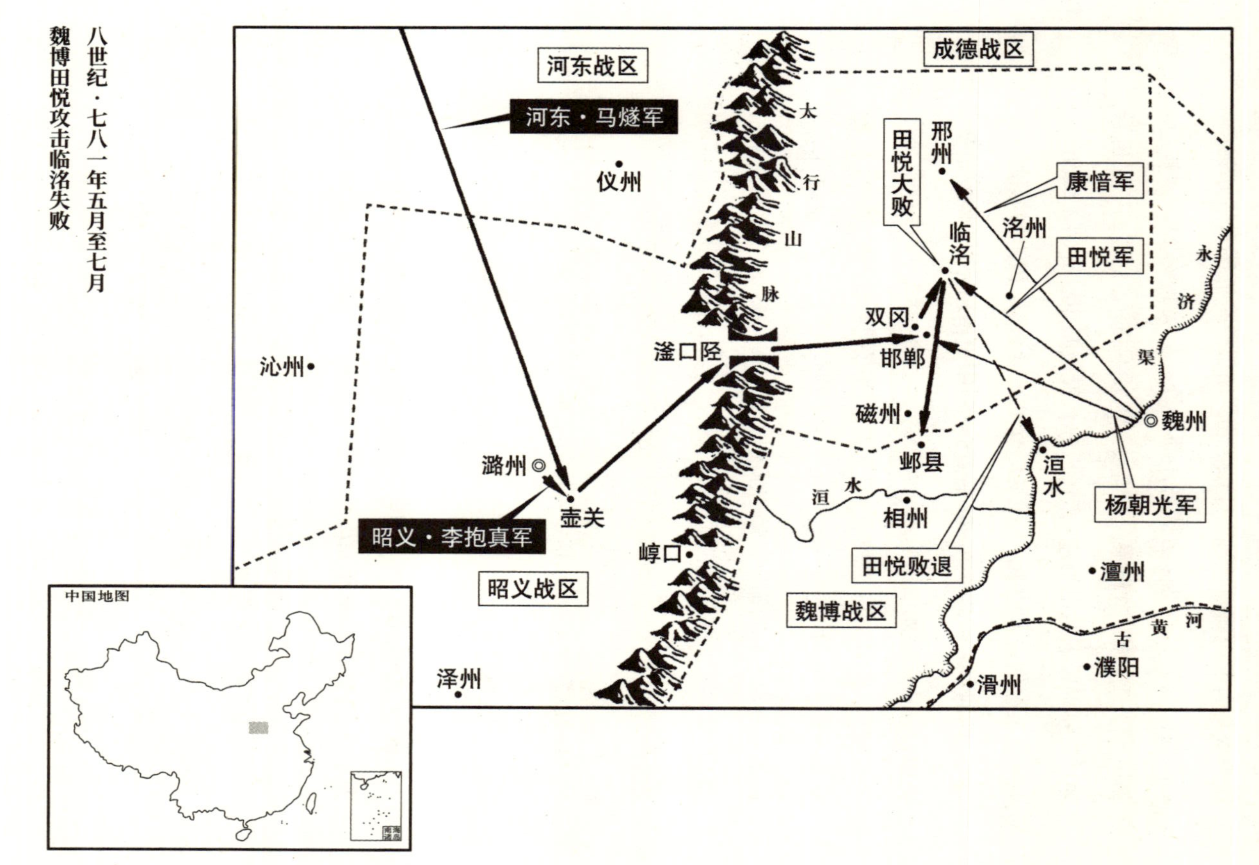

八世纪·七八一年五月至七月
魏博田悦攻击临洺失败

区）。田悦打算用高山峻岭（太行山）作为边境，说："邢磁二州，好像两只眼睛，硬插在我们腹地，不能不夺取到手。"于是派作战司令（兵马使）康愔（音yīn〔因〕）率八千人围攻邢州（河北省邢台市），别动部队将领杨朝光率五千人在邯郸（河北省邯郸市）西北树立栅栏，切断昭义战区（即泽潞战区，总部设潞州〔山西省长治市〕）的救兵；田悦则亲自率数万人，围攻临洺（河北省邯郸市永年区）。邢州（河北省邢台市）州长李共、临洺（河北省邯郸市永年区）驻军司令张伾，登城拒守。

贝州（河北省清河县）州长邢曹俊，是前任司令官田承嗣在世时的将领，年纪已老，深有谋略。田悦宠爱信任帐前侍卫官（牙官）扈崿（音è〔饿〕），对他逐渐疏远，等到围攻临洺（河北省邯郸市永年区），召见邢曹俊，要他提出意见。邢曹俊说："《孙子兵法》：'人数十倍于敌人，包围；五倍于敌人，攻击。'你以臣属身份，冒犯中央，不仅是人数多少问题。一旦大军被套牢在坚固的城池之下，粮食吃完，又没有后援，是自取灭亡。不如派一万人防守崞口（河南省林州市西南），阻止从西方来的讨伐部队（指昭义战区〔总部潞州〕及河东战区〔总部太原府〕特遣兵团），则河北（黄河以北）二十四州，都将归你所有。"

但各将领讨厌邢曹俊的看法跟他们不一样，一致诋毁他的战略；田悦遂拒绝这项建议。

13 六月三日，任命浙江东西道（首府设苏州〔江苏省苏州市〕）行政长官（观察使）、苏州（江苏省苏州市）州长韩滉，当润州（江苏省镇江市）州长、浙江东西道战区（总部自苏州迁至润州）司令官（节度使）；总部所在地称镇海军基地（不久，浙江东西道战区改称镇海战区）。

14 监察官（御史）张著，抵达襄州（湖北省襄阳市），山南东道战

区（总部襄州）司令官（节度使）梁崇义更加恐惧，全军戒备，然后接见。 438
蔺杲接到当邓州（河南省邓州市）州长的诏书，不敢拆封，飞马晋见梁崇义请示如何处理，梁崇义在张著面前痛哭流泪，最后仍拒绝前往京师（首都长安）。

张著空手复命。

六月六日，李适下诏晋封淮宁战区（总部设蔡州〔河南省汝南县〕）司令官（节度使）李希烈当南平郡王，加授：汉水流域大军征剿司令（汉南、汉北兵马招讨使），督导各军讨伐梁崇义。宰相杨炎警告说："李希烈是董秦（李忠臣）的族侄，对他宠爱亲信，没有人可以相比，最后他竟然翻脸无情，把董秦（李忠臣）赶走，夺取他的官位（参考前年〔七七九〕三月）。李希烈这个人像野狼一样，凶狠暴戾，感情冷酷，从来没有功劳，还倔强不守国法，假使削平梁崇义，中央有什么办法克制他？"李适不接受；杨炎一再反对，李适对杨炎更为反感。

荆南战区（总部设江陵府〔湖北省江陵县〕）营门官（牙门将）吴少诚，晋见李希烈，呈献消灭梁崇义的方略，李希烈任命吴少诚当前锋。吴少诚，是幽州（北京市）潞县（北京市东通州区）人。

当时，从关中（陕西省中部）开始，西方包括巴蜀（四川省）、汉中（陕西省南部）；南方包括江淮（华东地区）、百闽（福建省）、南越（广东及广西）；北方远到太原（河东战区总部，山西省太原市），所有地方都在征集民兵，开往前线。而平卢战区（总部设郓州〔山东省东平县〕）司令官（节度使）李正己（李怀玉），已派军封锁徐州（江苏省徐州市）、甬桥（安徽省宿州市）、涡口（安徽省怀远县，涡水注入淮河处）；梁崇义又在襄州（湖北省襄阳市）据守，全国交通线被寸寸切断，物资不能流通，人心震动恐惧。江淮（华东地区）进贡的船队一千余艘，停泊涡口（安徽省怀远县，涡水注入淮河处），不敢前进。李适征调利州（四川省广元市）州长张万福（参考七六八年十二月）

当濠州（安徽省凤阳县东北临淮关镇）州长（使他打通涡口水路）。张万福快马前往涡口（安徽省怀远县，涡水注入淮河处），跨在马上，驻立岸边，下令船队开航，平卢战区（总部郓州）特遣兵团的士卒，停在对岸，眼睁睁看着，不敢行动（当时，梁崇义割据地区，正是汉水下游，江汉运输线〔参考七六四年三月〕遂被封锁。至于平卢战区〔总部郓州〕，其南境之徐州〔江苏省徐州市〕州土，最南至涡口的淮河北岸，对岸便是中央停泊的粮船，而中央取道颍水、蔡水，则必须跨过涡口，所以船队恐惧在行经涡口的一段淮河水面时，被对岸的平卢兵团抢劫。至于原有的汴水粮道，早就被平卢兵团封锁了甬桥〔安徽省宿州市〕，不得通过。按：据《新唐书·食货志》，当时江淮水陆运输总监〔江淮水陆转运使〕杜佑，曾提议从白沙〔江苏省仪征市〕出发，经东关〔安徽省含山县西南〕转入颍水、蔡水，进汴水而到达东都洛阳。但之后没有再提及，当是涡口解围，恢复使用邗沟、淮河）。

15 六月十四日，汾阳王（忠武王）郭子仪逝世。

郭子仪身为帝国上将，手握强大的武装部队，宦官程元振、鱼朝恩，对他谗言诬陷、肆意诋毁，千方百计要置之于死（参考七五九年六月、七六二年八月）。可是只要一纸诏书颁下，没有一次不立即动身上路，因此陷害不能成功。郭子仪曾经派人去田承嗣（魏博〔总部魏州〕司令官）那里，田承嗣面向西方下跪叩头，说："这膝盖不向别人弯屈，已很多年！"李灵曜在汴州（河南省开封市）兵变（参考七七六年五月），无论政府及民间，所有经过汴州（河南省开封市）的公私物品，李灵曜一律扣留，只对郭子仪的东西，特别放行，还派卫士护送出境。郭子仪兼最高立法长（兼中书令）二十四年（自七五八年八月迄今），每月俸禄二万串钱，私人财产收入，尚不包括在内，所以库房里的金银珠宝，堆积如山。郭家大门之内，有三千人，八个儿子（郭曜、郭晞、郭旰、郭晤、郭暧、郭曙、郭映）、七个女婿，都在政府担任显要官职；孙儿辈

八世纪·七八一年六月
平卢李正己封锁漕运路线失败

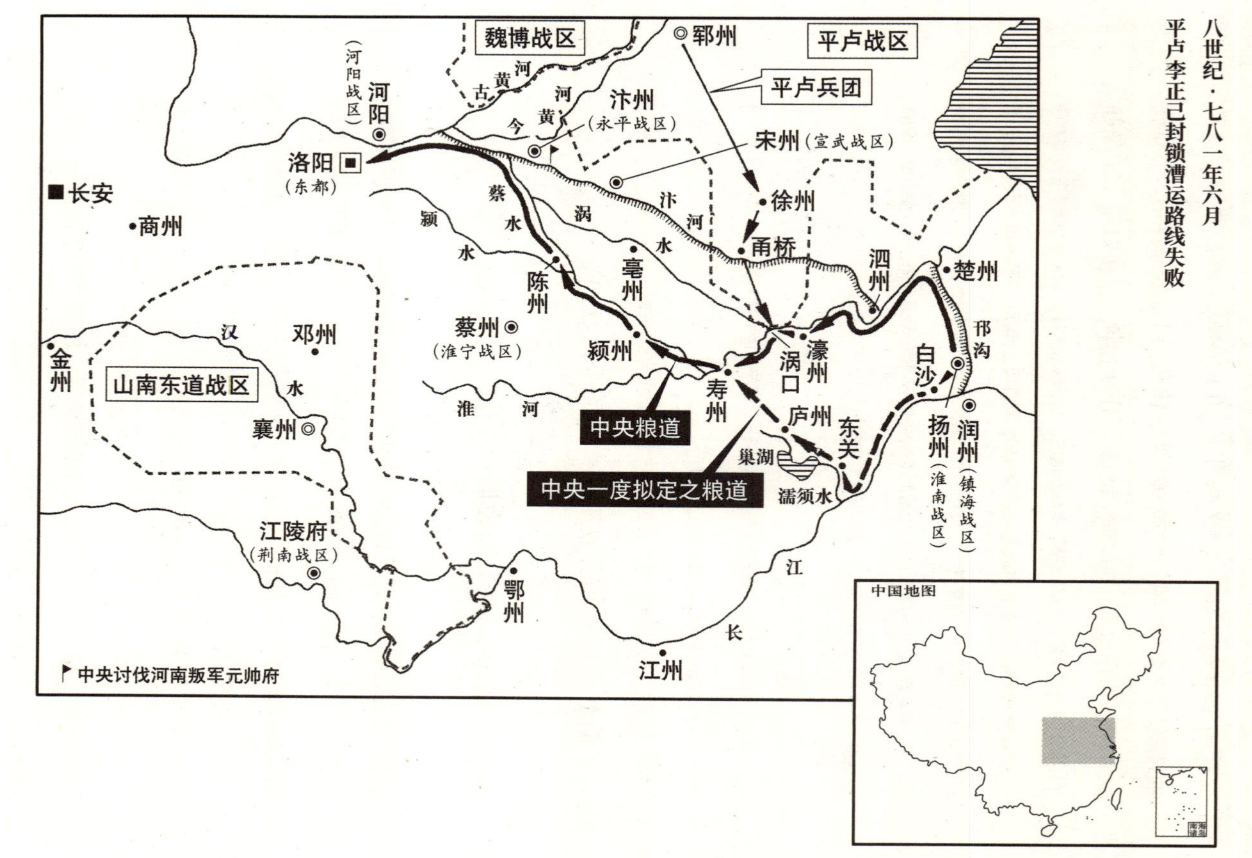

数十人，每次到面前问安，郭子仪也弄不清楚谁是谁，看见有人叩头，就点头而已。仆固怀恩、李怀光、浑瑊，最初都是他的部将，虽然每人都尊贵到封王爷封公爵，但郭子仪对他们随意指使，他们也甘愿东奔西走，听从呼唤，郭家的人把这些大将当做家里的奴仆一样。帝国的安危，维系在郭子仪身上，几乎长达三十年（郭子仪于七五六年从朔方战区〔总部灵州〕崛起，迄今二十六年）。功劳虽倾盖天下，但领袖对他没有疑心；官位虽高到仅次于皇帝，但大家并不嫉妒；生活虽穷奢极侈，但人们并不认为他不对。享年八十五岁，寿终天年。他的部将、参谋等，擢升到高官，或身为一代政治家的，非常之多（"几乎长达三十年"，下有胡三省先生的注，原文是："自柔兆涒滩至重光作噩，二十六年耳。""柔兆涒滩""重光作噩"是什么？使人发昏，连《辞海》《辞源》，都查不出。真想不通，为什么不注："自至德元载至建中二年。"却舞弄无聊玄虚，以表示学问奇大！"柔兆涒滩"我们译"七五六年"，"重光作噩"我们译"七八一年"，简单明了，高级知识分子用文字制造知识贵族地位的伎俩，使人生厌）。

刘昫曰

八世纪五〇年代中期稍后，盗匪（安禄山）在幽州（北京市）起事，皇帝（李隆基）狼狈逃亡，长安、洛阳，东西两都，全部陷落。上天保佑唐王朝政府，出现汾阳王郭子仪，自从平定黄河以北，班师回京（首都长安），关西（潼关以西）消灭盗贼，只身抵挡虎狼，双手披开荆棘，七八年间，备尝辛苦，勤奋达于顶点。而使李姓皇家从瓦解重归完整，功勋高过当代。

等到帝国声威，在郭子仪手中，重新振作，一群奸邪的小人物，用尽方法打小报告，谗言诬陷。郭子仪因自己的官位太高，请求辞职，虽然失去宠信，却毫无怨言。不利用灾祸要挟君王，不利用公事以报私仇，一心一意，尽忠职守，除了一死，没有贰心，诚是至圣君子，国家纯洁干部。自秦汉两大王朝以降，功勋威望之高，无人可以相比。

宋祁曰

八世纪五〇年代中期，盗匪在幽州（北京市）崛起。中央政府处境危难，外部有敌国压力、内部又不团结。郭子仪从朔方战区（总部设灵州〔宁夏灵武市〕）率一支孤军，辗转血战，从不迟疑回头。在那时候，皇帝（李隆基）向西逃走，唐王朝命脉若有若无，郭子仪却能辅佐太子，使李姓皇族复兴。等到重大的灾难稍稍平定，立刻受到邪恶分子谗言陷害，用诡计剥夺他的兵权。可是郭子仪仍心平气和，早上奉到出发命令，晚上立即启程，没有一点怨恨。后来泾阳（陕西省泾阳县）之围，郭子仪单人匹马，拜会回纥首领（参考七六五年十月），用至诚之心，化解猜忌阴谋，终于获得成功。固然是唐王朝仍受上天照顾，命不该绝，但也由于郭子仪的一片忠心，上贯日月，神明扶持。

李光弼等大将，因畏惧而不能善终（参考七六四年七月），郭子仪却保持名节，荣华富贵，享受一生。唐王朝史学家裴垍（参考八〇七年正月）称赞他：“权势倾盖天下，而中央并不猜忌；功劳超过当世，而皇帝毫不怀疑；穷奢极侈，舆论却不抨击。”呜呼，裴垍诚是真知。郭子仪子孙多数立功扬名，因为他们都身享盛大恩德的庇荫。

郭子仪在历史上有崇高的地位，但几乎无人可比的，却不是他的战功，也不是他一身系国家安危，而是他虽然享尽世间荣华富贵，而仍能保住人头，不被砍掉；在身死之后，子孙还继续享福数十年，甚至百余年。中国人最奇特的命运是：你如果不照着当权人物的模式，而擅自爱国，爱国就会

成为一种危险行为。大多数对国家有贡献的人士，最后往往都是被逐、被囚、被杀、被屠，或在死后祸延子孙。只郭子仪是极少数的例外——至少，他最被人称道。

我们肯定郭子仪的功勋，以及对国家所作的努力，但史论家认为他："权势倾盖天下，中央并不猜忌；功劳超过当世，皇帝毫不怀疑；穷奢极侈，舆论却不抨击。"对读者简直是无耻的诈欺，郭子仪受猜忌、受怀疑，史不绝书，事实俱在，黑字印在白纸上，而刘昫、裴垍、宋祁之辈竟公然扯谎，说没有这回事，把中国人全都当成废铁罐。

非洲有一种被称为哈伊那的土狼，它们打斗起来，凶猛异常，但一方如果战败，它就四脚朝天的躺到地上，把身上最脆弱的部分：咽喉和小腹，毫无保留的呈现在敌人锋利的爪牙之下。敌人这时走到跟前，在咽喉和小腹上，用鼻子察勘，发现对方确实屈服之后，也就摇尾而去，不作攻击。

郭子仪对来自四面八方的猜忌怀疑、谗言陷害，采取的显然是哈伊那式策略，把自己的咽喉小腹，毫无保留的呈现在皇帝、宦官和权臣等鲨鱼群之前，乞灵于对方相信他的忠心——不但绝不反击，而且毫无怨言，更重要的是乞灵于他的运气，使鲨鱼群相信他确实于己无害！感谢上帝，他判断正确，如果他判断错误，他就得付出韩信、彭越、檀道济，以及后来的岳飞、熊廷弼、袁崇焕的代价，这代价是凄惨的，所以连忠心耿耿的李光弼、李怀光，都不敢一试。

郭子仪不是一个成功的将领，当十司令官（节度使）在邺城（邺郡，河北省临漳县西南邺城镇）围攻安庆绪，战斗最危急时，郭子仪第一个先拍马而逃，引起大军崩溃（参考七五九年三月），但他却是一位官场文化中最成功的政客，用矮化自己，去明哲保身；这种权力游戏中的“柔能克刚”哲学的生存方式，形成中国人的特有品质，以致中国人在再尊贵的时候，随时都在准备卑屈的作贱自己。郭子仪最受部属爱戴的所谓宽厚，事实上不过是纵容部属蹂躏残害小民，小民不敢呼冤而已。他的儿子郭晞在邠州（陕西省彬州市）的暴行（参考七六四年十一月），足够说明小民在郭子仪宽厚手段之下的悲哀命运。但小民的声音既没有人听到，也没有人记载，史册上记载的全是将领及官员们歌颂他的声音，因为他们虐待小民却不必受到惩罚，剥削勒索小民卖儿卖女的钱一直都在增加，郭子仪是他们的保护神，歌颂的声音自然响彻云霄。

16 六月二十五日，擢升怀郑河阳战区（总部设河阳城〔河南省孟州市〕）副司令官（节度副使）李艽（音qiú〔球〕），当河阳怀州战区司令官（节度使），把东都洛阳特别市属县中，划出五县隶属（五县：河阳〔河南省孟州市〕、河清〔河南省济源市南〕、济源〔河南省济源市〕、温县〔河南省温县〕、王屋〔河南省济源市西王屋镇〕）。

17 北庭战区（总部设北庭府〔新疆吉木萨尔县〕）及安西四镇战区（总部设龟兹〔新疆库车市〕），自从吐蕃王国（西藏）攻陷河西（甘肃省中部西部）、陇右（青海省东部）等地（参考七六三年七月），跟唐王朝本部交通，完全切断。北庭战区司令官（节度使）李元忠、安西四镇战区候补司令官（留后）郭昕，率边防军将士，关闭边境，严密守卫，不断派使节携带奏章，前往京师（首都长安），可是全部在中途被截留，不能抵达，以致消息断绝十余年。

本年（七八一），再派使节，千辛万苦，穿过各蛮夷部落辖区，绕道回纥汗国（瀚海沙漠群），终于抵达长安，李适对他们深为嘉许。

秋季，七月一日，李适（音kuò〔阔〕）下诏加授李元忠当北庭大总督，封宁塞郡王；郭昕当安西大总督、四镇战区司令官，封武威郡王；将士们都连升七级。李元忠，本名曹令忠，李适赐他姓李，并且改名。郭昕，是郭子仪的侄儿。

18 淮宁战区（总部设蔡州〔河南省汝南县〕）司令官（节度使）李希烈，因大雨连绵，讨伐军延迟没有出发，李适感到奇怪，宰相卢杞向李适秘密报告说："李希烈所以一直拖延，是因为杨炎的缘故。陛下何必为了爱惜一个杨炎，而破坏帝国大事。不如暂时免除杨炎的宰相职务，使李希烈高兴，等事情过去之后，再恢复他的宰相，这样对他并没有什么害处。"李适同意。

七月三日，调杨炎当国务院左最高执行长（左仆射），免除宰相职务；命前永平战区（总部设汴州〔河南省开封市〕）司令官（节度使）张镒当，副立法长（中书侍郎）、二级实质宰相（同平章事）。张镒，是张齐丘的儿子（张齐丘，参考七五〇年八月）。再命朔方战区（总部设坊州〔陕西省黄陵县〕）司令官（节度使）崔宁（崔旰）当国务院右最高执行长（右仆射）。

19 七月十九日，追赠故伊州（新疆哈密市）州长袁光庭当国务院工程部长（工部尚书）。

袁光庭于本世纪（八）五〇年代初期，出任伊州（新疆哈密市）州长。六〇年代时，吐蕃军（西藏）攻陷河西（甘肃省中部西部）、陇右（青海东部），袁光庭坚守境界，一连数年，吐蕃军（西藏）千方百计引诱投降，袁光庭始终不肯屈服，到了最后，粮食吃完，士卒残留无几，无法抵抗，眼看不能再守，于是袁光庭先杀妻子，然后自己纵火烧死。直到郭昕（安西四镇〔总部龟兹〕司令官）派的使节抵达京师（首都长安），中央才知道事情经过，因此追赠官位。

20 七月二十四日，命邠宁战区（总部设邠州〔陕西省彬州市〕）司令官（节度使）李怀光，兼朔方战区（总部设灵州〔宁夏灵武市〕）司令官（节度使）。

21 七月二十六日，河东战区（总部设太原府〔山西省太原市〕）司令官（节度使）马燧、昭义战区（总部设潞州〔山西省长治市〕）司令官（节度使）李抱真（安抱真）、神策军先锋总作战司令（先锋都知兵马使）李晟，在临洺（河北省邯郸市永年区）大破田悦（魏博〔总部魏州〕司令官）军。

当时，田悦围攻临洺（河北省邯郸市永年区），一连数月，不能攻克，城里守军的粮食就要吃完，仓库枯竭，士卒很多阵亡或受伤，难以继续抵抗。城防司令张伾梳妆打扮他心爱的女儿，带出来向将士们一一下跪叩头，说："各位坚守岗位，十分艰苦。我家里再没有其他东西，只剩下这个女儿，现在把她卖掉，供应各位一天费用。"各将领都哭泣流泪，说："我们愿血战到死，不敢请求赏赐。"李抱真（安抱真）向中央紧急求救，李适命马燧率步骑兵二万人，跟李抱真（安抱真）会师，讨伐田悦；又派李晟率神策军同时出发。另下令卢龙战区（总部设幽州〔北京市〕）候补司令官（节度使）朱滔，讨伐李惟岳（成德〔总部恒州〕首领）。

马燧等兵团，在没有穿出隘道险关之前，先派人送一封信给田悦，措辞温和，田悦认为马燧胆怯心惧，所以不加强戒备。马燧跟李抱真（安抱真）会师，士卒八万人，从壶关（山西省壶关县）越过太行山，进抵邯郸（河北省邯郸市），攻击田悦的别动部队，把它击破。田悦正对临洺（河北省邯郸市永年区）发动攻击，派李惟岳军五千人，增援驻守邯郸西北的防军杨朝光。明天，马燧等中央军攻击杨朝光阵地，田悦亲率一万余人来救，马燧命大将李自良等在双冈（河北省邯郸市西北）阻截，下令说："如果田悦过了双冈，就砍下你的人头！"李自良等拼死战斗，田悦军失利，向后撤退。马燧用燃烧的车辆焚毁杨朝光的营寨，斩杨朝光，格杀及俘虏五千余人。休息五天，马燧等继续挺进，抵达临洺（河北省邯郸市永年区），田悦出动所有军队反击，大战一百余回合，田悦军大败，被杀一万余人，田悦乘夜率军逃走。邢州（河北省邢台市）的包围也告解除。

这时候，平卢战区（总部设郓州〔山东省东平县〕）司令官（节度使）李正己（李怀玉）已经逝世（年四十九岁），他的儿子李纳，封锁消息，不对外宣布，自行主持战区军政。田悦失败后，向李纳及李惟岳求救，李纳派大将卫俊，率军一万人，李惟岳派军三千人，分别增援。田悦集结散兵游勇，有二万余人，在洹水（流经河南省安阳市）扎营。平卢特遣兵团驻扎东翼、成德特遣兵团驻扎西翼，前后左右，互相呼应。马燧率各军返抵邺城（邺县县城，河北省临漳县西南邺城镇），上疏请河阳战区（总部设河阳城〔河南省孟州市〕）派军相助，李适命河阳战区司令官（节度使）李艽（音qiú〔球〕）增援会师。

22 八月，李纳发布老爹李正己（李怀玉）死讯，上疏请求继承战区司令官（节度使）官位，李适不准。

23 山南东道战区（总部设襄州〔湖北省襄阳市〕）司令官（节度使）梁崇义，公开背叛唐王朝政府，出军南下攻击江陵（荆南战区总部，湖北省江陵县）；前进到四望（湖北省南漳县南），大败而归，遂把战区里所有部队，集合在襄州（湖北省襄阳市）、邓州（河南省邓州市）。李希烈（淮宁〔总部蔡州〕司令官）率车顺汉水而上，跟其他各战区特遣兵团会师。梁崇义派他的大将翟晖、朴少诚，在蛮水（汉水支流，流经湖北省南漳县南）迎战，大败；李希烈追击，翟晖、杜少诚退到疏口（疏水注入汉水处，湖北省宜城市西北），又大败，两位将领向李希烈投降，李希烈命二人率原有部队先行进入襄阳（襄州州政府所在县），安抚慰劳军民。梁崇义下令闭城拒守，可是奉命守城的官兵却大开城门，拼命逃出，任何方法都不能阻止。梁崇义走投无路，跟妻子儿女一同跳井而死（梁崇义于七六三年三月割据山南东道，前后十九年而亡）。讨伐军捞出尸体，砍下人头，送到京师（首都长安）。

24 卢龙战区（总部幽州〔北京市〕）候补司令官（节度使）朱滔，率军南下讨伐李惟岳，驻扎莫州（河北省任丘市北鄚州镇）。成德战区（总部设恒州〔河北省正定县〕）易州（河北省易县）州长张孝忠，率精锐士兵八千人，坚守易州。朱滔派执行官（判官）蔡雄，游说张孝忠说："李惟岳嘴里吃奶的臭味还没有褪除，竟敢拒抗中央命令。而今，昭义兵团（总部设潞州〔山西省长治市〕）及河东兵团（总部设太原府〔山西省太原市〕）已击破田悦（魏博〔总部魏州〕首领），淮宁兵团（总部设蔡州〔河南省汝南县〕）已攻克襄阳（山南东道战区），计算日子，河南（黄河以南）中央各军，就在这几天，不是早上，就是黄昏，开始北上，恒州（成德战区）、魏州（魏博战区）的覆亡，可以站在这里等它发生。你如果首先献出易州（河北省易县），归降中央，则铲除李惟岳的功劳，从你开始，这是转祸为福的长程谋略。"张孝忠同意。派帐前侍卫官（牙官）程华，晋见朱滔；派总务官（录事参军）董稹，携带奏章，前往京师（首都长安）呈递；朱滔也同时上疏推荐，李适大为高兴。

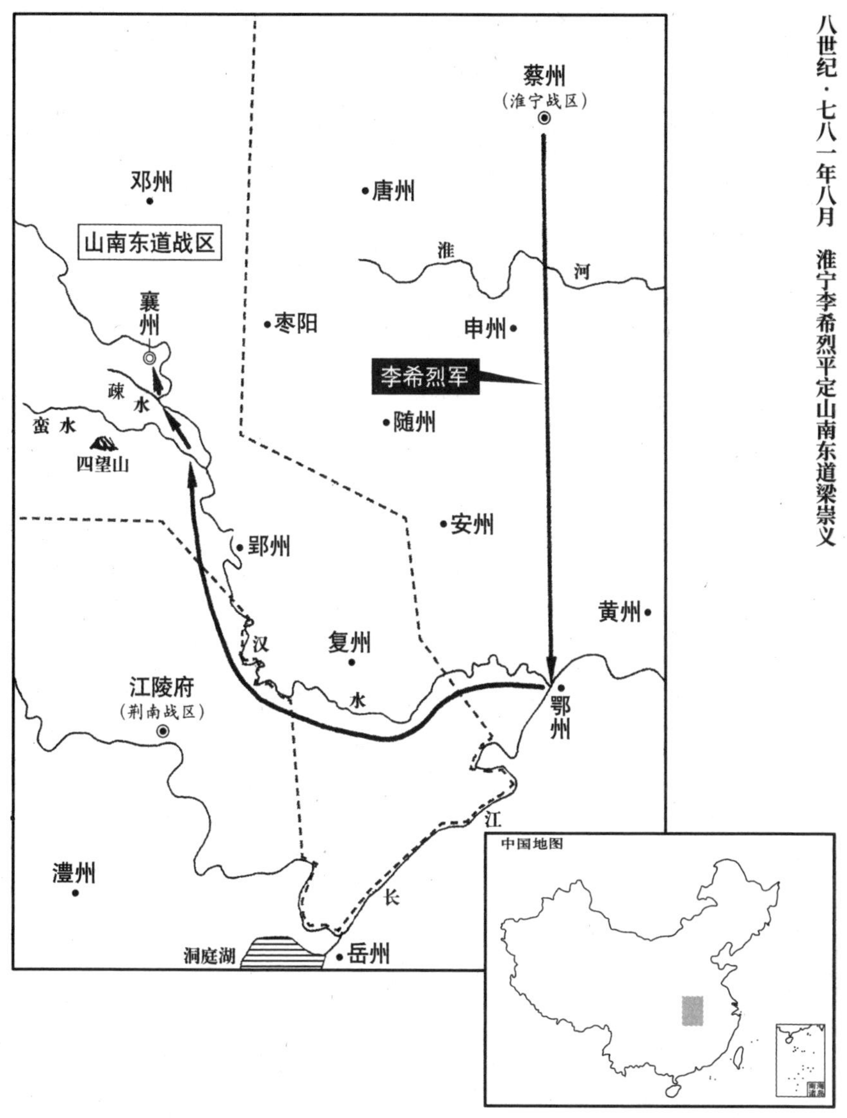

八世纪·七八一年八月　淮宁李希烈平定山南东道梁崇义

九月六日，下诏命张孝忠当成德战区（总部设恒州〔河北省正定县〕）司令官（节度使）。训令李惟岳护送老爹李宝臣（张忠志）的灵柩，运回中央安葬，李惟岳拒绝。张孝忠感激朱滔的指引，命儿子张茂和娶朱滔的女儿为妻，结交亲密。

25 九月七日，唐政府加授李希烈中央官位：遥兼二级宰相（同平章事·使相）。最初，李希烈请求讨伐梁崇义，李适对文武官员赞扬李希烈的忠贞。中央擢升罢黜特使（黜陟使）李承，从淮宁战区（总部设蔡州〔河南省汝南县〕）视察回京（首都长安），警告李适说："李希烈定会立下小小功劳，问题在于立功之后，就会骄傲自大，不再服从中央，到时候恐怕还要再麻烦中央发动第二次讨伐！"李适不能同意。

李希烈攻陷襄阳（湖北省襄阳市）后，把它当作自己的地盘，李适才想起李承当初的话，这时，李承当河中（山西省永济市）特别市长（河中尹）。

九月九日，命李承当山南东道战区（总部设襄州〔湖北省襄阳市〕）司令官（节度使）。李适打算派禁军护送，李承则宁愿单人匹马前去上任。李承抵达襄阳（湖北省襄阳市），李希烈把他安置在宾馆，威迫利诱，李承誓不屈服，李希烈无可奈何，放纵他的部队大肆抢劫掳掠，然后撤走。

李承办理善后，经过一年，军政机关才稍稍完备。李希烈留下营门官（牙将）在襄阳（湖北省襄阳市）看守他所掳掠的财产，因此双方不断有使节来往。李承也派他的心腹部属臧叔雅前去许州（河南省许昌市）、蔡州（河南省汝南县），用厚重的礼物结交李希烈的心腹部属周曾等，跟他秘密计划诛杀李希烈。

26 最初，本世纪（八）三〇年代，太子太师（太子三师之一）萧嵩

（参考七三九年六月）的祠堂，建在曲江（首都长安东南角）之畔，九任帝（玄宗）李隆基认为曲江是一个郊游娱乐的场所，不适合神灵定居，下令迁走。后来，杨炎当宰相（参考前年〔七七九〕八月），讨厌首都长安特别市长（京兆尹）严郢，把他贬作最高法院院长（大理卿）。卢杞打算陷害杨炎，于是推荐严郢当总监察官（御史大夫）。在此之前，杨炎计划兴筑祠堂，他在东都洛阳有一座家宅，拜托东都洛阳特别市长（河南尹）赵惠伯出售；赵惠伯把它买下来，当作政府机关之用。严郢遂提出弹劾，认为赵惠伯从中得到厚利。卢杞交给大法官（大理正，从五品下）田晋审判，田晋判决说："依照法律，主管官员购买公物，从中取利，是一种勒索贿赂行为，应予免职。"卢杞大发雷霆，把田晋贬作衡州（湖南省衡阳市）军务秘书长（司马），另命其他法官审判，结果判决赵惠伯："负责保管财物的官员，盗卖自己保管的财物，论罪应处绞刑。"杨炎的杨家祠堂，基础正建在萧嵩当初萧家祠堂的故地之上，卢杞遂对杨炎暗下毒手，向李适打小报告说："那地方有帝王之气，所以玄宗（九任帝李隆基）命萧嵩把祠堂迁走，杨炎一直阴谋夺取政权，所以在故地重建祠堂。"

冬季，十月十日，李适把杨炎从国务院左最高执行长（左仆射）高位上贬作崖州（海南省海口市琼山区）军务秘书长（司马），万里颠簸，走到距崖州（海南省海口市琼山区）只有一百华里处，李适派的杀手追上，把杨炎绞死（年五十五岁）。赵惠伯从河中（山西省永济市）特别市长（河中尹）任上，贬作费州（贵州省思南县）多田（思南县北）县政府防卫员（尉）；不久也被诛杀。

27 十月辛巳日（十月丙戌朔，没有辛巳），封萧女士当太子李诵的太子妃。

28 十月十八日，在皇家祭庙（太庙）举行皇族全体尊亲属三年总祭（祫祭。祫，音xiá〔匣〕）。 452

从前，一任帝李渊的祖父李虎（太祖）在皇家祭庙的牌位，面向东方，而李虎的老爹李天赐（懿祖），李天赐的老爹李熙（献祖）的牌位则被挤掉，收藏在西厢套房里，不再接受子孙祭奠及所上香火（李熙、〔李天赐〕的牌位被送进皇家祖庙，参考七二三年八月。当是之后有新皇帝死掉，把祖先挤出祖庙）。本年（七八一），把李熙的牌位拿出来，供奉坐西向东位置上，再照规定祭奠（唐王朝皇家世系：李熙—李天赐—李虎—李昞—一任帝李渊）。

29 平卢战区（总部设郓州〔山东省东平县〕）徐州（江苏省徐州市）州长李洧（音wěi〔伟〕），是司令官（节度使）李正己（李怀玉）的堂兄。李纳（平卢〔总部郓州〕首领）攻击宋州（宣武战区总部，河南省商丘市。平卢、魏博结盟后，李纳率大军进驻濮阳〔河南省濮阳市〕），彭城（徐州州政府所在县）县长、太原（山西省太原市）人白季庚，游说李洧献出城池，回归中央；李洧同意，派摄理巡察官（摄巡官）崔程，携带奏章前去京师（首都长安），并命他在晋见皇帝时，作口头奏报，同时把这项意见，先行禀告宰相，说：“徐州（江苏省徐州市）孤单，不能单独对抗李纳，请任命李洧当徐州、海州（江苏省连云港市）、沂州（山东省临沂市）行政长官（观察使），何况，海州、沂州，现在仍在李纳手中。李洧跟两州的州长王涉、马万通，暗中早有约定，假如能够得到中央的公开任命，一定可以成功。”崔程从地方到中央，认为宰相都是一样，于是先报告张镒；张镒转告卢杞，卢杞认为竟敢不先报告自己，显然看我不起，于是妒火中烧，一口拒绝。

十月二十三日，只加授李洧中央官衔：总监察官（御史大夫），兼征剿安抚特使（招谕使）。

30 十一月四日，李适把皇妹永乐公主嫁给国务院司法部审计司摄理司长（检校比部郎中）田华。因前任帝（十一任代宗）李豫（李俶）已有承诺（参考七七四年三月），李适不愿违背。

31 蜀王李傀（李适的老弟）改名李遂。

32 十一月七日，宣武战区（总部设宋州〔河南省商丘市〕）司令官（节度使）刘洽、神策军总作战司令（都知兵马使）曲环、滑州（河南省滑县）州长襄平（辽宁省辽阳市）人李澄、朔方战区（总部设灵州〔宁夏灵武市〕）特遣兵团大将唐朝臣，在徐州（江苏省徐州市）大破平卢（总部设郓州〔山东省东平县〕）魏博（总部设魏州〔河北省大名县〕）联军。

最初，平卢战区（总部郓州）首领李纳派部将王温，会同魏博战区（总部魏州）大将信都崇庆（信都，复姓），联军进攻徐州（江苏省徐州市）。李洧（徐州州长）派帐前侍卫官（牙官）温县（河南省温县）人王智兴，前往京师（首都长安）紧急求救。王智兴是位竞走健将，用不了五天，就奔到京师（徐州与长安航空距离一千公里）。李适训令唐朝臣率朔方特遣兵团五千人，会同刘洽、曲环、李澄，联合增援。当时，朔方兵团（总部灵州）的后勤补给来不及赶上，以致旌旗及军装，都破烂单薄，宣武兵团（总部宋州）士卒嗤之以鼻，说："难道叫化子也会打仗！"唐朝臣把这种话转告他的部属，刺激他们愤怒，然后说："总指战官（都统李勉）有令，最先击破盗贼营寨的，营中所有金银财宝全部归他。"士卒气愤之下，奋勇争先。

信都崇庆与王温，攻击彭城（江苏省徐州市），二十天不能攻克，向李纳求救，李纳派部将石隐金率一万人增援，跟中央军刘洽等，在七里沟（徐州市西北）接触。天色黄昏，刘洽率军稍稍后退，朔方兵团骑兵司令（马军使）杨朝晟建议唐朝臣说：“你率步兵靠山扎营，严阵等待两支叛军；我率骑兵在山凹埋伏，盗贼发现你一支孤军悬挂在那里，一定猛扑，我出动伏兵对他们的腰部拦击，绝对可把他们击败。”唐朝臣采纳。信都崇庆果然率骑兵二千人，穿过河桥西进，追击中央部队，伏兵突然从侧面攻击，信都崇庆等被切成两截，狼狈退守河桥，阻止中央军反击，部下士卒有的争夺过桥已来不及，就蹚水过河，杨朝晟指着说：“他们可以蹚水，我们为什么不可以蹚水！”挥军蹚水攻击，防守桥头的士卒，放弃河桥逃走，于是，平卢（总部郓州）、魏博（总部魏州）联军崩溃，士卒四散逃命；中央军刘洽等乘胜追击，杀八千余人，淹死在河里的超过一半。朔方（总部灵州）兵团俘获全部军用物资，立刻展出耀眼的军旗，拿出胜利的武器，穿上豪华的军服，对宣武兵团官兵们说：“叫化子的功劳，比起你们，谁多？”宣武兵团（总部宋州）官兵都感惭愧。中央军乘胜继续追击，直到徐州（江苏省徐州市）城下。平卢（总部郓州）及魏博（总部魏州）联军，解除包围撤走。江淮（华东地区）粮食水运才开始恢复。

33 十一月十五日，李适下诏削除李惟岳（成德〔总部恒州〕首领）所有官职爵位；调查投降中央的李惟岳的部属，赦免他们的罪，并且赏赐。

34 十一月三十日，淮南战区（总部设扬州〔江苏省扬州市〕）司令官（节度使）陈少游，派军攻击海州（江苏省连云港市），州长王涉投降。

35 十二月，平卢战区（总部设郓州〔山东省东平县〕）所属密州（山东省诸城市）州长马万通，投降中央（之前记载马万通是沂州〔山东省临沂市〕州长，或职务有变动）。

十二月十三日，中央命马万通当密州（山东省诸城市）州长。

36 宫廷副总管（殿中少监）崔汉衡（参考本年〔七八一〕三月）抵达吐蕃王国，国王（三十七任）娑悉笼猎赞，发现唐王朝国书竟是皇帝诏书，吐蕃致送唐王朝的礼物，被称“进贡”，唐王朝致送吐蕃的礼物，被称“赏赐”，把吐蕃王国当成一个藩属。另一件事是：灵州（宁夏灵武市）以西唐吐疆土相接，应以贺兰山（宁夏与内蒙古西界）为两国共同边界。要求崔汉衡改正。

十二月二十三日，崔汉衡派执行官（判官）陪同吐蕃使节，一齐往京师（首都长安）奏报。李适特别更改诏书及两国边界，一切依照吐蕃要求。

37 加授河东战区（总部设太原府〔山西省太原市〕）司令官（节度使）马燧，当魏博战区征剿司令（招讨使）。

八世纪·七八一年十月至十二月
徐州回归中央，平卢重夺失败

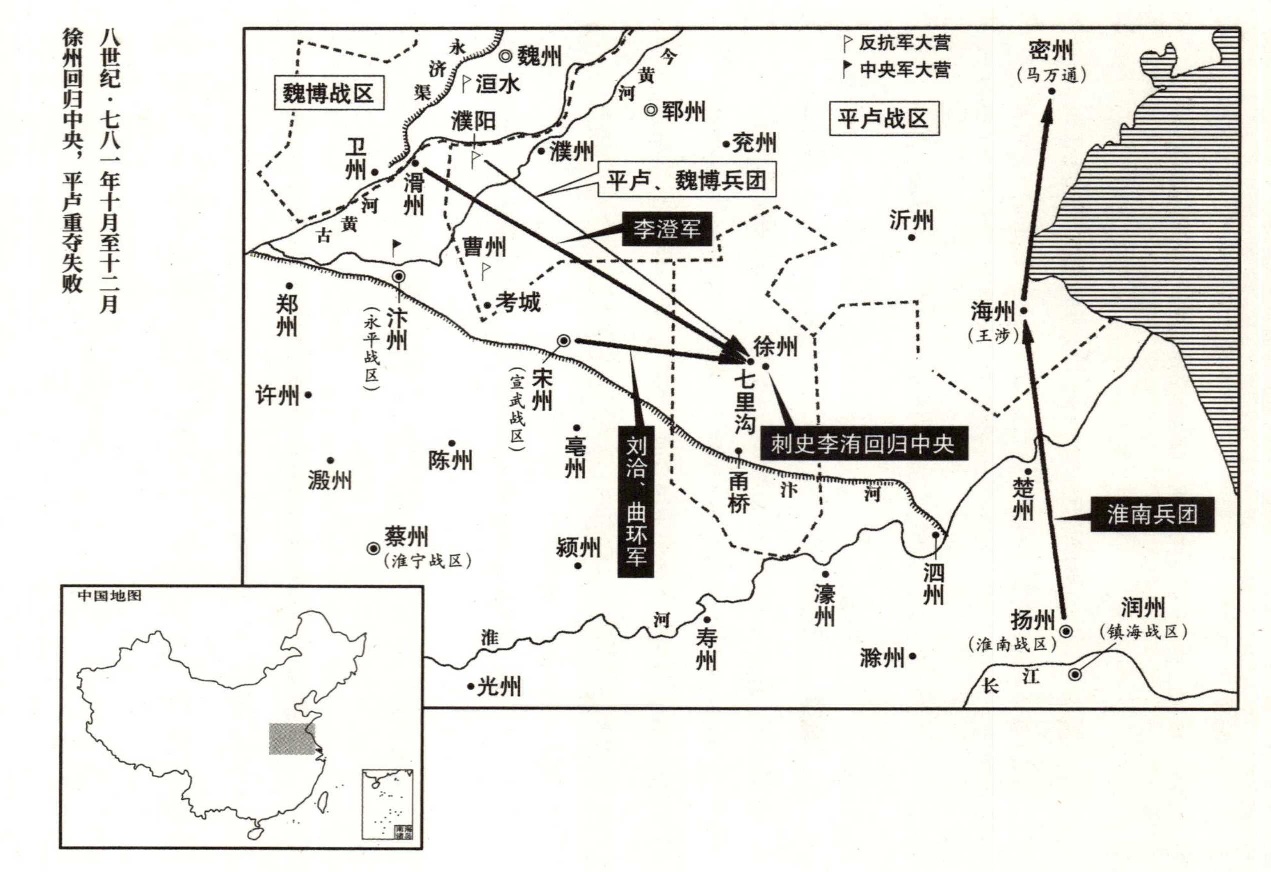

唐　建中　三年

1 春季，正月，唐王朝（首都长安〔陕西省西安市〕）河阳战区（总部设河阳城〔河南省孟州市〕）司令官（节度使）李艽（音qiú〔球〕）率军逼近卫州（河南省卫辉市），魏博战区（总部设魏州〔河北省大名县〕）守将任履虚假装投降，不久就再背叛。

2 河东战区（总部设太原府〔山西省太原市〕）司令官（节度使）马燧

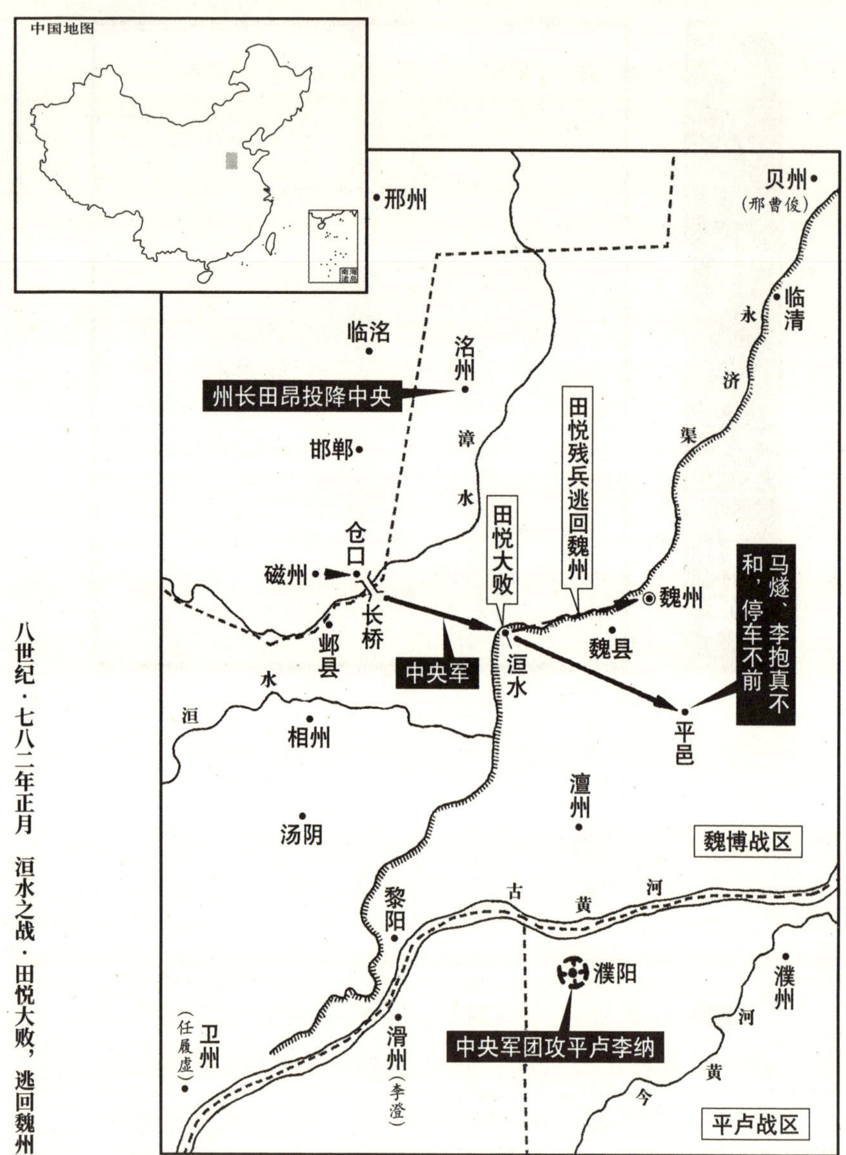

八世纪·七八二年正月　洹水之战·田悦大败，逃回魏州

等中央各军，扎营漳河岸上，魏博战区（总部设魏州〔河北省大名县〕）司令官（节度使）田悦，派他的大将王光进，在长桥（河北省临漳县东）修筑月城（两头抵河或抵山的半月形城堡），中央军不能渡河。马燧用铁链把数百辆马车连在一起，上面装满土袋，在长桥下游沉入河床，等到水势稍浅，各军蹚水而过。当时，中央军缺乏粮食，田悦等紧闭城门，拒不出战。马燧下令各军携带十天干粮，进驻仓口（河北省临漳县西），跟田悦隔着一条洹水（安阳河）对峙（洹水〔安阳河〕是当时永济渠支流，流经河南省安阳市北，地望不似是两军对峙之河，应是两军在洹水县城〔河北省魏县西南〕的一段永济渠，在东西岸对峙）。李抱真（安抱真，昭义〔总部潞州〕司令官）、李艽（河阳〔总部河阳城〕司令官）质疑说："粮食既少，而又深入敌境，怎么用这种战略！"马燧回答说："粮食少则逼我们必须速战速决，而今，三镇结合一起，坚壁清野，拒不出战，目的在使我们筋疲力尽。如果分出军队攻击左右两翼，田悦一定援救，我们就会受到前后夹攻，对我们不利。单独指向田悦，就是《兵法》上说的：'攻击敌人非援救不可的据点！'如果他们真敢出战，一定为你们击破这个叛逆。"于是，在洹水上架起三道桥梁，过桥扎营，每天向田悦大营挑战，田悦严密守卫，不作反应。马燧于是下令各军夜半时分吃饭，沿着洹水，秘密向田悦的根据地魏州（河北省大名县）挺进，下令说："盗贼如果从后边追赶，大家立刻停住，就在原地构筑防御工事！"大营之中，只留下一百余名骑兵，跟平常一样的传递鼓声、吹动号角，把木柴抱进厨房，燃火煮饭，升起袅袅炊烟；等到中央各军全部出发后，则立刻停止活动，留守人员全部退出躲藏，等田悦军队过完之后，就把三座桥梁焚毁。

中央军前进十华里左右，田悦得到报告，立即率平卢（总部郓州）、成德（总部恒州）兵团步骑兵四万人，穿过三桥，急行军袭击中央部队的后背，乘着强烈顺风，纵火烧野，战鼓声及嘶喊声，震动天地。马燧按兵不动，先行割除阵地前一百步的乱树杂草，阻挡火势，辟作战场，然后严阵以待；另行招募敢死队五千余人，排列在第一线。田悦大军不久抵达，但火焰烧到中央军阵前，因没有乱树杂草可烧，顿时熄灭，田悦军的士气也跟着衰竭。马燧下令全军出击，田悦军大败。神策军、昭义兵团（总部潞州）、河阳兵团（总部河阳城）本来稍向后退，但看到河东兵团（总部太原府）战胜，于是回军反击，再度大破田悦军。田悦军撤退，中央军追击，这时三桥已被焚毁，田悦军无路可走，惊恐震骇之余，霎时瓦解，士卒四散逃命，跳到洹水（应是永济渠）里淹死的不计其数，中央军杀二万余人，俘虏三千余人，尸首满地，连绵三十余华里。

田悦集合残兵败将一千余人，逃回魏州（魏博战区总部，河北省大名县）。马燧跟李抱真（安抱真）感情不和，摩擦尖锐，驻扎在平邑（河南省南乐县东北）佛教庙院，无法乘胜追击。田悦在黑夜中抵达魏州（河北省大名县）南郭门，守城大将李长春紧闭城门，拒不接受，等待中央追击部队抵达，一直等到天亮，中央军仍没有消息，李长春只好打开城门。田悦进城后，斩李长春，登城拒守。此时，城中士卒还不到数千人，阵亡官兵的家属亲戚哀悼死者，大街小巷传出一片哭号。田悦忧愁恐惧，决定施用苦肉计，于是骑马提刀，站在总部辕门外面，集结全城军民，痛哭流涕，宣布说："我不成材，受到平卢（总部郓州）及成德（总部恒州）二镇的推荐，继承伯父（田承嗣）的大业。如今，二镇司令官（节度使）逝世，他们的儿子却不能继承，我不敢忘记两位长辈的恩德，不自量力，拒抗中央，以致落到今天这种悲惨地步，连累父老乡绅都肝脑崩裂、流满一地，全是我的罪过。年老的娘亲还在高堂，无人奉养，我不能自杀，只希望各位用我手中这把刀，砍下我的人头，拿它出城投降马燧将军，自己寻找荣华富贵，不要跟我一齐去死！”说到悲恸处，从马背上一头栽到地下，将士们争先恐后抱住他，说：“大帅为了正义，高举军旗，不是自私自利。战场上胜负，是件稀松平常的事，我们几代都受田家厚恩，不忍心听到这些话！希望在你领导之下，作最后一次出击，如果不能取胜，再求一死。”田悦说：“各位将军不因为这次失败，而把我抛弃，即令是死，在九泉之下，也不忘各位大恩大德。”遂跟各将领割断头发，誓言结成生死不变的义兄义弟。把仓库里所有的东西，以及向富有民家勒索压榨的财产，共集合一百余万钱，赏赐士卒，军心才逐渐稳定。田悦再召见贝州（河北省清河县）州长邢曹俊，命他主持军事训练，重整队伍，加强城防，军事情势再度振作（田悦觉悟到排斥邢曹俊之非，参考去年〔七八一〕五月）。

平卢战区（总部设郓州〔山东省东平县〕）首领李纳，驻军濮阳（河南省濮阳市），受到黄河以南中央部队压力，退回濮州（山东省鄄城县），向田悦求救。田悦派基地司令（军使）符璘，率骑兵三百人前往。符璘的老爹符令奇对符璘说：“我年纪已老，亲眼看到安禄山、史思明之流叛徒，今天都在哪里？田家岂能长久！你趁此机会，弃暗投明，弃逆投顺，是你使老爹扬名后世！”咬破儿子的手臂，作为誓言，遂即告别。符璘就跟他的副手李瑶，率领部众，归降马燧。田悦屠杀符璘全族，符令奇破口大骂而死。李瑶的老爹李再春献出博州（山东省聊城市）投降，田悦的堂兄田昂也献出洺州（河北省邯郸市永年区东南广府镇）、大将王光进则献出长桥（漳水上），先后归降中央。

田悦进入魏州（河北省大名县）十余天，中央军马燧等才抵达城下，发动攻击，不能攻克（权知节度事）。

3 正月十二日，成德战区（总部设恒州〔河北省正定县〕）首领李惟 462
岳，派军增援据守束鹿（河北省辛集市）的大将孟祐，卢龙战区（总部设幽州〔北京市〕）候补司令官（留后）朱滔及中央新任命的成德战区司令官张孝忠（根据地易州〔河北省易县〕）发动攻击，攻克束鹿（河北省辛集市），进军包围深州（河北省深州市）。李惟岳忧惧交集，机要秘书（掌书记）邵真再向李惟岳建议：秘密上疏皇帝投降，派老弟李惟简携带奏章，先去首都长安（陕西省西安市）朝见，然后诛杀所有不听命令的将领，再亲自前往京师（首都长安），由岳父冀州（河北省衡水市冀州区）州长郑诜，暂代战区司令官（权知节度事），等候中央训令。李惟岳接受。可是等李惟简刚刚出发，孟祐得到消息，秘密报告田悦。田悦大怒若狂，派帐前侍卫官（衙官）扈岌晋见李惟岳，责备他说："我们司令官（田悦）起兵反抗中央，不是为了自己，而是为了要求中央发给你任命状。现在你竟然相信邵真一派胡言，派老弟呈献奏章，把所有叛乱的罪状，都推到我们司令官（田悦）头上，只求自己清白，我们司令官（田悦）有什么地方辜负你，使你做出这种绝情绝义之事！如果能斩邵真，我们还可以恢复当年友谊；不然，从此一刀两断。"执行官（判官）毕华警告李惟岳说："田大帅为了你的缘故，落得今天这种身陷重围的地步，你却把他出卖，真是不仁不义到了顶点。而且魏博战区（总部设魏州〔河北省大名县〕）及平卢战区（总部设郓州〔山东省东平县〕）人民富庶，军力强大，足以抵抗全国，结局如何，还看不出，为什么马上就三心二意！"李惟岳一向没有胆量，又无法坚持前些日子的决策，于是召唤邵真，在扈岌前面，把他斩首；派出军队一万人，会同孟祐，围攻束鹿（河北省辛集市）。

正月十二日，朱滔、张孝忠联军在束鹿（河北省辛集市）城下发动攻击，李惟岳军大败，焚烧营帐逃走。

成德战区（总部设恒州〔河北省正定县〕）作战司令（兵马使）王武俊，因李惟岳左右亲信不断说他坏话，所以李惟岳对王武俊一直怀疑，但爱惜他的才干，不忍心把他诛杀。反攻束鹿（河北省辛集市）之役，命王武俊当先锋，王武俊暗自考虑说："我如果击破朱滔，李惟岳军势将重新振作，凯旋回去，一定杀我！"所以作战时并不使用全力，因而挫败。

朱滔打算乘胜进攻恒州（河北省正定县），张孝忠却率军返回西北，在义丰（河北省安国市）扎营，朱滔大吃一惊，张孝忠的左右部属也感到奇怪，张孝忠说："恒州（河北省正定县）城内，老将还相当的多，不可以轻估。压力太大，他们会团结反抗，如果行动稍缓，他们准发生窝里斗，自相残杀。你们不妨睁大眼睛观察，我驻防义丰（河北省安国市），坐在这里看李惟岳死无葬身之地。而且，朱大帅（朱滔）牛吹得太大，见识却太浅，我们之间的友谊合作，有美好的开始，恐怕难有美好的结果。"

朱滔停留束鹿（河北省辛集市），不敢单独前进。

李惟岳的将领康日知献出赵州（河北省赵县），归降中央。因之李惟岳对王武俊更疑神疑鬼，王武俊越发恐惧。有人告诉李惟岳说："先宰相（李宝臣〔张忠志〕中央官衔）把王武俊当作心腹，命他辅佐你；而又是骨肉至亲（王武俊的儿子王士真娶李惟岳的妹妹，参考去年〔七八一〕正月），王武俊的勇猛，超过三军，现在正在危难之际，如果对他也猜忌排斥，试想，如果没有王武俊，还有谁能替你击退强敌？"李惟岳同意，乃派步兵司令（步军使）卫常宁，会同王武俊，共同攻击赵州（河北省赵县）；又命王武俊的儿子王士真率军驻扎官邸，担任守卫。

4 正月二十九日，蜀王李遂（李适的老弟）改名李遡（音sù〔速〕）。

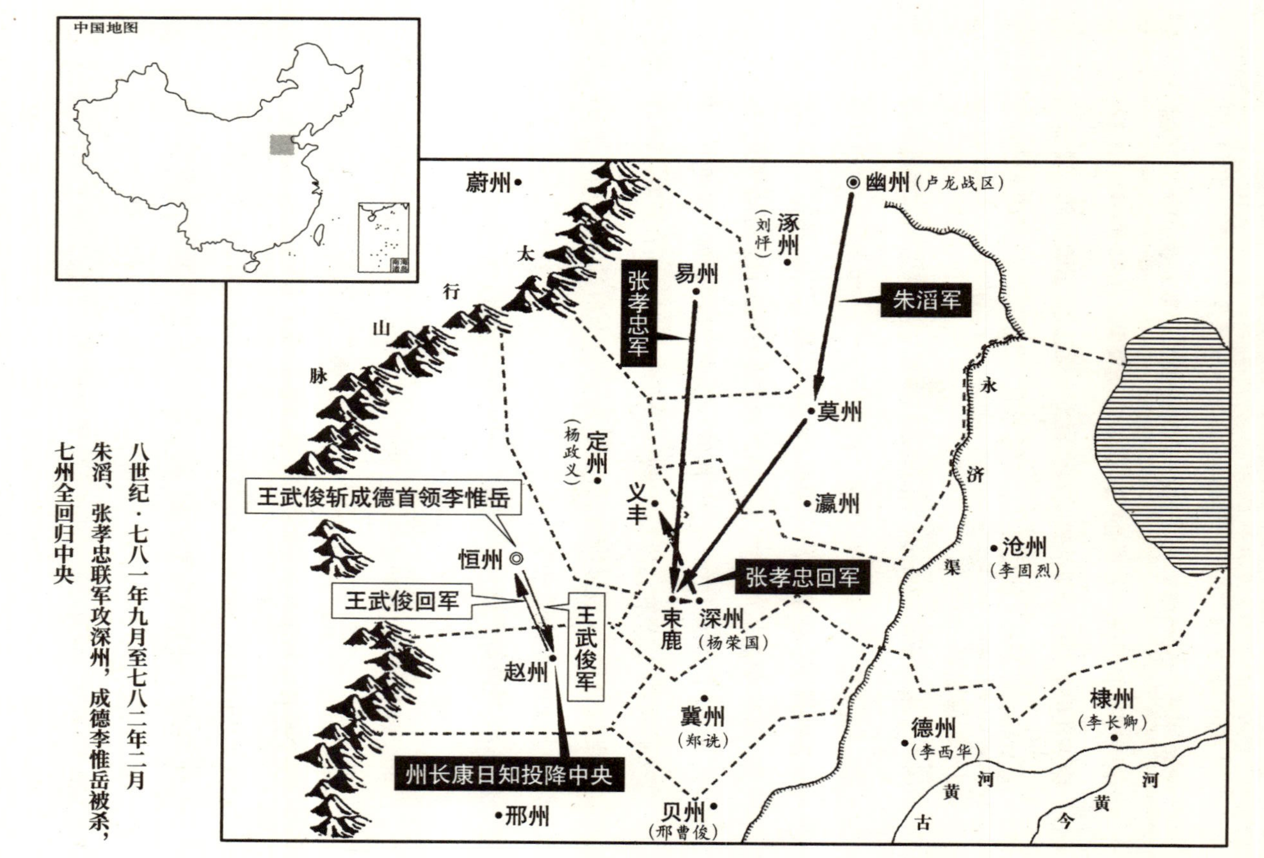

八世纪·七八一年九月至七八二年二月
朱滔、张孝忠联军攻深州，成德李惟岳被杀，
七州全回归中央

5 淮南战区（总部设扬州〔江苏省扬州市〕）司令官（节度使）陈少游，攻克海州（江苏省连云港市）、密州（山东省诸城市），但反抗军平卢战区（总部设郓州〔山东省东平县〕）首领李纳，又把二城收回（二州降淮南，参考去年〔七八一〕十一月、十二月）。

6 王武俊率军出恒州城（河北省正定县）之后，告诉副手卫常宁说："今天总算逃出虎口，再也不会回去，我打算向北投奔张孝忠！"卫常宁说："李惟岳昏庸软弱，只信任左右那些马屁精，这样下去，最后难免死在朱滔之手。现在皇上有明确的诏书，砍下李惟岳人头的，就由他接替李惟岳的官职爵位。你一向深得军心，与其逃亡，为什么不掉转枪尖，制服李惟岳，把天大的灾难转化成无穷的福气，比手掌翻过来还要容易。如果不能成功，再投奔张孝忠也不晚。"王武俊认为对极。正巧，李惟岳派亲卫官（要藉）谢遵，到赵州（河北省赵县）城下传达指令，王武俊便邀谢遵参加这项阴谋，共同对付李惟岳。谢遵回恒州（河北省正定县）后，秘密通知王士真。

闰正月二十一日，王武俊、卫常宁自赵州（河北省赵县）回军，袭击李惟岳；谢遵跟王士真假传李惟岳的命令，大开城门迎接入城。黎明时，王武俊率数百名骑兵突击官邸大门，王士真在里面响应，格杀十余人。王武俊下令说："李惟岳背叛中央，将领们不愿当叛徒的，请归降政府，胆敢反抗的，屠杀全族。"大家都不敢动。于是逮捕李惟岳、郑诜、毕华、王他奴（参考去年〔七八一〕正月），全部斩首（李宝臣〔张忠志〕割据成德，参考七六二年十一月，传子李惟岳，共二十一年而亡）。王武俊认为李惟岳是故主李宝臣（张忠志）的儿子，打算免他一死，而押送京师（首都长安），交由中央处置。卫常宁说："在天子面前，他可能将所有叛逆的罪行，都推到你头上。”于是绞死李惟岳，砍下人头，呈献京师（首都长安）。

深州（河北省深州市）州长杨荣国，是李惟岳的姐夫，投降卢龙战区（总部设幽州〔北京市〕）候补司令官（留后）朱滔，朱滔命他继续担任州长。

7 恢复酒公卖制度，只首都长安（陕西省西安市）仍可自由销售（撤销公卖事，参考七七九年七月）。

8 二月五日，李惟岳任命的定州（河北省定州市）州长杨政义归降中央，黄河以北大致平定，只有田悦仍据守魏州（河北省大名县），还没有攻破。黄河以南中央各军包围平卢战区（总部设郓州〔山东省东平县〕）首领李纳据守的濮州（山东省鄄城县），李纳势力日渐萎缩，中央认为全国不久就可恢复大一统的和平局面，一片乐观气氛。

二月十一日，中央发布人事命令，命张孝忠当易定沧三州战区（总部易州）司令官（节度使）、王武俊当恒冀二州（首府恒州）民兵总司令官暨行政长官（都团练观察使）、康日知当深赵二州（首府赵州）民兵总司令官暨行政长官（都团练观察使）。把德州（山东省德州市陵城区）、棣州（山东省惠民县）划归朱滔（卢龙〔总部幽州〕候补司令官），命朱滔返防。朱滔一再请求把他现在驻军的深州（河北省深州市）划归自己，中央不准，因此朱滔大为失望和怨恨，留在深州（河北省深州市）不肯撤退。（胡三省原注：“朱滔讨伐李惟岳，连战连胜，可是中央瓜分成德战区〔总部恒州〕分别赏赐一些投降的将领时，朱滔连一寸土地都没有分到，还命他自行攻取仍属平卢战区〔总部郓州〕的德州〔山东省德州市陵城区〕、棣州〔山东省惠民县〕。这就是《左传》说的周王国政府所以失去郑国〔河南省新郑市〕的原因。”《左氏春秋》前七一七年：郑国国君〔三任庄公〕姬寤生，进京〔首都洛阳〕朝见周王国国王〔十四任桓王〕姬林，姬林因郑国曾强割麦禾，所以对姬寤生态度傲慢，周公爵姬黑肩警告姬林说："中央自迁到东方之后，完全依靠郑晋两国，今天对郑国国君如此不礼貌，恐怕郑国不会再来朝见。"）王武俊一向瞧不起张孝忠，而且自认为亲手诛杀李惟岳，功劳在康日知之上，可是张孝忠贵为战区司令官（节度使），而自己和康日知却只当民兵总司令官（都团练使），而且又失去赵州（河北省赵县）及定州（河北省定州市），也大不高兴；同时又接到诏书，命他供应粮食五百石给朱滔（卢龙〔总部幽州〕候补司令官）、战马五百匹给马燧（河东〔总部太原府〕司令官），王武俊认为中央不打算用成德战区（总部设恒州〔河北省正定县〕）旧人当司令官（节度使），一旦攻克魏博战区（总部设魏州〔河北省正定县〕），下一步就要夺取恒州（河北省正定县）、冀州（河北省衡水市冀州区），所以故意分散他的粮食及战马，削弱他的力量，越想越怀疑不安，于是，不肯接受命令。

柏杨曰

当一场战争就要结束，一阵尘埃就要落定之际。胜利者一方的领袖和他的智囊，最容易犯的错误，往往是轻估残局的危险性和对手的反弹力量。刘邦在击斩项羽之后，立即驰入韩信大营，夺取帅印，应是政治上最睿智的措施。反过来检讨项羽，却被胜利冲昏大脑，认为他那一套是天下第一奇套，于是，胡乱封王（当然，他自己讲起来也会头头是道），他的性格和见识都证明他只有小聪明而没有大智慧。

天下本来可以一片和平，庸才却把它搞得水深火热。第一个决策错误之后，像推骨牌一样，接着而来的是一连串更大的错误，使情势更坏，终于无法收拾；连当初决策的所谓英明领袖，都无法阻止。

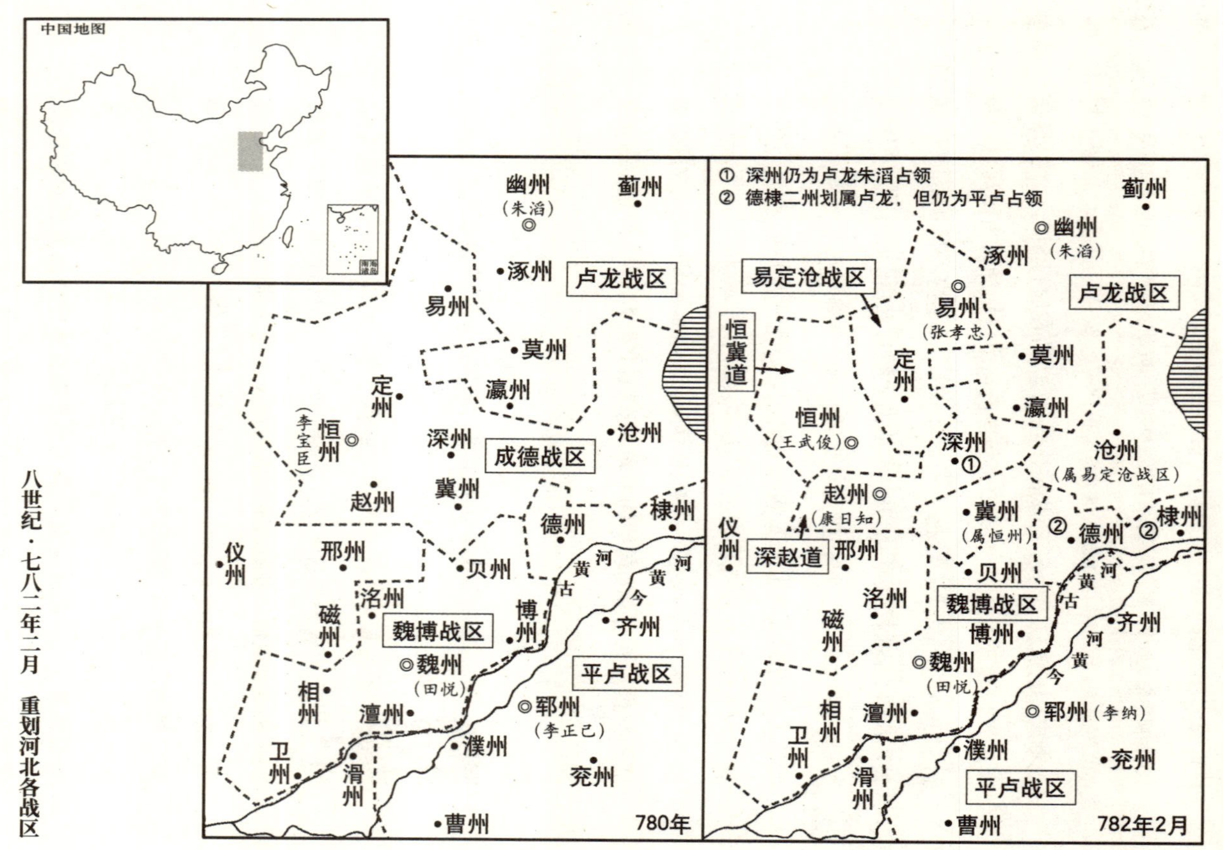

八世纪·七八二年二月　重划河北各战区

田悦得到这些消息，派执行官（判官）王侑（音yòu〔又〕）、许士则，从小路绕道深州（河北省深州市），游说朱滔，说："你奉命讨伐李惟岳，十天半月之间，就攻克束鹿（河北省辛集市）、深州（河北省深州市），李惟岳穷途末路，王武俊趁着你的破竹之势，才能砍下李惟岳的人头，这都是你的功劳。皇上曾经颁发诏书，公开宣布凡是你攻克的李惟岳城池，全部划归卢龙战区（总部设幽州〔北京市〕），可是，现在却把深州（河北省深州市）划归康日知（深赵〔首府赵州〕行政长官），是皇上自己毁信食言。尤其是，皇上雄心勃勃，立志扫平河朔（河北平原），不准战区世袭割据，势将任用文官代替武官，魏博（总部魏州）如果灭亡，卢龙（总部幽州）就是下一个目标。只要魏博存在，卢龙（总部幽州）就没有灾难。你有意怜悯魏博战区今天的危急，伸出援手，不但合乎'存亡继绝'的《春秋》大义，你的子孙也可以享受万世好处。"更承诺把贝州（河北省清河县）割给朱滔。朱滔一向有强烈的权力欲望，对中央早怀贰心，听到这番说辞，大喜过望，就命王侑回魏州（河北省大名县）传达他同意的消息，使魏博军知道已有外援，坚定守城信心。

朱滔遂派执行官（判官）王郅，陪同许士则，一齐前往恒州（河北省正定县）游说王武俊（恒冀〔首府恒州〕行政长官），说："你冒着万死一生的危险，诛杀叛徒首领，拔除祸乱根源；康日知（深、赵〔首府赵州〕行政长官）没有离开过赵州（河北省赵县）一步，怎么能跟你相提并论？中央对你们二人的赏赐，竟然一样，谁不替你愤慨！现在听说又命你拨出粮食、马匹，供应邻居，中央的意思十分清楚：你是一位百战百胜的勇将，为了防备你的力量过于强大，所以先使你衰弱，等到消灭魏博（总部魏州），然后训令马燧北上，朱大帅（朱滔）南下，那时候就会把你彻底铲除。朱大帅连自己生死存亡都不敢保证，所以派我们——王郅、许士则，向你呈献愚昧的意见，打算跟你同心合力，共同把田悦救出险境，使他跟我们和平共存，你也可以留下粮食战马，自己使用；朱大帅（朱滔）也不愿把深州（河北省深州市）让给康日知，宁愿让给你，请早日任命州长，前往接事。这样的话，我们三个军事重镇（卢龙〔幽州〕、恒冀〔恒州〕、魏博〔魏州〕）联合成一条阵线，像眼睛、鼻子、手脚一样，互相帮助。以后就再没有灾难。”王武俊也大喜过望，一口允许，遂即派执行官（判官）王巨源当使节，晋见朱滔，并命王巨源代理深州（河北省深州市）州长。三个战区秘密商定日期，起兵南下。

朱滔又派人游说张孝忠（易定〔总部易州〕司令官），张孝忠拒绝。

9 宣武战区（总部设宋州〔河南省商丘市〕）司令官（节度使）刘洽，攻击平卢战区（总部设郓州〔山东省东平县〕）首领李纳据守的濮州（山东省鄄城县），攻克外城。李纳登上城楼，向刘洽痛哭流涕，乞求给他一个改过自新的机会。永平战区（总部设汴州〔河南省开封市〕）司令官（节度使）李勉，也派人向李纳劝告。

二月二十六日，李纳派他的执行官（判官）房说，携带他的同母老弟李经，跟自己的儿子李成务，前往京师（首都长安）朝见。就在这时候，宦官宋凤朝告诉唐帝李适说：“李纳已经穷途末路，不可以宽恕。”李适遂拒绝李纳投降，而且下令逮捕房说等，囚禁皇宫之内。李纳得到消息，只好继续反抗，遂率军返回郓州（平卢占区总部，山东省东平县），再跟田悦等结盟。中央发现李纳声势仍然相当强大，才想起徐州（江苏省徐州市）州长李洧（音wěi〔伟〕）。

三月十三日，命李洧兼任徐海沂道（首府设徐州〔江苏省徐州市〕）民兵总司令官暨行政长官（都团练观察使），然而，海州（江苏省连云港市）、沂州（山东省临沂市）已被李纳盘踞，李洧竟得不到手。

李纳最初反抗中央时（参考去年〔七八一〕七月），他所派的德州（山东省德州市陵城区）州长李西华，守卫城池，戒备森严，总纠察官（都虞候）李士真向李纳谗言陷害，打李西华的小报告，李纳遂解除李西华的州长职务，召唤他返回总部（郓州，山东省东平县），而命李士真接任州长。李士真到职后，伪造李纳的命令召见棣州（山东省惠民县）州长李长卿，李长卿路过德州（山东省德州市陵城区）时，李士真把他强行留下，一同归附中央。

夏季，四月六日，中央任命李士真、李长卿继续当二州州长。李士真因形势单薄，请求卢龙战区（总部设幽州〔北京市〕）候补司令官（留后）朱滔救援，朱滔这时已决心叛变，于是派大将李济时，率三千人南下，宣称协助李士真守卫德州（山东省德州市陵城区），并召唤李士真前去深州（河北省深州市）出席军事会议，李士真抵达后，朱滔就把他扣留，而命李济时代理州长。

10 四月八日，吐蕃王国（首都逻些城〔西藏拉萨市〕）把先前所掳掠的军民八百人，归还唐王朝。

11 李适派宦官北上征调卢龙战区（总部设幽州〔北京市〕）、恒冀道（首府设恒州〔河北省正定县〕）、易定战区（总部设易州〔河北省易县〕）士兵一万人，前往魏州（魏博战区总部，河北省大名县）讨伐田悦。恒冀道（首府恒州）民兵总司令官暨行政长官（都团练观察使）王武俊拒绝接受诏书，反而逮捕宦官，押解给卢龙战区（总部幽州）候补司令官（留后）朱滔，朱滔向全军宣布说："凡是有功的将士，我替你们向中央要求升官晋级，没有一次成功。我现在想跟各位同时整装南下魏州（河北省大名县），攻击马燧（河东〔总部太原府〕司令官），把他打败后，图个温饱，各位意下如何？”（天下竟有如此幼稚的叛变理由，可看出朱滔之类军阀的程度，问题是，李适、卢杞的程度更低。）大家全不作声，直到第三次发问，大家才说：“幽州（北京市）自从安禄山、史思明叛变，追随他们南下的人，没有一个活着回来，遗留下无数孤儿寡妇，悲惨痛苦，深入骨髓。何况太尉（朱泚的中央官衔）、司徒（朱滔的中央官衔），都受政府的宠爱和荣耀，将士们也都蒙政府任官授勋。我们只盼望保持目前状况，不敢再有其他侥幸的想法。”朱滔一时呆住，沉默不再说话。但在散会后却诛杀持反对意见的大将数十人，对士卒的赏赐安抚，更加优厚。

康日知（深赵〔首府赵州〕行政长官）得到朱滔的阴谋，报告河东战区（总部太原府）司令官（节度使）马燧，马燧立即转奏唐帝李适。李适因魏州（河北省大名县）还没有攻克，恒冀道（首府设恒州〔河北省正定县〕）首领王武俊再次叛变，了解中央的力量不能控制朱滔。

四月十日，下诏封朱滔当通义郡王，希望能够发挥安抚功能，但朱滔的叛变阴谋，越发积极，分出一部分军队进逼赵州（河北省赵县），对康日知施加压力，而把深州（河北省深州市）交给恒冀道（首府恒州）将领王巨源（朱滔履行承诺，结交王武俊），王武俊命他的儿子王士真当恒冀深三州战区（以原恒冀道改，总部仍设恒州）候补司令官（留后），率军包围赵州（河北省赵县）。

涿州（河北省涿州市）州长刘怦（音pēng〔烹〕），是朱滔同县（昌平，北京市昌平区）人，他的娘亲是朱滔的姑妈，听说朱滔打算援救田悦，写信劝阻，说：“在故乡昌平（北京市昌平区），中央为了尊崇你们兄弟，特改乡名为‘太尉乡’，改里名为‘司徒里’（太尉是朱泚中央官衔、司徒是朱滔中央官衔），这是大丈夫万世不朽的大名，只要忠诚顺服，就没有一件事不称心如意。我私下沉思，近年以来，肤浅夸大的好战分子，动不动出军攻击，而终于身败名裂、家族屠灭的，就有安禄山、史思明之辈。我是你最密切的亲戚，假如闭口不言，不提醒你，是辜负你对我的信任和爱护。只有请你详细考虑，以免将来后悔。”朱滔虽然不接受他的意见，但也了解刘怦的忠心，对他没有猜忌。

朱滔将要发动兵变，恐怕易定沧战区（总部设易州〔河北省易县〕）司令官（节度使）张孝忠在他背后制造灾难，再派大营管理官（牙官）蔡雄，前去游说。张孝忠说：“从前，大帅（朱滔）从幽州（北京市）出发，命你告诉我说（朱滔派蔡雄事，参考去年〔七八一〕八月）：‘李惟岳辜负帝国厚恩，身为叛逆！’认为我只要服从中央，就是忠臣。我的性情耿直，接受大帅（朱滔）的教训。而今，既然已成为忠臣，就不能再帮助叛逆。我跟王武俊二人，都出身蛮夷（张孝忠是奚部落乞失活支派，参考七七五年六月；王武俊是契丹部落怒皆支派，参考七六二年十一月），深刻了解，他的性情反复无常。不要忘记我今天说的话，有一天你会想起。”蔡雄仍不肯放弃，继续作种种巧妙分析。张孝忠大怒，打算逮捕他送到京师（首都长安），蔡雄畏惧，逃了回去。朱滔乃命刘怦率军驻扎重要据点，防备张孝忠。张孝忠修补城池，磨利武器，孤军困处在强大的敌群之间，不肯屈服。

朱滔率步骑兵二万五千人，自深州（河北省深州市）出发，抵达束鹿（河北省辛集市）。第二天一早，正要开拔，军号的声音还没有吹完，士卒们忽然发现情形不对，秩序立刻大乱，呐喊说：“天子命大帅（朱滔）班师幽州（北京市），为什么违背中央，南下去救田悦！”朱滔大为恐惧，拔腿逃走，躲到驿马车站后屋。蔡雄跟作战司令（兵马使）宗项等，假传朱滔的命令，告诉士卒说：“你们不要吵闹，听大帅

(朱滔)传下来的话。”大家稍稍平静，蔡雄说：“大帅(朱滔)当初从范阳(幽州州政府所在城)出发时，皇上圣旨指示说，夺取李惟岳的城池，就归自己所有。大帅(朱滔)因幽州缺少棉花和生丝，所以和你们同心协力，艰苦血战，夺取深州(河北省深州市)；深州是棉丝产地，希望能减少你们赋税的负担，再想不到，皇上不遵守自己的诺言，竟把深州(河北省深州市)割给康日知(深赵〔首府赵州〕行政长官)。而且，中央因你们都有战功，每人赏赐十匹绸缎，运到魏州(河北省大名县)西境，却被马燧(河东〔总部太原府〕司令官)抢走。大帅(朱滔)只要留在范阳(北京市)，有的是荣华富贵。今天之所以南下，全是为了你们，不是为了自己。你们既然不愿意，当然可以北上回家，用不着喊叫蹦跳，违犯军纪！”大家听后，不知道如何是好，另找话题说：“钦差宦官为什么不保护皇上赏赐给我们的东西！”于是一窝蜂拥到钦差宦官招待所(敕使院)，捉住钦差宦官，砍成几片而死。又大喊说：“虽然知道大帅(朱滔)这次出军是为了我们，但最好仍接受中央命令，返回本镇。”蔡雄说：“那么，你们各回所属单位，明天就回深州(河北省深州市)，休息几天，一齐回家。”这时人心才告安定。朱滔即率军折返深州(河北省深州市)，命各将领秘密调查制造混乱、领头闹事的是谁，查出二百余人，一律斩首，其他的人全都吓得发抖，不敢再动。朱滔再率军南下，没有一个人敢退后一步。

观察田庭玠之劝阻田悦，谷从政、邵真之劝阻李惟岳(皆参考去年〔七八一〕正月)；范阳(卢龙战区)兵团士卒之不肯追随朱滔南下救援魏州(河北省大名县)；河朔(河北平原)三镇的人，岂都背叛中央？只是在上位的中央官员，不依照正道办事而已。

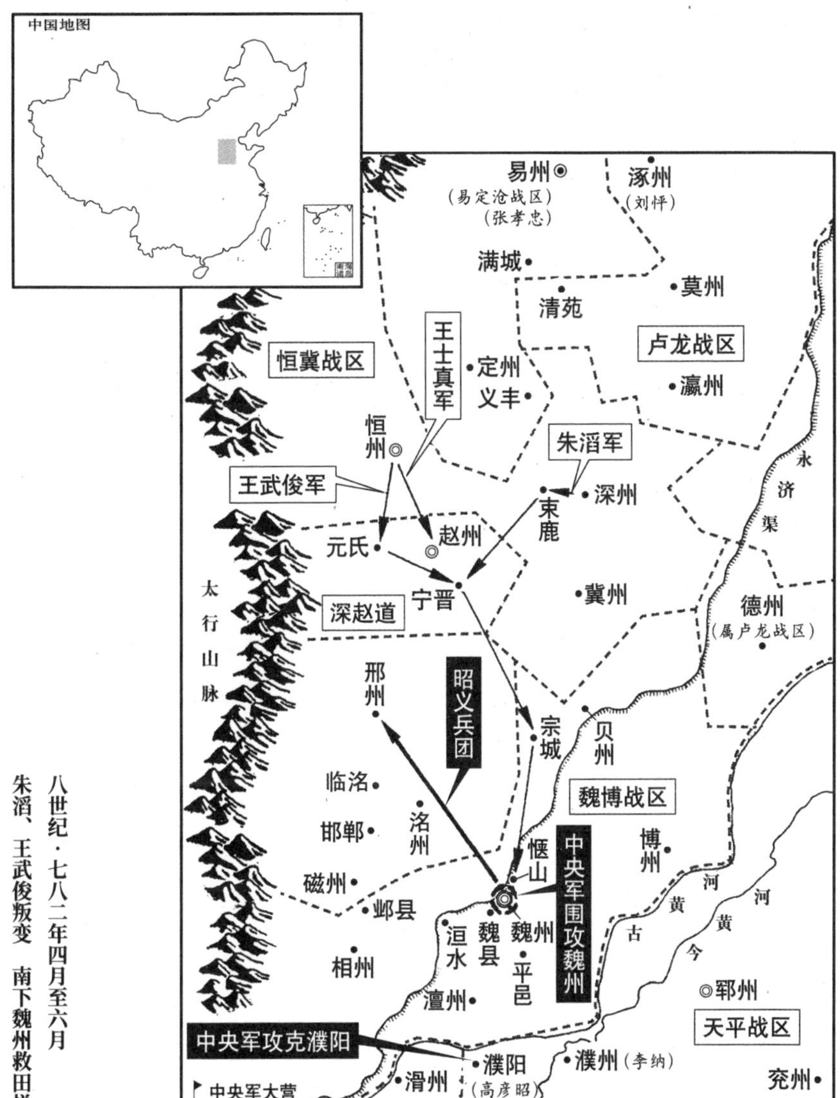

八世纪·七八二年四月至六月
朱滔、王武俊叛变 南下魏州救田悦

朱滔率军进击，攻克宁晋（河北省宁晋县），暂时停止攻势，等待王武俊行动。王武俊率步骑兵一万五千人，夺取元氏（河北省元氏县），向东方的宁晋（河北省宁晋县）出发（宁晋、元氏，皆是赵州〔河北省赵县〕属县）。 476

王武俊诛杀李惟岳不久，派执行官（判官）孟华进京（首都长安）朝见。孟华忠诚正直，有才干谋略，在跟唐帝李适见面时，报告军情，回答问题，侃侃而谈，李适大为赏识，命他当恒冀道（首府设恒州〔河北省正定县〕）民兵副司令（团练副使）。而这时王武俊跟朱滔已经结合，阴谋背叛，李适命孟华马上回去，传达中央旨意。孟华返抵恒州（河北省正定县），王武俊大军已经出动，孟华劝阻说："皇上对你的印象，极为深刻，只要能尽忠守义，何必担心官位不高，爵位不尊，土地不广！用不了多久，中央定会把康日知（深赵〔首府赵州〕行政长官）调到别的州，深州（河北省深州市）、赵州（河北省赵县），终于仍会归你所有，何苦迫不及待，堕落成为叛徒（大乱之后，李适终于把二州划给王武俊，参考后年〔七八四〕正月二十四日）！将来一事无成时，后悔已来不及！"孟华从前当李宝臣（张忠志）幕僚时，就因直言无隐，凡事都依照正规法则办理，深受同事们的猜忌，现在被中央任命为副司令（副使），同事们更是妒火中烧，向王武俊谗言陷害说："孟华把我们军中秘密，都告诉皇上，充当内应，所以皇上才越级升他高位。恐怕要瓦解你的军心，你最好防备。"王武俊因孟华是从前旧同事，不忍心诛杀，只免除他的官职，命他返回私宅。

田悦（魏博〔总部魏州〕首领）仗恃援军就要到达，派作战司令（兵马使）康愔，率一万余人，出魏州（河北省大名县）城西，跟马燧等中央军在御河（永济渠）会战，大败而回。

12 当时，两河（黄河南北）的军事行动，中央每月都要支出军费一百余万串，国库存款，不能支持几个月。祭祀官（太常博士）韦都宾、陈京，向中央建议，认为：“天下的财富和金钱，都集中在商人之手，政府应搜刮富商的家产，只准保留一万串钱，超过一万串钱的，由政府全部借贷，供应军需，只要搜刮一二千家富商，就足够几年之内的军费开支。”李适批准。

四月十二日，下诏向商人“借贷”，命全国财政总监署（度支）编列富商名册及政府应“借贷”数目。全国财政总监（判度支）杜佑，大肆搜刮京师（首都长安）所有商人的财产、货物，但仍怀疑商人有所隐瞒，于是横行逮捕，苦刑拷打，有的商人受不了痛苦，甚至上吊自杀。首都长安陷于混乱恐怖，好像受到匪徒强盗劫掠，最后总共才“借贷”到八十余万串。政府更搜刮保管箱里的现金；对民间所有金钱、布匹、粮食积蓄等，都强行借贷四分之一，所有钱柜及仓库，全部查封，以免转藏到别的地方。人民无法维持生活，纷纷关门停业；商人、住民等接二连三到大街上拦住宰相控诉，每次都有成千上万。卢杞最初还对他们安抚慰问，后来发现无法阻止，急行脱身，绕道别的小路回去。最后总计，连同向商人“借贷”的部分，才二百万串（《实录》记载，只有八万串），而民间已经枯竭。

陈京，是陈叔明的五世孙（陈叔明，是陈帝国四任帝陈顼之子，参考五七三年十二月）。

13 四月二十二日，任命昭义战区（总部设潞州〔山西省长治市〕）副司令官（节度副使）、磁州（河北省磁县）州长卢玄卿，当洺州（河北省磁县）州长，兼魏博战区（总部魏州）征剿副司令（招讨副使）。

最初，李抱真（安抱真）当泽潞战区（总部设潞州〔山西省长治市〕）司令官（节度使）时，马燧当河阳三城（河南省孟州市）基地司令（使）。李抱真（安抱真）打算杀怀州（河南省沁阳市）州长杨钛（音shù〔树〕），杨钛逃亡，投奔马燧，马燧收留他，并上疏给皇帝，辩护杨钛没有犯罪，李抱真（安抱真）大为愤怒。后来，二人一同讨伐田悦（魏博〔总部魏州〕首领），好几次因讨论事情有不同的看法，而互相怨恨，感情越来越破裂，甚至不再见面。因此严重影响军事行动，两军推拖观望，逗留不前，讨伐大军遂很久不能成功。李适好几次派宦官到前方调解。后来，王武俊（恒冀〔总部恒州〕首领）逼近赵州（河北省赵县），李抱真（安抱真）分出二千人部队增援所属的邢州（河北省邢台市），加强戒备，马燧大发雷霆，说："残余的盗贼还没有铲除，我们应该同心合力才对，怎么反而分兵去守自己的地盘！"打算率军撤回自己防地。神策军先锋总作战司令（先锋都知兵马使）李晟提醒马燧说："李抱真（安抱真）因邢州（河北省邢台市）跟赵州（河北省赵县）相邻，分出一部分部队增援，对大局并没有损害。如果你因此率军一走了之，大家对你有什么评论！"马燧大为高兴，单人匹马前去李抱真（安抱真）大营，解释过去误会，重结友情（当初，马燧是李抱真老哥李抱玉〔安抱玉〕的下属，参考七六三年闰正月）。正巧，洺州（河北省邯郸市永年区东南广府镇）州长田昂（参考本年〔七八二〕正月），要求调回京师（首都长安），马燧上疏建议把洺州（河北省邯郸市永年区东南广府镇）划归昭义战区（总部设潞州〔山西省长治市〕），并推荐卢玄卿当州长，兼任征剿副司令（招讨副使）。

李晟原来仅隶属李抱真（安抱真），现在他请求同时隶属马燧，表示双方和睦。李适全部批准。

14 卢龙战区（总部设幽州〔北京市〕）作战参谋长（行军司马）蔡廷

玉，讨厌执行官（行军司马）郑云逵，把情形报告司令官（节度使）朱泚，朱泚上疏把郑云逵贬作莫州（河北省任丘市北鄚州镇）参谋官（参军）。郑云逵的妻子是朱滔的女儿，朱滔上疏留郑云逵当机要秘书（掌书记）。郑云逵遂在岳父面前，对蔡廷玉谗言陷害，而蔡廷玉又跟最高法院摄理副院长（检校大理少卿）朱体微警告朱泚说："朱滔在幽州（北京市），遇事专断独行，性情并不忠厚，不可以交给他兵权。"朱滔得到消息，大怒，几次写信给朱泚，要求诛杀二人。朱泚不接受；因此兄弟之间，发生冲突。最近，朱滔背叛中央，李适打算把罪状全归到蔡廷玉等头上，博取朱滔的喜悦。

四月十二日，贬蔡廷玉当柳州（广西柳州市）户籍官（司户）、朱体微当万州（重庆市万州区）南浦县（万州州政府所在县）防卫员（尉）。

15 宣武战区（总部设宋州〔河南省商丘市〕）司令官（节度使）刘洽，攻击反抗军平卢战区（总部设郓州〔山东省东平县〕）所属的濮阳（河南省濮阳市），迫使守将高彦昭投降。

16 朱滔派使节把密函藏到头发髻里，千里绕道，送给远在凤翔（陕西省宝鸡市凤翔区）的老哥朱泚，要求朱泚同时聚众起兵。半途被马燧查获，把使节连同文件，一起解送首都长安（陕西省西安市）。朱泚还不知道。

李适命朱泚乘政府驿马车从凤翔前来京师（首都长安）。朱泚抵达后，李适把朱滔的使节及密函，让他过目，朱泚大为惶恐，叩头请求宽恕。李适说："你们兄弟相隔千里之遥，而且一开始就不是同谋，这件事跟你没有关系。"但悦耳的话说了之后，却不再命朱泚回凤翔（陕西省宝鸡市凤翔区）再握军权，而把他留在长安（首都长安)，赏赐给他著名的花园、肥沃的田地、五锦绸缎、金钱财宝，数量丰富，竭力慰问安抚。并且使他仍保持卢龙战区(总部设幽州〔北京市〕)司令官(节度使)、太尉(三公之一)、最高立法长(中书令·使相)等官衔。

李适因卢龙战区特遣兵团驻防凤翔(陕西省宝鸡市凤翔区)，考虑物色一位素有威望的高官接替朱泚。宰相张镒的忠诚和正直，深受李适的器重，所以卢杞十分嫉妒，打算把张镒排出中央，自己就更可以单独控制政府，于是奏报李适说："朱泚的威望太大，权力太重，而凤翔将领们的官阶，普遍的已经很高，除非像宰相这样的亲贵，不可能镇压得住；我请求派我前去！"李适低头沉吟，还没有回答，卢杞唯恐怕他答应，于是，急接着说："陛下如果认为我的容貌丑陋，恐怕不能得到三军的尊敬顺服，也请陛下另行指定！"李适在暗示下看着张镒说："文武全才，中外驰名，除了你找不到第二个人。"张镒知道这是卢杞的圈套，可是没有理由推辞，只好叩头接受。

四月二十六日，李适发布人事命令，命张镒兼任凤翔(陕西省宝鸡市凤翔区)特别市长(兼凤翔尹)，陇右战区特遣兵团(驻普润〔陕西省宝鸡市凤翔区北〕)司令官(节度使)等特设机关首长。

最初，卢杞跟总监察官(御史大夫)严郢，共同设计陷害杨炎、赵惠伯(参考去年〔七八一〕九月)，杨炎既死，卢杞又嫉妒严郢。正巧，蔡廷玉等被贬官远窜，已走到蓝田(陕西省蓝田县)，宫廷监察官(殿中侍御史)郑詹，却把公文误送昭应(陕西省西安市临潼区)，命昭应(陕西省西安市临潼区)县政府派差解送，昭应(陕西省西安市临潼区)立刻派人到蓝田(陕西省蓝田县)把二人追回，改由昭应(陕西省西安市临潼区)东行。蔡廷玉等在昭应(陕西省西安市临潼区)差役押解下，走到灵宝(河南省灵宝市东北）西，误认为要把他们交给朱滔，不禁恐惧，便投黄河自杀。李适得到报告，大为惊骇。卢杞抓住机会，指控说："这将使朱泚误会出于陛下的命令；我建议请三司长官（三司长官：国务院司法部长〔刑部尚书〕、最高法院院长〔大理卿〕、总监察官〔御史大夫〕），共同审问郑詹，追究责任。"又强调："监察官（御史）办事，一定禀告总监察官（御史大夫），我建议连同严郢，一并调查。"审问终于结束。

四月三十日，李适批准卢杞的奏章：在首都长安特别市政府（京兆府），把郑詹乱棍打死；贬严郢当费州（贵州省思南县）州长，严郢最后在费州（贵州省思南县）逝世。

李适刚登极时，崔祐甫当宰相，待人处事，极为宽厚，李适的声誉十分美好（参考七七九年六月），被认为有二任帝（太宗）李世民在位时的"贞观之治"风气。后来，卢杞当宰相，知道李适外貌虽然宽厚，实际上却是一个非常猜忌的人，遂利用这项弱点，挑拨政府与人民之间的感情，也开始建议李适对臣属部下，用严格的态度。无论中央或地方，都大失所望。

17 淮南战区（总部设扬州〔江苏省扬州市〕）司令官（节度使）陈少游上疏说："本道税收，请增加五分之一（每千钱增加二百钱）。"

五月四日，李适下诏，命全国其他各战区道，均效法淮南（总部扬州）。又，食盐专卖售价，每斗增加一百钱（食盐每斗原价多少钱，史无记载，所以无法判断增加一百钱后，人民负担的轻重程度）。

18 朱滔（卢龙〔总部幽州〕首领）、王武俊（恒冀〔总部恒州〕首领）自宁晋（河北省宁晋县）南下，援救魏州（河北省大名县）。

五月九日，李适下诏命朔方战区（总部设灵州〔宁夏灵武市〕）司令官（节度使）李怀光，率朔方特遣兵团及神策军，步骑兵一万五千人，东下讨伐田悦，并抵抗朱滔等大军前进。

朱滔抵达宗城（河北省威县东），他的女婿、机要秘书（掌书记）郑云逵、参谋官（参谋）田景仙，一同背弃朱滔，向中央投降。

19 五月十五日，命河东战区（总部设太原府〔山西省太原市〕）司令官（节度使）马燧：遥兼二级宰相（同平章事·使相）。

20 五月二十九日，在定州（河北省定州市）设置义武战区（易定沧战区改称，总部自易州迁至定州），仍管辖定州、易州（河北省易县）、沧州（河北省沧州市东南）。

21 当初，张光晟屠杀回纥官员药罗葛突董（参考前年〔七八〇〕八月），李适就打算从此跟回纥汗国（瀚海沙漠群）永远断绝关系；出使回纥的册封可汗特使源休（参考前年〔七八〇〕六月）返回太原（山西省太原市），很久之后，才再派源休把药罗葛突董、翳密施、大伯爵（大梅录）、小伯爵（小梅录）等四个人的灵柩，运送回国。回纥可汗（四任大可汗）药罗葛顿莫贺派大宰相颉子斯迦等，迎接灵柩。

颉子斯迦高坐在大帐之中，命源休等站在大帐外的冰天雪地里，盘问唐王朝诛杀药罗葛突董的情形，三四次都打算把源休斩首，但仍忍耐下来，只不过招待十分简陋，羁留五十余天，才放他回国。临走时，药罗葛顿莫贺派使节告诉源休说：“我国的人都想杀你，为死者抵命，但我的意思不是这样。你们已杀药罗葛突董等，我国再杀你，就好像用血洗血，更加污染。而今，我用水洗血，岂不是一件好事！唐王朝欠我们的马价绸缎共一百八十万匹，应该立刻偿还！”派散支将军康赤心，跟随源休同到京师（首都长安）朝见，源休始终没有见到可汗。

六月二十八日，源休等一行抵达京师（首都长安），李适命付给回纥绸缎十万匹、金银十万两，作为马价。

源休反应迅速、口才流利，卢杞恐怕他一旦晋见皇帝，有受到重用的可能，于是，在他返抵京师（首都长安）之前，就先擢升他当宫廷膳食部长（光禄卿）。

22 朱滔、王武俊率军抵达魏州（河北省大名县），田悦（魏博〔总部魏州〕首领）送上牛肉、美酒，出来欢迎，魏博战区（总部魏州）士卒的欢呼声震动大地。朱滔在惬山（河北省大名县北十二公里）扎营。当天，中央军李怀光的朔方兵团（总部灵州）也抵达，马燧等用最盛大的军礼欢迎。朱滔认为中央军将发动袭击，立刻出兵列阵。李怀光有勇气而没有谋略，打算趁朱滔的营垒还没有完成，先行进攻。马燧则建议使长途行军的将领士卒，稍事休息，等到对方暴露缺点时，再采取行动。李怀光说：“如果等到他们建立起来营垒，以后的灾难就没有穷尽，现在面对千载难逢的良机，不可错过。”遂在惬山（大名县北二十公里）以西，攻击朱滔兵团，格杀步兵一千余人，朱滔兵团崩溃。李怀光骑在马上，手按马鞍，忍不住沾沾自喜。部下士卒争先恐后杀入朱滔军营，掠夺金银财宝；王武俊率二千人骑兵，及时楔入李怀光军，李怀光军被拦腰切断，前后不能相顾。朱滔率军反击，中央军遂大败，士卒被逼跳进永济渠，淹死的不计其数，互相踏践，尸首堆积得像山一样高，渠水都不能流动。马燧等各自紧急收兵，退保营垒。当天晚上，朱滔等反抗军堵塞永济渠，使水注入王莽河（古黄河之北有一个支流，在河北省大名县西，于王莽当政时淤塞，参考一一年，民间幽默的称这条干涸的河床为王莽河），断绝中央军的粮运以及退路。第二天，平地水深三尺有余，马燧大为恐惧，派使节携带措辞谦卑的私函，晋见朱滔道歉，请求网开一面，让中央军各返各的战区，马燧承诺奏请皇帝："把黄河以北地区，全部交给五郎处置（朱滔在兄弟中排行第五，称他五郎，表示亲昵）！"朱滔接受，王武俊坚决反对，朱滔不听。

秋季，七月，马燧跟其他中央各军，蹚过河水，向西撤退，驻屯魏县（河北省大名县西南），继续跟朱滔敌对。朱滔发现受骗，于是向王武俊道歉，但王武俊对朱滔已怀恨在心。几天之后，朱滔等反抗军进驻魏县（河北省大名县西南）东南，跟中央军隔一条河水（应是永济渠支流）对峙。

23 平卢战区（总部设郓州〔山东省东平县〕）首领李纳，向朱滔等求救，朱滔派魏博战区（总部设魏州〔河北省大名县〕）作战司令（兵马使）信都承庆（不知与信都崇庆是否一人，参考去年〔七八一〕十一月八日）率军救援。李纳反攻宋州（河南省商丘市），不能攻克；于是派作战司令（兵马使）李克信、李钦遥，进驻濮阳（河南省商丘市）、南华（山东省菏泽市西北），监视宣武战区（总部设宋州〔河南省商丘市〕）司令官（节度使）刘治（濮阳刚被中央军攻克，参考本年〔七八二〕四月，当是平卢军又夺回）。

24 七月二十三日，李适（音kuò〔阔〕）命淮宁战区（总部设蔡州〔河南省汝南县〕）司令官（节度使）李希烈，兼任平卢、淄青、兖郓、登莱、齐州战区（总部设郓州〔山东省东平县〕）司令官（节度使），讨伐李纳。又命河东战区（总部设太原府〔山西省太原市〕）司令官（节度使）马燧，兼任魏博、澶相战区（总部设魏州〔河北省大名县〕）司令官（节度使）。

命朔方邠宁战区（总部设灵州〔宁夏灵武市〕）司令官（节度使）李怀光遥兼二级宰相（同平章事·使相）。

25 神策军特遣兵团征剿司令（神策行营招讨使）李晟，建议中央，愿率他的部队北上，解除赵州（深赵道首府，河北省赵县）的包围，然后会同义武战区（总部设定州〔河北省定州市〕）司令官（节度使）张孝忠，进攻范阳（涿州州政府所在县，河北省涿州市），以解除南方战场所受的压力。李适同意。李晟遂自魏州（河北省大名县）率军北上，向赵州（河北省赵县）进发；围城军王士真得到消息，遂撤军退走。李晟在赵州（河北省赵县）停留三天，跟张孝忠会师，继续北进，企图夺取恒州（恒冀战区总部，河北省正定县）。

26 演州（越南演州县）军务秘书长（司马）李孟秋发动兵变，自称安南战区（总部设安南府〔越南河内市〕）司令官（节度使）。

安南总督（总督府设越南河内市）辅良交出军讨伐，斩李孟秋。

27 八月丁未日（八月辛亥朔，没有丁未），唐政府设汴水东西水陆运输、两税征收、盐铁专卖暨运输总监（汴东西水陆运两税盐铁使）二人。全国财政总监署（度支）只负责指导监督。

28 八月十一日，擢升泾原战区（总部设泾州〔甘肃省泾川县〕）候补司令官（留后）姚令言，实任司令官（节度使）。

29 宰相卢杞讨厌太子太师（太子三师之一，从一品）颜真卿，誓言把他排出首都长安。颜真卿得到消息，告诉卢杞说：“你父亲的人头，传送到平原郡（山东省德州市陵城区）时（卢杞的老爹卢奕，当副总监察官〔御史中丞〕，于洛阳沦陷时，被安禄山所杀，颜真卿时任平原郡郡长，参考七五五年十二月），我用舌头舐他脸上的血，而今，你难道真的忍心排斥！”卢杞想不到他会说这话（迄今已二十七年），惊慌的跳起来，向颜真卿叩谢大恩，但心里对颜真卿更为痛恨。

柏杨曰

对卑劣的人有恩，是一种危险，只有高贵的心灵才会图报，卑劣的人缺少这种心灵，他反而希望早日把恩人排除——或诛杀、或斗臭，用以掩盖昔日自己的卑鄙狼狈。直到世界上再没有人知道自己的往事时，心情什么时候才能平衡。

30 九月二十三日，宫廷副总管（殿中少监）崔汉衡，从吐蕃王国（首都逻些城〔西藏拉萨市〕）回来（崔汉衡出使事，参考去年〔七八一〕三月），吐蕃国王（三十七任）娑悉笼猎赞，派部属区颊赞，跟随崔汉衡回来晋见唐王朝皇帝。

31 冬季，十月二日，任命湖南道（首府设潭州〔湖南省长沙市〕）行政长官（观察使）、曹王李皋，当江南西道战区（总部设洪州〔江西省南昌市〕）司令官（节度使）。李皋到洪州（江苏省南昌市）就职后，集合全体文武官员，考察他们的才干，擢升营门官（牙将）伊慎、王锷等当大将；又聘请曾当过荆南战区（总部设江陵府〔湖北省江陵县〕）及山南东道战区（总部设襄州〔湖北省襄阳市〕）执行官（判官）的许孟容，成为自己的智囊。伊慎，是兖州（山东省济宁市兖州区）人。许孟容，是长安（首都长安西半城）人。

伊慎曾经配属淮宁战区（总部设蔡州〔河南省汝南县〕）司令官（节度使）李希烈，讨伐梁崇义（参考去年〔七八一〕八月），李希烈对伊慎的才干，十分欣赏，打算把他留下，伊慎却不愿意，暗中逃回洪州（江西省南昌市）。现在，李希烈听到李皋重用伊慎的消息，恐怕将来对付自己，特别派人馈赠伊慎一件贵重的七片铠甲，然后伪造一封伊慎写给李希烈的谢函，故意把这封信遗失在边界上，而且恰恰让中央军巡逻人员查获。李适得到报告，派宦官到江南西道（总部洪州）大营，下令把伊慎斩首。李皋竭力替伊慎申雪，保证伊慎受到诬陷，但中央的答复，迟迟没有批下。正巧，长江水盗三千人入境，李皋命伊慎迎击赎罪（专制社会的人，想法奇异，伊慎既被诬陷，本没有罪，不知赎的是什么罪）。伊慎击破长江水盗，诛杀数百人，班师而回；因此得免一死。

32 卢杞独自一人主持中央政府，知道李适依照惯例，一定会再任命一个宰相；深恐分割自己的权力，于是，利用一个机会，声称国务院文官部副部长（吏部侍郎）关播，是儒家学派巨子，温柔敦厚，可以引导风俗习惯，进入正轨；遂推荐他兼任宰相（关播事，参考七七九年二月）。

十月七日，李适命关播当副立法长（中书侍郎）、二级实质宰相（同平章事）。但事实上政府仍握在卢杞一人之手，关播只不过坐在那里点头，不发一言。有一次，李适跟宰相们从容的讨论国政，关播觉得某一件事不可实施，站起来准备说话，卢杞使出某种眼神，关播就不敢开口。回到立法院（中书），卢杞警告关播说：“我一向认为你庄重谨慎，不多说话，所以介绍你到这个位置上，刚才怎么想起来发表意见！”关播从此再不敢发言。

33 十月十九日，派国务院司法部狱政司副司长（都官员外郎）樊泽，出使吐蕃王国（首都逻些城〔西藏拉萨市〕），通知两国缔结条约盟誓的日期。

34 十月二十七日，肃王李详（李适的儿子）逝世。

35 十一月一日，命淮南战区（总部设扬州〔江苏省扬州市〕）司令官（节度使）陈少游：遥兼二级宰相（同平章事·使相）。

36 田悦（魏博〔总部魏州〕首领）感激朱滔（卢龙〔总部幽州〕首领）的援救，跟王武俊（恒冀〔总部恒州〕首领）商议，共同拥护朱滔当领袖，二人愿向他称“臣”，屈居下位。朱滔辞让说：“惬山之役取得胜利，都是大帅二哥（王武俊）的力量（王武俊在兄弟中排行第二），我怎么敢独自高高在上！”于是卢龙（总部设幽州〔北京市〕）战区执行官（判官）李子千、恒冀道（总府设恒州〔河北省正定县〕）执行官（判官）郑濡等，共同研究，建议说：“三位大帅，连同平卢（总部郓州）李纳，应改成四个独立王国，各人都称国王，但不改年号，像从前周王朝各封国尊奉周王朝的年号一样（周王朝各封国并不用周王朝的年号，而是各用自己的年号。《春秋》是鲁国编年史，就用鲁国的年号），修筑高台，四国国王登台盟誓，如有违背誓约，大家共同讨伐。否则，大家怎么能一直以叛徒的身份，四顾茫然，心里连个主宰都没有，不但提不出政治号召，而且对建立功勋的官员，也没有官爵可以赏赐，部属们还有什么盼望！”

朱滔等接受这项建议，于是朱滔称冀王，田悦称魏王，王武俊称赵王，联名请李纳称齐王。当天（十一月一日），朱滔等在大营中筑起高台，禀告上天，各就王位，共推朱滔当盟主，仿效皇帝自己称“朕”前例，朱滔自己称“孤”；王武俊、田悦、李纳自己称“寡人”。所住的地方称“殿”，裁决指示称“令”，部属上书称“笺”。妻子称“妃”，长子称“世子”。战区总部所在地称“府”（卢龙战区总部幽州改称范阳府，魏博战区总部魏州改称大名府，恒冀战区总部恒州改称真定府，平卢战区总部郓州改称东平府），设置留守长官兼元帅，主持王国的军政大事；又设置“东院”（东曹）“西院”（西曹），比照“立法院”（中书）“监督院”（门下省）；另设“东院长官”（左内史）、“西院长官”（右内史），比照最高监督长（侍中）、最高立法长（中书令）；其他官职，都仿效唐王朝中央政府，只稍为改变名称。

赵王王武俊命孟华当礼教部长（司礼尚书），孟华拒绝接受，吐血而死；又命作战司令（兵马使）卫常宁当宰相（内史监），把王国军事交给他负责。卫常宁暗中计划谋杀王武俊，王武俊把他腰斩。王武俊派部将张终葵再攻赵州（河北省赵县），深赵道（首府赵州）行政长官（观察使）康日知击斩张终葵。

37 淮宁战区（总部设蔡州〔河南省汝南县〕）司令官（节度使）李希烈，率部属及军队三万人，迁往许州（河南省许昌市），派亲信到郓州（山东省东平县）晋见李纳（李纳此时应自濮州〔山东省鄄城县〕返回战区总部郓州），约定共同袭击汴州（河南省开封市）。然后派使节通知永平战区（总部设汴州〔河南省开封市〕）司令官李勉说：“我奉命兼管淄、青（平卢战区），打算路过汴州（河南省开封市），前去到差办公。”李勉马上给他修桥补路，沿途准备饮食，但下令全军进入紧急状态，严密戒备。李希烈发现无机可乘，始终没有动身。李希烈又秘密跟朱滔（卢龙〔总部幽州〕首领）结交通信。李纳（平卢〔总部郓州〕首领）也好几次派出游击部队，渡过汴水，迎接李希烈。

因此，供应中央的江淮（华东地区）粮食，不敢用汴水运输，只好改道蔡水，先运到陈州（河南省周口市淮阳区），再进入黄河（平卢战区〔总部郓州〕正式反抗中央之后，中央的漕运路线本就改经蔡水、颍水，参考去年〔七八一〕六月。当是徐州〔江苏省徐州市〕回归中央之后，甬桥〔安徽省宿州市〕一带通行无阻，所以改回汴淮运输路线。如今李希烈叛变，再用颍蔡路线。）

十二月二十九日，李希烈自称全国总元帅（天下都元帅）、太尉（三公之一）、建兴王。当时，朱滔等跟中央军对峙数月之久，中央军补给由全国财政总监署（度支）供给，各战区道也不断增派援军。而朱滔和王武俊两支孤军，深入异乡，一切补给供应，全都依靠田悦，无论客军、主军，都筋疲力尽，越发困苦。听到李希烈部队强大丰裕，生出一线希望，商议的结果，派使节前往许州（河南省许昌市），劝李希烈登极当皇帝。李希烈虽不马上接受，但从此正式公开称全国总元帅（天下都元帅）。

38 天文台副台长（司天少监）徐承嗣，请求重新制定《建中正元历》，李适批准（之前沿用《五纪历》，参考七六四年五月）。

八世纪·七八二年十一月

淮宁李希烈据十一州叛变，中央再用颍蔡粮道

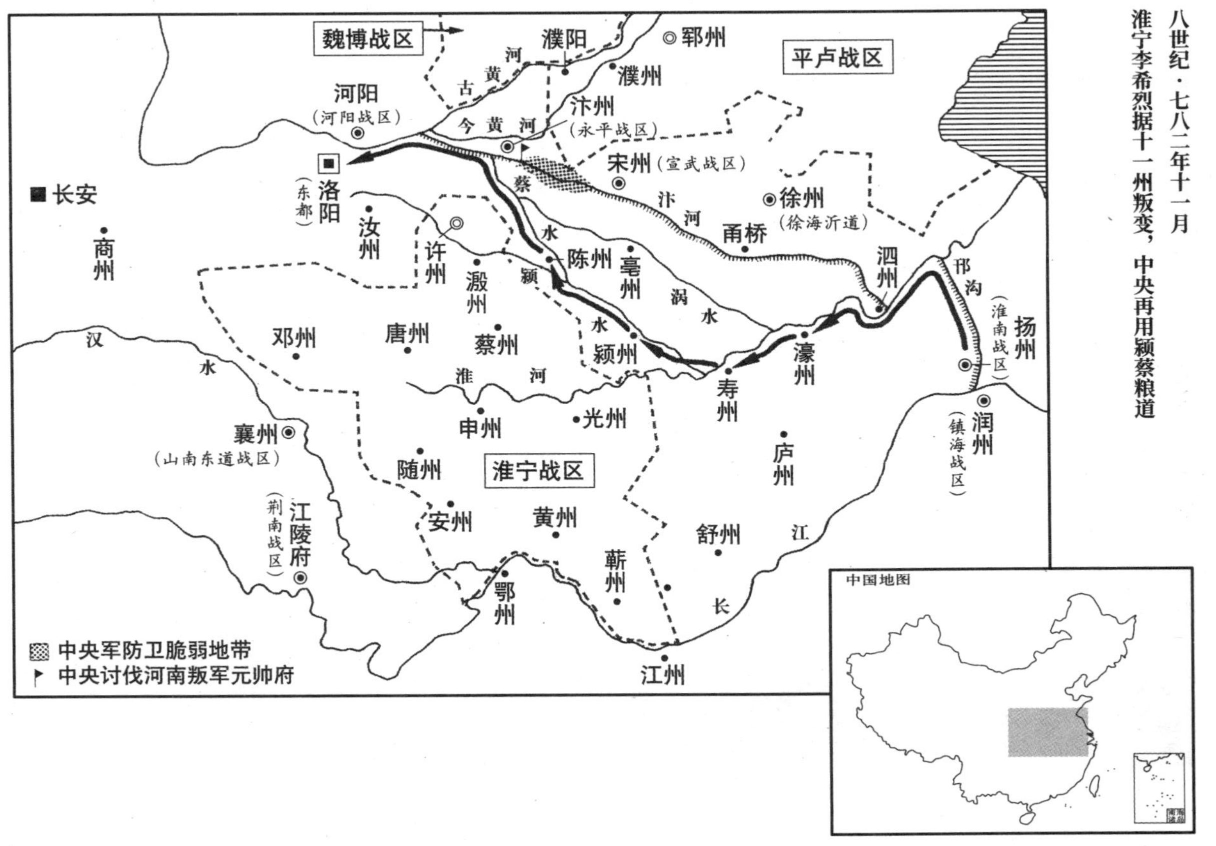

七八三年 癸亥

唐　建中　四年

（秦帝朱泚应天元年）

1 春季，正月十日，唐王朝（首都长安〔陕西省西安市〕）陇右战区特遣兵团（驻普润〔陕西省宝鸡市凤翔区北〕）司令官（节度使）张镒，在清水（甘肃省清水县）跟吐蕃王国（首都逻些城〔西藏拉萨市〕）官员尚结赞签订盟约。

2 正月十三日，淮宁战区（总部设许州〔河南省许昌市〕）司令官（节度使）李希烈派部将李克诚，袭击汝州（河南省汝州市），攻克，生擒总秘书长（别驾）李元平。

李元平本是湖南道（首府设潭州〔湖南省长沙市〕）执行官（判官），很有点聪明才干，但粗枝大叶，态度傲慢，洋洋自得，不可一世，高谈阔论起来，毫无忌惮，尤其喜爱就军事方面发表议论。宰相关播认为他是天下奇才，推荐给唐帝（十二任德宗）李适（本年四十二岁。适，音kuò〔阔〕），赞扬他有担任大将、宰相的才能，因汝州（河南省汝州市）距许州（河南省许昌市）最近，于是擢升李元平当汝州总秘书长（别驾），兼代理州长（知州事）。李元平到差后，立刻招募工人修建城墙；李希烈暗中派人冒充工匠投效，有数百人之多，李元平没有察觉。稍后，当李克诚率数百名骑兵突然抵达城下时，埋伏的工匠在城里响应，生擒李元平，飞奔出城献俘。李元平身材短小，没有胡须，看见李希烈，心胆都碎，屎尿同时流出来，撒得一地都是，李希烈诟骂说：“瞎宰相，用你对付我，竟这么看不起人！”

宋王朝有“带汁诸葛亮”，唐王朝有“撒尿李元平”，前后辉映，成为奇观。小人物当身处绝对安全之境，说些慷慨激昂之话，向人夸耀他是天下第一忠义兼第一韬略，甚至第一英勇，到最后往往演出“带汁”“撒尿”节目，并不足怪。怪的是竟会有人对这样的慷慨激昂，信以为真。历史之所以多彩多姿，大概在此。

李希烈派执行官（判官）周晃当汝州（河南省汝州市）州长，又派别动部队将领董待名等，到处发动游击战，攻克尉氏（河南省尉氏县），包围郑州（河南省郑州市），中央军不断被击败。李希烈的巡逻部队向西挺进到彭婆（河南省伊川县东北彭婆镇），东都洛阳（河南省洛阳市）震动，人民惊骇，纷纷逃窜，躲藏到高山深谷；洛阳留守长官郑叔则进驻宫城西苑，严密防守。

李适询问卢杞有什么办法，卢杞回答说："李希烈年轻气盛，仗恃对帝国的功劳，骄傲怠慢，部将们都不敢劝他。如果能够有一位德高望重的高官，携带陛下的诏书，前去向李希烈当面分析祸福利害，李希烈定会洗心革面，重新做人，中央可以不用一兵一卒，就使他归服。颜真卿是三朝元老（三朝：九任帝李隆基、十任帝李亨、十一任帝李豫〔李俶〕，加上李适，应是四朝元老），忠勇正直，刚毅果决，全国人民对他的名望，都十分尊敬，衷心信服，真是最恰当的人选！"李适同意。

正月十七日，李适派颜真卿前往许州（河南省许昌市）安抚慰问李希烈，诏书下达，凡是听见的所有官员，都面无人色。

颜真卿坐政府驿马车抵达洛阳（河南省洛阳市）。东都留守长官郑叔则说："你到许州（河南省许昌市），免不了一死，最好稍为停留，等待中央下一步指示。"颜真卿说："皇上的命令，怎么能够逃避！"遂继续前进。永平战区（总部设汴州〔河南省开封市〕）司令官（节度使）李勉上疏抗议说："眼睁睁看着失去一个元老，是政府的羞辱，请把颜真卿留下。"又派人在中途阻截，但已来不及。颜真卿给他儿子家书，仅只嘱咐："祭祀祖庙，抚养孤儿！"抵达许州（河南省许昌市）后，打算宣读诏书，李希烈命他的养子一千余人，环绕着颜真卿，大声诟骂，有的甚至拔刀出鞘，砍向他的脖子，好像要把他乱刀砍死，剁成肉酱吃掉；颜真卿站在那里，连脚都没有移动，脸色毫不改变。李希烈迅速赶到，用身子保护他，命养子们后退，然后很有礼貌的送颜真卿住进贵宾馆，隆重招待。李希烈打算送颜真卿返回长安（首都长安），可是在某一次聚会上，李元平也在座，颜真卿对他大声斥责，李元平满面羞惭，起身退出，向李希烈呈献一封密函，李希烈遂改变主意，留下颜真卿，不让他回去。

四位新即位的国王：朱滔（冀王〔首都幽州〕）、王武俊（赵王〔首都恒州〕）、田悦（魏王〔首都魏州〕）、李纳（齐王〔首都郓州〕），分别派使节晋见李希烈，上疏自己称“臣”，劝他登极称帝；使节们在李希烈面前叩头舞蹈，三呼万岁，异口同声说：“唐政府诛杀功臣，对全国人民失去大信，大帅天纵英明，功勋盖世，已受到唐政府的猜忌，一定会有白起（参考前二五七年十二月）、韩信（参考前一九六年正月）那种灾祸。盼望大帅早日正位，使全国人民有所归附！”李希烈传唤颜真卿，把四位使节指给他看，说：“现在，四位国王派人前来推举，事先虽没有共同商量，但见解却完全相同，太师（颜真卿中央官位是太子太师），你看这种形势，岂只我一个受中央排斥，走投无路！”颜真卿说：“他们是‘四个凶犯’，怎么能叫‘四位国王’？你自己不保护你的勋业，当唐政府的忠贞官员，却跟乱臣贼子来往，难道想跟他们一同覆亡！”李希烈大不高兴，命人把颜真卿强扶出去。有一天，颜真卿跟四位使节一同被邀参加宴会，四位使节说：“很久以来，敬仰太师的名望，而今，大帅将要称帝，而太师恰巧赶到，是上天把开国宰相赐给大帅！”颜真卿喝责说：“什么宰相？你们可听说过一位骂安禄山而死的颜杲卿（参考七五六年正月）？他就是我的老哥，我已经八十高龄，只知道严守节操，直到一死，怎么能接受你们这些人的威迫利诱！”四国使节不敢再多说话。李希烈乃把颜真卿软禁在贵宾馆，派武装士卒十人看守，在院子里挖掘一个大坑，声称要把颜真卿活埋；颜真卿神色安详，在一次和李希烈见面的时候，说：“我的生死，早已自己决定，何必弄出那么多花样？立刻给我一把剑，你就可以称心快意！”李希烈向他道歉。

3 正月二十一日，李适命左龙武（禁军第三军）大将军哥舒曜（哥舒，复姓）当洛阳汝州战区（总部设洛阳）司令官（节度使），率凤翔（凤翔府，陕西省宝鸡市凤翔区）、邠宁（邠州，陕西省彬州市）、泾原（泾州，甘肃省泾川县）三战区及奉天（陕西省乾县）、好畤（陕西省永寿县西南）神策军基地特遣兵团，共一万余人，讨伐李希烈，训令各战区道派军会师。

哥舒曜率军抵达郏城（河南省郏县。郏，音jiá〔夹〕），跟李希烈的前锋官陈利贞遭遇，击破陈利贞，李希烈的声势稍稍顿挫。哥舒曜，是哥舒翰的儿子（哥舒翰事，参考七五七年十月）。

李希烈命他的将领封有麟据守邓州（河南省邓州市），于是江淮（华东地区）跟首都长安间南线交通，又被切断，连向中央进贡和商人旅客，都不能通过。（邓州原属山南东道战区〔总部襄州〕，李希烈消灭梁崇义时〔参考七八一年八月〕，乘机占领。）

正月二十五日，李适下诏命开凿上津（湖北省郧西县西北上津镇）山区道路，设置驿马车站（上津驿道，在安禄山兵变时，唐政府就使用过一次，参考七五六年八月）。

4 二月一日，命藩属事务部长（鸿胪卿）崔汉衡，送吐蕃王国（首都逻些城〔西藏拉萨市〕）的使节区颊赞回国（区颊赞来唐王朝，参考去年〔七八二〕九月）。

5 二月十九日，把河阳三城（河南省孟州市）、怀州（河南省沁阳市）、卫州（河南省卫辉市），合并成立河阳战区（总部河阳城。此时卫州仍为田悦占据）。

6 二月二十日，哥舒曜攻克汝州（河南省汝州市），生擒周晃。

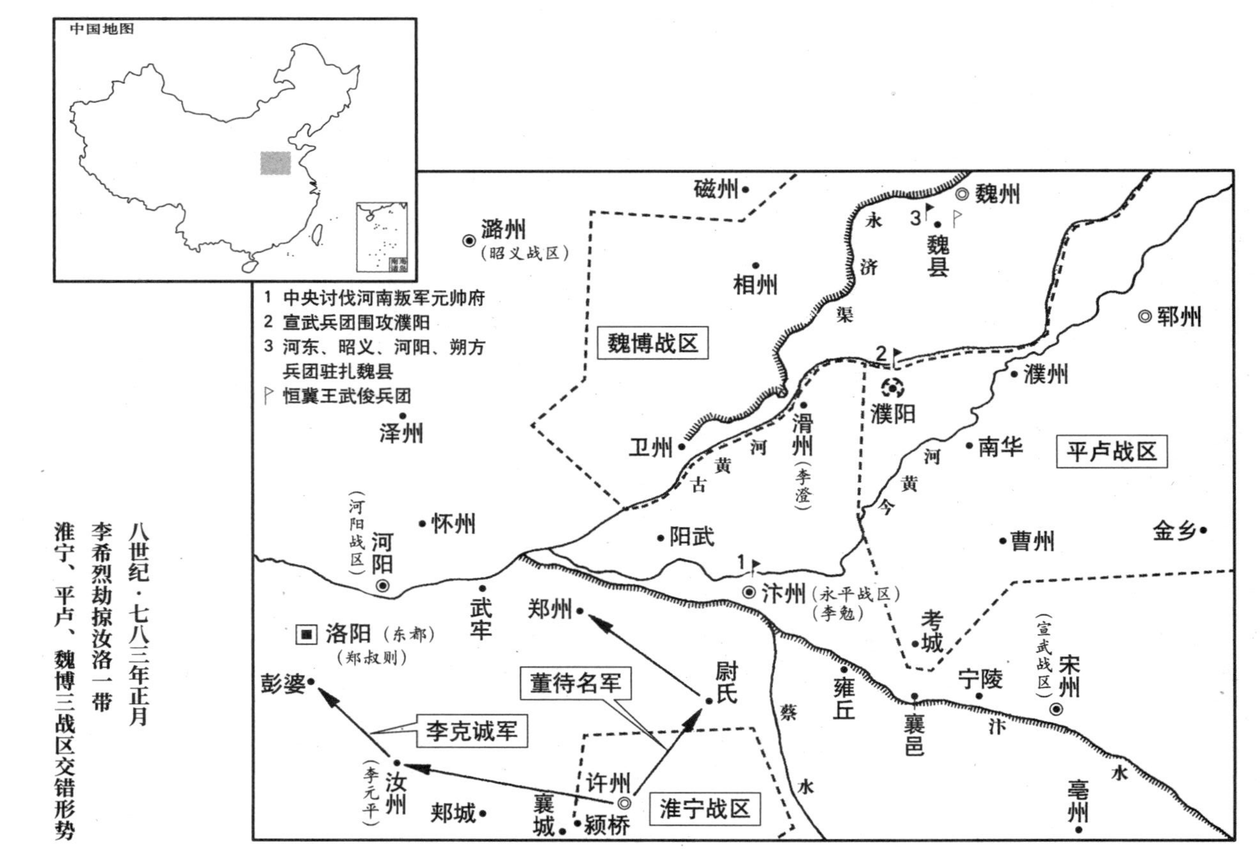

八世纪·七八三年正月
李希烈劫掠汝洛一带
淮宁、平卢、魏博三战区交错形势

7 三月一日，江西战区（总部设洪州〔江西省南昌市〕）司令官（节度使）曹王李皋，在黄梅（湖北省黄梅县）击败李希烈部将韩霜露，把他斩首。

三月十四日，李皋又攻克黄州（湖北省武汉市新洲区）。当时，李希烈部队据守蔡山（湖北省黄梅县西南蔡山镇），地势险要，无法攻破。李皋声言西上夺取蕲州（湖北省蕲春县。蕲，音qí〔奇〕），率长江舰队逆流而上，李希烈的将领率步兵沿江追击，一路交斗到距蔡山三百余华里处，李皋下令返航，舰队顺流而下，快速得像一群流星，李希烈步兵无法迅速赶回。李皋遂对蔡山发动猛烈攻击，攻克，李希烈步兵好不容易抵达，已来不及，于是溃败。李皋继续进攻，攻克蕲州（湖北省蕲春县），上疏推荐伊慎当蕲州（湖北省蕲春县）州长、王锷当江州（江西省九江市）州长。

8 淮宁战区（总部设许州〔河南省许昌市〕）总纠察官（都虞候）周曾，绥靖作战司令（镇遏兵马使）王玢（音bīn〔彬〕），内营管理官（押牙）姚憺（音dàn〔惮〕）、韦清，早就秘密联络永平战区（总部设汴州〔河南省开封市〕）司令官（节度使）李勉，表示投降诚意。李希烈派周曾会同带兵官（十将）康秀琳，率军三万人，攻击中央军哥舒曜，进抵襄城（河南省襄城县）；周曾等阴谋回军袭击李希烈，拥护颜真卿当司令官（节度使），通知王玢、姚憺、韦清届时内应。而消息走漏，李希烈派别动部队将领李克诚，率骡兵特种部队三千人（河南省地区，缺少马匹，士卒骑骡作战，骡子体格较大，行动较缓，但载重量多，更耐劳苦），袭击周曾等，斩周曾等，并斩王玢、姚憺和他的同党（山南东道〔总部襄州〕司令官李承结交周曾等，密谋诛杀李希烈事，参考前年〔七八一〕九月）。

三月十七日，李适下诏追赠周曾等官位。

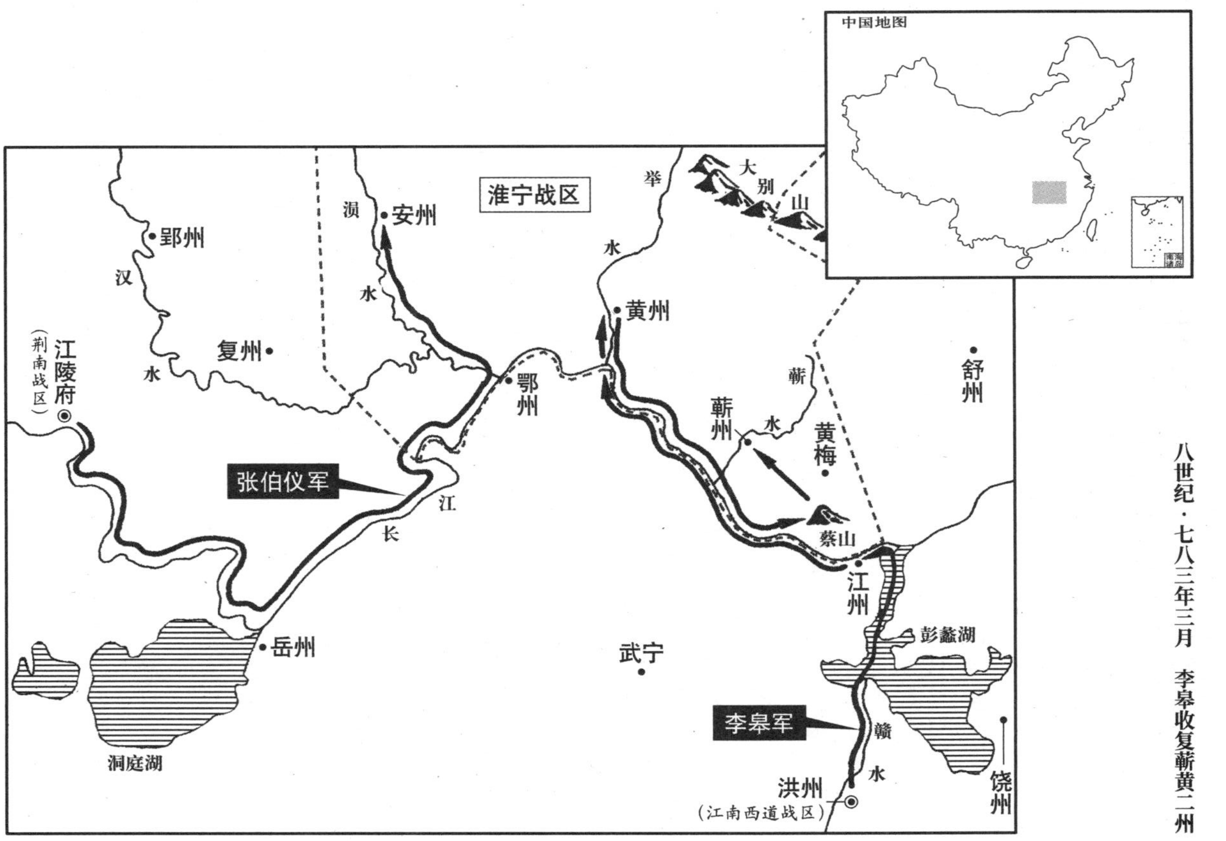

八世纪·七八三年三月　李皋收复蕲黄二州

最初，韦清跟周曾等秘密立誓，万一失败，责任单独承担，互不牵连，所以只韦清一人免除一死。但他怕终有一天大祸上身，于是建议李希烈说，他愿前往幽州（北京市）说服朱滔（卢龙〔总部幽州〕首领）出军增援，李希烈派他前往。韦清走到襄邑（河南省睢县）就投奔宣武战区（总部设宋州〔河南省商丘市〕）司令官（节度使）刘洽。李希烈处理周曾等兵变事宜，一连数天都紧闭营垒，派出进攻尉氏（河南省尉氏县）、郑州（河南省郑州市）等地的将领，得到消息，先后逃回。李希烈大为气馁，立刻上疏李适，把所有罪状，全推到周曾等头上；然后，率军返蔡州（河南省汝南县。原迁许州〔河南省许昌市〕，现在返回旧地），对中央表示后悔他所犯的错误。但实际上是等待朱滔等的援军。而把颜真卿软禁在蔡州（河南省汝南县）龙兴寺。

三月二十日，荆南战区（总部设江陵府〔湖北省江陵县〕）司令官（节度使）张伯仪，跟淮宁兵团在安州（湖北省安陆市）会战，张伯仪大败，仅逃出一命，连皇帝颁发给他的符节，都被抢走。李希烈派人把这项符节，连同从俘虏们头上割下的耳朵，送给颜真卿看，颜真卿伏地恸哭，昏迷过去，再从昏迷中苏醒，从此闭口不跟任何人说话。

9 夏季，四月，李适命神策军基地司令（神策军使）白志贞（白琇珪）当京师（首都长安）招兵司令（召募使），编作禁军，用以讨伐李希烈。白志贞（白秀珪）上疏请求：退休的战区司令官（节度使）、道政府行政长官（观察使）、民兵总司令官（都团练使），不管已经亡故，或仍在人世，他们的子弟，都要率领仆役、随从、马匹，自备铠甲，参加军队出征，一律授给五品官阶。李适批准。但富家还可以维持，贫苦家庭就深感艰苦，人心开始动摇。

10 李适命宰相、部长级官员，跟吐蕃王国（首都逻些城〔西藏拉萨市〕）使节区颊赞，在首都长安丰邑里盟誓。但区颊赞因清水盟誓时（参考本年〔七八三〕正月），双方国界没有划定，拒绝出席。（清水盟誓，盟文说："唐王朝边界，泾州〔甘肃省泾川县〕方面，西到弹筝峡〔甘肃省平凉市西北〕西口；陇州〔陕西省陇县〕方面，西到清水县〔甘肃省清水县〕；凤州〔陕西省凤县〕方面，西到同谷县〔甘肃省成县〕；以及剑南战区〔总部成都府〕西山大渡河东岸，属于唐王朝。吐蕃〔西藏〕边界，包括兰州〔甘肃省兰州市〕、渭州〔甘肃省陇西县〕、原州〔宁夏固原市〕、会州〔甘肃省靖远县〕，西到临洮〔甘肃省岷县〕，东到成州〔甘肃省西和县南龙山村〕，直到剑南战区〔总部成都府〕西界磨些部落等各蛮夷所居地。大渡河西南，属于吐蕃。"此项盟文虽然仍属"说不清楚"之类，但可看出八世纪以后中国西方边疆，已萎缩到京师〔首都长安〕门口。）

四月十三日，派崔汉衡前去吐蕃王国（首都逻些城），请求国王（赞普）裁决。

11 四月十四日，命永平（汴州）、宣武（宋州）、河阳（河阳城）三战区总指战官（都统）李勉，兼淮西战区（总部设蔡州〔河南省汝南县〕。原称淮宁战区）征剿司令（招讨使）；东都汝州战区（总部设洛阳）司令官（节度使）哥舒曜，兼征剿副司令；荆南战区（总部设江陵府〔湖北省江陵县〕）司令官（节度使）张伯仪，兼淮西战区支援征剿司令（应援招讨使）；山南东道战区（总部设襄州〔湖北省襄阳市〕）司令官（节度使）贾耽、江西战区（总部设洪州〔江西省南昌市〕）司令官（节度使）嗣曹王李皋，当张伯仪的助手。

李适催促哥舒曜进军，哥舒曜走到颍桥（河南省襄城县东北颍桥镇），偏遇倾盆大雨，只好退到襄城（河南省襄城县）戒备守卫。

李希烈派部将李光辉进攻襄城（河南省襄城县），哥舒曜把他击退。

12 五月九日，颍王李璬逝世(李璬，是九任帝李隆基的儿子)。

13 五月十九日，命宣武战区(总部设宋州〔河南省商丘市〕)司令官(节度使)刘洽，兼平卢战区(总部设郓州〔山东省东平县〕)征剿司令(招讨使)。

14 神策军特遣兵团征剿司令(神策行营招讨使)李晟，计划夺取涿州(河北省涿州市)、莫州(河北省任丘市北鄚州镇)，切断幽州(卢龙战区总部，北京市)与魏州(魏博战区总部，河北省大名县)之间交通线。遂会同义武战区(总部设定州〔河北省定州市〕)司令官(节度使)张孝忠的儿子张升云，包围冀王朱滔任命的易州州长郑景济所在地清苑(河北省保定市)，一连数月，不能攻克(李晟北伐事，参考去年〔七八二〕七月)。朱滔派武装部长(司武尚书)马寔，统步骑兵一万余人，留守魏州(河北省大名县)大营，而亲自率步骑兵一万五千人，北上增援清苑(河北省保定市)；李晟军大败，退守易州(河北省易县)。朱滔军折回瀛州(河北省河间市)，张升云逃往满城(河北省保定市满城区)。而李晟患病沉重，再退保定州(河北省定州市)。

赵王王武俊对朱滔既然击败李晟，却逗留瀛州(河北省河间市)，没有立即再回魏桥(魏州〔河北省大名县〕附近)，十分不满，于是，派御前监督官(给事中)宋端，前去催促。宋端晋见朱滔时，态度强硬，言词傲慢。朱滔大怒，告诉宋端说："我因身体发烧，暂时留下来养病，不能马上南返，大王二哥(王武俊)竟说出这种话，使人感到奇异！我因援救魏博战区(总部设魏州〔河北省大名县〕)，坚决的背叛君王(指李适)和抛弃兄长(朱泚)，犹如抛弃脚上的破鞋！二哥如果一定非对我猜疑不可的话，那么，告诉二哥，随他的便！"宋端回来报告王武俊，王武俊向卢龙特遣兵团大营留守司令马寔，亲自解释误会，马寔把情形报告朱滔，说：“赵王（王武俊）发现宋端对大王失礼，已经重重责备，实在没有别的意思！”王武俊也派特勤官（承令官）郑和，陪同马寔的使节，前去晋见朱滔，请求原谅。朱滔这才大为高兴，待王武俊跟当初一样，但王武俊对朱滔却不能如此，而且对朱滔更为痛恨。

六月，李抱真（安抱真，昭义〔总部潞州〕司令官）派参谋官（参谋）贾林前往恒冀特遣兵团大营，声称投降。王武俊召见他，贾林说：“我是奉命前来传达皇上圣旨的，并不是真的投降。”王武俊脸上露出震惊，问他的任务，贾林说：“天子深知道你从一开始就忠心耿耿，效忠政府，甚至后来登台称王的那天，还抚摸胸脯，对左右叹息说：‘我本来一腔忠义，天子却看不见。’中央军各将领也有人上疏为你辩护，表明你的志向，天子对使节说：‘我上次所作的裁定，确实错误，现在后悔已来不及。然而，朋友间有对不起的时候，还接受对方的道歉，何况我又是最高领袖！’”王武俊说：“我，本是蛮夷，当一个将领，还知道爱护人民，何况天子，岂能专门把杀人当作正事！而今，山东（太行山以东）兵连祸结，白骨遍野，如草如林，即令攻占夺取，最后胜利，又跟谁共同守护！我不怕重回中央，但是已经跟各战区缔结盟约，蛮夷性情耿直，绝不会先做出对不起朋友的事，天子如果真能下诏赦免各战区的罪状，我当第一个回归；谁不服从，我愿接受命令，替天子出军讨伐。这样的话，对上不辜负天子，对下不辜负同辈，不超过五十天，河朔（河北平原）就可以平定。”命贾林回去报告李抱真（安抱真），双方秘密协定。

15 六月五日，唐政府开始征收房屋捐（间架税）及交易税（除陌钱）。

这时，河东（太原府）、昭义（潞州）、河阳（河阳城）、朔方（灵州）四个战区的特遣兵团，驻扎魏县（河北省大名县西南）；神策军、永平（滑州）、宣武（宋州）、淮南（扬州）、镇海（润州）、荆南（江陵府）、江西（洪州）、沔鄂（鄂州）、湖南（潭州）、黔中（黔州）、剑南（成都府）、岭南（广州）各战区道的特遣兵团，环绕淮宁战区（总部设蔡州〔河南省汝南县〕）四境，团团包围。依照旧有规定，特遣兵团一旦离开本战区，一切供应，就由全国财政总监署（度支）负责。李适体恤士卒辛苦，对特遣兵团出境，每月都加发酒肉钱，而原来的薪饷，仍由各战区总部送给他们的家属，于是一个士卒可领三份薪饷（本战区一份、出境作战加给一份，酒肉加给一份），出征将士都享受到这份美意。但流弊也随之产生，各战区不断派出特遣兵团出境，但一出边境，就停下扎营。中央负担沉重，每月需钱一百三十余万串，正常赋税不够开支。全国财政总监（判度支）赵赞，遂制定上述二税，奏请皇帝批准。

所谓“房屋捐”（间架税），就是每栋房屋，以两根横梁的宽度为准，称为“一间”；上等房屋每年每间征收二千钱，中等房屋每间征收一千钱，下等房屋每间征收五百钱。政府税务官员手拿纸、笔、算盘，闯到每一家实地勘察间数。有些人家虽有很多房屋，但没有其他生活工具，别无私产，应缴的捐税，动不动就要数百串钱。法律规定，隐瞒一间，责打六十棍，并给告密者赏钱五十串。

所谓“交易税”（除陌钱），无论是政府或私人的给予，或做生意收到的货款，每一串钱，政府征收五十钱；如果物物交易，则折合时价，依照比例征收；隐瞒一百钱的，责打六十棍，另罚二千钱，赏赐告密者十串钱，奖金由犯人负担。

忧愁怨恨的声音，使大地沸腾。

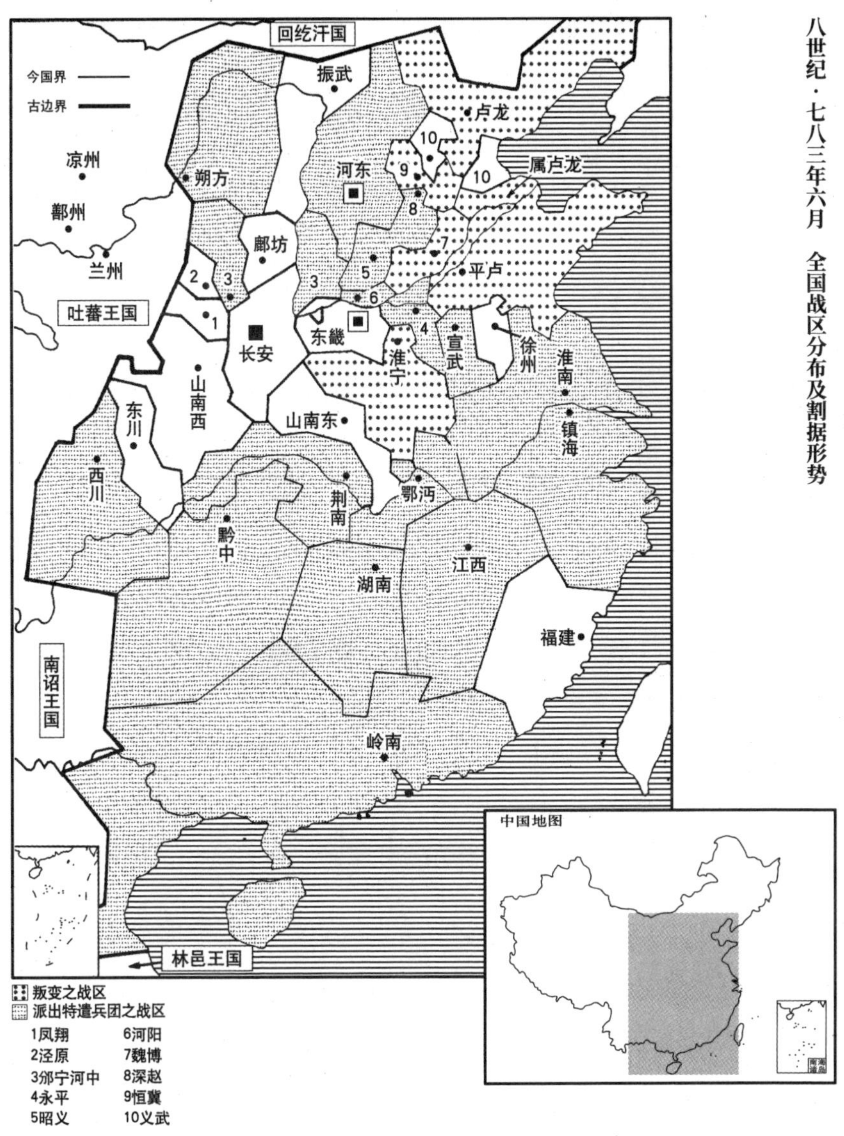

八世纪·七八三年六月 全国战区分布及割据形势

16 六月二十二日，改封郴王李逾当丹王，鄜王李遘当简王（二王都是李适的老弟）。

17 六月二十五日，报聘吐蕃（西藏）事务执行官（答蕃判官）、行政监察官（监察御史）于頔（音dí〔笛〕）跟吐蕃（西藏）使节论剌没藏，从青海湖返抵京师（首都长安），奏报说：唐吐边界已经勘查完毕，请送区颊赞回国。

秋季，七月九日，李适命国务院教育部长（礼部尚书）李揆（音kuí〔葵〕），当会盟签约大使，前往吐蕃（西藏）。

七月十七日，李适下诏命各宰相及各高级将领，前往首都长安城西，跟吐蕃（西藏）代表区颊赞，签订盟约。

李揆有才干声望，宰相卢杞对他十分厌恶，所以命他出使吐蕃（西藏）。李揆报告李适说：“我并不怕远去外国，只怕死在路上，不能完成使命。”李适也替他伤感，对卢杞说：“李揆未免太老（李揆本年七十二岁）！”卢杞说：“出使远方外邦，一定要了解政府政策才行。而且，连李揆这么老都要前去蛮荒，从今以后，比李揆年轻的官员，就没有一个敢推辞远行的任务。”

18 八月二日，淮宁战区（总部设蔡州〔河南省汝南县〕）首领李希烈率军三万人，包围洛阳汝州战区（总部设洛阳〔河南省洛阳市〕）司令官（节度使）哥舒曜驻防的襄城（河南省襄城县）。李适下诏命永平战区（总部设汴州〔河南省开封市〕）司令官李勉及神策军将领刘德信率军救援。

八月十日，李希烈的部将曹季昌献出随州（湖北省随州市），投降中央，但不久又被他的部将康叔夜诛杀。

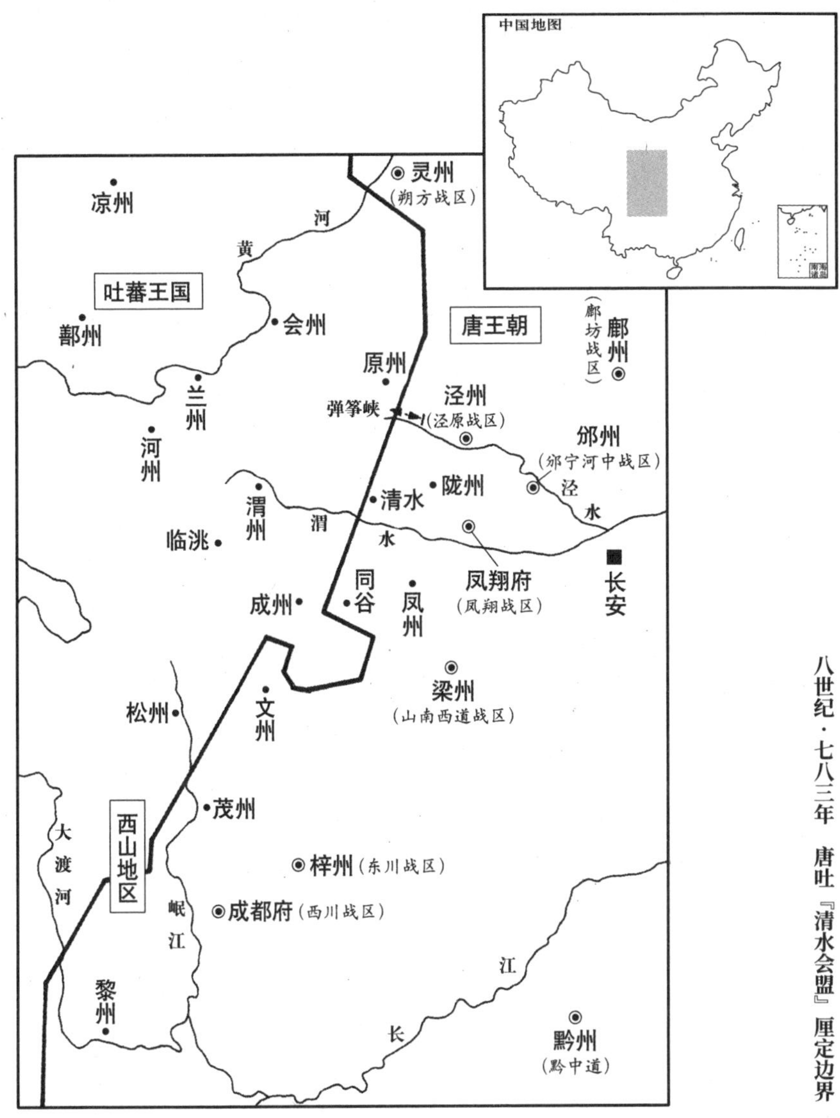

八世纪·七八三年 唐吐『清水会盟』厘定边界

19 最初，李适当太子时，听过行政监察官（监察御史，正八品 508
下）、嘉兴（浙江省嘉兴市）人陆贽（音zhì〔智〕）的名声，坐上皇帝宝座后，就征召陆贽，命他当皇家文学研究官（翰林学士），曾经好几次就国家大事，询问陆贽，听取他的意见。

这时，两河（黄河南北）战事，已拖延很久，不能结束，赋税及差役，一天比一天沉重，陆贽眼看兵疲民困，恐怕连累中央内部都要发生变化，于是上疏李适，提出一系列警告。

陆贽说：“要想克制敌人，最重要的事，在于有恰当的将领。统帅指挥将领，必须有完整的权力。假如将领的人选不恰当，军队再多也没有用。假定将领不接受指挥，将领再有才干也同样没有用。”

陆贽又说：“将领指挥不动士卒，政府指挥不动将领，不仅浪费国家资源、培养盗寇，而且难以避免最后终于把自己烧死的结局。”

陆贽又说：“如今，两河（黄河南北）、淮西（淮河中游以西），变军首领，不过四五个恶棍而已（黄河北朱滔、王武俊、田悦，黄河南李纳，淮河西李希烈），其中恐怕仍有人由于误会，或由于阴错阳差，牵连其间，心里满怀疑惧，一时拿不定主意，随波逐流，无法停止。何况所有部属，都是被武力裹挟，假定有办法可以保住性命，谁肯甘愿去当叛逆！”

陆贽又说：“如果没有办法解决当前的困难，可能会引起其他意料之外的灾难。人民，是国家的根基。财产，是人民的心脏。心脏受到伤害，等于根基受到伤害；根基受到伤害，则枝干树叶都会枯萎脱落。”

陆贽又说：“人心不安，事情的变化就难以预测。所以，军事行动只要求脚踏实地，疾如闪电；不要求表面上花样百端，实际上却迟缓拖延。如果不在根基上探讨，只在末节上用功夫，则末节所用的功夫，正是另一场祸患的起源。”

对关中（陕西省中部）局势，陆贽说：

“政治领袖应在平日建立权威，显示自己高贵品德，二者缺一，必定发生危险。身居高位，才能驱使部属，如果权柄握在部属之手，结局一定背道而驰。京畿（陕西省中部）地区，是维系帝国的中枢。太宗（二任帝李世民）实行征兵，分别隶属皇家禁卫军。大约统计，全国共有八百余个‘征兵府’，京畿就设置将近五百（参考六三六年十二月）；造成的形势是：即令有人集合天下所有的兵力，都无法跟中央对抗。中央权重，地方权轻，至为明显。

“太平日子过得太久，一切军事措施，都逐渐衰败，甚至废弃。虽然‘征兵府’和‘禁卫军’的制度及名称仍在，可是士卒已不是当初士卒，战马也很少训练（由征兵制改为募兵制〔彍骑〕，参考七二二年九月）。所以安禄山手握军政大权，仗恃地方上的武装兵力，一旦叛变，立即揭起滔天大祸，两京（首都西京长安及东京洛阳）霎时陷落（参考七五五年十二月及七五六年六月）。幸而西陲还有边防军，各牧场还有军马，各州还有粮秣，所以肃宗（十任帝李亨）才能中兴。

“可是自从七五八年之后，外患不断发生（指史思明称帝），中央集结所有部队，东下讨伐。边防军调走之后，边疆几乎成为真空，完全没有防卫能力，于是吐蕃（西藏）乘虚行动，深入我国国土，先帝（十一任代宗李豫〔李俶〕）无力抵抗，只好躲避，向东逃亡（参考七六三年十月）。这都是中央丧失优势，不能制服地方，忘记基础必须深，根本必须固，必然产生的悲惨结局。国内发生战乱，崤山、函谷关的险要，就毫无意义；外围发动侵略，汧水（渭水支流）、渭水，全部沦到蛮夷之手。

“在这种情况下，即令四面八方都有雄师，怎么能拯救突然爆发的紧急事变？陛下如果想到这种可能性，岂不心惊胆颤！而今，朔方战区（总部设灵州〔宁夏灵武市〕）和河东战区（总部设太原府〔山西省太原市〕）的军队，都远调山东（太行山以东），神策军以及禁军六军（左右羽林军、左右龙武军、左右神武军），陆续开到关外（潼关以东。此时，李怀光率朔方特遣兵团，马燧率河东特遣兵团，讨伐田悦，而李晟、哥舒曜、刘德信都率禁军出关〔潼关〕东征）。假设有叛徒引诱盗贼，或者有狡猾的外国军队窥探边境，乘虚攻击沿边岗哨，不知道陛下有什么方法因应这种变局？这正是我内心最感忧虑的课题。

“从各方面收集的资料显示，当初陛下下令讨伐叛徒时，文武百官，全国上下，一致认为易如反掌（参考前年〔七八一〕正月九日）；只要派军出征，用不着战争，就可平定，预计时间不会超过一年，预计军队不会动员太多，预计国库开支为数寥寥无几，小事一桩，用不着烦心，更用不着操劳。万万想不到，兵连祸结，大局变化莫测，一天复一天，一月复一月，跟当初大家所预料的发展，完全相反。

“过去，政府认为：最大的心腹之患是李正己（李怀玉，平卢〔总部郓州〕司令官）、李宝臣（张忠志，成德〔总部恒州〕司令官）、梁崇义（山南东道〔总部襄州〕司令官）、田悦（魏博〔总部魏州〕司令官），只要把他们诛杀，天下就可太平。而深受政府信任的，像朱滔（卢龙〔总部幽州〕司令官）、李希烈（淮宁〔总部蔡州〕司令官），只要对他们重用，就可以消灭祸乱。然而后来，李正己（李怀玉）死亡，李纳接替（参考前年〔七八一〕七月）；李宝臣（张忠志）死亡，李惟岳接替（参考前年〔七八一〕正月）；梁崇义伏法（参考前年〔七八一〕八月），李希烈背叛（参考去年〔七八二〕十二月），李惟岳被杀，朱滔兵变（参考去年〔七八二〕四月）。过去所认为心腹大患的，四人中已拔除三人，而灾祸并不能消失；过去所信任的人，现在却都成了叛徒，而其他忠贞的将领，谁又能保证他们忠贞到底？

“从上述变化，可以看出，国家是安定或是危难，在于形势；任务是完成或是失败，在于用人。形势安定，有叛意的人也会变成忠贞；形势危乱，同坐一条船的人，也会变成仇敌。陛下为什么不检讨过去的措施，而深自反省，厉行改革？为什么不修正政治路线，收回掌握在部下手中的权柄，巩固帝国的基础？陛下不在这方面着手，却孜孜不息、苦思积虑的追求不可能达到的目的，企图完成永难完成的任务！

“而今，关辅（陕西省中部）能够征收的捐税和抽调出征的士卒，已到极限。首都长安宫廷的警卫，十分单薄（禁军都在前线）。万一将帅之中，再出现一个像朱滔、李希烈那样的乱臣贼子，或者在边疆割据，引诱邻国；或者就在京师（首都长安）暴动，冒犯皇宫，这正是我内心最大的忧虑，不知道陛下有什么预防措施！

“假如陛下愿意垂听我的意见，我建议把神策军及禁军特遣兵团司令李晟等和所有派出去的子弟兵（白志贞〔白秀珪〕所招募，参考本年〔七八三〕四月），一律班师复员，公开下令给泾州（甘肃省泾川县）、陇州（陕西省陇县）、邠州（陕西省彬州市）、宁州（甘肃省宁县），要他们专心戒备守卫疆界，承诺决不再作抽调，使军民定下心来，安居乐业。更请陛下再颁诏书，撤销京师（首都长安）及京畿直属县的房屋捐（间架税）等一切苛捐杂税。希望已经缴纳的怨恨平息，因没有缴纳而正受惩罚的获得安宁。人心祥和平静，国家的基础根本，自然稳固。”

李适不能接受。

20 八月十七日，任命汴西（汴水以西）运输总监（运使）崔纵，兼魏州（河北省大名县）四战区特遣兵团粮秣供应总监官（都粮料使。四战区：河东马燧、昭义李抱真〔安抱真〕、河阳李艽、朔方李怀光）。崔纵，是崔涣的儿子（崔涣，是崔玄暐的孙儿。参考七五六年七月）。

21 九月十二日，神策军将领刘德信、宣武战区（总部设宋州〔河南省商丘市〕）将领唐汉臣，在沪涧水（流经河南省郏县西）跟淮宁战区（总部设蔡州〔河南省汝南县〕）将领李克诚会战，大败而归。

当时情形是：永平战区（总部设汴州〔河南省开封市〕）司令官（节度使）李勉，派唐汉臣率军一万人，增援襄城（河南省襄城县），唐帝李适派刘德信率招募的各将领子弟兵三千人协助。李勉奏报说："李希烈的精锐部队都在襄城（河南省襄城县），根据地许州（河南省许昌市）一定空虚（此时李希烈应又自蔡州迁返许州），如果袭击许州（河南省许昌市），襄城（河南省襄城县）的包围自然解除。"没有等到批示，就派二人直向许州（河南省许昌市）挺进，到距离许州（河南省许昌市）数十华里的地方，李适派宦官赶来，斥责他们违背皇帝诏书（一个躲在皇宫里的脓包，竟真的直接指挥千里外的小部队作战，可怕），刘、唐二将领大为吃惊，狼狈而回，因心情沮丧，没有派出斥候警戒，李克诚埋下伏兵，中途截击，中央军死伤大半。唐汉臣逃奔大梁（汴州州政府所在城，河南省开封市），刘德信逃奔汝州（河南省汝州市）。李希烈的游击部队沿途抢劫，直到伊阙（洛阳南五公里）。李勉再派将领李坚率四千人增援东都洛阳，协助防守；李希烈派军切断李坚的退路，不能返防。汴州（河南省开封市）军队从此一蹶不振，而襄城（河南省襄城县）更加危急。

22 李适发现讨伐淮宁战区（总部设汴州〔河南省许昌市〕）的中央各军，各自为战，没有统帅。

九月二十六日，命舒王李谟当荆襄等各战区特遣兵团总元帅（荆襄等道行营都元帅），改名李谊（稍后改封普王）；命国务院财政部长（户部尚书）萧复当秘书长（长史），太子宫事务署长（右庶子）孔巢父当左翼参谋长（左司马），监督院高级顾问官（谏议大夫）樊泽当右翼参谋长（右司马），其他将领及参谋官员，都是中央及地方当时最有才干的人选。可是，还没有出发，却突然发生泾原战区（总部设泾州〔甘肃省泾川县〕）特遣兵团兵变，不能成行。萧复，是萧嵩的孙儿（萧嵩当过九任帝李隆基的宰相，参考七二八年十一月）。孔巢父，是儒家学派始祖孔丘的第三十七代孙。

23 李适下诏征调泾原战区（总部设泾州〔甘肃省泾川县〕）等各战区道军队，增援襄城（河南省襄城县）。

冬季，十月二日，泾原战区（总部设泾州〔甘肃省泾川县〕）司令官（节度使）姚令言，率特遣兵团士卒五千人，抵达京师（首都长安）。士卒冒雨行军，天气寒冷，很多人还携带儿子或年幼的弟弟，一同前来，大家认为一定可以得到优厚赏赐，送给自己家人维生。再想不到，抵达长安（陕西省西安市）后，竟一点赏赐都没有。

十月三日，前进到浐水（灞水支流），李适下诏首都长安特别市长（京兆尹）王翃，犒劳三军，结果摆出来的竟是连皮带壳的粗糙薏米和一点青菜，连一块肉都没有，士卒们忍无可忍，一霎时暴怒若狂，把饭米一脚踢翻在地，大声喊叫说：“我们出征，就要死在敌人之手，可是连饭都不叫我们吃饱，却叫我们用血肉之躯，去抵抗雪白钢刀！听说琼林、大盈两座宝库（九任帝李隆基在位时，马屁精王𫓧建议：政府赋税收入，应归国库，地方政府直接进贡给皇帝的东西，应由皇帝自己保管，参考七四五年十月。李隆基遂在皇宫设琼林库，供自己挥霍。大盈库，参考七七九年十二月），金银绸缎，满坑满谷，不如我们自己去抢。”于是戴盔穿甲，举起大旗，擂动战鼓，呼叫呐喊，回军直向京师（首都长安）。

司令官（节度使）姚令言，进宫向皇帝辞行，这时仍逗留宫中，得到消息，立即骑马飞奔到长乐阪（浐水西，西安市东），正遇上向长安进军的变兵，而变兵中有人发箭射击姚令言，姚令言俯身抱住马鬃，闯进变兵群中，呐喊说：“你们犯了大错，东征盗贼，立下功劳，还担心没有荣华富贵？为什么做出这种屠灭家族的事！”变兵拒绝听他的劝导，而且拔刀挥剑，把姚令言围住，继续西进。李适这时才感觉到事态严重，紧急下令赏赐每人绸缎二匹，变兵越发愤怒，发箭射击钦差宦官。李适再派宦官前来慰劳安抚，变兵已抵达通化门外（首都长安东面北头第一门），这位钦差宦官刚出城门，变兵就把他诛杀。李适再紧急运出满装金银绸缎的牛车二十辆，作为赏物，但变兵已进入京师（首都长安），喧哗呐喊的声音震动天际，大地一片沸腾，局势完全失去控制，长安居民大为惊骇，四散逃走，狼狈不堪。变兵大声宣布说：“你们不要害怕，从今之后，再没有人‘借’你们的钱（参考去年〔七八二〕四月十二日），也再没有人抽你们的‘交易税’‘房屋捐’！”李适再紧急派皇子普王李谊（李谟）、皇家文学研究官（翰林学士）姜公辅出军解释沟通，而变兵已在丹凤门外集结，长安居民聚在一起参观的，以万为单位计算。

最初，神策军基地司令（神策军使）白志贞（白琇珪）在京师（首都长安）招兵买马，东征李希烈，将士们阵亡的，白志贞全都隐瞒不报，而接受富家子弟的贿赂，用他们的名字递补，这些富家子弟虽然名列军籍，领受国家赏赐，但本人却在街上做生意买卖。农林部长（司农卿）段秀实上疏警告说：“禁军不精，人数不足，各军都有大量空缺，万一发生灾难，用什么对付？”李适不理。而现在，李适紧急征召禁军拒抗兵变，竟没有一个人前来，而变兵已经劈开宫门，蜂拥而入。李适大为恐惧，仓惶间呼叫王贵妃、韦淑妃、太子李诵、唐安公主（李适的女儿）以及身边的亲王皇子，从皇家林苑北门仓惶逃走。王贵妃把传国玉玺拴在衣服上带出来；皇宫里的侍女、小老婆、亲王、公主等，来不及跟着逃走的有十分之七八。

当初，鱼朝恩被处决后，宦官不再有军权（参考七七〇年三月）。现在情况紧急，宦官窦文场、霍仙鸣二人，当李适还是太子时，就在太子宫当差；这时仓猝间集结宦官一百人，随从李适逃亡。李适命普王李谊（李谟）担任先行斥候，太子李诵手提佩刀，在后面压阵警戒。农林部长（司农卿）郭曙，率卫士正在皇家林苑打猎，听到皇上逃亡消息，就在路旁晋见李适，立刻率领他的部众加入行列。郭曙，是郭暧的老弟（郭暧娶升平公主，参考七六五年七月）。右龙武军（禁军第四军）基地司令（使）令狐建，正在实施射击训练，听到消息，率部队四百人追上李适，参加护送，李适命令狐建担任后卫（令狐建是令狐彰的儿子，参考七七三年二月）。

姜公辅拦住李适的马头，提醒说："朱泚曾经当过泾原战区的统帅（参考七八〇年二月），受老弟朱滔的牵连，被调回京师（首都长安）赋闲（参考去年〔七八二〕四月），心里一直愤愤不平。我的意思是：陛下既然不能推心置腹待他，就不如索性杀他，免得留下后患。假设变兵拥护他当领袖，恐怕就难以控制！事已紧急，请召唤他一同逃亡！"李适恐惧过度，六神无主，只知道逃命，已不能考虑姜公辅的话，只叫："已来不及！"拉起马头就走。当天夜晚，抵达咸阳（陕西省咸阳市），仅吃了几汤匙的饭，就又匆匆上道。当时，事出意外，文武百官乱成一团，都不知道皇帝逃到哪里。宰相卢杞、关播，正在立法院（中书），翻墙而出；神策军基地司令（神策军使）白志贞（白琇琎)、首都长安特别市长（京兆尹）王翃和总监察官（御史大夫）于颀、副总监察官（中丞）刘从一，国务院财政部副部长（户部侍郎）赵赞、皇家文学研究官（翰林学士）陆贽、吴通微等，向北追赶，直到咸阳才追到李适。于颀，是于頔的堂兄弟（于頔，参考本年〔七八三〕六月二十五日）。刘从一，是刘齐贤（参考六六六年九月二十五日）的侄孙。

变兵进宫，登上含元殿，兴奋的大喊道："皇上已经逃走，我们自己发财！"欢呼高叫，一齐拥到皇家库房，搬运金银绸缎，直到搬不动才不搬。长安市民也乘机冲进皇宫抢劫，出来再回去，直到天亮还不停止。没有闯进皇宫的市民，就在大街上拦截。各坊居民纷纷组织自卫队，抵御侵入抢劫的变兵或乱民。姚令言（泾原〔总部泾州〕司令官）这时已改变主意，跟变兵首领商议，说："大家混乱成一团，没有领袖，不能一直这样下去。朱太尉（朱泚）在家闲住，我们应共同拥护他，请他领导！"大家一致赞成。于是派数百名骑兵，前往晋昌里迎接朱泚。半夜，朱泚骑上马，手按缰绳，火炬夹道，照耀得如同白昼，前导卫士沿途吆喝开路。朱泚进入皇宫后，就住在含元殿，武装部队击鼓戒备，警卫森严。

朱泚自称暂代全国武装部队统帅（权知六军）。

十月四日，清晨，朱泚迁往白华殿，发表文告，说："泾原战区（总部泾州〔甘肃省泾川县〕）士卒，久在边疆，不熟悉政府礼节，闯进皇宫，以致惊动皇上，御驾西出巡视。太尉（朱泚）已经暂时统率全国武装部队，所有神策军士卒，以及文武百官，凡是有职位领薪俸的，一律前去皇帝所在地报到；不能前去的，就向各人所属的机关单位报到。超过三天，检查两边都没有登记的，一律斩首！"于是文武百官都出来拜见朱泚。有人劝朱泚迎接李适回京（首都长安），朱泚大不高兴，文武百官发现情形不对，开始有人逃走。

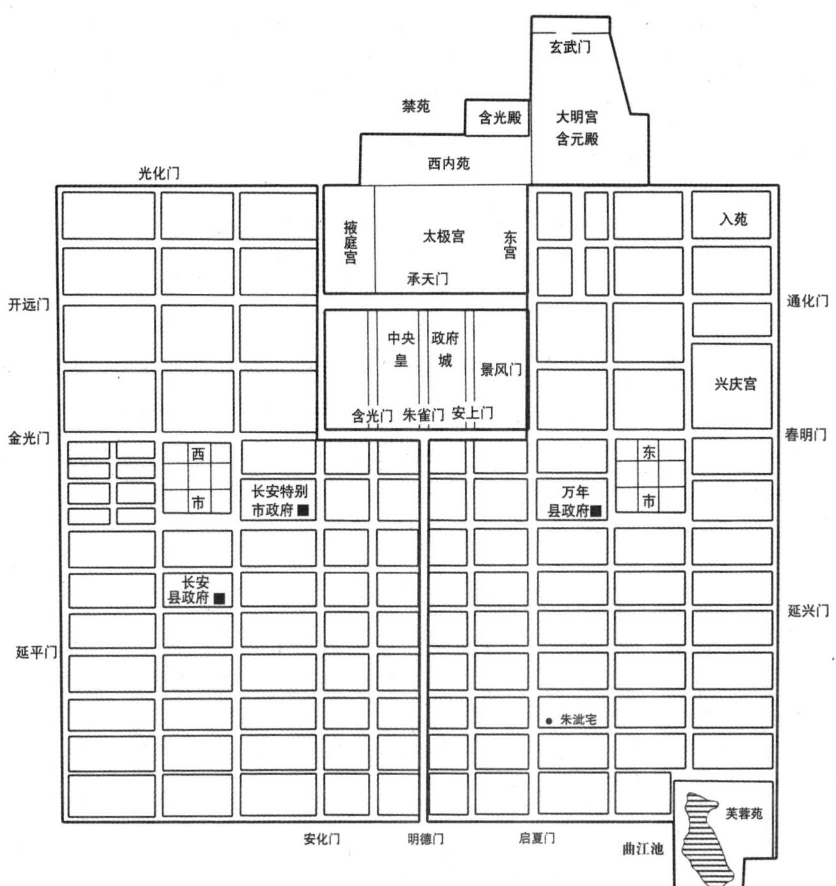

八世纪·七八三年十月　长安城十门

宫廷膳食部长（光禄卿）源休，出使回纥汗国（瀚海沙漠群）回来，受到赏赐太少，对政府十分怨恨（参考去年〔七八二〕六月），主动进宫谒见朱泚，屏退左右侍卫，密谈很久，向朱泚分析成败利害，引用神秘预言书上的启示，建议他登极称帝。朱泚大喜，但仍迟疑不敢决定。而皇家禁卫各军，纷纷举着白旗归降，在宫城门前排列，人数很多。朱泚每天夜晚，命军队从皇家林苑出城，天亮时再从通化门进城，陆续不断，士卒们一个个弓上弦，刀出鞘，用以炫耀军力强大，使居民震恐屈服。

李适想起巫法师桑道茂的预言（桑道茂事，参考七八〇年六月），遂自咸阳（陕西省咸阳市）移驻奉天（陕西省乾县），县政府官员以及幕僚，突然听说皇帝驾到，大吃一惊，打算逃到高山深谷躲藏，主任秘书（主簿）苏弁把他们劝住。苏弁，是苏良嗣的侄孙（苏良嗣，参考六九〇年三月）。稍后，中央文武官员才陆续有人赶到。

十月五日，左金吾（卫军第十一军）大将军浑瑊（音jiān〔坚〕）也抵达奉天（陕西省乾县）。浑瑊一向有威望，人心因他的抵达，而略为安定。

十月六日，源休建议朱泚：京师（首都长安）十个城门（东城通化门、春明门、延兴门；南城启夏门、明德门、安化门；西城延平门、金光门、开远门；北城光化门），一律戒严，禁止官员出城。于是有很多官员改穿奴仆的衣服，暗中逃亡。源休又替朱泚游说文武官员，敦劝他们拥护朱泚。摄理司空（检校司空，三公之三）、遥兼二级宰相（同平章事·使相）李忠臣（董秦），失去兵权很久（李忠臣〔董秦〕被逐事，参考七七九年三月），畜牧部长（太仆卿）张光晟，自认才华盖世（参考七八〇年八月），二人都官场失意，心情忧郁；朱泚征召他们担任官职。国务院工程部副部长（工部侍郎）蒋镇逃走，但从马背上跌下来，足部受伤，被朱泚的军队俘虏。从前，源休的才能（参考去年〔七八二〕六月），张光晟的节义（参考七五九年七月），蒋镇的清廉淡泊（事实上是愚昧，参考七七七年十一月），国务院司法部狱政司副司长（都官员外郎）彭偃的文学素养、祭祀部长（太常卿）敬釭的勇敢谋略，都受世人尊敬，而到现在，全投靠朱泚。

凤翔（凤翔府）及泾原（泾州）战区将领张廷芝、段诚谏，率数千人增援襄城（河南省襄城县），还没有出潼关（陕西省潼关县），听到兵变以及朱泚占领京师（首都长安）的消息，于是击斩统帅陇右战区特遣兵团作战司令（陇右兵马使）戴兰，一哄而散，投奔朱泚。更使朱泚坚信人心都对他归附，遂决定背叛唐王朝，自己另建政府。于是任命源休当首都长安特别市长（京兆尹）兼全国财政总监（判度支）；命李忠臣（董秦）当皇城警卫司令（皇城使）。所有文武百官照常上班，禁卫军照常警戒，一切以皇帝自居。

十月七日，逃亡到奉天（陕西省乾县）的李适，命浑瑊当京畿渭北战区（总部设奉天〔陕西省乾县〕）司令官（节度使），皇家行宫总纠察官（行在都虞候）白志贞（白琇珪）当总作战司令（都知兵马使），令狐建当中军督战司令（中军鼓角使），神策军总纠察官（神策都虞候）侯仲庄当左卫（卫军第一军）将军（从三品），兼奉天（陕西省乾县）城防司令（防城使）。

朱泚认为农林部长（司农卿）段秀实被长期剥夺兵权（参考七七七年九月），心里一定怨念，于是派数十名骑兵，前去召唤。段秀实紧闭大门拒抗，骑兵从墙上跳进去，把利刀架到他脖子上。段秀实知道难以躲避，就告诉子弟们说：“国家发生灾难，我怎么能避免？决心一死报国，你们最好各自逃生！”就前往晋见朱泚。朱泚大喜说：“段公驾到，我的大事成功。”让段秀实入座，请他指教。段秀实警告说：“你本来以忠义闻名天下（参考七七四年九月），只因泾原战区（总部泾州）士卒认为赏赐不够优厚，不顾一切，掀起暴乱，以致皇上离京（首都长安）逃亡。赏赐不够优厚，是主管官员的过失，天子怎

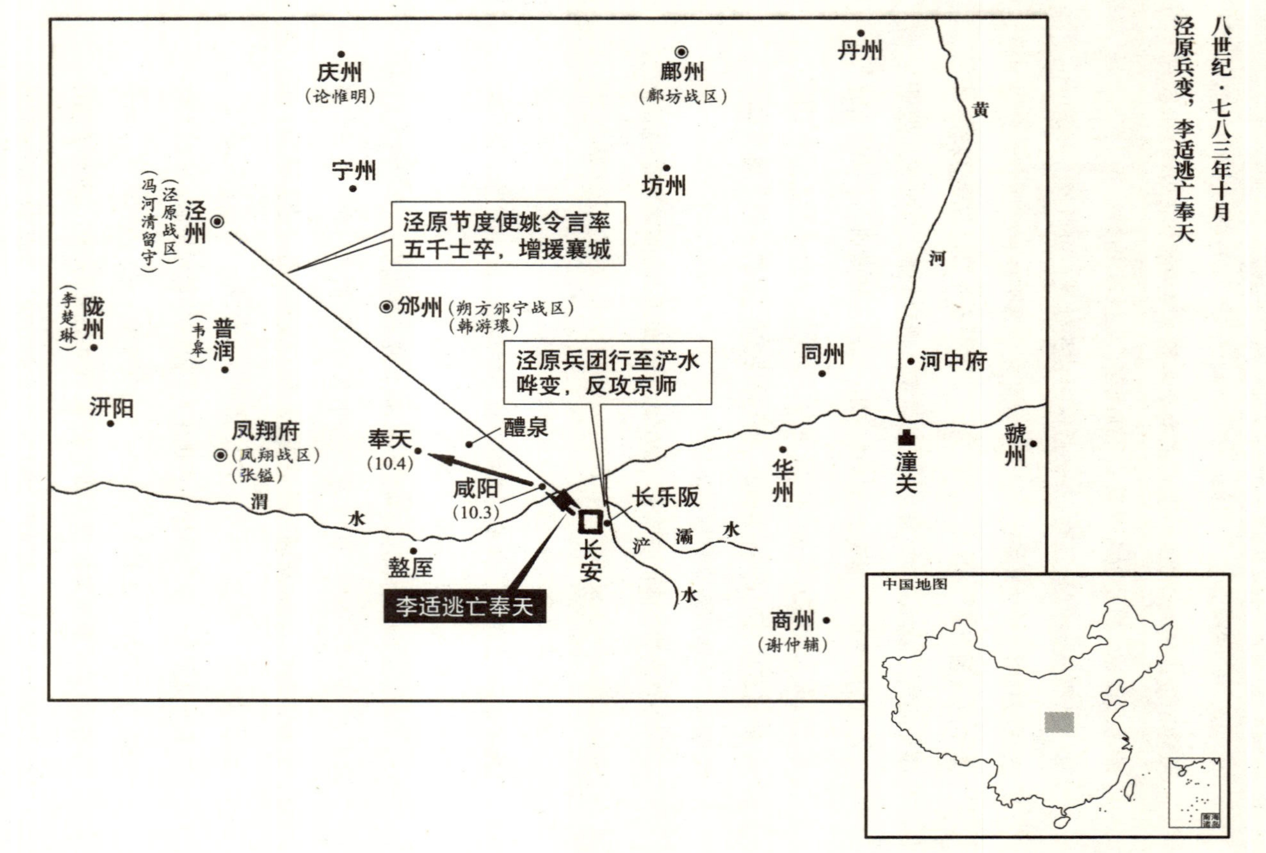
八世纪·七八三年十月
泾原兵变，李适逃亡奉天
泾原节度使姚令言率五千士卒，增援襄城
泾原兵团行至浐水哗变，反攻京师
李适逃亡奉天
庆州
(论惟明)
鄜州
(鄜坊战区)
丹州
宁州
坊州
泾州
(泾原战区)
(冯河清留守)
陇州
(李楚琳)
普润
(韦皋)
邠州
(朔方邠宁战区)
(韩游瓌)
同州
河中府
汧阳
凤翔府
(凤翔战区)
(张镒)
奉天
(10.4)
醴泉
咸阳
(10.3)
长乐阪
长安
盩厔
华州
潼关
虢州
商州
(谢仲辅)
黄
河
渭
水
浐
灞
水
水
中国地图

么知道！你最好用这个道理，向将士们解释，分析什么是福，什么是祸？迎接皇上回宫，这是举世莫比的大功！”朱泚十分扫兴，沉默不说话。但因段秀实跟自己一样，都受政府罢黜，所以对段秀实仍诚心诚意相待。左骁卫（卫军第五军）将军刘海宾、泾原战区（总部泾州）总纠察官（都虞候）何明礼、文书员（孔目官）岐灵岳（岐，姓），都是段秀实所厚待的忠实部属，段秀实跟他们秘密计划诛杀朱泚，迎回李适。

李适刚到奉天（陕西省乾县），下诏征召附近各战区道急速派军入援，有人上疏说：“朱泚已接受变兵的拥护，马上就要攻城，最好早作准备。”卢杞大为愤怒，咬牙切齿说：“朱泚对皇上及帝国的忠贞，文武百官中没有人能比得上！为什么硬要血口喷人，说他参加叛乱，严重伤害国家高官的心！我愿用我家一百口人的性命，保证朱泚决不会背叛！”李适也认为如此。接着传来消息，说很多官员劝朱泚迎接皇帝回去，李适大为欣慰，下诏各战区道援军不必再进，一律在奉天（陕西省乾县）三十华里外扎营。皇家文学研究官（翰林学士）姜公辅劝阻说：“现在，皇家禁军实力单薄，所以防备不可不谨慎小心。如果朱泚诚心迎驾，何必害怕援军太多？否则的话，更应有备无患。”李适这才命援军全部进城。

卢杞跟白忠贞（白琇珪）奏报李适说：“我们深刻了解朱泚的心迹，绝对不致叛逆，希望派遣一位重要高级官员，前去传达陛下慰问的旨意，并作实地调查。”李适征求大家自愿，侍从官员全都畏惧，没有人敢去，只左金吾（卫军第十一军）将军吴溆（音xù〔序〕），自愿担任这项任务，李适十分高兴。退出行宫后，吴溆告诉别人说：“拿人家的薪俸，却逃避人家的灾难，那算什么部属！我有幸是皇亲国戚（吴溆是李适的舅公），并不是不知道这次前去，非死不可，但是全体官员中，竟没有一个人肯为国牺牲，岂不使陛下失望。”遂携带诏书，前往京师（首都长安）晋见朱泚。朱泚叛变的意思已经坚决，所以最初还假装接受命令，把吴溆送到贵宾馆招待，但不久，就把吴溆处死。吴溆，是吴凑的老哥（吴凑事，参考七七七年三月）。

朱泚派泾原战区（总部泾州）作战司令（兵马使）韩旻，率精锐部队三千人，急行军向奉天（陕西省乾县）前进，声称迎接皇帝李适回京（首都长安），实际上是发动奇袭。当时，奉天（陕西省乾县）守卫单薄，段秀实告诉岐灵岳说：“事情紧急！”由岐灵岳伪造一份泾原战区（总部泾州）司令官（节度使）姚令言的军令，命韩旻停止前进，立刻回京（首都长安），等候跟大军同时出发。派人偷姚令言的印信，但不能立刻偷到，段秀实就把农林部长（司农部）的大印颠倒过来，盖在兵符上面，物色一位健行如飞的勇士追赶，追到骆驿（今地不详），追上韩旻，韩旻接到军令，即行班师。段秀实告诉他的同谋朋友说：“韩旻回来，我们没有一个人能活命！我要直接突击朱泚，把他诛杀；如果失败，不过一死，我宁死也不能做他的臣属。”命刘海宾、何明礼，在军中秘密结交同志，打算使他们在外响应。韩旻率军返抵长安（陕西省西安市），朱泚、姚令言大为震骇，立刻追查，岐灵岳一肩承担，被杀；没有牵连到段秀实等。

当天（十月七日），朱泚召集李忠臣（董秦）、源休、姚令言以及段秀实等，讨论登极称帝的事。段秀实从座位上突然跳起来，伸手夺下源休的象牙笏版，跨前一步，朝朱泚脸上就唾口水，诟骂说：“你这个疯子，我恨不得把你碎尸万段，你怎么会梦想我能跟你一起叛国！”用象牙笏版猛烈砸向朱泚，朱泚急举手阻挡，但前额已被击中，鲜血溅了一地。段秀实对朱泚发出攻击时，朱泚的左右侍卫惊恐的呆在那里，不知道做什么才好。刘海宾被恐惧抓住，不敢动手，在混乱中逃走。李忠臣（董秦）上前帮助朱泚，朱泚才挣脱段秀实，从地上爬起来脱险。段秀实知道事情失败，转身告诉朱泚的同党说：“我不跟你们叛变，为什么不杀我！”左右侍卫才从震惊中惊醒，一拥而上，向段秀实乱刀齐下（段秀实年六十五岁）。朱泚一手捂住前额流血的伤口，一手阻止部众说：“他是义士，不要杀他！”段秀实死后，朱泚痛哭流涕，至为悲哀，用三品高官的礼节，祭奠安葬。刘海宾穿着丧服逃走，两天后，被捕，处死；刘海宾在口供中也没有牵连何明礼。但稍后，何明礼随朱泚攻击奉天（陕西省乾县），打算谋杀朱泚，事情失败，也被处死。

李适听到段秀实被杀消息，深恨当初对他没有重用，悲伤哭泣，很久不能停止。

24 十月八日，命宫廷供应总监（少府监）李昌巙（参考七六五年闰十月），当京畿渭南战区（总部设何处不详）司令官（节度使）。

25 凤翔战区（总部设凤翔府〔陕西省宝鸡市凤翔区〕）司令官（节度使）、遥兼二级宰相（同平章事·使相）张镒，性情柔弱，反应缓慢，非常讲究衣服穿着，却不懂军事。听说李适逃到奉天（陕西省乾县），打算迎接大驾前来凤翔，全力准备服装、用具及金银绸缎，呈献皇帝所在行宫，后营将领李楚琳，蛮横强悍，大家对他都心存畏惧，曾经当过朱泚的部属，朱泚对他特别优厚。作战参谋长（行军司马）齐映，跟幕府同僚齐抗，警告张镒说：“如果不调走李楚琳，他一定会领头叛乱！”张镒遂派李楚琳率军进驻陇州（陕西省陇县），李楚琳借口有事情要处理，不马上出发。张镒正全神贯注筹划迎接李适的工作，恐怕有什么不周到，认为李楚琳早已前往，也没有查证。李楚琳跟他的同党，遂发动兵变，于夜晚攻击张镒，张镒从城上用绳索下来逃走，但仍被变兵追到诛杀；执行官（判官）王沼等全部被处死。只有齐映，从城门水洞钻出来逃走，齐抗伪装成奴仆，背着东西，混出城外，都得免一死。

最初，李适因奉天（陕西省乾县）城小屋少，太过狭隘，打算前往凤翔（陕西省宝鸡市凤翔区）。国务院财政部长（户部尚书）萧复，听到消息，立即请求李适召见，警告说："陛下大错特错，凤翔将士都是朱泚从前的部属（朱泚曾任凤翔特别市长〔凤翔尹〕，参考七七七年十二月），其中一定有朱泚的同党。我连张镒是不是能维持长久，都十分担心！以皇帝之尊，怎么可以跳进难以预测的深渊！"李适说："我的计划已经决定，但为你多留一天。"明天，传来凤翔兵变消息，计划才停止。

齐映、齐抗都逃到奉天（陕西省乾县），李适命齐映当副总监察官（御史中丞），齐抗当中央监察官（侍御史）。

李楚琳自称凤翔战区（总部凤翔府）司令官（节度使），投降朱泚。陇州（陕西省陇县）州长郝通，投奔李楚琳。

26 商州（陕西省商洛市商州区）民兵自卫队（团练兵）兵变，诛杀州长谢良辅。

27 朱泚自白华殿移到宣政殿（含元殿之北）登极，称大秦皇帝，改年号应天。

十月九日，朱泚任命姚令言当最高监督长（侍中）、关内（潼关以西）野战军元帅；李忠臣（董秦）当司空（三公之三）兼最高监督长（兼侍中）；源休当副立法长（中书侍郎）兼二级实质宰相（同平章事）、全国财政总监（判度支）；蒋镇当国务院文官部副部长（吏部侍郎）；樊系当国务院教育部副部长（礼部侍郎）；彭偃当立法官（中书舍人）；其他，从张光晟等起，都一一任命官职。封老弟朱滔（卢龙〔总部幽州〕首领）当皇太弟。姚令言跟源休共同主持政府，朱泚所有的计划、谋略和人事上的升迁贬谪，以及军事行动，辎重粮秣供应，都直接报告源休。

源休建议朱泚处死留在京师（首都长安）李姓皇家子孙，用以断绝人民的盼望；于是屠杀郡王、王子、王孙共七十七人。朱泚不久又擢升蒋镇当副监督长（门下侍郎），李子平当监督院高级顾问官（谏议大夫），二人都兼二级实质宰相（同平章事）。蒋镇忧愁恐惧，经常在身上揣一把刀，准备自杀；也想到逃亡，可是天性怯弱，全都做不出来。但源休建议：凡是唐政府时代官员逃亡躲藏的，一旦被捕，全部诛杀，用以威慑其他企图逃亡躲藏的人，蒋镇都竭力营救，很多人的性命都靠他保全。樊系替朱泚撰写登极诏书，定稿之后，服毒自杀。唐政府最高法院院长（大理卿）胶水（山东省平度市）人蒋沇，前往皇帝所在地，中途被秦政府巡逻士卒查获逮捕，蒋沇绝食，声称患病，乘戒备松懈时逃走，得免一死。

28 据守襄城（河南省襄城县）的东畿汝州战区（总部设洛阳〔河南省洛阳市〕）司令官（节度使）哥舒曜，粮尽援绝，遂放弃襄城（河南省襄城县），突围投奔洛阳。

李希烈（淮宁〔总部许州〕首领）占领襄城（河南省襄城县）。

29 右龙武（禁军第四军）将军李观，率禁军士卒一千余人，追随李适到奉天（陕西省乾县）。李适命他招兵买马，几天时间集结五千余人，就在大街上列阵操练，旌旗招展，战鼓震耳，居民们的信心大增。

姚令言率特遣兵团东下时（参考本年〔七八三〕十月二日），命作战司令（兵马使）京兆（首都长安）人冯河清，当泾原战区（总部设泾州〔甘肃省泾川县〕）候补司令官（留后）；执行官（判官）河中（山西省永济市）人姚况，代理泾州（甘肃省泾川县）州长。冯河清、姚况听到李适逃亡奉天（陕西省乾县）的消息，集合各将领痛哭流涕，用忠孝节义激励士气，立刻把铠甲、武器，各种用具，装载一百余车，连夜启程，运到皇帝所在地。奉天（陕西省乾县）守军缺少铠甲、武器，正忧虑不知道如何解决，得到这些，士气大为振奋。

李适下诏，命冯河清当四镇北庭战区特遣兵团（驻泾州〔甘肃省泾川县〕）及泾原战区（总部设泾州〔甘肃省泾川县〕）司令官（节度使），姚况当作战参谋长（行军司马）。

30 李适到奉天（陕西省乾县）数天之后，国务院右最高执行长（右仆射）、二级实质宰相（同平章事）崔宁（崔旰）才跟着抵达，李适大为欢喜，安抚慰劳，十分恳切。崔宁（崔旰）退出，对他的亲信说："领袖是英明的领袖，接受部属的意见，既诚恳而又迅速。只因受卢杞迷惑，才沦落到今天这种地步！"十分感伤，不禁落泪。卢杞听到消息，跟王翃秘密设计陷害。王翃向李适打小报告说："我跟崔宁（崔旰）一同逃出京师（首都长安），走到中途，崔宁（崔旰）很多次下马去僻静的地方撒尿，很久都不回来，有观望成败、再作决定的意思。"就在这时候，朱泚下诏，任命国务院左秘书长（左丞）柳浑兼二级实质宰相（同平章事），崔宁（崔旰）当最高立法长（中书令）。柳浑，是襄阳（湖北省襄阳市）人，当时正逃到山谷躲藏。王翃命盩厔（陕西省周至县）

县政府防卫员（尉）康湛，假造一封崔宁（崔旰）写给朱泚的奏章，呈献给李适。卢杞乘机诬陷崔宁跟朱泚缔有密约，崔宁（崔旰）负责内应，所以只他来得最晚。

十月十一日，李适派宦官宣称奉有密诏，召唤崔宁（崔旰）进帐，埋伏的两位勇士，从后面把他制服，绞死（年六十一岁）。无论中央或地方，同声为他呼冤。李适得到消息，赦免他的家属不死。

31 秦帝朱泚派人送信给老弟朱滔（卢龙〔总部幽州〕首领），说："三秦（陕西省中部）地区，马上可以平定，黄河以北，委托你灭绝残敌，当择定日期，跟你在洛阳（河南省洛阳市）会面。"朱滔接到信，面向西方，三跪九叩；把这封信在总部传阅，并通知各战区道，炫耀自己的伟大。

32 李适派宦官前往魏县（河北省大名县西南）中央各战区特遣兵团大营（讨伐田悦各军），通知泾原兵变消息，各将领听到，互相对着痛哭。朔方战区（总部设灵州〔宁夏灵武市〕）司令官（节度使）李怀光率军直向首都长安（陕西省西安市）勤王，河东战区（总部设太原府〔山西省太原市〕）司令官（节度使）马燧、河阳战区（总部设河阳城〔河南省孟州市〕）司令官（节度使）李艽（音qiú〔球〕）率军各回本战区；昭义战区（总部设潞州〔山西省长治市〕）司令官（节度使）李抱真（安抱真）撤退到临洺（河北省邯郸市永年区）。

33 十月十三日，李适命国务院财政部长（户部尚书）萧复当国务院文官部长（吏部尚书），擢升国务院文官部考选司司长（吏部郎中）刘从一当国务院司法部副部长（刑部侍郎），皇家文学研究官（翰林学士）

姜公辅当监督院高级顾问官（谏议大夫）。三人都兼二级实质宰相（同平章事）。

34 秦帝朱泚亲率大军攻击奉天（陕西省乾县），声势浩大。命姚令言当元帅、张光晟当副元帅；李忠臣（董秦）当首都长安特别市长（京兆尹）兼皇城留守长官；仇敬忠当同华战区（总部设同州〔陕西省大荔县〕）司令官（节度使），封拓东王，用以抵抗从关东（潼关以东）西上勤王的中央军。另命李日月当西方前锋军事指挥官（西道先锋经略使）。

邠宁战区（总部设邠州〔陕西省彬州市〕）候补司令官（留后）韩游瓌、庆州（甘肃省庆阳市）州长论惟明（论，姓）、监军宦官翟文秀，奉李适之命，率军三千人，前往便桥（西渭桥，陕西省咸阳市西南）抵抗朱泚，行军到醴泉（陕西省礼泉县），突然发现朱泚的大军。韩游瓌打算立刻折回奉天（陕西省乾县），翟文秀说："我们折回奉天（陕西省乾县），盗贼紧跟在后边，也会抵达，是我们引导盗贼攻击天子。不如就在这里建立营阵，盗贼决不敢越过我们去攻奉天（陕西省乾县）。如果竟敢越过我们，则我们就跟奉天（陕西省乾县）守军，前后夹攻！"韩游瓌说："盗贼强大，我们弱小。如果分出一部分兵力把我们锁住，而主力直攻奉天（陕西省乾县），奉天守军衰弱，连抵抗都感到困难，哪里来的夹攻？我主张立刻折回奉天（陕西省乾县），正是要加强保护皇上。而且，我们的士卒饥寒交加，而盗贼有的是金银财宝，如果用钱来引诱，我不能保证我们的士卒不被收买！"遂率军折回奉天（陕西省乾县），朱泚大军也随后抵达。唐政府军出战，失利退回，朱泚军乘胜追击，跟唐军争夺城门，打算进城。浑瑊跟韩游瓌血战一整天，竟无法把朱泚军击退。恰巧城门里有几辆满装柴草的车子，浑瑊派纠察官（虞候）高固，率铁甲战士，用长刀猛砍秦军，奋勇直前，以一当百；浑瑊抓住这个机会，把草车塞住城门，纵火焚烧，唐军在火势掩护下攻击，秦军才退走。

当天夜晚，秦军大营驻扎奉天（陕西省乾县）城东三华里，敲打木梆巡夜，火炬高烧，布满原野。朱泚命西明寺和尚法坚（西明寺位长安延康坊，本隋王朝杨素住宅），制造攻城武器，拆下寺庙的木材，建成冲城楼梯。韩游瓌说："寺庙的木材，都十分干燥，我们要准备火攻。"高固，是高侃的玄孙（高侃，参考六四九年正月）。自此之后，朱泚天天发动攻击，浑瑊、韩游瓌等，日夜战斗。一部分卢龙战区特遣兵团，前些时奉命增援襄城（河南省襄城县），走到半路，听到朱泚登极称帝消息，立刻回军，闯入潼关（陕西省潼关县），一直抵达奉天（陕西省乾县），回归朱泚旗下。而驻防普润（陕西省宝鸡市凤翔区北）的陇右战区特遣兵团士卒也归附朱泚。朱泚拥有的武装部队，已达数万人。

35 李适跟皇家文学研究官（翰林学士）陆贽，探讨这场兵变的原因，深刻的责备自己。陆贽说："导致今天的灾难，都是文武官员的罪过！"李适说："事实上这是天意，不关人事！"陆贽对李适的这种想法，大感惊异，退出后，上疏说：

"陛下立志统一全国，出军四方，征讨叛逆，作恶的首领还没有完全消灭（指田悦、李纳等），叛逆的将领（指朱滔、李希烈等）已继起作乱，兵连祸结，将近三年（前年〔七八一〕）迄今，征兵每日都在增加，赋税更一天比一天沉重，内从中央，外到边境，出征士卒有随时丧生的忧愁，留在家乡务农经商的平民，则有随时被诛杀勒索的困苦。

"因为这个缘故，叛乱才不断发生，怨恨与诽谤才如火如荼；全国亿兆人民，都警觉到局势随时都会爆炸，只陛下一人，独处深宅大院，四周一片宁静，竟没有任何感觉。于是促使凶暴的士卒，擂动战鼓，公然横行，光天化日之下，冒犯宫门，这岂不是我们有机可乘，他们却顺应民心！陛下有亲密信任的辅佐，有代替耳目的干部，有负责进言规劝的官员，有职责保护安全的将士。可是这些人危急的时候不能尽忠，面对灾难的时候不能效死，我所说的招致今天这种局势，都是文武官员的罪过，并不是没有根据。

"然而，陛下却认为：国家的兴盛或衰败，全是天命。这种看法，有待深入探讨。我曾经听说：上天看到的或听到的，就是人民看到的或听到的，（《书经》："天视自我民视，天听自我民听。"）所以祖伊斥责子受辛（商王朝三十任帝纣帝）不应该说：'我应天命而生，不同凡品！'（"我生不有命在天！"）姬发（周王朝一任王武王）列举子受辛的罪状之一，也就是：'他竟然宣称他的命是上天赐予，对所做的错事，从不后悔！'这一切指出：绝对不可以故意贬低人为的力量，而把制造灾难的责任，全部推给天命。

"《易经》说：'实践真理，就是吉祥！'（"视履考祥。"《履卦·上九·爻辞》。）又说：'吉，是行事正当；凶，是行事错误。'（"吉凶者，失得之象。"《大传》）也同样指出：天命由于人事！道理至为明显。圣贤哲人的意思，融会在儒家学派六经之中，肯定'祸''福'都由人自己决定，从没有说过'盛''衰'由天命安排。人事处理正当合理，上天却非要降祸给他不可，这种事从来没有发生过；人事处理荒谬混乱，上天却非要赐顺给他不可，也从来没有发生过。

"近年以来，政府不停的东征西讨，法令也随着日渐严厉苛刻，财力已经枯竭，人民惊疑恐慌，好像生活在怒涛骇浪之中，心情汹涌，不能安定。上自中央高官，下到荒村小民，亲戚朋友们日夜聚在一起，不停的磋商讨论，都在忧虑将要发生的动乱。果然不久，泾原战区（总部泾州）士卒即行兵变，不出大家所料。

“京师（首都长安）居民，动不动就预测未来，并不是每个人都晓得天道，每个人都能占星卜卦，只是说明，引起灾难的原因，未必全由于上天震怒。我曾经听说，在太平盛世中，也会有灾祸发生；在混乱的时局里，仍能使天下进入太平盛世。有时候因为没有一点内忧外患，反而会使国家覆亡；有时候因为有不断的苦难，反而会使国家兴盛。现在，灾祸的发生，政府的挫败，已成为事实，过去的事，无法追悔，但多难兴邦的大业，需要陛下自己勉励，谨慎行事。何必担心乱民？又何必忧虑坏运？勤恳奋斗，永不倦怠，就足以使天下重回和平，岂仅只洗清妖孽，凯旋回宫而已。”

36 魏王田悦派人游说赵王王武俊，请他会同幽州（北京市）特遣兵团留守司令马寔，联合攻击退守临洺（河北省邯郸市永年区）的中央军李抱真（安抱真，昭义〔总部潞州〕司令官）。李抱真（安抱真）派参谋官贾林再度晋见王武俊（上次游说，参考本年〔七八三〕六月）说：“临洺（河北省邯郸市永年区）守军（昭义兵团）全是精锐，而又早有戒备，不是轻易就可以攻克。即令攻克，利益归魏博（魏王田悦）；如果战败，恒冀（赵王王武俊）受到的伤害最大。易州（河北省易县）、定州（河北省定州市）、沧州（河北省沧州市东南）、赵州（河北省赵县），都是你的故土（指原属成德战区。此时义武〔总部定州〕张孝忠据易州、定州、沧州，深赵〔首府赵州〕康日知据守赵州），不如先行夺取！”王武俊乃婉辞田悦的邀请，跟马寔向北撤退。

十月十八日，田悦在馆陶（河北省馆陶县）大摆筵席，欢送王武俊，握手告别，流下眼泪，馈赠十分优厚。

在此之前，王武俊曾经向回纥汗国（瀚海沙漠群）请求派军切断中央军司令官李怀光等的粮运交通线。现在，中央军魏县（河北省大名县西南）大营解散，李怀光等已向西撤退。回纥亲王（达干）率回纥军一千人，以及其他蛮夷部落二千人，就在这时候，南下抵到幽州（北京市）边境。冀王朱滔（时驻扎瀛州）说服回纥亲王（达干），打算一同继续南下，到黄河以南，夺取东都洛阳（河南省洛阳市），接应新登极的秦帝朱泚。朱滔承诺黄河以南所有男人、女子、金银、绸缎，全部交由回纥奸淫烧杀掳掠。为了加强亲密关系，朱滔娶回纥女儿当小老婆，回纥称他“朱郎”，又贪图黄河以南的男女财富，所以一口答应。

贾林再一次游说王武俊，警告说：

“自古以来，国家遇到灾祸，未必不能中兴重建！何况，皇上是唐王朝的第八代天子（一代李渊，二代李世民，三代李治，四代李显、李旦，五代李重茂、李隆基，六代李亨，七代李豫〔李俶〕，八代李适），聪明英武，天下人谁肯不事奉他，而去事奉朱泚？朱滔自从当了盟主之后，骄傲自大，轻视原来跟他同辈的朋友。河朔（河北平原）古时候从来没有冀国，冀州（河北省衡水市冀州区）直到现在仍是你的领土。朱滔却自称冀王，又仗恃西面有他称帝的老哥，北面又引导回纥南下，志向至为明显：不过打算并吞河朔（河北平原），归他一人所有而已。你虽然想当他的臣属，恐怕也难办到。你盖世英雄、骁勇善战，朱滔怎么能跟你相比？你本来心怀忠义，亲手诛杀叛逆（李惟岳），只因当时宰相（卢杞）处理善后失当，受到朱滔欺骗诱惑，所以阴差阳错，直到今天。不如跟昭义战区（总部设潞州〔山西省长治市〕）合作，攻击朱滔，一定获胜。朱滔既被消灭，朱泚自然瓦解。这是当前世局最大的功劳，转祸为福的正途。而今，各道从四面八方围攻朱泚，用不了几天，就可以把他铲除。等到天下已经平定，你再后悔，重回中央，恐怕已经太晚。"

当时，王武俊跟朱滔已有距离，遂卷起袖子，跳起来吼叫说："长达两百年的皇家天子，我不当他的部属，难道去当那个庄稼汉小瘪三的部属！"遂跟中央军将领李抱真（安抱真）及马燧（河东〔总部太原府〕）联合，盟誓，结成兄弟。然而，王武俊在表面上仍表示服从朱滔，而且在礼节上更特别谨慎恭顺，跟魏王田悦分别派使节前往河间（瀛州州政府所在县，河北省河间市）晋见朱滔，祝贺朱泚登极称帝。王武俊更要求马寔率军相助，共同攻击康日知（深赵〔首府赵州〕行政长官）据守的赵州（河北省赵县）。

37 汝州（河南省汝州市）、郑州（河南省郑州市）援军司令（汝郑应援使）刘德信（参考本年〔七八三〕八月），率子弟军据守汝州（河南省汝州市。神策军基地司令〔神策军使〕白志贞〔白琇珪〕招募的"子弟兵"，参考本年〔七八三〕四月），听到皇帝逃亡消息，立刻西上勤王，推进到见子陵（陕西省西安市西南），跟朱泚的秦军发生遭遇战，击破秦军；因东渭桥（陕西省西安市高陵区南）囤积有转运的粮食。

十月十九日，刘德信进驻东渭桥（陕西省西安市高陵区南）。

38 朱泚于夜晚从东、西、南三面，向奉天（陕西省乾县）发动攻击。

十月二十日，皇家行宫总作战司令（行在都知兵马使）浑瑊（音jiān〔坚〕）竭力抵挡，击退秦军；左龙武（禁军第三军）大将军吕希倩阵亡。

十月二十一日，秦军再度攻城，唐军将领高重捷，跟秦军将领李日月，在梁山（陕西省乾县北）下大战，击破李日月，乘胜追击，身先士卒。秦军发动埋伏，生擒高重捷。高重捷部属十余人冒死奋战追赶，希望把高重捷夺回。秦军不能抵挡，遂砍下高重捷的人头，丢下尸体逃走。部属们把尸体抬回城里，李适亲自抚摸尸体，流泪痛哭，至为哀伤，用蒲草扎成人头安葬，追赠中央官位：司空（三公之三）。朱泚看见高重捷的人头，也哭说："他是忠臣！"用蒲草扎成身子安葬。李日月，是秦军的勇将，在攻击奉天（陕西省乾县）时战死，朱泚把他的尸首运回长安（陕西省西安市），葬礼至为优厚隆重；李日月的娘亲竟然不哭，诟骂说："奚蛮奴才，国家有什么地方负你，使你叛变，你死得太晚！"后来朱泚失败，他的同党都被诛杀，只李日月的娘亲不包括在内。

十月二十五日，唐帝李适加授浑瑊，京畿渭水南北、金商战区（总部设奉天〔陕西省乾县〕）司令官（节度使）。

39 十月二十八日，王武俊与马寔，抵达赵州（深赵道首府，河北省赵县）城下。

40 最初，朱泚镇守凤翔（陕西省宝鸡市凤翔区）时，派他的部将牛云光，率卢龙战区特遣兵团士卒五百人，驻防陇州（陕西省陇县）。命陇右战区屯垦总监部执行官（营田判官）韦皋（时驻陇州），兼陇右战区特遣兵团（驻普润〔陕西省宝鸡市凤翔区北〕）候补司令官（领陇右留后）。朱泚称帝后，陇州（陕西省陇县）州长郝通，弃职逃走，投奔凤翔（陕西省宝鸡市凤翔区）。牛云光假装患病，打算等韦皋到他家探病时，发动埋伏，把他生擒呈献朱泚，而消息泄露，遂率领他的部众，仓猝间投奔朱泚。走到汧阳（陕西省千阳县）时，遇见朱泚派的宦官苏玉，携带任命韦皋当副总监察官（御使中丞）的诏书，也走到那里。苏玉游说牛云光说："韦皋，不过一个文官罢了。你不如跟我一同前去陇州

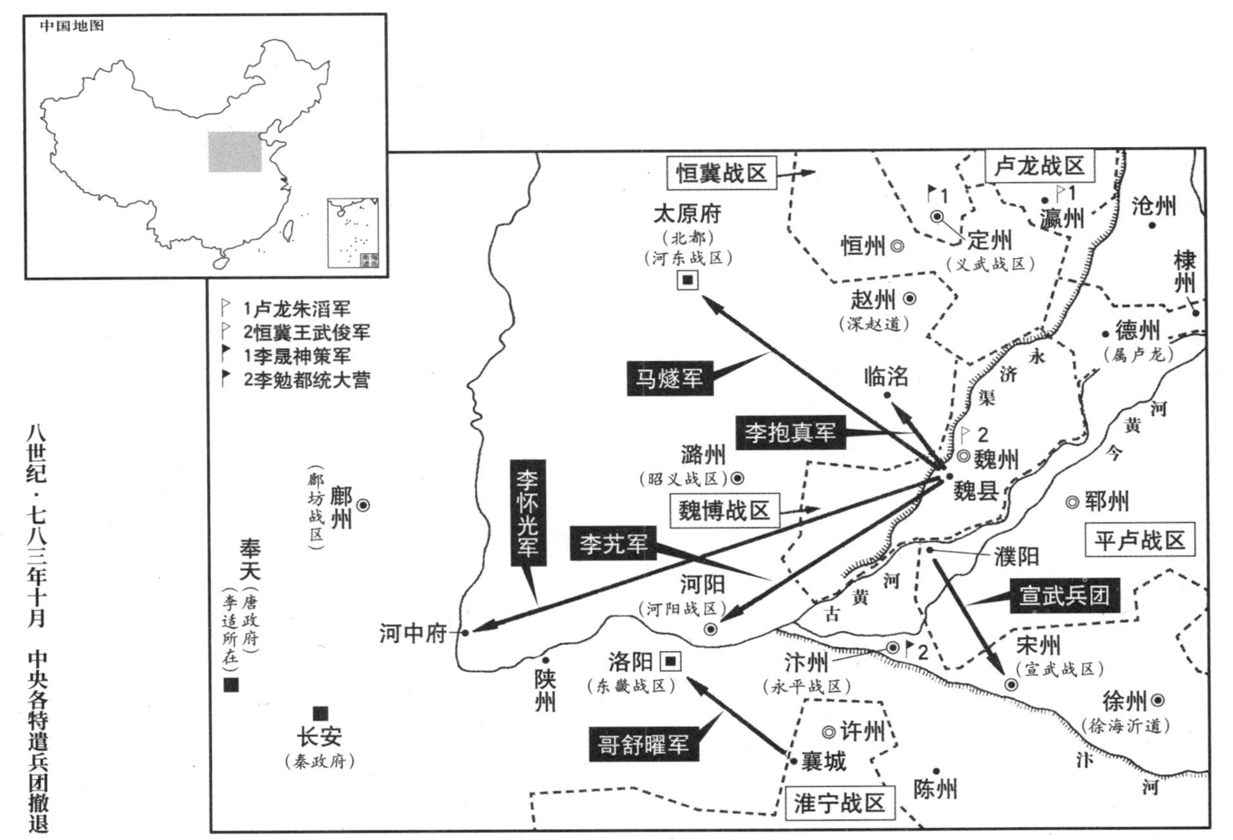

八世纪·七八三年十月　中央各特遣兵团撤退

（陕西省陇县），韦皋如果接受诏书，那就是自己人；如果不接受诏书，你就挥军把他诛杀，岂不是轻而易举得好像干掉一只猪崽一样！”牛云光同意。

韦皋在城楼上询问牛云光说：“前些时你连一句话都没有交代，拔腿就走，今天却忽然又折回来，这是怎么回事？”牛云光说：“前些时不知道你的立场，而今，皇上（朱泚）对你有新的任命，所以去而复返，愿推心置腹相待。”韦皋先请苏玉进城，接受诏书，对牛云光说：“将军假如真的没有贰心，请你的军队脱下铠甲，交出武器，使城中军民不致起疑，你们才可以进城。”牛云光认为韦皋一介书生，根本没有看到眼里，就把全部铠甲、武器，交给韦皋，然后徒手进城。

第二天，韦皋在州政府宾馆设宴欢迎苏玉、牛云光，以及他的部属；遂发动埋伏，全部诛杀。然后，构筑高台，跟将领士卒们向天盟誓，说：“李楚琳谋杀战区司令官（张镒），他既不能效忠长官，又怎么会爱护部下，我们应同心合力讨伐！”派老哥韦平、韦弇（音yǎn〔俨〕）前往奉天（陕西省乾县），同时派使节向吐蕃王国（首都逻些城〔西藏拉萨市〕）求救。

41 十一月二日，唐帝李适在陇州（陕西省陇县）设奉义战区，擢升韦皋当战区司令官（节度使）。

秦帝朱泚又派宦官刘海广往见韦皋，允许调升韦皋当凤翔战区（总部设凤翔府〔陕西省宝鸡市凤翔区〕）司令官（节度使）。韦皋斩刘海广。

42 朔方战区（总部设灵州〔宁夏灵武市〕）候补司令官（留后）杜希

全、盐州（陕西省定边县）州长戴休颜、夏州（陕西省靖边县北白城则村）州长时常春，会合渭北战区（总部设鄜州〔陕西省富县〕。鄜，音fū〔夫〕）司令官（节度使）李建徽，共集结士卒一万人，增援勤王，即将抵达奉天（陕西省乾县），李适召集高阶层军事会议，讨论应从哪一条路进城最为恰当。宰相关播、皇家行宫总作战司令（行在都知兵马使）浑瑊，都说："漠谷（乾县北六公里）道路狭窄危险，恐怕盗贼埋伏。不如从乾陵（三任帝李治墓，乾县西北二公里）北方通过，紧靠柏城（皇帝坟墓满种柏树，俗称"柏城"）前进，在东北鸡子堆扎营，跟城中守军互相呼应，而且可以吸住一部分叛军，减少我们的正面压力。"卢杞反对，说："漠谷（乾县北六公里）道路较近，盗贼中途拦击，城里只要出军接应就可以了。如果经过乾陵（三任帝李治墓），恐怕惊动先皇（三任帝李治）。"浑瑊说："自从朱泚攻城以来，日夜不停的砍伐乾陵（三任帝李治墓）上的松树柏树，对先皇（三任帝李治）早已惊动得够多。而今城防危险万状，各道援军还没有一道抵达，只杜希全等先到，影响非常重大，如果能扎营在险要地方，朱泚就可以被击破！"卢杞义愤填膺说："陛下的皇家军队，怎么可以跟叛逆的盗匪军队相提并论！如果命杜希全经过乾陵（三任帝李治墓），是我们自己惊动地下先皇（三任帝李治）！"（这就是"一脸忠贞学"，官场中一项专门学问。）李适乃命杜希全自漠谷（乾县北六公里）前进。

十一月三日，杜希全等大军进入漠谷（乾县北六公里），果然受到狙击，秦军站在山头，使用强弓、巨石，向隘道上的唐军射击投掷，唐军死伤惨重。奉天（陕西省乾县）守军急派兵出城援救接应，被秦军击败。当天（十一月三日）夜晚，四道勤王联军崩溃，退守邠州（陕西省彬州市）。朱泚就在奉天（陕西省乾县）城下，检阅所俘获的军用物资等战利品，唐政府官员在城上面面相觑，脸色大变。戴休颜，是夏

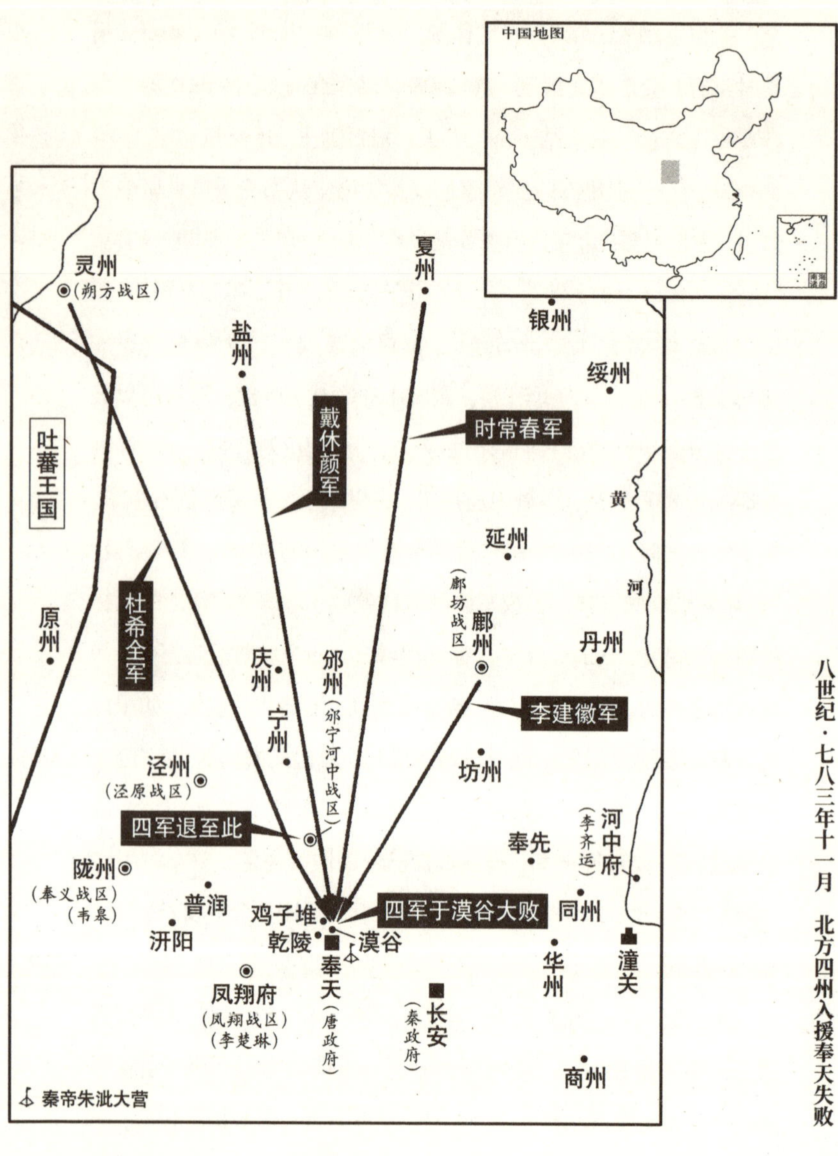

八世纪·七八三年十一月　北方四州入援奉天失败

州（陕西省靖边县北白城则村）人。

自两河（黄河南北）战争爆发，直到李适逃亡，卢杞所作的建议，没有一句话不误国害民，可是李适却信任不衰，可谓昏庸已极。

朱泚攻城越发猛烈，在奉天（陕西省乾县）四周，绕城挖掘壕沟，打算把李适困死。朱泚把中央御帐移到乾陵（三任帝李治墓）之上，俯览眼底的奉天（陕西省乾县）城池，对城里军民的一举一动，看得清清楚楚；朱泚又不断派使节绕着城池，号召城里军民归降，并嘲笑城里军民不识天命。

43 神策军及河北（黄河以北）各道特遣兵团司令官（神策、河北行营节度使）李晟，大病痊愈（李晟患病，退守定州〔河北省定州市〕事，参考本年〔七八三〕五月），得知皇帝逃亡奉天（陕西省乾县），急率军入援勤王。义武战区（总部设定州〔河北省定州市〕）司令官（节度使）张孝忠，受朱滔（冀王〔首都幽州〕）及王武俊（赵王〔首都恒州〕）逼迫，情势紧张，全靠李晟协助，所以不愿意李晟离开，一再阻止。李晟乃把儿子李凭留下来，并为李凭娶张孝忠的女儿为妻，又解下玉带贿赂张孝忠的亲信，请他们在旁美言，最后，张孝忠才终于同意让李晟西返，并派大将杨荣国率精锐士卒六百人，跟李晟同行。

李晟率军穿过飞狐道（河北省蔚县东南，太行八陉之六），日夜行军，抵达代州（山西省代县）。

十一月四日，李适加授李晟：神策军特遣兵团司令官（神策军行营节度使）。

44 赵王王武俊、冀国(首都幽州〔北京市〕)特遣兵团留守司令马寔，攻击赵州(深赵道首府，河北省赵县)，不能攻克。

十一月八日，马寔率军回瀛州(冀王朱滔驻扎地〔河北省河间市〕)；王武俊送他五华里之遥，馈赠十分厚重；王武俊也回自己的首都恒州(河北省正定县)。

45 李适逃到奉天(陕西省乾县)时，陕虢道(首府设陕州〔河南省三门峡市〕)行政长官(观察使)姚明敭(音yáng〔羊〕)，把军权全部交给警备区副司令官(都防御副使)张劝，而自己前去皇帝所在地。张劝招兵买马，集结数万人之多。

十一月十一日，李适擢升张劝当陕虢战区(以陕虢道升格)司令官(节度使)。

46 朱泚亲率大军围攻奉天(陕西省乾县)一个多月，城中物资及粮食，全都消耗罄尽。

李适曾经派快步的人出城侦察敌情，那人跪在李适面前，诉说自己没有稍厚的衣服可穿，寒冷悲苦，乞求赏给一套衣裤。李适命拿给他一套，可是竟然无法找到，无可奈何，只好悲痛的把他打发走。这时，供应皇家的粮食，只剩下糙米二石。常乘着秦军攻城疲惫，停火休息的时候，深夜把人从城墙上缒到城外野地，挖掘一点芜菁根，回来充当御膳(芜菁，又称蔓菁，俗称大头菜)。

李适召集文武百官，说："我自己犯了错误，身陷危亡，罪有应得。可是你们并没有罪，最好是早早投降，拯救你们的家人！"大家都叩头哭泣，誓言竭尽死力，所以将士们虽然困苦危急，但锐气没有衰退。

八世纪·七八三年十一月

各特遣兵团返回关中，奉天解围

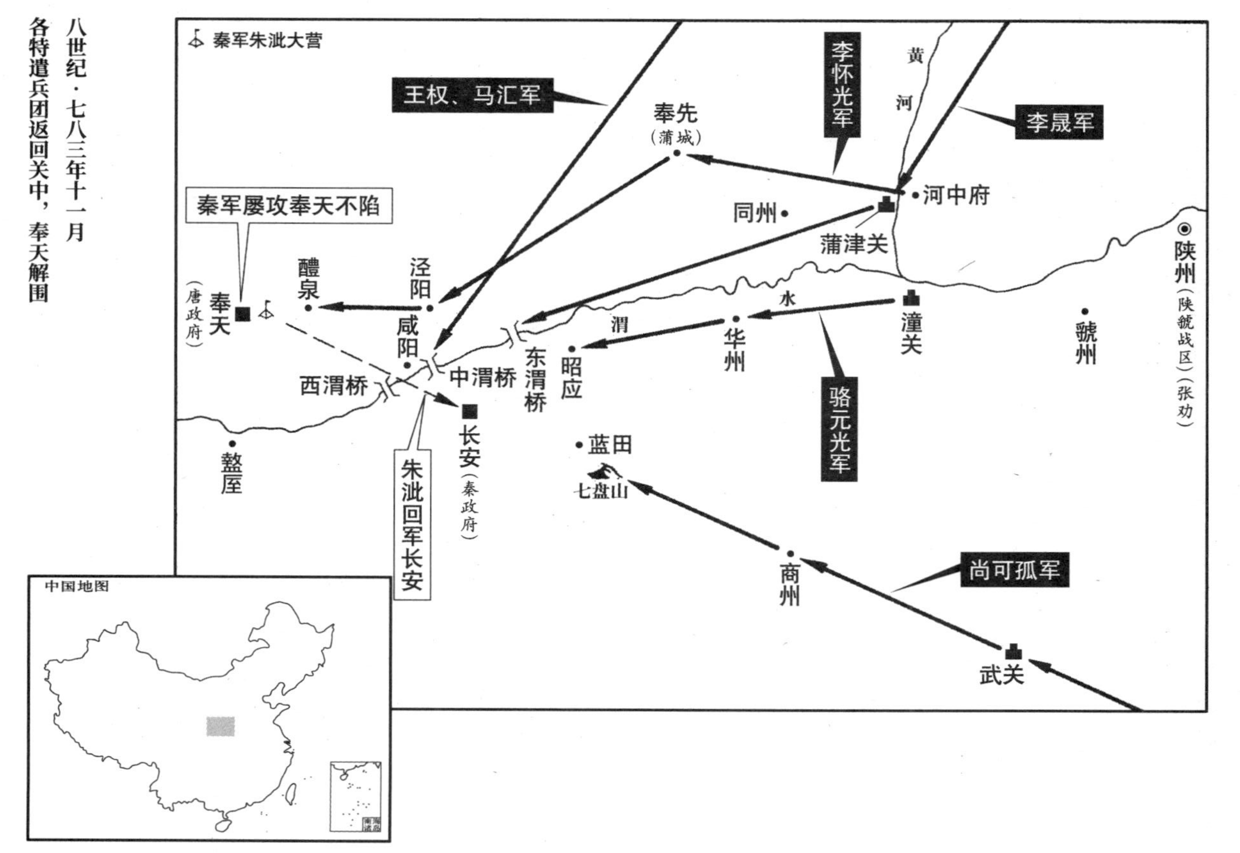

李适逃到奉天（陕西省乾县）时，魏县（河北省大名县西南）四战区特遣兵团大营粮秣供应总监（粮料使）崔纵，建议朔方战区（总部设灵州〔宁夏灵武市〕）司令官（节度使）李怀光出军勤王，李怀光接受（参考本年〔七八三〕十月）。崔纵遂搜刮所有的辎重粮食，跟李怀光一同西上。李怀光日夜不停行军，抵达河中（山西省永济市），官兵都筋疲力尽，休息三天。河中（山西省永济市）特别市长（河中尹）李齐运，倾其全力犒劳欢宴，士卒们打算多逗留几天，崔纵先把财物用车运过黄河，告诉大家："到了河西（陕西省东部），全部赐给！"大家贪图财货，遂渡过黄河，进驻蒲城（此时称奉先城，今陕西省蒲城县），共有五万人。李齐运，是李恽（二任帝李世民的儿子，封蒋王，参考六七四年十二月）的孙儿。

神策军特遣兵团司令官（神策兵马使）李晟西上，沿途招兵买马，也从蒲津关（山西省永济市西）渡过黄河，驻军东渭桥（陕西省西安市高陵区南）。最初只有四千人，但李晟对士卒有爱心，安抚驾驭，跟士卒一致行动，同甘共苦，士卒乐于投效，短短的十天到一月之间，集结到一万余人。

神策军作战司令（神策兵马使）尚可孤，奉命讨伐李希烈（淮宁〔总部许州〕首领），率三千人驻扎襄阳（山南东道战区总部，湖北省襄阳市）；听到皇帝流亡消息，从武关（陕西省商南县西北）入援勤王，抵达七盘（陕西省蓝田县东南），击败秦军将领拓东王仇敬忠，遂攻克蓝田（陕西省蓝田县）。尚可孤，属于宇文部落的一个支派（宇文部落，大分裂时代鲜卑民族的一个部落，北周帝国皇族便属这个部落）。

镇国军（驻华州〔陕西省渭南市华州区〕）基地副司令（副使）骆元光，祖先是安息（此不是指前二世纪的安息王国〔伊朗〕，而是指安国〔中亚布哈拉市〕）人。宦官骆奉先收作养子（骆奉先，即骆奉仙，参考七六三年七月），率军驻守潼关（陕西省潼关县），将近十年，深受部众爱戴。秦帝朱泚派将领何望之袭击华州（陕西省渭南市华州区），州长董晋逃奔皇帝所在地。何望之遂占领城池，集结兵力，打算切断东方供应奉天（陕西省乾县）粮食的运输线。骆元光率关防部队袭击何望之，何望之退回长安（陕西省西安市）。骆元光遂驻军华州（陕西省渭南市华州区），招兵买马，几天时间，就聚集一万余人。朱泚不断派军攻击骆元光，骆元光都把他们击退，秦军从此不能向东扩张。唐帝李适即任命骆元光当镇国战区（总部设华州〔陕西省渭南市华州区〕）司令官（节度使）。骆元光乃率军二千人，向西进驻昭应（陕西省西安市临潼区）。

河东战区（总部设太原府〔山西省太原市〕）司令官（节度使）马燧，派作战参谋长（行军司马）王权跟他的儿子马汇，率军五千人，西上勤王，进驻中渭桥（陕西省咸阳市东）。

于是新建立的秦政府势力范围，不过一个首都长安而已，唐政府勤王军游骑兵斥候，有时挺进到望春楼（陕西省西安市东）下。秦政府最高监督长（侍中）李忠臣（董秦）等屡次出兵迎战，都被击败，向远在奉天（陕西省乾县）城下的朱泚，紧急求援。朱泚恐怕民间反抗力量埋伏拦截，所以派回增援长安的部队，白天不能行军，要到夜晚才敢前进。

朱泚十分忧虑长安的局势，于是决定对奉天（李适所在，陕西省乾县）发动最后一次猛烈的夺城攻击，命佛教和尚法坚制造攻城武器——云桥，高数丈，宽也数丈，外裹犀牛皮，下装巨大车轮，上面可容纳五百人，城里守军看到，大为恐惧。李适询问文武百官的意见，浑瑊、侯仲庄回答说："看情形云桥十分沉重，沉重就容易下陷，我们应先预测他们进攻的方向，在必经的道路上，挖掘坑道，堆积木柴，准备火苗。"神武军基地司令（神武军使）韩澄说："云桥只算是小玩艺，皇上不必烦心，让我负责对付。"于是推测云桥进攻的方向——城东北角，就在三十步范围之内，清除障碍，堆积大量膏油、松脂、木柴。

十一月十四日，朱泚指挥主力大军，擂鼓呐喊，攻击南城。韩游瓌说：“这是要分散我们的兵力！”率军严密戒备东北。

十一月十五日，北风凌厉，朱泚下令出动云桥，上面盖着被水浸湿的毛毡（防唐军火攻），悬挂水袋，满载士卒；两翼各有攻城战车保护，士卒在战车隐蔽下，或抱木柴，或背泥土，把壕沟填平，步步前进，无论是弓箭、石头、火把，都不能伤害。秦军主力果然攻击奉天（陕西省乾县）东北城角，乱箭落石，像倾盆大雨，城中唐政府军死伤不计其数，而秦政府军士卒，有的已攀上城墙。李适得到危急消息，跟浑瑊相对流泪，文武百官只有抬头向上天祈祷。李适把空白皇家人事任用状——上自总监察官（御史大夫，正三品），实封采邑五百户人家，共一千余件，交给浑瑊，命他紧急招募敢死队抵抗，亲笔写给浑瑊授权书，要他依照部属所立功劳大小，填上他们的姓名；空白任用状如果不够用，准浑瑊把所任命的官爵，写在立功官员身上，嘱咐说：“我现在就和你告别！”浑瑊匍匐地上，泪流满面，李适拍着他的背，哭泣抽噎，克制不住悲痛。当时，天寒地冻，士卒缺乏盔甲，浑瑊安慰解释，用忠义激励，大家都鼓起勇气，高声呐喊，奋力迎战。浑瑊身中流箭，仍忍痛拼命向前。就在危险万状之际，云桥辗到坑道上，地面崩塌，一个轮子下陷，车身倾斜，既不能前进，又不能后退，火焰立刻从坑道中吐出，北风反扑，城上唐军再投下火把，抛掷松脂、喷洒膏油，欢呼声震动天地。刹那间，云桥以及云桥上的士卒，都烧成灰烬，尸臭传闻数华里，秦军才向后撤退。奉天（陕西省乾县）三个城门大开，唐军分别出击（朱泚攻东、南、北三面），太子李诵亲自督战，秦军大败，数千人阵亡。唐军将领士卒有受伤的，李诵亲自为他们包扎。

当天（十一月十五日）夜晚，秦军再度攻击，流箭射到距李适只有三步地方坠下，李适心胆俱裂。

李怀光自蒲城（奉先，陕西省蒲城县）率军直向泾阳（陕西省泾阳县），沿着北方山岭，向西行军，先派作战司令（兵马使）张韶把奏章藏在药丸里，换穿平民衣服，前去皇帝所在地。张韶抵达奉天（陕西省乾县），正逢秦军攻城，看见张韶，认为他不过一个平民，抓住他，命他跟其他同样命运的民夫，一同填塞壕沟。张韶找个机会，越过壕沟，奔到城下，呼叫说："我是朔方兵团的使节！"城上守军缒下绳索把他拉上去，等拉到城上，已被秦军射中数十箭，奄奄一息，守军从他身上搜出奏章呈递李适，李适大喜过望，命人把躺在担架上的张韶抬到城上，让士卒观看，四方欢呼的声音，如同巨雷。

十一月二十日，李怀光进攻，在醴泉（陕西省礼泉县）击败秦军。朱泚得到消息，大为恐惧，率军退回长安（陕西省西安市）。大家认为李怀光如果再迟三天不来的话，奉天（陕西省乾县）一定陷落。

朱泚撤退后，奉天（陕西省乾县）城中文武百官，都向李适祝贺。永平战区（总部设汴州〔河南省开封市〕）特遣兵团作战司令（行营兵马使）贾隐林（参考七六一年正月），直率警告说："陛下太过急躁，不能包容跟自己不同的意见，这种性格如果不改正，纵然朱泚覆亡，灾难却不会到此为止！"李适并不认为他对自己冒犯，反而加以称赞。中央监察官（侍御史）万俟著（万俟，音mò qí〔墨其〕，复姓），开辟金州（陕西省安康市）商州（陕西省商洛市商州区）粮运道路，包围解除后，各道进贡的物资和粮食，陆续抵达，政府才开始宽裕。

朱泚回到长安（陕西省西安市），已无心进取，只计划守城，时常派人从城外进来，到处呼叫说："奉天（陕西省乾县）已经攻破！"打算欺骗居民。朱泚既掌握宫库及国库的财富，而且毫不吝啬，不断发放金银绸缎，博取将士们的欢心，唐政府官员们家属留在京城（首都长安）的，按月都发给薪俸。神策及禁军六军将士们追随李适，以及哥舒曜（东畿〔总部洛阳〕司令官）、李晟（神策特遣兵团司令官）等人的家属，也都发给他们粮食。加上修护及制造武器，每天的开支都十分庞大。可是直到唐政府收复长安（明年〔七八四〕五月二十八日），国库仍有积存，看到这种情况的人，无不痛恨当初主管官员的横征暴敛（参考去年〔七八二〕四月）。

有人建议朱泚说："陛下既接受天命，则唐王朝李姓皇家的坟墓和祖宗祭庙，不可以使它们存在地面之上。"朱泚说："我曾经面向北方，侍奉过李姓皇家，怎么忍心做出这种事！"那人又建议说："政府机关有很多空缺，请派军队驱使知识分子填补。"朱泚说："用强迫手段，一定引起恐惧。凡是打算做官的，就给他官做，何必挨家逐户去问他们要不要做官？"朱泚能指挥的武力，只有卢龙战区（总部幽州）特遣兵团（范阳兵）及神策军所属民兵自卫队（"团练兵""团结兵"，参考七七七年五月）。首先兵变的泾原战区（总部泾州）特遣兵团士卒，骄傲蛮横，并不接受朱泚指挥，只知道守护着他们劫掠来的金银财宝，不肯出征作战。并且一度阴谋诛杀朱泚，没有成功才作罢。

李怀光（朔方〔总部灵州〕司令官）性情粗犷疏略，从山东（太行山以东）率军星夜行军勤王，常跟人谈到当权派人物卢杞、赵赞、白志贞（白琇珪）的邪恶和陷害忠良，声称："天下之所以大乱，都是他们制造出来的，我晋见皇上时，一定要求把他们诛杀。"后来解除奉天（陕西省乾县）包围，建下盖世功勋，认为皇帝一定会用特别荣耀的礼节，来接见他。有人警告首都长安特别市长（京兆尹）王翃、全国财政总监（度支）赵赞说："李怀光一路都在叹息和愤怒，指出宰相处理事情不当，财政总监（度支）苛捐杂税太重，长安市长犒赏太刻薄，才弄得皇上出京（首都长安）逃亡，都是这三个人的罪状（宰相卢杞、财政总监赵赞、长安市长王翃）。现在，李怀光刚刚立下大功，皇上定会敞开心胸，诚恳的询问他对政治的意见，假使他的话受到重视，你们岂不危险！"王翃、赵赞告诉卢杞，卢杞大为恐惧，于是找一个气氛融洽的机会，对李适说："李怀光的勋业彪炳，政府完全靠他，才能生存；盘踞京师（首都长安）的叛徒们，胆已破碎，无心固守，如果命李怀光乘胜直指长安（陕西省西安市），只要一次出击，就可以把叛徒消灭，这是破竹之势。如果让他前来御前朝见，必然要赐宴招待，一逗留就要几天，叛贼们就会利用这几天，加强战备，到时候就难以解决。"

李适接受这项建议，下诏命李怀光率军直接前往便桥（西渭桥〔陕西省咸阳市西南〕），跟渭北战区（总部设鄜州〔陕西省富县〕）司令官（节度使）李建徽、神策军特遣兵团司令官（神策军行营节度使）李晟、神策军作战司令（神策兵马使）杨惠元会合，定下日期攻击长安。

李怀光自认为急行军数千华里，赤胆忠心，勤王救难，击破朱泚，解除包围，相距咫尺，却不能晋见皇帝，大失所望，顿生反感，说："我已受到奸臣排斥，事情至为明显！"遂率军撤退，抵达鲁店（陕西省乾县东南），休息两天，继续东下。

47 剑南西川战区（总部设成都府〔四川省成都市〕）西山作战司令（西山兵马使）张朏（音fěi〔匪〕）率所属部队叛变，进入成都（剑南战区重兵在西山〔成都西部山区〕抵御吐蕃〔西藏〕，崔宁〔崔旰〕即用西山军诛杀郭英乂，参考七六五年闰十月），西川战区（总部成都府）司令官（节度使）张延赏放弃城池，逃奔汉州（四川省广汉市）。鹿头关（四川省德阳市北黄许镇）卫戍司令（戍将）叱干遂等出军讨伐，斩张朏跟他的党羽，张延赏才得以返回成都。 548

48 淮南战区（总部设扬州〔江苏省扬州市〕）司令官（节度使）陈少游，率军讨伐李希烈（淮宁〔总部许州〕首领），驻扎盱眙（江苏省盱眙县），听到朱泚登极称帝消息，立刻返回广陵（扬州州政府所在县），修筑壕沟城垒，磨利铠甲武器。镇海战区（总部设润州〔江苏省镇江市〕）司令官（节度使）韩滉，下令封锁辖区内所有关卡渡口，禁止牛马出境，重建石头城（江苏省南京市西北，大分裂时代军事名城），在城里穿凿将近一百余口水井，修筑数十座宾馆及家宅，建立坚固营垒。西起建业（江苏省南京市），东到京岘（镇江市东），碉堡相连（两地航空距离八十公里），准备皇帝万一逃难到江南（长江以南）时，作为防护工程的一部分，同时也确保自己的安全。陈少游在江北（长江以北）出动士卒三千人，举行检阅，韩滉则出动长江舰队士卒三千人，在京江（江苏省镇江市北长江水面）举行演习，作为回应。

盐铁专卖总监署在扬州（江苏省扬州市）存有现金及绸缎，共值八百万（原文“有钱帛八百万”，是现金八百万？绸缎也八百万？或共八百万？帛可以八百万匹，现金是八百万钱？还是八百万串？没有说清楚），准备运往京师（首都长安），陈少游认为京师（首都长安）已陷入变兵之手，不知道什么时候才能收复，忠心动摇，遂向盐铁专卖暨运输总监（盐铁使）包佶，强行索取这项专款，包佶拒绝，陈少游打算诛杀包佶，包佶恐惧，把妻子儿女藏到档案堆里，狼狈南渡长江，投奔上元（江苏省南京市）。陈少游把总监署库中的现款及绸缎，全部收归己有。包佶有盐铁专卖库守卫队三千人，陈少游也把他们编入自己旗下。包佶只剩下数十人，一起逃到上元（江苏省南京市），结果被韩滉收编。

八世纪·七八三年十一月　李皋辟陆运粮道

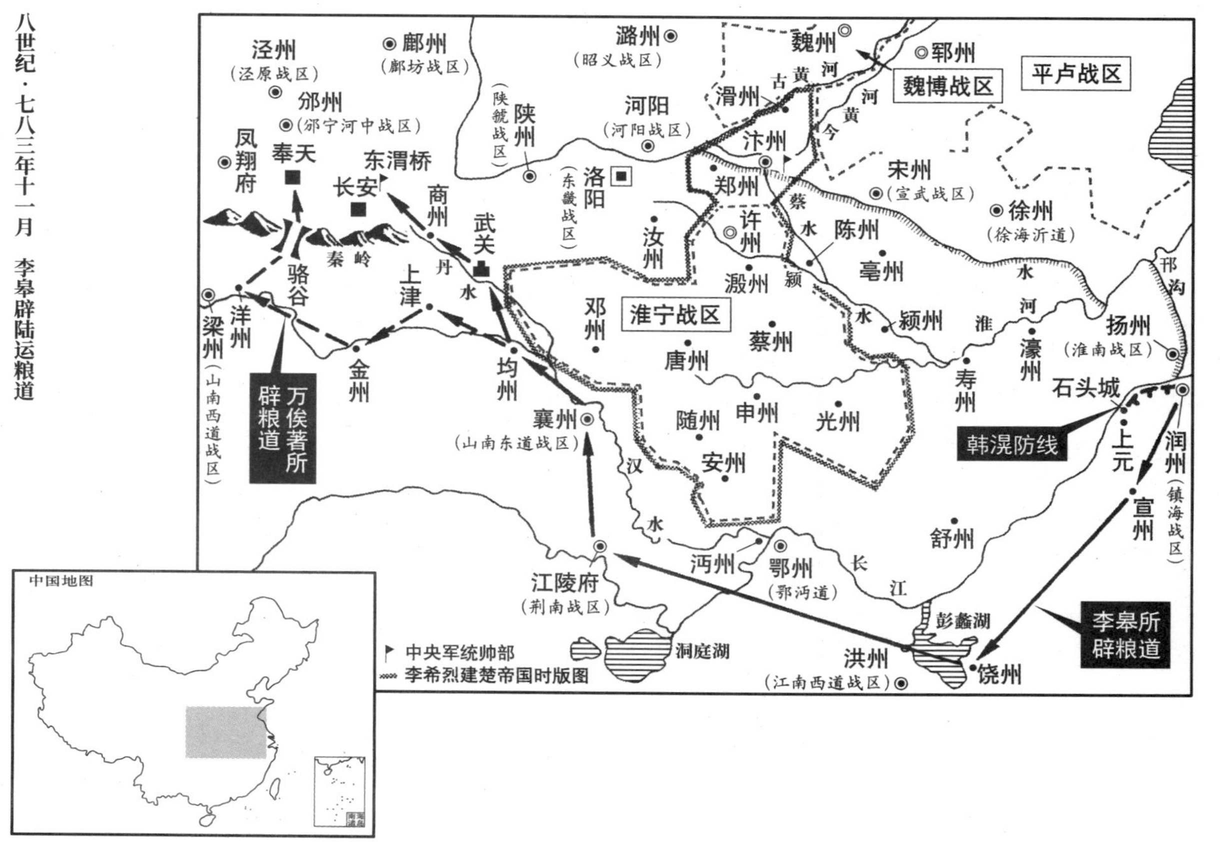

当时，南方各地都闭境自守，跟中央的关系，暂时断绝。只有曹王、江南西道战区（总部设洪州〔江西省南昌市〕）司令官（节度使）李皋，不断派使节绕道小路，向中央进贡。李希烈（淮宁〔总部许州〕首领）大军正逼近汴州（河南省开封市）、郑州（河南省郑州市），江淮（华东地区）跟京师（首都长安）间的交通，被拦腰切断。南方各地进贡的物产，都从宣州（安徽省宣城市）、饶州（江西省鄱阳县）、江陵府（湖北省江陵县）、襄州（湖北省襄阳市）直达武关（陕西省商南县西北）。李皋修建驿站，筑桥铺路，来往使节通行无阻。（中央原先使用的颍蔡漕运路线〔参考去年十一月〕，其蔡水刚好在淮宁总部许州〔河南省许昌市〕州境之东，而汴水从汴州至郑州的一段，刚好是淮宁兵团攻击范围，不能使用。至于江汉漕运路线，因淮宁最南境的安州〔湖北省安陆市〕距汉口〔湖北省武汉市汉水北岸〕太近，中央又不敢使用。所以李皋修筑驿道，物资遂经陆路运往皇帝所在。至于襄州至武关一段，因淮宁占有邓州〔河南省邓州市〕，州境包括一段丹水〔汉水支流，流经武关南及商州〕，中央粮道只能走陆路，当是绕道均州〔湖北省丹江口市西北〕，再至武关。）

49 李适向皇家文学研究官（翰林学士）陆贽询问目前最重要、最急切的事，应该是什么。陆贽认为不久前之所以发生祸乱，乃由于上下严重隔阂的缘故，建议李适接近部属，采纳规劝，于是上疏说：“我认为当前最重要、最急切的事，莫过于了解陛下的部属和人民。对大家所喜爱的，立即实施；对大家所厌恶的，立即革除。喜爱和厌恶跟人民一致，天下人不归心的，从古到今，从来没有发生过。国家是治是乱，全看人心！尤其在动荡混乱之时，危困疑难之际，人心归附，就能屹立；人心背弃，就会瓦解！陛下怎么可以不明察民情，跟人民同爱同恨，使亿万人民产生向心力，来安邦定国！这正是当前最重要、最迫切的任务。”

陆贽又说:“最近，听到很多议论，因而对若干事情，得以深入了解。地方政府最忧虑的是，中央跟他们的意见，总是恰恰相反；中央官员最忧虑的是，领袖与干部之间，总是严重隔阂。地方的意见到不了中央，中央的美德传达不到地方。上面的恩德无法下降，下面的苦闷无法上达。事实的真相，中央未必了解，而中央所了解的真相，又未必是事实。上下隔绝，真假羼杂，以致怨声载道，议论沸腾。在这种情形下，要想上下坦诚交心，怎么能够？”

陆贽又说:“结合天下人的智慧，来完成自己的智慧；顺应全国人民的心意，来推广教化、发号施令；则领袖与干部同心，谁不服从？远近一致拥护，谁去叛乱？”

陆贽又说:“有些事看起来很愚昧，但是正道。有些忧虑听起来很迂腐，但是重要。”

奏章呈上十天，李适没有反应，也不再追问。陆贽于是再上疏，大略说:“我听说:建国的根本，在于得到人民的拥护；要想得到人民的拥护，在于洞察人民的心意。所以孔丘认为:‘人心是圣王的农田！’(《礼记 · 礼运》:“人情以为田。”)就是说要靠它才能治理国家。”

陆贽又说:“《易经》说:‘乾卦’在下，‘坤卦’在上，叫‘泰’；‘坤卦’在下，‘乾卦’在上，叫‘否’。削减上面，补充下面，叫‘益’；削减下面，补充上面，叫‘损’。问题就在这里，天在下而地在上，位置恰好颠倒，反而称为‘泰卦’，为什么？因为上下有良好的沟通。领袖在上，干部在下，道理本来如此，反而称为‘否卦’，为什么？因为上下无法交流，甚至尖锐对立。当权的人克制自己，厚待人民，人民一定喜悦拥戴，岂不是‘益’？当权的人瞧不起人民，却随自己高兴，想干什么就干什么，人民心生怨恨，甚至违背反叛，岂不是‘损’！”

陆贽又说：“领袖的统治术如果是船，民心就是水。船顺着水性行驶，就能浮起；否则就会沉没。领袖能得到民心拥护，宝座才固如钢铁；否则就陷于危险。是以古代英明领袖，高居万众之上，一定使他个人的欲望，顺从人民的欲望；绝对不敢使人民的欲望，顺从他个人的欲望。”

陆贽最后说：“陛下厌恶姑息苟且的政治风气，认为它破坏国家统一，妨碍政令推行。于是亲自主持改革，用中央威望，施展压力，用严格法令，果断裁决。不过，弊端累积的时间太久，而陛下的打击面太大，用力又太重。地方政府官员惊骇猜疑，心神紧张，有的反抗，有的逃命，祸乱于是爆发；中央政府官员则畏惧震动，忍气吞声，苟且因循，逃避责任。

“在这种政治生态中，领袖跟干部的意见，往往针锋相对；在上位的与在下位的感情，也逐渐疏远冷漠。领袖迫切要求把国家治理完善，干部却唯恐怕自己受到诛杀、家族受到屠灭；干部准备呈献忠心，却害怕领袖怀疑他意见荒诞、居心诈欺！所以领袖的睿智及诚意，不能下达到部属，部属的心情，也不能上达领袖。

“从前，我担任监察官（御史）时，奉准参加朝会，时间将近半年，看到的是：陛下表情严肃，高坐金銮宝殿之上，从没有发言问过一句话，文武百官们紧张惶恐，心神不宁，都急切盼望朝会早点结束，使他立刻退出宫门，因此也没有人敢当面奏报。台阶之上和台阶之下，都不能交换一句话，天下之大，其他的臣属，又有什么办法才能呈献自己的意见！

“虽然，也有例外，陛下有时也曾对战区司令官或特别使节，命他们排成行列，依照顺序应对；或者在朝会之外，另行召见宰相，讨论政事。问题是，那些高阶层官员的想法，跟人民的想法并不一样，说的话跟人民所要说的话，也不相同。还没有做的事，陛下先警告他：事属国家最高机密，不可对外泄露；已经实施的事，陛下则警告他：中央既然已经决定，就不必再唱反调。

“于是文武百官逐渐了解，建议规劝有种种拘束和阻碍，动不动就会被认为别有居心，受到猜忌憎恨。于是，大家各自隐藏真话，谁都不肯发言。到了后来，灾祸将要发生时，迹象已十分明显，全国人民忧心如焚，陛下却一个人安坐在那里，不但什么都不知道，反而相信太平马上就可到来。陛下应把今天亲眼所看到的言论，去验证检查从前所亲耳听到的言论，哪个是真？哪个是假？有什么收获？有什么损失？什么事可做？什么事不可以做？当可一目了然。哪些人是忠？哪些人是奸？也会完全呈现。”

李适派一个宦官向陆贽解释，说：“我天性喜爱以诚待人，也很能接受别人的意见。自认为领袖和干部，本是一体，所以推心置腹全不提防，对人也从不怀疑猜忌，所以才被奸邪之辈利用玩弄。现在发生的灾祸，我想并没有其他什么复杂原因，我最大的错误，就是对人太过真诚。同时，监察官员讨论国事，很少能够保守秘密，差不多都会炫耀自夸，把过失全推到我的头上，而自己去博取美名。我自从登极以来，看到很多讨论政事的官员，内容大概都差不多，全来自道听途说，等我略加追问，他就无言以对。如果真的有奇才异能，我怎么会不肯对他提拔？我看到过去的事如此，所以最近就不肯随便见人，并不是厌倦讨论国事，你应该深深体会我的心意。”

陆贽认为，领袖居高临下，统治国家，待人处事都应该诚信。建言规劝的人，即令文辞拙劣，意见幼稚，对他们也应宽大包容，培养舆论，鼓励发言，如果使用权威镇压，或使用辩才护短，那么，谁还敢讲话？于是再上奏章，说："天子治理国家的道理，跟上天治理宇宙的道理相同，上天不因为地上有丑恶的草木，就不准大地生长万物，天子也不因为官员中常有邪恶之辈，而拒绝听取规劝。"

陆贽又说："'诚'和'信'二者，如果丧失，对国家的安定，绝没有裨益。心意一有不诚，就不敢保证公平；言行一有不信，说的话就不能实践。陛下说导致灾祸的原因，在于对人太过真诚，我个人认为，不是如此！"

陆贽又说："用小动作去驾驭人，对方一定欺骗蒙混；对人表示怀疑，对方一定苟且惰怠。在上位的人如何做，在下位的人就会照着做。当权的人如何对待部属，部属就会如何对待当权的人。如果自己并不能推诚待人，却希望别人推诚待己，大家必然感到厌倦，绝对不会听他那一套。自己事实上并不诚心，却在口头上咬定自己诚心，大家一定从内心升起怀疑，而不再相信。必须了解：绝不可以让'诚''信'离开我们，即令是眨眼工夫；请求陛下慎重的坚持这个原则，加倍努力，不断实践。这绝对不是制造灾祸，使陛下后悔的原因！"

陆贽又说："我听说过，仲虺（音huǐ〔悔〕）赞美子天乙（商王朝一任帝成汤帝），不强调他没有过失，而强调他知错能改；（《书经·仲虺之诰》："惟王改过不吝。"）尹吉甫歌诵姬靖（周王朝十一任王宣王），不强调他没有缺点，而强调他能弥补缺点。（《诗经·烝民》："衮职有阙，维仲山甫补之。"）由此可以看出，圣人的意思十分明显，无过并不可贵，改过才可贵，因为任何人的行为，都有差错，不管他是上等智慧，或是下等愚劣，全都不可避免。智慧的人改正错误，选择善行；愚劣的人则认为过失是一种羞耻，所以明知道那是过失，仍然坚持一错到底。选择善行的，品德日益提升；坚持一错到底的，势必恶贯满盈。”

陆贽又说：“监察官员（谏官）奏报事情漏洞百出，不够周密，而又对外炫耀，自夸自大，实在谈不到忠厚，但对陛下神圣品德，并没有任何伤害。陛下如果采纳他的建议，他事先到处传播，正足以增加陛下从善如流的美誉；陛下如果拒绝采纳，又怎么能够禁止，不使它流传！”

陆贽又说：“天花乱坠，但经不起考验的话，不要听信。直率公正，不加修饰，但合情合理的话，不要放弃。讲的话使人听起来大不愉快，却脚踏实地做事，这种人并不愚昧；言语甜如蜂蜜，保证可获重利，并不证明他智高一等。凡事都要根据实际情形，考察验证，评估后果，再决定接不接受规劝、采不采纳建议，不应该注意一个人的口才，而应该注意国家的利益！”

陆贽又说：“陛下说：‘最近看到很多讨论政事的官员，内容大概都差不多一样，全是来自道听途说。’我私下认为：大家都谈论某一件事，足以说明人心的趋向，一定有可供参考的价值。同时，也应该感到它的严重性，足使政府畏惧，不应该一律唾弃，而不肯反省。陛下又说：‘略加追问，他就无言以对！’我私下认为，陛下虽问得他无言以对，并不表示他无理可说；陛下只能封他的口，不能服他的心。”

陆贽又说：“在下位的人，没有不想效忠；在上位的人，没有不想把事情办好。然而，部属深感困扰的是：领袖不能把事情办好，领袖深感困扰的是：部属不能效忠；为什么会有这种现象，只因上下隔阂，无法沟通。部属的心意没有不想让领袖知道，领袖的心意也没有不想让部属了解，然而，部属最大的痛苦是心意难以让领袖知道，领袖最大的痛苦也是心意无法让部属了解，为什么会有这种现象？只因有九项障碍，屹立中间，无法排除。九项障碍者，领袖有六，部属有三。领袖方面的障碍是：一、好占上风，总要表示高人一筹（好胜人）；二、别人规劝自己错误，认为是一种羞辱（耻闻过）；三、强辞夺理、大言不惭（骋辩给）；四、炫耀自己聪明，表示自己不同凡品（眩聪明）；五、经常端出嘴脸，展示威严（厉威严）；六、恣情任性，耍蛮斗狠，翻脸无情（恣强愎）。部属方面的障碍是：一、谄媚拍马；二、患得患失；三、畏惧怯懦。领袖好占上风，就会喜欢听赞美的话；认为被指出错误是一种羞辱，自然厌恶别人正直的谏诤；结果在下位的人只好谄媚拍马，顺着旨意说话，领袖就再也听不到报导真相的忠实声音。领袖强辞夺理，往往会声色俱厉的堵别人的口；炫耀自己聪明，则一定会随时臆测别人的动机，预防别人诈欺；结果在下位的人，只好察言观色，曲意奉承，只求目前小利，再也不会竭尽所能，毫无保留的贡献意见。领袖经常端出嘴脸，自不能再有谦卑之心，去尊重别人；领袖耍蛮斗狠，自然难以承认错误、接受规劝，结果在下位的人心惊胆怕，为了逃避惩罚，即令对合情合理的事，也再不敢提出意见。帝国土地广大、人民众多，宫廷深如大海，地位高和地位低的，距离十分悬殊，包括全体小民在内，能够见到最高领袖的，亿兆人中，恐怕没有一人；即令有幸见到，而能够讨论事情的，千万人中，不见得能有一人。即令有幸和最高领袖交换意见，却又有‘九项障碍’横在中间。在这种情形下，上下的心意能够沟通，恐怕很难。领袖的心意不能下达，则人民困惑；人民的心意不能上达，则领袖猜疑。心存猜疑就不能接受忠心耿耿的规劝，满腹困惑就不会服从命令。部属赤胆忠心，不被肯定，就会转变成为叛逆；领袖颁布命令，受到拒抗，就会用严刑峻法制裁。在下位的人叛逆，在上位的人严刑，政府除了败坏外，还会有什么其他结果？历史上战乱的日子多，和平的日子少，自古以来，都是如此！”

陆贽又说：“从前，赵武不善辞令，却是晋国的贤明国务官（大夫）。周勃沉默寡言，却是西汉王朝的元勋（赵武事，参考一八七年四月注；周勃不善言辞，参考前一九五年二月）。口舌伶俐，反应迅速的人，所说的事，未必可信。被驳得无辞可对的人，或许只为了他虽有很多理由，而只一时难以表达。了解一个人，连伊祁放勋（尧帝）、姚重华（舜帝）都感到困难。怎么可以凭着一问一答，就把他看穿！用这种态度观察天下事物，固然失去真相；如果再因为这个缘故，而轻蔑天下知识分子，那就必然会遗漏很多英才。”

陆贽又说：“发表议论的人多，说明领袖喜欢采纳别人的意见。发表议论的人说话顶撞冒犯，说明领袖有包容的度量。发表议论的人信口开河，说明领袖有宽恕的高贵情操。发表议论的人泄露机密，说明领袖集思广益。这些都是领袖跟干部意见能够沟通，彼此都能获益的共识。提出意见的人有封爵升官的好处，领袖采纳意见则有获得天下太平的好处；提出意见的人有正直建树的美名，领袖也有从善如流的美名。事实上，发表议论，提出意见的人，有时并不恰当，还会受到斥责，领袖采纳在下位者的意见，则无论什么时候都会享受歌颂赞扬。唯一恐惧的是：正直的议论不够深入，部属不敢畅所欲言，全国人民不知道领袖胸襟如此宽大！如果做到这一步，领袖听从规劝的美德，将永照寰宇！”

李适对以上这些建议，有些地方听从。

柏杨曰

《资治通鉴》史迹，只是纵贯记载，各种奏章，则是历史的横切面，使人对当时社会得以深入了解，尤其陆贽先生的奏章，在政治史上占重要地位，他的对象虽只是李适一人，但我们读起来，发现他几乎把一个愚而好自用的小丑，描写得栩栩如生。李适之类人物，历史上多得连脚趾加上都数不完。

陆贽的奏章,《资治通鉴》只是节录，如果读全部文献《陆宣公奏议》，当更可发现他的洞察力，深刻入骨，在泾原兵变之前，他就预料到要发生灾祸；在灾祸发生之后，他更直率的指出，灾祸之源就是李适，虽然措词婉转，但诉求十分明显。无可奈何的是，在那个时代，人民不能更换领袖，唯有盼望李适自我检讨。可是李适自我检讨的结果，跟现代有些中学生在“周记簿”上自我检讨的结果一样，都是“我太好了，所以才受别人的骗”！在李适口中，他自己简直纯洁得像一个胖嘟嘟的天真婴儿。

陆贽奏章可以查考的，共五十六篇，李适只采纳了十五篇，还包括只采纳一部分的在内，而这十五篇又几乎全不重要。所以用一句话可以形容陆贽奏章的效果：“对猪弹琴！”心地单纯的领袖，只要有优秀的辅佐，还有可能把国家治理好；昏庸猜忌的领袖，则即令拥有陆贽、李泌等天下奇才，也救不了他。唐王朝在李隆基手中破碎，再经李适勇猛撕裂，遂再难复原。

50 朔方战区（总部设灵州〔宁夏灵武市〕）司令官（节度使）李怀光，按兵不动，不断上疏指控卢杞等的罪恶，文武百官也纷纷斥责卢杞等，李适不得已，十二月十九日，下诏把卢杞贬作新州（广东省新兴县）军务秘书长（司马），白志贞（白琇珪）贬作恩州（广东省恩平市）军务秘书长（司马），赵赞贬作播州（贵州省遵义市）军务秘书长（司马）。宦官翟文秀，李适对他十分信赖，李怀光又上疏揭发他的罪状，李适只好斩翟文秀（翟文秀曾是李怀光的监军宦官，参考七七九年八月）。

51 十二月二十二门，李适擢升皇家文学研究官（翰林学士）、国务院教育部祭祀司副司长（祠部员外郎）陆贽，当国务院文官部考核司司长（考功郎中）；国务院财政部财务司副司长（金部员外郎）吴通微，当国务院国防部图籍司司长（职方郎中）。

陆贽上疏辞让，说："我刚到奉天（陕西省乾县）时，正遇上凡是随从护驾的文武官员，都擢升两级，而今，只皇家文学研究官（翰林学士）再次升迁（吴通微也是翰林学士），似不妥当。惩罚应先对尊贵和亲近的人，然后再对卑微和疏远的人，才可以防止犯法。赏赐应先对卑微和疏远的人，然后再对尊贵和亲近的人，功劳才不致遗漏。我建议先奖励有大功的人，再普及文武百官，那时我就不敢单独拒绝。"

李适不许。

52 李适在奉天（陕西省乾县）派出使节，游说脱离中央的魏王田悦、赵王王武俊、齐王李纳，承诺赦免他们的罪状，并特别加高他们的官爵，作为笼络。田悦等都秘密归降，但仍不敢公开跟冀王朱滔断绝关系，所以各人仍然继续称王。朱滔却被蒙在鼓里，派他的虎牙将军王郅，游说田悦，指出："从前八郎（田悦）有急难，我跟赵王（王武俊）不敢爱惜自己的性命，全力援救，幸而解除包围。（有恩于人，最好是忘掉，即令不能忘掉，必须不再出口，如果不断向对方提醒这项帮助，正显示自己企图索取对方付不起的回报，会使对方有一种无论怎么都报答不完的压力，势将化友为仇。仅《资治通鉴》记载，朱滔已三次向田悦提醒自己对田悦恩重如山。）现在，我家太尉（三公之一）三哥（朱泚排行第三），在关中（陕西省中部）接受天命，我打算会同回纥大军（瀚海沙漠群），前往增援，想请八郎（田悦）整顿军队，跟我一起渡黄河南下，共同攻击大梁（汴州州政府所在城，河南省开封市）。”田悦心里不愿意，但又不忍心拒绝，只好答应。朱滔再派他的立法官（内史舍人）李琯，晋见田悦，暗中评估他是否真心。田悦事实上正犹豫不决，秘密召唤扈崿讨论，武装部副部长（司武侍郎）许士则说：“朱滔曾在李怀仙手下当营门官（牙将），跟老哥朱泚以及朱希彩，共同诛杀李怀仙，而拥护朱希彩（参考七六八年六月）；朱希彩对他们兄弟的宠爱信任，到了极点，可是朱滔又跟执行官（判官）李子瑗合作，谋杀朱希彩，拥护朱泚（参考七七二年七月）。朱泚既当了战区司令官（节度使），朱滔却劝他前去首都长安（陕西省西安市）朝见（参考七七四年七月），而自己当候补司令官（留后。参考七七五年正月），虽然表面上激励朱泚效忠中央，实际上是剥夺老哥的军权。一生中跟他同谋共事，像李子瑗之类的亲密战友，被他忘恩负义杀掉的有二十余人。而今又跟朱泚东西呼应。假使朱滔功成名就，连朱泚都不可能受他包容，何况仅是同盟的我们？朱滔做人是这个样子，大王凭什么认为他会真心待你，竟对他如此相信？他率领幽州（北京市）兵团及回纥大军，十万之众，驻扎郊外，大王出城迎接，势将被他扣留生擒。他只要把你扣留，吞并魏国军队，向南渡过黄河，跟关中（陕西省中部）互相呼应，天下之大，还有谁可以抵挡？到那时候，大王后悔已来不及。替大王设想，不如表面上痛痛快快，满口答应，迎接慰劳，都要丰厚，但在暗中严密戒备，等到最后，找 560

一个借口，拒绝亲自会师，只派出一部分军队，随他南下。这样的话，大王对外可以维持回报大恩的美名，对内则不致因事情突变而造成灾难。”扈崿等一致赞成。

赵王王武俊听说李琯前往魏国（首都魏州〔河北省大名县〕），立刻派他的法令部法务司副司长（司刑员外郎）田秀，飞马晋见田悦，用王武俊口气对田悦说：“我从前因宰相（卢杞）处理失当，恐怕大祸临头。同时，八郎（田悦）被困在重围之中，所以跟朱滔联军营救（参考去年〔七八二〕四月）。而今，天子蒙难，用恩德化解误会，我们为什么不改过自新，回归中央！难道舍弃八代天子不拥护，却去拥护朱滔（八代：一代李渊，二代李世民，三代李治，四代李显、李旦，五代李重茂、李隆基，六代李亨，七代李豫〔李俶〕，八代李适）！而且朱泚没有称帝的时候，朱滔跟我们都是国王，已经很瞧不起我们了。一旦他夺取到汴州（河南省开封市）、洛阳（河南省洛阳市），跟朱泚结合在一起，我们都会成为他的俘虏。八郎（田悦）千万不要跟他一同南下，最好闭城自守。我会抓住机会，联合昭义战区（总部设潞州〔山西省长治市〕）的军队，把他击灭。然后跟八郎（田悦）共同扫清河朔（河北平原），恢复战区司令官（节度使）原官，共同事奉天子，岂不美满！”

田悦遂决定背叛朱滔，但仍通知朱滔，强调说：“我一定追随大王南下，遵照从前的约定行事。”

十二月二十四日，朱滔率幽州（北京市）步骑兵混合兵团五万人，各将领私人部队一万余人，加上回纥军（瀚海沙漠群）三千人，从河间（河北省河间市）出发，浩浩荡荡南下，辎重车辆绵延四十华里。

53 淮宁战区（总部设许州〔河南省许昌市〕）首领李希烈，攻击永平战区（总部改设滑州〔河南省滑县〕）司令官（节度使）李勉所在的汴州（河南省

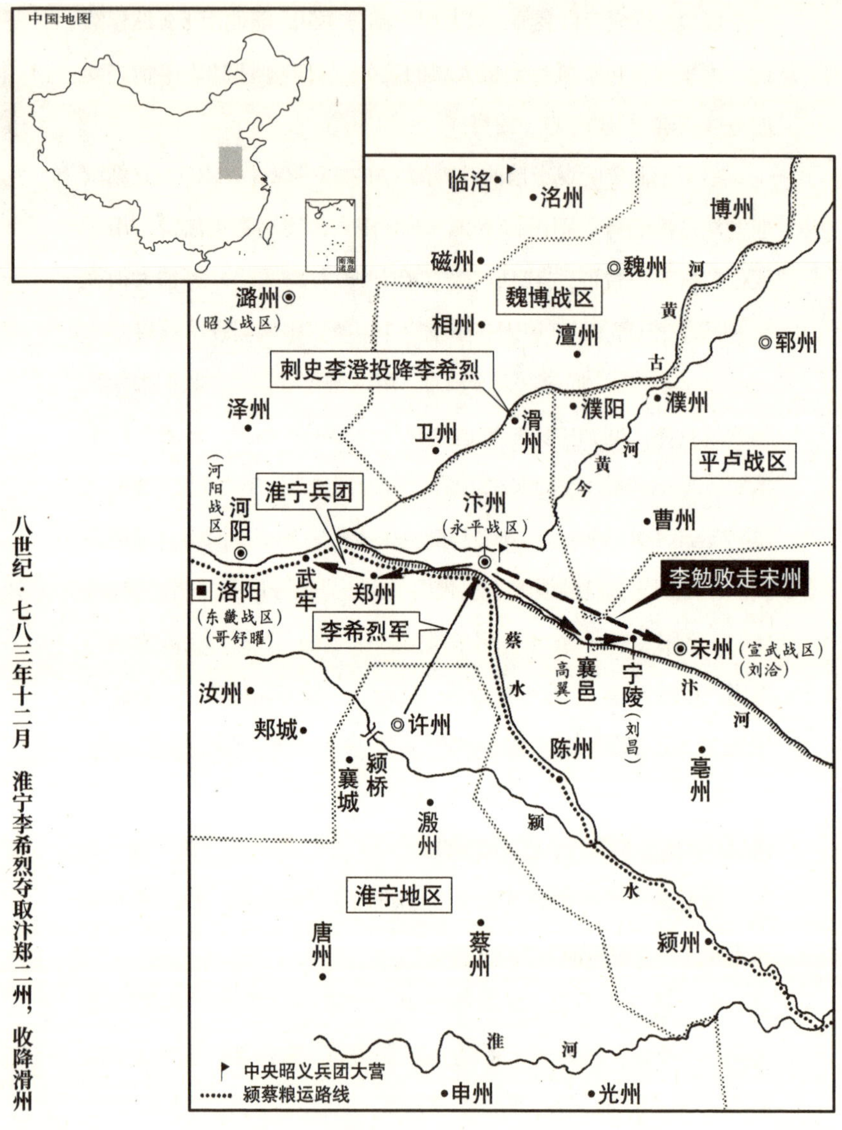

八世纪·七八三年十二月 淮宁李希烈夺取汴郑二州，收降滑州

开封市），李希烈裹挟平民参战，搬运泥土木柴，填塞壕沟，修筑长堤，攻击城垣。李希烈对壕沟不能在时限内填平，暴跳如雷，下令把搬运土木的民夫，也填进去，称为“湿柴”（“湿柴”，使人垂泪）。

李勉坚守数月，援军不来，只好率领部众一万余人，突围投奔宋州（宣武战区总部，河南省商丘市）。

十二月二十七日，李希烈攻陷大梁（汴州州政府所在城）。滑州（河南省滑县）州长李澄献出城池，向李希烈投降；李希烈任命李澄当国务院总理（尚书令）兼永平战区（总部改设滑州〔河南省滑县〕）司令官（根据《册府元龟·卷一六五》记载，李希烈攻陷汴州后不久，即挥军西攻郑州〔河南省郑州市〕，自武牢〔河南省荥阳市汜水镇西〕以东，都被李希烈控制）。

李勉上疏自请处分，李适告诉他的使节说：“我连京城（首都长安）都守不住，李勉不必不安！”待李勉跟从前一样。

宣武战区（总部设宋州〔河南省商丘市〕）司令官（节度使）刘洽，派将领高翼率精锐部队增援襄邑（河南省睢县），李希烈攻陷襄邑（河南省睢县），高翼投河而死。李希烈乘胜攻击宁陵（河南省宁陵县）；江淮（华东地区）大为震动。淮南战区（总部设扬州〔江苏省扬州市〕）司令官（节度使）陈少游派参谋官温述晋见李希烈，表示归附心意，说：“我已训令濠州（安徽省凤阳县东北临淮关镇）、寿州（安徽省寿县）、舒州（安徽省潜山市）、庐州（安徽省合肥市），命他们解除戒备，把铠甲武器全部缴回库房，听候大帅进一步指示！”又派巡察官（巡官）赵诜（音shēn〔身〕），前往郓州（山东省东平县）结交平卢战区（总部设郓州〔山东省东平县〕）首领李纳。

54 副立法长（中书侍郎）兼二级实质宰相（同平章事）关播免职，改任国务院司法部长（刑部尚书）。

55 命御前监督官(给事中)孔巢父，当平卢战区(总部设郓州〔山东省东平县〕)慰问特使(宣慰使)；国立贵族大学校长(国子祭酒)董晋，当河北(黄河以北)各战区慰问特使(宣慰使)。

56 陆贽向李适建议，说："现在，全国到处都是盗匪，圣驾流亡在外，陛下应该痛切的责备自己，使人心感动。从前，子天乙(商王朝第一任帝成汤帝)因为检讨自己而兴起；(《左传》前六八三年：臧文仲说："姒文命、子天乙，知道检讨自己的错误，所以突然兴起。")芈轸(楚王国十三任王昭王)因善良的言语，而得以复国(前五〇六年，吴王国远征军攻陷楚王国首都郢都〔湖北省江陵县〕，楚王芈轸逃亡；父老们送行，芈轸说："各位请回，你们还怕没有国王！"父老们说："我们的国王竟这样贤明！"都随他而去)。陛下如果真能不惜改过，用谦卑的措辞乞求天下人的宽恕，那么，请准许我在写诏书时，造词用语都不忌讳；我虽然愚昧，但一定体会陛下的心意，或许能使那些心怀不轨的人，接受教化。"李适同意，所以奉天(陕西省乾县)时代所颁布的诏书，即令是骄兵悍将听到，也没有人不感激流泪。

巫法师建议李适说："国家危机四伏，应该变更点什么，顺应命运。"文武官员主张在李适的绰号上，再增加一两个尊贵的字。李适询问陆贽的意见，陆贽上疏反对，大意说："对皇帝呈献尊贵的绰号，本不是古代的制度(用绰号自娱，从九任帝李隆基开始，参考七三九年二月)，在天下太平时期，已经不够谦卑；当全国丧乱之际，更伤害国家大政。"

陆贽又说："嬴政（秦王朝一任帝）恩德衰败，不但称'皇'，还要称'帝'，'皇''帝'二字开始连用（参考前二二一年），流传到后世，昏庸邪恶的君王，才加上诸如圣刘、天元之类的绰号（圣刘刘欣，参考前五年八月。天元宇文赟，参考五七九年二月）。由此可以看出，政治最高领袖被轻藐或被尊重，并不在于绰号。减少一些无聊的尊贵绰号，正足以表示古人谦卑的美德；增加一些无聊的尊贵绰号，反而会被认为自命不凡，受摇尾分子摆弄，招来讥讽。"

陆贽又说："如果一定要采纳巫法师的意见，我盼望略作改变，与其增加新的尊贵绰号而丧失民心，还不如取消旧的尊贵绰号，反应上天神祇的告诫。"

李适听从陆贽的建议：只下令把明年（七八四）的年号改作兴元。

李适曾经把立法院撰写的大赦令草稿，拿给陆贽过目，陆贽上疏说："言语文字感动人，力量本已很弱；如果言语文字又不够恳切，谁会放到心上？皇上今后发布的诏书，必须有深刻的悔过之意和无限的自责之情，改正过失，疏导苦闷，使每个人都能满足，怎么会有不接受的人！我所建议的应立刻改革事项，另写一张纸上，随奏章一起呈报。除此之外，还有其他值得忧虑的事，所以，我确切的认为：知道错误不难，改正错误才难。说好话不难，做好事才难。假使大赦令文字再感人，而只停顿于知道错误和说好话层面，那么，我盼望陛下考虑去做更难的事。"李适同意。

七八四年 甲子

唐　　兴元　　元年

（秦帝朱泚应天二年）

（汉帝朱泚天皇元年）

（楚帝李希烈武成元年）

1 春季，正月一日，唐王朝（流亡首都奉天〔陕西省乾县〕）皇帝（十二任德宗）李适（本年四十三岁。适，音kuò〔阔〕）赦免天下（距离上一次大赦，已整整四年。参考七八〇年正月），改年号兴元。下诏说：

“使社会秩序纳入正规，以及振兴教育、推广文化，必须诚心诚意的忘记自己，帮助别人，不吝啬改正自己的过失。我自从继承皇位，登上宝座，统治万邦，而竟使京师（首都长安〔陕西省西安市〕）失守，皇家流亡。由于我不能以身作则，引起一连串灾难，后悔已来不及。我时时反省自己的错误，但也把瞻望放到未来。在此坦白的表达心声，昭告全国军民。

“我一直恐怕我的品德浅薄，没有资格继承祖先的帝国大业，所以从来不敢怠惰荒废。然而，我生长在深宫之中，对治理国家的繁杂事务，并不十分了解，时间一久，成为习惯，沉溺至深而自己没有警觉，以致一味追求享乐、忘记危险，不了解农夫耕田种桑的艰难，不体恤士卒出征作战的悲苦，皇家深厚的恩德到不了下层，下层艰难的民情到不了我这里，管道既然阻塞，感情更是隔阂，人们充满怀疑猜忌，自会心生反抗。

“然而，我却不知道自我检讨，反而征调各地武装部队，四方出军讨伐，粮饷都来自千里之外，更强夺民间的车辆马匹，无论远近，民怨沸腾，壮士纷纷离家，老少含悲送行，全国人民，筋疲力尽。出征士卒们有的一天之中，跟敌人作数次肉搏战斗；有的一连几年，不脱铠甲；祖宗的祭祀无人作主，父母妻子无人依靠。死者枉死，生者流离失所，怨恨之气，日积月累。

“征调不停，田园多半荒芜，政府用严厉的法令横征暴敛，人民不堪勒索，以致织布机上空无一物，有的辗转饿死水沟山谷，有的哭别家乡，逃亡远地，街巷一空，城镇化成废墟，看不见人烟。上天给我惩罚，我却不能及时醒悟，全国人民都在怨恨，我却毫不知情。以致激起祸乱，首都长安兵变，社会秩序破坏，皇家祖庙受惊，我对上连累祖先，对下辜负人民，沉痛羞愧，罪恶在我一人，内心不安，永远哀悼，如同身陷深渊幽谷。自今以后，所有奏章，不准再提‘圣神文武’（李适的绰号，参考七八〇年正月）。

“李希烈（淮宁〔总部汴州〕首领）、田悦（魏博〔总部魏州〕首领）、王武俊（恒冀〔总部恒州〕首领）、李纳（平卢〔总部郓州〕首领）等，过去都功在国家，各守重镇，维持一方治安。是我处理不当，以致引起他们怀疑恐惧，都因为在上位的不依照正道，在下位的才受到伤害，我简直不像是一个君王，他们又有什么责任？现在，包括他们所属的将领士卒在内，待他们一律跟从前一样。朱滔（卢龙〔总部幽州〕首领）虽然受朱泚牵连，但南北两地，相距遥远，一定不会同谋，念及朱滔往日的功劳，自当特别宽恕，如果能效忠中央，准许他改过自新。

“朱泚违反天理，颠倒伦常，篡夺政权，侵犯皇家祖宗坟墓，思之痛心，不忍形诸言词。伤害皇家祖宗太重，我不敢赦免，但他所裹挟的将领士卒，以及官员人民，在中央大军还没有反攻京师（首都长安）之前，如果抛弃叛徒，回归政府；以及个别行动，投奔他所属的战区或所属的军事基地，也一律依照条例赦免。

“各战区、各军基地派到奉天（陕西省乾县）以及参与收复京师（首都长安）勤王大军的特遣兵团，都名‘奉天定难功臣’，他们应缴的‘交易税’（除陌钱）、‘房屋捐’（间架税）以及竹税、木税、茶税、漆税、盐铁专卖税等，全部停止征收（各种税项，参考去年〔七八三〕六月五日）。”

大赦令颁布后，全国人心欢腾。李适还都长安（陕西省西安市）后的第二年（七八五），昭义战区（总部设潞州〔山西省长治市〕）司令官（节度使）李抱真（安抱真）到京师（首都长安）朝见，告诉李适说：“山东（崤山以东）宣布大赦令的时候，士卒们都感动得流泪，人心如此，我就知道盗贼非被消灭不可。”

2 李适命国务院国防部军政司副司长（兵部员外郎）李充，当恒冀道（首府设恒州〔河北省正定县〕）慰劳特使（宣慰使）。

3 秦帝朱泚（首都长安）把国号秦再改作汉，自称汉元天皇，改年号天皇。

4 赵王王武俊、魏王田悦、齐王李纳，看到李适的大赦令，都撤销王号，恢复原来官称，上疏请求宽恕。只有淮宁战区（总部设汴州〔河南省开封市〕）首领李希烈，仗恃自己军力强大，财富充实，拒绝接受，并积极筹备登极大典。派人向太子太师（太子三师之一）颜真卿询问礼节仪式。颜真卿回答说："我曾经当过礼仪官，所记的都是封国国君朝见天子的礼节仪式！"

李希烈终于登极称帝，国号大楚，改年号武成，设立文武百官，命他的亲信郑贲当最高监督长（侍中），孙广当最高立法长（中书令），李绶、李元平一同当二级实质宰相（同平章事）。定都汴州（河南省开封市），设置首都大梁特别市（大梁府），把辖区分作四个战区，设立四个战区司令官（〔节度使〕此时，楚帝国版图有十二州：首都汴州〔大梁府〕、滑州〔河南省滑县〕、郑州〔河南省郑州市〕、许州〔河南省许昌市〕、溵州〔河南省漯河市郾城区〕、蔡州〔河南省汝南县〕、邓州〔河南省邓州市〕、唐州〔河南省泌阳县〕、申州〔河南省信阳市〕、光州〔河南省潢川县〕、随州〔湖北省随州市〕、安州〔湖北省安陆市〕）。李希烈派将领辛景臻告诉颜真卿说："你既不肯屈服，就应该引火自焚！"把木柴堆到庭院里，上面浇灌膏油，点火燃烧，颜真卿向火堆奔去，辛景臻急忙阻止。

李希烈又派他的将领杨峰，携带赦免诏书，送给淮南战区（总部设扬州〔江苏省扬州市〕）司令官（节度使）陈少游及寿州（安徽省寿县）州长张建封。张建封逮捕杨峰，绑到各军营示众，在街上腰斩；陈少游听到，心中恐惧。张建封把陈少游跟李希烈来往情形，奏报唐帝李适，李适对张建封的忠心大为欢喜，擢升他当濠州（安徽省凤阳县东北临淮关镇）、寿州（安徽省寿县）、庐州（安徽省合肥市）三州民兵总司令官（都团练使。三州自淮南战区〔总部扬州〕划出）。李希烈任命部将杜少诚当淮南战区司令官（节度使），派他率步骑兵一万余人，先夺取寿州（安徽省寿县），然后前往江都（扬州州政府所在城。杜少诚应自光州〔河南省潢川县〕出军）。张建封派部将贺兰元均（贺兰，复姓）、邵怡，驻守霍丘（安徽省霍邱县）、秋栅（霍邱县北）；杜少诚无法攻破，于是南下攻击蕲州（湖北省蕲春县）、黄州（湖北省武汉市新洲区），打算切断长江交通。当时，李适命全国财政总监（度支使）包佶亲自抢运江淮（华东地区）赋税，逆长江而上，送到皇帝所在地（奉天，陕西省乾县）；运到蕲口（湖北省蕲春县西南，蕲水注入长江处），正巧遇上杜少诚进军。江南西道战区（总部设洪州〔江西省南昌市〕）司令官（节度使）曹王李皋派蕲州（湖北省蕲春县）州长伊慎，率军七千人阻截抵抗，在永安戍（湖北省武汉市新洲区北）会战，大破杜少诚军，杜少诚仅逃出一命，伊慎格杀一万人，包佶粮运才得以继进。稍后，包佶晋见李适，具体奏报陈少游强夺财赋捐税事件（参考去年〔七八三〕十一月），陈少游更是恐惧，向民间横征暴敛，用以补足偿还。

李希烈认为夏口（湖北省武汉市）是长江上游重要军事重地，派他的勇将董侍，招募敢死队七千人，袭击鄂州（鄂州州政府设夏口。董侍应自安州〔湖北省安陆市〕出军），州长李兼下令收起军旗，停敲战鼓，关闭城门，严阵以待。董侍激烈围攻，把城外民房的木材拆下来，纵火烧毁城门。李兼率军出城应战，大破董侍军。李适擢升李兼当鄂州（湖北省武汉市）、岳州（湖南省岳阳市）、沔州（湖北省武汉市汉水南岸）民兵总司令官（都团练使）。于是，李希烈东方畏惧嗣曹王李皋、南方畏惧李兼，不敢再有夺取江淮（华东地区）的企图。

5 汉帝朱泚（首都长安）的皇太弟、冀王朱滔，率军自瀛州（河北省河间市）南下，进入恒冀战区（总部设恒州〔河北省正定县〕），首领王武俊欢宴饮酒，大肆犒劳。进入魏博战区（总部设魏州〔河北省大名县〕），首

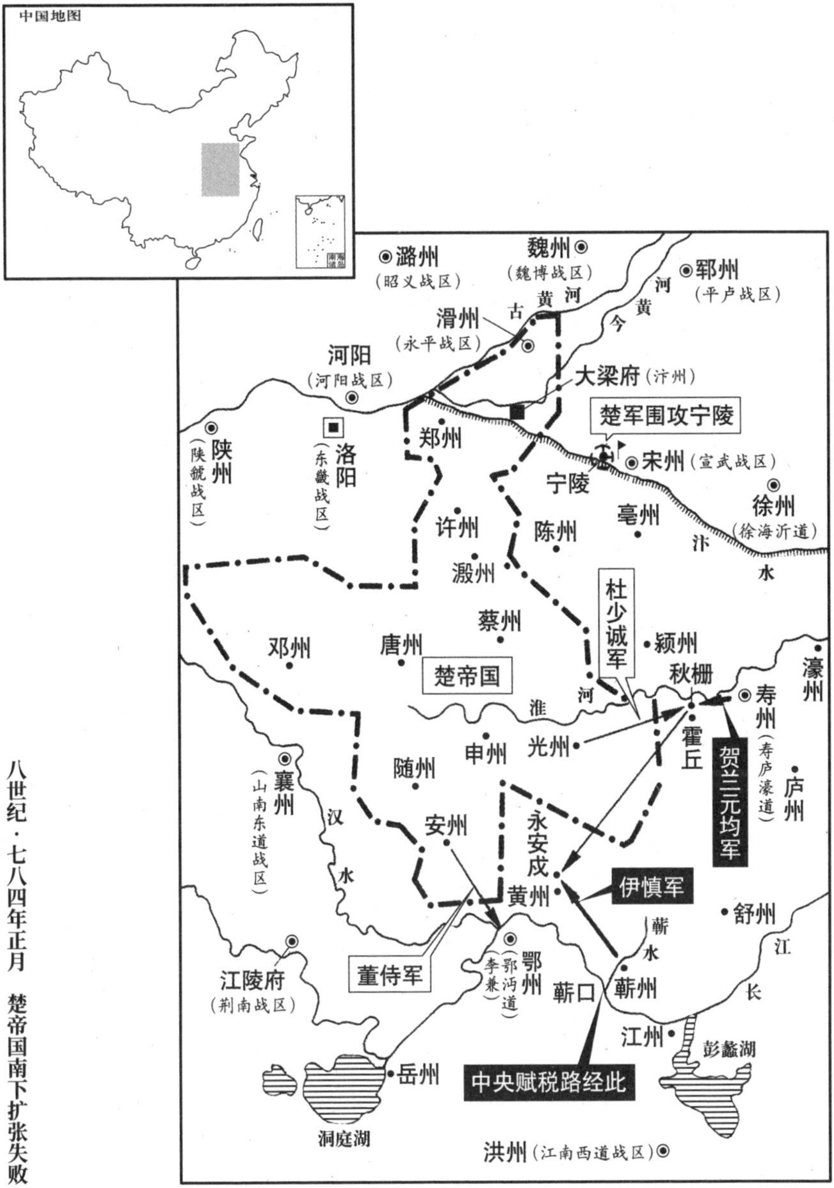

中国地图

潞州（昭义战区）
魏州（魏博战区）
郓州（平卢战区）
古黄河
今黄河
滑州（永平战区）
河阳（河阳战区）
大梁府（汴州）
楚军围攻宁陵
陕州（陕虢战区）
洛阳（东畿战区）
郑州
宁陵
宋州（宣武战区）
徐州（徐海沂道）
许州
陈州
亳州
汴水
郾州
蔡州
杜少诚军
颍州
邓州
唐州
楚帝国
秋栅
濠州
寿州（寿庐濠道）
淮河
光州
霍丘
申州
贺兰元均军
襄州（山南东道战区）
随州
庐州
汉水
安州
永安戍
黄州
伊慎军
舒州
蕲水
董侍军
鄂州（鄂沔道）
李兼
江陵府（荆南战区）
蕲口
蕲州
长江
江州
彭蠡湖
岳州
中央赋税路经此
洞庭湖
洪州（江南西道战区）

八世纪·七八四年正月　楚帝国南下扩张失败

领田悦的供应更加倍丰厚，请安问候的使节，在路上前后相连。 572

正月五日，朱滔抵达永济（河北省馆陶县东北），派虎牙将军王郅晋见田悦，约定在馆陶（河北省馆陶县）见面，联军南渡黄河。田悦接见王郅，说："我十分愿意陪伴五哥（朱滔）南下，可是就在昨天，将要开拔的时候，将士们全副武装备战，不准我出营，还警告说：'我们的军队最近才被击败（应指前年〔七八二〕四月御河之役），经过一年余的战争，粮食辎重，消耗一空。现在，将士们都免不了挨饥受冻，怎能把全部兵力，投入远征战场！大王每天亲自慰问安抚，还不能使人心安定，如果离开城池，恐怕早上出去，晚上就有变化。'我决不敢有二心，只是将士这样坚持，也无可奈何！已命孟祐率领步骑兵五千人，完成备战，追随五哥（朱滔），聊供砍柴牧马之用！"同时派教化部副部长（司礼侍郎）裴抗等，前往晋见朱滔，请求谅解。朱滔听到后，暴跳如雷，吼叫道："田悦这个叛贼，从前，你身陷重围，性命像悬挂在头发上一样，使我上叛天子，下背兄长，出动大军，日夜不停的奔驰，前来解围（参考前年〔七八二〕六月），幸而保住不死，你又自愿把贝州（河北省清河县）割让给我，我坚决辞让，不肯接受，又要拥护我当天子，我也坚决辞让，不肯接受（参考前年〔七八二〕十一月一日）。而今忘恩负义，害得我迢迢千里，来到这里，竟编出一套说辞，连面都不肯见。"当天（正月五日），就派武装部部长（司武尚书）马寔，攻击宗城（河北省威县东）、经城（河北省威县北经镇村），另派大将杨荣国（参考前年〔七八二〕闰正月）攻击冠氏（山东省冠县）；全都攻克。又纵容回纥军（瀚海沙漠群）大掠馆陶（河北省馆陶县）驿马车站里的帘帐、用具、车辆、牛只等，然后撤退。田悦紧闭魏州（河北省大名县）城门固守。

正月十日，朱滔遣送裴抗等回去，派军队及行政官，分别进驻平恩（河北省曲周县东南）、永济（河北省馆陶县东北）。

6 正月十四日，李适擢升国务院文官部副部长（吏部侍郎）卢翰，当国务院国防部副部长（兵部侍郎）、二级实质宰相（同平章事）。卢翰，是卢义僖的七世孙（卢义僖，参考五二五年四月）。

7 朱滔率军北上，包围贝州（河北省清河县），决河水灌城，州长邢曹俊登城守卫。朱滔放纵范阳（北京市）兵团及回纥军（瀚海沙漠群），到附近各县，大肆奸杀烧掠；又攻陷武城（山东省武城县西南），连同早已占领的德州（山东省德州市陵城区）及棣州（山东省惠民县），命令他们供应军粮（朱滔夺取德棣二州，参考前年〔七八二〕四月六日）。又派马寔率步骑兵五千人，进驻冠氏，逼近魏州（河北省大名县）。

8 命御前监督官（给事中）杜黄裳当江淮（华东地区）慰劳副特使（宣慰副使）。

9 李适在行宫（奉天，陕西省乾县）四周走廊上，堆积各地方政府进贡的财物，挂牌注明：“琼林大盈库”（二库，参考去年〔七八三〕十月三日）。国务院文官部考核司长（考功郎中）陆贽，认为战场上立功的将士们，还没有赏赐，而最高领袖先自己设立私人金库，士卒们一定怨恨失望，丧失斗志。遂上疏规劝，大略说：“天子就是上帝，四海之内，任何一个地方，都是天子的家园；为什么要抛弃这么广阔的世界，而去为自己聚积财物！降低自己尊贵的天子身份，而去当一个仓库管理员！屈辱国家元首的尊严，像一个小民似的斤斤计较手头的一点钱财。既违法理，又失人心；既引诱邪念，又聚集灾害。用这种态度处理事情，岂不过分！”

陆贽又说：“不久以前，皇家禁卫军初临此地（不敢指明李适逃亡

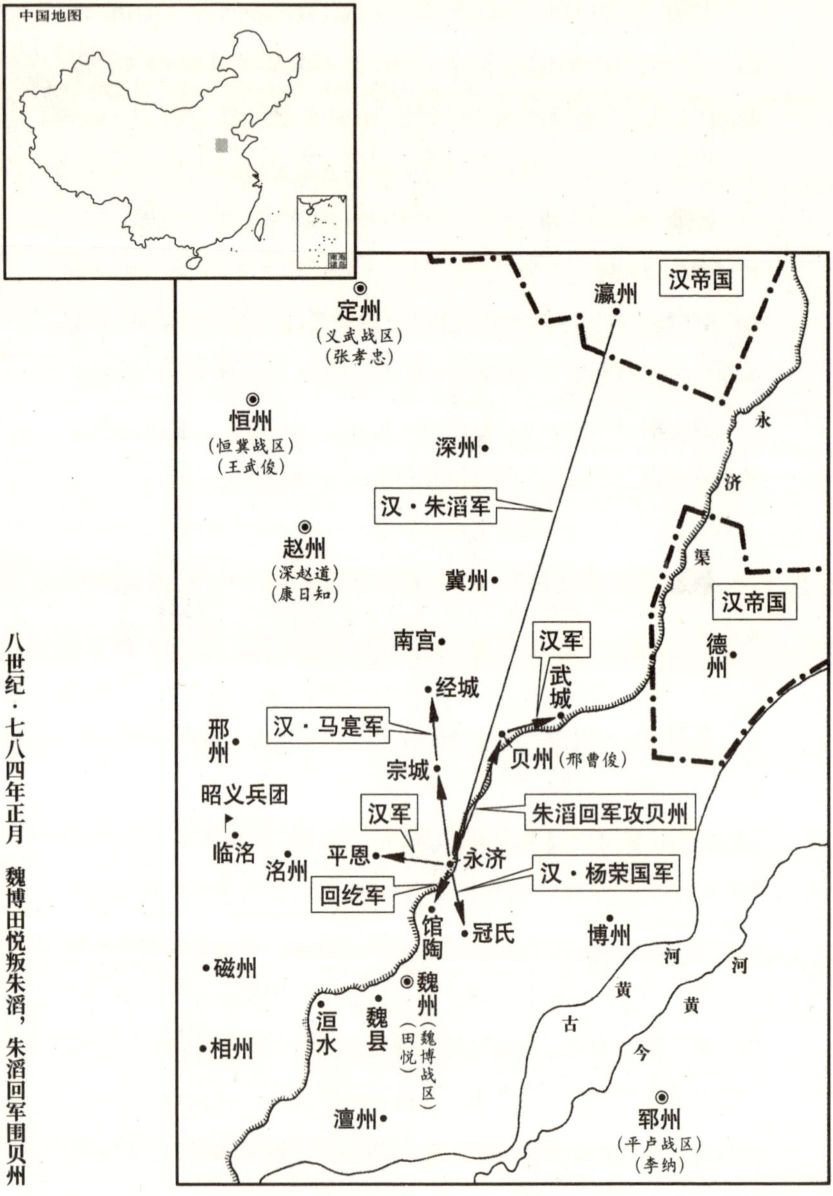

八世纪·七八四年正月　魏博田悦叛朱滔，朱滔回军围贝州

中国地图

汉帝国
瀛州
定州
（义武战区）
（张孝忠）
恒州
（恒冀战区）
（王武俊）
深州
汉·朱滔军
永
济
渠
赵州
（深赵道）
（康日知）
冀州
汉帝国
南宫
汉军
德州
武城
经城
汉·马寔军
邢州
贝州（邢曹俊）
宗城
昭义兵团
汉军
朱滔回军攻贝州
临洺
洺州
平恩
永济
汉·杨荣国军
回纥军
馆陶
冠氏
博州
磁州
魏州
（魏博战区）
（田悦）
洹水
魏县
河
黄
古
河
黄
今
相州
澶州
郓州
（平卢战区）
（李纳）

此地，用“禁卫军初临”代替），物资十分缺乏，既要抵御匪徒，又要防守城池，日夜不得休息，将近五十天之久，饥寒交加，死伤相连，然而同心协力，终于渡过难关。由于陛下不贪图自己的享受，待人办事，没有私心，放弃享乐而跟士卒同苦，断绝美味而分送给有功的将士。只因深受感动，所以用不着严刑峻法，而人心不变；只因库藏已空，所以虽没有优厚的赏赐，而人心不怨。而今，围城已经解除，衣食已经丰富，谣言、牢骚、诽谤，随之而起，且愈演愈烈，士气渐渐受到打击，正由于军人武夫，都贪功好利，灾难时跟他们一同过忧患生活，欢乐时他们却希望有福同享！假定陛下不能减少物质上的追求，他们怎么能不怨恨！”

陆贽又说：“陛下如果常想到身陷重围时的苦难，回顾往日升平时随心所欲的放纵生活，因而自我警惕，最好是下令把二库所有的财物，全部赏赐给有功的将士。而且以后，每次接到进贡的金银财宝，都应先赏军队！这样做的话，祸乱一定平息，逆贼一定消灭。然后轻松安闲的乘坐六马御车，重返京师（首都长安）。以天子尊贵的身价，怎么还担心贫穷！这正是散身边小财，而聚天下大财，损失小利，而取得大利的手段。”

李适立即下令，命人把牌子取下（仅只把牌子取下而已，钱财固仍囤积原地，但这也是“纳谏”之一）。

10 宰相萧复曾经向李适建议说：“自从天下大乱，宦官很多被派出担任‘监军’，仗恃领袖对他们的信任宠爱，横行霸道、无所不为（唐王朝派宦官监军，在九任帝李隆基时，就已开始，参考七三七年三月；但把监军一职制度化的，却是十任帝李亨）。这种人只应该管理宫里的事，不应该交给他们军权，干涉国家大政。”李适大不高兴。萧复又曾向李适警告说:“陛下登极不久，神圣的恩德，就普及天下。然而，自从杨炎、卢杞当权以来，政治混乱，以致落得今天下场。陛下如果真的能改变心意，我怎敢不竭尽心力。假如希望我因循顺服，只求平安，我实在办不到。”之前，有一次，萧复和卢杞一同奏事，卢杞顺着李适的话说，萧复板起面孔说:“卢杞胡说八道！”李适愣在那里，退朝之后，对左右侍从说:“萧复瞧不起我！”

正月十六日，派萧复当山南东、山南西、荆南、湖南、淮南、江西、鄂岳、镇海、福建、岭南等战区道慰劳安抚特使(宣慰安抚使)，实际上，是疏远他。不久，另一宰相刘从一，以及一些中央官员，纷纷上疏请求把萧复留在京师(流亡首都奉天)。李适对陆贽说:“我考虑到，自从播迁以来，江淮(华东地区)遥远，有些事情，传闻跟事实可能不符，打算派重要高官前去安抚慰劳，曾经跟宰相和官员们谈过，都认为恰当。可是，今天却反复无常到这个样子，几天以来，我一直闷闷不乐。莫非是萧复后悔，不肯前去，发动他们上疏？你了解萧复这个人，他不打算前去，那么，他打算干什么？”

陆贽上疏说:“萧复刻苦自修，砥砺品德，只知洁身自好，忠贞报国，行事显然有不周到的地方，但他的人格我可以保证！至于轻率狡诈到如此地步，他绝对不会去做。即令萧复希望留下，刘从一又怎么会听他的！既然出现矛盾现象，我建议陛下就应公开而明确的向他提出质问，听他解释。如果萧复想借机另有请求，刘从一又怎么会为他隐瞒！如果刘从一有他的道理，则陛下就不应再疑心萧复。陛下为什么怕把真相探讨清楚，而一直闷在心里？查明事实，就不致困惑不安，给他辩护机会，就不致使人蒙冤。人生最大的惨痛是先被肯定诈欺却不准说明真相，最刻毒的冤枉是先被肯定犯罪而不准他解释内情。于是，‘真’‘伪’相混，‘忠’‘奸’

不分。这是领袖驾驭干部最主要的关键，请陛下特别留意。”但李适并没有进一步追查。

柏杨曰 陆贽认为只要说明真相，解释内情，就可以解除困扰，免除冤枉。在某种情形下，可能如此。但并不常常有效，有时候领袖“择善固执”，只要跟他的认知或盼望不一样，你讲任何合情合理的事，他都不会相信，使人陷于百口莫辩的苦境。就在《资治通鉴》上，便可找出千万例证。如果领袖竟是幕后真凶，则解释就更无意义，人生最大的幸运，就是永远不要遇上这种困扰和冤酷，假如你发现你的头目从不探讨真相，或任凭怎么拿出证据，他都不信，他一定属于愚恶之辈，那么，劝你赶紧另投明理，离开得越远越好。

11 正月十九日，李适任命王武俊当恒冀深赵战区（总部设恒州〔河北省正定县〕）司令官（节度使）。正月二十日，加授昭义战区（总部设潞州〔山西省长治市〕）司令官（节度使）李抱真（安抱真）、义武战区（总部设定州〔河北省定州市〕）司令官（节度使）张孝忠，遥兼二级宰相（同平章事·使相）。

正月二十四日，加授魏博战区（总部设魏州〔山西省长治市〕）司令官（节度使）田悦：摄理国务院左最高执行长（检校左仆射·使相）；擢升山南东道战区（总部设襄州〔湖北省襄阳市〕）作战参谋长（行军司马）樊泽，当本战区司令官（节度使）；前任深赵道（首府设赵州〔河北省赵县〕）行政长官（观察使）康日知，当同州（陕西省大荔县）州长，兼奉诚战区（总部同州）司令官（节度使。中央把赵州划给王武俊，以讨他欢心，所以把康日知调离；于同州〔陕西省大荔县〕设置奉诚战区，以安置康日知）；调曹州（山东省菏泽市定陶区）州长李纳，当郓州（山东省东平县）州长，兼平卢战区（总部郓州）司令官（节度使。前任司令官李正己〔李怀玉〕逝世时，李纳任曹州州长，中央一直不肯承认其继承地位）。

12 正月二十六日，任命宣武战区（总部设宋州〔河南省商丘市〕）司令官（节度使）刘洽，当汴滑宋亳各州副总指战官（都统副使），代理总指战官（知都统事。汴滑二州已沦陷楚帝国）。原总指战官（都统）李勉，把麾下所有军队，全部交给刘洽（李勉失守汴州〔河南省开封市〕事，参考去年〔七八三〕十二月）。

13 吐蕃王国（首都逻些城〔西藏拉萨市〕）大宰相尚结赞，表示愿意派军协助唐政府收复京师（首都长安）。

正月二十八日，李适派皇家图书院院长（秘书监）崔汉衡（秘书监）出使吐蕃（西藏），请求发兵。

14 正月二十九日，禁军六军，各设司令官（统军），官阶从三品，用以表示对功臣的尊敬与宠爱（此时，禁军仍称六：左右羽林军，左右龙武军，左右神武军；左右神策军未计在内）。

15 二月七日，李适下诏追赠段秀实官位：太尉（三公之一），绰号忠烈，优厚的抚恤他的家属（段秀实死难事，参考去年〔七八三〕十月七日）。

当时，贾隐林已经逝世，追赠官位：国务院左最高执行长（左仆射）；褒扬他直率的批评（奉天〔陕西省乾县〕解围后，贾隐林直言，参考去年〔七八三〕十一月）。

16 楚帝李希烈（首都汴州〔河南省开封市〕）亲率大军五万人，包围宁陵（河南省宁陵县），决河水灌城，濮州（山东省鄄城县）州长刘昌，率三千人防守（刘昌原率宣武兵团，围攻平卢战区〔总部郓州〕的濮阳〔河南省濮阳市〕，遂兼任濮州州长、京师〔首都长安〕陷落后，宣武兵团返回本战区）。楚政府所属滑州（河南省滑县）州长李澄，秘密派人向唐政府接洽反正（李澄事，参考去年〔七八三〕十二月）。李适承诺让他当汴滑战区司令官（节度使）。但李澄表面仍尊奉李希烈。李希烈怀疑发生变化，派养子六百人进驻白马（滑州州政府所在县，河南省滑县），征召李澄联军攻击宁陵（河南省宁陵县）。李澄抵达石柱（滑县南），教他的士卒假装受到惊恐，燃火烧营，一哄而散，又暗中鼓励李希烈那些养子们抢劫，然后把他们逮捕，全部斩首，奏报李希烈，李希烈对他无法责备。

刘昌固守宁陵（河南省宁陵县），苦战四十五日，没有脱过铠甲。镇海战区（总部设润州〔江苏省镇江市〕）司令官（节度使）韩滉，派部将王栖曜，率军增援刘洽（宣武〔总部宋州〕司令官），抵抗李希烈；王栖曜率强弓部队数千人，游泳渡过汴水，在夜色掩护下，进入宁陵城。明天，在城墙上发箭，射到李希烈所住的营帐中，李希烈大吃一惊，说："宣州（安徽省宣城市）、润州（江苏省镇江市）的弓箭手到了！"遂解围撤退。

17 汉帝朱泚自奉天（陕西省乾县）败回后，唐政府神策军特遣兵团司令官（神策军行营节度使）李晟（音shèng〔胜〕）就计划夺回首都长安（陕西省西安市）。汝郑地区援军司令（汝郑应援使）刘德信（参考去年〔七八三〕十月），去年（七八三）跟李晟同时驻东渭桥（陕西省西安市高陵区南），不听李晟指挥。李晟趁刘德信前来军营的机会，责备他沪涧（河南省郏县西）之役失败（参考去年〔七八三〕九月）的责任及所经过地方抢劫的罪行，斩首；率数名骑兵，飞马进入刘德信军营，对士卒安抚慰劳，没有一个人敢反抗，遂把他们纳入自己军令系统，声威越发强大。

朔方战区（总部设灵州〔宁夏灵武市〕）司令官（节度使）李怀光，既然胁迫李适驱逐卢杞等（参考去年〔七八三〕十二月），知道自己已经开罪皇帝，内心不安，遂决定采取激烈行动，使李适以后永没有报复机会。同时又厌恶李晟独当一面，位高权重，唯恐怕他收复京师（首都长安），建立大功，于是上疏请求跟李晟军合并，李适下诏允许。李晟跟李怀光在咸阳（陕西省咸阳市）西陈涛斜（咸阳市东）会师，营垒还没有筑成，汉政府军大量涌到，李晟告诉李怀光说："盗匪如果固守皇家林园及皇宫城池，或许可以长期的拖延时间，不容易攻克。现在他们的主力竟然离开巢穴，出来挑战，这可是上天把盗匪赏赐给你，机会不可丧失。"李怀光说："军队刚刚抵达，马没有吃草，人没有吃饭，怎么可以立即应战！"李晟不得已，只好进入营垒。李晟每次跟李怀光一同出战，李怀光士卒总是掠夺民间牛马，只神策军纪律严明，秋毫不犯。李怀光的朔方兵团厌恶他们跟自己不一样，总是分一部分掠物给神策军士卒，神策军士卒始终不敢接受。

李怀光进驻咸阳（陕西省咸阳市）好几个月，逗留延迟，不肯前进。李适不断派宦官催促行动，李怀光每次都推辞说："士卒身心过度疲劳，暂时休养，等待机会。"各将领不断劝他进攻长安（汉政府，陕西省西安市），李怀光都不接受，后来更秘密跟汉帝朱泚来往，事迹相当明显。李晟不断上疏警告说：李怀光可能叛变，深恐神策军被朔方兵团并吞，请求重回东渭桥（陕西省西安市高陵区南）。但李适仍希望李怀光改变主意，出动他的兵力，于是把李晟的奏章留在案头，不交下处理。

李怀光打算使发动攻击的日期，尽量后延，并且，更打算激怒各军，于是上疏奏称："各军所得到的赏赐，都很菲薄，只神策军特别优厚，厚薄不均，军心不平，无法驱使他们作战！"李适知道政府的财力艰难，如果大家都提升到神策军的待遇，政府根本没有物资供应，可是，如不这样，既怕李怀光不高兴，又怕各军怨愤，遂派陆贽前往李怀光军营，安抚慰劳，并召唤李晟前来参加军事会议。李怀光打算逼使李晟自己提出减少待遇，使他丧失军心，阻挠他立功，就说："将士们一样的作战，却发不一样的粮饷，怎么能使他们同心协力？"陆贽没有回答，只向李晟频频回顾。李晟说："你是统帅，可以发号施令，我只是一个部队的带兵官，接受指挥而已，至于粮饷服装应该增加，或应该减少，请大帅自行裁决！"李怀光沉默不说话，但又不肯自己下令削减神策军的待遇，事情遂告结束。

当时，李适派皇家图书院院长（秘书监）崔汉衡，前往吐蕃王国（首都逻些城〔西藏拉萨市〕）请求出兵助战，吐蕃（西藏）大宰相尚结赞说："依照我国规定，邻国友邦要求我国出兵时，一定要他们的武装部队统帅明白表示同意才行，而今，诏书上没有李怀光的签名，所以不敢动员。"李适命陆贽游说李怀光，李怀光坚决反对，说："如果攻克京城（首都长安），吐蕃军（西藏）一定大肆奸杀烧掠，谁能阻挡？这是第一害。以前，圣旨指示，招募的士卒如果攻克京师，每人赏钱一百串，吐蕃军（西藏）五万人，如果要求依照圣旨赏赐，我们从哪里弄五百万串钱？这是第二害。蛮虏军队（吐蕃军）虽然跟唐王朝军队会师，但他们一定不会担任前锋、领先进攻，势将仅只进入作战状态，用来自保，观察战争情况，政府军胜他们就分功劳，政府军败他们就一走了之，诡诈狡猾，不可亲近信任，这是第三害。"始终不肯在诏书上签名，尚结赞也拒绝出兵。

陆贽从咸阳（陕西省咸阳市）回到奉天（陕西省乾县），上疏说："叛徒朱泚等聚集皇家林苑，坐在那里等候诛杀，威势已尽，外援已绝，苟延残喘，过一天算一天。李怀光统御政府大军，乘战胜余威（醴泉之役），军心振奋，如果能擂动战鼓，挥军讨伐，易如摧枯拉朽，可是盗匪逃奔不追赶，休兵太久不出击，各军统帅每次打算前进，李怀光总有种种理由，加以阻止。这种事情，实在难以理解。陛下为了顾全大局，对他处处委曲保护，接受他的请求。可是观察他的行为，似乎未必会感恩图报。如果不另行设法，慢慢加强控制，而只苟且偷安，最后恐怕会发生难以预测的变化。势态万分紧急，决不可以把它看得太容易，认为只是一桩普通事件。现在，李晟上疏请求移驻东渭桥（陕西省西安市高陵区南），正巧遇上我奉命前往安抚慰问，李怀光有次偶尔谈到这件事，我遂乘机探听他的口气，李怀光说：'李晟既然想调到别的地方，我也不一定非靠他不可。'我仍恐怕他会后悔，就赞美他的军队战斗力强大。李怀光自我膨胀，反而对李晟有点瞧不上眼。我又若无其事，好像心不在焉的问：'我回到行宫，皇上问我这件事是否可做，不知你如何决定？'李怀光既然夸下海口，不能半途更改，于是说：'只要皇上有命令，他去哪里都可以。'我跟他反复叮咛，并不是话没有说清楚，而是把他套牢，使他即令打算后悔，也说不出口。请把李晟的奏章交给立法院（中书），下诏批准。另外再给李怀光一份亲手书写的诏书，告诉他批准李晟调动军队的理由，大意说：'前些时接到李晟的奏章，请求移驻东渭桥（陕西省西安市高陵区南），借以分散盗匪的兵力，我本来打算交给你，由你讨论决定，正巧陆贽回来奏报，说曾向你提到这件事，你表示把他调走也没有关系，所以允许李晟的请求。'这样的话，措辞婉转，而理由正当，合情合法，是非十分明显，他即令心怀二意，也无法怨恨。”李适接受。

李晟在严密戒备中自咸阳（陕西省咸阳市）开拔，回到原阵地东渭桥（陕西省西安市高陵区南）。当时，鄜坊战区（总部设鄜州〔陕西省富县〕）司令官（节度使）李建徽、神策军特遣兵团司令官（跟李晟同一官位）杨惠元，仍跟李怀光的军营相连，陆贽再上疏说：

“李怀光的直属部队，足以击败盗匪；原地逗留，不肯进军，或许有他的理由。正因为兵力太强，所以不需要友军协助。最近加派李晟、李建徽、杨惠元三位司令官（节度使）的大军，纳入他的指挥系统，对克敌制胜没有帮助，反而容易发生摩擦，惹是生非。为什么？四个兵团的营垒密密相连，而四个兵团的司令官却各有各的想法，论实力则高低悬殊（李怀光的朔方兵团最强），论官职则各有独立系统，谁也管不了谁（四人都是司令官〔节度使〕）。李怀光对李晟等的兵力弱小，官位低微，却不太接受他的命令，感到忿怒；李晟等则怀疑李怀光培养盗匪，包藏祸心，对自己动不动就欺凌压制，感到怨恨。平时互相防备对方的陷害诽谤，战时又怕对方抢夺自己的功劳。意见不合而不能和睦，结果一定积怨成仇；同住在一个空间里，不可能平安无事。强梁的一方作恶太多，终必灭亡；弱小的一方情势危机，势将先行翻覆。无论是灭亡或翻覆，不久就会看到。旧的盗匪还没有削平，新的灾难又要发生，忧愁叹息，此心如焚。最高的策略是在灾难还没有来临时，就先把它消除；其次的策略是，在灾难刚刚萌芽时，就设法补救。而今事情已露出端倪，祸患就要爆发，如果因循苟且，不去处理，如何平定这场混乱！李晟看到情形不对劲，担心突变，已请求调防；留下李建徽、杨惠元，情势更为孤立衰弱，不可避免的将被李怀光并吞，将来即令有再好的谋略，恐怕他们也无法自救。能够救他们的，只有现在当机立断，趁李晟自请调动的时候，陛下不妨命两军跟李晟会师，一同出发，只要宣称：‘李晟军队一向单薄，恐怕受到朱泚截击，需要这两支人马支援。’并且，先派秘密使节通知两军，要他们暗中整装，诏书到达当天，即行拔营启程，李怀光心里虽然不愿意，也无法阻止。这就是古人使用过的先发制人，迅雷不及掩耳的策略。劝架不可以不保持一点距离，救火不可以不迅速行动。所有情理已经说尽，请陛下裁夺。”

李适不能接受，说：“你的分析十分周全，然而，李晟调动，李怀光不可能没有抱怨，如果更调李建徽、杨惠元东投李晟，恐怕会惹起口舌，反而难以化解，不妨再等十天再说。”

18 二月二十日，命王武俊（恒冀〔总部恒州〕司令官）遥兼二级宰相（同平章事·使相），并兼卢龙战区（总部幽州〔北京市〕）司令官（打算命他北伐朱滔）。

19 李晟上疏指出：“李怀光叛逆的罪状，已明显的呈现，无论哪一天爆发，行宫方面都需要早加防备，通往蜀中（四川省中部）、汉中（陕西省南部）的道路，应防切断。我建议命我的部将赵光铣等，分别当洋州（陕西省洋县）、利州（四川省广元市）、剑州（四川省剑阁县）三州州长，各率军五百人，加强戒备。”李适犹豫不能决定，反而打算御驾亲征，率禁军前去咸阳（陕西省咸阳市），对外声称安抚慰劳前线军队，事实上是督促各将领向朱泚出动攻击。有人警告李怀光说：“这可是刘邦出巡云梦（湖北省安陆市南）的阴谋（参考前二〇一年十月）！”李怀光大为恐惧，叛变的意志更为坚决。

李适出发的日期将到，李怀光的言辞越发傲慢，但李适仍疑心有人从中挑拨。

二月二十三日，加授李怀光中央官位：太尉（三公之一），增加采邑的实封户口，赏赐给他“免死铁券”，派神策军右翼作战司令（右兵马使）李卞等，前往传达皇帝的旨意。李怀光在他们面前，把铁券掷到地上，说：“圣人已经疑心我了（唐王朝时，子对父，臣对君，都称“圣人”）。俗话说：‘人要叛，赐铁券！’我并不要叛，却赏赐铁券，是逼我非叛不可。”态度和语气，十分嚣张。朔方战区特遣兵团左翼作战司令（左兵马使）张名振，在军营大门呼喊说：“太尉（李怀光）眼睁睁看着盗匪逃走而不准追击，对待皇上的使节又这么蛮横无礼，难道真的要反？比泰山还要高的功劳，一下子毁弃，自找满门屠灭的大祸，却让别人用它取得荣华富贵，有什么意义？我今天拚着一死，也要反对到底！”李怀光听到消息，对他说：“我不叛变，只因盗匪势力实在强大，必须养精蓄锐，等待时机。”又强调说：“皇帝住的地方，都要有城池。”调派士卒修筑咸阳（陕西省咸阳市）城墙，不久，李怀光把总部迁到城里。张名振说：“前几天你说不反，而今移驻咸阳，目的是什么？为什么不进攻长安（陕西省西安市），诛杀朱泚，博取富贵，班师回到邠州（陕西省彬州市）！”李怀光大怒，说：“你的神经已经错乱！”命左右把张名振带走，扼死。

右翼攻击司令（右武锋兵马使）石演芬，本是西域（新疆及中亚东部）蛮夷，李怀光收作养子。李怀光暗中跟朱泚互通消息，石演芬派他的朋友郜成义前去皇帝所在地（奉天，陕西省乾县）向中央检举，请求罢黜李怀光总指战官（都统）职务。郜成义到达奉天（陕西省乾县），却先告诉李怀光的儿子李璀（音cuǐ），李璀秘密告诉老爹。李怀光召见石演芬，责备说：“我把你当作儿子，你怎么想破灭我全家？你忘恩负义，今天一死，可心甘情愿！”石演芬说：“天子把你当作手臂，你把我当作心腹，你可以辜负天子，我怎么不可以辜负你？我是蛮夷，不能三心二意，只知道服从皇上，没有叛徒的恶名，一死也心甘情愿。”李怀光命左右侍从把他身上的肉，片片割下吞食，大家异口同声说：“他是忠臣义士，应教他快死！”用刀砍断他的咽喉离去。

李卞等返回奉天（陕西省乾县），告诉李适有关李怀光傲慢的情形，李适才下令戒严，随从官员都秘密准备行装，等待事情发生时应变。

二月二十四日，擢升李晟当河中同绛战区（总部设河中府〔山西省永济市〕）司令官（节度使。河中战区原属李怀光管辖，如今李怀光叛变，遂改授李晟）；李适仍认为太薄。

二月二十五日，命李晟遥兼二级宰相（同平章事·使相）。（胡三省原注：李适在患难时，擢升人好像要抱到膝上；患难过去后，排斥人好像要推入深海。）

李适准备逃往梁州（陕西省汉中市）；山南西道战区（总部设梁州〔陕西省汉中市〕）司令官（节度使）盐亭（四川省盐亭县）人严震听到消息，派使节到奉天（陕西省乾县）迎接御驾，又派大将张用诚率军五千人进驻盩厔（陕西省周至县），保护中途安全。张用诚受李怀光的引诱，二人秘密来往，李适接到报告，十分忧虑。正巧严震随后又派营门官（牙将）马勋，携带奏章晋见，李适把情况告诉他。马勋说：“我马上就回梁州（陕西省汉中市），要一张严震召唤张用诚返回总部的军令，如果张用诚拒绝，请准许我把他诛杀。”李适大喜说：“你什么时候再来这里？”马勋预计日期，告辞。他拿到严震的军令，请求派五名勇士同行，北出骆谷（陕西省周至县西南）。张用诚不知道阴谋已经泄露，率数百名骑兵出城迎接，马勋跟他一起走进驿马车站宾馆。

当时，天气寒冷，马勋在驿马车站外燃起堆堆营火，张用诚的骑兵纷纷上前烤火。马勋神情安闲的从怀里拿出军令，递给张用诚，说："大帅（严震）要你回去。"张用诚猝然间呆了一下，站起来就走，勇士们在后面抓住他的双手，强行制服。张用诚的儿子在马勋背后，举刀猛砍马勋，砍伤头部。勇士们立即把张用诚的儿子格杀，把张用诚摔倒在地，用脚踩着他的肚子，刀尖指着他的咽喉，说："叫出声音，就死！"马勋进入大营，发现士卒们已经身穿铠甲，手拿武器。马勋高声宣布说："你们的父母妻子儿女，都在汉中（陕西省汉中市），今天抛下他们不管，和张用诚一同叛变，可得到什么好处？大帅（严震）教我逮捕张用诚，不追究你们，不要自己做出灭门大事！"大家像泄气的皮球一样，全部投降。马勋把张用诚押解到梁州（陕西省汉中市），严震把他乱棍打死，命助手接管他的部众。马勋裹住张用诚的人头，前往皇帝李适所在地回奏，比预定的日期延误了半天。

李怀光利用夜晚，派军袭击李建徽、杨惠元大营；李建徽逃出一命，杨惠元逃出后，打算投奔奉天（陕西省乾县），李怀光派追兵把他格杀。于是正式宣告："我今天跟朱泚联合，创造新的和平，皇帝（李适）应该远远躲开。"

李怀光认为邠宁战区（总部设邠州〔陕西省彬州市〕）作战司令（兵马使）韩游瓌，是朔方战区（总部设灵州〔宁夏灵武市〕）的老将，率军驻扎奉天（陕西省乾县），于是写信给韩游瓌，要他发动政变，韩游瓌秘密报告李适。明天，李怀光再写信给他，催促他迅速行动，李适对韩游瓌的忠义，至为称赞，因而问他说："你有什么办法？"韩游瓌回答说："李怀光当各战区道总指战官（都统），仗恃手握兵权，才敢掀起叛乱。而今，邠州（邠宁河中战区总部，陕西省彬州市）有张昕（音xīn〔欣〕），灵州（宁夏灵武市）有宁景璿，河中（山西省永济市）有吕鸣岳，振武（单于府，内蒙古和林格尔县）有杜从政，潼关（陕西省潼关县）有唐朝臣，渭北（总部设鄜州〔陕西省富县〕。鄜，音fū〔夫〕）有窦觎，都是守城卫国的战将。陛下只要把各该地区和当地军队，交给他们，然后擢升李怀光当更高的官位，收回他手中的军权，则各特遣兵团（行营）自然回归本战区，接受本战区的节制。李怀光孤单单一支军队，怎么能造成混乱！”李适说：“剥夺李怀光的兵权，对朱泚怎么办？”韩游瓌回答说：“陛下既然颁布攻克京城（首都长安）的重赏，将士们奉天子的命令，讨伐叛贼，换取荣华富贵，谁不愿意！邠州（陕西省彬州市）是总部所在地，部队以万为计数单位，假使我能够全部指挥，足可以诛杀朱泚，何况各战区必定会出现忠义将士。朱泚没有什么可以值得忧虑！”李适同意。

二月二十六日，李怀光派部将赵升鸾进入奉天（陕西省乾县），约定当天晚上另派别动部队将领达奚小俊（达奚，复姓），焚烧乾陵（乾县西北，三任帝李治墓），然后赵升鸾在城里作为内应，发动突击，裹挟李适。赵升鸾晋见行宫总作战司令（行在兵马大使）浑瑊自首，浑瑊立即报告李适，因情势危急，请李适马上出奔梁州（陕西省汉中市）。李适命浑瑊戒严，浑瑊出来，部署还没有完毕，李适恐惧过度，已出城向西逃走，命盐州（陕西省定边县）州长戴休颜留守奉天（陕西省乾县），政府官员及将士，仓猝间起程追随，十分狼狈。戴休颜巡视各军营，向士卒们宣布：“李怀光已经叛变！”遂登城固守。

朱泚称帝时（参考去年〔七八三〕十月），国务院国防部副部长（兵部侍郎）刘迺（参考七五三年十月），在家养病，朱泚召见，他拒绝；朱泚又命宰相蒋镇前去游说，共去了两次，发现威胁利诱都没有用，蒋镇感叹说：“我也曾在政府做官，不能舍生取义，以致到了今天这个地步，怎么可以用自己的恶德，去污辱贤才！”深深叹息而回。刘迺听说李适又逃入南山（秦岭山脉），捶胸大叫，栽到床下，几天不进饮食，逝世（年六十岁）。

太子少师（太子三少之一）乔琳（参考七七九年八月），追随李适逃到盩厔（陕西省周至县），声称年老患病，受不了山路艰险的颠簸，把头发剃光，出家充当和尚，躲藏在仙游寺（陕西省周至县南）。朱泚听到消息，把他召回长安（陕西省西安市），命他当国务院文官部长（吏部尚书）。受到风气感染，逃亡在外的唐政府官员，很多前去投靠朱泚当官（刘迺认为李适从此不能再还而自杀，乔琳等也认为李适从此不能再还而纷纷出面当朱泚的官）。

李怀光派部将孟保、惠静寿、孙福达，率精锐骑兵，进入南山（秦岭山脉）搜捕李适，在盩厔（陕西省周至县）遇到各军粮食草料供应司令（诸军粮料使）张增。三位将领说：“他（李怀光）害我们当叛徒，我们就报告说追赶不到，顶多不叫我们带兵而已。”向张增使眼色，说：“官兵们还没有吃早饭，怎么办？”张增欺骗大家，说：“往东走几华里路，有个寺庙，我运的粮食存在那里。”三位将领率军折回东方，放纵官兵劫掠。文武百官及随驾侍从，这才有充裕的时间，进入骆谷（陕西省周至县西南），三位将领遂用追赶不上的理由回去报告。李怀光把他们全部撤职。

20 河东战区（总部太原府）特遣兵团将领王权、马汇（参考去年〔七八三〕十一月十一日）率军返回太原（山西省太原市）。

21 李晟在东渭桥（陕西省西安市高陵区南）接到任命他当河中战区（总部河中府）司令官及遥兼二级宰相（同平章事 · 使相）的人事命令，

感动得痛哭流涕，对将领及参谋官等说：“长安（陕西省西安市），是皇家祖庙所在，天下的根本，如果所有将领都随御驾逃亡，谁去消灭盗匪！”于是修筑城墙，挖深壕沟，整理铠甲武器，计划收复京师（首都长安）。

之前，东渭桥（陕西省西安市高陵区南）存有粮食十余万斛，全国财政总监署（度支）拨给李怀光军，几乎全部用完。这时，李怀光、朱泚联盟，声势强大，皇帝李适向南逃亡，人心大乱。李晟一支孤军，处在两大强敌夹缝之中，内没有粮草，外没有救兵，只有用一腔忠义，鼓励将士，所以他的军队人数虽少，而士气旺盛。李晟又写信给李怀光，措辞谦卑，态度恭敬，表面上对李怀光十分推崇，但仍婉转分析祸福，建议他立功赎罪，李怀光内心惭愧，不忍心对他攻击。李晟说：“京畿虽然兵荒马乱，但民间仍可以负担赋税。有军队而不用，使盗匪（朱泚）一天比一天强大，才是大祸。”于是，任命执行官（判官）张彧（音yù〔域〕）代理首都长安特别市长（假京兆尹），另行遴选四十余人，分别授给他们官职，教他们前往渭北（渭水以北）各县，催缴粮秣，不出十天，粮秣充足，而且还有剩余。

李晟在将士面前，激动流泪，誓言削平盗贼。

22 魏博战区（总部设魏州〔河北省大名县〕）司令官（节度使）田悦，自受冀王朱滔攻击以来（自本年〔七八四〕正月五日迄今），不断战败，士卒死亡达十分之六七，上下疲惫悲苦。李适派御前监督官（给事中）孔巢父当魏博地区（河北省南部及河南省北部）慰劳特使（宣慰使）。孔巢父口才流利，抵达魏州（河北省大名县）后，向大家分析祸福，田悦和将士们都大为欢喜。作战司令（兵马使）田绪，是前任战区司令官（节度使）田承嗣的儿子，凶恶险诈，不断违法乱纪，田悦不忍处

八世纪·七八四年二月至三月
李怀光叛变，李适逃亡山南

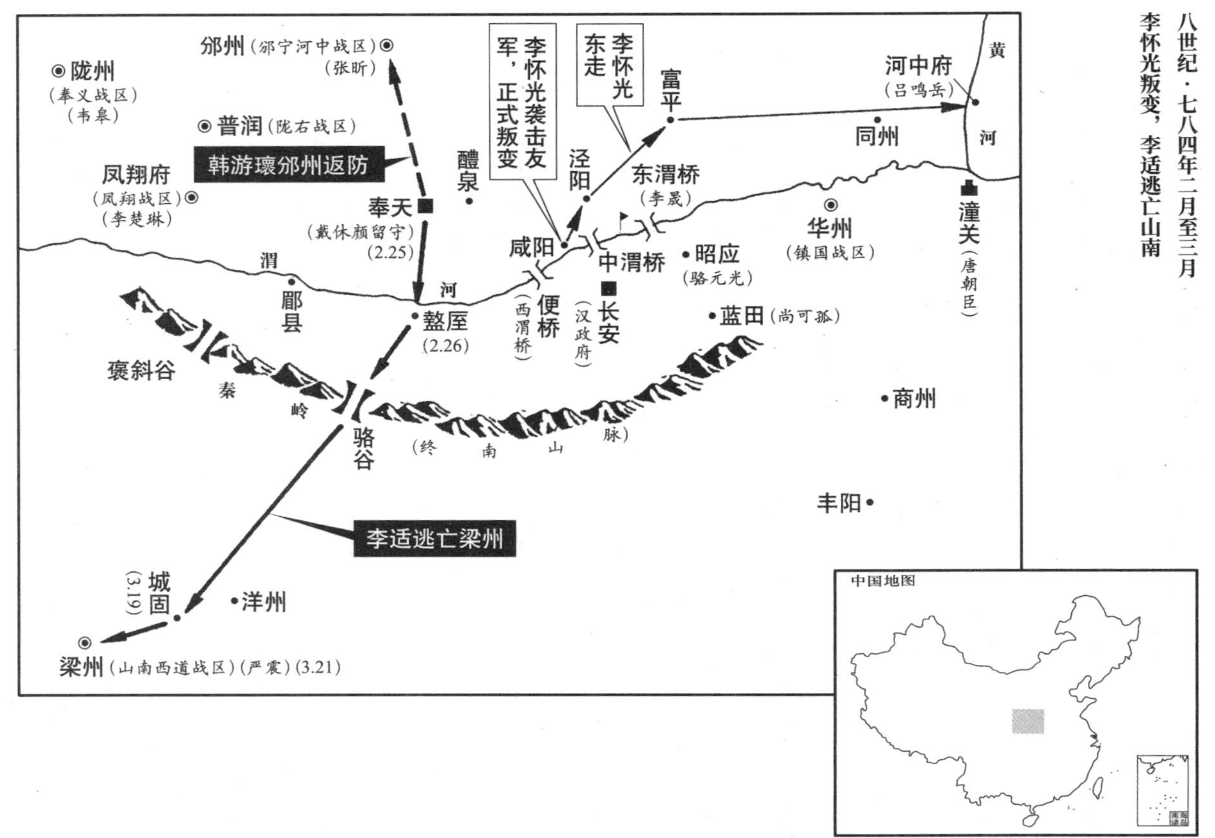

死，只用军棍把他责打后囚禁。田悦既回归中央，总部内外都撤除警卫戒备。

三月一日，田悦欢宴孔巢父；田绪对他的老弟和侄儿们，抱怨田悦，他的侄儿阻止，田绪大怒，一刀把侄儿劈死，事后懊悔不已，说："老哥（田悦）一定会杀我！"索性一不做，二不休，当天夜晚，田悦喝酒喝得酩酊大醉，回去睡觉，田绪跟左右同党，秘密凿穿后院墙壁，进入后院，格杀田悦（年三十四岁）跟他的娘亲、妻子、儿女等十余人，立即率领左右、手拿佩刀，站在中门夹道那里。天色将明，用田悦的命令召见作战参谋长（行军司马）扈㟧、执行官（判官）许士则、总纠察官（都虞候）蒋济等人进府讨论大事。总部内宅，深广森严，外面不知道发生流血惨案，许士则、蒋济先到，田绪传话叫他们进去，乱刀砍死。田绪恐怕天亮之后，阴谋泄露，于是走出中门，正遇到田悦亲信部将刘忠信在那里布置岗位，整顿公堂，田绪突然间大声呼叫："刘忠信跟扈㟧叛变，昨晚刺死大帅（田悦）！"大家惊骇呐喊。刘忠信还来不及分辩，大家一拥而上，把他剁碎。扈㟧后来，走到列戟的大门，正遇上混乱，紧急集合将士，有三分之一将士接受命令。田绪大为恐惧，登上牙城城楼，向部众大声呼喊说："我，田绪，是先宰相（田承嗣）的儿子，各位都受过先宰相的恩德，如果能拥护我当战区司令官（节度使），我承诺对作战司令（兵马使）赏钱二千串，大将赏钱一千串，以下直到士卒，每人赏钱一百串。我会搜刮公私财产，五天内交清。"将士们遂回头诛杀扈㟧，全体归附田绪，总部才恢复平静。于是报告孔巢父，孔巢父命田绪代理主持总部。

几天之后，大家才知道原来是田绪谋杀堂哥（田悦），虽然后悔愤怒，可是田绪的地位已经稳固，已无可奈何。田绪又诛杀田悦的亲信将领薛有伦等二十余人。

昭义战区（总部设潞州〔陕西省长治市〕）司令官（节度使）李抱真（安抱真）、恒冀战区（总部设恒州〔河北省正定县〕）司令官（节度使）王武俊，率军增援贝州（河北省清河县），听说魏州（河南省大名县）兵变，不敢继续前进。汉政府皇太弟朱滔得到田悦被杀消息，大喜说："田悦忘恩负义，是上天借田绪的手对他惩罚。"遂即派他的总监察官（执宪大夫）郑景济等，率步骑兵五千人，增援马寔，共计一万二千人，进攻魏州（河北省大名县）。马寔驻扎王莽河（参考前年〔七八二〕六月），放任骑兵及回纥军（瀚海沙漠群）向四面八方奸杀烧掠。朱滔派人进城，游说田绪，承许他当本战区（魏博）司令官（节度使）。田绪正当危机关头，立即派事务官（随军）侯臧，前往贝州（河北省清河县），表示归降，朱滔大喜，命侯臧回去报告，催使签订盟约。

这时，田绪对局势已经完全控制，李抱真（安抱真）、王武俊也派使节晋见田绪，表示情形跟田悦在世时一样，他们将实践密约，照常增援。田绪召集各将领讨论，幕僚曾穆、卢南史说："军队作战，固然全靠实力，但也要有仁义作为基础，然后才可以成功。而今，幽州（北京市）军队随心所欲的奸杀烧掠，白骨遍野，固然是先大帅（田悦）背叛盟誓，但小民有什么罪？朱滔今天的兵力虽然强大，但危亡就在眼前。何况昭义（总部潞州）、恒冀（总部恒州）两战区正对他发动攻击，为什么因一时的紧急，而追随别人去当叛徒！不如仍回中央，皇上正流亡在外，听到魏博战区（总部魏州）使节晋见，一定大为高兴，任官封爵，马上实现。"田绪接受，派使节携带奏章，前去皇帝所在地；自己则严守城池，等待中央进一步指示。

23 李适从奉天（陕西省乾县）逃出时，邠宁战区（总部设邠州〔陕西省彬州市〕）作战司令（兵马使）韩游瓌，率领他的部属八百余人，奔回邠州（陕西省彬州市）。李怀光看到李晟的军队日渐壮大，既忧虑而且愤怒，打算亲自率军从咸阳（陕西省咸阳市）袭击东渭桥（李晟基地，陕西省西安市高陵区南）。可是他一连发布三次出击命令，他的部队都拒绝听从，私下互相说："叫我们攻击朱泚，当竭尽全力；叫我们叛变，宁可一死，也不接受。"李怀光知道不能强迫，向幕僚们询问意见，战区巡察官（节度巡官）良乡（北京市西南良乡镇）人李景略说："攻取长安，诛杀朱泚，把各战区特遣兵团遣送回各战区，然后单人匹马前往皇帝所在地，如此，臣属的礼节不缺，功名仍可保持。"说完，跪下叩头请求，甚至流泪，李怀光同意。总纠察官（都虞候）阎晏等，建议李怀光向东撤退，据守河中（山西省永济市），观察形势，从长计议。李怀光乃向部众宣布说："现在暂时前去泾阳（陕西省泾阳县，咸阳市东北航空距离二十公里），派人到邠州（陕西省彬州市。李怀光原任邠宁河中〔总部邠州〕司令官，参考七七九年闰五月）迎接家眷，等家眷来到，和他们一起先回河中（山西省永济市）。等到春季装备换新后，再进攻长安（陕西省西安市），也不算晚。东方各县多的是官宦之家和富豪地主，从开拔那一天起，随你们掳掠男女，抢夺财产！"（中国人可悲！）大家接受。李怀光警告李景略说："前些时所讨论的事，将领们都坚决反对，你最好马上离开，否则的话会断送性命。"派几名骑兵送他出去。李景略跨出军营大门后，放声大哭，说："想不到这支部队，竟陷于不义！"（朔方兵团自七五五年以来，削平安禄山、史思明的战乱，又抵抗回纥军〔瀚海沙漠群〕、吐蕃军〔西藏〕，功高天下，今则势将变成叛徒。）

李怀光派使节前往邠州（陕西省彬州市），命邠宁战区（总部设邠州〔陕西省彬州市〕）候补司令官（留后）张昕，征调全部留守士卒一万余人，及特遣兵团将士们的家属，到泾阳（陕西省泾阳县）会合；同时派部将刘礼等，率三千余名骑兵，前来强迫执行。作战司令（兵马使）韩游瓌说张昕，说："李太尉（李怀光）功劳崇高，却自己去找灾祸，踏进陷阱，你今天应该自己去找富贵，我愿率领我的部属，追随你行动。"张昕说："我出身微贱，全靠李太尉（李怀光）的提携推荐，才到今天地位，不忍心辜负。"韩游瓌于是声称有病，不再出门，但秘密跟战区其他将领高固、杨怀宾等结合。这时，皇家图书院院长（秘书监）崔汉衡，已引导吐蕃军（西藏）抵达，在邠州（陕西省彬州市）城南筑垒扎营。高固说："张昕带走这些人，邠州（陕西省彬州市）就成了空城！"于是假造一封浑瑊的信，请求吐蕃军（西藏）稍稍向前推进，逼近城池。张昕等恐惧，不敢率大家出城，但暗中准备诛杀各将领中不肯东迁的人，韩游瓌得到消息，遂先行动手，跟高固等发动兵变，斩张昕，派杨怀宾携带奏章前去晋见李适，同时派人通知崔汉衡。崔汉衡假传圣旨，命韩游瓌代理主持战区总部，士卒们欢声雷动。李怀光的儿子李旻在邠州（陕西省彬州市），韩游瓌送他回老爹那里，有人说："不杀李旻，怎么向中央证明你的忠贞？"韩游瓌说："杀李旻，李怀光一定大怒，势将出动大军攻城，不如把李旻释放。"当时，杨怀宾的儿子杨朝晟，在李怀光军当右翼作战司令（右厢兵马使），听到消息，向李怀光流泪报告，说："我老爹效忠政府，做儿子当连带受到屠灭，不可以再握兵权。"李怀光把他囚禁。现在的情势是：韩游瓌驻邠州（陕西省彬州市），戴休颜驻奉天（陕西省乾县），骆元光驻昭应（陕西省西安市临潼区），尚可孤驻蓝田（陕西省蓝田县），都受李晟指挥，李晟军的声势兴盛。

最初，李怀光强大时，朱泚对他心存几分畏惧，给李怀光的信件，尊他为兄长（本年，朱泚四十三岁，李怀光五十六岁），秘密约定把关中（陕西省中部）分作二国，各当一国的皇帝，永成友邦。可是，等李怀光决定背叛唐政府，把李适逼得逃亡，李怀光的部属很多人背叛李怀光，威力日渐削弱。朱泚就不再写信给李怀光，而改用诏书，把他当作臣属，并征调他的军队。李怀光羞惭愤怒，对内忧虑部下叛变，对外忧虑李晟随时都会发动袭击，于是纵火焚烧营房，向东撤退，对泾阳（陕西省泾阳县）等十二县，大肆掳掠抢劫，连鸡狗都不留下，大军走到富平（陕西省富平县），大将孟涉、段威勇，率数千人，投奔李晟；将领士卒在中途也相继四散逃亡。抵达河中（山西省永济市）时，有人劝留守司令吕鸣岳焚烧黄河大桥，阻止李怀光回去。吕鸣岳认为兵力太少，恐怕不能抵抗，遂迎接李怀光；河中（山西省永济市）特别市长（河中尹）李齐运，放弃职守，出城逃走。

李怀光派部将赵贵先在同州（陕西省大荔县）建立防线（抵御唐政府军讨伐），州长李纾恐惧，投奔皇帝所在地，把州长职务交给幕僚裴向。裴向晋见赵贵先，向他分析忠义及叛逆的道理，赵贵先感动觉悟，投降，同州（陕西省大荔县）因而获得保全。裴向，是裴遵庆的儿子（裴遵庆是十任帝李亨在位时宰相，参考七六一年四月）。

李怀光派部将符峤袭击坊州（陕西省黄陵县），占领据守，渭北战区（总部设鄜州〔陕西省富县〕。鄜，音fū〔夫〕）留守将领窦觎，率猎户民兵（猎团）七百人，把坊州（陕西省黄陵县）围住，符峤投降。李适下诏命窦觎当渭北战区作战参谋长（行军司马）。

24 三月十六日，命李晟兼京畿渭北坊丹延战区司令官（节度使）。

25 三月十九日，李适逃到城固（陕西省城固县）。唐安公主逝世，她是李适的长女。

李适逃亡途中，有平民呈献瓜果，李适大为高兴，打算任命他当一个散官（有阶级而没有实职）或试用官（试官），询问国务院文官部考核司长（考功郎中）陆贽。陆贽回奏，说："对爵位官阶，应特别谨慎，不可以轻易授人。开始时看起来不过一桩小事，却一定会造成巨大的流弊。呈献瓜果的人，只可以赏赐金钱绸缎，不可以赏赐官爵。"李适说："试用官（试官）不过一个虚名罢了，对国家大事，一点也没有妨碍！"

陆贽又上疏，提出：

"自从天下大乱，政府财税收入，不够赏赐之用，于是用官爵代替，四品以下的官，很多是杂役；三品以上的宫，有些甚至是轿夫（大封官爵，参考去年〔七八三〕十一月十五日）。现在最大的弊病是，人们瞧不起爵位！政府用尽方法使人们瞧得起，仍怕人们不肯尊重，如果皇上自己先瞧不起，怎么能用它勉励别人！

"激发人类奋斗牺牲的动力，只有荣耀（名）跟权力、财富（利），荣耀看起来似乎虚空，但站在教育文化的立场，却十分重要；权力、财富看起来似乎实际，但站在道德立场，却并不十分重要。只看到实际的权力、财富，而不配合虚空的荣耀，则权力、财富会被消耗净光，再无法供给。专去追求虚空的荣耀，而没有权力、财富配合，则荣耀就成为一种几近荒诞的行为，人们不会当作一回事。

"所以，国家封爵任官的铨叙制度中，有实官（职事官）、有散官（只有官阶，没有职位），有勋官（战功官），有爵位。但真正处理事务而又领取政府薪俸的，只有实官（职事官），这就是为了达到'实际'工作的目的，而用'虚空'作为激励的例证。勋官也好、散官也好、爵位也好，大体上说，只有官服颜色不同，荫子官位有差异而已（官服颜色分辨品秩，参考六七四年八月；荫子制度，参考六二八年十月），这就是赐给他虚空的荣耀，而代替实际的权力、财富。

“而今，编制外官员（员外）试用官员（试官），跟勋官（战功官）、散官（有阶无职）、爵位，非常相似，虽然都没有薪俸，又不受名额限制，然而对冲锋陷阵、冒险犯难的忠臣，却是拿它作为赏赐；对筋疲力尽，劳苦功高的义士，也同样拿它作为酬庸。如果仅只因呈献瓜果就授给这些官号，那些忠臣义士一定互相告诉：‘我们冒着生命危险，才博得一官，那家伙却因呈献瓜果，就博得一官，是政府把我们的身家性命，看成瓜果！’

“把人当作草木，谁还能够效忠！现在，陛下既没有实际利益作为鼓励，又不重视虚空的荣耀，而随意施舍！人们的奋斗，就没有了目标，以后对为国立功的人，将用什么回报！”（奏章上去后，李适有什么反应，没有记载，似乎只记下重要言论就够了。好像甲国向乙国宣战，只记宣战书，因为宣战书文辞优美而又理由充足，足可教训好战之士，但是，却不记载有没有发生战争。）

陆贽在皇家文学研究院（翰林院）时，深受李适器重，颠簸流离中，虽然也有宰相，但大小事务，李适都会跟陆贽商量，所以时人形容他是幕后宰相（内相），李适到哪里，总要带他到哪里。这次向南方山区（秦岭）逃亡，梁州（陕西省汉中市）、洋州（陕西省洋县）道路险要，有一次，李适曾经跟陆贽失散，一夜没有看见他，李适惊骇忧虑，甚至焦急得泣涕流泪，下令说：寻找到陆贽的，赏赐黄金千两。很久之后，陆贽才回来（是被找到或自己出现，没说清楚），李适大为欢喜，太子李诵以下文武百官，都向李适祝贺。可是，陆贽一再坦率的提出不同意见，使李适觉得他过分冒犯，心里开始不太舒服。卢杞虽然被贬谪放逐（参考去年〔七八三〕十二月），李适却一直暗中保护。陆贽强烈抨击卢杞奸诈邪恶、引起灾难。李适表面上虽然接受，但心里大不高兴，所以刘从一、姜公辅都从小官登上宰相高位（参考去年〔七八三〕十月），陆贽虽受李适的重视，却一直不能升任宰相。

三月二十一日，李适抵达梁州（陕西省汉中市）。山南（秦岭以南）土地贫瘠（音il〔及〕），人民穷苦，自从安禄山、史思明掀起战乱以来，地方盗匪烧杀劫掠，户口减少大半，虽然有十五个州（十五个州：梁州〔陕西省汉中市〕、洋州〔陕西省洋县〕、兴州〔陕西省略阳县〕、凤州〔陕西省凤县〕、开州〔重庆市开州区〕、通州〔四川省达州市达川区〕、渠州〔四川省渠县〕、集州〔四川省南江县〕、蓬州〔四川省仪陇县南〕、利州〔四川省广元市〕、壁州〔四川省通江县〕、巴州〔四川省巴中市〕、阆州〔四川省阆中市〕、果州〔四川省南充市〕、文州〔甘肃省文县〕），可是田赋捐税的总收入，还不如中原地区的几个县。现在皇帝驾到，仅只粮食供应，都十分困难。李适发现无法支持，打算再南下逃亡成都（四川省成都市），山南西道战区（总部设梁州〔陕西省汉中市〕）司令官（节度使）严震警告说："山南（秦岭以南）接近京畿，李晟正在准备收复，依靠皇家禁军的声势支援。皇上如果前去西川（总部成都府），李晟就成功无期。"大家议论纷纷，不能决定，正巧李晟的奏章送到，说："陛下如果留在汉中（梁州州政府所在城），还可以维系全国民心，造成盗匪灭亡的声势，如果只贪图生活舒适，迁往岷峨（岷山及峨眉山，指四川省），恐怕因小失大，军民绝望。那时，即令猛将如云，谋臣似雨，也束手无策！"李适这才打消继续逃亡的念头。

严震千方百计征收财税，但人民还不致太困窘，供应也能不缺。营门官（牙将）严砺，是严震的堂弟；严震命他负责粮饷转运，办事非常妥帖。

26 最初，奉天（陕西省乾县）包围解除，朱泚退回长安（陕西省西安市），凤翔战区（总部设凤翔府〔陕西省宝鸡市凤翔区〕）变兵首领李楚琳（参

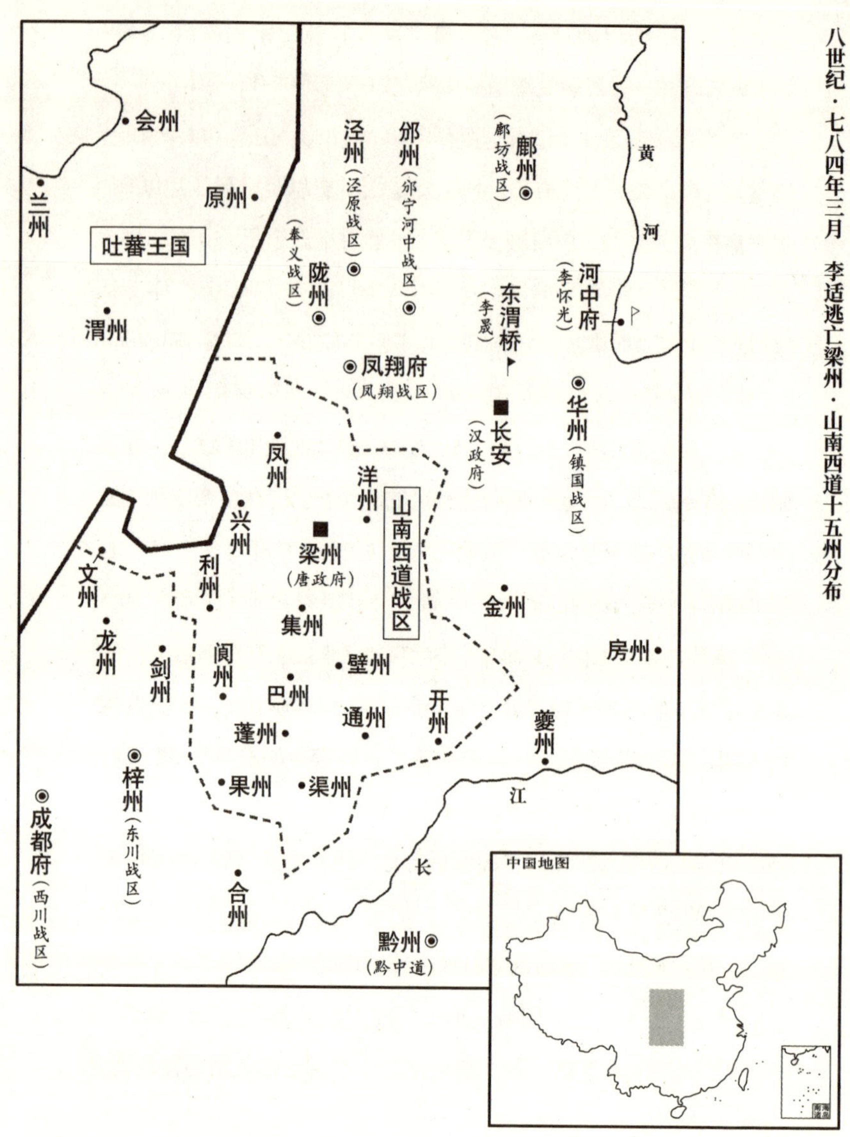

八世纪·七八四年三月　李适逃亡梁州·山南西道十五州分布

考去年〔七八三〕十月八日），派使节向李适进贡，李适不得已，只好任命李楚琳当凤翔战区司令官（总部设凤翔府〔陕西省宝鸡市凤翔区〕），但心里十分憎恨，文武百官认为李楚琳凶恶叛逆，反复无常，如果不严加防范，恐怕他抓住机会发动战事，因此，李楚琳几次派来的使节，李适都不接见，而且不放他们回去。后来，由奉天（陕西省乾县）向南逃亡，刚到汉中（陕西省汉中市），就打算命浑瑊接替李楚琳的战区司令官（节度使）。

陆贽听到后，上疏指出：

“李楚琳谋杀统帅（张镒），投效逆贼（朱泚），罪行固然严重，可是，因为陛下还没有回都，元凶匪酋仍然存在，全国勤王的军队，仍留在京师（首都长安）附近，陛下一旦下达反攻命令，一分一秒都要争取。现在，商岭（秦岭山脉东段）道路迂回遥远；骆谷（陕西省周至县西南）如果再被盗匪控制，勤王大军跟中央之间，唯一的交通要道，就只剩下褒斜谷（陕西省太白县境），这条道路如果发生问题，南北就被切断。勤王各军危险疑虑，处在两个叛徒（朱泚及李怀光）威迫利诱夹缝之中，人心惶惶，随时都会爆发变局。万一李楚琳发狂，公开叛变，南面塞住要塞，东面引诱巨奸，我们的咽喉就被切断，四肢就被分割。

“而现在，李楚琳采取脚踏两只船的投机态度，是上天诱发他改变心意，所以我们才能保持回京（首都长安）的道路畅通无阻，完成复国大业。希望陛下更深入的考虑，对李楚琳特别安抚，只要拖延得久一点，就可以完成大事。如果非检查他平常的行为，追究他过去的过失，那就等于向全世界宣告：犯错的人，即令改过，也不能赦罪；即令自新，也不能宽恕。而目下所有将领及官吏，有几个是没有犯过错的？各人自我反省，思前想后，有谁能不心生疑惧！又何况抗命之徒、被胁迫之辈，自己了解辜负皇家，罪恶重大，怎么敢反正回归？这件事情非同小可，必须马上决定。希望陛下追求英明领袖的大抱负、大谋略，而不因小小的不能忍耐，而伤害复兴大业。”

李适恍然大悟，特别优待李楚琳的使节，颁发措词和暖亲切的诏书，安抚慰劳。

27 三月二十六日，命宣武战区（总部设宋州〔河南省商丘市〕）司令官（节度使）刘洽遥兼二级宰相（同平章事·使相）。

28 三月二十八日，命行宫总作战司令（行在都知兵马使）浑瑊遥兼二级宰相（同平章事·使相），更兼朔方战区（总部设灵州〔宁夏灵武市〕）司令官（节度使），以及朔方、邠宁、振武、永平各战区、奉天军基地野战军副元帅（兵马副元帅）。

29 三月二十九日，李适下诏谴责李怀光罪行，但强调朔方战区将士们的忠贞及对帝国的贡献。仍念及李怀光从前的功勋，特别宽恕，而只免除他副元帅、太尉（三公之一）、最高立法长（中书令·使相）、河中（山西省永济市）特别市长（河中尹）以及朔方等战区司令官（节度使）、道政府行政长官（观察使）等；另授李怀光中央官位：太子太保（太子三师之三）。所统御的军队，由本军自行推荐一位功高望重的将领领导，并迅速奏报，中央当马上授给旌旗符节，满足大家愿望。

30 夏季，四月二日，擢升邠宁战区（总部设邠州〔陕西省彬州市〕）

作战司令（兵马使）韩游瓌，当战区司令官（节度使。正式取代李怀光）。

四月三日，擢升奉天（陕西省乾县）特遣兵团作战司令（行营兵马使）戴休颜，当特遣兵团司令官（行营节度使）。

31 灵武（宁夏灵武市）留守将领宁景璿，给李怀光家修盖房舍，别动部队将领李如暹说："李太尉（李怀玉）赶走天子，宁景璿却为他大动土木，同样是造反！"攻击宁景璿，诛杀。

32 四月四日，加授李晟：鄜坊、京畿、渭北、商华等各战区野战军副元帅。

李晟家属一百余人，以及神策军官兵家属，都留在首都长安，汉帝朱泚待他们十分优厚。勤王军中有人谈到家事时，李晟哭泣说："皇上如今在哪里？我们怎么敢想家！"朱泚派李晟的亲近送家信给李晟，说："大帅家平安无事。"李晟大怒说："你竟敢做逆贼的间谍！"立刻斩首。士卒们还没有领到春季军服，天已盛夏，李晟仍然穿皮袍，所以官兵们始终没有叛变的想法。

传递平安家书，怎么就是间谍？报告家人消息，又犯了什么重罪？竟然斩首。这就是官场文化，用别人的性命，表演自己的忠贞，好让主子疼爱！

四月五日，擢升陕虢战区（总部设陕州〔河南省三门峡市〕）防御司令（防遏使）唐朝臣，当河中同绛战区（总部设河中府〔山西省永济市〕）司令官（节度使）。命前河中（山西省永济市）特别市长（河中尹）李齐运，当首都长安特别市长（京兆尹），负责供应李晟军粮秣劳役。

33 四月十日，擢升魏博战区（总部设魏州〔河北省大名县〕）作战司令（兵马使）田绪，当战区司令官（节度使）。

34 行宫总作战司令（行在都知兵马使）浑瑊，率北伐各路大军出斜谷（陕西省太白县），皇家图书院院长（秘书监）崔汉衡，要求吐蕃军（西藏）助战，大宰相尚结赞说："邠州（陕西省彬州市）的军队不出动，恐怕会袭击我的后背。"邠宁战区（总部设邠州〔陕西省彬州市〕）司令官（节度使）韩游瓌听到消息，派他的部将曹子达率军三千人，去跟浑瑊会师。吐蕃军派部将论莽罗依，率士卒二万人追随。凤翔战区（总部设凤翔府〔陕西省宝鸡市凤翔区〕）司令官（节度使）李楚琳也派部将石镍，率士卒七百人会合浑瑊，攻克武功（陕西省武功县西）。

四月十日，朱泚派部将韩旻反攻武功（陕西省武功县西），石镍率他的部众向韩旻投降。浑瑊进攻，不能取胜，集结各部队，驻屯武功（陕西省武功县西）县城西方平原，正巧曹子达及吐蕃军赶到，联合攻击韩旻，在武亭川（泾水支流漆水河）会战，大破韩旻军，格杀一万余人，韩旻仅逃出一命。浑瑊遂率军进驻奉天（陕西省乾县），跟进驻东渭桥（陕西省西安市高陵区南）的李晟军，东西呼应，对长安（汉首都，陕西省西安市）施加压力。

35 李适打算给他的长女唐安公主建立一座佛塔，陪葬物品十分丰富。监督院高级顾问官（谏议大夫）二级实质宰相（同平章事）姜公辅上疏劝阻，认为："山南（秦岭以南）不是长久居住之地，公主的灵柩，一定会运回首都长安。在此地应该简单收敛，留下财物，应付军中急需。"李适派人告诉国务院文官部考核司长（考功郎中）陆贽说："给唐安公主建立一座佛塔，能用几个钱？不是宰相们应管

八世纪·七八四年四月

浑瑊北上夺取武功，进驻奉天

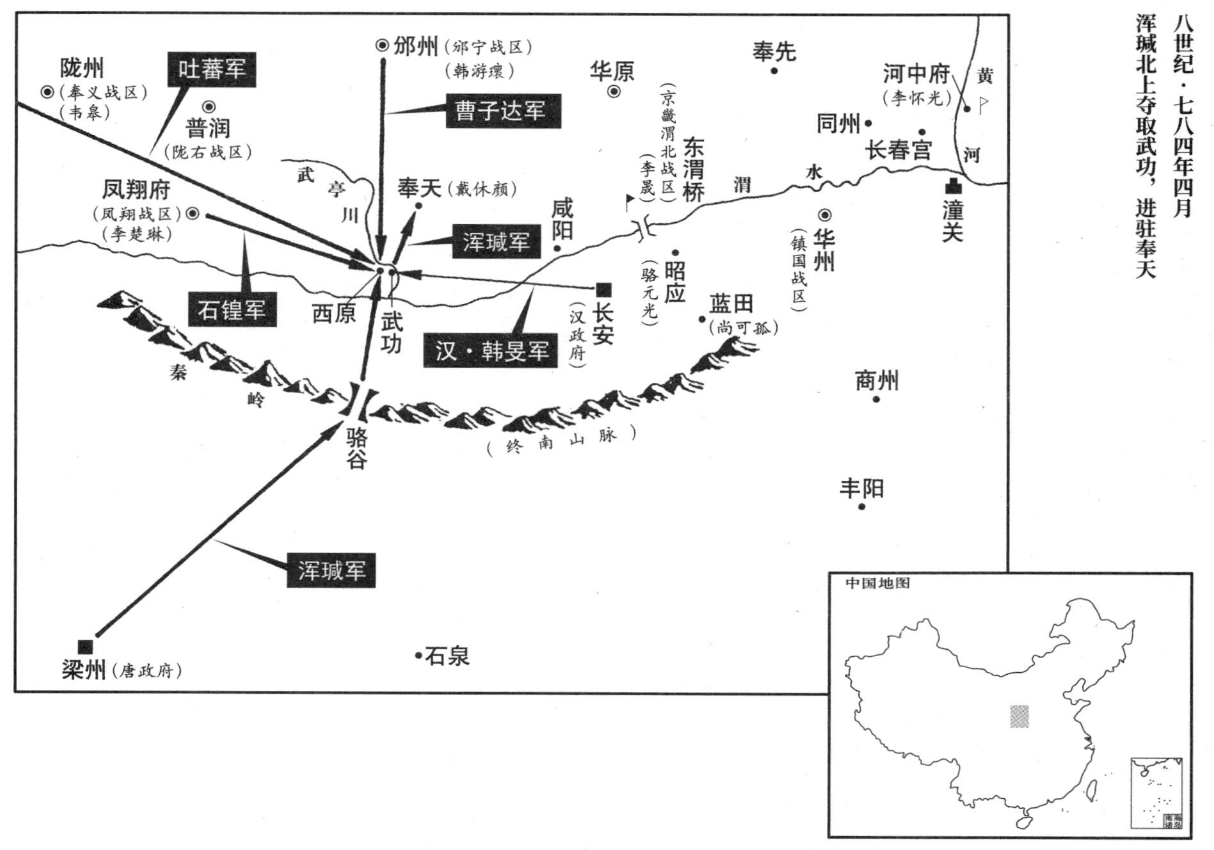

的事，姜公辅只是挑我的错，用来寻求高贵名声。辜负我到这种地步，我应该怎么处置他！”陆贽认为姜公辅身负宰相重任，遇事提出意见，不应受到处罚。

陆贽上疏，大略说：“姜公辅不久以前，还跟我一同在皇家文学研究院（翰林院）任职，这项同事关系，使我处境困难，如果据理力争，为他辩护，则有结党营私的嫌疑；如果逢迎陛下的旨意，顺服陛下的说法，则有违于辅佐大义。涉嫌结党营私，不过一个人招祸；违背辅佐大义，则玷污皇上恩典。如果只顾自己，而忘掉君王，实是我的耻辱。”

陆贽又说：“昏庸愚昧领袖最大的特征是：下面的怨恨已经满盈，他在上面却什么都不想知道；罪恶的行为已激怒上天，他却一点也不打算醒悟；直到家破国亡，还弄不清是怎么回事。”

陆贽又说：“应该只问事情的‘对’‘错’‘是’‘非’，不应该只问事情的‘大’‘小’！《虞书》说：‘必须谨慎戒惧，只因一天两天之内，就有一万次危机！’（“兢兢业业，一日二日万几。”）伊祁放勋（尧帝）及姚重华（舜帝）在位时，领袖圣明，干部贤能，考虑事情，每天都以‘万’为单位计算。说明最微小的事情，都不可不这么重视，陛下怎么可以忽略，不挂念在心上！”

陆贽又说：“如果认为谏诤规劝，就是指责君王的过失，专揭领袖的疮疤，那么，挖出贤臣心脏的君王，就不会受圣明君王们的责备（商王朝比侯子干，因规劝末任帝子受辛而被挖心惨死，参考前一二年十二月注）。如果认为谏诤规劝是为了博取美名，那么《易经》上就不会有‘臣属尽忠，并不是为了他自身’的记载。”

陆贽又说：“即令有人故意借着抨击领袖的过失，用谏诤规劝来博取自己的荣耀，有什么关系？领袖只要采纳正确建议，只要不拒绝刺耳的话；那么，所作批评正足以显示领袖更高贵的美德；干部所博取的美名，正是增加领袖无穷的福分，无往而不对领袖有利。在任何一切规劝的行为中，领袖的收获最多。如果只为了厌恶他故意揭疮疤，而赌气拒不认错，领袖势将被认为厌恶正直，引起讥刺。只因不愿对方有美名而不肯包容，领袖同样也将被认为拒绝听逆耳之言。结果，为了掩饰过失的种种动作，反而使过失更为显明；为了打击对方享有美名的各项措施，反而使对方享有的美名更为传播。如果真的这么去做，损失就太大。”

但李适的忿怒并不能消除，决心反击。

四月十四日，罢黜姜公辅，调任太子宫政务署长（左庶子）。

36 加授西川战区（总部设成都府〔四川省成都市〕）司令官（节度使）张延赏遥兼二级宰相（同平章事·使相），酬庸他后勤供应无缺。

37 汉帝朱泚及汉政府最高监督长（侍中）姚令言，不断派使节游说泾原战区（总部设泾州〔甘肃省泾川县〕）司令官（节度使）冯河清，冯河清把他们一律斩首。但大将田希鉴跟朱泚秘密来往，遂杀冯河清，归降朱泚，朱泚命田希鉴当泾原战区（总部泾州）司令官（节度使）。

38 李适询问陆贽说：“最近，一些从山北（秦岭以北）来的小官，全不是好东西。有个叫邢建的人，谈到盗贼的声势，大肆夸张，依情形推测，似乎负有某种任务，前来侦查大后方的虚实，已经把他安置在另一个地方（这句平淡的话，就是告诉你，那人已被逮捕囚禁，正受苦刑拷打，结局多半处死）。像这种情形，还有好几个人，如果不深入追查，恐怕奸计得以完成。你且用心想一想，怎么办才好！”陆贽上疏指出：变兵盘踞皇宫，凡是冒险犯难、千辛万苦从遥远地方投奔皇帝所在地的人，都应该酌量情形，施恩赏赐，怎么可以横加猜忌，逮捕囚禁！奏章上说：

“以一个人的聪明而打算了解宇宙间的千变万化，以一个人的警觉而打算消除亿万人的奸邪诈欺，用的心智越精密，离开事实真相也越远。项籍（项羽）接受秦王朝二十万士卒投降，担心他们心怀反复，再度叛变，一次就把他们活埋，这种所谓预防性措施，残酷可谓达到顶点（参考前二〇六年十一月）。刘邦（西汉王朝一任帝）心胸坦荡，度量宏大，天下知识分子纷纷投奔，他都收容，毫不猜忌怀疑，所谓预防性措施，可谓十分疏忽。然而，刘家兴起，项家灭亡。心存猜疑，跟坦诚相待，它们的效果绝对不同。

“嬴政（秦王朝一任帝）苛刻威严，雄猛猜忌，荆轲却奋不顾身向他行刺（参考前二二三年）。刘秀（东汉王朝一任帝）宽宏大量，博爱敦厚，马援则向他效忠（参考二八年十月）。岂不是说明谦卑诚恳待人，别人都会顺服；靠着小动作驾驭，别人就不可能对他亲爱信任。内心感动，就会爱戴，即令是贼寇仇敌，也可以化作心腹手臂。没有亲爱信任的心情，便会产生畏惧，那么，即令是骨肉之亲，也会变成贼寇仇敌。”

陆贽又说：

“陛下天纵英明，智慧超过常人，所以对臣属看得很轻；思考周密而且能预见先机，因而有控制宇宙、独力运转的能力。囊括大家的谋略，遂生谨慎过度的戒备；洞察万民的隐情，自然凡事都要预先防范。严厉的约束文武百官，企图用严刑峻法，使社会纳入正轨；用权势威风统御全国，认为只有武力，才可以制服反抗力量。于是，有才能的人怨恨不被重用，忠贞不贰的人忧虑会受到怀疑，尽忠报国勋业彪炳的人，唯恐怕领袖难容；犹豫不定的人，面对中央讨伐的威胁，一个个越离越远，终于叛变，造成灾难。最高首脑所作所为，全国人民都看得清楚，任何一件小事都要慎重，何况不是小事。但愿陛下接受前车倾覆的教训，才是帝国最大的幸福。”

陆贽奏章，对李适的心理状态，分析到深处。到了后来，怎么能逃避李适的报复（参考七九五年四月）？

39 四月十七日，命前山南东道战区（总部设襄州〔湖北省襄阳市〕）司令官（节度使）南皮（河北省南皮县）人贾耽，当国务院工程部长（工部尚书）。

最初，贾耽派作战参谋长（行军司马）樊泽前往皇帝所在地呈递奏章，樊泽回来复命。有一天，贾耽正在举行盛大宴会，忽然中央下达紧急命令，任命樊泽接任战区司令官（参考本年〔七八四〕正月二十四日）。贾耽把命令揣到怀里，面不改色，宴会继续进行。结束后，召见樊泽，才告诉他，并且命各将领官吏晋见樊泽。营门官（牙将）张献甫大怒说：“作战参谋长（樊泽）代表大帅（贾耽）前去向皇上请安，竟敢乘机为自己图谋旌旗符节，夺取长官的土地，不忠不义，人心不服，请把他诛杀。”贾耽说：“这是什么话！天子既有任命，他就是战区司令官（节度使）！”当天就离开襄州（湖北省襄阳市），并命张献甫跟自己同行，总部遂恢复安定。

40 国务院左最高执行长（左仆射）李揆，从吐蕃王国（首都逻些城〔西藏拉萨市〕）回国（出使事，参考去年〔七八三〕七月九日）。

四月二十四日，李揆在凤州（陕西省凤县）逝世（年七十四岁）。

41 邠宁战区（总部设邠州〔陕西省彬州市〕）司令官（节度使）韩游瓌，率军前往奉天（陕西省乾县），跟行宫总作战司令（行在都知兵马使）浑瑊会师。

42 四月二十六日，命平卢战区（总部设郓州〔山东省东平县〕）司令官（节度使）李纳遥兼二级宰相（同平章事·使相）。

43 四月二十七日，义王李玼逝世（李玼是九任帝李隆基的儿子）。

44 汉帝朱泚的皇太弟、冀王朱滔，围攻贝州（河北省清河县）一百余日；马寔围攻魏州（河北省大名县）也超过四十天，都不能攻克。

唐政府昭义战区（总部设潞州〔山西省长治市〕）参谋官（参谋）贾林，再代表战区司令官（节度使）李抱真（安抱真）前往游说恒冀战区（总部设恒州〔河北省正定县〕）司令官（节度使）王武俊说："朱滔主要目标在夺取贝州（河北省清河县）和魏州（河北省大名县），更遇上田悦受害，假如再过十天不去援救，魏博战区（总部魏州）就归朱滔所有。魏博战区（总部魏州）一旦陷落，则义武战区（总部设定州〔河北省定州市〕）司令官（节度使）张孝忠，一定屈服。朱滔集结三个战区的兵力，加上回纥兵团（瀚海沙漠群），进逼常山（河北省正定县，恒州州政府所在城），你打算家门不被屠灭，难道能如愿以偿！常山（河北省正定县，恒州州政府所在城）如果失守，昭义战区特遣兵团（时驻临洺〔河北省邯郸市永年区〕）非撤退到西山

（太行山）不可；河朔（河北平原）就要全部落到朱滔之手。不如乘着贝州（河北省清河县）、魏州（河北省大名县）还没有陷落，跟昭义特遣兵团会合，解救二城。朱滔灭亡，关中（陕西省中部）一定丧失斗志，用不了多久，他的老哥朱泚就会被砍下人头，全族覆亡。皇帝御驾重返京师（首都长安）。所有将领们的功劳，谁能比你更高！”王武俊大为高兴，接受建议。

四月二十八日，王武俊进驻南宫（河北省南宫市）东南，李抱真自临洺（河北省邯郸市永年区）率军前来会师，两军营垒相距十华里，然而因敌对太久，所以仍互相猜疑。明天（四月二十九日），李抱真（安抱真）只带数名骑兵，前往王武俊大营；幕僚宾客们都阻止李抱真（安抱真）不可冒险，李抱真（安抱真）命作战参谋长（行军司马）卢玄卿紧急备战，等待进一步消息，说：“我这次任务，关系帝国安危，如果不能回来，带领大军听候中央命令，在你；鼓励战士雪耻复仇，也在你！”吩咐完毕，即行出发。王武俊军也加强戒备，严阵以待。李抱真（安抱真）和王武俊见面，申诉国家的灾祸，以及天子逃亡在外的危难，握住王武俊的手痛哭，涕泪流满双颊；王武俊也悲恸至深，难以克制，左右将领深受感动，都掩面哭泣，抬不起头。李抱真（安抱真）遂跟王武俊结拜为兄弟，誓死消灭贼寇（二人之前已结拜过一次，参考去年〔七八三〕十月十八日）。王武俊说：“十哥（李抱真〔安抱真〕在兄弟辈中排行第十），你的名声远播四海，往日蒙你讲解启蒙，得以弃邪归正，回归中央，免受被剁成肉酱的重刑，享受王爵、公爵的荣耀。今天又不因我是蛮夷而看不起（王武俊是契丹人，参考七六二年十一月），跟我结拜成义兄义弟，我怎么敢当，又用什么回报！朱滔所仗恃的，不过回纥（瀚海沙漠群），用不着害怕，会战的时候，请十哥在马上安闲观看，我一定为十哥把他们击破。”李抱真（安抱真）退到王武俊的营帐中，酣睡了很长一段时间。王武俊感激，对李抱真（安抱真）的态度，越发崇敬，手指胸口，仰天表白说：“这身子已许给十哥，为十哥而死。”于是两军联合前进。

45 山南（秦岭以南）气候炎热，李适因士卒还没有改换春季军服，自己也只穿夹衣（双层布的衣服，介于棉衣跟单衣之间）。

五月，全国盐铁专卖暨运输总监署执行官（盐铁判官）万年（首都长安东半城）人王绍押运江淮（华东地区）进贡的绸缎布匹，抵达梁州（陕西省汉中市），李适命先给将士缝制春季军服，然后自己才脱下夹衣，改穿单衫。镇海战区（总部设润州〔江苏省镇江市〕）司令官（节度使）韩滉，打算派使节押运绫罗四十担到皇帝所在地，幕僚何士干愿意担任，韩滉大喜说：“你如果愿意，就请今天过江。”何士干答应，回去向家人告辞，发现日用的木柴、食米，都已送进家门。登上粮船，发现所有旅途及平常用具，都已堆满，甚至厕所用的草纸，韩滉都亲笔条条记载，没有一件事不准备周全。每个挑夫，腰里都携带一块白银。

韩滉又运稻米一百船，供应在渭北（渭水以北）扎营的李晟，亲自把米袋背到船上，将领、参谋官等也争相搬运，一会工夫，就搬运完毕。每艘粮船配备五名弓箭手，作为预防，遇到海盗，则敲打船舷，互相警告，五百支箭同时上弦。直到东渭桥（李晟基地，陕西省西安市高陵区南），盗匪不敢接近。当时，关中兵荒马乱，每斗米值钱五百枚；等韩滉的粮船抵达，米价降低五分之四。韩滉这个人坚强能干，严肃刚毅，自己的饮食衣着，十分简单朴素，他的妻子每天都穿绢质（粗丝织成）长裙，破了之后才换。

46 吐蕃军（西藏）击破汉政府军韩旻等之后，大肆抢掠，即行撤退返回。

汉帝朱泚派泾原战区（总部设泾州〔甘肃省泾川县〕）司令官（节度使）田希鉴用重金贿赂吐蕃军，吐蕃军接受；唐政府邠宁战区（总部设邠州〔陕西省彬州市〕）司令官（节度使）韩游瓌奏报李适。行宫特遣兵团总作战司令（行在都知兵马使）浑瑊也上疏说："尚结赞屡次派人约定：立刻联军进攻长安（汉首都，陕西省西安市），可是并不出动，听说他的军队遇到春季瘟疫，最近已经回国。"李适因李晟、浑瑊的兵力太少，打算倚靠吐蕃军（西藏）收复京师（首都长安），忽然听说撤退回国，十分忧虑，询问陆贽的意见。

陆贽认为，吐蕃军（西藏）贪婪狡猾，对唐王朝只有害处，没有益处，撤退回国，实在值得欣慰祝贺。于是上疏，大略说："吐蕃军（西藏）推托犹豫，一再反复，深入京畿地带，却暗受逆贼驱使，以致前线各将领无论进退，都有危险。唐朝勤王军如果不理会他们，单独前进，又怕他们心里大不高兴，袭击我们背后，如果跟他们联合进攻，又因他们一再延期，寸步难行，吐蕃军（西藏）如果不走，盗匪永无法消灭。"

陆贽又说："将领们怀疑陛下对他们不信任，恐怕吐蕃军（西藏）夺去他们的贡献；士卒们怀疑陛下不念及旧日功劳，恐怕吐蕃军（西藏）会单独受到重赏；盗匪（汉政府军）害怕吐蕃军（西藏）战胜后，他们不是被杀就是被俘虏充当奴隶；人民害怕吐蕃军（西藏）入援，所有财产，被他们掠夺。这种情势是：政府官民人等，心情懈怠，沦陷在盗匪境内的人，不得不坚决抵抗。"

陆贽又说："而今，李怀光盘踞蒲州（即河中府〔山西省永济市〕）、绛州（山西省新绛县），吐蕃军（西藏）又远离国境，压力已经分散，勤王大军再没有受到夹攻的顾虑，浑瑊、李晟各统帅，才华能力，才可以施展。”

陆贽又说：“只要陛下谨慎的安抚接待将领士卒，不断赐给鼓励，国家中兴大业，十天半月，就可实现，不必再眷恋那群狗羊，而失去军心。”

李适再派人告知陆贽，说：“你分析吐蕃的形势，十分正确，然而浑瑊、李晟各军应该有一个共同作战计划，一致行动。我打算派人去前方慰劳，请你详细的考虑规划，分析归纳，条条列出上奏。”陆贽认为：“贤明的领袖遴选将领，必须交付给他全权，才可能成功。现在，前方跟中央所在地，相隔千里（咸阳与汉中航空距离二百公里，但中隔海拔四千公尺的秦岭山脉，路途盘旋险要），战争变化无常，从遥远的地方发出命令，未必跟现实情况符合。他们如果不遵从命令，领袖失去威严；如果遵从命令，则伤害到军事胜利。无论进攻或退守，都像遇到了绊马索，难以完成任务。不如授权给他们自己决定，而只颁发优厚赏赐，将领们一定喜悦感动，才智和勇气，才能尽量发挥。”于是上疏，大略说：“刀锋如雪，乱箭似雨，肉搏血战在原野之上，而决策却拟定于深宫之中；情势瞬息万变，而指挥却在千里之外；将帅们效命疆场，对中央决策和千里外的指挥，服从或不服从，都会妨碍作战；执行或不执行，都会招来灾难。于是，领袖干预太多的讥刺，自然产生。将领士卒都成了遥控下的木偶，怎么会有一死报国的决心。”

陆贽又说：“道听途说的话，跟有凭有据的话不一样；精密计划，跟面对现状也有差异。”

陆贽又说：“假使将领中有人随心所欲的拒抗命令，陛下能不能在这个时候，责备他违犯圣旨，加以杀戮？结果是抗命的人不受处罚，而服从命令的人又未必是适当的人选。最后只不过说了很多废话，增加领袖的忧虑而已，不但对大局无益，反而损失更多。”

陆贽又说：“领袖的权势，跟干部的权势，意义不同，只有自己不出主意，才能综合使用众人的智慧。”

47 五月三日，泾王李侹逝世（李侹，是十任帝李亨的儿子）。

48 徐海沂密道（首府设徐州〔江苏省徐州市〕）行政长官（观察使）高承宗逝世（七八一年十月，李洧献出徐州，回归中央；前年〔七八二〕三月，被任命为徐海沂密道行政长官〔观察使〕。李洧逝世后，高承宗继任）。

五月四日，唐政府命他的儿子高明应主持军事。

49 五月五日，李抱真（安抱真）、王武俊（恒冀〔总部恒州〕司令官）在距贝州（河北省清河县）三十华里处扎营。

朱滔（汉政府皇太弟）听说两军就要到达，紧急召唤包围魏州（魏博战区总部，河北省大名县）的马寔，马寔日夜不停的急行军赶赴贝州（河北省清河县）。有人警告朱滔说：“王武俊长于野战，不可以跟他正面冲突，应该命大军稍微向前推进，增加对他的压力，再命回纥军（瀚海沙漠群）切断他的运粮要道。我们只管坐在军营里吃从德州（山东省德州市陵城区）、棣州（山东省惠民县）运来的粮食，在军营前面筑阵，时机有利就进攻，时机无利就退回自保。等他们饥饿疲惫，然后就可控制。”朱滔犹豫不决。正巧马寔率军抵达，朱滔下令明天出战，马寔说：“士卒在炎热的天气下急行军，困倦疲惫，请休息几天，再作攻击。”

顾问官（常侍）杨布、将军蔡雄陪同回纥带兵官（达干）晋见朱滔，回纥带兵官说："我们在国内时，跟邻国交战，经常只出动五百名骑兵，攻击邻国数千名骑兵，就好像秋风之扫落叶。如今接受大王金银绸缎、牛肉美酒，前后不计其数，很想替大王建立功劳，现在正是时候。明天，请大王骑马登上高岗，观看回纥为大王翦除王武俊的骑兵，让他连一匹马也回不去。"杨布、蔡雄说："大王的英勇谋略，盖世无双，率领燕蓟（河北省北部）大军，行将横扫河南（黄河以南），肃清关中（陕西省中部），而今看见这么一小撮敌人，都拿不定主意，不敢攻击，使远近都感到失望，还用什么完成霸业？回纥带兵官的要求，是上等策略。"朱滔大喜，遂决心出战。

五月六日，清晨，王武俊派作战司令（兵马使）赵琳，率五百名骑兵，埋伏桑林（河北省广宗县东北）；李抱真（安抱真）在防线之后，把军队集结成方阵，王武俊率骑兵担任前锋，亲自面对回纥（瀚海沙漠群）。回纥骑兵发动攻击，直冲王武俊军，王武俊骑兵一提缰绳，左右避开。回纥骑兵一直冲到阵后，正准备回马，王武俊下令攻击，赵琳也自林中冲出，向回纥军拦腰砍杀，回纥军败退。王武俊紧追不舍，朱滔骑兵也跟着溃败，踏践自己的步兵阵地，于是步骑兵霎时瓦解，向东方逃命，朱滔不能制止。只好奔回大营。李抱真（安抱真）、王武俊，联军追击。这次，朱滔率军三万人出战，一场战役下来，死伤一万余人，逃走的也有一万余人，朱滔只剩下数千人，进入营垒坚守。正巧，天色黄昏，大雾陡起，联军不能前进，于是，李抱真（安抱真）驻朱滔营的西北、王武俊驻朱滔营的东北。朱滔心胆俱裂，于深夜燃火焚烧大营，率军出南门，向德州（山东省德州市陵城区）逃去，把所掳掠的东西全部留下，无法带走，堆积如山，联军因雾太大，不能追赶。

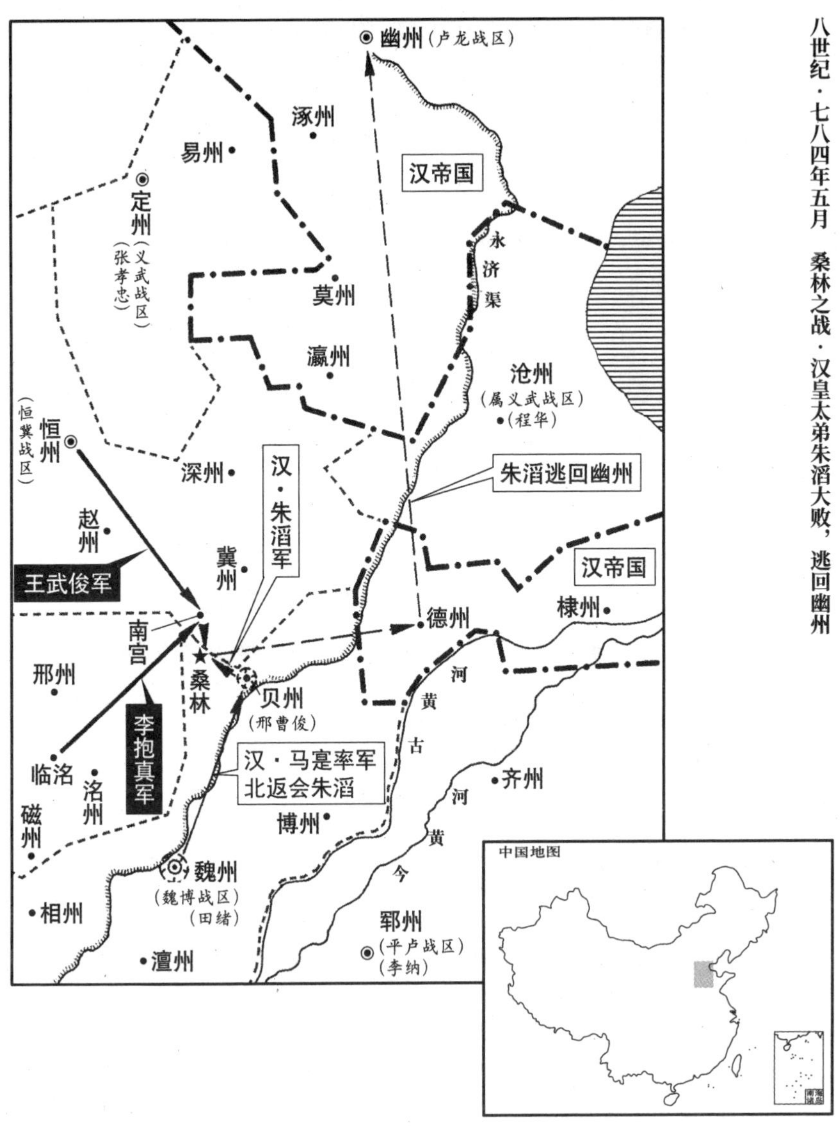

八世纪·七八四年五月 桑林之战·汉皇太弟朱滔大败，逃回幽州

朱滔斩杨布、蔡雄（一脸忠贞并不是无往而不利，同样可以断送性命），率军北返幽州（北京市），羞惭愧疚，又怕范阳（幽州州政府所在城，北京市）留守长官刘怦（音pēng〔烹〕）趁自己失败，对自己下手。想不到刘怦出动全体留守部队，夹道二十华里，具备仪仗队，把朱滔迎接回府，二人相对唏嘘叹息，悲喜交加，当时的人对刘怦一致称赞。

50 最初，张孝忠献出易州（河北省易县），回归中央，中央任命张孝忠当义武战区（总部设定州〔河北省定州市〕）司令官（节度使），把易州（河北省易县）、定州（河北省定州市）、沧州（河北省沧州市东南），划归他的辖区（参考前年〔七八二〕二月十一日）。沧州（河北省沧州市东南）州长李固烈，是李惟岳妻子的老哥（李惟岳事，参考前年〔七八二〕闰正月），辞职转回恒州（恒冀战区总部，河北省正定县），张孝忠派内营管理官（押牙）安喜（河北省定州市）人程华，前去接收州政府工作（程华，参考七八一年八月）。李固烈贪婪入骨，把州政府所有的物资——绫罗绸缎、珍珠财宝，全部收归私有，满装数十辆大车。就要启程的时候，士卒们愤怒的呐喊说："州长扫清库务，全部带走，将士们往后饥饿苦寒，谁来解救！"遂斩李固烈，把他的家人，老少不留，全部屠杀。程华听到兵变，从墙洞里钻出逃走，变兵找到他，请他主持州政府业务。程华不得已，勉强接受。张孝忠接到报告，立刻发表临时人事命令，命程华当沧州（河北省沧州市东南）州长。程华性情宽厚，对将士推心置腹，将士心情才归平静。

不久，朱滔、王武俊背叛中央（参考前年〔七八二〕四月），二人都派使节征召程华，程华都不接受。当时，张孝忠身在定州（河北省定州市），从沧州（河北省沧州市东南）前往定州（河北省定州市），一定经过瀛州

（河北省河间市），而瀛州（河北省河间市）隶属朱滔（卢龙〔总部幽州〕首领），道路阻断，交通困难。沧州（河北省沧州市东南）总务官（录事参军）李宇，向程华建议，不如上疏中央，请求另设一个战区，程华同意，派李宇携带奏章，前往皇帝所在呈递。李适即命程华当沧州（河北省沧州市东南）州长、横海军基地（设沧州〔河北省沧州市东南〕）副司令（副大使），代理战区（横海战区）司令官（知节度事），改名程日华。并命程日华（程华）供给义武战区（总部设定州〔河北省定州市〕）租税十二万串钱。

王武俊继续派人前去游说，当时，军中缺乏战马，程日华（程华）向使节说："王大帅（王武俊）一定要我归附，请先派遣二百名骑兵协防。"王武俊如数派出，程日华（程华）把马全部留下，而把骑兵送回。

王武俊大怒，可是，正跟唐政府马燧（河东〔总部太原府〕司令官）等拒抗，不能分兵出击，程日华（程华）因此得以保全。

后来，王武俊再度回归中央，程日华（程华）派人前去道歉，并送上马价，更致送贿赂，王武俊转怒为喜，二人和好如初。

51 五月二十日，李晟举行大规模阅兵大典，宣布将收回京师（首都长安）。

之前，汉政府最高监督长（侍中）姚令言等，不断派出间谍、斥候，侦察李晟发动攻击的日期，都被唐政府军俘虏，李晟教他们观看阵势，告诉他说："回去报告那些叛徒，努力防守，不要背弃朱泚！"用酒肉招待，发给路费，放他们回去。现在，李晟率军进抵通化门（长安东面北头第一门）外，炫耀威力后撤退，汉军不敢出战。李晟召集军事会议，讨论攻城焦点，大家认为："先夺取外城，占领市区，然后向北进攻皇宫。"李晟反对，他说："京师（首都长安）

街市狭小，盗匪如果实行巷战，居民惊慌乱逃，对我们不利。据我所知，盗匪的重兵集中皇家林苑，不如直接向林苑北面进攻，先使他们的心腹溃烂，盗匪一定逃亡，如此，皇宫不致残破，街市不受骚扰，是上等战略。”各将领一致赞成，说：“好极！”于是通知行宫特遣兵团总作战司令（行在都知兵马使）浑瑊及镇国战区（总部设华州〔陕西省渭南市华州区〕）司令官（节度使）骆元光、商州战区（总部设商州〔陕西省商洛市商州区〕）司令官（节度使）尚可孤，指定日期，在京师（首都长安）城下会师。

五月二十二日，尚可孤在蓝田（陕西省蓝田县）西，击败汉军将领仇敬忠，斩首。

五月二十五日，李晟推进到长安光泰门（长安苑城东北门）外的米仓村（长安城东北）。

五月二十六日，李晟正筑营垒，汉政府将领张庭芝、李希倩率大军涌到。李晟对各将领说：“我开始时担心盗匪躲藏，不肯出战，而今前来送死，是上天帮助我们，不可失去机会！”命野战军副元帅府作战司令（副元帅兵马使）吴诜（音shēn〔身〕）等，发动攻击。当时，镇国特遣兵团在北，兵力薄弱，汉军集中力量进攻，李晟命营门官（牙将）李演等率精锐部队增援。李演等竭力奋战，汉军败退；李演等乘胜追击，尾随汉军之后，攻入光泰门；汉军反击，李演等再把他们击败。等到夜晚来临，李晟收兵而还。汉军残余部队从白华门（汉帝朱泚一直在白华殿临朝，白华门当在附近）逃返京城。深夜，传出阵阵哀痛哭声。李希倩，是已称楚帝的李希烈的老弟。

五月二十七日，李晟军再度出动，各将领请求等到西方支援部队抵达，前后夹攻。李晟说：“盗匪不断被击败，胆已吓破，如果不乘胜把他们扑灭，让他们完成防备，不是好的智谋。”汉军又出城挑战，再被击败，唐军屡次传出捷音。骆元光在浐水（灞水支流）西也击败汉军。

五月二十八日，李晟在光泰门外筑阵，命营门官（牙前将）李演，及营门作战司令（牙前兵马使）王佖，率领骑兵；营门官（牙前将）史万顷，率领步兵；一直挺进到皇家林苑墙外神麚村。李晟先派军连夜在苑墙凿开二百余步的缺口，可是当李演赶到，汉军已用树木栅栏把它塞住，从缝隙中射箭或用长矛猛刺，唐军不能前进。李晟大怒，向各将领咆哮道："这么放纵敌人，我先把你们斩首！"史万顷恐惧，率军冒死冲锋，把树木栅栏拔除，攻入城中，王佖、李演率骑兵随后进入，汉军彻底崩溃，唐政府勤王各军，从四面八方，分别进城。姚令言等仍奋力苦战，李晟命决胜军基地司令（决胜军使）唐良臣等率步骑兵联合冲杀，一面战斗，一面前进，只十余个回合，汉军已不能支持。唐军攻抵白华门，汉军骑兵数千人在唐军背后出现，李晟率一百余骑兵折回抵御，左右大声高呼道："宰相（李晟）亲自督战！"汉军大吃一惊，立刻溃散。

之前，朱泚派副元帅张光晟，率军五千人驻防九曲（陕西省西安市高陵区境），距东渭桥（高陵区南）十余华里。张光晟秘密向李晟投降。等到朱泚溃败，张光晟劝朱泚出奔，朱泚乃跟姚令言率残余部众——仍将近一万人，放弃首都长安（陕西省西安市），向西逃亡。张光晟送朱泚出城后，向李晟缴械。李晟派作战司令（兵马使）田子奇，率骑兵追击朱泚。李晟驻军含元殿前右金吾卫（卫军第十二军）司令部，下令各军说："依靠将士们的努力，今天得以清除宫廷。长安人民，长期沦陷在盗贼压力之下，如果对他们有任何一小点惊动，都不是'哀怜人民，讨伐罪犯'（"吊民伐罪"）的本意。我跟各位和家人见面的时刻，马上就要来到，但从现在起，五天之内，不准跟家人通信。”命首都长安特别市长（京兆尹）李齐运等，安慰居民。李晟手下大将高明曜擅自夺取一名汉军的歌女，尚可孤部属一位军士擅自夺取汉军的一匹马，李晟把他们立即斩首，全军震动惊骇。军民相处安宁，对人民一点没有侵犯，远处街市有的过了一夜才知道唐政府军已经进城。

当天（五月二十八日），行宫特遣兵团总作战司令（行在知兵马使）浑瑊、奉天（陕西省乾县）特遣兵团司令官（行营节度使）戴休颜、邠宁战区（总部设邠州〔陕西省彬州市〕）司令官（节度使）韩游瓌，也攻克咸阳（陕西省咸阳市），击败汉军三千余人；得到朱泚向西逃亡消息，马上派出一部分军队前往堵截。

五月二十九日，李晟命京西作战司令（京西兵马使）孟涉驻防白华门（东苑内）、尚可孤驻防望仙门（大明宫南）、骆元光驻防章敬寺（首都长安东郊）；李晟率亲卫军三千人驻防安国寺（首都长安长乐坊），镇守京师（首都长安）。逮捕朱泚的党羽李希倩、敬钍、彭偃等八人，绑赴街市斩首。

52 王武俊（恒冀〔总部恒州〕司令官）击破朱滔后，返回恒州（河北省正定县）。上疏辞让卢龙战区（总部设幽州〔北京市〕）司令官（节度使）；李适批准（王武俊兼卢龙战区事，参考本年〔七八四〕二月二十日）。

53 六月四日，李晟派机要秘书（掌书记）吴县（江苏省苏州市）人于公异，作“露布”向皇帝报告大捷（露布，不封口的文书，人人可以传阅），说：“我已肃清宫廷，晋谒皇家祖坟，连钟架都没有移动过，皇家祭庙跟过去一样完整。”李适看到，流下眼泪，说：“天生李晟，是为了国家，不是为了我！”

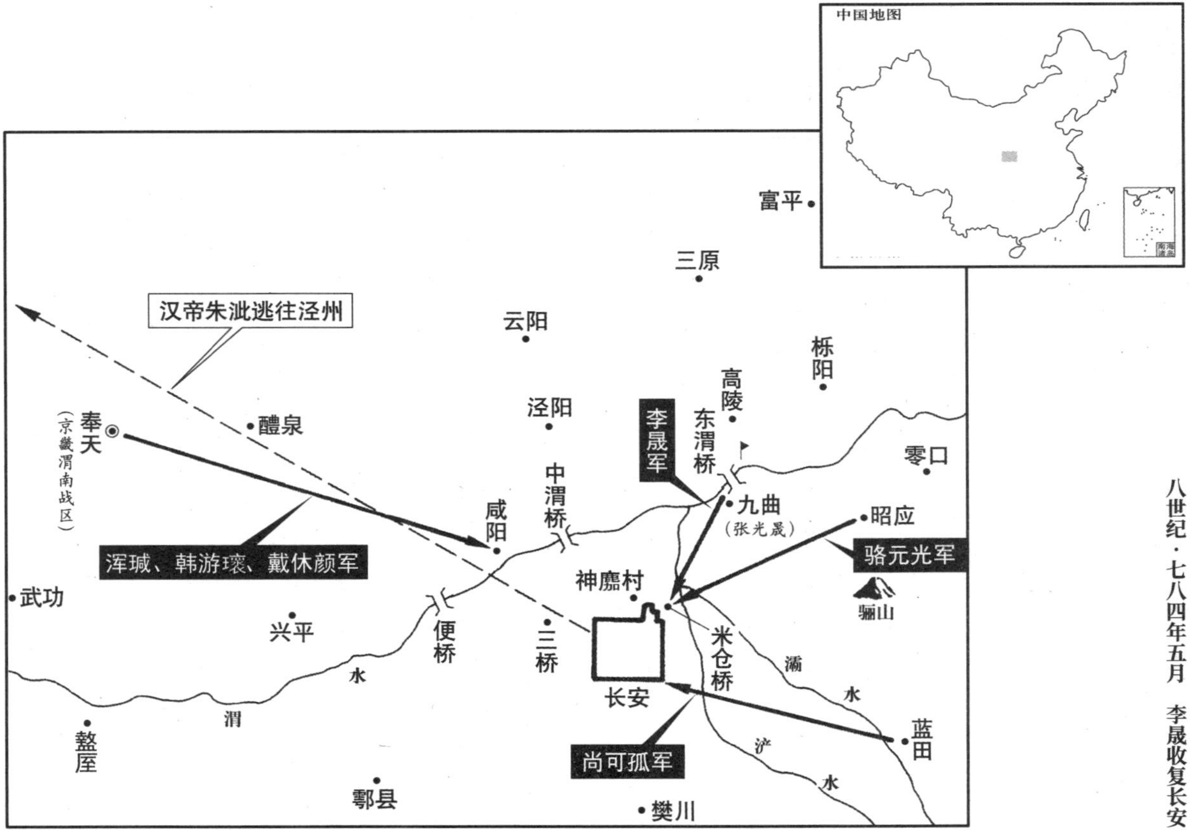

八世纪·七八四年五月 李晟收复长安

中国地图

汉帝朱泚逃往泾州

浑瑊、韩游瓌、戴休颜军

李晟军

骆元光军

尚可孤军

奉天
（京畿渭南战区）

醴泉

武功

兴平

盩厔

鄠县

咸阳

中渭桥

便桥

三桥

长安

神麃村

米仓桥

东渭桥

九曲
（张光晟）

高陵

栎阳

泾阳

云阳

三原

富平

零口

昭应

骊山

蓝田

樊川

渭

水

灞

水

浐

水

李晟驻扎东渭桥（陕西省西安市高陵区南）时，火星出现太岁星旁边（荧惑守岁），不久之后消失，宾客们都向他祝贺，说："火星终于退位，是皇家之福（火星跟姓李的有什么关系，事关天文，不懂），应迅速出击。"李晟说："天子逃亡到荒野，做臣属的只知道战死而已，天象深奥高远，谁能了解！"攻克长安后，李晟告诉宾客说："那时候并不是不信你的话，但我听说，金、木、水、火、土五种行星，早晚出没，并没有一定规律，万一火星忽然再度在岁星旁出现，我们军队用不着打仗，就会自己崩溃。"大家道歉说："实在没有想到这些。"

54 汉帝朱泚打算投奔吐蕃王国（西藏）。随从部众一路上逃亡，抵达泾州（甘肃省泾川县）时，只剩下一百余名骑兵。泾原战区（总部设泾州〔甘肃省泾川县〕）司令官（节度使）田希鉴，紧闭城门坚守，拒绝迎接，朱泚对他说："你的官是我任命的！为什么在危难时，如此忘恩负义！"下令纵火焚烧城门。田希鉴把符节投到火里，叫道："奉还给你！"朱泚部众痛哭失声。泾原战区士卒（指从长安城中出逃，当初兵变的士卒）遂击斩姚令言（汉政府最高监督长〔侍中〕），向田希鉴投降。朱泚跟卢龙（总部幽州）亲兵及朱姓家族宾客，向北逃命，奔向驿马关（甘肃省庆城县西南）；宁州（甘肃省宁县）州长夏侯英闭城拒抗。朱泚继续逃亡，抵达彭原西城屯（甘肃省镇原县东），他的部将梁廷芬一箭射中朱泚，朱泚落马，掉到一个土坑中，大将韩旻等斩朱泚（年四十三岁），携带人头，前往泾州（甘肃省泾川县）投降。朱泚的宰相源休、李子平投奔凤翔（陕西省宝鸡市凤翔区），凤翔战区（总部凤翔府）司令官（节度使）李楚琳把他们斩首，连同朱泚的人头，一起送到皇帝所在地（梁州，陕西省汉中市）。

柏杨曰 史迹斑斑，急于当皇帝的人，没有一个有好下场，这就跟地基刚铺上水泥，还没有凝固，就急着盖百层高楼一样。而且，当国王还有后退的空间，当皇帝就踏上不归之路，孙权劝曹操当皇帝时，曹操失笑说：“这小子想把我弄到火炉上坐！”（参考二一九年十二月。）朱泚何德何能，一看宝座空出来，屁股立刻就往上凑，仅此一点，他就头脑简单。如果效法曹操，接回李适，挟天子以令诸侯，岂不是天赐良机！十年二十年后，宝座仍属已有。李怀光军势稍弱，朱泚就马上端起嘴脸，化友为敌，见识何以如此浅陋，一个只知道摆摆架子过干瘾的人，层面就未免太低，最后甚至提醒田希鉴：“你的官是我任命的！”如果田希鉴反过来提醒他：“你的官是李适任命的！”不知朱泚如何反应。智慧及常识两缺，朱泚不过一个笨黄瓜而已。

55 李适命陆贽起草诏书给行宫特遣兵团总作战司令（行在都知兵马使）浑瑊，教他寻找奉天（陕西省乾县）行宫服役而仓猝失散的女美容师（裹头内人）。陆贽上疏说：“大敌巨寇，刚刚平定，疲惫贫苦的小民，满身创伤的士卒，对他们还没有安抚慰劳，第一道诏书却是先寻找女美容师，恐怕不是符合人民盼望的做法。开始时思虑周到，而有好结果的，已经不多；开始时就不思虑，结局还堪闻问？颁发给浑瑊的诏书，不敢撰写。”李适不再下诏，索性直接派宦官查访。

六月六日，李适命国务院文官部副部长（吏部侍郎）班宏，当慰劳特使（宣慰史），到前方慰劳将士，安抚人民。

六月七日，李晟斩朱泚宠信的官员崔宣、洪经纶等十余人（洪经纶，参考七八〇年二月）。又上疏请求表扬守节不屈的刘迺（参考本年〔七八四〕二月二十六日)、蒋沇(参考去年〔七八三〕十月九日)等。

六月十日，李适擢升李晟当司徒(三公之二)、最高立法长(中书令)，骆元光、尚可孤各依照等级升官。命摄理副总监察官田希鉴，当泾原战区(总部设泾州〔甘肃省泾川县〕)司令官(节度使)。

56 李适下诏，把梁州(陕西省汉中市)升格为兴元特别市(兴元府)。

57 六月十五日，任命浑瑊当最高监督长(侍中)，韩游瓌、戴休颜各依照等级升官。

58 汉帝朱泚溃败时，他所任命的首都长安留守长官李忠臣(董秦)逃往樊川(陕西省西安市南)，被查获生擒。

六月十七日，斩李忠臣(董秦。年六十九岁)。

59 李适问国务院文官部考核司长(考功郎中)陆贽说："现在前往凤翔(陕西省宝鸡市凤翔区)，迎接御驾的各路人马，非常强大，我打算利用这个机会，派人接替李楚琳的战区司令官(节度使)，你认为如何！"陆贽上疏指出：

"陛下这样做，就跟胁迫劫持一样，如果说这是削平叛乱，实在并不威武；如果说这是整顿纪律，实在不够诚信。利用机会行事，将来再到各地巡查，谁还敢欢迎入境！有人或许认为这不过是权宜之计，但无论为何，我都想不通其中道理，'权宜'的意义是：把同类的事物拿来评估轻重。而今，陛下所到之处，首先做的竟是裹挟逮捕！不过撤换一个将领，竟破坏领袖应有的崇高仁义，得到一块土地而使全国人民都心存猜疑，是重视应轻视的，却看轻应重视的，居然称之为‘权宜’，岂不恰恰相反！把违反大义称为权宜，把玩弄权术称为明智，使人震惊，事实是，领袖用这种权宜明智，则丧失人民；干部用这种权宜明智，则身陷灾祸。历代之所以多灾难和多奸邪，都出自于这种错误的认识。我的建议是：陛下回到京师（首都长安）安定之后，征召李楚琳给他一个官位，他高兴已被赦免，供陛下驱策奔跑都来不及，怎么还敢反抗中央，使中央再兴讨伐！”

六月十九日，李适从汉中（陕西省汉中市）启程。

60 李晟在长安（陕西省西安市）着手整顿政府机关，等候各单位还都后使用。并请求亲自到凤翔（陕西省宝鸡市凤翔区）迎接皇帝大驾，李适不准。

宦官总管署最高顾问官（内常侍）尹元贞，奉派到同州（陕西省大荔县）、华州（陕西省渭南市华州区）慰劳，忽然顺便前去河中（山西省永济市）游说李怀光。李晟大为愤怒，上疏说：“尹元贞伪造皇上命令，擅自作主赦免叛乱主凶，请求审判定罪！”

61 秋季，七月七日，李适（音kuò〔阔〕）抵达凤翔（陕西省宝鸡市凤翔区），斩朱泚的部属乔琳、蒋镇、张光晟等。

李晟认为张光晟虽是叛徒，但在扫灭叛徒的行动中，也很尽力，请求赦免；李适不准。

62 副元帅府执行官（副元帅判官）高郢，一直劝李怀光回归中央，李怀光派他的儿子李璀（音cuǐ）去皇帝所在地请求宽恕，允许单人匹马，前去中央。

七月十一日，李适派御前监督官（给事中）孔巢父，携带先前发布的太子太保（太子三师之三）任命状（参考本年〔七八四〕三月二十九日），前往河中（山西省永济市）传达中央爱护之意，朔方战区特遣兵团将士被剥夺的官爵，一律恢复。

63 七月十三日，李适抵达长安（陕西省西安市），勤王军将领浑瑊、韩游瓌、戴休颜，各率部众护从；李晟、骆元光、尚可孤，各率部众出京（首都长安）迎接，步骑兵十余万人，旌旗迎风招展，长达数十华里。李晟在三桥（陕西省西安市西三桥街道）晋见李适，首先祝贺逆贼已经削平，然后为不能早日收复京师（首都长安）深感有罪，跪伏道路旁边，请求宽恕。李适停住马蹄，安抚慰问，掩面流泪，命左右侍从扶李晟上马，回到皇宫。每逢闲日（唐王朝皇帝每逢单日主持早朝会报，双日则称"闲日"），就大宴功臣，赏赐十分丰富。功臣中，李晟居第一位，浑瑊居第二位，其他将领、宰相，又在以下。

64 曹王、江南西道战区（总部设洪州〔江西省南昌市〕）司令官（节度使）李皋，派部将伊慎（蕲州〔湖北省蕲春县〕州长）、王锷（音è〔饿〕，江州〔江西省九江市〕州长），包围安州（湖北省安陆市），楚帝李希烈派他的外甥刘戒虚率步骑兵八千人增援。李皋派别动部队将领李伯潜在应山（湖北省广水市）迎击，杀一千余人，生擒刘戒虚，把他押解到城下让守军参观，安州遂开门投降。李皋命伊慎当安州州长。

李皋再派人前往厉乡（湖北省随州市东北万店镇）攻击李希烈部将康叔夜，把康叔夜击退。

65 七月十八日，御前监督官（给事中）孔巢父抵达河中（山西省

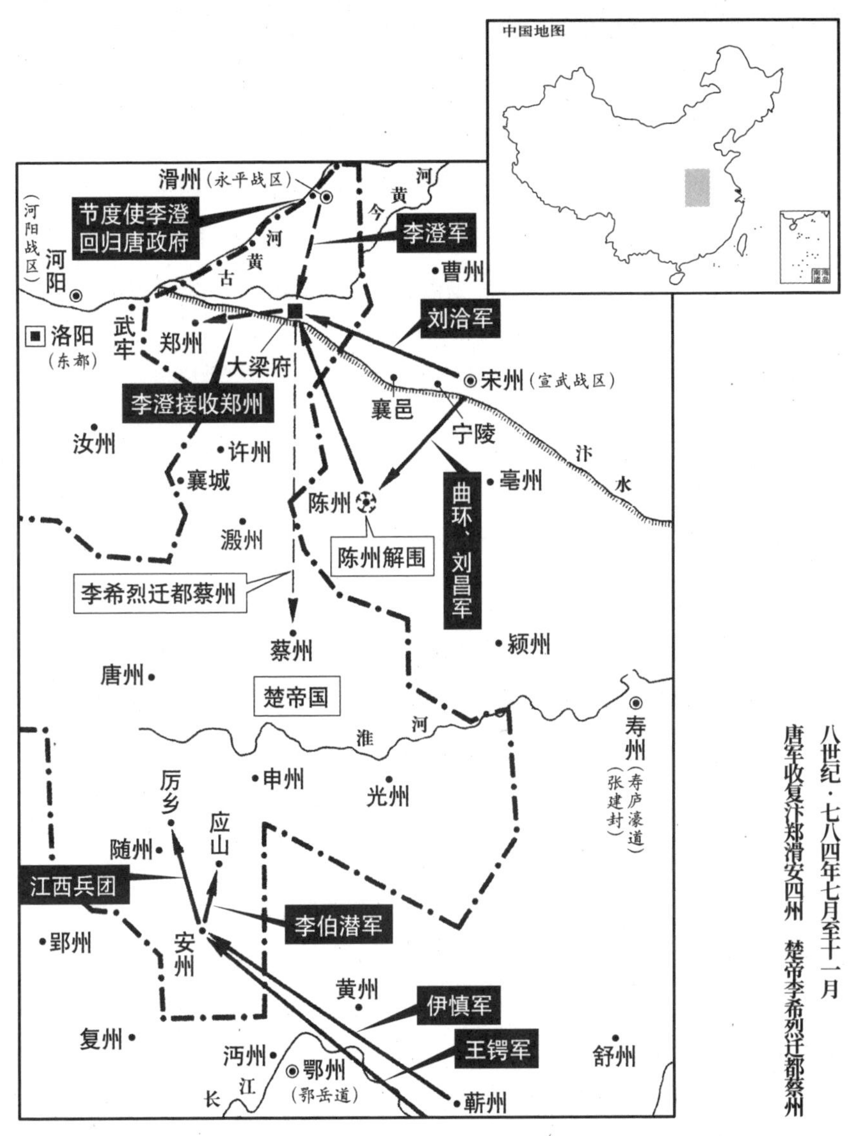

八世纪·七八四年七月至十一月

唐军收复汴郑滑安四州　楚帝李希烈迁都蔡州

永济市)。李怀光脱下官服，换上平民穿的衣裳，表示等候定罪，孔巢父没有阻止他这样做。李怀光左右侍从都是蛮夷，叹息道："大帅(李怀光)已没有了官！"(李怀光脱官服动作，文言文是"素服待罪"，表示屈服，普通情形，中央官员都要请对方再换官服。)孔巢父又在大家面前问说："军中有谁可以接替大帅的职务，统御这支大军？"李怀光左右勃然大怒，吼叫抗议。孔巢父宣读诏书，还没有读完，大家一拥而上，斩孔巢父及钦差宦官啖守盈；李怀光袖手旁观，并不阻止，重新戒严备战。

66 七月二十二日，赦免天下。

67 最初，十任帝(肃宗)李亨流亡灵武(宁夏灵武市)，尚是孙儿辈的李适，被封奉节王，向李泌学习文章写作。十一任帝(代宗)李豫(李俶)在位时，李泌住蓬莱书院(参考七六八年四月)，儿子辈的李适被封皇太子，继续跟李泌来往。后来，李适逃到兴元(陕西省汉中市)，李泌正当杭州(浙江省杭州市)州长，李适紧急征召李泌，李泌遂跟睦州(浙江省建德市)州长杜亚，一同前去皇帝所在地。

七月二十六日，李适命李泌当监督院最高顾问官(左散骑常侍)、杜亚当国务院司法部副部长(刑部侍郎)；要李泌每天到监督院值班，准备随时召见咨询，无论政府或民间，都注视着他的一举一动，争相归附到他门下。李适问李泌道："河中(山西省永济市)接近京城，朔方军一向被称强悍，像达奚小俊(参考本年〔七八四〕二月二十六日)等，都力敌万人，我日夜忧虑，怎么办才好？"李泌回答说："天下事有些确实应该忧虑。但是，像河中(山西省永济市)的事，却不应该放在心上。对敌人研究判断，只看将领，不看士卒。李怀光是将领，达奚小俊之流不过士卒而已，何必在意！李怀光解除奉天（陕西省乾县）包围，面对朱泚那个就要灭亡的叛徒，不去摧毁，却跟他讲和，竟使李晟消灭朱泚，建立大功。现在，陛下已经回宫，李怀光仍不前来中央认罪，反而虐待和诛杀天子使节，像老鼠一样，躲在河中（山西省永济市），只不过一个梦游病患者而已。我只怕不久他会被部下诛杀，各军将领没有机会动手。”

68 最初，李适请吐蕃王国（首都逻些城〔西藏拉萨市〕）派军协助讨伐朱泚（参考本年〔七四八〕正月二十八日），承诺成功之后，割让伊西（即安西四镇，总部设西州〔新疆吐鲁番市东〕）、北庭（总部设北庭府〔新疆吉木萨尔县〕）两战区。现在，朱泚伏诛，吐蕃（西藏）派使节前来要求唐政府履行条约，李适打算召回四镇战区（总部设龟兹〔新疆库车市〕）司令官郭昕、北庭大总督（驻新疆吉木萨尔县）李元忠（曹令忠）返回中央（郭昕、李元忠〔曹令忠〕事，参考七八一年七月一日），而把土地割让给吐蕃（西藏）。李泌反对，说：“安西（新疆库车市）、北庭（新疆吉木萨尔县）两个战区，军民性情勇猛强悍，控制西域（新疆及中亚东部）五十七国及原属西突厥汗国的十姓部落（参考六三八年十二月）。牵制吐蕃（西藏），使他们不能集中兵力，向东侵略，今天为什么白白呈献给别人！而且，两战区军民，力量孤单，困守边远地区，为帝国保疆卫土，尽忠竭力将近二十年，实在可哀可怜。一旦把他们抛弃给蛮夷，心里一定把唐王朝恨入骨髓。有一天，参加吐蕃军（西藏）东下，对待唐王朝恐怕像报私仇。然而，主要的是，从前，吐蕃军态度观望，不肯前进，暗中跟敌我两方保持同等距离，最后还在武功（陕西省武功县西）大肆抢劫，接受朱泚金银财宝贿赂，半途撤退（参考本年〔七八四〕五月），有什么功劳可言！”

大家都认同这项分析，李适遂拒绝割让。

69 楚帝李希烈（首都汴州〔河南省开封市〕）听到李希倩伏诛消息，大为忿怒。

八月三日，派遣宦官前往蔡州（河南省汝南县）诛杀颜真卿。宦官告诉颜真卿说："圣旨下！"颜真卿叩头，宦官说："赐你一死。"颜真卿说："臣属年老，出使不能完成任务，罪应一死。但不知钦差什么时候从长安（唐首都，陕西省西安市）动身？"宦官说："我从大梁（楚首都，河南省开封市）来，不是从长安来。"颜真卿说："那么，不过是个叛贼，怎么能叫圣旨！"宦官遂把颜真卿用绳勒死（年七十六岁）。

70 李晟认为：泾州（甘肃省泾川县）是一个边城，将士强悍凶猛，屡次害死统帅，有叛乱的惯性（李适登极时，有刘文喜之乱，参考七八〇年二月。后有姚令言之乱，参考去年〔七八三〕十月三日。又有田希鉴之乱，参考本年〔七八四〕四月），上疏请求亲自前往彻底调查整顿抗命事件，集中力量耕田种桑，积蓄粮秣，防范吐蕃军（西藏）攻击。

八月四日，李适任命李晟兼凤翔战区（总部设凤翔府〔陕西省宝鸡市凤翔区〕）及陇右战区（总部设普润县〔陕西省宝鸡市凤翔区北〕）司令官（节度使）等，及四镇、北庭、泾原各战区特遣兵团副元帅（行营副元帅），封西平王。

当时，李楚琳前来中央，李晟请准携带李楚琳一同前往凤翔（陕西省宝鸡市凤翔区），就在凤翔把李楚琳处死。用以显示对叛徒决不宽容。李适认为刚收回京师（首都长安），最重要的是安抚惊慌不安的人心；因之不准。

71 最初，李适命浑瑊、骆元光，在同州（陕西省大荔县）攻击李怀光军。李怀光派部将徐庭光率精锐部队六千人，在长春宫（陕西省大荔县东）筑阵抵抗，浑瑊等不断被击败，不能前进。当时，全国财政总监（度支）对庞大的军事开支，无法继续维持，很多人建议李适赦免李怀光，李适不准。

李怀光派他的妹夫要廷珍（要，姓）驻守晋州（山西省临汾市）、营门官（牙将）毛朝敭（音yáng〔洋〕）驻守隰州（山西省隰县。隰，音xí〔习〕）、郑抗驻守慈州（山西省吉县）。马燧（河东〔总部太原府〕司令官）派人前往游说，全都归降中央。

李适加授浑瑊：河中绛州战区（总部河中府）司令官（节度使。此时河中府为李怀光所据），担任河中、同华、陕虢各战区特遣兵团副元帅（行营副元帅）；加授马燧：奉诚军（驻同州〔陕西省大荔县〕）基地及晋慈隰战区（总部晋州）司令官（节度使），担任辖区内特遣兵团副元帅（行营副元帅）；会同镇国战区（总部设华州〔陕西省渭南市华州区〕）司令官（节度使）骆元光，以及鄜坊战区（总部设鄜州〔陕西省富县〕）司令官（节度使）唐朝臣，联合讨伐李怀光。

当初，王武俊攻击深赵道（首府设赵州〔河北省赵县〕）行政长官（观察使）康日知时，河东战区（总部太原府）司令官（节度使）马燧上疏建议李适下诏命王武俊会同李抱真（安抱真），一同攻击朱滔，而把深州（河北省深州市）、赵州（河北省赵县）改归王武俊（恒冀〔总部恒州〕司令官），而另命康日知当晋慈隰战区（总部设晋州〔山西省临汾市〕）司令官（节度使）；李适批准。康日知还没有到职，三州已归降马燧，李适命马燧接管三州。马燧上疏把三州让给康日知，说："因接受投降就被任命，恐怕以后有功的人，认为是正常状态。"李适非常嘉许，批准。马燧于是派人迎接康日知。康日知到后，马燧把政府财产一一点清，列

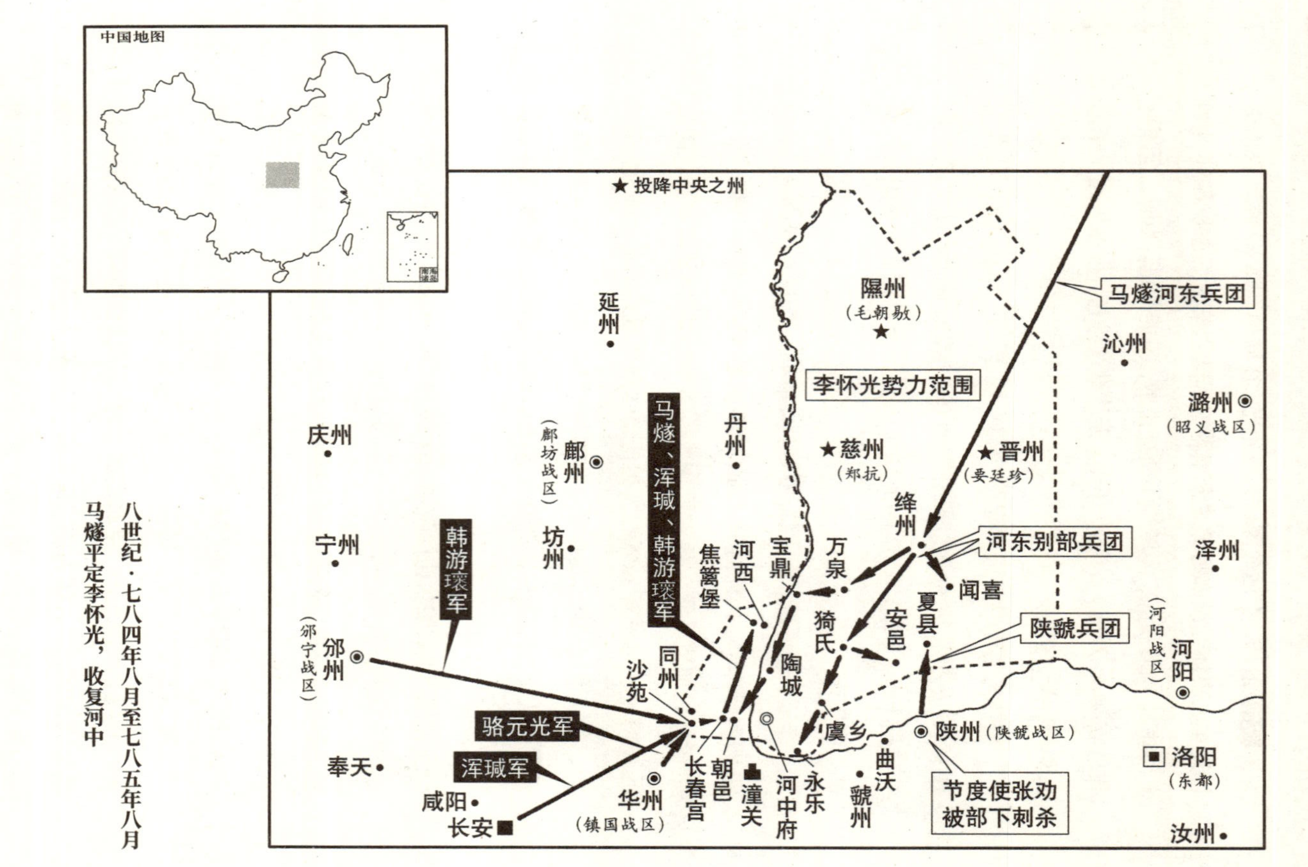

八世纪·七八四年八月至七八五年八月

马燧平定李怀光，收复河中

册移交。

72 八月五日，命凤翔战区（总部设凤翔府〔陕西省宝鸡市凤翔区〕）司令官（节度使）李楚琳当左金吾（卫军第十一军）大将军。

73 八月七日，加授浑瑊：朔方战区（总部灵州）特遣兵团元帅（行营元帅）。

74 李晟抵达凤翔（陕西省宝鸡市凤翔区），审理谋杀前战区司令官（节度使）张镒的罪行（参考去年〔七八三年〕十月八日），斩初级将领王斌等十余人。

75 冀王、汉政府皇太弟朱滔，受王武俊（恒冀〔总部恒州〕司令官）攻击，军队几乎瓦解，于是上疏向唐帝李适投降，请求宽恕。

76 九月十五日（原文误置于八月，据《册府元龟・卷三五九》改），马燧率步骑兵三万人，攻击李怀光所属的绛州（山西省新绛县）。

77 全国财政总监（度支）因李怀光部众数万人，跟李怀光一起叛变，拒绝发放冬季军服。李适说："朔方兵团几乎都是忠义之士，只是受李怀光挟制裹挟，将士有什么罪！"

冬季，十月一日，下诏说："朔方战区特遣兵团以及其他兵团士卒在李怀光那里的，冬季军服及赏钱，依旧照发，而另外储存，等到道路稍通，立即发给。"

78 永平战区（总部原设汴州〔河南省开封市〕，今流亡宋州〔河南省商丘市〕）司令官（节度使）、总指战官（都统）李勉，不断上疏请求对自己贬谪（李勉失守汴州事，参考去年〔七八三〕十二月二十七日）。

十月三日，李适下诏免除李勉总指战官（都统）及战区司令官（节度使）官职；但摄理司徒（检校司徒，三公之二）及遥兼二级宰相（同平章事·使相），仍然保持。

79 十月十八日，李怀光部将阎晏攻击同州（陕西省大荔县），在沙苑（大荔县南）击败中央军。

李适下诏征调邠宁战区（总部设邠州〔陕西省彬州市〕）增援，战区司令官（节度使）韩游瓌率全副武装士卒六千人，直向沙苑。

80 十月二十七日，马燧攻克绛州（山西省新绛县），派出部队，分别夺取闻喜（山西省闻喜县）、万泉（山西省万荣县）、虞乡（山西省永济市东虞乡镇）、永乐（山西省芮城县西南永乐镇）、猗氏（山西省临猗县）。

81 当初，宦官鱼朝恩伏诛（参考七七〇年三月十日），十一任帝（代帝）李豫（李俶）不再命宦官统率军队。李适登极后，则把禁军都交给宦官白志贞（白琇珪，参考七七九年六月二十六日），白志贞（白琇珪）被贬（参考去年〔七八三〕十二月十九日），李适命宦官窦文场接替，追随李适逃亡到山南（秦岭以南），左、右神策军稍稍集结。李适还都长安后，对手握重兵的资深将领十分猜忌，逐渐把他们免职。

十月三十日，命窦文场当神策军左翼作战司令（左厢兵马使）、王希迁当神策军右翼作战司令（右厢兵马使）。宦官开始分别统率禁军（宦官从此掌握军权，使中国历史上第二个宦官时代，大放光辉，演变成为唐王朝的艾滋病，跟唐王朝共存亡）。

82 闰十月八日，李适命泾原战区（总部设泾州〔甘肃省泾川县〕）司令官（节度使）田希鉴当军械供应部长（卫尉卿）。

李晟刚到凤翔（陕西省宝鸡市凤翔区）接事时，田希鉴派人前来请安问候。李晟告诉使节说："泾州逼近吐蕃（西藏），万一受到袭击，你能不能单独抵抗？我打算派军前去协防，不知道田大帅意下如何。"使节回去报告，田希鉴果然请求增援，李晟派心腹将领彭令英等进驻泾州（甘肃省泾川县）。不久，李晟借口巡察边境，前往泾州（甘肃省泾川县），田希鉴出来迎接，李晟跟他并马进城，追叙往日旧事，气氛欢欣祥和。田希鉴的妻子李女士，把李晟当作叔父侍奉，李晟则把田希鉴称作"田郎"。李晟命供应三天饮食，说："视察完毕，就回凤翔（陕西省宝鸡市凤翔区）！"田希鉴一点也不怀疑。李晟摆下酒席，田希鉴率领部将及参谋僚佐，都到李晟军营。李晟在廊外埋伏武士，酒过三巡，菜过五味，彭令英率泾原战区（总部泾州）各将领起立，李晟说："我和各位很久没有见面，请你们自我介绍！"于是查出曾经参与叛变，谋杀主帅的石奇等三十余人，责备他们说："你们不断犯上作乱，残害忠良，天地不容！"把他们押解出帐，全部斩首。田希鉴还高坐席上，李晟回头对他说："田郎也不能说没有错，但看在我们间亲近情分，会使你保持一个全尸。"田希鉴呆呆的说："是的！"李晟命人把田希鉴押解出去，连同他的儿子田萼，一起绞死。李晟前去田希鉴军营，宣布诛杀田希鉴的理由，部众惊恐得发抖，没有一个人敢轻举妄动。

83 楚帝（首都汴州〔河南省开封市〕）李希烈派大将翟崇晖，率领全部主力围攻陈州（河南省周口市淮阳区），很久不能攻克。楚政府所属永平战区（总部设滑州〔河南省滑县〕）司令官（节度使）李澄（降李希烈事，参考去年〔七八三〕十二月），发现楚政府武装部队太少，没有余力危害滑州（河南省滑县），遂把李希烈颁发的旌旗符节，全部焚毁，集结部众，宣誓回归唐政府。

闰十月二十六日，李适命李澄当汴滑战区（总部滑州）司令官（节度使）。

84 宣武战区（总部设宋州〔河南省商丘市〕）司令官（节度使）刘洽，派步骑兵总纠察官（马步都虞候）刘昌，会同陇右战区（总部设普润县〔陕西省宝鸡市凤翔区北〕）及卢龙战区（总部设幽州〔北京市〕）特遣兵团司令官（行营节度使）曲环等率士卒三万人，增援陈州（河南省周口市淮阳区）。

十一月六日，在陈州（河南省周口市淮阳区）城西击败楚军将领翟崇晖，格杀三万五千余人，生擒翟崇晖，押往京师（首都长安）献俘；乘胜进攻汴州（河南省开封市），楚帝李希烈大惧，迁都蔡州（河南省汝南县）。李澄率军直向汴州，抵达城北，懦弱畏惧，不敢继续前进；此时，刘洽已率主力军抵达城东。

十一月二十一日，楚军守将田怀珍开城迎降。明天（十一月二十二日），李澄进城，驻扎浚仪（汴州州政府所在县）县政府。李澄军及刘洽军士卒，每天互相看着，都觉得对方不顺眼而愤怒争斗。这时，楚军郑州（河南省郑州市）守将孙液向李澄投降，李澄遂率军移驻郑州（河南省郑州市）。李适下诏任命总指战官司令部参谋长（都统司马）宝鼎（山西省万荣县西南荣河镇）人薛珏当汴州（河南省开封市）州长。

李勉抵达京师（首都长安），改穿平民衣服，等候定罪。谈论这件事的人，很多认为："李勉失守大梁（河南省开封市。参考去年〔七八三〕十二月二十七日），不应该仍兼宰相（同平章事·使相）！"监督院最高顾问官（左散骑常侍）李泌告诉李适说："李勉公正忠心，是一个最好的行政官员，军事不是他的专长。但大梁（河南省开封市）失守时，将士们抛妻弃子，追随他撤退的，将近二万人，足可证明他深受部众爱戴。而且，刘洽本是李勉的部属，李勉逃到睢阳（宋州州政府所在县，河南省商丘市），立即把大军交给刘洽，终于收复大梁（河南省开封市），也是李勉的功劳。"李适乃命李勉官复原位。

有人抨击说："镇海战区（总部设润州〔江苏省镇江市〕）司令官（节度使）韩滉，乘着皇帝逃亡在外，竟集结大军，整修石头城（参考去年〔七八三〕十一月），秘密加强备战，打算背叛中央。"李适十分不安，询问李泌的意见，李泌回答说："韩滉忠贞清廉，生活节俭。自从陛下流亡在外，韩滉进贡从来没有断绝。而且，坐镇江东十五州（江东十五州，应是镇海战区辖境：常州〔江苏省常州市〕、湖州〔浙江省湖州市〕、苏州〔江苏省苏州市〕、杭州〔浙江省杭州市〕、睦州〔浙江省建德市〕、越州〔浙江省绍兴市〕、明州〔浙江省宁波市〕、台州〔浙江省临海市〕、温州〔浙江省温州市〕、衢州〔浙江省衢州市〕、处州〔浙江省丽水市〕、婺州〔浙江省金华市〕、宣州〔安徽省宣城市〕、歙州〔安徽省歙县〕、池州〔安徽省池州市贵池区〕。十五州之数不包括总部所在地润州），地方一派升平，没有盗匪，都是韩滉的功劳。他之所以修筑石头城，只是看到中原大乱，认为陛下将南下渡江（长江），准备作为迎接圣驾之用。这正是做一个臣属最忠心最笃实的计划，怎么反而成了罪状！只因韩滉性情刚直严正，不肯拍权贵的马屁，所以很多人都说他的坏话。但愿陛下明察，我敢保证韩混绝对没有贰心。"李适说："外面议论纷纷，检举控告他犯罪的文件报告，多如一堆乱麻，你难道没有听说？"李泌说："我当然听说。他的儿子韩皋，当国务院文官部考核司副司长（考功员外郎），直到今天，不敢回江南（长江以南）探望父母，就是因为攻击他老爹的声音，像滚水一样沸腾！”李适说：“他的儿子还这么害怕，你为什么还敢作保！”（儿子害怕是因为父冤难申，朋友作保是因为了解至深，反而把儿子害怕认为是老子犯罪的证据，李适的大脑一定有什么毛病。）李泌回答说：“韩滉的用心，我太知道，我愿意上疏为他辩明，请交给立法院（中书），使全国皆知。”李适说：“我正想重用你，千万不要牵连到这种复杂的事情中。担保一个人，谈何容易，你最好保持距离，不要跟大多数人的意见相反，恐怕使你受到连累！”

李泌退出后，仍呈递奏章，愿以全家百口人命，担保韩滉忠贞。过了几天，李适对李泌说：“你真的为韩滉上疏，为了你，我特地把奏章留在皇宫，我知道你跟韩滉是亲近老友，但犯不上不爱惜自己的性命（李泌刚自杭州〔浙江省杭州市〕任内上调，韩滉正是他的上司）。”李泌回答说：“我怎么会因为亲近老友的缘故，而辜负陛下！只因为韩滉实在没有贰心，我之上疏力保，为的是国家，不是为自己。”李适说：“怎么为的是国家？”李泌说：“而今，天下大旱，蝗虫成灾，关中（陕西省中部）粮仓米价每斗一千钱，仓库就要吃光，只有江东（太湖流域）丰收，是中央命脉所在。希望陛下早早把我的奏章交下，使大家的疑惑得以消除。然后，陛下当面吩咐韩皋，教他回家探望父母，使韩滉感激，不再心存怀疑，迅速运送粮食，这岂不是为了国家！”李适说：“好极，我完全了解。”立刻把李泌奏章批交立法院（中书省），命韩皋休假探亲，并召见韩皋，赏赐他红色官服（四品穿深红，五品穿浅红；副司长〔员外郎〕从六品上，穿深绿；而今赏赐红色官服，至少擢升两级），告诉韩皋说：“最近，你家老爹受到很多人抨击，我已经知道内情，不再相信！”顺便又说：“关中（陕西省中部）缺粮，回去告诉你家老爹，越快运来越好！”

韩皋抵达润州（江苏省镇江市），韩滉由衷感激，喜极而泣，当天，就到江边调发稻米一百万斛装船，只准韩皋停留五天，立即返回京师（首都长安）。韩皋向娘亲告辞，母子难舍难分，哭声传到宅外。韩滉把韩皋叫出责打，亲自送到船上，不管风大浪恶，立即下令开航。不久，淮南战区（总部设扬州〔江苏省扬州市〕）司令官（节度使）陈少游，听说韩滉进贡稻米，也进贡二十万斛。李适对李泌说：“韩滉竟然把陈少游感化，也进贡稻米！”李泌说：“岂止陈少游，全国各战区道都会争着进贡。”

85 国务院文官部长（吏部尚书）、二级实质宰相（同平章事）萧复，奉派前往江淮（华东地区）慰劳完毕（出使事，参考本年〔七八四〕正月十六日）回京（首都长安），跟其他三位宰相：李勉、卢翰、刘从一，一同晋见皇帝李适。李勉等退出后，萧复单独留下，报告李适说：“陈少游既是大军统帅，又遥兼中央宰相，却首先做出叛逆之事。而韦皋不过一个幕僚部属，却能单独建立忠义（奉义战区〔总部陇州〕司令官韦皋事，参考去年〔七八三〕十一月二日），我建议调韦皋接替陈少游，坐镇淮南（总部扬州）。”李适同意，不久，派宦官马钦绪向刘从一作揖，附到耳朵上低声吩咐一些话，告辞回宫。各宰相回到宰相联合办公厅（政事堂），刘从一问萧复说：“马钦绪传达圣旨，叫我和你讨论早晨你向皇上说的那件事，立刻上疏奏请施行，不要让李勉、卢翰知道。对不起，请问，你向皇上说的是什么事？”萧复大为震骇，说：“伊祁放勋（唐尧）及姚重华（虞舜）罢黜或升迁一个官员，各地军政首长，全都同意。政府所作任官封爵，天下知识分子也全都同意。假使李勉、卢翰没有能力当宰相，就应免职。

既然是宰相，政府大事，怎么可以不跟他们商量，加以隐瞒？这是当今政府最大的弊端！早上，领袖已这样吩咐我，我当面指出不可以这么做，想不到领袖还是坚持。我并不是拒绝跟你一块上疏，只是怕成为惯例，所以，不敢奉告。”始终不肯告诉刘从一。刘从一上疏说明，李适越发不高兴。萧复感觉出气氛不对，乃上疏辞职。

十一月二十八日，李适把萧复免职，改当太子宫政务署长（左庶子）。

宣武战区（总部设宋州〔河南省商丘市〕）司令官（节度使）刘洽攻克汴州（河南省开封市），查获楚帝李希烈的《起居注》，记载：“某月日，陈少游上疏归顺。”（陈少游靠拢李希烈，参考去年〔七八三〕十二月）陈少游听到消息，既羞愧又恐惧，一病不起。

十二月八日，陈少游逝世（年六十一岁），唐政府追赠他官衔：太尉（三公之一），祭奠仪式一切依照规定。

淮南战区（总部设扬州〔江苏省扬州市〕）大将王韶打算自己当候补司

令官（留后），命将士推荐他代理主持军务，还准备放纵士卒大肆抢掠。镇海战区（总部设润州〔江苏省镇江市〕）司令官（节度使）韩滉派使节前去警告说："你如果胆敢闹事，我马上就率大军过江，砍下你的人头！"王韶等恐惧，不敢发动。李适得到消息，大喜，对李泌说："韩滉不但安定江东（太湖流域），还安定淮南（淮河以南），真是国家重臣的器度，你可以说最认识人！"

十二月十三日，李适命韩滉遥兼二级宰相（同平章事·使相）、江淮运输总监（转运使）。韩滉运送粮食、绸缎前往京师（首都长安），从没有一个月停止，中央政府全靠他供应。皇帝不断派使节前去慰劳，对韩滉的恩宠日渐增加。

86 本年（七八四），蝗虫遍地，造成灾害，花草树木全被吃光，只不吃米稻，全国大饥荒，道路上饿死的尸体前后相望（蝗虫只吃树木，不吃米稻，不可思议。而且，既不吃稻米，怎么会有荒年。此项记载，似有舛错）。

猪皇帝

导读

《猪皇帝》包括十五年史迹（七八五至七九九），八世纪最后十五年的岁月面貌，清晰呈现。除了到处是混乱外，我们还看到智者的言语——陆贽先生的奏章，一千余年以来，读者对《资治通鉴》上长篇大论的奏章，往往不太重视。尤其是二十世纪一〇年代之后，文言文衰落，读者更把奏章部分当作深奥难懂的无聊赘语，阅读时往往跳过，或索性用笔删去，我自己就是如此。但在译成现代语文后，才发现那简直是金矿。

我们用"猪皇帝"做本册书名，是一种叹息，不仅对李适先生的愚而诈叹息，也对中国历史上竟一直层出不穷的出现愚而诈首领叹息。

是为序。

柏杨　一九九〇·二·一五

目录

唐王朝

- 平凉川之会，吐蕃劫盟，大掠陇州。
- 李希烈被毒死，淮西回归唐政府。

- 黑衣大食（东阿拉伯帝国）哈里发哈伦·阿拉西德即位（七八五—八〇九年），即《天方夜谭》中故事主角，巴格达繁华鼎盛。

七八五年 乙丑

唐 贞元 元年

（楚帝李希烈武成二年）

1 春季，正月一日，唐王朝政府（首都长安〔陕西省西安市〕）赦免天下，改年号贞元。

2 正月十七日，唐政府追赠颜真卿官位：司徒（三公之二），缍号文忠（颜真卿被缢死事，参考去年〔七八四〕八月三日）。

3 新州（广东省新兴县）军务秘书长（司马）卢杞（被贬事，参考前年〔七八三〕十二月十九日），因中央大赦，调任吉州（江西省吉安市）政务秘书长（长史），告诉别人说："我一定会再回京师（首都长安）！"不久，唐帝（十二任德宗）李适（本年四十四岁。适，音kuò〔阔〕）果然擢升他当饶州（江西省鄱阳县）州长（地越调越近京师，官越升越高）。御前监督官（给事中）袁高，轮值起草这项诏书，他把这项命令报告宰相卢翰、刘从一，说："卢杞当宰相时，闯下滔天大祸，使皇上逃亡在外，全国陷于水深火热，怎么忽然间调升到大州？请二位宰相向皇上反映。"卢翰等不敢，改命另一位立法官（舍人）起草。

正月十九日，诏书发下，袁高扣留，不让立法院（中书）颁布，立即上疏说："卢杞穷凶极恶，文武百官痛恨他如同痛恨仇敌，全国战士都想剥他的皮、吃他的肉，怎么可以再用他当政府官员！"李适不理。监督院初级监督官（左补阙）陈京、赵需等上疏，坚决反对，说："卢杞掌握大权，前后三年（七八一年二月十六日至前年〔七八三〕十二月十九日），政府制度及官员职务，几乎全部废弃，他的罪行，天地神灵洞察无遗，无论大唐人民或外国人，对他同声唾弃。如果非对巨奸宠爱不可，一定丧失万民对中央的忠心。"

正月二十一日，在金銮宝殿上，袁高再向李适抗争，李适说："卢杞已经过两次大赦。"袁高说："大赦只是赦免他的刑责，并不是说就可以当州长！"陈京等也纷纷反对，指出："卢杞当权时，文武百官的脖子上好像架着钢刀，而今再擢升他，奸党们都将摩拳擦掌，准备大干一番！"李适在宝座上暴哮如雷，厉声高叫，左右侍从吓得向后倒退几步，气氛恐怖，参与抗争的人发现已闯下大祸，有人开始退缩，陈京回头说："赵需，你们不要畏缩，这是国家大事，我们要拼死争取。"李适的怒气稍微平息。

正月二十二日，李适向宰相说："教卢杞当一个小州州长，可不可以？"李勉说："陛下一定要用卢杞，大州也可以，问题是，天下失望！”

正月二十六日，李适命卢杞当澧州（湖南省澧县）总秘书长（别驾）。派人告诉袁高说：“我慢慢思考你说的话，实在有理。”又对李泌说：“我已批准袁高的奏章。”李泌说：“连日以来，外面的人私下议论，把陛下比作刘志（东汉王朝十一任帝桓帝）、刘宏（东汉王朝第十二任帝灵帝），现在，听到陛下所作决定，连伊祁放勋（黄帝王朝六任帝尧帝）、姚重华（黄帝王朝七任帝舜帝）都比不上！”李适大为欢喜。而卢杞最后死在澧州（湖南省澧县）。袁高，是袁恕己的孙儿（袁恕己逼武曌退位，参考七〇五年正月）。

4 三月，楚帝李希烈（首都蔡州〔河南省汝南县〕）攻陷邓州（河南省邓州市。邓州原为楚军据守，参考前年〔七八三〕正月，或之后又被唐政府军收复）。

5 三月二十三日，李适命汴滑战区（总部设滑州〔河南省滑县〕）司令官（节度使）李澄，当郑滑战区（总部同设滑州）司令官（宣武〔总部宋州〕司令官刘洽攻克汴州〔河南省开封市〕，所以把汴州归刘洽，另把郑州归李澄，参考去年〔七八四〕闰十月二十六日）。

6 李适把老爹（十一任代宗）李豫（李俶）的女儿嘉诚公主，嫁给魏博战区（总部设魏州〔河北省大名县〕）司令官（节度使）田绪。

7 河中（山西省永济市）变军首领李怀光的总纠察官（都虞候）吕鸣岳，秘密向唐政府河东战区（总部设太原府〔山西省太原市〕）司令官（节度使）马燧投降，事情泄露，李怀光斩吕鸣岳，屠杀吕鸣岳全家，事情牵连到幕僚高郢、李鄘（音yōng〔庸〕）。李怀光集合将士，责备他们背叛，高郢、李鄘理直气壮的回答，分析叛逆的后果，一点也不惭愧隐瞒，李怀光把二人下狱囚禁。李鄘，是李邕的侄孙（此李邕，非皇族，死于陷害，参考七四七年正月五日）。

马燧率军进驻宝鼎（山西省万荣县西南荣河镇），在陶城（山西省永济市西北）击败李怀光军，杀一万余人；另派军跟朔方战区特遣兵团元帅浑瑊会合，向河中（山西省永济市）逼近。

8 夏季，四月十三日，命江南西道战区（总部设洪州〔江西省南昌市〕）司令官（节度使）、曹王李皋当荆南战区（总部设江陵府〔湖北省江陵县〕）司令官（节度使）。

楚帝李希烈的部将李思登，献出随州（湖北省随州市），向李皋投降。

9 四月十八日，马燧、浑瑊，在长春宫（陕西省大荔县东）南，击破李怀光军，遂挖掘壕沟，围困宫城；李怀光所属各将领纷纷投降。

李适下诏命马燧、浑瑊分别当招降安抚特使（招抚使）。

10 五月二日，宣武战区（总部由宋州〔河南省商丘市〕迁汴州〔河南省开封市〕，参考去年〔七八四〕十一月六日）司令官（节度使）刘洽，改名刘玄佐。

11 邠宁战区（总部设邠州〔陕西省彬州市〕）司令官（节度使）韩游瓌，在浑瑊支援下，攻克朝邑（陕西省大荔县东朝邑镇）。李怀光部将阎晏打算把它夺回，士卒们指着邠宁战士说：“他们不是我的父兄，就是我的子弟，为什么要刀锋相对！”叫喊吵闹，声音很大；阎晏遂率军退走。

李怀光知道大家对他不再服从，只好表示打算前往中央，于是大量聚集财物，装饰车辆，挑选骡马，宣称：一等路通，就向京师（首都长安）进贡。因此，又拖延将近一个月。

12 六月十八日，唐政府命刘玄佐（刘洽，宣武司令官）兼汴州（河南省开封市）州长。

13 六月二十八日，命金吾（卫军第十一、十二军）大将军韦皋，当西川战区（总部设成都府〔四川省成都市〕）司令官（节度使）。

14 卢龙战区（总部设幽州〔北京市〕）首领朱滔逝世（年四十二岁），将士们拥护前涿州（河北省涿州市）州长刘怦（音pēng〔烹〕）代理主持军务（七七二年七月，朱泚割据卢龙，传弟朱滔，兄弟二人前后割据共十四年而亡）。

15 当时，一连几年大旱，蝗虫成灾（参考去年〔七八四〕十二月），全国财政枯竭，而军费支出庞大，很多关心国事的官员，都请求赦免李怀光。凤翔战区（总部设凤翔府〔陕西省宝鸡市凤翔区〕）司令官（节度使）李晟（音shèng〔胜〕）反对，上疏说：

“绝不可以赦免李怀光，理由有五：河中（山西省永济市）跟首都长安（陕西省西安市）才三百华里（航空距离一百三十公里），同州（陕西省大荔县）首当其冲，如果驻扎大量军队，不能显示中央对李怀光的信任；如果驻兵太少，则又不足以防备，东方万一发生突变，我们用什么制止！这是其一。而今，赦免李怀光，必须把晋州（山西省临汾市）、绛州（山西省新绛县）、慈州（山西省吉县）、隰州（山西省隰县。隰，音xí〔习〕），全部归还；浑瑊已经落空（浑瑊被任命当河中同绛战区〔总部河中府〕司令官，参考去年〔七八四〕八月），康日知也要再迁（康日知当晋慈隰战区〔总部晋州〕司令官，参考去年〔七八四〕八月），这些州县势将惶恐不安，中央还有什么可以奖励忠义之士？这是其二。

“陛下征调各地军队，苦战一年，削平叛逆丑类，中央军的战斗力并没有衰退，却突然赦免李怀光叛逆之罪；现在，西方有吐蕃（西藏）、北方有回纥（瀚海沙漠群）、南方有自称皇帝的李希烈，都密切注意我们的强弱，不认为陛下恩德广被、爱护人民，因而罢战息兵，反而会认为中央军战场失败，不得不找个借口下台；一定会激起大家跃跃欲试的念头，这是其三。赦免李怀光之后，朔方战区特遣兵团将士都应重新论功行赏（解奉天〔陕西省乾县〕之围），现在国库正空，中央任何赏赐，都不会使他们满意，反而更刺激他们叛变，这是其四。中央如果赦免李怀光，命各道军队复员；如果不作赏赐，怨恨的言语必然出口；这是其五。

“而今，河中（山西省永济市）每斗米价格五百钱，野草米粮，就要吃光，大街小巷，都是饿死的尸体。而且，河中（山西省永济市）军中大将，将要被李怀光屠杀罄尽，陛下只要命令特遣兵团继续包围十天半月，李怀光的内部一定会发生变化。何必自己培养心腹之疾，留到将来后悔！”

李晟又请求李适拨付给他军队二万人，他愿自备粮草辎重，单独率军讨伐李怀光。

秋季，七月一日，马燧自战场返京（首都长安）朝见，奏称：“李怀光的叛逆及凶恶，较之其他盗贼（朱泚等），更为严重，如果赦免，以后无法号令全国。请再拨给一个月的粮食，定替陛下削平。”李适（音kuò〔阔〕）允许。

16 陕虢战区（总部设陕州〔河南省三门峡市〕）总作战司令（都知兵马使）达奚抱晖（达奚，复姓），毒死司令官（节度使）张劝，代理主持军务，请求中央命自己继任司令官（节度使）；并且秘密召唤李怀光部将达奚小俊支援协防（达奚小俊，参考去年〔七八四〕七月二十六日）。李适（音kuò〔阔〕）对李泌说：“如果河中（山西省永济市）跟陕州（河南省三门峡市）结盟，恐怕难以立刻制服。尤其达奚抱晖盘踞陕州、江淮（华东地区）粮运的水陆道路，势将全被切断，不得不麻烦你亲自去一趟。”

七月八日，李适任命李泌当陕虢警备区（陕虢战区改，总部仍设陕州）总司令官（都防御使）兼水陆运输总监（水陆运使）。李适打算派神策军强行护送他前去陕州（河南省三门峡市）到职，问李泌说：“你需要带多少人？”李泌说：“陕州城（河南省三门峡市）三面是悬崖绝壁，无法攀登，如果攻城，恐怕一年半载都未必能够攻破；我打算单人匹马进城！”李适说：“单人匹马怎能进去？”李泌回答说：“陕州（河南省三门峡市）军民还不习惯违抗中央命令，只是达奚抱晖一个人犯罪作恶而已。如果大军抵达城下，他们铁定的会闭门抵抗。我今天单人匹马前去他们近郊，他们如果派大军对付，会觉得不值得那么大惊小怪，如果派个小将来杀我，未必不会被我利用。而今，河东战区（总部设太原府〔山西省太原市〕）特遣兵团进驻安邑（山西省运城市东北），司令官（节度使）马燧正在中央，盼望陛下命他跟我同时辞行启程，陕州（河南省三门峡市）那些叛徒，即令想把我害死，也会恐惧河东战区特遣兵团对他们讨伐，这也是一种造势。”李适说：“即令如此，我正要请你担任更重要的官职，宁可失去陕州（河南省三门峡市），不可失去你，还是另派别人前去才好！”李泌说：“如果另派别的人去，他一定进不了陕州（河南省三门峡市）。现在，兵变刚刚发生，官兵心里对未来还没有作成决定，所以才可以出其不意的破坏他们的阴谋。如果另派别人，一旦犹豫迟疑，使叛徒们有充分的时间，计议一定，就不能进城。”李适同意。

李泌接见陕虢战区（总部陕州）驻京（首都长安）奏事官（陕州进奏官）及在长安（陕西省西安市）的将领官吏，告诉他们说：“领袖因陕虢战区（总部陕州）饥馑，所以不命我当战区司令官（节度使），而只兼运输总监（运使），只打算督促江淮（华东地区）粮食，迅速运到赈济。陕虢战区特遣兵团（行营）驻扎夏县（山西省夏县），如果达奚抱晖有才干可以担当重任，中央会派他前去统御；如果能够立功，就会擢升他当战区司令官（节度使）！”达奚抱晖派出的间谍立刻奔驰回去报告这项消息，达奚抱晖稍为安心。李泌把他说的话报告李适，说：“我的目的是使士卒们想得到粮食，达奚抱晖想得到中央派令，这样，他们就不会谋杀我。”李适说：“好极！”

七月十五日，李泌跟马燧一同向李适辞行。

七月十七日，李适加授李泌官位：陕虢道（首府设陕州〔河南省三门峡市〕）行政长官（观察使）。

李泌东出潼关（陕西省潼关县），镇守潼关的鄜坊战区（总部设鄜州〔陕西省富县〕）司令官（节度使）唐朝臣，派步骑兵三千人在关外（潼关以东）待命，说：“奉皇上命令，送你前往陕州（河南省三门峡市）。”李泌说：“我辞别皇上的时候，皇上授权给我见机行事。我决定不让人跟随，只要有一个人跟随，我就进不了陕州（河南省三门峡市）。”唐朝臣因诏书指定护送，所以坚持不肯离开，李泌无可奈何，只好手写皇帝诏书，阻止唐朝臣行动，然后快马加鞭，往东奔驰。

达奚抱晖没有派将领出城迎接，但不断派间谍侦察动静。李泌在抵达前最后一晚，住宿曲沃（河南省三门峡市西南曲沃村）。战区将领及参谋官员们，不等达奚抱晖下令，就前来迎接，李泌笑说：“我的计划成功！”前进到距城十五华里处，达奚抱晖也出城谒见。李泌称赞他保护城池完整的功劳，说：“军中一些风言风语，你不要放在心上，你们的官位职务，都不会调动。”达奚抱晖退出后，大为欢喜。李泌进城办公，左右官员及宾客等有人请求单独面谈，李泌都婉转拒绝，说：“更换统帅的时候，军中谣言流传，是正常状态，我到差后，自然平息，这一类的话，我不愿再听。”因此，心怀疑惧的人都感到安全。李泌只索取账簿，处理有关粮运及储存事宜。明天，把达奚抱晖召唤到住宅，告诉他说：“我并不是爱你才不杀你，只是恐怕从今以后，发生危险灾难的地方，中央派遣的将领，都不能进去，所以才饶你一命。你替我准备酒菜、纸钱，出城祭奠前任司令官（张劝），然后逃生，千万不要进关（潼关），随便什么地方找一个安身之处，然后暗中回来搬取家眷，我保证没有其他麻烦。”

李泌向李适辞行时，李适交给他一份陕虢战区（总部陕州）将领参加这项谋杀案的七十五人名单，要他一律处死。李泌把达奚抱晖打发走之后，中午，中央慰劳特使（宣慰使）抵达。李泌奏称：“已经赶走达奚抱晖，其他的人，实在不值得查问！”但李适却把他们恨入骨髓，再派宦官到陕州（河南省三门峡市），坚决要李泌执行命令。李泌不得已，逮捕作战司令（兵马使）林滔等五人，戴上脚镣手铐，送往京师（首都长安），但上疏请求对五人赦免。李适下诏把他们流放天德（内蒙古乌拉特前旗东北）。但一年多以后，终于还是把他们诛杀。而达奚抱晖从此亡命天涯，再不知道他的消息。（张劝为什么被杀？史书交代不清楚，部属诛杀长官固然应受惩罚，但我们也应了解是不是长官把部属逼反！）

达奚小俊率军抵达边境，听说李泌已进入陕州（河南省三门峡市），即率军撤退。

17 七月十九日，李适命刘怦（音pēng〔烹〕）当卢龙战区（总部设幽州〔北京市〕）司令官（节度使）。

18 全国大旱，灞水（渭水支流）、浐水（灞水支流）将要干枯，首都长安（陕西省西安市）所有水井，都汲不出滴水，全国财政总监署（度支）奏称：皇家及政府的经费，只能支持七十天。

八月二日，李适下诏说："凡不是紧急而必需的费用，以及闲散官员，全部裁撤。"

19 马燧（河东〔总部太原府〕司令官）从京师（首都长安）返前方大营，跟各将领磋商，说："不能攻克长春宫（陕西省大荔县东）就无法攻击李怀光，而长春宫防卫坚强，恐怕时间浪费太久，我当亲自前去劝解守军！"遂直到城下，呼唤守将徐庭光，徐庭光率将领在城楼上排列成行，向马燧叩头。马燧知道他们心里已经屈服，就缓和的说："我从中央刚到这里，你们应面向西方，接受命令。"徐庭光等再向西叩头（皇帝李适在西）。马燧说："自安禄山兵变（七五五年十一月）以来，朔方兵团将士，转战南北，为国立功，已三十余年，为什么忽然计划屠灭自己家族！如能接受我的建议，不仅免祸，还可得到富贵！"守城将领不回答。马燧解开战袍，露出胸脯说："你们既不相信我的话，为什么不发箭射击！"守军将士跪在城楼上，伏地哭泣流泪，马燧了解他们的困难，安慰说："这都是李怀光一个人惹出来的祸，你们没有罪，只要严守城池，不要出战。"守军将领一齐连声说："遵命！"

八月十日，马燧跟浑瑊、韩游瓌（邠宁〔总部邠州〕司令官），联军逼近河中（山西省永济市），进抵焦篱堡（陕西省合阳县东），守将尉珪率守军

七百人投降。当天（八月十日）夜晚，李怀光燃起平安烽火，其他军营都不反应。 658

镇国战区（总部设华州〔陕西省渭南市华州区〕）司令官（节度使）骆元光驻军长春宫（陕西省大荔县东）下，派人向守将徐庭光招降，徐庭光一向瞧不起骆元光，命士卒大声诟骂，作为回答，又因骆元光是安息（安国，中亚布哈拉市）人，所以教人扮成安息小丑，在城上做出很多戏弄侮辱的动作，并大声宣称："我们只向汉人将领投降，蛮子靠边站！"骆元光派人报告马燧。马燧从前线返回城下，徐庭光才开城投降。马燧只率几名骑兵进城安抚慰问。士卒们大声欢呼说："我们又成了皇家国防军！"浑瑊对幕僚们说："我最初认为马公指挥作战，比我高明不了多少，现在才知道我差得太远！"李适下诏加授徐庭光中央官衔：试用宫廷总管（试殿中监）兼总监察官（兼御史大夫）。

八月十二日，马燧率各军集中河西县（陕西省合阳县东黄河西岸）。河中（山西省永济市）士卒心情震动，忽然惊惶说："西城（陕西省大荔县东）部队已经穿上铠甲！"一会又骇叫说："东城（山西省永济市）部队已经戒备！"一会工夫，官兵们都传呼"太平"口号。李怀光不知道如何是好，悬梁上吊而死（年五十七岁）。

最初，李怀光解除奉天（陕西省乾县）包围（参考前年〔七八三〕十一月二十日），李适擢升李怀光的儿子李璀当行政监察官（监察御史），特别优待。后来，李怀光率军逗留咸阳（陕西省咸阳市），不再前进（参考去年〔七八四〕二月），李璀秘密向李适报告说："我老爹一定辜负陛下，请陛下早作准备。我曾经听说，君王和老爹完全一样，可是今天这种形势，陛下未必能杀我老爹，而我老爹有足够的力量危害陛下。陛下待我优厚，蛮夷性情直爽，所以不忍心不开口（李怀光是勃海靺鞨人)。”李适吃惊说:“我知道你是大臣(对李怀光只称“大臣”而不称名)心爱的儿子,应该在中间委屈沟通才是,为什么秘密报告我知!”李璀回答说:“我老爹并不是不爱我,我更不是不爱老爹和家族。只是我已竭尽全力,不能改变老爹的主意!”李适说:“那么,你有什么办法自己免除这场灾难?”李璀说:“我之报告陛下,不是为了苟且偷生。我老爹失败,我只有跟我老爹同死,哪有别的办法?假使我出卖老爹,只求活命,陛下难道还用这种人!”李适说:“你不要轻易说死,我派你再去咸阳(陕西省咸阳市)一趟,向你老爹用心解释,使君臣父子,都能保全,岂不更好!”李璀从咸阳回来,报告李适说:“事情完全绝望,请陛下严密戒备,千万不要相信别人认为我老爹可以改变立场的说法。我这次前去,向老爹千方百计劝解,老爹斥责说:‘你这个小子懂得什么?领袖言而无信,不遵守诺言,我并不是贪图荣华富贵,只是怕死而已,你怎么可以把我陷害到绝地!’”

李泌前往陕州(河南省三门峡市)时,李适对他说:“我所以屡次想保全李怀光,实在是由于怜惜李璀,你到陕州(河南省三门峡市),不妨替我招降试试!”李泌回答说:“陛下逃亡梁州(陕西省汉中市)、洋州(陕西省洋县)之前,李怀光还有资格归顺。现在情形大不相同,哪有臣属把他的君王逼迫流浪在外,而还能站在金銮宝殿之上,向君王朝见之理?他纵然厚着脸皮,不知羞耻,但陛下每次登殿听政,看到他又会有什么心情?我如果能进入陕州(河南省三门峡市),即令李怀光投降,我都不敢接受,何况是派人劝他!李璀是一个贤德的人,一定会跟他老爹同死——如果他不死,他也就没有什么可贵。”李怀光死后,李璀先格杀他两位弟弟,然后自杀。

李璀身处人伦变局，以及当时的社会价值，使他不得不死，事至可哀。然而，死亡是件大事，不可以擅自替别人做主，两位弟弟是两个完整而自由的独立个体，应由他们自己决定，怎么可以为了自己表态，强行夺取别人的生命！

朔方特遣兵团将领牛名俊，砍下李怀光的人头，出城投降。此时，河中（山西省永济市）军队仍有一万六千人。马燧诛杀阎晏等七人（阎晏是总纠察官〔都虞候〕，劝李怀光东保河中（山西省永济市），参考去年〔七八四〕三月），对其他同党，一律不再追究。马燧自金銮宝殿上向皇帝辞行，到克复河中（山西省永济市），共二十七日。释放囚禁监狱里的高郢、李鄘（二人被囚，参考本年〔七八五〕三月），上疏奏准留二人当自己的幕僚。

邠宁战区（总部设邠州〔陕西省彬州市〕）司令官（节度使）韩游瓌攻击李怀光时，部将杨怀宾奋勇死战，李适特下诏宽恕他的儿子杨朝晟（李怀光囚杨朝晟，参考去年〔七八四〕三月），韩游瓌遂命杨朝晟当战区总纠察官（都虞候）。

李适派宦官问国务院文官部考核司长（考功郎中）陆贽，说：“河中（山西省永济市）变乱已经平息，还有什么事应该去做？”命他条条列出奏报。陆贽认为：河中（山西省永济市）变乱平息之后，一定会有迎合领袖心意，不断制造事端的人，声称中央大军所向无敌，建议乘胜南下，讨伐淮西（楚政府，首都蔡州〔河南省汝南县〕）；李希烈（楚帝）也一定会激怒和欺骗他的部众和新近归附中央的一些将领（指李纳、王武俊、田绪等）说：“皇上在奉天（陕西省乾县）颁发大赦令，只是当情势危急时，使用的缓兵之计。等情势稍微安定，就会秋后算账，大动干戈！”这样的话，各地那些犯过罪的将领，谁不猜疑恐惧？河朔（河北平原）、青齐（山东半岛），当会纷纷响应（河朔指王武俊、田绪、刘怦；青齐指李纳），终于再一次的掀起战争，兵连祸结，赋税沉重，八〇年代初期的灾难，势将重演。于是上疏，大略说："大福不能每次都靠侥幸获得，所以不可以寄托于临时发生的意外事件。我一直为即将来临的灾难而深为忧虑，从不敢因为大福降临而向陛下祝贺。"

陆贽又说："陛下心有悔过的深刻诚意，颁布非常重要的大赦诏书（参考去年〔七八四〕正月一日），在各地宣读的时候，听到的人没有不涕泪直流。僭称国王的军阀，削除王号，请求恕罪（指王武俊、田悦、李纳，参考去年〔七八四〕正月）；心怀观望的武夫，也都一本忠诚，为国家尽力（指陈少游）。"

陆贽又说："以前，越讨伐，越叛乱；而今，一经赦免，全都回归中央。以前，动员百万雄师，筋疲力尽；而今，只不过颁布一纸小小诏书，皇家恩德便普及天下。英明领袖治理国家以及驯服叛逆，靠的是恩德而不是军警，道理至为明显。那些谋反的将领，武装反抗中央，事实上不过只想保命，并不是想当帝当王，道理又至为明显。自己要生存，必须使人也生存，才是使自己生存的最好方法；自己求安乐，必须使人也安乐，才是使自己安乐的最大保障。把人逼到死地，而自己永生；把人驱进危境，而自己久安，从古到今，还没有听说有这种事。"

陆贽又说："一个人破坏法律，全境遭殃。一个地方不安宁，全国骚动。"

陆贽又说："千万参加叛乱的平民和多数率领叛军的将领，对陛下准许他们改过自新的意旨，深为感动；对陛下恩重如山赦免他们无罪的承诺，更是欢腾。所以革面洗心，撤除王号，重回原来位置，再尽臣属礼仪。但是，如果因此就认为他们心悦诚服，真的相信中央所公开说的那些冠冕堂皇的话，却不尽然，事实上他们也不会这么坦荡接受，一定会集合智囊，全神贯注，磋商拟订应变策略。拉长耳朵听陛下每一句话，密切注视陛下每一次行动，检查陛下是不是履行你所作的承诺誓言。如果行为跟言论相符，则改邪归正的心及服从中央的信念，就会逐渐稳固。万一行为违反所作的承诺誓言，则恐惧大难临头的保命心理状态，当再度出现。”

陆贽又说：“朱泚灭亡（参考去年〔七八四〕六月）而李怀光伏诛，李怀光伏诛而讨伐李希烈的大军出动。如果李希烈的战乱平定，中央下一个目标是什么？那些心里一直不安，有背叛记录的将领，怎么能不恐惧惊慌！”

陆贽又说：“现在，皇家正逢中兴大运，上天已经后悔他所降下的灾祸。所以朱泚盘踞京师（首都长安），李怀光窃保中都（河中府，山西省永济市），不到两年，都被砍下人头，正是叛徒胆破心惊、人民对政府重建信心的时候。但威令虽然已经推行，恩德仍没有深入人心。当今要做的事，主要的是应该上感天意，下收民心。用皇家恩德巩固领导中心，用消灭盗贼的声威，使皇家恩德更能普及全民。”

陆贽又说：“我不能保证一定归降的叛徒，只有李希烈一人而已。推测他的内心，并不是不愿接受赦免；分析他现在的处境，也不是不感到后悔。只是他过度狂妄，考虑不周，既然以皇帝自居，虽蒙陛下恩典，保全他功名，他却不得不羞惭满面，自觉无法再立足天地之间。即令不归降中央，也只不过‘独夫’一个，内则提不出政治号召，外则得不到同类支援。他唯一的办法不过对他的部众优厚赏赐，拖延岁月。心里虽然想逞强斗胜，但形势已不允许。陛下只要下令各战区道严守边界，李希烈的士气已衰，计谋已竭，注定的要有牢狱之灾，如果不被人谋害，定被鬼神诛杀。古人所说：不用战争就可使敌军屈服；岂不正是如此。”

八月十七日（原文“丁卯”，即八月五日，但诏书下达之日，必在李怀光死日〔八月十二日〕之后。今据两《唐书》改），李适下诏，说：“李怀光曾经为国立功，特别饶恕他的一个儿子不死，使延续李家后代；赏赐他住宅田地，发还李怀光的人头及尸体安葬。加授马燧中央官衔：兼任最高监督长（兼侍中·使相），加授浑瑊中央官衔：摄理司空（检校司空，三公之三）。其他官兵，依照等级，分别赏赐。各道跟淮西（楚政府，首都蔡州〔河南省汝南县〕）邻境的，应各守边界，除非受到攻击，不必进军讨伐。李希烈如果投降，当免他一死。其他将领士卒，一概不加追究。”（此系采纳陆贽建议。）

20 最初，李晟曾率神策军驻防成都（参考七七九年十月一日），班师时，携带美丽的营妓高洪在自己身边。西川战区（总部设成都府〔四川省成都市〕）司令官（节度使）张延赏大怒，派人追上索回，因此二人感情破裂。现在，宰相刘从一患病，李适召唤张延赏到中央接任宰相，李晟上疏检举他种种过失及罪恶。李适难以违背李晟的心意，遂仅命张延赏当国务院左最高执行长（左仆射）。

21 镇国战区（总部设华州〔陕西省渭南市华州区〕）司令官（节度使）骆元光，打算诛杀试用宫廷总管（试殿中监）徐庭光，跟邠宁战区（总部设邠州〔陕西省彬州市〕）司令官（节度使）韩游瓌商量说：“徐庭光侮辱我的祖宗（指城楼戏弄事，参考本年〔七八五〕八月十日），我打算杀他报仇，马公（马燧）一定大怒，届时，你能不能救我不死？”韩游瓌说：“包在我身上。”

八月二十日，骆元光在营门外遇见徐庭光，上前作揖寒暄，接着指责他的罪恶，命左右侍从把徐庭光乱刀砍死，进帐谒见马燧，叩头请求恕罪。马燧火冒三丈，说：“徐庭光已经投降，接受政府的官职爵位，你不先行报告，就下毒手，眼中早没有统帅！”打算斩首。韩游瓌劝阻说：“骆元光杀一个初级将领（中央官位只是虚衔，一个人的身价由兵力决定），你的怒气已经如此；你杀一个战区司令官（节度使），皇帝会有什么反应！”马燧沉默不说话。浑瑊也参与求情，才赦免骆元光。

浑瑊镇守河中（山西省永济市），接收李怀光的全部军队，朔方战区（总部设灵州〔宁夏灵武市〕）特遣兵团自此分驻邠州（陕西省彬州市）及蒲州（河中府，山西省永济市。郭子仪在世时，朔方兵团就分驻邠蒲，但统帅是一人，参考七六九年六月，而今驻邠州军归韩游瓌，驻河中府军归浑瑊，不再是一家人）。

22 卢龙战区（总部设幽州〔北京市〕）司令官（节度使）刘怦（音pēng〔烹〕）患病。

九月七日，李适命刘怦的儿子，作战参谋长（行军司马）刘济暂代司令官（权知节度事），不久，刘怦逝世（年五十九岁）。

23 九月二十七日，副立法长（中书侍郎）、二级实质宰相（同平章事）刘从一免职，改任国务院财政部长（户部尚书）。

九月二十八日，刘从一逝世。

24 冬季，十一月十一日（原文误置于十月，据《旧唐书》改），李适前往圆形神坛祭祀，赦免天下。

25 十二月十三日，国务院财政部（户部）奏报，本年向中央进贡的共一百五十州。（当时河朔〔河北平原〕各州，及平卢〔山东半岛〕、淮西〔河南省南部〕各州，都不进贡。河西〔甘肃省〕及陇右〔青海省东部〕各州，都沦陷给吐蕃王国〔首都逻些城〕。）

26 于阗王国（新疆和田市）国王尉迟曜，上疏唐王朝皇帝，说："我的老哥尉迟胜把王位让给我（参考七六〇年正月二十四日），现在请求封尉迟胜的儿子尉迟锐，继任我当国王。"李适任命尉迟锐摄理宫廷膳食部长（检校光禄卿），送他回国。尉迟胜坚决辞让，说："我老弟长久以来，一直主持国政，国人心悦诚服。我儿子生长在大唐，对本国风俗习惯，都不了解，不可以回去。"李适嘉勉，擢升尉迟锐当韶王府高级参谋官（咨议参军，正五品上。韶王李暹，是十一任帝李豫〔李俶〕的儿子，参考七七五年二月七日）。

七八六年 丙寅

唐　贞元　二年

(楚帝李希烈武成三年)

1 春季，正月十一日，唐王朝（首都长安〔陕西省西安市〕）皇帝（十二任德宗）李适（本年四十五岁。适，音kuò〔阔〕）擢升国务院文官部副部长（吏部侍郎）刘滋，当监督院最高顾问官（左散骑常侍），跟御前监督官（给事中）崔造、立法官（中书舍人）齐映，同兼二级实质宰相（同平章事）。刘滋，是刘子玄的孙儿（刘子玄，就是刘知几，参考六九五年十一月）。

崔造年轻时，居住上元（江苏省南京市），跟韩会、卢东美、张正则结交成为好友，四人都深信自己有辅佐皇帝、安邦定国的能力，希望有一天实现大志。时人赞颂他们，称为“四夔”（夔，黄帝王朝六任帝〔尧帝〕伊祁放勋及七任帝〔舜帝〕姚重华时，当音乐部长〔典乐·乐正〕，被称为一代贤良）。李适因崔造在政府敢大胆直言，所以破格重用。刘滋、齐映，经常听从崔造指使行事。崔造久居江南（长江以南），对一般财经官员的营私舞弊、欺上瞒下种种罪行，至为痛恨，于是上疏建议撤销水陆运输总监（水陆运使）、全国财政总监分监部（度支巡院）、江淮（华东地区）运输总监（江淮转运使）等，各战区道应进贡的田租赋税，全部交由各道行政长官（观察使）或各州州长，负责征收，派员直接送到京师（首都长安）。李适批准，命宰相分别主管国务院六部（尚书六曹）：齐映主管国防部（兵部）、李勉主管司法部（刑部）、刘滋主管文官部（吏部）及教育部（礼部）、崔造主管财政部（户部）及工程部（工部）。又命财政部副部长（户部侍郎）元琇主管各道盐铁专卖、酒专卖（判诸道盐铁、榷酒），吉中孚主管全国财政总监署及两税征收署（判度支两税）。

2 楚帝李希烈（首都蔡州〔河南省汝南县〕）的部将杜文朝，攻击襄州（湖北省襄阳市）。

二月三日，山南东道战区（总部设襄州〔湖北省襄阳市〕）司令官（节度使）樊泽迎战，生擒杜文朝。

3 崔造因跟元琇是老友，所以命元琇主管盐铁专卖（判盐铁）。镇海战区（总部设润州〔江苏省镇江市〕）司令官（节度使）韩滉，上疏抨击盐铁专卖弊端。

二月十四日，李适调元琇当国务院右秘书长（尚书右丞）。陕州（河南省三门峡市）水陆运输总监（陕州水陆运使）李泌上疏说：“自集津（山西省平陆县东）到三门（河南省三门峡市东），在山上凿开一条可以通行车辆的大道，长十八华里，可以躲避底柱（河南省三门峡市东北黄河河道中央）汹涌险滩（九任帝李隆基在位时，曾于底柱山前后一段黄河的北岸陆地，开凿陆路十八华里，使漕运时循陆路，避过底柱山，参考七三四年八月。当是天下大乱之后，道路荒弃）。”李适批准。本月完工。

4 三月，楚帝李希烈别动部队将领攻击郑州（河南省郑州市），义成战区（总部设滑州〔河南省滑县〕）司令官（节度使）李澄，把他们击破（去年〔七八五〕四月，郑滑战区改名义成战区）。李希烈处处受到挫败，势力日渐萎缩，而且患病。

夏季，四月七日，大将陈仙奇主使医生陈山甫毒死李希烈，派军把李希烈的皇后、皇子、兄弟等家属，全部屠杀（李希烈称帝二年四个月〔七八四年正月至七八六年四月〕），然后率部众归降中央。

四月二十五日，唐政府任命陈仙奇当淮西战区（总部设蔡州〔河南省汝南县〕。原称淮宁战区）司令官（节度使）。

5 关中（陕西省中部）饥馑严重，粮食枯竭，皇家禁军士卒有的脱下头巾挥动，在大街上呼喊说：“把我们囚禁在军营里，却不发给粮食，难道我们是罪犯！”李适日夜忧愁，正巧镇海战区（总部设润州〔江苏省镇江市〕）司令官（节度使）韩滉运送的稻米三万斛，抵达陕州（河南省三门峡市），李泌立即奏报。李适大喜过望，立刻前往东宫，对太子李诵说：“米已运到陕州（河南省三门峡市），我们父子总算死里逃生！”当时，皇宫御厨房不自己酿酒，李适派人到街上买酒回来庆祝。又派宦官到神策军六军，转告这项消息，官兵都喊万岁。

这时，一连几年，人民都陷入饥饿，连同禁军士卒，大多数面色焦黑，骨瘦如柴。直到现在，小麦开始成熟，可以收割。街头偶尔出现一个喝醉酒的人，大家都会惊喜，认为是一种祥瑞。人们突然间吃饱一顿饭，有五分之一肠胃被撑破裂，肚胀而死（可悲）。直到几个月后，人们肌肤的颜色才渐渐恢复过来。

6 唐政府擢升横海军（驻沧州〔河北省沧州市东南〕）基地司令（使）程日华（程华）当横海战区（总部沧州）司令官（节度使）。

7 秋季，七月，淮西战区（总部设蔡州〔河南省汝南县〕）作战司令（兵马使）吴少诚，格杀战区司令（节度使）陈仙奇，自称候补司令官（留后）。吴少诚阴险狡猾，深受李希烈宠爱信任，所以为李希烈报仇（吴少诚投奔李希烈，参考七八一年六月六日）。

七月二十二日，李适（音kuò〔阔〕）命虔王李谅（李适的儿子）当申光随蔡战区（即淮西战区，总部设蔡州〔河南省汝南县〕）司令长官（节度大使），命吴少诚当候补司令官（留后）。

8 命陇右战区特遣兵团司令官（行营节度使）曲环，当陈许战区（总部设许州〔河南省许昌市〕）司令官（节度使。曲环率陇右军驻扎陈州，参考前年〔七八四〕十月）。陈州（河南省周口市淮阳区）、许州（河南省许昌市）一带，在兵荒马乱之后，人口大量流失，剩下的人寥寥无几，曲环克勤克俭的领导部队，政令宽大简单，赋税差役，力求公平，数年时间，流亡在外的人口纷纷回来，各复旧业，无论兵源和粮食，都很充足。（《资治通鉴》没有记载楚帝国覆亡之后，沿边各州归降唐政府的日期。《册府元龟 · 卷一六五》记载，本年〔七八六〕七月，原属楚政府之许〔河南省许昌市〕、随〔湖北省随州市〕、唐〔河南省泌阳县〕、光〔河南省潢川县〕四州归降。据此，方可确定曲环是在接收许州州政府的同时，担任新设的陈许战区司令官，否则时间连接不上。至于此时的淮西战

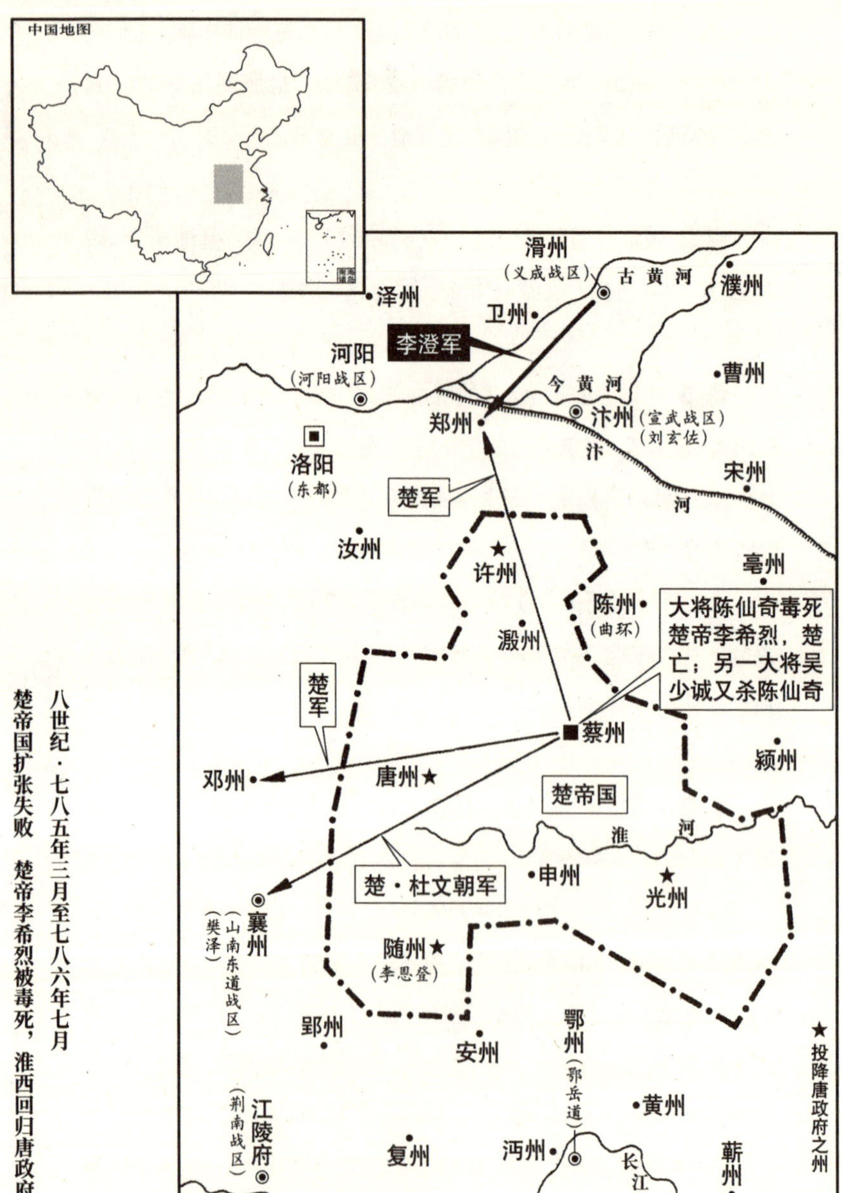

八世纪·七八五年三月至七八六年七月

楚帝国扩张失败　楚帝李希烈被毒死，淮西回归唐政府

区，从以后的历史资料，可知光州〔河南省潢川县〕在不久又被吴少诚控制，另一个在北境的溵州〔河南省漯河市郾城区〕，在本年〔七八六〕撤销。最后，只剩下三州：总部蔡州、光州、申州〔河南省信阳市〕。）

9 八月二十七日，义成战区（总部设滑州〔河南省滑县〕）司令官（节度使）李澄逝世（年五十四岁），他的儿子李克宁，阴谋继承老爹的职位，于是保守秘密，对外不发表李澄死亡消息。

10 八月三十日，吐蕃王国（首都逻些城〔西藏拉萨市〕）次席宰相（次相）尚结赞，率军向泾州（甘肃省泾川县）、陇州（陕西省陇县）、邠州（陕西省彬州市）、宁州（甘肃省宁县）发动大规模攻击，掳掠汉人男女和豢养的家畜，强行收割田中庄稼；唐王朝西部边境沸腾骚动，州县政府纷纷关闭城门，登城拒守。

李适下诏派朔方特遣兵团元帅（朔方行营元帅）浑瑊，率一万人，骆元光（镇国〔总部华州〕司令官）也率八千人，驻扎咸阳（陕西省咸阳市）戒备。

11 最初，李适曾经跟李泌商议恢复征兵制度（府兵），李泌遂向李适详细陈述征兵制度（府兵）自西魏帝国以来如何兴起（参考五五〇年十二月）和为什么废除（参考七二二年九月）的前因后果。指出说：

“征兵制度（府兵）下的士卒，平常乃是农民，在田亩耕种，每一个征兵府（折冲府）设司令（折冲）一人主持，在农民闲暇休息的时候，教他们作战技能。国家有事征召时，中央命令各州及各征兵府（折冲府），经过查证无误，然后集结士卒，前往指定地点。将领及带兵官点收检阅，如果发现军事训练不够或训练错误，则惩罚征兵府司令（折冲都尉），甚至惩罚州长。出征完毕，士卒复员还乡，分别授勋颁赏，不再往京师（首都长安）集中，沿途就可离开。出征时间，近处不超过三个月，远处不超过一年。 672

"高宗（三任帝李治）命刘仁轨当洮河（青海省海东市乐都区）防卫司令（镇守使），负责对付吐蕃王国（西藏。参考六七七年八月），那时才把出征时间延长。武皇后（南周王朝一任帝武曌）当权时，太平日子已久，征兵制度逐渐破坏，士卒也受人轻视；人民认为当兵是一种耻辱，为了逃避兵役，甚至残害自己手脚。雪上加霜的是，牛仙客由于剥削搜刮人民，聚敛财富，而被擢升宰相（参考七三六年十一月二十七日），以后边防军将领遂纷纷仿效。

"山东（崤山以东）士卒多半自己随身携带绸缎，边防军将领引诱他们把绸缎寄存大营仓库，于是白天驱使士卒去做苦工，晚上则把他们捆绑在地牢里面，想尽方法把他们折磨至死，以便没收他们的财产（参考七四九年四月）。所以，自本世纪（八）四〇年代以后，山东（崤山以东）征召来的士卒，能够活着回去的，十个人中不到二三人；他们受到如此的惨毒虐待。然而，却没有发生逃亡外邦、发动兵变、格杀将领或夺权反抗的现象，实在是因为仍依恋家园，唯恐怕连累家人亲属。

"自本世纪（八）二〇年代以来，张说开始创立募兵制度（参考七二二年九月），国防军改称'彍骑'（参考七二五年二月二十一日），再之后，扩充成为卫军六军（每军再分左右，成十二军）。李林甫当宰相时，六军士卒，全部改为募兵（参考七四九年五月十日）。于是，士卒跟乡土没有关联，而又没有家属亲戚使他挂念，因之往往不能自爱自重，为了金钱权利，不惜牺牲身家性命，祸乱遂开始爆发，直到今天，不能改善。如果从前的征兵制度没有废除，怎么会有这种犯上作乱的灾难！陛下考虑恢复征兵制度，是国家之福，太平盛世，指日可待。”

李适说：“等河中（山西省永济市）战乱平定，再跟你商议。”

九月一日，李适下诏：卫军十六军各设“上将军”，表示对功臣的尊敬与宠爱（原“大将军”正三品，今“上将军”从二品）。神策左、右厢，改称“左神策军”“右神策军”；殿前射生左、右厢，改称“左殿前射生军”“右殿前射生军”；各设“大将军”（正二品）二人，“将军”（从三品）二人。

12 九月四日，义成战区（总部设滑州〔河南省滑县〕）首领李克宁才发布他老爹李澄逝世消息，诛杀作战参谋长（行军司马）马铉，穿黑色丧服办公（中国传统，在家守丧时，丧服是白色，但遇紧急情况，必须作战或其他重大事件不能在家守丧时，则改穿黑色。《左传》前六二七年：晋国国君〔二十四任文公〕姬重耳逝世，他儿子姬欢守丧。秦军大将孟明偷袭郑国。姬欢改穿黑色丧服，派军在崤山埋伏，俘虏孟明），加强城门警卫。宣武战区（总部设汴州〔河南省开封市〕）司令官（节度使）刘玄佐（刘洽）派军进驻边境，施加压力，并派人向李克宁分析利害，至为深刻，李克宁遂不敢贸然宣布继承老爹的职位。

九月十一日，唐政府任命东都洛阳（河南省洛阳市）留守长官贾耽当义成战区（总部滑州）司令官（节度使）。李克宁把总部库存的金银财物，搜刮一空，全部装入私囊，于夜晚悄悄离城。士卒们尾追抢劫，天亮时已抢劫净光。

平卢战区（总部设郓州〔山东省东平县〕）特遣兵团数千人，从防地返回郓州（山东省东平县），路过滑州（河南省滑县），义成战区（总部滑州）将领们一致认为：“李纳（平卢〔总部郓州〕司令官）虽然表面上服从中央，却有兼并相邻战区的野心，为了防备突变，请招待他们驻扎城外。”贾耽说：“跟别人是邻居，怎么能让他们的将士住在荒郊！”命招待他们住在城里。贾耽时常率一百人左右的骑兵，在平卢战区（总部郓州）境内打猎，李纳得到报告，大为欢喜，敬佩他的度量，不敢侵犯。

13 吐蕃王国（首都逻些城〔西藏拉萨市〕）游骑兵斥候部队，抵达好畤（陕西省乾县西北）。

九月十九日，京师（首都长安）戒严，李适派左金吾（卫军第十一军）将军张献甫，进驻咸阳（陕西省咸阳市），民心大乱，谣言说皇帝将要逃走躲避。宰相齐映晋见李适，沉痛劝阻，说：“外边都相信陛下已经整理好行装，准备妥干粮，人心恐慌。大福只能降临一次（指前年〔七八四〕七月得返长安），不可能再来，陛下为什么不跟我们仔细讨论？”跪在地上，涕泪交流，李适也受感动。

凤翔战区（总部设凤翔府〔陕西省宝鸡市凤翔区〕）司令官（节度使）李晟，派营前作战司令（牙前兵马使）王佖，率精锐部队三千人，在汧城（陕西省陇县南）埋伏，告诫他说：“蛮夷军经过城下，不要攻击先头部队；先头部队即令失败，主力抵达时，你们无法抵挡。不如等到先头部队已经走过，看到举五色旗，穿虎豹衣的部队，那是他们的主力，出其不意发动攻击，一定大捷。”王佖遵照这项指示行事，吐蕃军（西藏）战败，退走。士卒们不认识尚结赞，尚结赞仅逃出一命。

尚结赞对他的部众说：“唐王朝的优秀将领，不过李晟、马燧、浑瑊而已，我们当用计谋把他们铲除。”于是进入凤翔战区（总部凤翔府），秋毫无犯，禁止掳掠，尚结赞率二万人直抵凤翔（陕西省宝鸡市凤翔区）城下，呼喊说：“李令公（李晟中央官称是“中书令”）召唤我们前来，为什么不出面犒劳！”住了一夜才撤退。

冬季，十月七日，李晟派外籍兵团司令（蕃落使）野诗良辅（野诗，复姓）会同王佖，率步骑兵五千人，在摧砂堡（即摧沙堡，宁夏海原县）袭击吐蕃军（摧沙堡是吐蕃重兵驻扎地，参考七七三年十月）。

十月十六日，跟吐蕃军（西藏）两万人发生遭遇战，大破吐蕃军（西藏）；乘胜追击，直抵堡下，攻克，斩吐蕃军（西藏）将领扈屈律悉蒙（扈屈律，三字姓），纵火焚烧储存积蓄，然后撤退。尚结赞率军穿过宁州（甘肃省宁县）、庆州（甘肃省庆阳市），向北而去。

十月十七日，吐蕃军（西藏）在合水（甘肃省合水县东北老城镇）以北扎营，邠宁战区（总部设邠州〔陕西省彬州市〕）司令官（节度使）韩游瓌，派将领史履程在夜色掩护下，发动袭击，杀数百人，然后撤退。吐蕃军（西藏）追击，韩游瓌在平川（洛水支流葫芦河的支流）集结，派人秘密进入西方山区，突然擂动战鼓，吐蕃军（西藏）大吃一惊，抛弃所有掳掠的东西，急行退走。

14 十一月八日，李适封淑妃王女士（可能是怀揣传国玺的王贵妃，参考七八三年十月三日）当皇后。

15 十一月九日，镇海战区（总部设润州〔江苏省镇江市〕）司令官（节度使）韩滉，前往中央朝见。

16 十一月十一日，王皇后逝世（王皇后是太子李诵的娘亲）。

17 十一月十五日，吐蕃军（西藏）攻击盐州（陕西省定边县），告诉州长杜彦光说：“我要的是城池，随你率领居民离开！”杜彦光遂率全城居民退出，投奔鄜州（陕西省富县。鄜，音fū〔夫〕），吐蕃军（西藏）

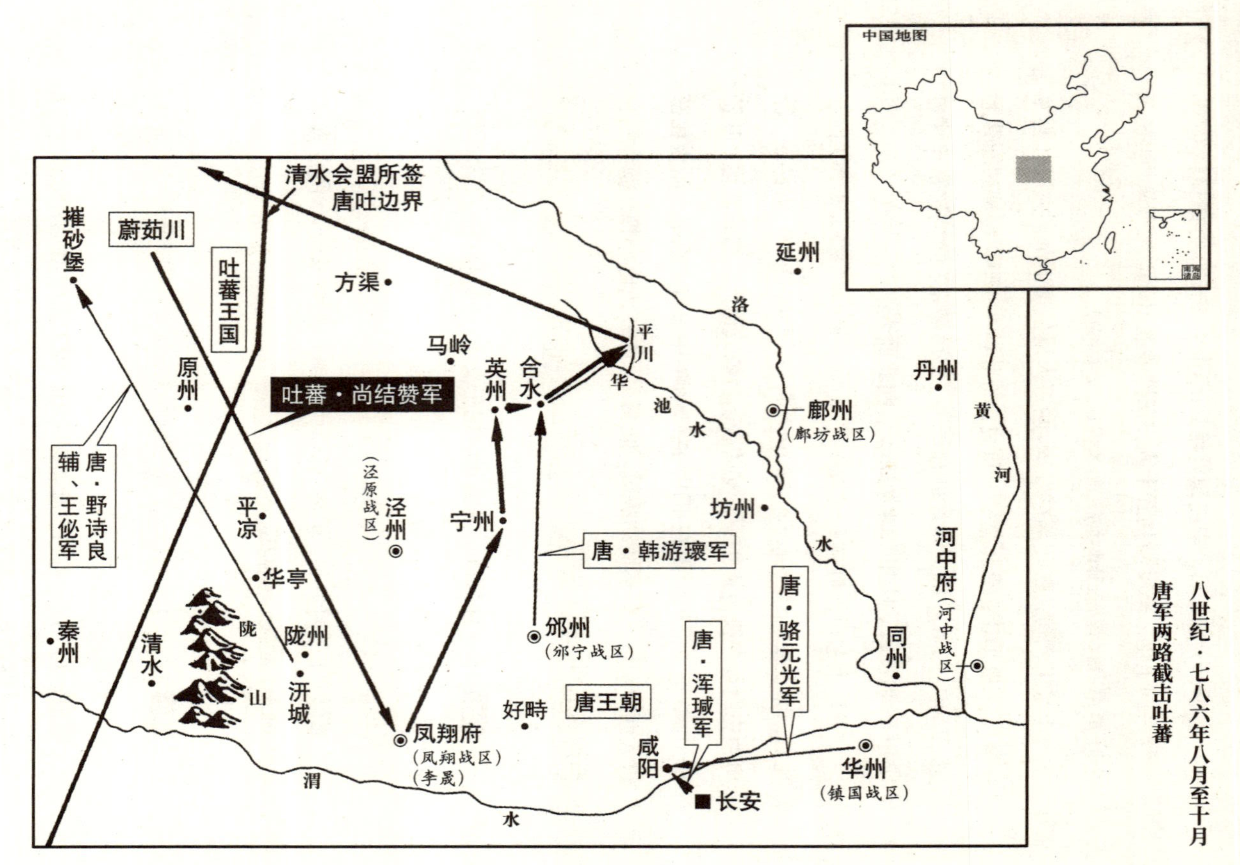

八世纪·七八六年八月至十月

唐军两路截击吐蕃

遂占领盐州（陕西省定边县）。

18 宣武战区（总部设汴州〔河南省开封市〕）司令官（节度使）刘玄佐（刘洽）驻防汴州（河南省开封市）时，对相邻的几个战区割据情形（指平卢〔总部郓州〕、魏博〔总部魏州〕、淮西〔总部蔡州〕），十分熟悉，很久没有前往中央朝见。韩滉（镇海〔总部润州〕司令官）经过汴州，刘玄佐（刘洽）敬重他的才干和声望，特地以部属晋见长官的礼节，晋见韩滉。韩滉深为感动，二人结拜成为兄弟。韩滉请求拜见刘玄佐（刘洽）的娘亲，刘太夫人十分欢喜，在内宅摆设酒席招待。欢宴到一半，韩滉问道："老弟，你什么时候进京（首都长安）朝见？"刘玄佐（刘洽）说："很久以来都想进京，只是没有这个能力！"韩滉说："我可以帮助你，你最好早早动身，伯母的头发快要全白，不可以使她老人家带着家里妇女，到皇宫受人奴役！"刘玄佐（刘洽）的娘亲悲恸哭泣，不能自制。韩滉于是赠送刘玄佐（刘洽）钱二十万串，供他准备行装。

韩滉在大梁（汴州州政府所在城，河南省开封市）停留三天，拿出大量金银绸缎，犒赏宣武兵团士卒，全军震撼（《柳氏叙训》记载：韩滉犒军绸缎二十万匹）。刘玄佐（刘洽）也大为惊佩。后来派人去韩滉那里暗中侦察，听到韩滉向文书官（孔目吏）说："今天开支多少？"查考十分详细。刘玄佐（刘洽）笑说："我已经知道！"

十一月十六日，刘玄佐（刘洽）跟陈许战区（总部设许州〔河南省许昌市〕）司令官（节度使）曲环，一同进京（首都长安）朝见。

19 宰相崔造改变钱粮法规（参考本年〔七八六〕正月），很多事情无法完成，"总监"制度，实施已经很久，无论中央及地方，都成习惯。元琇既被调走（解除盐铁专卖暨运输总监，转任国务院右秘书长〔右丞〕），崔造更束手无策，忧愁恐惧，染病上身，不再上班办公。

不久，江淮（华东地区）稻米大量运到，李适嘉勉韩滉的功劳。

十二月二日，命韩滉兼任全国财政总监及各战区道盐铁专卖暨运输等总监（兼度支、诸道盐铁转运等使）。崔造新定的法令规章，韩滉都奏请改革，李适全部同意。

20 吐蕃军（西藏）再攻击夏州（陕西省靖边县北白城则村），同样命州长托跋乾晖（托跋与拓跋应是相同。拓跋是党项部落其中一支，参考六二九年闰十二月）率居民离开，遂占领城池。又攻击银州（陕西省榆林市东南鱼河镇），银州根本没有城池，官民霎时溃散，吐蕃军也跟着放弃；接着，又攻陷麟州（陕西省神木市）。

21 韩滉在李适面前，不断抨击元琇。

十二月五日，把崔造贬作太子宫事务署长（右庶子），元琇贬作雷州（广东省雷州市）户籍官（司户）。另命国务院文官部副部长（吏部侍郎）班宏，当国务院财政部副部长（户部侍郎）、全国财政副总监（度支副使）。

22 邠宁战区（总部设邠州〔陕西省彬州市〕）司令官（节度使）韩游瓌上疏，请求："出军收复新近失陷的盐州（陕西省定边县），如果吐蕃军（西藏）增援，则命河东战区（总部设太原府〔山西省太原市〕）袭击他们的后背。"

十二月十一日，李适命镇国战区（总部设华州〔陕西省渭南市华州区〕）司令官（节度使）骆元光及陈许战区（总部设许州〔河南省许昌市〕）作战司

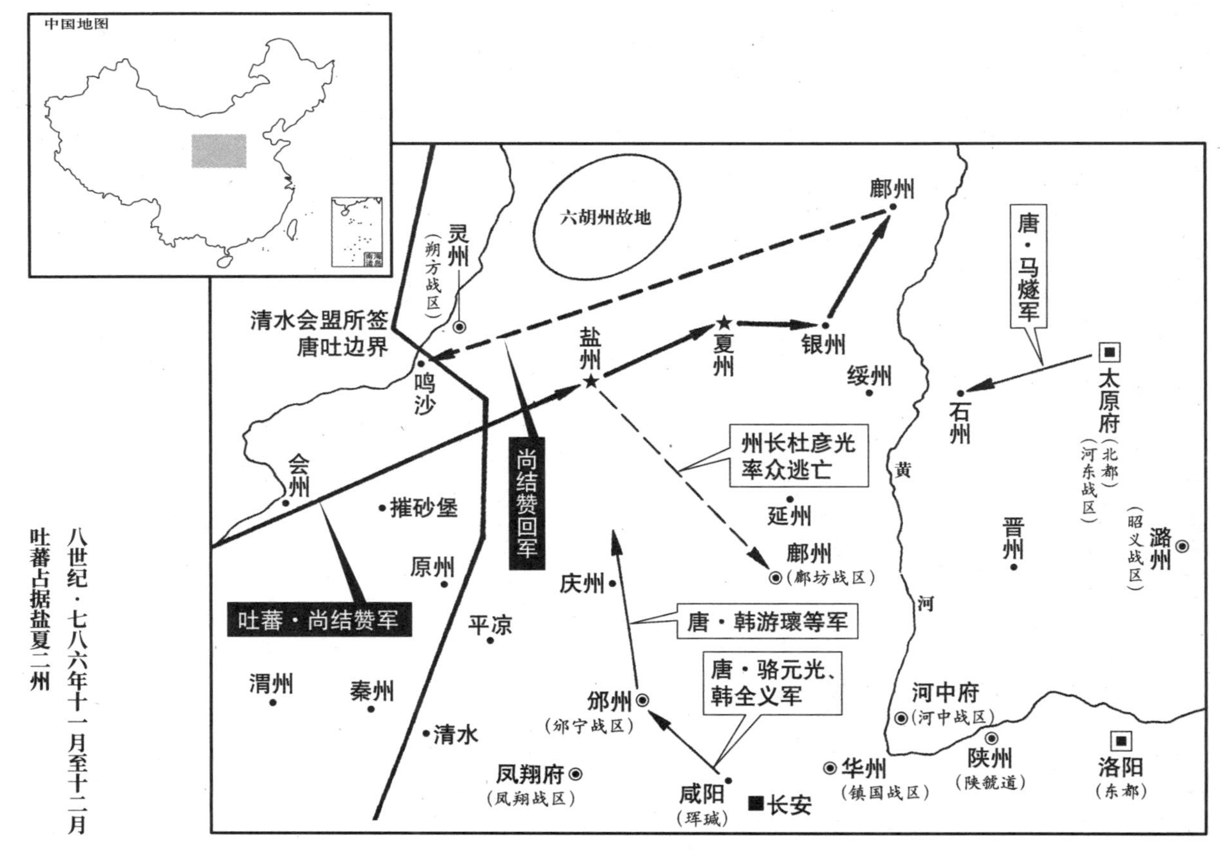

八世纪·七八六年十一月至十二月

吐蕃占据盐夏二州

令（兵马使）韩全义，率步骑兵一万二千人，会合邠宁战区特遣兵团，直向盐州（陕西省定边县）。又命河东战区（总部设太原府〔山西省太原市〕）司令官（节度使）马燧，率河东特遣兵团，共同攻击吐蕃军（西藏）。

马燧前进到石州（山西省吕梁市离石区），河曲六胡州全部归降（河曲六胡州早已合并为宥州〔内蒙古鄂托克旗〕，参考七三八年二月。此时史书仍沿用旧称），马燧把他们迁移到云州（山西省大同市）、朔州（山西省朔州市）之间。

23 国务院工程部副部长（工部侍郎）张彧，是李晟的女婿。李晟在凤翔（陕西省宝鸡市凤翔区）时，另一女儿嫁给幕僚崔枢，所送的嫁妆及礼遇，远超过当初对待张彧；张彧大怒，遂依附李晟的政敌张延赏（李晟跟张延赏结怨事，参考去年〔七八五〕八月）。御前监督官（给事中）郑云逵，曾当过李晟的作战参谋长（行军司马），因李晟对他不满意，也投靠张延赏一边。而皇帝李适对李晟的大功高名，也疑惧猜忌。于是，吐蕃军（西藏）的离间计谋，发生作用，张延赏等一口咬定李晟即将叛国，把他的阴谋诡计，宣传得像滚水一样沸腾，使用各种极端手段，定要把李晟置之死地。李晟得到消息，日夜流泪，双眼都哭得肿胀，把他所有的子弟全送到首都长安（陕西省西安市），上疏辞职，请求剃发当佛教和尚，李适安慰解释，不许。

十二月十六日，李晟前往京师（首都长安）晋见李适，强调他患脚病，诚恳辞让战区司令官（节度使）职务，李适也不许。韩滉跟李晟一向友善，李适命韩滉跟刘玄佐（刘洽）把皇帝的意思，转告李晟，命他化解跟张延赏之间的怨恨，李晟遵命。韩滉等陪同张延赏前去李晟家，登门道歉，二人遂结拜成为兄弟，设宴款待，尽欢而散。接着又分别在韩滉、刘玄佐（刘洽）家设宴，也尽欢而散。韩滉并建议李晟上疏推荐张延赏当宰相。

七八七年 丁卯

唐 贞元 三年

1 春季，正月十七日，唐王朝（首都长安〔陕西省西安市〕）皇帝（十二任德宗）李适（本年四十六岁。适，音kuò〔阔〕），擢升国务院左最高执行长（左仆射）张延赏，兼二级实质宰相（同平章事）。凤翔战区（总部设凤翔府〔陕西省宝鸡市凤翔区〕）司令官（节度使）李晟，替他的儿子向张延赏的女儿求婚，张延赏拒绝（二人结仇事，参考前年〔七八五〕八月）。李晟对他的朋友说："武夫生性豪迈爽直，一杯黄汤下肚，怨恨全消，不会再放在心上。不像文人那么难缠，只要有一点冒犯，表面上虽然和解，心里仍然记仇，跟没有和解一样，我怎么能不恐惧！”

2 当初，李希烈盘踞淮西（淮宁）战区（总部设蔡州〔河南省汝南县〕）时，遴选精锐骑兵成立“左翼门枪军”“右翼门枪军”“左翼奉国军”“右翼奉国军”，由四位将领率领；又遴选精锐步兵成立“左翼克平军”一至五军、“右翼克平军”一至五军，由十位将领率领。淮西（河南省南部）缺马，骑兵都用骡代替，也称“骡军”（参考七八三年三月十四日）。

陈仙奇格杀李希烈，归降中央只几个月，李适下诏征调淮西兵团前往京师（首都长安）参加西部秋季边防。陈仙奇派总作战司令（都知兵马使）苏浦，率淮西兵团精锐部队五千人前往，不久，陈仙奇死于吴少诚之手（参考去年〔七八六〕四月及七月）。吴少诚秘密派人到京西（首都长安以西）召唤门枪军作战司令（门枪兵马使）吴法超等，命他们率军返回本战区。苏浦被蒙在鼓里，吴法超等率步骑兵四千人，从鄜州（陕西省富县）防地开拔东归。河中战区（总部设河中府〔山西省永济市〕）司令官（节度使）浑瑊（音jiān〔坚〕）派将领白娑勒追赶，反被击败。

正月二十一日，李适急派宦官传令陕虢道（首府设陕州〔河南省三门峡市〕）行政长官（观察使）李泌：“出军阻截，不让叛军渡过黄河。”（淮西兵团自鄜州〔陕西省富县〕擅自撤退，即东渡黄河，入河中境〔所以浑瑊才派人追击〕，然后再渡黄河南下，进入陕州〔河南省三门峡市〕，淮西兵团可能为了避免潼关〔陕西省潼关县〕攻坚，绕道而行。）李泌派内营管理官（押牙）唐英岸，率军增援灵宝（河南省灵宝市东北），淮西兵团已渡过黄河，在南岸列阵。李泌命灵宝（河南省灵宝市东北）县政府供应粮食，淮西兵团谨慎戒备，不敢劫掠。明天，淮西兵团继续东进，在距陕州（河南省三门峡市）七华里地方扎营，李泌不再供应粮食，派将领遴选勇士四百人，分作两队，

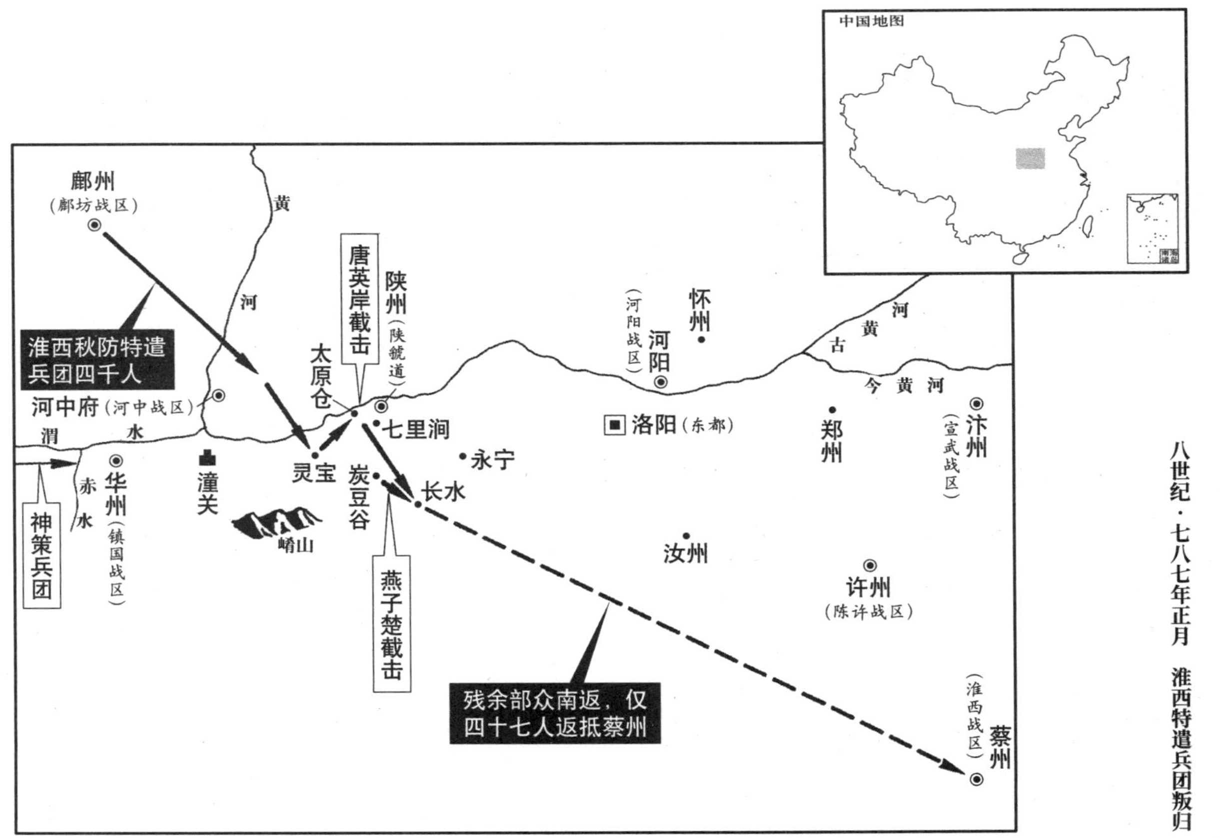

八世纪·七八七年正月　淮西特遣兵团叛归

分别埋伏太原仓（河南省三门峡市西南）狭谷隘道两侧，告诫说：“盗匪第十队通过后，东侧伏兵高声呐喊出击，西侧伏兵高声呐喊呼应；不要挡住去路，不要缠斗不休，留出半边路让他们逃生，只在沿途随时突击。”又派纠察官（虞候）集结附近村庄年轻人，各拿弓箭、刀剑、瓦片石头，紧跟在淮西兵团背后，听到前面呐喊声音，也呐喊追赶。又派唐英岸率一千五百人，夜晚从南方出发，在涧水（三门峡市西南）北岸列阵。

明天（正月二十二日），四更时分（一至三时），淮西兵团拔营而东，进入太原仓狭谷隘道，东西两侧伏兵发动，淮西兵团士卒惊骇，秩序大乱，一面抵抗，一面前进，死亡四分之一（一千人）。好不容易脱险，又遇到唐英岸军迎头痛击，淮西兵团士卒已无心恋战，于是大败，骡军作战司令（骡军兵马使）张崇献被中央军生擒。淮西兵团士卒已两天没有吃饭，饥饿疲惫交集，屡战屡败，唐英岸追击到永宁（河南省洛宁县北）东，淮西兵团溃散，逃入深山。

李泌判断：淮西兵团在进入太原仓狭谷隘道时，一定有一部分人企图越过崤山，向南逃走，于是派大将燕子楚自炭豆谷（三门峡市南）前去长水（河南省洛宁县西长水镇）阻截。淮西兵团门枪军作战司令（门枪兵马使）吴法超，果然率他的大部精锐骑兵，直向长水（河南省洛宁县西长水镇），燕子楚攻击，斩吴法超，格杀他的士卒三分之二。李适因陕州（河南省三门峡市）兵力不足，特调神策军步骑五千人，增援李泌，这时抵达赤水（渭水支流，流经陕西省渭南市华州区西赤水镇），听到淮西兵团已被击破消息，才把他们召回。李适又命宣武战区（总部设汴州〔河南省开封市〕）司令官（节度使）刘玄佐（刘洽）乘政府驿马车迅速回本战区，并颁发大赦诏书，命刘玄佐（刘洽）沿途招降淮西士卒，招降一百三十余人，到了汴州（河南省开封市），全部诛杀。其他残兵败将复被沿路居民格杀，活着逃回蔡州（河南省汝南县）的只有四十七人，吴少诚因他们人数太少，并不能增加自己的力量，反而破坏他跟中央之间的关系，于是声称他们阵前逃亡，一律斩首，奏报皇帝。并派使节送礼给李泌，感谢他诛杀叛徒。李泌解送张崇献等六十余人前往京师（首都长安）。李适下诏押解鄜州（陕西省富县）军营大门，一律腰斩，用以警告秋防部队。

3 当初，南诏王国（首都苴咩城〔云南省大理市〕）国王（二任云南王）阁罗凤，攻陷巂州（四川省西昌市。参考七五六年九月），俘虏西泸（西昌市西南）县长郑回。郑回，是相州（河南省安阳市）人，深通儒家学派经典，阁罗凤对他十分敬重。阁罗凤的儿子凤迦异及孙儿异牟寻（三任王。参考七七九年九月）、曾孙寻梦凑，都把他当作老师事奉，上课的时候，郑回可以打他们的手心、屁股。后来异牟寻当国王，命郑回当“清平官”，“清平官”者，南诏话“宰相”之意，共有六人，但国家大事由郑回作最后决定；其他五人事奉郑回非常尊敬，态度谦卑，有了过失，郑回对他们甚至可以责打。

南诏王国武装部众有数十万，吐蕃王国（首都逻些城〔西藏拉萨市〕）每次对外战争，都命南诏军（云南省）担任前锋，南诏赋税沉重，吐蕃军又占领南诏边防险要，兴建城堡，每年还要征调南诏军（云南省）进驻城堡协防，南诏（云南省）深感痛苦。郑回遂劝异牟寻回归唐王朝，强调说：“大唐崇尚礼义，对待藩属恩德深厚，而且不抽缴税捐、不征服差役！”异牟寻同意，然而没有适当渠道表达这些意愿，因循拖延十余年（自七七九年十月迄今，只九年）。直到西川战区（总部设成都府〔四川省成都市〕）司令官（节度使）韦皋就任，安抚沿边各蛮夷，异牟寻终于派秘密使节，透过沿边蛮夷，提出回归唐王朝的请求。

韦皋上疏给李适说：“现在，吐蕃（西藏）背弃大唐友谊，不断出兵盐州（陕西省定边县）、夏州（陕西省靖边县北白城则村），凶残横暴。我们正好运用南诏（云南省）以及八个生羌部落（西山八国）归附唐王朝的心意，接受安抚，拆散吐蕃的联盟，削弱吐蕃的声势。”

李适命韦皋以边防军将领身份，沟通联系，观察他们的意向。

4 宰相张延赏跟宰相齐映之间，发生摩擦。齐映在宰相中，相当敢说实话，长年累月下来，李适渐不高兴，张延赏遂抨击齐映不是宰相材料。

正月二十七日，李适把齐映贬作夔州（重庆市奉节县）州长；另一宰相刘滋免职，贬作监督院最高顾问官（左散骑常侍）。命国务院国防部副部长（兵部侍郎）柳浑，兼二级实质宰相（同平章事）。

宰相韩滉性情严苛凶暴，深受皇帝的倚重信任，所作建议，李适没有一件事不采纳；相形之下，其他宰相不过摆在那里充数，文武百官全付精力用来逃避责任，免得惹祸，任何事都不敢做。柳浑虽然是韩滉所推荐，但他仍严肃的责备韩滉说：“你家老太爷（韩滉的老爹韩休）当宰相，因心胸窄狭，不满一年就被罢黜（参考七三三年十二月二十四日），而今，想不到你更加厉害。为什么竟然在公堂之上，棍打小官，甚至活活打死！作威作福，岂是做人部属的态度！”韩滉惭愧，威严架势稍稍收敛。

5 二月七日，命太子宫政务署摄理署长（检校左庶子）崔澣（音huàn〔换〕），当访问吐蕃王国（首都逻些城〔西藏拉萨市〕）特派大使（入吐蕃使）。

6 二月二十三日，镇海战区（总部设润州〔江苏省镇江市〕）司令官（节度使）、遥兼二级宰相（同平章事·使相）、兼江淮（华东地区）运输总监（转运使）韩滉逝世（年六十五岁）。韩滉在两浙（镇海战区辖地）的时间很久（七七九年十一月迄今），所有的幕僚辅佐，都能施展专长，胜任愉快。曾经有一位老友的儿子谒见，韩滉考察他的能力，什么都不会；韩滉招待他饮宴，直到结束，那人从没有左顾右盼，也没有跟邻座交谈一句话。过了几天，韩滉命他当稽核员（随军），派他管理仓库大门，他整天严肃的坐在那里，官兵们没有人敢随便进出。

李适下诏分割浙江东西道为三道：浙西道，首府设润州（江苏省镇江市）；浙东道，首府设越州（浙江省绍兴市）；宣歙池道，首府设宣州（安徽省宣城市）。各道分别设行政长官（观察使）主持行政。（浙江东道辖七州：越州〔浙江省绍兴市〕、明州〔浙江省宁波市〕、台州〔浙江省临海市〕、温州〔浙江省温州市〕、衢州〔浙江省衢州市〕、处州〔浙江省丽水市〕、婺州〔浙江省金华市〕。浙江西道辖七州：润州〔江苏省镇江市〕、江州〔江西省九江市〕、常州〔江苏省常州市〕、苏州〔江苏省苏州市〕、杭州〔浙江省杭州市〕、湖州〔浙江省湖州市〕、睦州〔浙江省建德市〕。宣歙池道辖三州：宣州〔安徽省宣城市〕、歙州〔安徽省歙县。歙，音shè·设〕、池州〔安徽省池州市贵池区〕。）

李适擢升果州（四川省南充市）州长白志贞（白琇珪）当浙西道（首府设润州〔江苏省镇江市〕）行政长官（观察使。白志贞〔白琇珪〕被贬事，参考七八三年十二月）。宰相柳浑说："白志贞（白琇珪）是个马屁精小人，不可以再用他。"正巧柳浑患病，请假在家休养，不能办公。

二月二十六日，诏书下达，发表白志贞（白琇珪）新命。柳浑病愈后，遂提出辞职，要求退休；李适不准。

7 二月二十九日，李适把亡妻昭德皇后王女士，安葬靖陵（陕西省乾县东北五公里）。

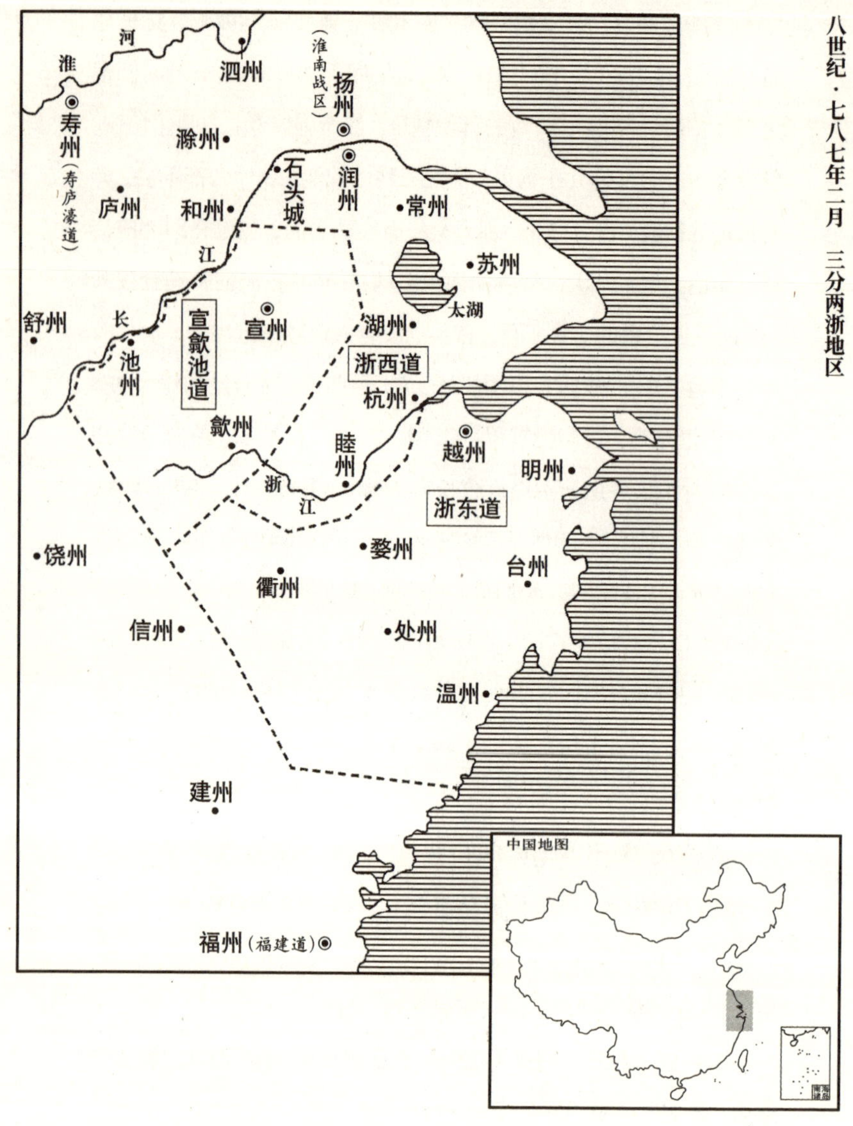

八世纪·七八七年二月　三分两浙地区

8 三月十三日，命太子宫政务署长（左庶子）李铦（音xiān〔仙〕）当访问吐蕃王国（首都逻些城〔西藏拉萨市〕）特派大使（入吐蕃使）。

最初，吐蕃大宰相尚结赞，占领盐州（陕西省定边县）、夏州（陕西省靖边县北白城则村），各留下一千余名士卒驻防，而自己率主力大军退到鸣沙（宁夏中宁县东）扎营。从去年（七八六）冬天到今年（七八七）春季，羊马大量死亡，而粮食供应不及。同时又得到消息：凤翔战区（总部设凤翔府〔陕西省宝鸡市凤翔区〕）司令官（节度使）李晟已攻克摧砂堡（宁夏海原县），河东战区（总部设太原府〔山西省太原市〕）司令官（节度使）马燧、河中战区（总部设河中府〔山西省永济市〕）司令官（节度使）浑瑊等各路大军即将来到，大为恐惧，不断派使节前往京师（首都长安），请求和解，李适一直没有允许。尚结赞于是改变方式，派使节携带厚重的礼物跟措辞卑屈的信件，晋见马燧，表示和解诚意，誓言履行清水（甘肃省清水县）盟约（参考七八三年正月），归还所占领的土地，使节在道路上前后相继，马燧遂深信不疑，于是大军在石州（山西省吕梁市离石区）停下，不再西渡黄河，并且代他向中央请求。

李晟坚决反对，说："蛮夷没有信义，不如攻击。"邠宁战区（总部设邠州〔陕西省彬州市〕）司令官（节度使）韩游瓌也反对，说："吐蕃（西藏）衰弱的时候，请求和解；强大的时候，就侵入国土。而今，他们深入国土而竟然请求和解，定是骗局。"当时的宰相韩滉支持李晟，强调说："现在，两河（黄河南北）平安无事，如果修筑原州（宁夏固原市）、鄯州（青海省海东市乐都区）、洮州（甘肃省临潭县）、渭州（甘肃省陇西县）等四州城池，命李晟、刘玄佐（刘洽）等，率十万大军驻防，河湟（甘肃省及青海省东部）二十余州，可以收复（这是前宰相元载的计划，参考七七三年十月）。所需要的粮食和费用，我愿意负责。"李适于是拒绝马燧的建议，催促他迅速进军。马燧请求和吐蕃（西藏）特使论颊热，一同进京（首都长安）朝见，作详细陈述。正巧，韩滉逝世，马燧、张延赏，都跟李晟结有宿怨，打算推翻他的主张，争着发言，夸张和解对帝国的利益。李适因深恨回纥汗国（李适受辱事，参考七六二年十月二十一日），打算跟吐蕃（西藏）结盟，联合攻击回纥（瀚海沙漠群），听到二人的建议，正合己意，于是决定和解。

张延赏好几次警告李适说：“李晟不适合长久掌握军权，请派御前监督官（给事中）郑云逵接替！”李适说：“应该由李晟自己保荐！”于是对李晟说：“我为了全国人民的利益，决心跟吐蕃和解。先生对吐蕃（西藏）一向怀有成见，不可以再回凤翔（陕西省宝鸡市凤翔区），应该留在中央，早晚帮助我处理国家大事。（胡三省原注：“李适猜忌李晟，利用跟吐蕃和解，以及宰相对李晟不满的机会，剥夺他的兵权。”）但仍由你指定继任人选。”李晟推荐总纠察官（都虞候）邢君牙。邢君牙，是乐寿（河北省献县）人。

三月二十二日，李适任命邢君牙当凤翔特别市长（凤翔尹）兼民兵司令官（兼团练使）。

三月二十三日，加授李晟：太尉（三公之一）、最高立法长（中书令）；勋阶、爵位，仍然保持（李晟勋阶：上柱国；爵位：西平王）。其他本兼各职，全部免除。

李晟在凤翔（陕西省宝鸡市凤翔区）曾经告诉他的僚属说：“魏徵喜欢直率的规劝皇上，我敬佩他的做法（魏徵事，参考六四三年正月）。”作战参谋长（行军司马）李叔度说：“这是文职官做的事，德高望重的高级军事将领，恐怕不适宜。”李晟严肃的说：“你的话有偏差，我身兼宰相和大将，如果明知道中央有错误的决定，而不说话，怎么有资格居此高位！”李叔度惭愧退出。等到李晟调往中央，李适有什么问题征求他的意见，他一定知无不言，言无不尽。但他性情谨慎

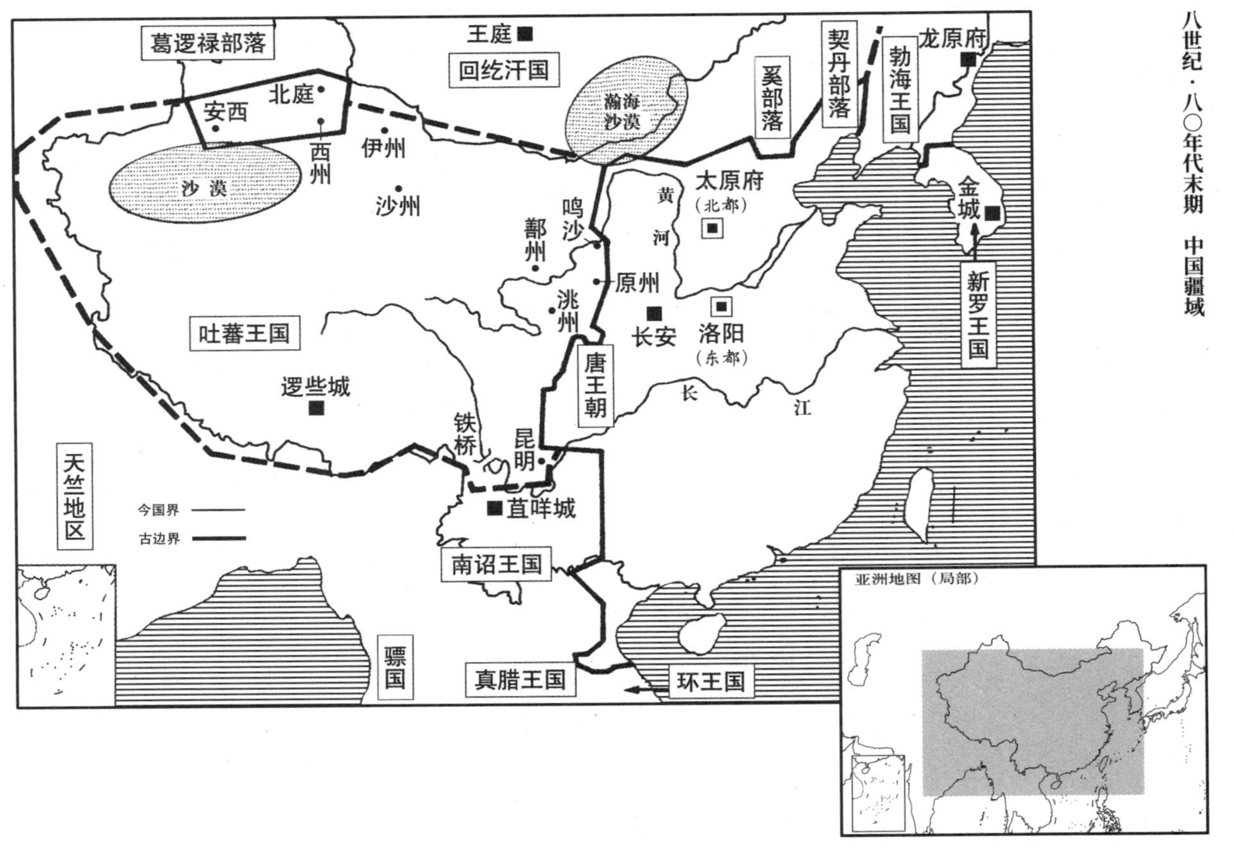

八世纪·八〇年代末期　中国疆域

沉默，从来没有泄露谈话内容。 692

三月二十七日，河东战区（总部太原府）司令官（节度使）马燧，抵达中央朝见。河东特遣兵团各军遂紧闭营垒，不再出战。吐蕃（西藏）大宰相尚结赞，就自鸣沙（宁夏中宁县东）安全撤退，因缺少马匹，很多士卒只好步行。

访问吐蕃王国（西藏）特派大使崔澣，晋见尚结赞，责备他破坏条约。尚结赞说："我们曾经大破朱泚（参考七八四年四月），还没有领到赏赐，所以前来追讨；可是各州都紧闭城门防守，没有人把我们所要求的事情，转达中央。盐州（陕西省定边县）、夏州（陕西省靖边县白城则村）的守城将领把城池交给我们，惊惶逃走，并不是我们强行占领（参考去年〔七八六〕十一月、十二月）。而今，你来这里，打算重建唐吐两国友谊，正是吐蕃王国（首都逻些城〔西藏拉萨市〕）的盼望。吐蕃（西藏）宰相及大将在这里的，有二十一人，讨伐朱泚战役时，最高监督长（侍中）浑瑊曾跟他们共过事，一定知道他们的忠实诚信。朔方战区（总部设灵州〔宁夏灵武市〕）司令官（节度使）杜希全、泾原战区（总部设泾州〔甘肃省泾川县〕）司令官（节度使）李观，他们的诚实忠厚，闻名异国，请派来主持会盟。"

夏季，四月十二日，崔澣回到首都长安（陕西省西安市）。

四月十七日，李适命崔澣当藩属事务部长（鸿胪卿），再次前往吐蕃（西藏），告诉尚结赞说："杜希全驻防灵州（宁夏灵武市），不能出境。李观已改调别的官职（改调宫廷供应总监〔少府监〕、国务院摄理工程部长〔检校工部尚书〕），现在派浑瑊前往清水（甘肃省清水县）参加会盟。"并要求尚结赞先行归还盐、夏二州。

五月一日，浑瑊从咸阳（陕西省咸阳市）前来中央，李适命他当清水（甘肃省清水县）会盟特使（清水会盟使）。

五月五日，命国务院国防部长（兵部尚书）崔汉衡当副特使，国务院文官部爵位司副司长（司封员外郎）郑叔矩当执行官（判官），特进（文散官二级，正二品）、宦官宋奉朝当皇家会盟总监（都监）。

五月六日，浑瑊率军二万余人，前去会盟所在地清水（甘肃省清水县）。

五月二十二日，尚结赞派他的部属论泣赞到首都长安说："清水不是吉祥的地方，请改在原州的土梨树（甘肃省镇原县东），盟约签订后，就归还盐、夏二州"，李适同意。神策军将领马有麟提醒李适说："土梨树地势险恶，恐怕吐蕃（西藏）埋伏军队，不如平凉川（甘肃省平凉市西北二公里）一片平原。"当时，论泣赞已经启程回国。

五月二十四日，唐政府特别派人追上论泣赞，告诉这项改变。

9 淮西战区（总部设蔡州〔河南省汝南县〕）候补司令官（留后）吴少诚，加强制造武器，修筑城池，打算拒抗中央。

执行官（判官）郑常、大将杨冀，阴谋驱逐吴少诚，于是假造皇帝李适亲笔诏书，颁给申州（河南省信阳市）州长张伯元等。事情败露，吴少诚诛杀郑常、杨冀、张伯元。大将宋旻、曹济，逃往长安（陕西省西安市）。

10 闰五月七日，西川战区（总部设成都府〔四川省成都市〕）司令官（节度使）韦皋，再写信给东蛮（四川省西昌市西北各蛮夷）勿邓部落和义王苴那时（苴，姓。音jū〔居〕），命他密切注意南诏王国（首都苴咩城〔云南省大理市〕苴咩，音xié miē）的动向，遇有机会，即居中为唐南两国沟通。

11 闰五月八日，大肆裁减州、县政府官员，把节省下来的俸禄，发给战士。这是实行宰相张延赏的方案。

当时，新任命的官员有一千五百人，而应免职的有一千余人，一片怨恨悲叹！

12 最初，宰相韩滉在世时，曾推荐宣武战区（总部设汴州〔河南省开封市〕）司令官（节度使）刘玄佐（刘洽）可以担任统帅，率军收复河湟（甘肃省及青海省东部）。李适询问刘玄佐（刘洽），刘玄佐（刘洽）赞成行动。后来，韩滉逝世，刘玄佐（刘洽）上疏说："吐蕃（西藏）正在强盛，不可以发动战争。"李适派宦官去慰劳刘玄佐（刘洽），刘玄佐（刘洽）患病，躺在床上接受诏令。宰相张延赏知道刘玄佐（刘洽）不会接受他的驱使，于是奏请改命昭义战区（总部设潞州〔山西省长治市〕）司令官（节度使）李抱真（安抱真），李抱真（安抱真）也坚决推辞。都因为张延赏罢黜李晟军权，将领仍十分愤怒，对中央离心，不肯听从张延赏的指使。

13 李适认为襄州（湖北省襄阳市）、邓州（河南省邓州市）控制淮西（淮河上游），形势险要。

闰五月十一日，调荆南战区（总部设江陵府〔湖北省江陵县〕）司令官曹王李皋，当山南东道战区（总部设襄州〔湖北省襄阳市〕）司令官（节度使），管辖七州：襄州、邓州、复州（湖北省天门市）、郢州（湖北省钟祥市）、安州（湖北省安陆市）、随州（湖北省随州市）、唐州（河南省泌阳县）。

14 浑瑊将离开京师（首都长安）时，李晟一再警告他，会盟场所一定要有严密的戒备。张延赏向李适申诉说："李晟不希望唐吐两国和解成功，所以要浑瑊严密戒备。我们一旦露出疑心对方的形迹，对方一定对我们也会生出疑心，怎么可能和解？”李适于是召见浑瑊，严厉告诫说：“一定要对吐蕃（西藏）推心置腹，以诚相待，万万不可心怀诡诈，破坏吐蕃（西藏）和解的诚意。”

浑瑊奏称：吐蕃已通知定于闰五月十九日，作为会谈日期。张延赏集合文武百官，宣布皇帝的指示，把浑瑊的奏章拿给大家传阅，声称：“李太尉（李晟）坚持他的成见，认为唐吐两国无法和解，这里是浑监督长（侍中浑瑊）的奏章，结盟日期，已经确定。”李晟听到这些话，向他的亲信流泪说：“我生长在西方边陲（李晟是洮州〔甘肃省临潭县〕人，前后当王忠嗣、李抱玉〔安抱玉〕的部属，都建功勋），深刻了解蛮夷，所以才向皇上反映，唐政府竟被蛮夷骗得团团转，真是一种羞辱。”

李适这时才派镇国战区（总部设华州〔陕西省渭南市华州区〕）司令官（节度使）骆元光，进驻潘原（甘肃省平凉市东），邠宁战区（总部设邠州〔陕西省彬州市〕）司令官（节度使）韩游瓌，进驻洛口（甘肃省庄浪县东南），应援浑瑊。骆元光告诉浑瑊说：“潘原（平凉市东）距会盟地将近七十华里，你如果发生紧急情况，我怎么知道？我想陪你一同前去。”浑瑊传达皇帝的命令，坚决阻止，骆元光不理，跟浑瑊兵团大营，紧密相连，停在距会盟地三十余华里的地方。骆元光大营壕沟深峻，门栅坚固，而浑瑊大营的壕沟门栅，却十分草率，随时都可以跨过去。骆元光军在浑瑊大营以西埋伏：韩游瓌也派骑兵五百人在附近埋伏，说：“如果发生变化，你们向西攻击柏泉（平凉市西北），分散吐蕃（西藏）的兵力！”

尚结赞跟浑瑊约定，各率武装部队三千人，分别排列在盟台的东西两侧，各由文职官员四百人，陪同抵达台下。

闰五月十九日，会盟日期已到，两国特使行将见面，尚结赞

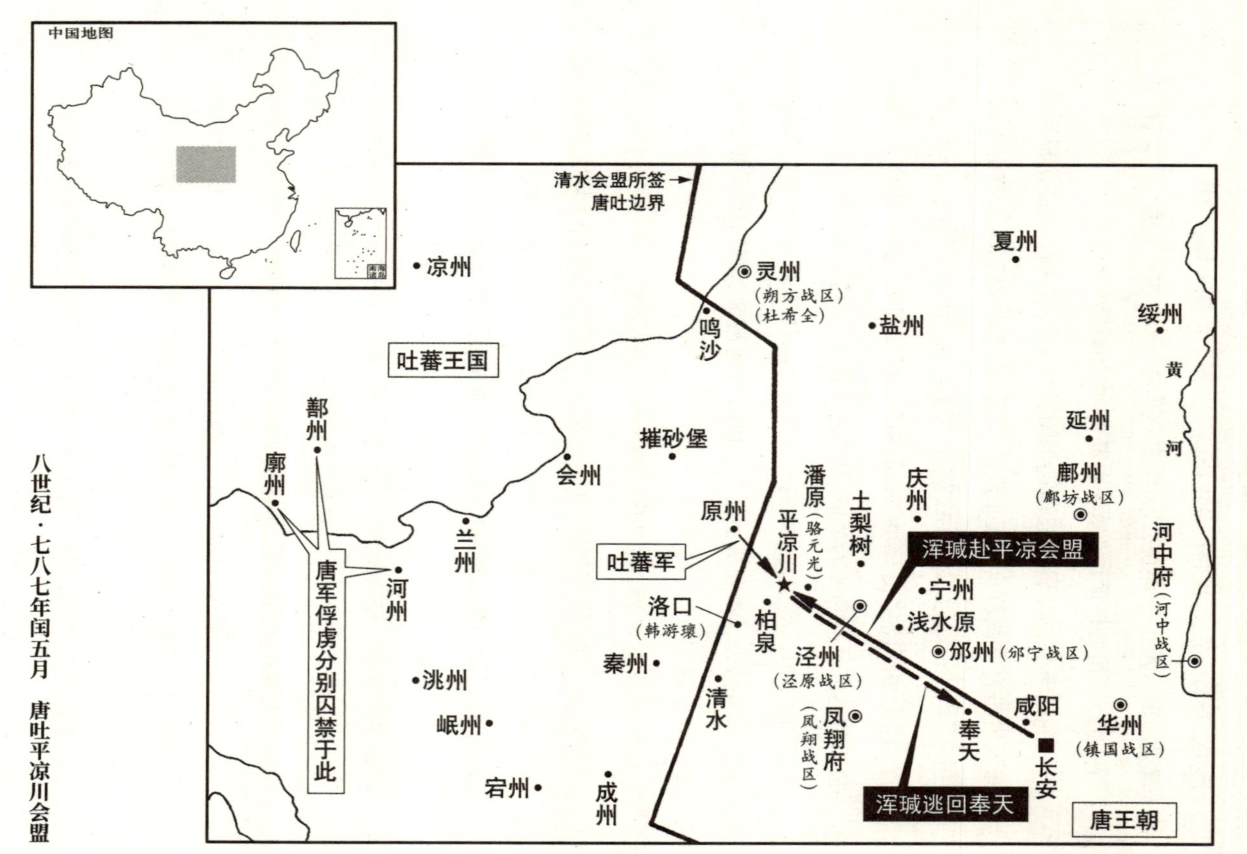

八世纪·七八七年闰五月　唐吐平凉川会盟

建议唐吐两国，各派骑兵数十名，担任斥候，互相搜索对方地区，浑瑊全都答应。而吐蕃（西藏）早已在盟坛西方埋伏精锐骑兵数万人，而游骑兵则在唐王朝军营中穿梭般来去自如，没有人禁止。唐王朝游骑兵进入吐蕃（西藏）搜索的，全被生擒。浑瑊等对所发生的变化一点也不知道，于是进入帐幕，改穿礼服。突然间，吐蕃大营的战鼓，敲出三声巨响，吐蕃军漫山遍野涌到，杀声震动天地，唐政府官员惊恐间，还没有弄清是怎么回事，吐蕃军（西藏）已杀进帐幕，斩皇家会盟总监（都监）宋奉朝，浑瑊从帐幕后门逃出，正巧看到一匹马，于是跳上去狂奔，把身子扑到马鬃中，强套马勒，狂奔了十余华里，才把马勒套上马口，吐蕃（西藏）追兵箭如雨下，都从他背上擦过去，竟没有受伤。唐王朝军队溃散，向东逃命，吐蕃（西藏）将领挥军追赶，唐王朝官兵不是被生擒，就是被格杀（后来，刘昌当泾原战区〔总部设泾州，甘肃省泾川县〕司令官，收集劫盟时阵亡将士们的枯骨，装入棺木，埋葬浅水原），被擒一千余人，被杀数百人，会盟副特使崔汉衡被吐蕃军（西藏）俘虏。浑瑊抵达自己军营时，官兵已全都逃走，只剩下一座空营。骆元光集结所有伏兵，严阵以待。浑瑊投奔骆元光，吐蕃军（西藏）追到，大吃一惊，又发现邠宁战区特遣兵团骑兵向西急驰，恐怕后路被切断，于是撤退。骆元光把粮食、武器等资助浑瑊，会同浑瑊集合残兵败将，重整队伍，在戒备下回军。

当天（闰五月十九日），李适主持朝会，对各宰相说：“今天，跟蛮夷和解，裁军休战，这是国家之福！”马燧说：“确是如此。”另一宰相柳浑说：“蛮夷都是豺狼之辈，盟约誓言，对他们没有约束。今天会盟这件事，我深感忧虑！”李晟说：“柳浑说得是！”李适的脸像帘子一样霎时拉下来，怒不可遏，质问李晟说：“柳浑一介书生，不知道边疆大计，先生你怎么也说这种话！”二人都跪在地上叩头认罪，朝会在不愉快气氛中结束。当天夜晚（闰五月十九日），韩游瓌紧急奏章递到，说：“吐蕃劫盟，大军接近本战区（邠宁〔总部邠州〕）。”李适大为惊愕，来不及派宦官，立即命巡街监察官员把奏章送给柳浑。明天（闰五月二十日）早上，李适对柳浑说：“你一个读书人，怎么对敌情判断得这么精确！”李适打算逃出京师（首都长安）躲避吐蕃（西藏），李晟竭力劝阻，才算打消作罢。

李晟自从建立收复京师（首都长安）的盖世奇功，就受严重猜忌，他家住长安（陕西省西安市）大安园（丰邑坊内），院中植有竹林，就有人制造谣言说：“李晟在大安亭（竹园休息小亭）埋有伏兵，抓住机会，就发动兵变。”李晟遂把竹林砍光。

闰五月二十一日，李适派宦官王子恒，携带诏书，打算交给尚结赞，但走到吐蕃（西藏）边界，吐蕃（西藏）不准入境，只好返回。浑瑊留在奉天（陕西省乾县）扎营。

闰五月二十二日，尚结赞抵达故原州（宁夏固原市），接见崔汉衡等，说：“我用黄金做了一套脚镣手铐，打算戴到浑瑊身上，呈献国王。现在，让浑瑊逃掉，白废一场力气，只捉到你们这种人。”又对马燧的侄儿马弇说：“蛮夷把马当作生命，我们在河曲（黄河弯曲处，指鸣沙〔宁夏中宁县东〕）时，春天青草还没有生芽，战马饥饿，几乎不能走路，在那个时候，最高监督长（马燧）如果渡黄河奇袭，我们定会全军覆没，所以才请求和解，全靠最高监督长（马燧）的力量，得以渡过难关。而今完整班师，为什么拘留他的子孙！”下令释放马弇、宦官俱文珍、浑瑊的部将马宁，准他们回国。而把崔汉衡等分别囚禁河州（甘肃省临夏市）、廓州（青海省化隆县）、鄯州（青海省海东市乐都区）。李适听到尚结赞所说的话，从此憎恨马燧。

六月五日，命马燧当司徒（三公之二）兼最高监督长（兼侍中），免除原有的副元帅、河东战区（总部设太原府〔山西省太原市〕）司令官（节度使）等职。

最初，吐蕃王国（首都逻些城〔西藏拉萨市〕）大宰相尚结赞厌恶李晟、马燧、浑瑊，说："排除这三个人，唐王朝就在掌握之中。"于是挑拨离间，调走李晟，通过马燧请求和解，准备生擒浑瑊，使二人都因此定罪，就挥军直接攻击长安（唐首都，陕西省西安市）。想不到浑瑊逃走，计划遂告中止。宰相张延赏惭愧恐惧，声称卧病在床，不再办公。

15 李适擢升陕虢道（首府设陕州〔河南省三门峡市〕）行政长官（观察使）李泌，当副立法长（中书侍郎），兼二级实质宰相（同平章事）。

16 河东战区（总部太原府）总纠察官（都虞候）李自良，跟随司令官（节度使）马燧前来中央，李适打算命他接任司令官（节度使），李自良坚决辞让，说："我事奉马燧的时间很久，不想接替他的统帅高位。"李适遂命他当右龙武（禁军第四军）大将军。明天，李自良进宫叩谢，李适告诉他说："你对马燧维持军中伦理，实在得体。然而，帝国北方门户的责任，非你担当不可。"终于命李自良当河东战区（总部太原府）司令官（节度使）。

17 吐蕃（西藏）驻防盐州（陕西省定边县）、夏州（陕西省靖边县北白城则村）的远征部队，粮食及军中补给接济不上，士卒很多染上瘟疫，病倒在床，都得了思乡症。大宰相尚结赞派骑兵三千人迎接，纵火焚烧所有住屋、拆毁城墙，把所有唐王朝居民，裹挟而去。

朔方战区（总部成都府）司令官（节度使）杜希全，派军进驻防守。

18 西川战区（总部成都府）司令官（节度使）韦皋，因南诏王国（首都苴咩城〔云南省大理市〕）使用唐王朝文字，阅读唐王朝图书。六月十一日，韦皋亲笔写信给国王（三任）异牟寻，催促他派使节前来唐王朝朝见。

19 宰相李泌第一次到宰相联合办公厅（政事堂）办公。

六月二十一日，李泌陪同李晟、马燧、柳浑，一同进宫叩见李适。李适对李泌说："从前，你在灵武（宁夏灵武市）时，就应该当宰相，是你自己谦让不肯（参考七五六年七月），我今天终于请到了你，打算跟你约法三章，那就是：千万不要报复私仇，至于对你有恩的人，由我替你报答。"李泌说："我一生信奉道教，从不跟人结仇，李辅国、元载对我千方百计陷害，现在，都自行倒毙（李辅国死，参考七六二年十月；元载死，参考七七七年三月）。平常有深厚友情或对我有恩的人，差不多都位居高官，名扬天下，要不，也都不在人世，我也无法报答。"李适说："虽然如此，可是，即令是小小恩惠，也应该报答。"李泌说："我今天也跟陛下作一个口头约定，可不可以？"李适说："有什么不可以？"李泌说："希望陛下不要加害功臣！我蒙受陛下深厚的恩情，放胆直言，一点都没有顾忌。李晟、马燧对帝国立过大功，听说有人不断进谗言陷害，虽然陛下一定不信，但我今天仍要在二人面前，公开提出来，为的是使二人心里没有一点疑惧。陛下万一把二人诛杀，则保护皇家安全的禁卫军将领和地方政府手握重兵的巨头，将没有一个不叹息愤怒、反侧难安，恐怕内外变乱，将再发生。做一个干部，假如能得到领袖的宠爱信任，真是人生大幸，当官不当官，有什么关系？我在灵武（宁夏灵武市）的时候，并没有当官，可是宰相、大将们，都听我的吩咐。陛下加授李怀光当太尉（三公之一），李怀光反而更为惊疑恐惧（参考七八四年三月二十九日），终于叛变，这是陛下亲眼看到的。现在，李晟、马燧无论财产和官位，都达到顶峰，富贵双全，只要陛下坦诚相待，使他们自己相信身家性命，都十分安全，没有危险，帝国有事的时候，派他们率军出征讨伐，天下太平的时候，他们就回到中央，参加金銮宝殿上的朝会，这是何等的安乐幸福！所以我希望陛下不要因二位先生对国家的贡献太大，而对他们有所猜忌，也请二位先生不要因自己的地位太高，而心怀疑虑，则帝国将永远太平无事。”李适说：“我听你开头说的那些话，一时吓住，不知道你说些什么，后来听你的分析，才知道是为了帝国利益，我会把你的话写在我的衣带上，两位先生也当谨记在心。”李晟、马燧都感动得泪流满面，起身叩谢。

李适接着对李泌说：“从今以后，凡是军队粮秣、战备方面的事，你负责主持；国务院文官部（吏部）和教育部（礼部）的事，交给张延赏；司法部（刑部）的事，交给柳浑。”李泌说：“不行，陛下不认为我没有才干，使我担任宰相之职，而宰相的责任和权力，不可以分割，不像御前监督官（给事中），分为文武两班（国务院文官部及国防部任命文武百官时，都要先会监督院〔门下省〕。御前监督官〔给事中〕分为二班，分别审查文武，如果不同意，可以提出纠举），而立法官（舍人）则分六科（立法院〔中书省〕，立法官〔中书舍人〕，分别审理国务院六部公文）。至于宰相，天下任何事情，都有权参与处理、提出意见。如果分别主管一项业务，那是‘有关官员’，不是宰相。”李适笑道：“我刚才说错了话，你是对的！”李泌请求恢复所裁减的州县官员，李适说：“设立官员，是为了治理人民，现在户口比太平时期减少三分之二，却增加那么多官，是不是可以？”李泌回答说：“户口虽然减少，可是地方政府的业务，却比太平日子增加十倍，官员怎么能够不跟着增加！而且所裁减的都是实官，冗官仍原封不动，这就是我所说的处理不当。七五六年（十任帝李亨登位）以来，设置编制外临时官员，数目将达编制内正式官员的三分之一，如果根据他们的工作时间，计算年资，然后命他们退休，而遴选文武候补官员，递补他们的遗缺，成为帝国的正式官员，不但没有人抱怨，反而皆大欢喜（李亨滥发官爵，参考七五七年五月六日）。”又请求凡是一直留在皇宫里不出宫的亲王们，亲王府编制内的官员出缺，一律不再递补。李适全都接受。

七月四日（原文误置于六月，据《旧唐书》改），李适（音kuò〔阔〕）下诏，命闰五月所裁减的官员，一律复职。

20 最初，张延赏在西川战区（总部设成都府〔四川省成都市〕）时，跟东川战区（总部设梓州〔四川省三台县〕）司令官（节度使）李叔明（鲜于叔明）结怨。李适南下逃亡时，进入骆谷（陕西省周至县南），阴雨连绵，道险路滑，皇家卫士很多人逃走，投奔汉帝朱泚。李叔明（鲜于叔明）的儿子李升（鲜于升），跟郭子仪的儿子郭曙、令狐彰的儿子令狐建等六个青年军官，唯恐怕有奸人叛徒，乘机危害李适，于是互相咬臂出血，指天盟誓，用布带缠腿（一九三〇年代，中国军人还这样装扮，由脚踝缠到膝盖，加强腿力），脚穿钉鞋，轮流拉着李适骑的马头，直到梁州（陕西省汉中市），其他的人都不能靠近（郭曙、令狐建等，在李适出逃时，一直侍从左右，参考七八三年十月三日）。后来，李适返首都长安，命他们都当禁卫军的将军，恩宠待遇，十分优厚。

张延赏发现李升（鲜于升）秘密出入郜国大长公主的私宅（郜国大长公主是李适的姑妈，最初嫁裴徽〔参考七五六年六月十四日〕，后来再嫁萧升），于是当成一项严重的宫闱丑闻，秘密报告李适。李适对李泌说：“郜国年纪已老，李升（鲜于升）年纪还轻，怎么做出这种事！恐怕有什么内情，请你调查一下。”李泌说：“这一定有人想动摇东宫、陷害太子（李诵），是谁报告陛下的？”李适说：“你不必问是谁报告的，只管替我调查。”李泌说：“一定是张延赏。”李适说：“你怎么知道？”李泌于是把张延赏跟李叔明（鲜于叔明）交恶的情形，作一详细说明，指出：“李升（鲜于升）正受陛下宠爱，而又手握禁军兵权，张延赏没有办法伤害他。可是，郜国大长公主却是太子妃萧女士的娘亲，目的显然是在利用这件事，暗下毒手。”李适笑说：“一点不错！”李泌遂建议把李升（鲜于升）调职，不再担任禁卫军将领，远远的避开嫌疑。

秋季，七月，调李升（鲜于升）当太子宫总管（詹事）。郜国大长公主，是十任帝（肃宗）李亨的女儿。

21 七月十三日，在振武战区（总部设单于府〔内蒙古和林格尔县〕）划出绥州（陕西省绥德县）、银州（陕西省榆林市东南鱼河镇）二州，设夏绥银战区（总部设夏州〔陕西省靖边县北白城则村〕。夏州自朔方战区〔总部灵州〕划出），命右羽林（禁军第二军）将军韩潭当司令官（节度使），率领神策军士卒五千人，朔方战区（总部设灵州〔宁夏灵武市〕）及河东战区（总部设太原府〔山西省太原市〕）特遣兵团士卒三千人，驻防夏州（陕西省靖边县北白城则村）。

22 当时，来自关东（潼关以东）的各秋季边防部队，云集关中（陕西省中部），国库无力负担这项庞大军费。李泌奏报说：“政府自从实行‘两税法’(参考七八〇年正月)，各战区、各州、各县，多半违法征收聚敛。接着朱泚作乱(参考七八三年十月)，地方政府更抢夺公卖权利，擅自制订罚款和赎罪条例，用来招兵买马，防卫自保(南方各地与中央关系断绝，参考七八三年十一月)。朱泚失败后，大家对自己的违法行为都心怀恐惧，尽量隐瞒，不敢公开。我建议派使节携带诏书，前往赦免他们的罪行，但要他们立即改正。所有捐税，除非依照规定应留给战区或留给州县，可以留下外，其他全部运缴京师(首都长安)。地方政府应收的各项欠税，能够征收的征收，人民实在难以负担的，就一律免除，用以表示政府的宽大。胆敢吞没，政府应再颁布悬赏条例，鼓励人们检举，加以处罚。”李适大喜说：“你的办法好极了，然而，立法太过宽大，恐怕得不到多少钱！”李泌回答说：“这件事情，我考虑了很久，法令宽大，政府收到的不但多，而且快；立法严苛，政府收到的不但少，而且迟。宽大的话，人人高兴他获得赦免，乐意完粮纳税；如果严苛，人人都要隐瞒，除非逮捕审讯，就不能得到真实数目，时间就拖得太久，无法解救眼前的急需，而且，财物全都落入贪官污吏之手，输入国库的寥寥无几。”李适说：“好极！”任命国务院财政部会计司副司长(度支员外郎)元友直，当河南(黄河以南)、江南(长江以南)、淮南(淮河以南)赋税清查处理特使(句勘两税钱帛使)。

23 最初，河西(甘肃省中部西部)、陇右(青海省东部)沦陷给吐蕃王国(参考七六三年七月)，自从那时(七六三年)开始(迄今二十五年)，安西四镇战区(总部设龟兹〔新疆库车市〕)及北庭战区(总部设北庭府〔新疆吉木萨尔县〕)所派到中央的奏事官，以及西域(新疆及中亚东部)各国派到唐王朝的外交使节，都住在首都长安；归路既然断绝，人员及马匹，都靠藩属事务部（鸿胪寺）供应，贵宾则由首都长安特别市政府（京兆府）跟所属各县供应；由全国财政总监署（度支）列入预算。然而，全国财政总监署（度支）常常不能按时拨发经费，流弊所及（他们偷盗、诈骗、抢劫），京师（首都长安）居民无法忍受。李泌了解，留在长安的这些外国人，有的长达四十年之久（来唐王朝之日，可早溯到本世纪〔八〕四〇年代，九任帝李隆基在位），而且都已结婚生子，买田置宅，安居乐业，并贷款给别人，收取利息，压根就不打算重返故国。于是下令调查其中有田有产的外国人，有四千人之多，准备一律停止供应。他们都涌到政府请愿，要求收回成命。李泌说："政府早就应该停止对你们的供应，都是过去那些宰相的过错，才延误到今天。你们不妨想想，天下岂有外国使节，留在京师（首都长安）数十年，而不回国的？现在，我们向回纥汗国（瀚海沙漠群）借路，或许利用海运，把你们一律遣送回去。如果不愿回国，就要报告藩属事务部（鸿胪寺），唐政府就会给你一个官位和俸禄。人生当抓住机会，发展自己才华，贡献社会，怎么可以当一辈子客人，死在异国！"结果没有一个人愿意回他们所来自的祖国。李泌就把他们分别送到左、右神策军，有王子或使节身份的，分别命他们当散官作战司令（散兵马使）或内营管理官（押牙），其他外国平民，都当士卒。禁军阵容，越发雄壮。经过这次整顿，藩属事务部（鸿胪寺）所供应的外国使节，只剩下十余人，每年节省开支五十万串钱，长安居民大为欢喜。

24 李适再次询问李泌，怎么才可以恢复唐王朝初期（七世纪）的征兵（府兵）制度。李泌回答说："今年（七八七），征调关东（潼关以东）参加京西（首都长安以西）秋季边防任务的军队，共十七万人，计算起来，仅粮食一项，就需要粟米二百零四万斛。现在市价，粟米每斗一百五十钱，合钱三百零六万串。帝国一连几年遭受战乱跟饥馑的蹂躏，国库空虚，经费不足。最糟的是，即令有钱，也没有地方可以买到这么多粮食，所以，还没有到讨论恢复府兵的时候。”李适说：“那怎么办？立刻减少秋防部队，遣送他们回去，是不是可以？”李泌说：“陛下如果接受我的建议，用不着裁减秋防部队，也不会骚扰人民，就可以粮食充足，粟米、小麦价钱也会一天比一天便宜，征兵制度也可以建立。”李适说：“假设能这样，我为什么不接受！”李泌说：“这件事必须采取紧急措施，再过十天，就来不及。现在，吐蕃军（西藏）长期盘踞原州（故州，宁夏固原市）、会州（甘肃省靖远县）一带，军粮都用牛运送，粮食运完后，牛就没有用处。我建议清理国库（左藏）里因年久变质或受到污染的绸缎，染成彩色，通过党项部落（陕西省北部），拿来换取牛只，每头牛不过绸缎二三匹，计算用去十八万匹绸缎，就可换回六万余头牛。同时，下令所有铁工厂制造农耕器具，然后购买大批麦种，分别送到沿边各军事据点，招募士卒，拨给他们荒废的田地，垦荒耕种，约定明年（七八八）小麦收割后，加倍偿还麦种；剩下的粮食，依照时价，再增加五分之一的价格，由政府收购。第二年春季小麦收割后，继种杂粮，办法相同。关中（陕西省中部）土地肥沃，荒废的时间又久，定会丰收。边防士卒有利可图，愿意开荒垦田的人，定会增多。边疆地广人稀，士卒军粮又由政府供给，开荒垦田所得的粮食，没有地方可卖，价格一定便宜，所以，政府收购时虽然提高五分之一，事实上政府的开支要比今年减少。”李适说：“好极！”下令执行。

李泌又说：“边疆地区，官吏缺少，我建议公开拍卖，鼓励人民缴纳粮食，换取官位，则今年的粮食，就能充足。”李适也接受，遂追问说：“你说过，连征兵制度，也可以建立，有什么办法？”李泌说：“边防军士卒因开荒垦田而累积财富，势将热爱这片土地，不愿他迁，也不愿再回故乡。依照现行规定：边防士卒三年一次轮调，等到三年期满，调查愿意继续留下的，就把他所开垦的田地，永久归他所有，家人愿意迁来同住定居的，由本籍县政府发给他们特别通行证（长牒），由沿途地方政府供给伙食，打发他们上路。把愿留下的士卒人数，分别通知他们所来自的战区，下次派遣秋防部队时，就扣除这个数目，这样的话，即令是河朔（河北平原）各战区，也可以免除派军接防的麻烦，而大为欢喜。只要轮调几次，边防军士卒全部都会在当地安家置户、落地生根，那时候再推行征兵制度，就可以把穷苦疲累的关中（陕西省中部）变成富强。”李适兴奋的说：“这样的话，天下太平，永远再没有事。”李泌说：“还到不了那种地步，不过，我却有方法，根本不用我们军队，就能使吐蕃（西藏）自陷困境！”李适说：“你有什么方法？”李泌说：“我现在不敢出口，必须开垦政策收到效果，然后才可以讨论。”李适坚持要知道，但李泌不肯回答。因为李泌的计划是打算联合回纥汗国（瀚海沙漠群）、大食帝国（阿拉伯帝国，叙利亚大马士革城）、南诏王国（首都苴咩城〔云南省大理〕。苴咩，音xié miē），共同牵制吐蕃王国（首都逻些城〔西藏拉萨市〕），使吐蕃军（西藏）几面作战。但李泌知道李适一向痛恨回纥（瀚海沙漠群），恐怕听到后不高兴，连武装屯田的建议，都不采纳，所以不敢贸然提出。

不久，中央调查，发现边防军士卒申请留下来耕种定居的，占十分之五六。

25 七月二十一日，李适赐给镇国战区（总部设华州〔陕西省渭南市华州区〕）司令官（节度使）骆元光新姓名：李元谅。

26 国务院左最高执行长（左仆射）、二级实质宰相（同平章事）张延赏逝世（年六十一岁）。

27 八月一日，日蚀。

28 吐蕃王国（首都逻些城〔西藏拉萨市〕）大宰相尚结赞派五名骑兵，护送唐政府会盟副特使崔汉衡回国，并且呈递奏章，请求和解，抵达潘原（甘肃省平凉市东），泾原战区（总部设泾州〔甘肃省泾川县〕）司令官（节度使）李观告诉他们说："我奉到圣旨，不接待吐蕃（西藏）的使节。"收下奏章，拒绝他们入境。

29 最初，国务院国防部副部长（兵部侍郎）、二级实质宰相（同平章事）柳浑，跟张延赏同时被任命担任宰相，柳浑参与政事讨论时，常常跟张延赏的意见不一样，张延赏派一位亲信劝告柳浑，说："你素有德望，在政府中只要少讲两句话，高位就可以长久保住。"柳浑说："替我谢谢张先生，我柳浑的头可以砍下，但舌头不能停止！"因此两人互相厌恶。

李适喜爱别人举动优美，说话含蓄，措辞文雅，可是柳浑性情朴实直率、粗枝大叶、平易近人，面奏时经常夹些谚语俗话，李适大不高兴，打算把他贬到亲王府当政务秘书长（王府长史），李泌说："柳浑仅只性情急躁而已，并没有别的大错。而且，依照惯例，宰相免职，从来没有贬作政务秘书长（长史，从四品下）的。"李适又打算命柳浑当亲王师傅（从三品），李泌建议调任监督院最高顾问官（左散骑常侍，正三品），李适说：“只要能把他从宰相座位上赶走，给他什么官都可以。”

八月九日，下诏罢黜柳浑宰相等职，改任监督院最高顾问官（左散骑常侍）。

30 最初，郜国大长公主嫁驸马（驸马都尉）萧升。萧升，是萧复的堂弟（萧复曾当宰相，参考七八四年十一月二十八日）。郜国大长公主私生活不够谨严，太子宫总管（詹事）李升（鲜于升）、蜀州（四川省崇州市）总秘书长（别驾）萧鼎、彭州（四川省彭州市）军务秘书长（司马）李万、丰阳（陕西省山阳县）县长韦恪，都出入公主私宅，丑闻远播。郜国公主的女儿萧女士，是太子李诵的正妃（参考七八一年十月十六日），开始的时候，李适对这位姑妈十分尊敬，郜国公主常常坐人抬软轿，直进太子宫，皇亲国戚对她妒恨交加。于是有人检举她的淫乱罪行，并指控她秘密祭祀鬼神、诅咒皇帝。李适大怒，把这位姑妈囚禁在皇宫里面，并召见太子李诵，大发雷霆，李诵不知道说什么才好，最后只好请求跟萧妃离婚。

李适召见李泌，把这件事告诉他，并且说：“舒王（李谊〔李谟〕）逐渐长大，孝顺友爱，温柔仁慈，我准备改封他当太子。”李泌说：“何至于此，陛下只有一个儿子（李适有十一子，此指只有一个嫡子），怎么可以一旦起疑，就打算把他废掉，而改立侄儿，岂不是没有深入考虑（李谊〔李谟〕是李适老弟李邈的儿子，参考七八〇年八月十六日）！”李适霎时翻脸，咆哮说：“你为什么要挑拨离间我们父子？谁告诉你舒王（李谊〔李谟〕）是我的侄儿？”李泌说：“是陛下告诉我的，六〇年代末期，陛下那时还是皇太子，告诉我说：‘今天得了几个孩子！’我请教你怎么回事，陛下说：‘我老弟李邈的几个孩子，领袖（十一任帝李豫〔李俶〕）教我抚养。’（李邈是李豫〔李俶〕的第二子，曾代皇太子李适当天下各野战军元帅〔天下兵马大元帅〕，七七三年五月逝世，绰号“昭靖太子”。）陛下对亲生儿子还这么猜忌，对侄儿还有什么爱惜！舒王（李谊〔李谟〕）虽然非常孝顺，从今以后，陛下恐怕要好好努力，不要再希望他孝顺！”李适阴森森的说：“你并不爱你的家族，是不是？”李泌说：“我正是爱我的家族，才不敢有一句隐瞒。如果畏惧陛下的怒火，而曲意顺从，到明天陛下后悔起来，一定责备我说：‘我让你单独担任宰相，我做错事的时候，你不竭力规劝，而使事情发展到这种地步，除了杀你，也要杀你的儿子！’我年纪已老，死了并不可惜，但是如果我的儿子蒙冤丧生，使我的侄儿继承香火，我不知道能不能享受到他的祭祀！”说到悲痛之处，抽咽哭泣，李适忍不住也流下眼泪，说：“事情已经这样，我应该怎么办？”李泌说：“更换太子，是一件大事，陛下应多方考虑，我最初认为，以陛下的高贵品德，连海外蛮夷都会爱戴你，如同爱戴父母。再想不到，陛下对自己的亲生之子，都如此不能信任！我今天把要说的话全部说完，不敢有一点保留。自古以来，皇家父子互相怀疑，没有一个不家破国亡。陛下可曾记得彭原郡（甘肃省宁县）时候，建宁王（李倓）为什么被诛杀（参考七五七年正月）？”李适说：“建宁叔实在冤枉，祖父（十任帝肃宗李亨）性情太急，而阴谋家的陷阱太深。”李泌说：“我从前就是因为建宁王（李倓）的缘故，坚决辞让任何官爵，发誓不再接近天子，不幸今天又做了陛下的宰相，又遇到这种事。我从前在彭原郡（甘肃省宁县）受到的宠爱和信任，没有人可以相比，但我却不敢为建宁王（李倓）说一句话。直到临走的时候，才敢向肃宗（十任帝李亨）开口。肃宗（十任帝李亨）也后悔哭泣（参考七五七年九月）。先帝（李适的老爹十一任帝李豫〔李俶〕）自建宁老哥（李倓）被杀，一直感到危险和恐惧，我也曾向肃宗（十任帝李亨）朗诵过《黄台瓜辞》，预防奸人陷害。”李适说：“我早已知道。”脸色稍稍舒展，于是问说：“太宗（二任帝李世民）、玄宗（九任帝李隆基）都换过太子，为什么没有亡国？”李泌说：“我正要谈到这两件事，当初，李承乾曾经监督过国政（参考六四一年正月），依附他的人很多，东宫的武装警卫部队也很多，跟宰相侯君集阴谋叛变，事情败露，太宗（二任帝李世民）派太子（李承乾）的舅父长孙无忌，会同政府官员数十人，组织特别法庭审讯，证据确凿，犯罪事实明显，但太宗（二任帝李世民）依然召集文武百官讨论如何处理，当时仍有人提醒说：‘希望陛下仍是慈父，太子（李承乾）得以终其天年！’太宗（二任帝李世民）接受，但同时也贬谪魏王李泰（参考六四三年四月六日）。陛下既然知道肃宗（十任帝李亨）性情急躁，认为建宁王（李倓）冤枉，我感到十分庆幸，但愿陛下切记前车翻覆的戒鉴，不作立即的决定，暂缓三天，把事情整理出一个头绪，作更深入的分析，一定会恍然大悟，发现太子（李诵）并没有做那些事。如果真有可以质疑的行迹，也应该召集政府高级官员中深明大义的二十人，跟我共同审理，讯问太子（李诵）左右侍从官员，假设确有不法的事，也愿陛下效法太宗（二任帝李世民）所用的模式，太子（李诵）和舒王（李谊〔李谟〕）同时罢黜，而另立嫡皇孙（李诵的儿子）当继承人。这样的话，百代之后，唐王朝皇帝，仍是陛下的子孙。至于三〇年代末期，武惠妃陷害太子李瑛兄弟，玄宗（九任帝李隆基）把二人诛杀（参考七三七年四月二日），为这场冤狱，全民悲愤。后世百代，都应该为这个案例，提高警觉，怎么可以效法？而且，陛下曾经命太子（李诵）到蓬莱池看我，我观察他的面容仪态，并没有蜂目细眼、哑声粗嗓、芈商臣那种相貌（芈商臣弑父事，参考五四七年十二月注），我暗中还担心他恐怕过于仁慈柔弱。更重要的是，太子（李诵）自七八五年以来，经常居住皇宫中的少阳院，少阳院就在陛下寝殿的旁边，从来没有跟外人接触过或问过外事，怎么可能生出贰心？那些鲨鱼群诬告陷害，巧诈百出，无孔不入，即令有像司马遹亲笔写的谋反证据（参考二九九年十二月），即令有像李瑛那样全副武装闯进皇宫（参考七三七年四月二日），尚且不能认以为真，何况不过是岳母有罪，怎么竟牵连到女婿身上？幸亏陛下找我商量，我敢用我的全家，保证太子（李诵）绝不知道阴谋。假如陛下商量的对象是杨素（参考六〇四年十月）、许敬宗（参考六七二年八月）、李林甫（参考七五二年十一月）之流，他们早就投奔舒王（李谊〔李谟〕）邀取定计的功劳了。”李适说：“这是我的家事，跟你有什么相干，你却如此卖力？”李泌说：“四海之内，都是天子的家，我独自担当宰相重任，任何一件事情处理不当，我都有责任。何况，坐在这里，眼睁睁看着太子（李诵）蒙受奇冤，而不说一句话，我的罪过就更大。”李适说：“为了你的坚持，我延缓到明天再作决定。”李泌把笏版收起，叩头流泪说：“这样的话，我可以预测陛下父慈子孝，和好如初。然而，陛下回宫，必须单独思考，千万不要把你的想法透露给左右侍从，一旦透露，他们正打算向舒王（李谊〔李谟〕）立功，太子（李诵）就陷入危境。”李适说：“我知道你的意思。”

李泌回家，告诉子弟们说：“我本来不追求富贵，命运作弄，不能如愿，而今如果发生大祸，势将连累你们！”

太子李诵派人向李泌致谢，说：“如果实在无法挽救，我想先服毒自杀，你认为可不可以！”李泌说：“绝对没有危险，希望太子（李诵）一本孝敬初衷。如果我被诛杀，身已不存，事情就难以预料。”

隔了一天，李适主持延英殿会报，单独召见李泌，老泪纵横，抚拍李泌的肩背，说："如果不是你那么坚持，我今天后悔已来不及，果真像你说的，太子（李诵）仁慈孝顺，实在没有别的过失。从今以后，无论帝国大事，或皇家家务，都要跟你商量。"李泌叩头祝贺，遂说："陛下英明，终于明察太子（李诵）无辜，我报国的心愿，也到此完成。前天受到过度惊恐，心魂都散，思想不能集中，已不能再供陛下驱使，请求准我辞职退休！"李适说："我父子二人，因你的关系，获得保全，正要嘱咐子孙，使你世世代代，都享荣华富贵，来回报你的恩德，怎么可以说出这样的话！"

八月十四日，下诏宣布李万不避血亲的淫乱罪行，乱棍打死。而李升（鲜于升）等以及郜国公主的五个儿子，全都流放岭南（南岭以南）或边远各州。

31 八月二十八日，吐蕃王国（首都逻些城〔西藏拉萨市〕）远征军，率领羌部落军（甘肃省南部及青海省东部）、吐谷浑部落军（青海省），联合攻击陇州（陕西省陇县），营帐相连，长达数十华里，京师（首都长安）震动恐惧。

九月五日（原文"丁卯"〔九月十七日〕，应误），唐政府派神策军将领石季章驻防武功（陕西省武功县西），决胜军基地司令（使）唐良臣驻防百里城（甘肃省灵台县西）。

九月七日，吐蕃军（西藏）大肆掳掠汧阳（陕西省千阳县）、吴山（陕西省宝鸡市陈仓区西北）、华亭（甘肃省华亭市），汉人年纪大和身体弱的，一律格杀，有的甚至砍断手臂，挖出眼珠，抛弃到道路上，由他们辗转哀号而死。然后驱逐体格健壮的男女青年一万余人，押送到安化峡（甘肃省清水县东）以西，分别发配给羌部落和吐谷浑部落当奴隶，吐蕃（西藏）将领宣布说："准许你们向东哭别家园！"大家放声

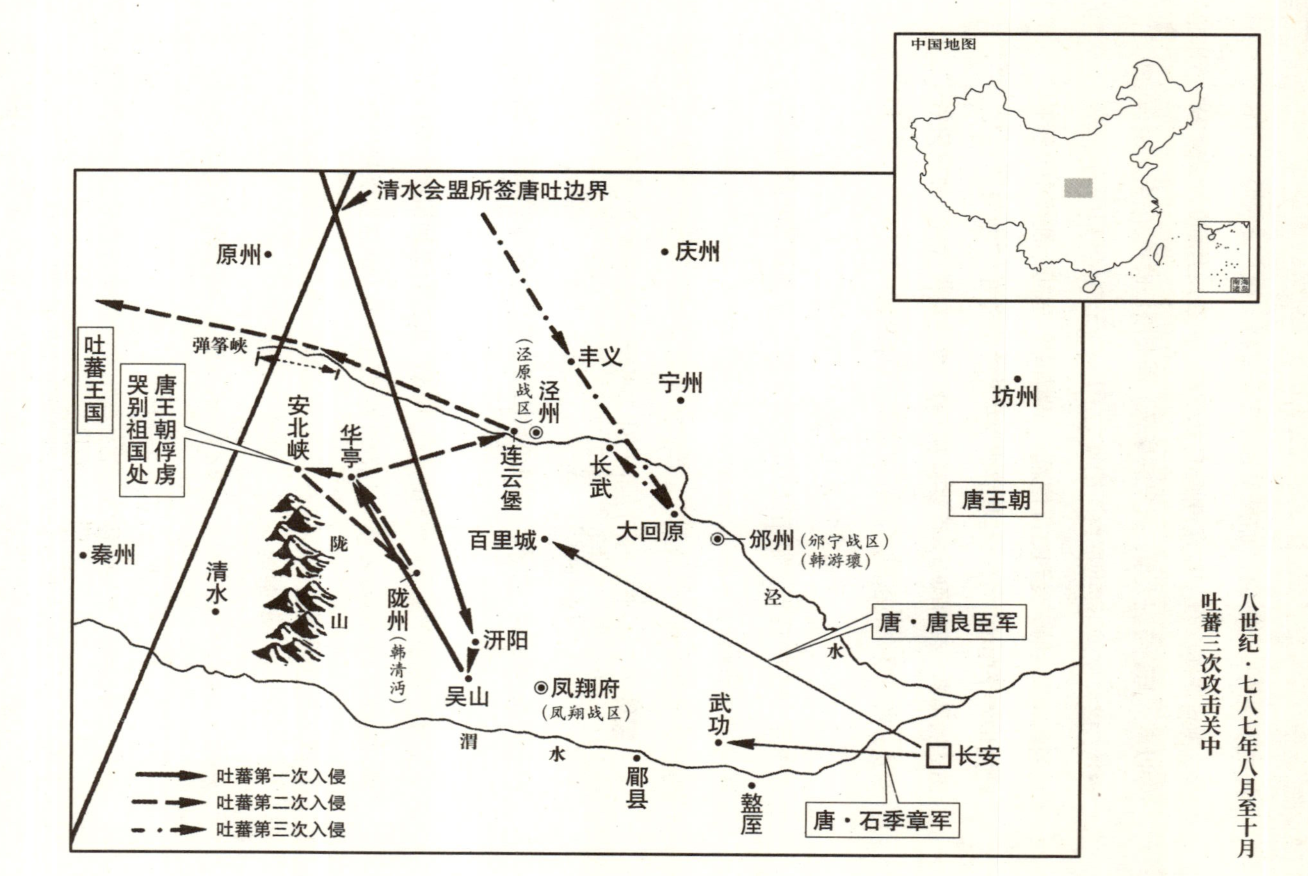

八世纪·七八七年八月至十月
吐蕃三次攻击关中

大哭，跳下悬崖跌死跌伤的有一千余人。

不久，吐蕃军（西藏）卷土重来，包围陇州（陕西省陇县），州长韩清沔会同神策军副将领苏太平，于夜晚发动攻击，把他们击走。

32 李适告诉李泌说："每年，各战区道进贡，总共价值五十万串钱，今年（七八七）却只有三十万串钱，说这话诚然有失体统，可是宫中实在不够开支。"李泌说："古时候，天子不追求私人财富，因为整个国家都是他的。我建议：从今以后，政府每年供应皇宫一百万串钱，但希望陛下从此不接受各战区道进贡，也不再派宦官到各地索取。临时需要的东西，应准许人民抵缴赋税，以免贪官污吏乘机对人民剥削压榨！"李适接受。

33 回纥汗国（瀚海沙漠群）合骨咄禄可汗（四任大可汗）药罗葛顿莫贺，不断派人来唐王朝请求和解，并希望缔结婚姻，李适一口拒绝。正巧，边防军奏报中央，请补充战马，中央无法供应。李泌乘机向李适进言，说："陛下如果采用我的策略，几年之后，马价会便宜到今天的十分之一。"李适说："什么策略？"李泌回答说："陛下如果真能开诚布公，为了人民和帝国的前途，而肯委屈自己，抛除私心，我才敢提出！"李适说："你怎么这样疑心！"李泌说："我的策略是：北方跟回纥（瀚海沙漠群）和解，南方跟南诏（云南省）和解，西方跟大食（叙利亚大马士革城）及天竺各国（印度半岛）结盟，如果能这样，吐蕃（西藏）定会被困，马也容易得到。"李适说："三国的事情，照你的话去办，至于回纥（瀚海沙漠群），绝对不行。"李泌说："我知道陛下会作这样的强烈反应，所以不敢早日提出（参考本年〔七八七〕七月）。可是为了挽救帝国的危局，回纥（瀚海沙漠群）应第一优先，其他三国缓慢一点，反而没有关系！”李适说：“只有回纥（瀚海沙漠群），不要提它！”李泌说：“我负责宰相的工作，事情是不是可行，由陛下裁决，何至于不许我说话？”李适说：“我对于你别的意见，全部听你的，至于跟回纥（瀚海沙漠群）和解这种事，留给子孙们去办。在我活着的时候，绝对不行。”李泌说：“莫不是为了陕州（河南省三门峡市）那次羞辱！”李适说：“不错，韦少华为了我，在羞辱中惨死（参考七六二年十月二十一日。距今二十五年），我怎么能够忘记。只因为帝国太多灾难，没有能力报仇，但是我绝对不允许和解，你不要再提这件事。”李泌说：“害死韦少华的，是牟羽可汗（三任大可汗）药罗葛移地健，陛下登极后，他曾经想侵略大唐，可是，还没有出境，就被合骨咄禄可汗（四任大可汗）药罗葛顿莫贺诛杀（参考七八〇年六月）。十分清楚的是，现今在位的药罗葛顿莫贺替陛下复仇，对陛下有功，应该受到陛下的封爵和赏赐才对，怎么可以对他怨恨！后来，张光晟格杀药罗葛突董等九百余人（参考七八〇年八月三日），而药罗葛顿莫贺竟不杀我国派去的使节（参考七八二年五月），充分的说明，他并没有罪过！”李适板起面孔，挑衅说：“你认为跟回纥（瀚海沙漠群）和解是正确的，那么，我拒绝和解是错误的了？”李泌说：“我为了国家，向陛下言无不尽，如果苟且偷安、一味迎合，怎么还有面目再见肃宗（十任帝李亨）、代宗（十一任帝李豫〔李俶〕）的在天之灵！”李适勉强说：“等我好好想一想！”

自此之后，李泌凡十五次跟李适面对面讨论国家大事，没有一次不谈到回纥（瀚海沙漠群），李适始终不允许。李泌说：“陛下既不允许回纥（瀚海沙漠群）和解，请允许我辞职退休！”李适说：“我并不是拒绝谏诤，只是要跟你把道理说明白，为什么突然要离我而去？”李泌说：“陛下允许我说理，这是天下之福。”李适说：“我可以委屈自己，跟回纥（瀚海沙漠群）和解。可是，我不能辜负韦少华那些人。”李泌说：“以我的看法，是韦少华那些人辜负陛下，不是陛下辜负韦少华那些人。”李适说：“为什么？”李泌说：“从前，回纥亲王（叶护）率军南下，协助大唐讨伐安庆绪，肃宗（十任帝李亨）派我在全国野战军元帅府工作，设宴慰劳招待，先帝（十一任帝李豫〔李俶〕）并没有接见他（当时，李豫〔李俶〕当全国野战军元帅〔天下兵马元帅〕，接待回纥亲王的则是副元帅郭子仪，参考七五七年九月十二日），回纥亲王（叶护）几次邀请我去回纥军营，肃宗（十任帝李亨）都不允许。直到大军出动，先帝（十任帝李亨）才跟他见面。所以如此，因为蛮夷都是豺狼，率军深入大唐心脏地带，不得不特别谨慎。陛下在陕州（河南省三门峡市）时，年纪正轻（当年李适二十一岁），韦少华那些人没有深思熟虑，竟让高贵的皇家嫡长子，直进蛮夷军营，而事先又不跟他们协商见面时的礼仪，使他们的凶性大发，为所欲为，这难道不是韦少华那些人对不起陛下？死也不能补偿他们的过失。而且，香积寺（陕西省西安市长安区南）大捷，回纥亲王（叶护）打算率军直向长安（陕西省西安市），先帝（十一任帝李豫〔李俶〕）拦住马头，亲自下跪阻止，回纥亲王（叶护）遂不敢进城（参考七五七年九月十二日），当时围观的民众有十余万人，都赞叹说：‘广平王（李豫〔李俶〕）真是唐王朝和蛮夷的共同领袖！’这里可以看出，先帝（十一任帝李豫〔李俶〕）委屈很小，而收获至多。回纥亲王（叶护）是牟羽可汗（三任药罗葛移地健）的叔父，药罗葛移地健身为可汗，率全国全部兵力，南下拯救唐王朝的危难，自然趾高气扬，敢于要求陛下对他毕恭毕敬，而陛下天纵英明、神武圣功，不肯屈服。在那种情形下，我不敢有更坏的推断，假如牟羽可汗（三任药罗葛移地健）摆设筵席，把陛下留下欢宴十天（指拘留囚禁），全国岂不惊恐！幸有天威震撼，豺狼驯服。回纥皇太后听到消息，亲自送来貂皮大衣，给陛下穿上，诟骂斥责左右官员，把他们赶走，亲自送陛下上马而回（此事《资治通鉴》没有记载）。陛下如果拿来跟香积寺（陕西省西安市长安区南）事情比较，是委屈自己对？还是不委屈自己对？是牟羽可汗屈服于陛下，还是陛下屈服于牟羽可汗？”李适对李晟、马燧说：“老朋友最好不要再见面，我一向怨恨回纥（瀚海沙漠群），可是今天听李泌谈到香积寺（陕西省西安市长安区南）的事，也觉得自己有点理亏，你们二位认为如何？”李晟、马燧回答说：“如果真像李泌所说，回纥（瀚海沙漠群）似乎可以原谅。”李适说：“你们都不站到我这一边，我应该怎么办？”李泌说：“我以为回纥（瀚海沙漠群）并不可恨，历来宰相才可恨！而今，回纥（瀚海沙漠群）政变，现任可汗（四任药罗葛顿莫贺）杀前任可汗（三任药罗葛移地健），回纥（瀚海沙漠群）人民有协助唐朝两次收复京师（首都长安）的大功（七五七年九月收复长安、十月收复洛阳；七六二年十月又收复洛阳），他们有什么罪？吐蕃（西藏）军庆幸他们的邻国发生灾难，攻占河西（甘肃省）、陇右（青海东部）土地数千华里，又率军进入京师（首都长安），使先帝（十一任帝李豫〔李俶〕）逃亡陕州（河南省三门峡市。参考七六三年十月），这才是一定要报复的大仇，何况当时的吐蕃国王还在人世，所有宰相从没有人向陛下作过分析，竟然一味要跟吐蕃（西藏）结盟，共攻回纥（瀚海沙漠群），可恨的原因在此。”李适说：“大唐跟回纥（瀚海沙漠群）结怨的时间已久，他们一定也听说吐蕃（西藏）劫盟，现在去跟他们和解，会不会碰钉子，岂不是被蛮夷耻笑看轻？”李泌说：“不然，从前在彭原郡（甘肃省宁县）的时候（参考七五六年十月），现任可汗（四任药罗葛顿莫贺）还是支派胡禄部落的总司令（胡都督），跟现任宰相白婆帝同时追随回纥亲王（叶护）前来大唐，我跟他十分亲密，感情深厚，听到我当宰相，所以请求和解，怎么可能再翻脸拒绝！我今天就写信要他们接受五个条件：

第一，向大唐称臣；第二，向陛下称子；第三，每次派来的使节，不超过二百人；第四，贩卖马只，不超过一千匹；而且第五，不可以携带汉人或蛮夷出境。以上五项必须全部遵守，大唐才允许和解。如果这样，大唐的声威远播北方，震慑吐蕃（西藏），足以使陛下一舒长期来积压的闷气。”李适说：“七五七年以来，唐回一直是兄弟之国（参考该年〔七五七〕九月十二日），今天要他当臣当子，他们怎肯接受？”李泌说：“他们早就想跟大唐和解，可汗、宰相，一向相信我说的话，如果一封信还不能完全沟通，不过是再写一封信而已。”李适接受。

不久，回纥（瀚海沙漠群）可汗（四任）药罗葛顿莫贺派使节前来唐王朝，上疏称“臣”、又称“儿”；对李泌所约定的五件事，全部承诺。李适大喜过望，对李泌说：“回纥（瀚海沙漠群）为什么怕你到这种程度？”李泌回答说：“这是陛下的英明领导，我有什么力量！”李适说：“回纥既然已经和解，我们用什么方法结交南诏（云南省）、大食（阿拉伯帝国）、天竺（印度半岛）？”李泌说：“跟回纥（瀚海沙漠群）和解之后，吐蕃（西藏）再也不敢轻易进犯边塞。其次，我们结交南诏（云南省），将切断吐蕃（西藏）的右臂。南诏（云南省）自从一世纪东汉王朝以来，一直隶属中国版图（一世纪时称哀牢夷，参考六九年），杨国忠（杨钊）无缘无故骚扰，逼使他们叛变，投降吐蕃（参考七五〇年十二月）。可是吐蕃（西藏）赋税和差役太重，使他们痛苦不堪，没有一天不想重当大唐的藩属（参考本年〔七八七〕正月）。大食（阿拉伯帝国）位于西方，国势最强，自葱岭（帕米尔高原）直到西方大海（地中海），国土几占半个天下，跟天竺各国（印度半岛），都敬慕大唐，世代跟吐蕃（西藏）有仇，所以我知道这三国可以站在我们这一边。”

九月十三日，送回纥汗国使节合阙将军回国，李适许诺把咸安公主（李适的女儿）嫁给合骨咄禄可汗（四任）药罗葛顿莫贺，归还马价绢（粗丝厚绸）五万匹。

34 吐蕃军（西藏）攻击华亭（甘肃省华亭市）及连云堡（甘肃省泾川县西），全都攻陷。

九月二十四日，吐蕃军驱逐两城大唐居民数千人，跟邠州（陕西省彬州市）、泾州（甘肃省泾川县）被掳掠的居民及牛羊家畜，以万为单位计数，向西而去，安置弹筝峡（甘肃省平凉市西北）以西（安化、弹筝二峡，是中国人苦难的见证）。

连云堡（甘肃省泾川县西）是泾州（泾川县）的前哨堡，一旦陷落，泾州（泾川县）城的西门，日夜紧闭，不敢开启，城门外就是吐蕃（西藏）国境，砍柴割草都不敢出城。每年庄稼成熟时，必须在大军保护下，才敢收割，时间上常有延误，收获的往往只是空穗。从此，泾州（泾川县）时常断粮。

35 冬季，十月四日，吐蕃军（西藏）攻击丰义城（甘肃省镇原县东），前锋抵达大回原（地望应在陕西省彬州市西北），邠宁战区（总部设邠州〔陕西省彬州市〕）司令官（节度使）韩游瓌把他们击退。

十月五日，吐蕃军（西藏）再攻击长武城（陕西省长武县西北），又在故原州（宁夏固原市）修筑城池，留军驻防。

36 佛教和尚李软奴声称他是李姓皇族，曾见过五岳四渎的神仙（五岳：北岳恒山〔河北省曲阳县北〕、南岳衡山〔湖南省衡山县西〕、东岳泰山〔山东省泰安市北〕、西岳华山〔陕西省华阴市南〕、中岳嵩山〔河南省登封市北〕。四渎：长江、黄河、淮河、济水〔今已并入黄河〕），各神仙都命他当皇帝。于是说服殿前射生军（禁军第九、十军）将领韩钦绪等，阴谋发动兵变。

十月六日，李软奴的同党告密，李适下令逮捕李软奴等，押送宦官总管署（内侍省）审问。宰相李晟听到消息，一头栽到地上，哀号说：“我李晟，眼看全族屠灭！”李泌问他缘故，李晟说：“我新近还受到陷害（参考本年〔七八七〕三月），城里城外家人一千余口，只要有一个人在叛徒里面，连你也救不了我。”李泌于是秘密奏报说：“大狱一旦兴起，牵连的一定很多，外面人心惶惶，不如移交给总监察署（御史台）审问！”李适同意。

韩钦绪，是韩游瓌（邠宁〔总部邠州〕司令官）的儿子。韩钦绪逃回邠州（陕西省彬州市），当时，韩游瓌率军驻防长武城（陕西省长武县西北），候补司令官（留后）逮捕韩钦绪，戴上脚镣手铐，押送京师（首都长安）。

十月十二日，腰斩李软奴等八人，禁卫军将领被牵连而处死的有八百余人，而政府的文武官员没有人受到牵连。韩游瓌放弃军队，准备前来中央请求定罪。李适派宦官劝阻，而且信任他跟当初一样。韩游瓌又把韩钦绪的两个儿子戴上脚镣手铐，送到中央，李适也下令赦免。

37 吐蕃军（西藏）因天气酷寒，不能发动攻击，而且粮食接济不上。

十一月，李适下诏命河中战区（总部设河中府〔山西省永济市〕）司令官（节度使）浑瑊退回河中（山西省永济市）、镇国战区（总部设华州〔陕西省渭南市华州区〕）司令官（节度使）李元谅（骆元光）退回华州（陕西省渭南市华州区）、宣武战区（总部设汴州〔河南省开封市〕）步骑兵总纠察官（马步都虞候）刘昌率一部分军队退回汴州（河南省开封市），其他驻防西方的秋季边

防部队，全部从前方撤退到凤翔（陕西省宝鸡市凤翔区），首都长安特别市所属各县，就地征粮供应。 722

38 十二月，韩游瓌前往中央朝见。

39 自七八四年以来，本年（七八七）最最丰收，每斗稻米值钱一百五十文、粟米八十文。李适通令全国地方政府向农民议价收购。

十二月一日，李适到新店（河南省三门峡市西南辛店村）打猎，进入农民赵光奇家，问说："你们快乐不快乐？"赵光奇直率的回答："不快乐。"李适说："今年是个丰年，为什么不快乐？"赵光奇说："因为政府不诚不信！从前政府说，除了两税之外，不再征收其他任何赋税和差役代金（参考七八四年正月一日）。而今，不但继续征收，而且比两税更重。后来，政府又说议价买粮，事实上是强行掠夺，农民从没有看见谁给过一枚钱。政府又说农民只要把粮食运到仓库就可以了，事实上却要我们运到京师（首都长安）秋季边防军大营，动不动就有数百华里之远，车辆撞毁，牛马倒毙，全家破产，仍不能把粮食运到。忧愁悲苦到这种程度，怎么能够快乐起来？每次都听说皇上下诏要从优救济，不过几句空话。英明的领袖身居深宫，恐怕一点也不知道！"李适命免除赵光奇一家赋税差役。

真不可思议，李适竟是如此的难以醒悟！自古以来，人们所担心的是：君王的恩德被隔断，不能普及小民，小民的痛苦被抹杀，不能上诉给领袖；所以君王在上面忧国忧民，小民并没有感觉，小民悲愁怨恨，君王也不知道，以至于离心离德，叛变逃亡，危机来临，政权翻覆，这一切都由于上下之情，壅塞不通。

李适在打猎的休闲活动中，幸而得以进入民家，又正巧遇到一位有胆量、而又深知农民悲苦的赵光奇先生，这是千年难逢的机遇。李适应该调查追究有关官员中是谁违抗中央命令，虐待人民，横征暴敛，贪污腐败，侵吞国家财产？又是谁在左右摇尾拍马，盛称人民富有，社会欢乐？把他们这些人诛杀。然后彻底改变，革新政治，摒除浮华，废弃官样文章，对于政令，定要贯彻，重视诚实和建立信心，考察真伪，分辨忠贞奸邪，体恤人民的苦境，昭雪冤狱，则太平盛世就可以实现。

想不到，李适不去做这些事，反而只免除赵光奇一家的赋税差役。天下之大，人民之多，怎么能够每一人都能面见领袖诉苦，而又每一家都获得免除！

40 宰相李泌因李软奴的党羽，仍有很多人藏在禁军之中，还没有被发觉，请求李适颁发大赦令，使他们安心。

七八八年 戊辰

唐 贞元 四年

1 春季，正月一日，唐王朝（首都长安〔陕西省西安市〕）皇帝（十二任德宗）李适（本年四十七岁。适，音kuò〔阔〕）下诏赦免天下。又宣布两税的征收等级（参考七八〇年正月）自今以后，每三年作一次调整。

2 宰相李泌奏称：京师（首都长安）所有官员，薪俸微薄，请求自“三师”以下，都加两倍发给（三师：太师、太傅、太保）。李适批准。

3 正月二十三日，命宣武战区（总部设汴州〔河南省开封市〕）特遣兵团司令官（行营节度使）刘昌，当泾原战区（总部设泾州〔甘肃省泾川县〕）司令官（节度使）。

正月二十五日，命镇国战区（总部设华州〔陕西省渭南市华州区〕）司令官（节度使）李元谅（骆元光），当陇右战区（总部设普润〔陕西省宝鸡市凤翔区北〕）司令官（节度使）。

刘昌、李元谅（骆元兴）都率领士卒开垦荒田，数年之后，军粮充足。泾原及陇右战区，才稍稍安定。

4 邠宁战区（总部设邠州〔陕西省彬州市〕）司令官（节度使）韩游瓌，当他前往京师（首都长安）朝见时（参考去年〔七八七〕十月及十二月），战区将领们认为他决不可能再回来，所以无论饯行的筵席和送别的礼物，都十分淡薄。韩游瓌晋见李适，分析边防形势，竭力主张兴筑丰义城（甘肃省镇原县东），认为可以牵制吐蕃（西藏）。李适大为高兴，命他回任。很多将领开始忧心忡忡。韩游瓌嫉妒总纠察官（都虞候）虞乡（山西省永济市东虞乡镇）人范希朝有功劳而又有声望，深受部众的拥护，于是搜集他的罪状，打算把他处死。范希朝得到消息，投奔凤翔（陕西省宝鸡市凤翔区），李适召见他，把他安置在左神策军。

韩游瓌率军兴筑丰义城（甘肃省镇原县东），刚修到四尺高，部众就自行溃散。

5 二月，河南（黄河以南）、江南（长江以南）、淮南（淮河以南）赋税清查处理特使（句勘东南两税钱帛使）元友直（参考去年〔七八七〕七月），运送现金、布匹二十万到京师（首都长安），李泌命全部交给皇宫大盈库。但李适并不能遵守承诺（参考去年〔七八七〕九月），仍不断派宦官到各地宣读圣旨，索取金银财宝，并训令各战区道不要让宰相知道。

李泌听到消息，深感沮丧，不敢再作劝阻。

司马光曰

帝王把天下当作自己的家，天下所有的财富，都属帝王私有。用天下的财富，养育天下的人，自己一定过得快乐安适。如果君王仍然积蓄私房钱，这是市井小民干的事。

古人说，贫穷的人，用不着学习节俭。财富太多，自然奢侈浪费。李泌打算消灭李适的欲望，而增加他的私房钱；殊不知财富越多，欲望就越大。财富不能满足欲望，怎么能不搜刮？等于替他开了门，却禁止他出入一样。虽然是李适的行为荒唐，也因李泌辅佐他的方式不是正道。

柏杨曰

专制政治的特质，就是领袖的权力，不受制衡。儒家学派学者一直想解决这个问题，却一直无法解决，唯一的办法是希望帝王恐惧上天的谴责，而自我约束；帝王如果不在乎上天，不能自我约束，儒家书呆子则只好希望当宰相的人苦苦规劝。问题就出在这里，如果帝王依然随心所欲，那将怎么办？儒家书呆子就完全瞪眼，只好日夜盼望冒出一个能自我约束的“天纵英明”和一个使顽劣首领言听计从的贤能宰相。这种情形，直到二十世纪，依然如此。

司马光认为财富多了才欲望无穷，违背常识，贫穷人的欲望同样无穷，李泌依照李适的要求，加倍供应，一则希望他天良未泯，二则也希望确定够他使用。试问一声，李泌不加倍供应，难道李适就没有物质欲望、老老实实的“贫不学俭”！

政治领袖好像一只白额猛虎，要想它不跳出笼子吃人，有赖于驯兽师手中的皮鞭。专制独裁制度下，驯兽师赤手空拳，根本无法使它听命，把一切责任都推到宰相身上，是奴才思想，他不敢斥责首领，只敢斥责辅佐，不敢指摘兽性大发的白额猛虎，只敢怪罪赤手空拳的驯兽师。事实上，李泌任何方法都不能阻止李适为非作歹，孔丘、司马光坐在李泌的座位上，也是如此，批评李泌“不是正道”，不禁要问：什么才是正道？在拘束君王行为上，儒家学派的想法简直邪门，李适不过是一个小教材而已。在那个什么都说，偏不说权力制衡的政治思想指导之下，中国政治怎么会有秩序，中国人怎么会有尊严！

6 最初，咸阳（陕西省咸阳市）有人上疏，说：“我看见白起（参考前二五七年十月），他教我奏报陛下：‘请让我为帝国捍卫边疆，正月间，吐蕃军（西藏）一定大举东侵，我会为唐政府把他们击破，作为验证！’”不久，吐蕃军（西藏）果然发动攻击，边防军将领把他们打败，不能深入国境。李适认为神仙果然灵验，打算在京师（首都长安）兴建一座白起的庙宇，并追赠高官：司徒（三公之二）。李泌反对，说：“我听说：‘国家将兴盛时，一定重用人才。’（《左传》：“国将兴，听于人。”）而今，将领士卒们在边疆为国立功，而陛下却褒扬奖赏千年以前的古人白起，我恐怕边防军将领士卒，都要离心。而且特别在京师（首都长安）兴建庙宇，不断祭祀祈福，传播四面八方，会鼓励巫术风气成长。杜邮那里，旧有一座白起庙（杜邮，陕西省西安市西北小镇，白起死于该地，参考前二五七年十二月），请命地方政府加以整修，就不致使人吃惊！白起不过战国时代一个封国的大将，追赠他三公的高官，未免太重，如果追赠国务院国防部长（兵部尚书），就足够了。”李适笑着说：“你对白起也珍惜官爵！”李泌说：“无论是人或是神，感受都是一样，陛下如果不重视你的官爵，神仙也不会认为那是一种荣耀！”李适同意。

李泌向李适陈述自己年老（本年六十七岁），而独自担任宰相，已筋疲力尽，皇帝既不准他辞职退休，于是请求再设置一位宰相。李适不准，说：“我非常了解你的辛苦，可是找不到适当人选。”李适曾经在一个轻松的气氛中，检讨登极称帝以来所用的宰相，说：“卢杞忠贞清廉，刚强耿介；人人都说他奸，我却觉得他不奸。”李泌说：“人人都说卢杞奸，只陛下觉得他并不奸，这正是卢杞所以邪恶的证明，假如陛下早发现他奸，怎么会有八〇年代初期的灾祸（指泾原兵变）？卢杞因私人怨恨，诬杀杨炎（参考七八一年十月十日），把颜真卿挤到死地（参考七八三年正月），最后，激怒李怀光，使他叛变（参考七八三年十一月二十日），幸亏陛下英明，把他流放远方。人心大快，上天也收回灾难。不然的话，大祸怎么能够消灭！”李适说：“杨炎把我当成孩子看待，每次讨论帝国大事，我批准他的请求，他就高兴；如果跟他作深入研究，稍稍提出异议，他就大怒，要求辞职（《资治通鉴》对此没有记载），看他的表情，简直认为我不配跟他说理讨论！实在无法忍受，才把他处死，并不是卢杞的挑拨。八〇年代初期之乱（指泾原兵变），法术师桑道茂早就指出要修筑奉天城池（陕西省乾县。参考七八〇年六月八日），所以乃是天命，卢杞没有那么大的力量招祸（李适仍然坚持天命之说。参考七八三年十月十三日）。”李泌说：“天命，普通人可以说，只君王宰相不可以说，因为，君王宰相是创造天命的人。如果处处推给天命，则教育、政治、司法，全都没有用了。子受辛（商王朝末任帝纣帝）说过：‘我活在世上，就是天命！’这就是商王朝所以覆亡的原因。”李适说：“我喜爱跟人讲道理、争是非。崔祐甫性情偏激急躁，我如果多问几个问题，他就紧张过度，言语失去条理，我知道他的缺点，所以常常对他袒护（崔祐甫任宰相，参考七七九年闰五月）。杨炎对事情的见解，也有独到之处，但气势粗野、脸色傲慢，我只要有一点意见，他就勃然大怒，连君王跟臣属之间的礼仪，都不能保持，所以我每次一见到他，就怒火上升。其他宰相，则都不敢多说话。卢杞小心翼翼，我所说的话，他没有一句不顺从，而又没有学问，不能跟我来回辩论、据理力争，使我觉得自己学富五车，简直无法用完。”李泌说：“卢杞对陛下说的话没有一句不顺从，怎么会是忠臣？‘我说什么他都不违背’，正是孔丘抨击的：‘一言丧邦！’”李适说：“只有你，跟他们三人不一样。我的话恰当，你脸上露出欣喜！我的话不恰当，你常常满面忧虑。虽然时常对我顶撞，有不顺耳的话，如你所说的子受辛‘一言丧邦’之类，但我仔细考虑，都是在事情发生前，曾经警告过的话，这样则帝国治理，那样则社会混乱；言辞虽然深刻，却切中要害，而又态度谦卑、气色温和，没有杨炎那样盛气凌人，我反复向你盘问，你从来不肯顺着我的意思，可是却没有争强好胜之心，一直使我把心里的委屈说完，不得不向理性屈服，这正是我常常暗中庆幸能有你这么一位宰相！”李泌说：“陛下任命的宰相还有很多（如乔琳、关播、萧复、刘从一、姜公辅、张镒、卢翰、李勉、刘滋、崔造、齐映、张延赏、柳浑等），都没有提起，为什么？”李适说：“他们全都谈不到什么宰相！宰相的意义是：君王一定会交给他国家大事，像玄宗（九任帝李隆基）时代的牛仙客（参考七三六年十一月）、陈希烈（参考七四六年四月），难道也是宰相？像肃宗（十任帝李亨）、代宗（十一任帝李豫〔李俶〕）时代那么信任你，虽然没有宰相的名义，事实上是真宰相，必须有宰相的官衔，才算宰相，那么，王武俊（成德〔总部恒州〕司令官）之徒，都成了宰相！”

7 泾原战区（总部设泾州〔甘肃省泾川县〕）司令官（节度使）刘昌，再筑连云堡（甘肃省泾川县西）。

8 夏季，四月十八日，重新调整禁军编制，命“殿前左右射生军”改称“左右神威军”，跟“左右羽林军”“左右龙武军”“左右神武军”“左右神策军”，号称禁军十军。

左右神策军实力尤其雄厚，大多数驻防京西（首都长安以西），其他各军则分别驻防京畿。

9 福建道（首府设福州〔福建省福州市〕）行政长官（观察使）吴诜（音shēn〔身〕），认为士卒们无权无势，地位卑微，从不把他们当人看待，迫使他们不断去做苦工。于是兵变，杀吴诜心腹十余人，逼吴诜用正式公文通知大将郝诚溢，代理候补行政长官职务。

郝诚溢上疏自请处分，李适派宦官前往首府所在地，宣布赦免令，加以安抚。

10 四月三十日，陇右战区（总部设普润〔陕西省宝鸡市凤翔区北〕）司令官（节度使）李元谅（骆元光），兴筑良原旧城（甘肃省灵台县西梁原乡），派军驻防。

11 南诏王国（首都苴咩城〔云南省大理市〕）国王（三任）异牟寻，打算归附唐王朝，但不敢直接派遣使节，于是，先派所属的东蛮（四川省越西县西北部落）各部落酋长骠旁、苴梦冲（苴，音jū〔居〕）、苴乌星，到长安朝见。

五月八日，李适在麟德殿设筵招待，赏赐馈赠十分优厚，分别加封他们王爵，发给印信，送他们回国（骠旁封和义王、苴梦冲封怀化王、苴乌星封顺政王）。

12 五月二十四日，命太子宾客（正三品）吴凑，当福建道（首府设福州〔福建省福州市〕）行政长官（观察使）；贬吴诜当涪州（重庆市涪陵区）州长。

13 吐蕃军（西藏）骑兵三万余人，攻击泾州（甘肃省泾川县）、邠州（陕西省彬州市）、宁州（甘肃省宁县）、庆州（甘肃省庆阳市）、鄜州（陕西省富县）等州。

最初，吐蕃军（西藏）经常于秋冬两季攻击唐王朝，等到次年春季，士卒很多患病，便撤退回国，而现在，俘虏大量的汉人，遂改变战略，用他们的妻子儿女当人质，派将领率领他们作战，经常于盛夏向唐王朝边疆发动侵略，各州紧闭城门坚守，没有人敢出战，吐蕃军（西藏）掳掠男女青年及牛马家畜，以万为单位计算，向西而去。

14 夏县（山西省夏县）人阳城（阳，姓），以学识丰富、德行高洁，闻名于世，隐居柳谷（夏县南）北，宰相李泌把他推荐给李适。

六月，李适下诏征召他当监督院高级顾问官（谏议大夫，正四品下）。

15 邠宁战区（总部设邠州〔陕西省彬州市〕）司令官（节度使）韩游瓌，因吐蕃军（西藏）攻击边塞，亲自率军进驻宁州（甘肃省宁县），患病，请求派人接替，辞职回京（首都长安）。

秋季，七月五日，李适（适，音kuò〔阔〕）加授河中战区（总部设河中府〔山西省永济市〕）司令官（节度使）浑瑊，当邠宁战区野战军副元帅；命左金吾（卫军第十一军）将军张献甫当邠宁战区（总部设邠州〔陕西省彬州市〕）司令官（节度使），陈许战区（总部设许州〔河南省许昌市〕）作战司令（兵马使）韩全义当长武城（陕西省长武县西北）特遣兵团司令官（行营节度使）。 732

张献甫还没有到任，七月七日，夜晚，韩游瓌没有通知别人，就悄悄离开军营，只带简单行李，奔回京师（首都长安）。驻防宁州（甘肃省宁县）的士卒裴满等，听说张献甫严刑峻法，内心恐惧，遂利用军中没有统帅的机会。

七月八日，裴满等率领他的徒众，发动兵变，宣称："张公不是本军出身（邠宁战区主力部队本朔方兵团，张献甫以中央将领身份切入），我们誓死拒绝！"遂大肆抢劫市区，包围监军宦官杨明义的住所，要求杨明义保荐范希朝当司令官（节度使）。总纠察官（都虞候）杨朝晟于兵变时逃到城外，听到消息，进城告诉裴满等变兵说："你们的要求正合我的心意，所以回来祝贺！"变兵才稍稍安定。杨朝晟暗中跟各将领合谋，于第二天早上，部署妥当，召集变兵们说："你们的请求，中央已经批驳，张公（张献甫）已经抵达邠州（陕西省彬州市），你们犯上作乱，应该处死，可是又不能全体诛杀，那么，由你们自己指出谁是主谋！"于是斩二百余人，率部众迎接张献甫到差。

李适最初得到消息：将领拥护范希朝当统帅，就打算发表人事命令，范希朝辞让说："我因畏惧韩游瓌的诛杀，才逃亡求生（参考本年〔七八八〕正月），而今竟取代他的职位，不是防范犯上作乱，安抚叛徒的办法。"李适十分嘉许，擢升他当宁州（甘肃省宁县）州长，做张献甫的副司令官。韩游瓌抵达京师（首都长安），被任命当右龙武军（禁军第四军）总司令（统军）。

16 振武战区（总部设单于府〔内蒙古和林格尔县〕）司令官（节度使）唐

朝臣，戒备松懈。

七月十四日，奚部落（滦河上游）、室韦部落（内蒙古东北部），联合攻击振武（内蒙古和林格尔县），俘虏前来慰劳的宦官二人，大掠住民及家畜，满载而归。当时，回纥汗国（瀚海沙漠群）迎接唐王朝公主（参考去年〔七八七〕九月）的部队正在振武（内蒙古和林格尔县），唐朝臣派骑兵七百人，会合回纥（瀚海沙漠群）军骑兵数百人，一同追击，回纥使节被二部落军格杀。

17 九月十六日，吐蕃王国（首都逻些城〔西藏拉萨市〕）将领尚悉董星攻击宁州（甘肃省宁县），邠宁战区（总部设邠州〔陕西省彬州市〕）司令官（节度使）张献甫，把他们击退。吐蕃军（西藏）转向鄜州（陕西省富县）、坊州（陕西省黄陵县），大肆抢掠而去。

18 河南、江南、淮南赋税清查处理特使（句勘两税钱帛使）元友直，查到各战区道两税之外的赋税，全数运交给国务院财政部（户部）。于是成了惯例，从此，除了正规的两税之外，每年还要多缴钱一百余万串，粮食一百余万斛，民穷财尽，无力负担，很多道向皇帝申诉请愿，李适也有点醒悟，下诏说："今年已经征收的，一律运来京师（首都长安），还没有征收的，不再征收。明年（七八九）以后，全部停止征收。"东南地区人民，才得以安居乐业。

19 回纥汗国（瀚海沙漠群）合骨咄禄可汗（四任大可汗）药罗葛顿莫贺，听到中国皇帝允许他的求婚消息，大为高兴，派他的妹妹合骨咄禄毗伽公主，跟高级官员的妻子，以及宰相、跌跌部落军司令官（跌跌，音xié dié〔协蝶〕）及部属以下一千余人，来唐王朝迎接公主，措辞及礼仪，都十分恭敬，说：“从前，回纥（瀚海沙漠群）是唐王朝的兄弟，现在，回纥是唐王朝的女婿；女婿，乃半个儿子。如果吐蕃（西藏）制造灾难，儿子当为老爹把他铲除。”并且在王庭（设蒙古国哈拉和林市）内诟骂吐蕃（西藏）的使节，表示断绝邦交。

冬季，十月十四日，回纥（瀚海沙漠群）使节团抵达长安（唐首都，陕西省西安市），药罗葛顿莫贺上疏，请求把回纥改称回鹘；李适批准。

20 吐蕃王国（首都逻些城〔西藏拉萨市〕）动员大军十万人，打算攻击西川战区（总部设成都府〔四川省成都市〕），同时训令南诏王国（首都苴咩城〔云南省大理市〕）出兵。南诏虽然内心已归附唐王朝，但对外仍不敢背叛吐蕃（西藏），所以也动员数万人，进驻泸水（金沙江）之北。

西川战区（总部设成都府〔四川省成都市〕）司令官（节度使）韦皋知道南诏王国（首都苴咩城〔云南省大理市〕）仍在犹豫，不敢作最后决定，于是写一封信给南诏国王（三任）异牟寻，嘉许他背离吐蕃（西藏）、回归唐王朝的诚意。放到银匣里，故意让东蛮（四川省越西县西北各部族）转交给吐蕃（西藏）。吐蕃开始对南诏怀疑，派军二万人驻防会川（四川省会理市），切断南诏前往唐王朝的要道。南诏王国大怒，命驻防泸水（金沙江）以北的兵团，撤退回国。由此，南诏（云南省）跟吐蕃（西藏）猜忌和仇恨，日渐加深，回归唐王朝的意念也越坚强。吐蕃（西藏）失去南诏（云南省）这个盟国后，军事力量，开始衰弱。但既已对西川战区（总部成都府）发动攻击，不能中途停止，遂分兵四万人攻两林（四川省喜德县东）、骠旁部落（四川省西昌市西北），而另派三万人攻击东蛮（越西县西北部族）、七千人攻击清溪关（四川省石棉县东南）、五千人攻击铜山（四川省汉源县西北四十公里宜东镇）。

韦皋派黎州（四川省汉源县）州长韦晋等，跟东蛮各部落军联合防御，在清溪关（四川省石棉县东南）外，把吐蕃军（西藏）击破。

21 十月二十六日，李适宣布咸安公主婚事；加授回鹘（瀚海沙漠群）可汗药罗葛顿莫贺绰号：长寿天亲可汗。

十一月，命国务院司法部长（刑部尚书）关播，当护送咸安公主特使，兼册封回鹘可汗特使。

22 吐蕃军（西藏）对清溪关（四川省石棉县东南）之役战败，认为是一个奇耻大辱，现在再出动二万人攻击清溪关，一万人攻击东蛮。西川战区（总部设成都府〔四川省成都市〕）司令官（节度使）韦皋，命黎州（四川省汉源县）州长韦晋进驻要冲城（汉源县东南），指挥各军抵抗。嶲州（四川省西昌市）军区指挥官（经略使）刘朝彩，出关迎战。自十一月十一日至十一月十九日，连战九天，大破吐蕃军（西藏）。

23 宰相李泌提醒李适说："江淮（华东地区）粮食运输，自淮河进入汴河，中途的甬桥（安徽省宿州市）是咽喉重镇，而甬桥属徐州（江苏省徐州市）管辖（参考七八一年五月注），跟平卢战区（总部设郓州〔山东省东平县〕）紧紧相邻，州长高明应，年轻不太懂事（参考七八四年五月四日）；万一李纳（平卢〔总部郓州〕司令官）又有反复，占领徐州（江苏省徐州市），就等于失去江淮（华东地区），帝国的仓库谁来供应？我建议调寿庐濠道（首府设寿州〔安徽省寿县〕）民兵总司令官（都团练使）张建封，镇守徐州（江苏省徐州市），再划濠州（安徽省凤阳县东北临淮关镇）、泗州（江苏省盱眙县淮河北岸）并入他的辖区（泗州属淮南战区），而把寿州（安徽省寿县）、庐州（安徽省合肥市），归还淮南战区（总部设扬州〔江苏省扬州市〕。寿庐濠道之成立，参考七八四年正月）；则平卢战区（总部郓州）一定会有所警惕畏惧，不敢轻举妄动，江淮（华东地区）也可得到平安。现在，高明应是一个娃儿，还可以派人代替，不妨征召他来中央任金吾（卫军第十一、十二军）将军。否则，徐州（江苏省徐州市）万一落到别人之手，中央就难以控制。”李适接受，命张建封当徐泗濠战区（总部设徐州〔江苏省徐州市〕）司令官（节度使）。

张建封施政宽大仁厚，但严守法纪，对犯法的人，从不放任，所以部属对他没有人不畏惧敬爱。

24 横海战区（总部设沧州〔河北省沧州市东南〕）司令官（节度使）程日华（程华）逝世，儿子程怀直自称暂代候补司令官（知留后）。

25 吐蕃王国（首都逻些城〔西藏拉萨市〕）不断派人到南诏王国（首都苴咩城〔云南省大理市〕）威迫利诱，要求再回吐蕃（西藏）阵营。

七八九年 己巳

唐 贞元 五年

1 春季，二月十四日，唐王朝（首都长安〔陕西省西安市〕）西川战区（总部设成都府〔四川省成都市〕）司令官（节度使）韦皋，写信给南诏王国（首都苴咩城〔云南省大理市〕）国王（三任）异牟寻，说："回鹘（瀚海沙漠群）不断请求协助大唐，共灭吐蕃（西藏），大王如果不早作决定，一旦被回鹘抢先一步，那么，大王累世的功劳威名，全都成为虚话。而且，南诏（云南省）长久以来，受吐蕃（西藏）屈辱，如果不乘此良机，依靠大国的势力，报仇雪恨，后悔时已来不及！"

2 二月二十五日，唐帝（十二任德宗）李适（本年四十八岁。适，音kuò〔阔〕）任命横海战区（总部设沧州〔河北省沧州市东南〕）候补司令官（留后）程怀直，当沧州道（首府设沧州）行政长官（观察使）。程怀直请求划出弓高（河北省泊头市西交河镇）、景城（河北省沧州市西）二县，另设景州（州政府设弓高），并请中央派遣州长。李适高兴说："三十年来没有这种事了（黄河以北各战区所属的州长、县长，全由战区司令官〔节度使〕自行任命，参考七六五年七月）！"遂命国务院副司长（员外郎）徐伸，当景州（河北省泊头市西交河镇）州长。

3 副立法长（中书侍郎）、二级实质宰相（同平章事）李泌一再请求再任命一位宰相。李适打算用国务院财政部副部长（户部侍郎）班宏（参考七八一年正月）。李泌认为班宏虽然清廉坚强，但性情迟钝、反应缓慢，乃推荐窦参，窦参通达敏捷，适合兼任全国财政暨盐铁专卖总监（兼度支盐铁）；董晋规矩正直（参考七六九年六月），适合调到监督院（门下省）；李适都认为不妥。窦参是窦诞的玄孙（窦诞，参考六一九年闰二月），当时担任副总监察官（御史中丞）兼国务院财政部副部长（兼户部侍郎）；董晋任祭祀部长（太常卿）。而今，李泌病势沉重，再推荐二人，李适才勉强接受。

二月二十七日，命董晋当副监督长（门下侍郎），窦参当副立法长（中书侍郎）兼全国财政暨运输总监（兼度支转运使），二人都兼二级实质宰相（同平章事）。另命班宏当国务院财政部长（户部尚书），仍兼全国财政暨运输副总监（度支转运副使）。

窦参为人刚强果决、严厉苛刻，虽没有学问，但有权术，每次在金銮宝殿向皇帝奏事，其他宰相都退出时，窦参总是单独留到最后，借口请示有关财政问题，实际上是利用跟皇帝单独面对的优势，独揽帝国大权，援引很多亲戚朋友和党羽，出任重要职位，作为他的侦探。董晋虽然也是宰相，不过充数而已。然而董晋为人，谨严慎重，在皇帝面前所作的建议，从不泄露给外人，子弟们问他，他说："观察宰相的能力，只要看帝国是安是危，就可了解。至于在皇上面前说些什么，并不重要。"

4 三月二日，李泌逝世（年六十八岁）。李泌有谋略，但是喜欢谈神仙鬼怪，听起来荒唐怪诞，所以受世人轻视。

胡三省曰 自从李泌当宰相，观察他处理国家大事，姚崇以来的宰相，还从来没有见过。撰写史书的官员，称他出入皇宫，历事四任君王（九任帝李隆基、十任帝李亨、十一任帝李豫〔李俶〕、十二任帝李适），不断受权贵嬖幸们的嫉妒憎恨，他都运用智谋，逃过杀身之祸。李泌喜爱高谈阔论，常提出真知灼见，能够了解和改变领袖的意志。然而，他始终信仰道家的"黄帝"（黄帝王朝一任帝姬轩辕）、"老子"（李耳）学说及道教的鬼神行迹，所以受到人们的讥讽。

可是，我却认为：李泌用他的智谋免祸，诚如撰写史书的官员所说。然而，整体观察，他信仰道家学说及道教鬼神，也是智谋。李泌身处李亨、李豫（李俶）父子之间，他所推断的国家大势，跟中兴契机，没有一句话不应验。在张皇后、李辅国压力下，保护李豫（李俶）的安全，所有言论没有一句话不兑现（参考七五七年正月）。元载对他百般嫉妒陷害，他终于逃出灾难，正是运用智谋（参考七七〇年十一月）。至于和李适讨论天下大事，更了如指掌。以李亨、李豫（李俶）对李泌的信任，而李泌不肯担任宰相，以李适的猜疑嫉妒，李泌却心平气和的担任这项任命，也是高度智谋。

我们叹息的是：做官而能得到领袖信任，规劝而能被采纳，建议而能付诸实行，因而晋升到宰相高位，理应如此。李泌历事三代君王，仍保持一身清白，远离灾害，直到年老力衰，才出现宰相联合办公厅，跟一些后进的新贵，并肩起坐。一腔救国救民大计，从前不能呈献给李亨、李豫（李俶）的，现在全部呈献给李适。难道是李适的度量比父祖更大？事实是李泌已经过慎重考虑，然后接受重任。

李适猜疑、嫉妒、刻薄，对正直人士萧复、姜公辅，认为他们瞧不起自己，故意炫耀正直（参考七八四年四月及十一月）！对立功将领李晟、马燧，怀疑猜忌，而把他们放到闲散之地（参考前年〔七八七〕三月及六月）！可是，李泌仍毫无忌惮的畅所欲言。只因李适另有一种心理状态，认为李泌是父祖的旧人老友，智慧谋略，都超人一等，可以帮助自己建立中兴大业，内心的尊敬与信任，为时已久。李泌之所以有胆量接受宰相的职位，对自己已有详尽的评估，岂不是智谋！他之坚持道家“黄帝”“老子”学说，以及信仰鬼神，则是张良打算追随赤松子出游的老故事。但张良在大功告成之后才这样做，李泌则自始至终，坚定他的立场。

自三世纪二〇年代诸葛亮当蜀汉帝国宰相算起，迄八世纪八〇年代，六百年间，杰出的宰相不过：王猛、房玄龄、杜如晦、姚崇（姚元崇）等五六个人而已。孔丘说：“人才难得！”平均一百年才勉强出一个优秀的政治家，而在这寥寥的几个人中，房玄龄、杜如晦，不过是君王的秘书和助理，办办文书，姚崇也不过维持现状。只有李泌先生，不仅是王猛之后第一人，在中国宰相群中，也居高位。

但是，他信仰道家和道教，跟儒家学派发生严重的抵触，遂被指为怪诞。他没有身段、却有幽默，以端嘴脸为第一要务的大儒大官，对他当然越看越不顺眼。跟诸葛亮一样，他们的顶头上司全都是标准的顽劣之辈，不过刘禅安于愚昧，而李适却愚而好自用，当李适的宰相比当刘禅的宰相，困难万倍。李泌绝对有异于传统的知识分子和孔家班系统，他做事既切实际而又有前瞻，粮食俸禄，以及疆场作战，都能深入掌握，而外交政策的成功，更料事如神。他当宰相的时间不过一年十个月，对国家贡献之大，已无与伦比。

李泌的品格，自诸葛亮以来，更是第一人。李亨在位时，李泌弃宰相如破鞋，回到衡山隐居，更足使一些热肠滚滚的知识分子老羞成怒，是以刘昫反扑说："居相位而从事鬼神，乃见狂妄浮薄之踪。"宋祁也酸溜溜说："异哉，其谋事近忠，其轻去近高。"反正是"非我族类"，李泌怎么做都不对。不过从李泌屈居孙儿辈李适之下，也看出他的悲哀，三世君王，从李亨开始，一蟹不如一蟹，而人的生命有限，再不拣起最后李适这只烂蟹，便无蟹可拣，历史如果抽出李泌，吐蕃灾难必不能息，中国人的苦楚，还可胜言！

5 最初，李适思念李怀光的功劳，打算赦免他的一个儿子(参考七八五年八月)，可是儿孙们早被全部诛杀。

三月二十六日，李适下诏，命李怀光的外孙燕八八，作李怀光的后嗣，改名李承绪，充当太子宫左翼侍卫军军械参谋官(左卫率府胄曹参军)，赏赐一千串钱，要他奉养祖母、李怀光的妻子王女士，并守护李怀光的坟墓。

6 冬季，十月，西川战区（总部成都府）司令官（节度使）韦皋，派将领曹有道，率军会合东蛮（四川省越西县西北部落）、两林蛮（四川省喜德县东部落），攻击吐蕃王国（首都逻些城〔西藏拉萨市〕）所属青海战区（青海湖东南）及腊城战区（青海湖西南），在嶲州（四川省西昌市。嶲，音xī〔西〕）台登谷（四川省冕宁县南泸沽镇）会战，大破吐蕃军（西藏），杀二千人，逼得投崖跳河而死的，多到无法计数，斩吐蕃（西藏）总作战司令（大兵马使）乞藏遮遮。

乞藏遮遮是吐蕃（西藏）的勇将，战死之后，韦皋所攻击的城池，没有一个不被夺取。数年之后，原来嶲州（四川省西昌市）境域，全部收复。

7 义武战区（总部设定州〔河北省定州市〕）司令官（节度使）张孝忠，出军袭击蔚州（河北省蔚县），大肆掳掠人民及家畜（蔚州属河东战区〔总部太原府〕）。李适下诏严厉责备，张孝忠过了十几天才返回本战区。

8 琼州（海南省定安县）自六六七年被变民（黎部落）占领，直到现在（陷落一百二十三年），岭南战区（总部设广州〔广东省广州市〕）司令官（节度使）李复，派执行官（判官）姜孟京，会同崖州（海南省海口市琼山区）州长张少迁，才把它攻克。

9 十二月三日，唐政府得到回鹘汗国（瀚海沙漠群）天亲可汗（四任大可汗）药罗葛顿莫贺逝世消息（为新婚的咸安公主悲）。

十二月十一日，唐政府派藩属事务部长（鸿胪卿）郭锋，前去加封药罗葛顿莫贺的儿子药罗葛多逻斯，为登里罗没密施俱录忠贞毗伽可汗（五任大可汗）。

之前，安西战区（总部设龟兹〔新疆库车市〕）及北庭战区（总部设北庭府〔新疆吉木萨尔县〕），都借道回鹘（瀚海沙漠群）向中央呈递奏章（河西走廊早陷吐蕃），所以跟回鹘的关系，十分和睦。但北庭战区（总部设北庭府〔新疆吉木萨尔县〕）距回鹘（瀚海沙漠群）最近，回鹘（瀚海沙漠群）对他们勒索搜刮，贪得无厌。回鹘支派沙陀部落有六千余个篷帐，紧靠北庭战区居住（沙陀，是处月部落的后裔，参考七一二年十月）。后来，三葛禄部落（即葛逻禄三部落，中亚额尔齐斯河流域）、白服突厥部落（新疆吉木萨尔县西北），都向回鹘臣服；而回鹘对他们也不断侵袭掳掠。

吐蕃王国（首都逻些城〔西藏拉萨市〕）遂利用三葛禄部落及白服突厥部落的背叛，攻击北庭战区，回鹘宰相颉干迦斯率军增援。

10 南诏王国（首都苴咩城〔云南省大理市〕。苴咩，音xié miē）虽然对吐蕃（西藏）已决心背离，但不敢公开决裂。十二月二十五日，韦皋再写信召唤。

唐王朝

- 南诏王国归附唐王朝，攻击吐蕃，俘虏十万人，吐蕃自此衰弱。
- 宣武、横海各战区兵变，分别驱逐及诛杀节度使。
- 邠宁战区筑城阻吐蕃，扩地三百华里。

- 爱尔兰僧侣发现冰岛。
- 日本自长冈迁都平安，“平安时代”开始（七九四——一一八五年）。
- 东罗马皇太后爱利尼挖去其子双目处死，而自任女皇。
- 罗马市民驱逐教皇利奥三世。

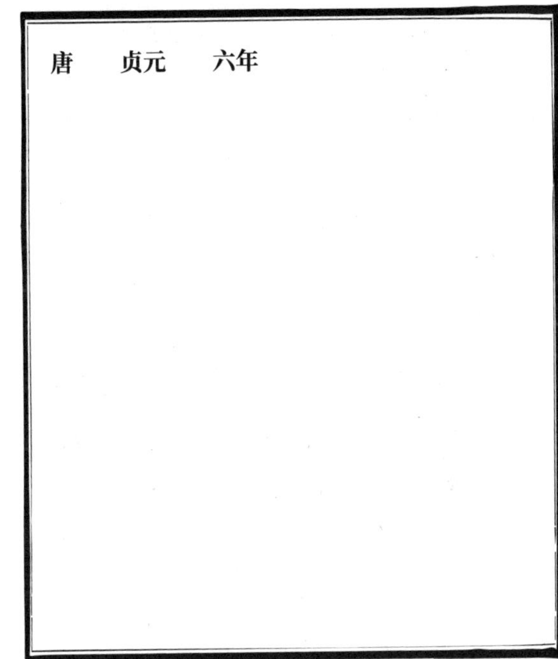

1 春季，唐王朝（首都长安〔陕西省西安市〕）皇帝（十二任德宗）李适（本年四十九岁。适，音kuò〔阔〕），下诏把岐山（陕西省岐山县东北）无忧王寺（在今陕西省扶风县北法门镇）供奉的佛祖指骨，先迎接到皇宫中供奉，然后再送到各庙宇展览，善男信女挤往顶礼膜拜，京师（首都长安）几乎成为空城，舍施的钱财，高达亿万。

二月八日，派宦官把佛祖指骨送回无忧王寺安葬。

2 最初，卢龙战区（总部设幽州〔北京市〕）司令官（节度使）朱滔在贝州（河北省清河县）溃败（参考七八四年五月六日），他所任命的棣州（山东省惠民县）州长赵镐，连同城池投靠成德战区（总部设恒州〔河北省正定县〕）司令官（节度使）王武俊；但不久就触怒王武俊，王武俊召唤他，他拒绝前往。

魏博战区（总部设魏州〔河北省大名县〕）司令官（节度使）田绪，残忍凶暴，他的老哥田朝，在平卢战区（总部设郓州〔山东省东平县〕）司令官（节度使）李纳那里当齐州（山东省济南市）州长。这时传出风声说，李纳打算派军队把田朝强行送回魏州（河北省大名县），田绪大为恐惧。田绪的执行官（判官）孙光佐等，替田绪设计，重重贿赂李纳，为了取悦李纳，劝李纳招降赵镐，占领棣州（山东省惠民县），顺便请李纳把田朝送往京师（首都长安）；李纳完全接受。

二月三十日，赵镐献出棣州（山东省惠民县），投降李纳。

三月，王武俊派他的儿子王士真攻击赵镐，不能攻克。

3 回鹘汗国（瀚海沙漠群）忠贞可汗（五任大可汗）药罗葛多逻斯的老弟（名不详），杀死老哥，自己登极（六任大可汗），大宰相颉干迦斯西征吐蕃王国（首都逻些城〔西藏拉萨市〕），还没有班师（西征事，参考去年〔七八九〕十二月）。

夏季，四月，副宰相（名不详）率贵族发动政变，诛杀篡位的六任可汗，拥护忠贞可汗（五任大可汗）的儿子药罗葛阿啜继位（七任大可汗），年十五岁。

4 五月，王武俊率大军进驻冀州（河北省衡水市冀州区），准备攻击赵镐，赵镐率部属逃往郓州（平卢战区总部，山东省东平县）。李纳派军进入棣州（山东省惠民县）据守。田绪派执行官（判官）孙光佐前往郓州（山东省东平县），宣读伪造的皇帝诏书，把棣州（山东省惠民县）划归平

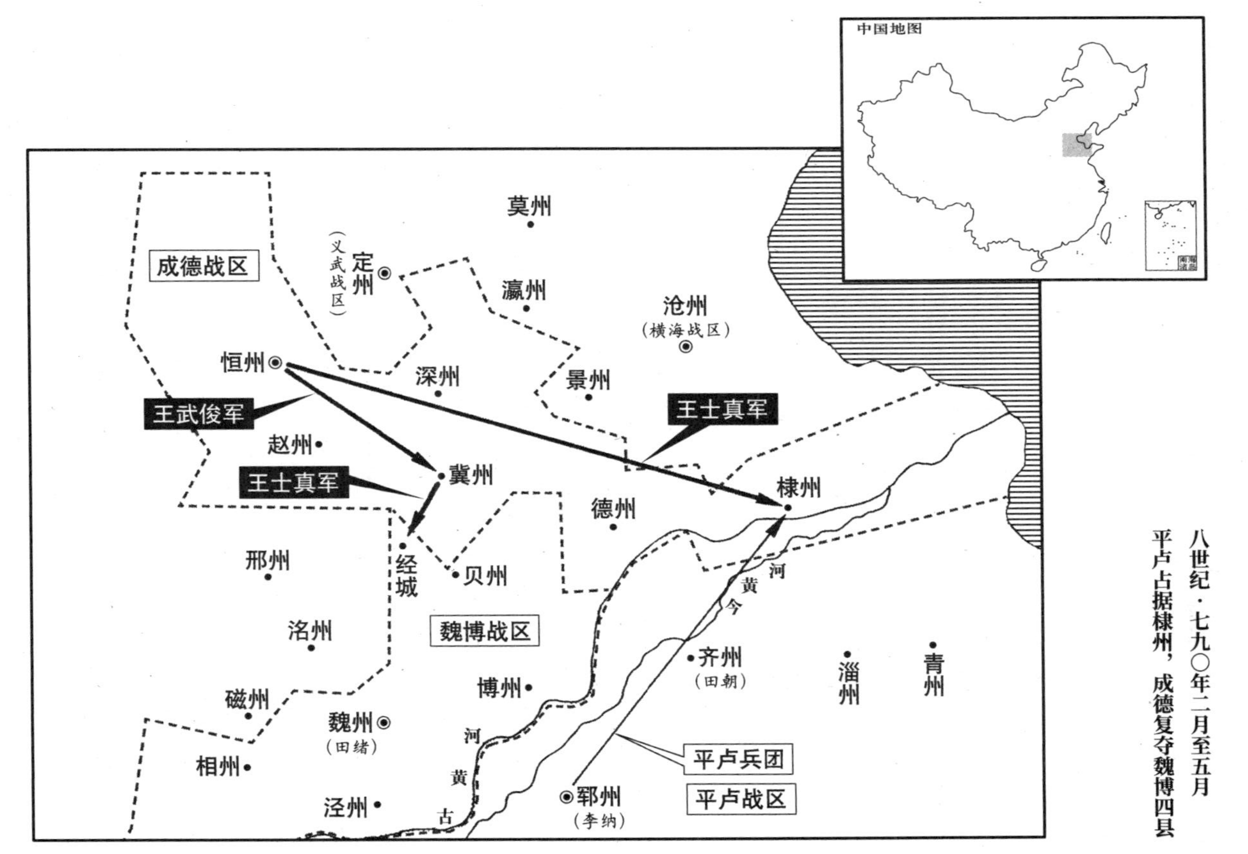

八世纪·七九〇年二月至五月
平卢占据棣州，成德复夺魏博四县

卢战区（总部设郓州〔山东省东平县〕）。王武俊大发雷霆，派他的儿子王士真攻击贝州（河北省清河县），占领经城（河北省威县北经镇村）等四县。 748

5 回鹘汗国（瀚海沙漠群）宰相颉干迦斯，跟吐蕃军（西藏）作战，不能取胜。吐蕃军猛烈攻击唐朝的北庭战区（总部设北庭府〔新疆吉木萨尔县〕），北庭战区人民不能忍受回鹘的暴虐迫害，遂联络沙陀部落（新疆北部）酋长朱邪尽忠，一同投降吐蕃（西藏）；战区司令官（节度使）杨袭古率部属二千人，逃奔西州（新疆吐鲁番市东）。

六月，颉干迦斯率军回国，副宰相恐怕他发动政变，就跟新任可汗药罗葛阿啜，都到郊外迎接，跪在路旁，报告擅自诛杀篡位叛徒，以及新君登极经过，说："我们是死是活，全请大宰相做主。"把唐王朝册封特使郭锋所携带的国书及印信（参考去年〔七八九〕十二月）全部送给颉干迦斯。药罗葛阿啜一面叩头一面哭泣，说："孩儿年幼，如果有幸继位可汗，只求阿爹赏口饭吃，国家大事，我不敢过问。"回鹘把父亲称作阿爹。颉干迦斯被年幼新可汗的卑屈，深深感动，拉住药罗葛阿啜的手，大声哭泣，行臣属的礼节，把唐王朝所馈赠的东西，全部颁发给随从的官兵，自己全不接受。汗国由此稍稍安定。

秋季，颉干迦斯征调全国所有军队数万人，会同北庭战区司令官（节度使）杨袭古，再次西征，打算收回北庭战区（总部设北庭府〔新疆吉木萨尔县〕），又被吐蕃军击败，死亡大半。杨袭古集结残兵败将数百人，将要再回西州（新疆吐鲁番市东）。颉干迦斯说："请跟我一同到王庭（设蒙古国哈拉和林市），当送你回国。"事实上他把杨袭古软禁不放，最后竟把杨袭古诛杀。安西战区（总部设龟兹〔新疆库车市〕）遂跟唐朝断绝音信，朝廷不知道它是存是亡，或亡在何时。只剩下西州

（新疆吐鲁番市东），仍为唐朝坚守。

葛禄部落（中亚额尔齐斯河流域）乘机攻陷回鹘的浮图川（蒙古国杭爱山西北），回鹘震动恐惧，把汗国西北各部落，全部迁到王庭（设蒙古国哈尔和林市）以南，躲避侵扰。

回鹘汗国（瀚海沙漠群）派达北公爵梅录，随郭锋前来长安，报告忠贞可汗（五任大可汗）药罗葛多逻斯的死讯，并请求对新任可汗加封。从前，回鹘使节到了长安，脸色骄横，态度傲慢，跟唐王朝州长平起平坐，地位相等。梅录抵达丰州（内蒙古五原县），州长李景略打算用小动作出出气，于是告诉他说："听说可汗新近逝世，我打算摆设灵堂祭悼！"然后，李景略在高脚椅上落座，梅录低头弯腰，上前哭泣，李景略身子一动也不动，只口头安慰他说："可汗逝世，我们跟你一样难过！"梅录不可一世的傲气，因受到顿挫，霎时消失。从此，回鹘使节抵达，都到大庭向李景略叩见，李景略威名远播塞外（李景略原是叛将李怀光部属，参考七八四年三月一日）。

冬季，十月十九日，郭锋才从回鹘回来。

6 十一月八日，李适前往圆形神坛，祭祀天神。

7 李适一再下诏，命平卢战区（总部设郓州〔山东省东平县〕）司令官（节度使）李纳，把棣州（山东省惠民县）归还成德战区（总部设恒州〔河北省正定县〕）司令官（节度使）王武俊；李纳千方百计推拖迁延，并请求保留棣州，而愿把海州（江苏省连云港市）缴回中央，作为交换；李适不允许。李纳遂要求王武俊先归还占领魏博战区（总部设魏州〔河北省大名县〕）经城（河北省威县北经镇村）等四个县。李适同意。

十二月，李纳才把棣州（山东省惠民县）归还王武俊。

1 春季，正月八日，唐王朝（首都长安〔陕西省西安市〕）襄王李僙逝世（李僙，是十任帝李亨的儿子，参考七五七年十二月十五日）。

2 二月十二日，唐帝（十二任德宗）李适（本年五十岁。适，音kuò〔阔〕），派藩属事务部副部长（鸿胪少卿）庾铤，册封回鹘汗国（瀚海沙漠群）可汗（七任大可汗）药罗葛阿啜，称奉诚可汗。

3 二月七日，李适命泾原战区（总部设泾州〔甘肃省泾川县〕）司令官（节度使）刘昌，修筑平凉故城（甘肃省平凉市），用以控制弹筝峡口（平凉市西北），十二天就告完工，派军驻防。刘昌又修筑朝谷堡（甘肃省平凉市东）。

三月四日（原文误置于二月，据《旧唐书》改），李适下诏，改名彰信堡，泾原战区（总部泾州）稍稍安定。

4 最初，李适还都长安（陕西省西安市），因神策等军有保驾的功劳，赐名“兴元（七八四年年号）元从奉天（陕西省乾县）定难功臣”（参考七八四年正月一日），政府指定官员管辖，慰问抚恤，都十分优厚。于是所有禁军都仗恃这项优待，骄傲蛮横，对市民奸杀掳掠，任意凶暴；对地方政府及地方官员，全没有看到眼里，随便欺凌侮辱，甚至当面诟骂，捣毁房舍，撕裂档案公文。地方官员有的实在忍不下这种迫害，奋不顾身，把他们依法判罪，则早上刚棍打一人，晚上就被贬逐到万里之外。因此，地方政府虽然有公正严明的官员，也不能执行职务。街头巷尾的一些富家子弟，常用贿赂买通关节，使自己的名字登记到禁军名册上，地方政府对他就无可奈何。

三月二十一日，李适下诏，说：“神威六军士卒（此时禁军已有十军，一军左羽林军、二军右羽林军、三军左龙武军、四军右龙武军、五军左神武军、六军右神武军、七军左神策军、八军右神策军、九军左神威军、十军右神威军。诏书说“神威六军”，或系沿用旧称“神策六军”之误），与平民之间，如果发生诉讼，统由地方政府审理，小事通知所辖本军，大事奏报中央。如果士卒欺凌或攻击县市政府，县市政府有权逮捕囚禁，专案奏报，由总监察署（御史台）调查处置。地方官员如敢用刑侮辱，一定贬逐！”

5 三月二十三日，义武战区（总部设定州〔河北省定州市〕）司令官（节度使）张孝忠逝世（年六十二岁）。

6 安南总督（总督府设越南河内市）高正平，向人民征收赋税，十分苛刻沉重。

夏季，四月，蛮夷酋长杜英翰等，聚众起兵，包围总督府，高正平忧虑过度，逝世，各蛮夷部落听到消息，全都投降（这是一场官逼民反的典型）。

五月二十二日，在安南（越南河内市）设置柔远军基地。

7 端王李遇（李适的老弟）逝世。

8 西川战区（总部设成都府〔四川省成都市〕）司令官（节度使）韦皋，连年以来，不断写信给南诏王国（首都苴咩城〔云南省大理市〕。苴咩，音xié miē）国王（三任）异牟寻，始终没有得到反应。然而吐蕃王国（首都逻些城〔西藏拉萨市〕）每次向南诏（云南省）征调军队，南诏（云南省）派出的人数，却越来越少。韦皋知道异牟寻决心回归唐朝，而征剿副司令（讨击副使）段忠义，本是南诏（云南省）二任王阁罗凤的使节。

六月七日，韦皋命段忠义回国，再一次写信给异牟寻，解释唐政府的诚意。

9 秋季，七月十九日，李适（音kuò〔阔〕）擢升定州（河北省定州市）州长张升云（张孝忠的儿子）当义武战区（总部定州）候补司令官（留后）。

10 七月二十一日，擢升虔州（江西省赣州市）州长赵昌，当安南总督（总督府设越南河内市），各蛮夷恢复安定。

11 八月十八日，命皇家文学研究官（翰林学士）陆贽当国务院国防部副部长（兵部侍郎），其他所有职务，全部免除。

宰相窦参对陆贽十分厌恶，才有这项调动。

12 吐蕃军攻击灵州（朔方战区总部，宁夏灵武市），被回鹘军击败，乘夜晚逃走。

九月，回鹘汗国（瀚海沙漠群）派使节来唐朝呈献战俘。

冬季，十二月八日，再派使节来唐朝呈献战俘吐蕃（西藏）酋长尚结心。

13 福建道（首府设福州〔福建省福州市〕）行政长官（观察使）吴凑（李适的舅父），治理地方，声望远播。宰相窦参因私人怨恨，对他陷害，并说他风湿麻痹，行动不便。李适召他返回京师（首都长安），要他走几步路看看，这才发现窦参诬陷，从此厌恶窦参。

十二月十一日，命吴凑当陕虢道（首府设陕州〔河南省三门峡市〕）行政长官（观察使），代替窦参的亲信李翼。

14 睦王李述（李适的老弟）逝世。

15 吐蕃王国（首都逻些城〔西藏拉萨市〕）发现唐朝官员在南诏（云南省）出现，于是派使节前往责备。异牟寻说："所谓唐朝官员，本来就是南诏（云南省）人，是韦皋释放他回国，没有其他任务。"随便找一个这样的人，送到吐蕃（西藏）。

吐蕃（西藏）要南诏（云南省）高级官员送他们的儿子到吐蕃（西藏）当人质，南诏（云南省）越发愤怒。

勿邓部落（四川省喜德县北）酋长苴梦冲，暗中跟吐蕃（西藏）联系，于是联合各蛮夷背离，切断南诏（云南省）跟唐王朝间的交通线。韦皋派三部落总管苏嵬（音wéi〔围〕。三部落：两林部落〔四川省喜德县东〕，勿邓部落〔喜德县北〕，丰琶部落〔四川省昭觉县〕）率军前进到琵琶川（四川省盐源县境）。

七九二年 壬申

1 春季，二月十七日，唐王朝（首都长安〔陕西省西安市〕）西川战区（总部设成都府〔四川省成都市〕）三部落总管苏岿，生擒勿邓部落（四川省喜德县北）酋长苴梦冲，宣布罪状，斩首。唐朝跟南诏王国（首都苴咩城〔云南省大理市〕）的交通，才告恢复。

2 三月十一日（原文“丁丑”〔三月二十三日〕，今据《旧唐书》改），曹王（成王）、山南东道战区（总部设襄州〔湖北省襄阳市〕）司令官（节度使）李皋逝世（年七十一岁）。

3 宣武战区（总部设汴州〔河南省开封市〕）司令官（节度使）刘玄佐（刘洽），有威望谋略，每逢平卢战区（总部设郓州〔山东省东平县〕）司令官（节度使）李纳的使节抵达，刘玄佐（刘洽）待他们都很优厚，所以常常听到有关李纳的机密消息，而事先准备；李纳对他深怀戒心。刘玄佐（刘洽）的娘亲虽然享受富贵，但每天仍要亲手纺织一匹粗质绢布，对刘玄佐（刘洽）说："你本穷苦人家出身，是天子提拔你，赐给你今天这样的富贵，只有一死，才能报答（刘洽是低级官兵出身，参考七七七年十月）。"所以刘玄佐（刘洽）始终效忠中央。

三月十六日，刘玄佐（刘洽）逝世（年五十八岁）。

4 山南东道战区（总部设襄州〔湖北省襄阳市〕）军事执行官（节度判官）李寔，代理候补司令官（知留后事），性情刻薄，克扣士卒们的薪饷和服装。战鼓管理官（鼓角将）杨清潭煽动兵变，夜晚，纵火焚烧城里官民房屋，除了曹王李皋的家，变兵大肆抢劫掳掠；李寔跳城墙逃走，保住一命。

明天早晨，大将徐诚被绳索拉上城墙，得以进城，下令戒严，暴乱才归平息。于是逮捕杨清潭等六人，斩首。李寔回到京师（首都长安），被任命当农林部副部长（司农少卿）。李寔，是李元庆的玄孙（道王李元庆，是一任帝李渊的儿子，参考六二二年十一月）。

三月二十二日，唐帝（十二任德宗）李适（本年五十一岁。适，音kuò〔阔〕），调荆南战区（总部设江陵府〔湖北省江陵县〕）司令官（节度使）樊泽，当山南东道战区（总部设襄州〔湖北省襄阳市〕）司令官（节度使）。

5 最初，宰相窦参当全国财政及运输总监（度支转运使。参考七八九年二月二十七日），班宏当副总监。窦参向班宏承诺：一年之后，把总监位置让给他。可是，一年之后，窦参没有放手的意愿；班宏老羞成怒。农林部副部长（司农少卿）张滂，出于班宏的推荐；窦参打算命张滂主持江淮（华东地区）盐铁专卖暨运输事务，班宏反对；张滂得到消息，对班宏也十分怨恨。直到窦参发现皇帝对自己开始疏远，才把总监位置让给班宏，但又不愿班宏掌握全权，就把张滂推荐给皇帝李适，命张滂当国务院财政部副部长（户部侍郎）兼全国盐铁专卖暨运输总监（盐铁转运使），但仍隶属班宏，希望取悦班宏。

窦参阴险狡猾、刚愎专断，手握大权后，更贪得无厌，每次调动或发布官员新职，总跟堂侄、御前监督官（给事中）窦申商议。窦申就利用这个机会，招揽权势、收受贿赂，世人都叫他“喜鹊”（窦申在参与讨论定案后，先行告知当事人。民间传说：家有喜事，喜鹊就会先到门庭鸣叫）；连李适也听到这个绰号，警告窦参说：“窦申一定会连累你，最好把他贬出京城（首都长安），才能使沸腾的舆论平息！”窦参在李适面前再三保证窦申清廉安分。窦申的行为虽已惊动皇帝过问，他却仍不知道改过。左金吾（卫军第十一军）大将军（正三品）、虢王李则之，是李巨的儿子（虢王李巨被段子璋所杀，参考七六一年四月），跟窦申感情亲密；监督院高级顾问官（左谏议大夫）兼诏书撰写官（知制诰）吴通玄，跟国务院国防部副部长（兵部侍郎）陆贽不和；窦申唯恐陆贽被皇帝重用，于是跟吴通玄、李则之，秘密假造一些诽谤皇家及政府的文件，陷害陆贽。不料阴谋泄露，李适获知内情。

夏季，四月三日，把李则之贬作昭州（广西平乐县）军务秘书长（司马），吴通玄贬作泉州（福建省泉州市）军务秘书长（司马）、窦申贬作道州（湖南省道县）军务秘书长（司马）。不久，李适命吴通玄自杀。

6 宣武战区（总部设汴州〔河南省开封市〕）司令官（节度使）刘玄佐（刘洽）逝世后，将领们封锁死讯，向中央报告说他身患重病，请求指定继任人选，李适也故意表示相信，立即派宦官前往汴州（河南省开封市）军中，征求意见说："调陕虢道（首府设陕州〔河南省三门峡市〕）行政长官（观察使）吴凑接替，可不可以？"监军宦官孟介、作战参谋长（行军司马）卢瑗，都认为恰当；中央遂发布人事命令。吴凑东下，抵达汜水（河南省荥阳市汜水镇西），刘玄佐（刘洽）的灵柩正准备启运，有些军官们请求用仪仗队引导，卢瑗不许，并且命仪仗队保持机动状态，等候迎接新到差的战区司令官，将领士卒们十分悲愤，刘玄佐（刘洽）的女婿跟侍卫亲军，霎时穿上铠甲，拥护刘玄佐（刘洽）的儿子刘士宁，脱下丧服，登上大帅高座，自称候补司令官（留后）。逮捕城防官曹金岸、浚仪（汴州州政府所在县）县长李迈，说："你们都是请中央派吴凑的人！"把他们身上的肉片片割下，哀号而死（何至有如此仇恨，可悲）。卢瑗逃出一命。刘士宁赏赐将士大量钱财，劫持监军宦官孟介，要他向中央请求。李适接到报告后，征求宰相们的意见，窦参说："而今，汴州（河南省开封市）将领利用李纳（平卢〔总部郓州〕司令官）的势力，要求中央的任命状，中央如果拒绝，恐怕他就倾向李纳！"

四月六日，李适命刘士宁当宣武战区（总部设汴州〔河南省开封市〕）司令官（节度使）。刘士宁怀疑宋州（河南省商丘市）州长翟良佐对自己不肯顺服，借口巡察安抚，前往宋州（河南省商丘市），命总作战司令（都知兵马使）刘逸准接任州长。刘逸准是刘正臣（刘客奴）的儿子（刘正臣〔刘客奴〕任平卢战区〔总部当时设营州，辽宁省朝阳市〕司令官〔节度使〕事，参考七五七年正月）。

7 四月十一日，贬立法院副立法长（中书侍郎）、二级实质宰相（同平章事）窦参，当郴州（湖南省郴州市。郴，音chēn〔嗔〕）总秘书长（别驾），再贬窦申当锦州（湖南省麻阳县西南锦和镇）户籍官（司户）。命国务院左秘书长（尚书左丞）赵憬、国务院国防部副部长（兵部侍郎）陆贽，同当副立法长（中书侍郎）兼二级实质宰相（同平章事）。赵憬，是赵仁本的曾孙（赵仁本，参考六六七年四月二十五日）。

8 全国盐铁专卖暨运输总监（盐铁转运使）张滂，向全国财政及运输总监（度支转运使）班宏，请求交下盐铁旧账簿和旧档案，班宏拒绝。张滂跟班宏一起遴选各地财政运输分监部管理官（巡院官），意见没有一次相同，以致有很多缺额。张滂报告李适说："这样下去，任何事情都不能办，我无法逃避责罚。"

四月二十二日，李适将全国划分为二，依照七六六年前例，命班宏、张滂分别管理（七六六年，十一任帝李豫〔李俶〕，命刘晏、第五琦分别管理全国财赋。参考该年〔七六六〕正月三十日）。

9 四月二十八日，吐蕃王国（首都逻些城〔西藏拉萨市〕）大军攻击灵州（宁夏灵武市），破坏水口（当在灵武市境）灌溉用沟渠和武装屯垦的农田。李适命河东战区（总部设太原府〔山西省太原市〕）及振武战区（总部设单于府〔内蒙古和林格尔县〕）出军增援；并派神威六军（此时禁军已有十军）二千人，进驻定远（宁夏平罗县）、怀远（宁夏银川市）二城。吐蕃（西藏）才撤退。

10 宰相陆贽建议皇帝，命中央一级单位首长，各人推荐所属的职员；并把推荐人的姓名，写在人事命令上，以便后来用以查考他的推荐是否真实；考查被推荐人的成绩，而奖励或惩罚推荐的人。

五月十四日，李适下诏实行。

可是，不久，就有人向李适打小报告说："各单位首长所推荐的属官，都有私弊，往往是自己的亲故，有的还接受贿赂，并得不到真才实学。"李适秘密吩咐陆贽，说："自今以后，官员们的任命或调派，你自己做主，不要交给各单位首长。"陆贽上疏，大意说："唐政府规定，五品以上高官，由皇帝下诏指派，是宰相磋商推荐的人选。六品以下中下级官员，则由皇帝下诏任命，是国务院文官部（吏部）铨叙合格的人选，诏书只批一个'可'字就行，不再审查判断他们的资格和能力（唐王朝初期遴选官员程序，参考六六九年十二月）。本世纪（八）四〇、五〇年代时，皇家生活记录官（起居郎，从六品上）、见习立法监督官（拾遗，从八品上）、初级立法监督官（补阙，从七品上）、监察官（御史，从六品下）等，仍由国务院文官部（吏部）遴选，奏报皇帝批'可'。后来，奸邪谄媚之徒当权，废除宰相磋商制度，单独行使权力（参考七五二年十二月）；废除单位首长推荐制度，全看私人恩惠（参考七七九年闰五月）。以致操守方正的一些人，假使没有当权宰相的旨意，他就不能获得任用。"

陆贽又说："自从陛下颁布诏书，被推荐的才不过十几个人而已，检讨他们的资格声望，并不逊于同僚；考察他们的品德操行，又没有失职误事的情形。可是鲨鱼群的抨击，却上达领袖耳际。正义规则难以实行，可想而知。请陛下命那些打小报告的人，提出具体指控，哪个人受贿赂？哪件事有私弊？交给主管单位调查是真实或是虚假！如果推荐错误，推荐人应受惩罚；如果那些打小报告的人诬陷，他就应该有罪。为什么要宽恕那些作奸犯科的官员而不去发掘真相？为什么要把对国家大事的公开评论，当作见不得人的隐秘谈话，而掩饰他们的姓名？使清白无辜的人受到怀疑，真正有罪的恶棍反而逍遥法外，正直的人跟邪恶的人如果一切一样，人的行为还有什么标准？同时，宰相不过几个人，怎么能认识所有的人才，如果全国官员都由宰相亲自遴选，宰相势必辗转向各单位首长征求意见，岂不是把公开推荐变成私人提拔，把公开竞争化成暗中钻营奔走！安置亲友的情形势将更多，流弊也将更为严重。所以，只要涉及到人事改革，没有人不被恶意抨击。现行的办法，虽然各单位首长推荐的标准不一样，甚至有人卖送人情，可能是他们在私下访问亲友时，受亲友欺骗，这种弊端并不太大，陛下只要稍稍留意，就可洞察。”

陆贽又说：“今天的宰相，原是昨天的各单位的首长；今天的各单位首长，就是明天的宰相。不过官衔暂时不同，并不是行事有什么差异。哪有当单位首长时没有能力保荐一两位部属，一旦坐上宰相位置，就有能力遴选千百个官员？大家议论纷纷，怎么会不明事理到这种程度！地位尊贵的人只提纲挈领，地位卑微的人则负责执行。所以领袖选择单位首长，单位首长物色各级主管，各级主管则再任用部属僚佐。如果要求每一个人都发挥才能，没有比这种层层负责更好的方法。招揽贤能的人才时，接触面越广越好；考核他们的能力和绩效时，则越精细越好。从前，则天皇后(武曌)打算收买人心，擢升官员，向来不理会资格，不但可推荐别人，还可以推荐自己(设立“北门学士”，参考六七五年三月；批准自我推荐，参考六八五年五月；大量增设试用官，参考六九二年一月)。然而，考核却十分严格，擢升和罢黜，都十分快速。当时的人赞扬她有‘知人之明’，而多少年的天下太平，也依靠这些人才的贡献。”

陆贽又说："则天皇后（武曌）选拔人才的方法十分轻率，但是能得到人才。陛下选拔人才的方法十分谨慎，条例也十分精细，结果失去人才。"

但李适仍撤销五月十四日的诏书。

11 五月十九日，平卢战区（总部设郓州〔山东省东平县〕）司令官（节度使）李纳逝世（年三十四岁），军中拥护他的儿子李师古代理候补司令官（知留后）。

12 六月，吐蕃王国（首都逻些城〔西藏拉萨市〕）一千余名骑兵，攻击泾州（甘肃省泾川县），俘虏开荒垦田的官兵一千余人，自西而去。

13 岭南战区（总部设广州〔广东省广州市〕）司令官（节度使）奏称："近来，装载奇珍异宝的远洋船舶，多半转移到安南军管区（首府设安南府〔越南河内市〕）贸易。我们打算派执行官（判官）追踪前去征收税款，请派宦官一人，共同行动。"李适打算批准。陆贽反对，上疏说："远方商人，追求的唯一目标，就是利润；管理宽大就来，骚扰过度就走。远洋船舶一向以广州（广东省广州市）为集散地，现在忽然改泊安南（越南河内市），如果不是地方官员苛征暴敛，使外国商人无法忍受，就一定是地方政府保护不周，使外国商人投告无门（事实上，很久以前就是如此，参考六八四年七月）。负责官员不但不知道检讨过失、自我责备，反而打算花言巧语，希望刺激在上位的人发怒！何况，岭南（总部广州）、安南（首府安南府），都是唐王朝领土；中央使节、地方使节，都是国家官员。为什么只信任岭南，而不信任安南？只重视中央使节，而轻视地方使节？请求的事，希望搁置不理。"

14 秋季，七月一日，国务院财政部长（户部尚书）兼全国财政总监（判度支）班宏逝世（年七十三岁）。宰相陆贽建议擢升前湖南道（首府设潭州〔湖南省长沙市〕）行政长官（观察使）李巽（音xùn〔训〕）暂任财政总监（权判度支），李适允许。但不久却打算用农林部副部长（司农少卿）裴延龄；陆贽上疏，认为："全国财政总监署（度支），调整天下万种货物，主管官员如果刻薄吝啬，定生灾患；如果宽大纵容，也容易包藏奸邪。裴延龄是一个愚妄怪诞的小人，如果用他当全国财政总监（度支），真是骇人听闻。不久恐怕就会有人批评他不能称职，固然会指责我这个卑微的臣属，同时也会怀疑陛下是不是有知人之明。"李适不接受。

七月六日，李适命裴延龄代理全国财政总监（判度支事）。

15 黄河南北、江淮（华东地区）、荆襄（湖北省中部）、陈许（河南省中部）等四十余州，大水成灾，淹死二万余人，宰相陆贽请求派使节分赴各地慰问安抚。李适说："听说民间的损失很小，如果马上就优厚抚恤补偿，恐怕会受奸人的欺骗。"陆贽上疏，大略说："官场里的很多恶习，都来自报喜不报忧。揣测上级喜欢的，就夸大其词；揣测上级厌恶的，就大事化小，小事化无。上级对于事件始终不能了解真相，无法因应，原因在此！"

陆贽又说："政府支出的不过是财物，而收到的却是人心。只要不失人心，何必忧虑财物不足！"

李适同意派遣使节，但又说："淮西战区（总部设蔡州〔河南省汝南县〕）很久没有呈缴赋税，又没有进贡，不必去那里。"陆贽再奏，认为："陛下停止军事行动，忍受羞辱，能赦免叛徒的首领；对他们辖下的民众，更应该宽厚怜恤。从前，秦国跟晋国敌对，晋国饥荒，秦国国君（九任穆公）嬴任好，仍运输大量粮食救济（《左传》前六四七年：嬴任好说："晋国君主〔二十二任惠公姬夷吾〕固然邪恶，但晋国人民有什么罪？"），何况帝王爱护万邦，全靠仁爱正义。宁可使人负我，不可使我负人！"

八月，李适派立法官（中书舍人）京兆（首都长安）人奚陟等，出发各战区道慰问安抚灾民。

16 命前青州（山东省青州市）州长李师古，当平卢战区（总部设郓州〔山东省东平县〕）司令官（节度使）。

17 西川战区（总部设成都府〔四川省成都市〕）司令官（节度使）韦皋，攻击维州（四川省理县。维州陷吐蕃，参考七六三年十二月，迄今三十年），俘虏吐蕃（西藏）大将论赞热。

18 宰相陆贽上疏，认为边疆粮食所以储备不足，全由于官员管理不当和处置错误，他说：

"所谓管理不当，是因为边防军士卒既不隶属将领，将领又不隶属统帅。呈现一种畸形状态，甚至一个守城的将领，一支单独驻扎的部队，陛下都会派一个宦官前去监军，直接颁发指令。各兵团防地，连绵不断，有千里之广，可是各城各镇，因都有钦差宦官之故，彼此不相归属，谁也管不了谁！沿着边界驻扎十万雄师，却没有一个最高统帅。盗匪每次侵犯，都要等中央决定，然后才下达命令，等到征调的援军好不容易抵达，盗匪已经大获全胜，满载而归。吐蕃（西藏）跟大唐相比，人数没有我们多，战力没有我们强，但是，他们采取攻势，兵力绰绰有余，我们采取守势，自感难以应付。他们战场上发号施令的是指挥官，我们战场上发号施令的是国家最高领袖，他们的兵力集中，我们的兵力分散。

“所谓处置错误，陛下最近曾下令武装屯田，垦荒士卒收割的粮食，由地方政府跟垦荒士卒共同商议价格收购，用以节省从后方辗转运输的劳苦和开支；陛下更下诏指示：政府收购时的价格，应照议定的价格加倍，用以鼓励农耕。这项命令最初实施时，万众欢腾（这是李泌的办法，参考七八七年六月）。可是，有关官员却不能彻底执行，因循苟且，一味虐待屯田士卒，斤斤计较，专挑小错。丰收的时候不肯收购，歉收的时候压低价格，强行买入。遂使土豪劣绅、贪官污吏从中发财取利，用最低的价格收买，囤积居奇，等待荒年政府及民间都需要粮食时，再高价卖出。除此之外，另有达官显要、皇亲国戚，以及跑单帮的商贩，在沿边城镇中，用贱价向垦荒户收购，再卖给中央，收取高价。有时还不全付现款，多半用细葛布或粗麻布作抵，而这些都是夏天的衣料，边塞苦寒，根本没有用处，卖也没有地方可卖。在上位的人对下没有信用，在下位的人就伪装服从——这是小民们唯一的对策。于是全国财政总监署（度支）收购的物价偏高，边城的粮价飞涨。政府用诈欺的手段出售卖不出的货物，边城把这些货物的价格加到粮价之上，反而可以盈余。各地虽然设有全国财政运输分监部（巡院），但徒具形式，甚至有的假造账目，谎报存粮。统计报表上的数字，多达亿万石有余，可是清查实际存量，还不到百分之十。”

陆贽又说：

“从前因关中（陕西省中部）开支庞大，每年都靠从东方运来的粮食供应，所以有一句俗话形容：‘一斗米的运费要一斗钱！’看惯了这种现象，而不肯深思的人往往说：‘这是帝国大事，不应该斤斤计较浪费损失！明知人民劳苦，但不能废除。’习惯了既得利益而不肯面对未来灾难的人，也往往说：‘用不着那么麻烦，每年秋季庄稼收割时，只要京畿各县依照市价收购，既容易把事办成，又可以鼓励农耕。’我认为两种意见，各有优点缺点，为了充实国库而制定法案，必须权衡轻重，粮食短缺而现金有余时，就应暂缓积存现金，改为积存粮食；现金短缺而粮食有余时，就应该暂缓积存粮食，而改为积存现金。

“近年以来，关辅（即关中，陕西省中部）地区，连年丰收，政府仓库里的粮食，已经满盈，足够数年使用。今年（七九二）夏季，江淮一带（华东地区）大水成灾，米价上涨两倍，农民多半逃亡或沦作奴仆。而关辅（陕西省中部）粮价低落，对农民造成伤害，政府应该加价收购，却缺少现金；而江淮（华东地区）因粮价昂贵，人民买不起粮食，政府正应该用低价出售，却缺少稻米。这种情形下，反而要江淮（华东地区）运米到关辅（陕西省中部），是从缺粮的地方运粮到粮食有余的地方，这就是一味执着惯例而不肯面对现实情况的例证。

“而今，江淮（华东地区）每斗米售价一百五十钱，万里迢迢运到东渭桥（陕西省西安市高陵区南），运费要二百钱，而米质既粗糙又陈旧，京师（首都长安）的人谁都不愿吃它。据市场管理单位每月的物价报告，每斗只能卖三十七钱，政府开支十钱只能收回一钱（江淮米一斗三百五十钱，京师米一斗只三十七钱），使江淮（华东地区）人民更加饥饿，使关辅（陕西省中部）农民更加穷苦，把国事处理到这种地步，可以说是严重错误。

“近来，每年由江（长江）、湖（鄱阳湖及洞庭湖）、淮（淮河）、浙（浙江〔钱塘江〕）供应中央稻米一百一十万斛，运到河阴（河南省郑州市西北桃花峪）之后，留四十万斛储入河阴仓；运到陕州（河南省三门峡市），再留三十万斛储入太原仓（三门峡市西南）；余下的四十万斛，运到终点东渭桥（陕西省西安市高陵区南）。现在，河阴、太原两仓，存粮仍有三百二十万余斛，首都长安特别市（京兆府）所辖各县，稻米市价，不过七十钱（前言斗米三十七钱）我建议陛下下令，明年（七九三）江淮（华东地区）只供应三十万斛，运到河阴（河南省郑州市西北桃花峪），然后从河阴仓、太原仓，顺序的运到东渭桥（陕西省西安市高陵区南）。江淮（华东地区）剩下的米八十万斛，则交给运输总监（转运使），以每斗八十钱的低价运到水灾州县出售，用以拯救贫苦民众，共计可收入钱六十四万串，另外加上原来应支出的运费六十九万串，共一百三十三万串。

“我建议陛下，在这一百三十三万串中，由国务院财政部（户部）先拨二十万串给首都长安特别市政府（京兆府），命他们收购粮食填补渭桥仓（在东渭桥）的缺额，购买价格提高到每斗一百钱，使农人获得相当利润；再把一百零二万六千串付给沿边战区总部，命他们收购足可供应十万人的一年粮食，余下的十万四千串则作为预备金，准备明年购粮。江淮（华东地区）出售稻米所收的现金以及节省下来的运费，委托运输总监（转运使）购买绫（薄绸）、绢（厚绸）、䌷（音shī〔失〕。粗绸）、绵（棉布）等，运到长安（陕西省西安市），折价偿还从前向国务院财政部（户部）借贷的现金。”

九月，李适下诏西北沿边各战区总部，用高价收购粮食，充实仓库；边防实力，更加坚强。

19 冬季，十一月一日，日蚀。

20 吐蕃王国（首都逻些城〔西藏拉萨市〕）跟南诏王国（首都苴咩城〔云南省大理市〕。苴咩，音xié miē）之间关系一天比一天紧张。南诏每次出兵到达唐王朝边境，吐蕃一定也跟着出兵，声称跟南诏军互相呼应，实际上是防备南诏攻击，加强戒备。

十一月十日，西川战区（总部设成都府〔四川省成都市〕）司令官（节度使）韦皋再写信给南诏国王（三任）异牟寻，建议联合袭击吐蕃（西藏），把他们驱逐到云岭（位云南省西北）以西，铲平全部吐蕃城堡，只单独跟南诏（云南省）在两国交界处建立一座大城，驻扎军队，保持和平，唐南两国，永同一家。

21 太子宫政务署长（左庶子）姜公辅，因很久没有升官（姜公辅免除宰相事，参考七八四年四月），拜见陆贽请求帮忙，陆贽暗中告诉他："听说，窦宰相（窦参）好几次保荐你，皇上都不允许，而且对你有不满意的话。"姜公辅大为恐惧，上疏请求出家当道士。李适问他缘故，姜公辅不敢说是陆贽说的，只好说是听窦参说的，李适认为窦参把怨恨推到君王头上，怒火冲天。

十一月十八日，贬姜公辅当吉州（江西省吉安市）总秘书长（别驾）；另派宦官前往郴州（湖南省郴州市）责备窦参。

22 十一月十九日，山南西道战区（总部设兴元府〔陕西省汉中市〕）司令官（节度使）严震，上疏说在芳州（故州城，甘肃省迭部县东南）及黑水堡（甘肃省舟曲县西南）击败吐蕃军（山南西道兵团，当从文州〔甘肃省文县〕进军）。

23 最初，平卢战区（总部设郓州〔山东省东平县〕）司令官（节度使）李纳，因为棣州（山东省惠民县）所属蛤蜾地方（惠民县南），是产盐重地，遂修筑城池，派军据守。又派军进驻德州（山东省德州市陵城区）以南的三汊城（德州市陵城区东南），保护通往魏博战区（总部设魏州〔河北省大名县〕）的交通要道。而今，李师古继承李纳职位，成德战区（总部设恒州〔河北省正定县〕）司令官（节度使）王武俊，看李师古年少，没把李师古瞧到眼里，于是，就在本月，派军进驻德州、棣州（山东省惠民县），准备攻击蛤蜍城（惠民县南）及三汊城（德州市陵城区东南）。李师古命将领赵镐率军抵抗。

李适派宦官传达旨意，要他们停止军事行动，王武俊才回军。

24 当初，卢龙战区（总部设幽州〔北京市〕）司令官（节度使）刘怦（音pēng〔烹〕）逝世时（参考七八五年九月七日），他的儿子刘济身在莫州（河北省任丘市北鄚州镇），同一个娘亲生的弟弟刘澭（音yōng〔雍〕）守在老爹床旁边，用老爹的名义召唤刘济回来，把军权交给他。刘济命刘澭当瀛州（河北省河间市）州长，承诺将来接替自己的官职。可是不久，刘济命他的儿子当副司令官，刘澭十分怨恨，于是直接上疏皇帝，归顺中央，并派军一千人参加京西（首都长安以西）秋季边防。刘济大怒，出军攻击刘澭，把刘澭击破。

25 左神策军大将军柏良器，招募健壮青年入伍，逐渐淘汰那些靠贿赂挂名军籍，却在外面做生意的人（参考去年〔七九一〕三月），监军宦官窦文场大为反感（断了他收贿的财路），而机会来到，柏良器妻子的一个家人，酩酊大醉，不能回家，就在宫中值班休息室住了一晚，窦文场提出检举。

十二月五日，柏良器因此被贬作右领军（卫军第八军）大将军。宦官从此完全掌握禁军（右领军，卫军〔南军〕之一。历史演变到八世纪九〇年代，卫军地位没落，不过仍保持名称，一个小机构而已。禁军〔北军〕人多权重，所以柏良器是贬谪）。

七九三年 癸酉

唐　贞元　九年

1 春季，正月二十四日，唐政府（首都长安〔陕西省西安市〕）开始征收茶税。凡是产茶的州县，跟茶山茶园通往外界各重要道路，依照产量多少，估计出售税额，征收百分之十。这是全国盐铁专卖暨运输总监（盐铁使）张滂的建议，中央采纳施行。张滂在奏章上说：“去年（七九二）大水成灾，税捐减少，国库不够开支，我建议征收茶税填补。自明年（七九四）起，茶税收入，列为专款，另外储存；遇到水灾旱灾，代替农民田赋。”于是从本年（七九三）起征收茶税，每年四十万串，可是从没有用来救济过水灾旱灾。

张滂又上疏：“奸商熔化铜钱，另铸铜器，贪图差额利益，请下诏全面查禁铜器（民间铸钱的流弊，参考七三四年三月）。铜矿开放给民间开采，但不准私人买卖，一律由政府收购（九任帝李隆基在位时，全国矿场开采出来的铜、铅、锡，都由政府收购，参考七二九年十月。或是之后放宽，如今再由政府包办）。”

2 二月五日，唐帝（十二任德宗）李适（本年五十二岁。适，音kuò〔阔〕）擢升义武战区（总部设定州〔河北省定州市〕）候补司令官（留后）张升云，实任司令官（节度使）。

3 当初，盐州（陕西省定边县）沦陷（盐州于七八六年十一月陷于吐蕃王国〔首都逻些城，西藏拉萨市〕，去年〔七九二〕收复），唐王朝北部大门洞开，边城毫无保障，吐蕃（西藏）大军经常切断灵州（宁夏灵武市）跟中央的联系，或侵入跟京师（首都长安）近在咫尺的鄜州（陕西省富县）、坊州（陕西省黄陵县）。

二月十二日，李适下诏征调现役军人三万五千人，修筑盐州城池。又命泾原战区（总部设泾州〔甘肃省泾川县〕）、山南西道战区（总部设兴元府〔陕西省汉中市〕）、西川战区（总部设成都府〔四川省成都市〕）各出动军队，深入吐蕃（西藏）国境牵制他们的行动。盐州（陕西省定边县）城池修筑二十天完工；派盐州战区（总部盐州）司令官（节度使）杜彦光镇守，朔方战区（总部灵州）总纠察官（都虞候）杨朝晟进驻木波堡（甘肃省环县东南）。自此，盐州（陕西省定边县）、银州（陕西省榆林市东南鱼河镇）、夏州（陕西省靖边县北白城则村）、河西（陕西省北部）一带才得以安定。

4 李适派宦官告诉宰相陆贽，吩咐说："凡是重要的事，不要跟赵憬讨论，应把奏章秘密加封呈报。"又指示："苗晋卿曾当过帝国最高摄政（摄政〔摄冢宰〕。参考七六二年四月七日），他的儿子苗粲，曾经说过一些冒犯皇家的话，苗晋卿的儿子全跟古代帝王同名（如：苗发〔周王朝一任王姬发〕、苗丕〔曹魏帝国一任帝曹丕〕、苗坚〔前秦帝国三任帝苻坚〕、苗垂〔后燕帝国一任帝慕容垂〕、苗稷〔秦王国三任王嬴稷〕），我不打算公开对他斥责贬逐，希望你把他们兄弟，一律派到外地工作，但不可以接近军事重镇或国防要塞。"又提醒陆贽说："你清廉谨慎得有点过分，对各战区道致送的礼物，一律拒绝，恐怕不通人情，有些小东西像马鞭、皮靴之类，也不妨收下。"

陆贽上疏，大略说："昨天我的报告，只跟赵憬一人讨论过，已经劳动陛下关心防范泄露。这表示陛下内心对臣属们仍有亲疏厚薄之分，因而对大家的态度也不一样，事情就很难顺利成功。恐怕陛下天下为公的胸襟受到怀疑，英明智慧的美誉受到伤害。"

陆贽又说："封爵任官，固要公开；杀戮惩罚，也要公开；荣耀唯恐怕大家看不见，消灭罪犯的决心也唯恐怕大家不知道。领袖所作的裁决，如果无愧于心，亿万人民，都不会有反对意见；接到奖赏的不感惭愧，受到惩罚的没有怨言，这才是神圣领袖颁布法令规章，跟全国人民共同遵守的高贵行为。凡是暗中打的小报告，多半不是事实，只能冷箭伤人，不敢公开指控、要求对方答辩。害人的小报告往往强调说：'事情隔了很久，已没有办法追查清楚。'或者说：'影响太大，必须容忍隐瞒。'或者说：'他的种种罪恶，还没有显露，最好找一个别的借口把他排除！'或者说：'只要赶走他就够了，何必公开他的罪状，教他受到羞辱！'这些话乍听起来，相当温柔敦厚、合情合理，实际上却是丧尽天良、诬告陷害的手段；残杀忠贞、假冒伪善，没有比这更卑劣的行为了。如果苗晋卿父子真有叛逆大罪，就应该公开审判，给他们应得的处罚；如果受到冤枉，怎么可以使他们被人暗中侮弄！司法官审理案件，分辨忠奸是非，必须有积极证据，查出对方的犯罪动机和犯罪行动，使他心服口服，然后定罪。这样，下面没有冤屈难伸之人，上面也不致误信谗言，由人摆布。”

陆贽又说：“官员接受贿赂，即令是一尺布，都要受到处罚（唐王朝法律：监守自盗者，一尺布打四十棍；受贿枉法，一尺布打一百棍）；对卑官微职，还有如此严格规定。而负责帝国重责大任、移风易俗的宰相，怎么可以宽纵？贪污的大门一开，欲望一定越来越大，马鞭、皮靴之后，必将收受金钱宝玉。眼看可以满足欲望，怎么能使自己内心不乱？既然接受别人私下馈赠，就无法拒绝别人私下晋见；既无法拒绝别人私下晋见，又怎么能不满足他的请求？于是，一点一滴累积，就成了江河，泛滥成灾。”

陆贽又说：“如果接受某甲的东西，而拒收某乙的东西，则被拒收的某乙，一定怀疑他所要求的事，会被批驳。如果全不接受，则大家都知道这是常态，哪里还有批评？”

5 窦参当宰相时，厌恶国务院左主任秘书（左司郎中）李巽（音xùn〔训〕），把他贬出来当常州（江苏省常州市）州长。后来，窦参贬作郴州（湖南省郴州市）总秘书长（别驾），李巽已升任湖南道（首府设潭州〔湖南省长沙市〕）行政长官（观察使），恰巧是窦参的顶头上司（郴州属湖南道）。

宣武战区（总部设汴州〔河南省开封市〕）司令官（节度使）刘士宁送给窦参绢（厚绸）五十匹，李巽知道后，上疏检举窦参秘密结交地方军事将领。李适大怒，打算诛杀窦参，宰相陆贽认为窦参的罪状还不应处死，李适才算停止。可是不久就又派宦官告诉陆贽，说："窦参结交中外高官，居心不良，显然对帝国安全，造成伤害，事情十分严重。你认为应该如何定罪，马上奏报。"陆贽上疏说："窦参是政府的高级官员，陛下不可以没有罪名，就把他处决。从前，刘晏之死（参考七八〇年七月二十七日），罪名就不清不白，直到今天，大家仍愤愤不平，以致叛徒们拿来作为借口（参考七八一年二月）。窦参贪赃纵欲的罪行，天下皆知；至于阴谋叛逆，证据却十分薄弱。如果不经过公开审判，就动用极刑，势将造成可怕的震动。陛下深知窦参对我并没有半分友谊，我岂想营救他这个人，只是珍惜司法尊严，不可滥用。"

三月，李适下诏把窦参再贬作驩州（越南荣市）军务秘书长（司马），家人不分男女，全部流放边疆。

李适再命惩罚窦参的亲戚朋友，陆贽反对，上疏说："犯罪有主犯及从犯之分，法律有重惩及轻罚之别，窦参既然蒙陛下赦免宽恕，亲戚朋友当然也在赦免宽恕之列。何况，窦参定罪的时候，私党已经受到连坐处分；人心已经安定，请求不再追问。"李适接受建议，但又要把窦参的家人、家产全部没收，陆贽也反对，上疏说："依照国家法律，叛徒们的家人以及财产，才全部没收；至于贪污犯，则只追缴他所贪污的数目，而且还要在判刑确定后，才开始执行。现在，窦参的罪名还没有确定，而且又蒙陛下宽恕，如果没收他的家人和财产，恐怕不是正义的行为。"

但是，宦官们把窦参恨入骨髓，不断打小报告陷害。李适终于下手，窦参在前往驩州（越南荣市）路上，圣旨到达，命他自杀（年六十岁）。再把窦申乱棍打死，全部家产及所有奴仆婢女，都用驿马车送到京师（首都长安）。

柏杨曰

专制时代，心直口快的人，固然容易招祸；而城府深不可测、阴险入骨的人，灾患有时往往更惨。我们对窦参的遭遇十分感慨！但有兴趣的是，这样一个包藏祸心的坏胚，李泌怎么会坚决推荐他继任宰相（参考七八九年二月）？是不是窦参已把李泌玩得眼花缭乱？自古以来，杰出的人才总是无以为继，萧何、诸葛亮、王猛的接班人，全是碌碌庸才，但也不过碌碌庸才而已，像李泌竟犯下这么样的大错，使人万分困惑。

6 海州（江苏省连云港市）民兵司令（团练使）张升璘，是义武战区（总部设定州〔河北省定州市〕）司令官（节度使）张升云的老弟、平卢战区（总部设郓州〔山东省东平县〕）前任司令官（节度使）李纳的女婿（海州属平卢战区），于亡父张孝忠两周年祭时（张孝忠死于前年〔七九一〕三月二十三日），返回定州（河北省定州市），曾经在公开宴会上，诟骂成德战区（总部设恒州〔河北省正定县〕）司令官（节度使）王武俊，王武俊向中央控告（平卢成德交恶，参考七九〇年二月）。

夏季，四月二十九日，李适下诏免除张升璘官职，派宦官前去棍打张升璘，再予囚禁。定州（河北省定州市）富庶，王武俊一直希望并吞，好不容易抓住这个借口，遂派军袭击义丰（河北省安国市），攻克城池；大掠安喜（定州州政府所在县）、无极（河北省无极县），俘虏一万余人，全部驱回德州（山东省德州市陵城区）及棣州（山东省惠民县）。张升云只好紧闭城门固守，屡次派人向王武俊道歉，王武俊才肯停战。

7 李适命平卢战区（总部设郓州〔山东省东平县〕）司令官（节度使）李师古拆毁三汊城（筑三汊城事，参考去年〔七九二〕十一月），李师古遵命办理。但仍经常招募亡命之徒，凡在中央辖区内犯罪，不能立足的，

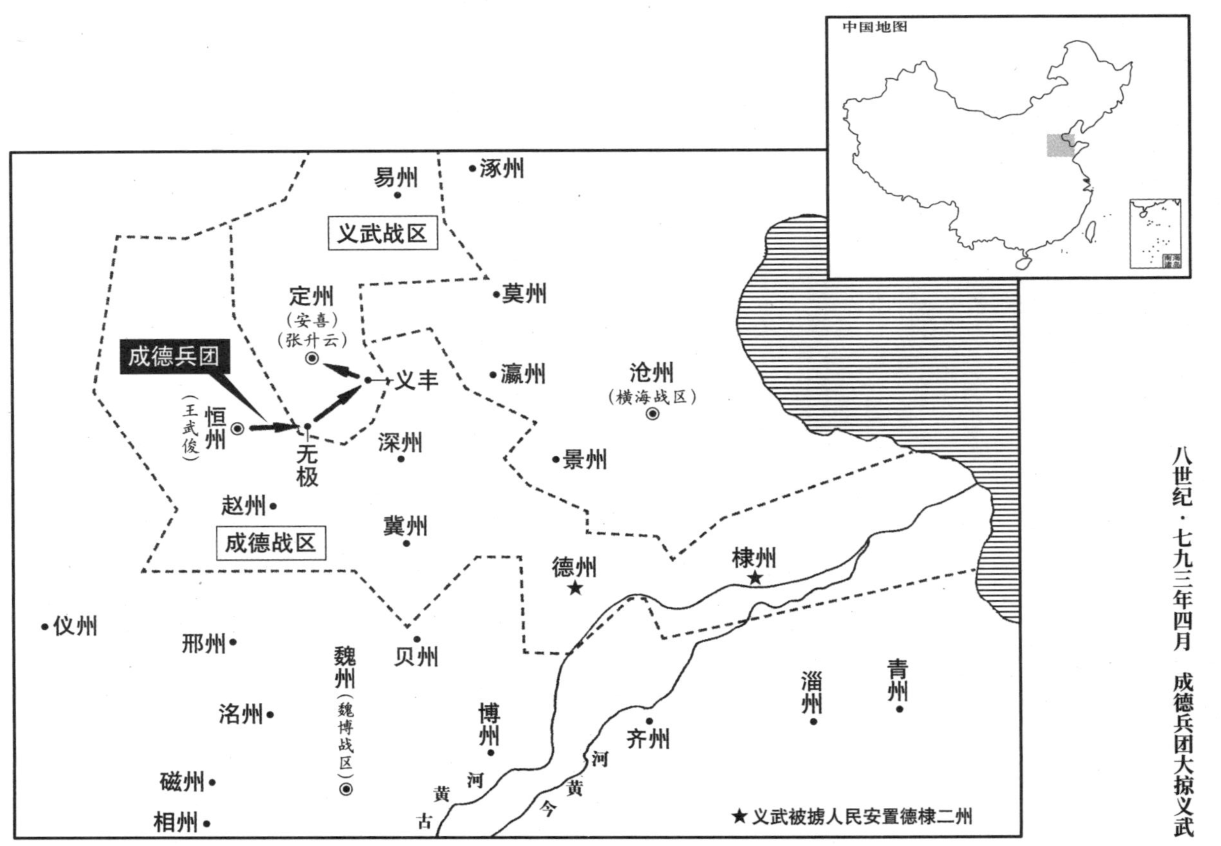

八世纪·七九三年四月　成德兵团大掠义武

李师古都展开双臂收容。

8 五月二十七日，命副立法长（中书侍郎）赵憬，当副监督长（门下侍郎）兼二级实质宰相（同平章事）；加授义成战区（总部设滑州〔河南省滑县〕）司令官（节度使）贾耽中央官衔：国务院右最高执行长（右仆射·使相），遥兼二级宰相（同平章事·使相）；命国务院右秘书长（右丞）卢迈，仍任原官，兼二级实质宰相（同平章事）。卢迈是卢翰的堂侄（卢翰曾任宰相，参考七八四年正月十四日）。赵憬怀疑陆贽仗恃皇帝宠信，打算独揽政府大权，所以才把他从立法院（中书省）排挤到监督院（门下），因而经常自称有病，不过问政事，因此跟陆贽之间结下怨恨（宰相联合办公厅〔政事堂〕设于立法院〔中书省〕，今把赵憬从立法院〔中书省〕调到监督院〔门下〕，所以他怀疑受到排斥）。

9 宰相陆贽上疏皇帝李适，讨论边疆防务有六项严重危机：一是制度不良，政策错误；二是是非不分，赏罚不明；三是兵员增加，财政枯竭；四是将领太多，军力分散；五是待遇不均，怨恨日深；六是遥控指挥，丧失戎机。

陆贽说：

“来自关东（潼关以东）驻防京师（首都长安）西方边陲的士卒，一下子走入一个新的陌生世界，水土不服，风俗习惯不适应，身处荒山旷野，身心悲苦，对蛮夷的攻击，更深怀畏惧。中央供应奉养，把他们当作天之骄子，百般优待宽容，好像是自己家的女婿娇客。可是他们数着手指，计算归期，每天只张大嘴巴，等候喂饭。有些人甚至还希望大军溃败，他好趁着混乱的机会，逃回家园，有些人甚至结合在一起，放弃城镇营寨，一哄而散。影响远近，使人惶惶不安。这种边防军不但对国家无益，反而有害。更有一种是被贬谪的罪犯，本来就不是善良之辈，再加上思乡之情，日夜都在盼望大祸发生，造成的效应，比士卒更为严重。这就是制度不良，政策错误。

“中央大权下落，政府已没有昔日的权威，将帅们的命令，也很少能贯彻执行，国家的法律规章，拘束不了将帅，彼此互相迁就，和稀泥过日子。中央想赏赐一位有功的人，却怕无功的人心生背叛；想惩罚一个有罪的人，又怕跟他有同样恶行的人惊恐不安。于是，部属犯罪，上级先为他隐瞒；部属立功，上级也恐怕引起后患而不愿奖励，卑屈姑息，竟到这种地步。舍生忘死的忠烈之士，饱受同辈讥笑，领先冲锋陷阵的骁勇将领，反而受到士卒怨恨；败兵失地的人，不但不觉得羞愧，更丝毫没有畏惧；救兵中途延误，不能在限时抵达，将领们反而沾沾自喜，认为自己明智干练。于是，忠义之士痛心，英勇之辈沮丧。这就是是非不分，赏罚不明。

“蛮虏每次入侵，边防军将领互相推诿，牵连依赖，没有一个敢采取主动，只尽量夸张蛮虏的声势，奏报中央，说自己的兵力太少，无法抵抗。中央不了解真相，不得不遣兵调将，前往增援。事实上对边塞的攻防战，并没有裨益，反而加重中央的供应补给，人民生活一天比一天穷苦，前方需要一天比一天增多。把小民们倾家荡产的财物，加上政府专卖的盐酒收入，总共加起来，全部都消耗在边防之上。这就是兵员增加，财政枯竭。

“吐蕃（西藏）全国可以动员的兵力，不过跟大唐十数个大一点的州一样，可是他们一有行动，我国就恐惧万分，无力抵抗，就是在平常，唐政府也被他们的强大吓坏，不敢出击，原因何在？只不过我国军队指挥不统一，而吐蕃（西藏）军队指挥统一而已。指挥统一，人心才可统一，号令不改，无论进退，才能整齐，快慢自如，才不致坐失良机，气势自然雄壮，这就是以少为多，以弱为强的道理。本世纪〔八〕二〇年代至五〇年代之间，对付西北两大蛮夷（指突厥〔瀚海沙漠群〕、吐蕃〔西藏〕），只有朔方战区（总部设灵州〔宁夏灵武市〕）、河西战区（总部设凉州〔甘肃省武威市〕）、陇右战区（总部设鄯州〔青海省海东市乐都区〕）。帝国中兴（七五七年）以来迄今，没有时间对外用兵，而抵抗两个蛮夷（回纥〔回鹘〕及吐蕃）也是朔方战区（总部设灵州〔宁夏灵武市〕）、泾原战区（总部设泾州〔甘肃省泾川县〕）、陇右战区（总部设普润〔陕西省宝鸡市凤翔区北〕）、河东战区（总部设太原府〔山西省太原市〕）。后来，分割朔方战区，任命三个司令官（分郭子仪兵权事，参考七七九年闰五月）。其他各军事重镇、各军事基地，数目多达四十，都由皇帝下达诏书，直接发表人事命令，并派宦官前去监军，于是，将领们都直属中央，没有高低之别，人人平等，谁也管不了谁。必须到了敌人大军压境，中央才命他们会商，既没有法定的职权，大家只好客客气气，互相以宾客的身份相待。而军事行动，必须有严肃的纪律，才能有高昂的士气，士气高昂则锐不可当，士气涣散则声势消失；兵力集中才会强大，兵力分散一定削弱；现在的边防，士气消失、声势衰弱。这就是将领太多，军力分散。

“治军的要领，在于依照各人的能力，分出等级，作为差别待遇的根据，使有才干的人力争升迁，使怯懦的人不敢妄求。待遇虽有高低之分，但最低也不致造成严重的匮乏而生怨恨。现今，边区荒凉穷苦，长期驻守在那里的士卒，都是百战残生，遍体鳞伤，一年到头艰苦辛劳，而政府供给他们的衣服饮食，只够他一人使用，为了跟妻子儿女分享，忍饥挨寒，悲惨度日，以致饿得脸上常有菜色，冻得身上块块青紫。而来自关东（潼关以东）的士卒，胆小如鼠，不敢抗敌；闲散懒惰，也不甘心从事劳役，可是发给他们的衣服饮食，却比长期驻守的边防军优厚数倍。还有一种，根本不是禁军，同样是长期驻扎的边防部队，将领们摇尾拍马，说些谄媚的话，请求遥隶神策军管辖，于是，用不着离开原防地一步，只要改一改番号，发给的饮食衣服，立刻多出三倍。负担的任务没有改变，供应的给养却有差别。如果不能太上忘情，谁不愤怒！这就是待遇不均，怨恨日增。

“凡是选派统帅，必须先考察他的品德和指挥能力，满意的就任用，不满意的就不任用。如果对他心存怀疑，就不要任用；如果任用，就不要再存怀疑。统帅在外，对领袖的命令，有时候可以拒绝执行（《孙子兵法》言）。近来，边防军将领的撤换或派遣，都由领袖亲自决定，而领袖任用统帅，首先考虑到他是不是听话，是不是俯首帖耳，容易控制；然后再分割他的军队，削弱他的权力，使他胆惊心怯，即令是明显错误的命令和完全荒谬的措施，他都会盲目接受。蛮夷发动突击，速度如同疾风，统帅把告急奏章，交给驿马车呈报中央，十天半月之后，才接到批示。负责驻守边塞的将领，因军队人数太少，不敢迎战；后方重镇的各负责官员，则因没有接到领袖的指令，不敢出兵。他们能做的唯一一件事，就是等到敌人大肆抢掠，满载而去，立刻发出告捷文书。如果被击败，损失一百，只报一个；如果真的取得胜利，则把一百报作一千。统帅暗自庆幸战争由领袖亲自指挥，自己可以不负失败责任，而领袖又因为是自己亲自指挥，当然也不肯深入追究。这就是遥控作战，丧失戎机。

“我愚昧的认为，应该废除秋季边防制度，各战区道仅只供应服装及粮食，中央应在边区士卒中招募愿留在边疆的以及蛮夷或汉人的子弟，充当边防军。大量开垦屯田，收割之后，由政府购买。盗寇入侵，则入伍作战，平时则回到自己家中耕种。这种方式，岂是忽来忽往的轮调制度所能相比！另行在文武百官中遴选三位干员，担任陇右（总部设普润〔陕西省宝鸡市凤翔区北〕）、朔方（总部设灵州〔宁夏灵武市〕）、河东（总部设太原府〔山西省太原市〕）各战区野战军元帅，分别统辖沿边各重镇；有些并不重要的战区，则不妨跟邻近的战区合并。然后削减各种巧立名目、虚报滥用的开支，核定士卒等级，依照等级供应饮食服装，使大家心情欢喜，公开宣布升迁调补的标准，显示公正无私；颁布赏罚规章，用来考核绩效。如果这样，则蛮夷必然畏惧大唐的声威，疆场将永远安宁。”

李适虽然不能完全采纳，但十分重视（虽然十分重视，但不能完全采纳）。

10 西川战区（总部设成都府〔四川省成都市〕）司令官（节度使）韦皋，派大将董勔（音miǎn〔勉〕）等，率军进入西山（成都西群山），击破吐蕃（西藏）军队，攻克五十余个堡寨。

11 五月二十九日，副监督长（门下侍郎）、二级实质宰相（同平章事）董晋被免除职务，改任国务院教育部长（礼部尚书）。

12 南诏王国（首都苴咩城〔云南省大理市〕）国王（三任）异牟寻，派出三位使节，分别从三路前来唐王朝，一位从戎州（四川省宜宾市）、一位从黔州（重庆市彭水县）、一位从安南（越南河内市），都携带矿金、丹砂，送给西川战区（总部设成都府〔四川省成都市〕）司令官（节度使）韦皋作礼物，矿金表示立场坚定，丹砂表示赤胆忠心。把韦皋写给异牟寻的信，复制三份，每位使节拿一份，作为信物；结果三位使节全都平安抵达成都。

异牟寻上疏声明脱离吐蕃（西藏），请求回归唐王朝。并写信给韦皋，自称"唐王朝云南王的孙儿，吐蕃王的义弟、日东王"（吐蕃称南诏国王为弟，参考七五一年四月。吐蕃封异牟寻为日东王，参考七七九年十月）。韦皋护送南诏（云南省）使节前去长安（唐首都，陕西省西安市），同时上疏庆贺。李适用诏书回答异牟寻，命韦皋派使节去南诏慰问安抚。

13 四位宰相：贾耽、陆贽、赵憬、卢迈，当文武百官有事请示时，互相谦让，谁都不肯先表示意见。

秋季，七月，大家上疏建议：依照七五六年前例，宰相轮流处理国政，十天值班一次（参考该年〔七五六〕十月一日）。李适批准。后来改为每天轮值。

14 西川战区（总部设成都府〔四川省成都市〕）西山（成都西群山）九国首领：羌女王汤立志、哥邻王董卧庭、白狗王罗陀忽、弱水王董辟和、南水王薛莫庭、悉董王汤悉赞、清远王苏唐磨、咄霸王董邈蓬及逋租王（姓名不详。逋，音bū〔晡〕）。之前，全受吐蕃王国（首都逻些城〔西藏拉萨市〕）管辖，而今各率部众归附唐朝，韦皋把他们安置在维州（四川省理县）、保州（理县西北）、霸州（理县东北）一带，发给他们耕牛以及播种用的粟米。

汤立志、罗陀忽、董辟和前往京师（首都长安）晋见皇帝，李适都加授给他们一个官衔，赏赐优厚，送他们回来。

15 七月二十七日，国务院财政部副部长（户部侍郎）裴延龄奏称："我自从担任全国财政总监（判度支）以来，查出各州欠缴的罚款八百余万串，欠缴的交易税三百余万串，欠缴的贡品折合现金三十余万串。请准许另设'季库'，每三个月结算一次，负责追收欠缴款项，清查消耗盈亏事务。至于织染绸缎，则另设'月库'，每月结算。"李适批准。

事实上，各州欠缴的罚款，都是贫苦人家的债务，根本无力缴纳，只是政府簿册上一笔呆账数字而已。交易税则各州征收后，都随时用完。进贡的物品、织染的绸缎，本来由国库（左藏库）保管。裴延龄却出主意搬到新设的仓库，不过是一种数字游戏，欺骗李适，而李适竟然相信，认为裴延龄能增加国家财富，对他特别宠爱。但实际上一点收入也没有增加，反而浪费人力去登记呆账。

京师（首都长安）以西沼泽地带，生长芦苇，有数亩之多。裴延龄奏报说："长安、咸阳（陕西省咸阳市）有面积数千亩的池塘草泽，可以畜牧马匹。"李适派有关官员前去调查，却发现一无所有。但李适对他并没有责备。

监督院初级监督官（左补阙）权德舆上疏，说："裴延龄把正常税收中所保留的预备金，当作是他查出的多余的钱，认为他主持财政后，增加国库收入，是一件功劳。又用低价收购常平仓早先贮藏的杂物，再用高价售出，把盈余的差额另行保管。边防军所有缺额，自今年（七九三）春季以来，已完全注销，并不再支取粮食，怎么会有多余的薪饷！陛下一定认为裴延龄忠贞孤立，受人排斥，以致都对他诽谤，那么，陛下为什么不指派最亲信的官员，作实地勘察，探求真相，公开的给予奖赏或惩罚。而今，群情激愤，众口一词，难道京城全体官民都是朋党，跟他作对？陛下也应该稍稍考虑明察。"李适不接受。

16 八月四日，太尉（三公之一）、最高立法长（中书令）、西平王（忠武王）李晟逝世（年六十七岁）。

17 冬季，十月十八日，西川战区（总部设成都府〔四川省成都市〕）司令官（节度使）韦皋，派战区巡察官（节度巡官）崔佐时，携带皇帝诏书，前往南诏王国（首都苴咩城〔云南省大理市〕）；同时韦皋自己也写一封回信给国王（三任）异牟寻。

18 十一月十日，李适前往圆形祭坛祭祀天神；赦免天下。

19 宣武战区（总部设汴州〔河南省开封市〕）司令官（节度使）刘士宁，自兵变成功（参考去年〔七九二〕四月六日），多数将领都于心不服，而刘士宁不但不谨慎警惕，反而荒淫昏乱、凶暴残忍，出城打猎，往往几天都不回来，官兵们苦不堪言。总作战司令（都知兵马使）李万荣深得军心，刘士宁对他猜疑，剥夺他的军权，命他摄理汴州（河南省开封市）州长。

十二月十日，刘士宁率二万人庞大兵团到野外打猎。李万荣于凌晨进入总部，召集留守警卫的亲兵一千余人，宣称："奉中央命令，征召司令官（刘士宁）去京师（首都长安）朝见，命我接管总部，赏赐你们每人三十串钱。"大家叩头。李万荣又向外营士卒作同样宣布，外营士卒也都服从。于是关闭城门，派人通知正在乐不可支的刘士宁，说："中央命你前去京师（首都长安），最好马上动身，如果稍为迟延，我就砍下你的人头，呈献中央。"刘士宁知道部众不会听他指挥，只好率骑兵五百人逃向京师（首都长安），将到东都洛阳（河南省洛阳市）时，只剩下几个奴仆和几个小老婆而已。抵达京师（首

八世纪九〇年代　唐王朝经营西南地区

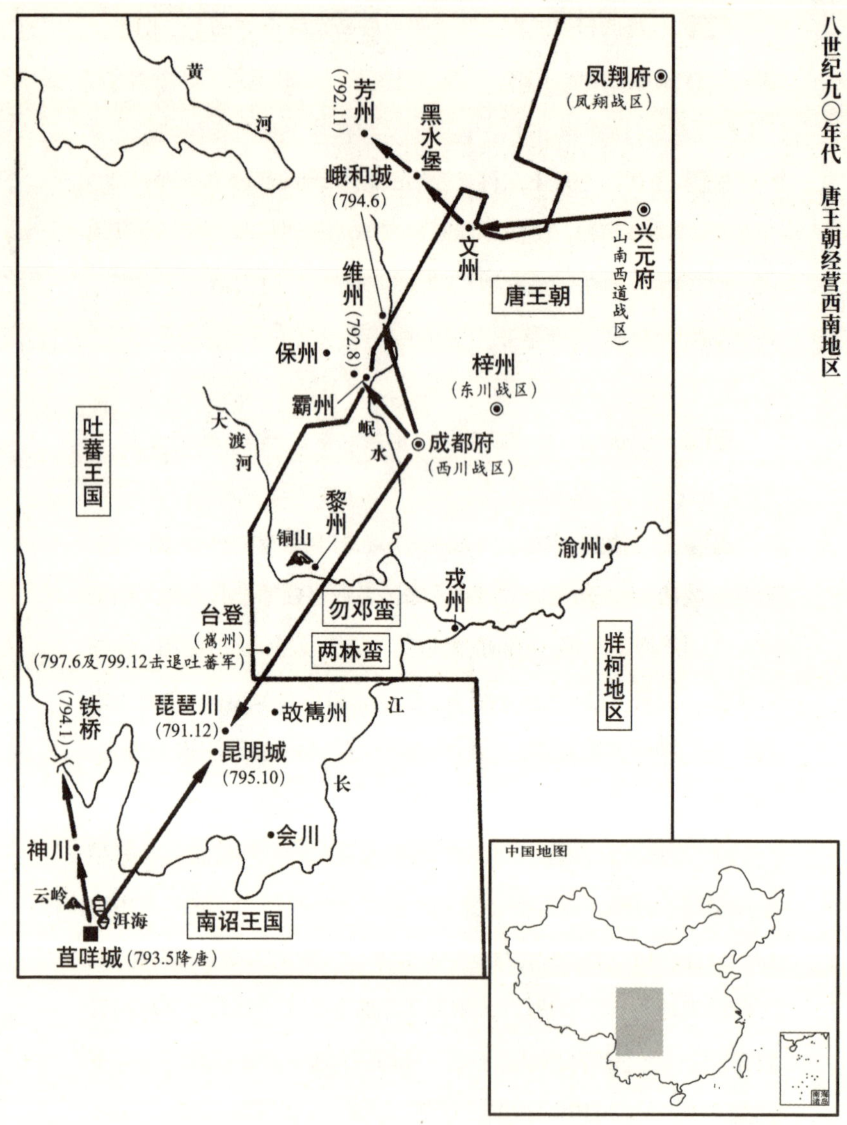

都长安）后，李适训令他回家给他老爹（刘玄佐〔刘洽〕）服丧，禁止自由出入。

淮西战区（总部设蔡州〔河南省汝南县〕）司令官（节度使）吴少诚听到汴州（河南省开封市）兵变消息，立刻出军进驻郾城（河南省漯河市郾城区），派使节质问兵变原因，并表示可能发动攻击。李万荣用调侃的话回答他的质问。吴少诚既无力攻击，只好蒙羞而退。

李适得到李万荣驱逐刘士宁消息，派宦官询问宰相陆贽的意见。陆贽上疏，认为局势已经安定，应该派中央大员前去慰问安抚，慢慢查明真相，以免发生差错。大略说："刘士宁被驱逐，虽是大家一致的盼望，但李万荣主持军务，却不由于中央命令，这是国家安危、政府强弱的契机，请陛下明察。"李适再派宦官通知陆贽说："如果拖下去，恐怕事态恶化。最好任命一位亲王当司令官（节度使），而由李万荣代理候补司令官（知留后），人事命令马上就由宫中发出。"陆贽再次上奏，大略说："制服蛮夷，疆场生死决斗，我自量不能胜任，但整顿军备，拟定谋略，或许可以贡献。引导国家步入平安或陷于危险，全在于如何利用形势，任官授权是成功或是失败，全在于任用的人是不是贤才！形势犹如一个器具，只看放在哪里，如果放到平坦的地方，一定稳固。贤才好像背驮东西，只看能驮多重？交付太重，则一定栽倒。分析李万荣的奏章，显露出不安的夸张，毫无忌惮的要求中央颁发符信，一点也没有谦退辞让之意，用这种卑劣急躁的手段，就不是善良之辈。又听说他本是滑州（义成战区总部，河南省滑县）人，对滑州士卒相待优厚，跟他心志相投的官兵，不过三千人，其他州县士卒，对他都怀怨恨。从他这种搞小圈圈、偏爱小圈圈的小动作，可判断他决不是一个大将之材，一旦得志，准骄傲不凡，即令不背叛中央，以后作战也会失败；背叛中央则犯上作乱，作战失败则丧师辱国。”

陆贽又说：“勉强要求官位，则不顺；勉强答应任命，则不诚。不顺不诚，领袖与干部之间，势必互相猜忌、产生隔阂。与其等到事情恶化时再寻求对策，不如在情势萌芽之前，加以遏阻。”

陆贽又说：“治理国家，要用正义勉励人民。教人如何服从领袖，必先教人如何服从长官。”

陆贽又说：“各战区将领，多半专断独行，他们想在别人头上加一个罪名，还担心找不到借口？如果纵容颠覆主帅、篡夺权力的叛徒，使他们行为变得合法。既有这么大的诱惑，人人都会动心起意，祸源暗中滋长，将来必然发生难以补救的大祸。姑息任命，不但助长灾难，而且鼓励叛变。”

陆贽又说：“前些时驱逐刘士宁，事情突发，各州州长并没有参加阴谋，就是大梁（汴州州政府所在城，河南省开封市）一城的将士，也未必跟李万荣一条心。每人都在关心成败，预测发展，徘徊恐惧于前途难以预料，有谁肯舍命捐躯，跟他一同作恶！”

陆贽又说：“建议陛下在文武百官中，选派一人，命他前去当战区司令官（节度使）。然后再颁布充满关爱优待的诏书，慰劳大军；嘉奖李万荣安抚及平乱的功劳，表示宠信，另派官职；褒扬将士们祥和团结的义行，优厚赏赐金钱及服装。大体上判断、混乱自会平息。纵然李万荣想惹是生非，又有什么作为！”

陆贽又说：“如此实施，假如发生任何意外差错，我愿受破坏军务的惩罚。”

李适不肯接受。

十二月十七日，命通王李谌（音chén〔晨〕）当宣武战区（总部设汴州〔河南省开封市〕）司令长官（节度大使），命李万荣当候补司令官（留后。泾原兵变后，李适胆被吓破，对力量所不及、称兵割据的军阀，连一句话都不敢冒犯，唯恐怕他们不悦）。

20 十二月二十二日，李适命皇孙广陵王李淳，娶故驸马郭暧的女儿郭女士当王妃。李淳，是太子李诵的长子。郭女士的娘亲，是升平公主（十一任帝李豫〔李俶〕的女儿，嫁郭暧，参考七六五年七月四日）。

七九四年 甲戌

唐 贞元 十年

1 春季，正月，唐王朝（首都长安〔陕西省西安市〕）剑南西川战区（总部设成都府〔四川省成都市〕）西山（成都西群山）羌族及其他蛮夷部落二万余户，投降唐王朝。唐帝（十二任德宗）李适（本年五十三岁。适，音kuò〔阔〕）下诏加授战区司令官（节度使）韦皋官衔：“保护界外羌蛮及西山（成都西群山）八国总监”（西山八国，参考去年〔七九三〕七月西山九国，羌女国除外）。

2 西川战区（总部成都府）巡察官（巡官）崔佐时（参考去年〔七九三〕十月十八日），抵达南诏王国首都苴咩城（云南省大理市），当时，吐蕃王国（首都逻些城〔西藏拉萨市〕）的使节有数百人之多，已经先到，国王（三任）异牟寻还不打算让他们知道，命崔佐时换穿牂柯部落（贵州省德江县）的服装进城。崔佐时拒绝，说："我是唐王朝使节，怎么可以改穿小部落蛮夷的服装！"异牟寻不得已，改于夜晚迎接崔佐时等进入京师（首都苴咩城〔云南省大理市〕）。

崔佐时在宣读诏书时，故意提高嗓门，异牟寻唯恐怕传入吐蕃（西藏）使节耳际，大为恐惧，不断张望左右文武百官，脸色大变。但既已决定排除万难归附唐王朝，就也不再坚持；因而叹息流泪，下跪接受诏书。稍后，宰相郑回秘密拜访崔佐时，提示他应如何因应（郑回早就进言归附唐王朝，参考七八七年正月），所以崔佐时对南诏（云南省）内部情形，完全掌握，遂劝异牟寻诛杀吐蕃（西藏）使节，撤销吐蕃所封的国号（封日东王国，参考七七九年十月一日），献出吐蕃所赐的金印（此为二任王阁罗凤时事，参考七五一年四月三十日），恢复南诏王国旧名；异牟寻全部接受。于是，把承诺刻在木版上，用黄金涂字，呈献唐政府。异牟寻率太子寻梦凑等，前往点苍山（大理市西）神庙，跟崔佐时共同盟誓。

之前，吐蕃（西藏）跟回鹘（瀚海沙漠群）为了争夺唐王朝的北庭战区（总部设北庭府〔新疆吉木萨尔县〕），发生大战，死亡伤残，十分惨重（争夺北庭事，参考七八九年十二月十一日），于是命南诏（云南省）派一万人增援。异牟寻以国土太小为理由，请只派三千人，吐蕃认为太少，后来增加到五千人，吐蕃才算勉强同意。异牟寻于是命五千人先行出发，而亲率主力部队数万人紧跟在后，日夜不停的前进，抵达神川（云南省丽江市境金沙江），向吐蕃（西藏）大营发动袭击，大败吐蕃军，一连夺取铁桥（云南省香格里拉市南）等十六城，俘虏吐蕃亲王五人及武装部队十余万人。

正月二十四日，异牟寻派使节前往唐王朝呈献捷报。

3 瀛州（河北省河间市）州长刘澭（音yōng〔庸〕），受老哥刘济（卢龙〔总部幽州〕司令官）逼迫（参考前年〔七九二〕十二月），请中央把他调到陇坻（甘肃省东部）以西，捍卫帝国西部边疆；遂率部队士卒一千五百人，以及士卒们的家属，跟居民男女一万余人出发，直向京师（首都长安），军纪严格，号令整齐，千里行军，途中没有一个人敢任意夺取民间一只鸡或一条狗；李适十分嘉许。

二月三日，命刘澭当秦州（普润，陕西省宝鸡市凤翔区北）州长、陇右军事指挥官（陇右经略军使），驻防普润（陕西省宝鸡市凤翔区北）。大营气氛肃穆，不敲木梆，士卒有患病的，刘澭亲自前往探视，如有死亡，刘澭亲自吊丧。

4 二月二十二日，义成战区（总部设滑州〔河南省滑县〕）司令官（节度使）李融逝世。

二月二十四日，唐政府擢升华州（陕西省渭南市华州区）州长李复，当义成战区（总部滑州）司令官（节度使）。李复是李齐物的儿子（李齐物是淮安王李神通的曾孙，参考七四二年正月）。李复再延聘河南县（东都洛阳所在县）县政府防卫员（尉）、洛阳人卢坦当执行官（判官）。监军宦官薛盈珍一再干涉军政，卢坦每次都据理力争。薛盈珍常说："卢先生的话公正合理，我当然不会违背。"

5 横海战区（总部设沧州〔河北省沧州市东南〕）司令官（节度使）程怀

直到中央朝见，李适赏赐优厚，命他回任。

6 夏季，四月二十八日，宣武战区（总部设汴州〔河南省开封市〕）兵变，候补司令官（留后）李万荣把他们平定。

之前，宣武战区（总部设汴州〔河南省开封市〕）亲兵（司令官〔节度使〕安全卫队）三百人，向来骄傲蛮横，不可一世，李万荣既畏惧又讨厌，把他们派到京师（首都长安）以西参加秋季边防，亲兵大为怨恨。大将韩惟清、张彦琳鼓励他们反抗，攻击李万荣，李万荣把他们击败。亲兵大肆抢劫，四散逃亡；多半投奔宋州（河南省商丘市），宋州州长刘逸准（参考前年〔七九二〕四月六日）收留他们，相待十分优厚。韩惟清投奔郑州（河南省郑州市。属义成战区〔总部滑州〕），张彦琳投奔东都洛阳（河南省洛阳市）。李万荣屠杀所有变兵的妻子儿女数千人。有几个士卒在街上呼叫说："就在今晚，大军来到，攻破城池。"李万荣把他们逮捕，斩首，上疏指控刘士宁煽动。

五月二十八日，中央把刘士宁贬逐到郴州（湖南省郴州市。郴，音chēn〔嗔〕）。

7 钦州（广西钦州市）蛮夷酋长黄少卿聚众起兵，包围州政府所在城池。邕州军管区（首府设邕州〔广西南宁市〕）军事指挥官（经略使）孙公器，上疏请征调岭南战区（总部设广州〔广东省广州市〕）军队增援解救。李适不准，改派宦官前去调停和解。

8 宰相陆贽上疏指出："陛下南郊祭天典礼和颁布大赦令，为时将近半年（参考去年〔七九三〕十一月），可是被贬窜外地的官员，迄今还没有蒙受恩泽。"遂拟定三项实行细则进呈，李适派宦官告诉他说："依照前例，贬窜的官员遇到大赦，都会酌量情形向内地移动，但不过三五百华里，你现在拟定的范围，似已超越；而且移动的地点多半接近军事重镇或交通要道，恐怕发生差错。"陆贽再上疏说："领袖待人，应该诚心，对于部属，可以发怒、斥责，但不可以猜疑、嫌弃；可以处罚、贬逐，但不可以妒忌、记仇。免职放逐，是处罚他不能尽责；宽恕赦免，是勉励他改过自新。没有处罚就会减少国法的尊严，没有勉励势将加速他的堕落，每次擢升或贬谪，都不出于个人的爱憎。依法行事，不得不贬谪；爱惜人才，自然慢慢提升。那些被贬谪的干部，知道将来有再被任用的机会，谁不加倍努力进德修业？领袖又何必忧虑他们破坏制度，担心他们胸怀怨恨？如果只因某人曾被贬窜，就肯定他就是奸邪凶恶之徒，处处防范，永远摒弃，再没有前途，即令他改过自新，也无补于事，纵使才干超人，也永不能施展。人之常情，走投无路时，会想尽方法突破；在悲愤交集中，制造混乱，可能就在这种情况下发生。而今，酌量迁移，不过三五百华里，事实上还没有离开本道，而风土气候，有时反而比原来的地方更为恶劣。徒然增加一次搬家的劳苦和增加一次移动的悲愁。再者，现在各州各特别市(府)，多半驻有军队，全国之内，很少地方没有驿站宾馆。如果对他们猜忌防范到这种地步，显示胸襟并不宽宏，敬请再一次考虑裁定。"

李适生性多疑，不信任部属，不管官员的地位高低，他都要亲自遴选。宰相所作的推荐，李适很少批准。文武百官一旦受到谴责，往往废弃终身，永远不再录用。李适认为口才流利的人，定有才干，所以物色不到性情敦厚、真才实学的知识分子。因为升迁困难，所以很多人才被压制埋没。陆贽上疏劝告，说："擢升，是为了勉励立功；斥退，是为了惩戒过失。两种手段交互使用，循环不息。进官封爵之后，违法犯罪，照样惩罚；贬谪放逐之后，改过修德，照样任用。既不伤害法律，也不糟蹋人才。所以，即使再小的过失，都要处罚，人才也不会缺乏；并且还可以使被处罚的人，兢兢业业，以求恢复官职；而已进用的官员，更会提高警觉、洁身自好的当官做事。领袖既不会缺少辅佐人才，部属也不致满腹牢骚，积压怨气。”

陆贽又说：“英明的领袖不会全凭谈话应对用人，也不会全凭自己一个人的高兴用人；如果只是为了喜欢，而不管才干便用了他；如果只是为了高兴听他的言论，而不查证他的行为；那么无论擢升或斥退，都是一种爱憎的情绪反应，无论契合或决裂，都是只看部属能不能迎合自己的旨意。这正是舍弃‘墨绳’（木匠用染墨的线标出直线），而只凭自己的想象去画直线，抛弃天平，而只用手去评估轻重；即令很精密，也不能没有错误。”

陆贽又说：“中等智慧以上的人，每人都有专长，如果能妥为调查，授给他适当的职位，就可使他们各自发挥专长。大家结合在一起，成功立业，跟‘全才’有什么区别？只看领袖是否有知人之明和是否领导有方！”

陆贽又说：“只要一句话听来心里舒服，就认为他有能力，而不去查考真伪；只要一件事做得不恰当，就认为他是罪犯，而不去分别忠奸。对于所谓有能力的人，就交付给他超过他能力的重任，不管他是不是承担得起；对于所谓罪犯，则给他超过他应得的惩罚。不考虑超过他的能力，对他的惩罚一定过重；不宽恕他确实已尽了全力而仍然无功，领袖与部属之间的关系就不能维持稳定。”

李适拒绝接受。

对于危机日深的全国经济情势，陆贽提出整顿及节约方案，共有六条： 794

其一，分析“两税”的弊端（“两税”，参考七八〇年正月一日）。陆贽说：“传统的税收及差役立法，有：田赋（租）、差役代金（庸）、捐税（调。租庸调法，参考六二四年四月）。每个成年的男人，接受国家拨付农田一百亩，每年缴谷米二石，称‘田赋’（租）；每户人家都用当地土产，诸如绢（厚绸）、绫（薄绸）、絁（音shī〔诗〕。粗绸）等丝织品中，选择一种，缴给政府二丈，另缴棉花三两；不能养蚕的地方，则改缴棉布二丈五尺、麻三斤，是谓‘捐税’（调）。每一个成年男人，每年都要接受征调，为国家从事差役，但可以折合现款，由政府雇人代替服务，计每天缴纳绢（厚绸）三尺，谓之‘差役代金’（庸）。当时全国统一，法令也统一，当事人即令迁移到别处，也没有一个地方容许他逃避捐税，所以人心安定，做事依照法令、遵守纪律。后来羯胡各族扰乱大唐（指安禄山及史思明兵变，分别参考七五五年十一月、七五九年十一月），人民骚动，因为到处逃难，国土分崩离析，为了军事需要，法令规章都被破坏。七八〇年代初期，政府力图恢复社会秩序，各种制度，从头建立，当权分子（指杨炎）虽然知道流弊应该改革，但所定的法令规章，不但不合时代需要，反而连原有的优点，也都丧失。虽然说简单明了，但是却掌握不住重点。希望革除弊端，必须先洞察造成弊端的原因。如果是执行偏差，只要纠正方向便可；如果是法令本身不健全，则应修改法令。一切都处理恰当，将来就不会后悔。自从天下大乱，政府开支急剧膨胀，这只是暂时现象，不是根本问题。因此而废除田赋（租）、差役代金（庸）、捐税（调），派遣使节到各州县搜刮，调查户籍档案，每州找出七六六年至七七九年间（十一任帝李豫〔李俶〕在位）税收最多的一年，作为缴纳‘两税’的标准（参考七八〇年正月），并不恰当。财富的产生，必须依靠人力的投入，所以从前帝王制定税收法规，都以成年人为单位。不因他努力耕种，而加收田赋（租），也不因他懒于耕种，而少收田赋（租），所以人民才乐意从事农业。不因他努力纺织绸缎而加收捐税（调），也不因迁移搬家而少收捐税（调），所以人民才乐意固定的久居一地。不因他尽忠职守加收差役代金（庸），也不因他顽劣怠惰而少收差役代金（庸），所以人民才乐意勤奋工作。结果是：人民定居一地，尽力生产。‘两税’制度却以财产为准，而不是以人力为准。从没有想到，有些财产是可以揣到身上，或藏到箱子里、柜子里的，价格虽然昂贵，外人却无法看到。而储存在广场或仓库里的粮食，价格虽然低，人人都会认为他非常富有。财货流通，有利息收入，数量虽少，但可以累积；而高楼大厦和豪华的用具，价格虽高，放在那里永不会生出利息。这种情况，复杂而繁多，竟然一律折合现金，评估纳税多少，当然助长谎报，难以公平。于是大家追求体积小、重量少的财产。不断迁移，反可以免除差役赋税，而辛苦耕田，好不容易置有房屋家宅的人，却被差役赋税陷于困境。这是引诱人民诈欺作伪、逃避义务的方法。人民不可能不懒散，赋税不可能不减少，再加上立法之初，没有注意到公平原则，供应有繁有简，州长县长的才能也有高有低，各地赋税，既轻重不一，中央所派的税务官员，意见也不一致，等到中央批准以后，便只有增加，没有减少。同时，七六六年至七七九年间，供应军费及供应皇家费用的税收，既然已明令并入‘两税’，为什么在‘两税’之外，依旧征收？我请求稍稍减少，用以救济贫苦无告的小民，得维残生。”

其二，建议“两税”改收实物，不再折合现金。陆贽说：“政府征收赋税，必须衡量人民的财力，依照土地的生产情形，一向征收布（棉布）、麻（麻布）、缯（绸缎）、纩（丝棉）以及粮食而已。从前君主唯恐怕各地物价贵贱悬殊太大，民间交易没有标准，因而颁布‘钱币法’（参考七一八年正月），以便于控制物价，各地市场的供需，靠此调节。财政大权，是国家的基石，必须由中央掌握，不能交给民间。绸缎布匹粮食等物，乃人民生产；而金钱货币，却由政府铸造发行。政府曾明令公布过：田赋（租）一律缴米，差役代金（庸）一律缴绢（生丝厚绸），捐税（调）一律缴绸缎、丝棉、棉布。岂有禁止民间私自铸钱，却又规定非用钱缴税不可？偏偏‘两税法’跟旧有制度不同，只要估计一下资产多少，就依照等级归类，确定要缴现款和粮食数目，或临时折合其他杂物。问题是，折合的杂物，每年不同，官员只管折合方便，有利可图，而不管民间的供应是不是艰难！所征收折合的杂物，民间并没有生产，民间生产的，政府又不征收。人民只好减价出售他们生产的杂物，而用高价购买他们不生产的杂物，缴给政府；一卖一买之间，人民受到的损失，十分严重。我建议下令各州，查明七八〇年‘两税’最初实施时所征收的厚绸（绢）和棉布（布）数目，以及当年所估计的现金价格，跟现在的现金价格作一比较，斟酌情形，加以折中，定出新的价格，加上其他所有捐税，把总数折合成绸缎、棉布。”陆贽又说：“农田的生产力有最高极限，适当耕种，节俭开支，则经常富裕。无限的搜刮和浪费，便会经常感到贫乏。庄稼丰收歉收，全看上天，而消耗的节约和浪费，人民却可自己做主。所以英明的领袖制定法令规章，以收入的多寡，决定如何支出；即使发生天灾人祸，人民也不致穷到无法活命。但社会秩序已被破坏，情形恰恰相反，而是在估计支出多少之后，再决定征税多少，根本不管人民死活。姒履癸（夏王朝末任帝桀帝）拥有全国财富，总觉得不够用；子天乙（商王朝一任帝汤帝）的领域只有七十华里，国用却绰绰有余。这说明一点：够用不够用，只看节俭不节俭。”

其三，批评州县官员把增加人口、增加赋税、增加田地作为业绩。陆贽说：“地方政府官员中，很少能心怀忠恕，设身处地为人民着想；更少大公无私，尽心尽力，忘身报国。大多数官员都靠着不断的小恩惠、小动作，引诱人民作奸犯科；把对于邻境的巧取豪夺，当作才智能力；把聚集逃亡罪犯和地痞流氓，当作善于安抚教化。从外地新迁入的移民，依法可以免除差役赋税，一些搬来搬去的流动户口，遂每次都因他们刚刚复业，而给予种种优待。对那些眷恋故土，始终不肯离开的人民，所加到他们身上的，却差役日重、赋税日多。这种现象是，永久定居于一处的人，替那些懒惰的游民，代缴赋税，这跟驱逐他们不断搬家，教导他们堕落诈骗，有什么区别？这都是州县长官昏暗不明，本位主义的过失。”陆贽又说：“制定法令规章，要求人民遵行，时间一久，不可能没有弊端；地方政府官员如果不能做适当的处理，奸诈邪恶，自会发生，往往越是劝告阻止，情况越是恶化。我建议下令有关单位，详细制定考绩实行细则。如果管区之内的人口越来越多，则人民的财富必然也越来越多，就应依照税率的规定征收赋税，一定会超过原定税额，就应减低税率，中央就把‘减低税率’多少，作为考绩的依据。辖区所有税收都包括在内，如能使每户减税十分之三，考绩列入甲等；减税十分之二，考绩列入次等；减税十分之一，考绩列入三等。如果人口流亡出境，把捐税加到当地住户身上，则比照上列办法，分别等级，予以处罚。”

其四，希望确定缴税限期。陆贽说："建立国家，设置官位，是为了保护人民。要人民纳税，是为了供应国家。所以英明的君王不会只为了加重税收、充实国库，而去虐害人民。任何措施，都应以保护人民为第一优先，只在农闲的时候，才使用他们的劳力。但先决条件是：必须使人民都能养家活口、生活温饱，才可以征收他们多余的钱财。"陆贽又说："农民刚开始养蚕，政府就征收细绸（缣）交易税；农田刚播种完毕，政府就征收田赋。上级长官限令森严，下级部属加到人民身上的压力更是凶暴。有细绸（缣）、粮食的农家，急于变作现金缴税，不得不削减半价出售；没有细绸（缣）、粮食的农家，只好到处借钱，付出加倍的利息。我建议陛下体恤苦情，明确规定人民缴税的日期。"

其五，建议把茶税收入，设置义仓，防备水旱饥荒。陆贽说："古时规定，国家必须有九年或六年的存粮（《礼记·王制》：一个国家没有九年的存粮，称"不足"；没有六年的存粮，称"急"；没有三年的存粮，它就不能成为一个国家），这项存粮救济的对象，全国官民都包括在内，不是只管充实国库，不管小民死活。最近，主管官员请求对茶叶课税（参考去年〔七九三〕正月二十四日），每年可收入钱五十万串，陛下原来下令储存国务院财政部（户部），用以在荒年时拯救人民饥馑，我建议改买粮食，这跟陛下先前的命令，正相符合。"

其六，建议阻止地主剥削。陆贽说："现在，京畿地区（陕西省中部）田赋，每亩，政府向地主征收五升，而地主向佃农甚至征收一石，是私税高于公税二十倍之巨（十升一斗，十斗一石）。即令是中等情况，也征收五斗。土地，是国家所有，耕田种地，是农夫辛苦勤劳，可是兼并土地的大地主，却居然从中榨取暴利。"陆贽又说："我建议人民拥有的耕田，政府应制定法律，限制它的数目；同时明令减少向佃农收缴田租的数目，务必使贫苦的农民受到裨益。法律的尊严，在于能彻底执行，千万不可以苛刻，制度的建立，应该宽厚，但违背它的，必须惩罚。略微降低富豪乡绅的利益，稍为提高贫农的收入；降低一点利益，并不损害有钱人的财富，提高一点收入，却可以救济贫农于饥寒。这是保护财产、怜恤贫穷的最好办法，不应舍弃。”

柏杨曰

中国八世纪时候的社会横切面，在陆贽的奏章上，完全暴露：经济破产，元首昏庸，官员顽劣，地主凶暴，政府成为一个单纯的贪污集团和压榨机器，千万以农耕为主的中国小民，在政府与地主、军队，以及水旱天灾蹂躏下，不过一群热锅上的蚂蚁而已。这种悲惨生活，在以后漫长岁月中，不但没有减轻，反而一年比一年更为凄苦，可悲！

9 六月一日，昭义战区（总部设潞州〔山西省长治市〕）司令官（节度使）李抱真（安抱真）逝世（年六十二岁）。他的儿子、宫廷监察官（殿中侍御史）李缄跟李抱真（安抱真）的堂外甥元仲经保守秘密，不对外发布死讯，伪造一份李抱真（安抱真）的奏章，请求把官位传给李缄；再伪造一份李抱真（安抱真）的信件，派初级将领陈荣，前去晋见成德战区（总部设恒州〔河北省正定县〕）司令官（节度使）王武俊，借贷钱财。王武俊大怒说：“我跟你老爹是要好朋友，同心协力，效忠皇家（李抱真与王武俊结拜事，参考七八四年四月二十八日），怎么会跟你一同为非作歹！听说你老爹已经过世，竟敢不等中央命令，就自己夺权，胆敢骗我，还胆敢向我借贷！”命陈荣回去，把原话责备李缄。

昭义战区（总部设潞州〔山西省长治市〕）步兵总纠察官（步军都虞候）王延贵是汝州（河南省汝州市）梁县（汝州州政府所在县）人，一向以道义勇敢受人称道。李适知道李抱真（安抱真）已死，派宦官第五守进（第五，复姓）前往调查，并且把战区军权交给王延贵。第五守进抵达上党（潞州州政府所在县），李缄宣称李抱真（安抱真）患病，不能接见。三天后，李缄在森严戒备下，拜访第五守进。第五守进告诉他说："中央已经知道大帅逝世，所以下令王延贵暂时接管军队，你应该发布消息，改穿丧服。"李缄呆在那里，退出后，询问各将领说："中央不允许我接管，各位意下如何？"大家都不言语，李缄大为恐惧，只好回家举办丧事，把司令官（节度使）印信及库房钥匙，送给监军宦官。第五守进召见王延贵，口头宣布皇帝诏书，命他到差视事，催促李缄前去东都洛阳（河南省洛阳市），回归私宅。元仲经逃亡，王延贵把罪状全推到元仲经头上，捕捉到案，斩首。

李适下诏命王延贵暂代处理昭义战区（总部潞州）军务。

10 南诏王国（首都苴咩城〔云南省大理市〕）国王（三任）异牟寻，派他的老弟凑罗楝（音liàn〔练〕）向唐政府呈献地图、土产及吐蕃王国（西藏）当年所颁发的金印（参考七五一年四月），请求恢复南诏国号（南诏之名，参考七三八年九月）。

六月十二日，李适任命国务院教育部祭祀司司长（祠部郎中）袁滋，当册封南诏（云南省）特使，颁发银座金印，印文是："贞元（李适年号）册南诏印"。袁滋抵达南诏，异牟寻面向北方下跪接受诏书及金印，叩头再叩头，设下筵席，宴请唐王朝使节，拿出九任帝李隆基当年赏赐的两个银质"平脱"马头盘（平脱，即镶嵌。把镂成花纹图案的金银薄叶，用漆贴在器物上，重新上漆，然后再行细磨，使花纹露出，这种工艺品称"平脱”，即一种镶嵌工艺，唐王朝最为盛行），请袁滋过目。指一位老笛工和一位老歌女，说：“皇上（李隆基）赏赐的‘龟兹乐’舞团，只剩下他们二人（可悲）。”袁滋说：“南诏（云南省）当深思祖先的苦心，子子孙孙，效忠中国。”异牟寻叩头说：“我怎么敢不遵守特使的命令。”

11 李适命义武战区（总部设定州〔河北省定州市〕）司令官（节度使）张升云改名张茂昭。

12 副总监察官（御史中丞）穆赞调查全国财政总监署职员（度支吏）贪赃，全国财政总监（度支使）裴延龄包庇职员，打算为他脱罪，穆赞拒绝，裴延龄径向李适打小报告陷害，李适遂贬穆赞当饶州（江西省鄱阳县）总秘书长（别驾）。政府官员对裴延龄都大为畏惧，不敢正眼看他。穆赞，是穆宁的儿子（穆宁事，参考七五五年十二月十七日）。

13 西川战区（总部设成都府〔四川省成都市〕）司令官（节度使）韦皋奏报：在峨和城（四川省茂县西北）击破吐蕃军（西藏）。

14 秋季，七月一日，李适擢升昭义战区（总部设潞州〔山西省长治市〕）步兵总纠察官（步兵都虞候）王延贵，当候补司令官（留后），改名王虔休。

作战参谋长（行军司马）、兼洺州（河北省邯郸市永年区东南广府镇）州长元谊，听到王虔休（王延贵）当候补司令官（留后）消息，愤愤不平，上疏中央，请求划洺州、磁州（河北省磁县）、邢州（河北省邢台市），另成立一个战区。昭义战区的精锐部队都在山东（太行山以东。昭义战区总部本设相州〔河南省安阳市〕。七七五年正月，魏博战区〔总部设魏州，河北省大名县〕并吞相州，泽潞战区〔总部设潞州，山西省长治市〕辖区原来只限太行山西麓一隅，及奉命增援，特遣兵团进入太行山东。昭义战区残余的三州〔洺邢磁〕，不再设司令官，而以泽潞司令官兼任，总部仍设潞州，但昭义一词遂代泽潞，犹如平卢取淄青一样)，元谊对部属们赏赐优厚，希望取得效忠。李适不断派宦官前往调解，元谊拒不接受。

临洺（河北省邯郸市永年区）守将夏侯仲宣献出城池，归降王虔休（王延贵），王虔休（王延贵）派磁州（河北省磁县）州长马正卿，督促初级将领石定蕃等率士卒五千人攻击洺州（河北省邯郸市永年区东南广府镇）。石定蕃率他的部众二千人阵前叛变，投奔元谊；马正卿只好撤退。李适下诏调元谊当饶州（江西省鄱阳县）州长，元谊不接受。王虔休（王延贵）亲率大军进攻，决开洺水（流经洺州城南）河堤，引水灌城。

15 钦州（广西钦州市）蛮夷首领黄少卿，一连攻陷钦州、横州（广西横州市）、浔州（广西桂平市）、贵州（广西贵港市）等州，并攻击邕州军管区（首府邕州）军事指挥官（经略使）孙公器驻守的邕州（广西南宁市）。

16 九月，王虔休（王延贵）击破元谊军，攻克鸡泽（河北省鸡泽县）。

17 全国财政总监（度支使）裴延龄认为国家官员人数太多，奏请皇帝批准：以后出缺时不再递补，用节省下来的薪俸，充实国库。李适打算整修神龙寺，需要五十尺长的松木，却找不到。裴延龄说："我最近在同州（陕西省大荔县）山谷里，发现几千棵大松树，高达八十尺！"李适说："开元、天宝年间（七一三年至七五六年，九任帝李隆基在位），用尽方法在京师（首都长安）附近寻找巨大木材，都找不到，现在怎么会有？"裴延龄回答说："天生奇才，要等到神圣英明的君王出现时，才会出现；开元、天宝年间（七一三年至七五六年），怎么

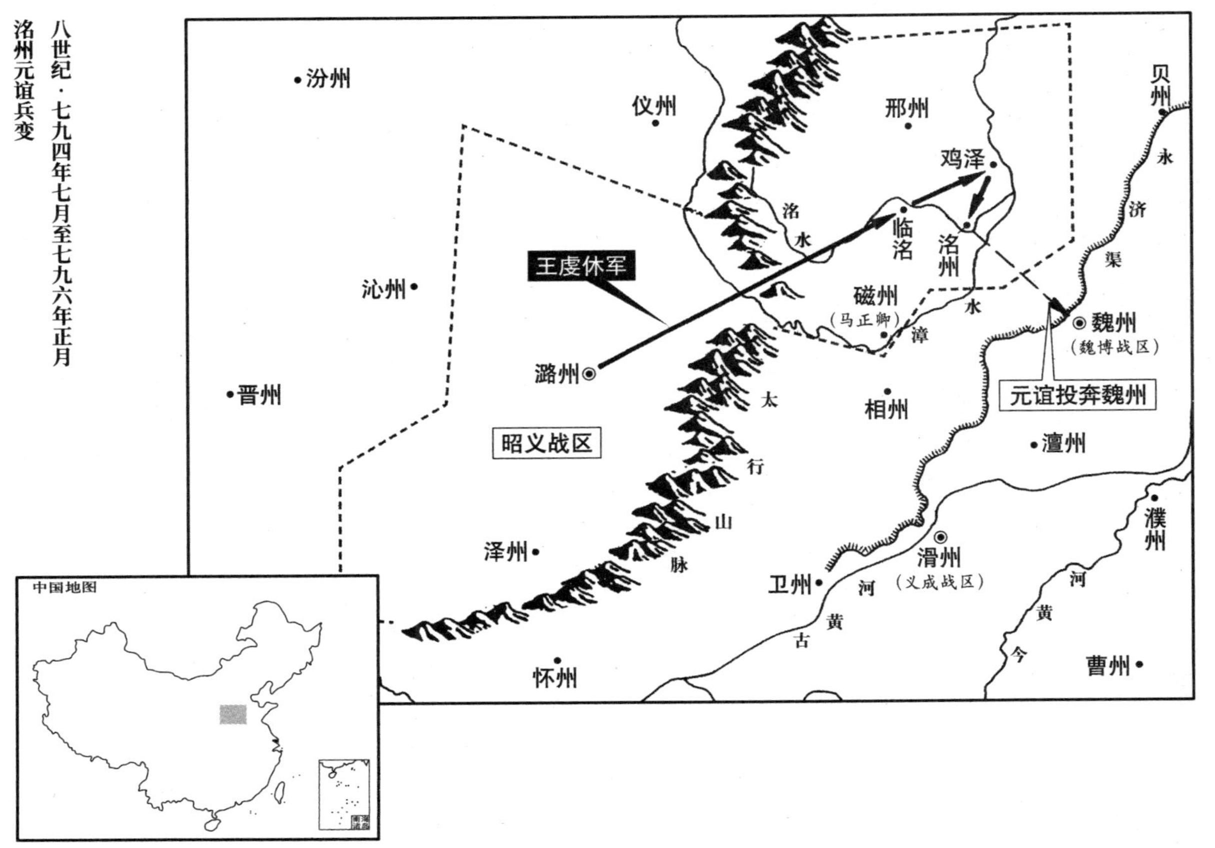

八世纪·七九四年七月至七九六年正月
洺州元谊兵变

可能找到！”

裴延龄上疏说：“中央国库（左藏库）官员，失落很多财物。我最近清仓检查，重新登记，竟然在尘土之中，找到纹银十三万两，另外还有棉布、绸缎，以及其他，价值一百万钱有余，这些都是被丢弃的东西，当然属于剩余物资，应该移交皇家御仓，听候陛下开支。”库藏部副部长（太府少卿）韦少华不服，上疏说：“这些都是正式登入账册中的国家财产，每月都列表呈报，请派人查证。”宰相请求三司会同调查回奏（三司：总监察署〔御史台〕、国务院司法部〔刑部〕、最高法院〔大理寺〕），李适不肯，但也不处罚韦少华。裴延龄每次面奏，都信口开河，诡密欺诈，别人不敢说的或从来没有听过的一些话，裴延龄都敢一点也不迟疑的说出来。李适也相当察觉他的荒谬虚妄，但因为他勇于抨击别人，而李适又希望听到外面的小道消息，所以对他仍宠爱信任，待遇优厚。

李适宠爱信任裴延龄，不仅仅是希望听到外面的小道消息而已，也是因为裴延龄搞了很多钱给李适，满足李适的贪欲。

文武百官畏惧裴延龄的权势，不敢向李适反映，只有全国盐铁专卖暨运输总监（盐铁转运使）张滂、首都长安市长（京兆尹）李充、农林部长（司农卿）李铦（音xiān〔仙〕），因为跟自己的职务有关，所以时常指证他的虚妄。而宰相陆贽，则更单独挺身而出，跟他对抗，每天都警告李适：裴延龄决不可以给他重责大任。

冬季，十一月三日，陆贽上疏，列举裴延龄的奸诈事实，一条条写出他的罪恶，大略说：“裴延龄认为做官之道，搜刮聚敛是最高策略，虚假荒谬是最好计谋。搜刮聚敛，引起人民怨恨，他却借以显示为了尽忠皇上，而不顾自己利害；本是花言巧语、谗言陷害，他却借以显示嫉恶如仇，竭尽一个做部属的本分。把经典上最丑恶的事，都当作明智的手段；违犯圣贤哲人告诫的行为，却认为恰好证明自己能力高超。可称之为伊祁放勋（黄帝王朝六任帝尧帝）的共工（共工是"四凶"之一，参考八六年四月注）、鲁国的少正卯（参考前四三年注。共工、少正卯，都是儒家系统专政下的冤狱，儒家学者一直认为二人有罪）。他的罪恶，每天都在滋长，一些隐秘的事固然还没有完全显露，但仅就显露出来的罪恶，已经难数。"

陆贽说："陛下如果猜测对裴延龄的抨击都是诽谤诬陷，就应该要他公开辩护，还他清白。如果知道他不是善类，怎么可以千方百计纵容掩饰！"

陆贽又说："陛下为了保护裴延龄，对他的罪状连问都不问，他就认为能够蒙蔽蛊惑，行为更加怪诞，遇事既不思考，也不畏惧。把东边的东西搬到西边，竟宣称是他查核的成绩（参考去年〔七九三〕七月）；把这里的财物移到那里，便坚持那里竟是盈余。愚弄政府，如同儿戏。"

陆贽又说："裴延龄诡密奸诈的才干，虚伪诬陷的言论，遇事都会发作，随时都会出口，没有一天不做，也没有一天不说，难以一一陈述。"

陆贽说："从前，赵高指鹿为马（参考前二〇七年），我认为鹿和马还是同类，怎能像裴延龄，把'有'说成'没有'，把'没有'说成'有'！"

陆贽又说："裴延龄凶恶虚妄，天下皆知，上自三公级及部长级官员，下到仆役、小民，议论纷纷，亿万官民，能向陛下进言的，有几个人？我以卑贱鄙陋之身，担任宰相，内心激动，虽然想勉强沉默，却不能沉默。”

奏章呈上后，李适大不高兴，待裴延龄更加优厚。

18 十二月，王虔休（王延贵）趁洺州（河北省邯郸市永年区东南广府镇）护城河结冰，横渡城壕，发动急攻。元谊出军迎战，王虔休（王延贵）不能取胜，撤退；正逢天晚，河冰融解，士卒淹死一大半。

19 副立法长（中书侍郎）、二级实质宰相（同平章事）陆贽，因李适对他厚待，遇到他认为不可做的事，总是据理力争。他的亲信中有人警告他说话过于尖锐，陆贽说：“我对上不辜负领袖，对下不辜负我所学的真理，其他一概不作考虑。”可是裴延龄每天都在李适那里谗言陷害。赵憬之能当宰相，事实上是陆贽推荐，但不久赵憬转而怨恨陆贽（参考去年〔七九三〕五月二十七日），把陆贽讥笑及弹劾裴延龄的事，秘密告诉裴延龄，于是裴延龄更能将计就计，从中化解或反击，李适更加信任裴延龄，反而轻视陆贽。陆贽不知道，曾经跟赵憬相约晋见李适时，无所顾忌的抨击裴延龄，李适一听抨击裴延龄，脸色大变，赵憬一言不发。

十二月二十三日，免除陆贽宰相职务，改任太子宾客（正三品）。

20 最初，勃海王国（此时首都在东京龙原府〔吉林省珲春市〕）国王（三任文王）大钦茂逝世（七九三年），太子大宏临早死，堂弟大元义继位（四任王）。大元义忌猜暴虐，皇家贵族乃把他诛杀，拥护大宏临的儿子大华屿继位（五任成王），改年号中兴。本年（七九四），大华屿逝世。大钦茂的幼子大嵩邻继位（六任王），绰号康王，改年号正历。

七九五年 乙亥

唐 贞元 十一年

1 春季，二月七日，唐王朝（首都长安〔陕西省西安市〕）皇帝（十二任德宗）李适（本年五十四岁），任命勃海王国（首都龙原府〔吉林省珲春市〕）国王（六任康王）大嵩邻当忽汗州军区总司令（都督。勃海王国立国之初，建都忽汗城〔吉林省敦化市〕，参考七一三年二月，而于八世纪五〇年代迁都龙泉府〔黑龙江省宁安市西南东京城镇〕，八〇年代再迁都龙原府。唐政府似不太精确了解三城位置，故一直称忽汗州），封勃海王。

2 陆贽既被免除宰相职务，全国财政总监（判度支）裴延龄，遂开始对首都长安市长（京兆尹）李充、军械供应部长（卫尉卿）张滂、前农林部长（司农卿）李铦（音xiān〔仙〕）等，暗中陷害，说他们是陆贽的同党。正巧，大旱成灾，裴延龄警告李适说：“陆贽等失去权势后，心怀怨恨，曾经公开宣称：‘旱灾势将形成，人民恐怕要流亡失所，全国财政总监署（度支）亏欠军队很多粮秣，士卒和马匹都没有东西可吃，这件事怎么办？’他们的目的，不仅要中伤我而已，而是在煽动军情，动摇民心！”过了几天，李适去皇家林园打猎，刚好担任保护御驾的神威军的一名士卒，直接向皇帝诉苦说：“全国财政总监署（度支）一直没有发下草料！”李适想到裴延龄的话，认为陆贽等果然包藏祸心，惊怒交加，立刻回宫。

夏季，四月二十五日，贬陆贽当忠州（重庆市忠县）总秘书长（别驾）、李充当涪州（重庆市涪陵区）政务秘书长（长史）、张滂当汀州（福建省长汀县）政务秘书长（长史）、李铦当邵州（湖南省邵阳市）政务秘书长（长史）。

最初，阳城以隐士身份，被征召到中央当监督院高级顾问官（谏议大夫，正四品下。参考七八八年六月），他毫不推辞的就接受这项官职。还没有到京师（首都长安），人们就想象他的神韵风采，异口同声认为：“阳城一定会直言无隐，死在他的职责上！”等他抵达京师（首都长安）。当时，各谏官总是就一些小事末节抗争，李适对谏官越发讨厌痛恨。阳城跟他的两位老弟以及宾客，日夜饮酒，人们猜不透他的心意，最后一致认为他不过是个官场混混，浪得虚名。前进士（曾参加中央文官考试，现已任职的高级知识分子）河南（河南省洛阳市）人韩愈，撰写《争臣论》加以讽刺，阳城也不理会。有人拜访阳城，打算问个清楚，阳城知道来意，就拼命灌对方吃酒。有时客人先醉，跌倒席榻之上；有时主人先醉，躺到客人怀里，根本弄不清客人说些什么。可是，到了陆贽被罩上谋反铁帽，贬谪蛮荒。李适大怒若狂，无法化解，宫中宫外，大小官员，无不震撼恐惧，认为鼓动军事叛变，意图颠覆政府的大阴谋，即将爆发。大狱即将兴起，灾祸就要临头，没有一个人敢出面援救。阳城听见消息，挺身而出说：“不可以使领袖信任奸邪，诛杀没有罪的人！”立即率监督院见习监督官（左拾遗）王仲舒、归登，立法院初级立法官（右补阙）熊执易、崔邠等，守在延英殿大门，上疏抨击裴延龄奸恶谄媚，陆贽等并没有犯罪。李适更怒不可遏，打算惩罚阳城等。幸而太子李诵出面向老爹极力辩护，李适怒火才稍稍平息，命宰相向阳城等解释，让他们回去。金吾（卫军第十一、十二军）将军张万福（曾立马涡口，参考七八一年六月六日），听说谏官仍跪在殿前进言，立即跑到延英殿大门，大声祝贺说：“政府有正直的官员，天下一定太平。”于是向阳城、王仲舒等一一叩头，叩头后连续高喊：“太平万岁，太平万岁！”张万福，是一个军旅出身的武官，年八十余岁；自此，名满天下。归登，是归崇敬的儿子（归崇敬任国务院国防部长〔兵部尚书〕）。

当时，裴延龄随时都会当宰相，阳城说：“假如皇上任命裴延龄当宰相，我就亲手撕毁诏书，再去殿前痛哭！”有一个名叫李繁的人，是李泌的儿子，阳城把大量收集到的裴延龄的劣迹过失，打算秘密上疏抨击，因李繁是老友的儿子（阳城任官，系李泌推荐），所以特别让他执笔书写。想不到李繁全部告诉裴延龄，裴延龄得以事先晋见李适，为自己一一辩解。等到阳城的奏章呈上，李适认为是一派胡言。不理。

3 四月二十九日，幽州（卢龙战区总部，北京市）奏报：击破奚部落（滦河上游）国王啜利等六万余人部队。

4 回鹘汗国（瀚海沙漠群）奉诚可汗（七任大可汗）药罗葛阿啜逝世（本年二十岁），没有儿子，贵族们共同拥护宰相骨咄禄当可汗（八任大可汗)。骨咄禄本姓跌跌(音xié dié〔协碟〕。跌跌部落住内蒙古呼和浩特市北),口才流畅,聪明智慧,勇敢而有谋略,自七八〇年代,四任天亲可汗药罗葛顿莫贺在位,就掌握汗国军权,管理政府,各高级官员及各部落酋长,对他都畏惧顺服。既继任可汗,遂改姓药罗葛,派使节前来唐朝报丧。把四任天亲可汗药罗葛顿莫贺以前各任可汗的年幼子孙(也就是所有药罗葛皇族年幼子孙),都送到唐王朝宫廷养育。

5 五月十一日,命宣武战区(总部设汴州〔河南省开封市〕)候补司令官(留后)李万荣、昭义战区(总部设潞州〔山西省长治市〕)左参谋长(左司马)兼候补司令官(领留后)王虔休(王延贵),同时实任司令官(节度使)。

6 五月十八日,河东战区(总部设太原府〔山西省太原市〕)司令官(节度使)李自良逝世。

五月二十二日,监军宦官王定远,上疏推荐作战参谋长(行军司马)李说当候补司令官(留后)。李说,是李神通的五世孙(李神通封淮安王,参考六二六年九月)。

7 五月二十四日,派皇家图书院院长(秘书监)张荐,册封回鹘可汗(八任大可汗)跌跌骨咄禄称号:腾里逻羽录没密施合胡禄毗伽怀信可汗。

8 五月二十七日,命李说当河东战区(总部太原府)候补司令官(留后),主持军政总部事务(知府事)。李说对监军宦官王定远深为感激,于是建议中央铸造"监军宦官"印信。监军宦官之有印信,从王定远开始。

9 秋季，七月一日，李适贬阳城做国立贵族大学副校长（国子司业，从四品下），是对他抨击裴延龄的一种处罚。

10 王定远仗恃对李说有功，彻底控制河东战区（总部太原府），随意更换将领；李说不能完全听命，二人感情遂有裂痕。王定远因私人仇恨，扼死大将彭令茵，把尸首埋在马粪里，消息走漏，激起将领忿怒。李说上疏奏报，王定远听到消息，一直找到李说，拔刀就砍，李说逃脱。王定远召集各将领，拿出一个装了皇帝诏书及空白任命状二十多件的箱子，让大家过目，宣布说："我接到圣旨，召唤李说前去京师（首都长安），由作战参谋长（行军司马）李景略当候补司令官（留后），各位全都升级。"大家叩头接受。但大将马良辅暗中观察箱子里的文件，发现都是王定远个人的任命状和诏书，于是向大家宣告说："诏书和任命状，全是假的，我们不要接受。"王定远看出情势不对，逃到乾阳楼（晋阳宫南门楼）集合他的部属，没有人答应，于是他翻城再逃，不料失足掉下，被尖锐的树枿刺伤而死（枿，音niè〔聂〕。树木经砍伐后枯枝的尖端）。

11 八月十七日，司徒（三公之二）兼最高监督长（兼侍中）、北平王（庄武王）马燧逝世（年七十岁）。

12 闰八月四日，洺州（河北省邯郸市永年区东南广府镇）州长元谊伪装投降（元谊事，参考去年〔七九四〕七月），昭义战区（总部设潞州〔山西省长治市〕）司令官（节度使）王虔休（王延贵）派初级将领率二千人，进城接受。元谊把他们全部屠杀。

13 九月二十三日，加授西川战区（总部设成都府〔四川省成都市〕）司令官（节度使）韦皋官职：云南（南诏王国）安抚特使。

14 横海战区（总部设沧州〔河北省沧州市东南〕）司令官（节度使）程怀直，不爱惜士卒，到野外打猎，常常几天不回营。程怀直的堂兄程怀信当作战司令（兵马使），趁着军心怨恨，关闭城门，拒绝程怀直返城，程怀直投奔京师（首都长安）。

冬季，十月十四日，李适命程怀信当横海战区（总部设沧州〔河北省沧州市东南〕）候补司令官（留后）。

15 南诏王国（首都苴咩城〔云南省大理市〕。苴咩，音xié miē）攻击吐蕃王国（首都逻些城〔西藏拉萨市〕）的昆明城（四川省盐源县），攻克，俘虏施部落酋长及顺部落酋长。

七九六年 丙子

唐　贞元　十二年

1 春季，正月七日，唐王朝（首都长安〔陕西省西安市〕）洺州（河北省邯郸市永年区东南广府镇）州长元谊，跟归附的昭义战区（总部设潞州〔山西省长治市〕）将领石定蕃（参考前年〔七九四〕七月），率洺州军五千人，连同他们的家属，共一万余人，放弃城池，投奔魏州（河北省大名县，魏博战区总部）。唐帝（十二任德宗）李适（本年五十五岁），不追究他的抗命，反而命魏博战区司令官（节度使）田绪对他们安抚。

2 二月三日（原文误置于正月，据《新唐书·宰相表》改），李适命河中战区（总部设河中府〔山西省永济市〕）司令官（节度使）浑瑊、成德战区（总部设恒州〔河北省正定县〕）司令官（节度使）王武俊，都遥兼中央官衔：最高立法长（兼中书令·使相）。

二月七日，命山南西道战区（总部设兴元府〔陕西省汉中市〕）司令官（节度使）严震、魏博战区（总部设魏州〔河北省大名县〕）司令官（节度使）田绪、卢龙战区（总部设幽州〔北京市〕）司令官（节度使）刘济、西川战区（总部设成都府〔四川省成都市〕）司令官（节度使）韦皋，都遥兼二级宰相（同平章事·使相）。全国其他各战区司令官（节度使）、各道政府行政长官（观察使），一律加授“摄理”中央官衔，讨他们的喜悦。

3 三月二日，西川战区（总部成都府）司令官（节度使）韦皋奏称：西南蛮夷酋长高万唐等率部众二万余人投降。

4 三月十三日，擢升御马管理官兼皇家林园总监（闲厩宫苑使）李齐运当国务院教育部长（礼部尚书）、国务院财政部副部长（户部侍郎）裴延龄当财政部长（户部尚书），所兼特设单位首长（使），仍然保持。

李齐运既没有才干，又没有学识，但性情阴柔，精于谄媚，李适对他十分喜爱。每一次，宰相在金銮宝殿上奏报完毕退出后，李齐运就单独晋见，对宰相所作决定的事项，再重新决定。有时在家养病，李适打算叫谁当官，总是派宦官前去询问他的意见。

5 三月二十四日，韶王李暹（李适的老弟）逝世。

6 魏博战区（总部设魏州〔河北省大名县〕）司令官（节度使）田绪，娶十一任帝李豫（李俶）的女儿嘉诚公主（参考七八五年三月），没有生育，但田绪的小老婆群却生有庶子三人，其中田季安年纪最小，嘉诚公主养作自己的儿子，因之命田季安当副司令长官（副大使）。

夏季，四月九日，田绪暴毙（年六十三岁），左右保守秘密，拥护田季安主管军事，年十五岁。

四月十四日，对外发布田绪死讯，公推田季安当候补司令官（留后）。

7 四月十九日，李适生日，过去惯例，都由和尚、道士，到麟德殿轮流讲授佛道二教经典，今年（七九六）才命儒家学派学者参与。国立贵族大学四门专科教授（四门博士，正七品上）韦渠牟（四门，两汉王朝时，国立大学〔辟雍〕有四个大门，东汉王朝二任帝刘阳时，举行接待“三老”“五更”大典，知识分子环绕国立大学四个大门瞻仰，参考五九年十月；唐王朝则设“四门馆”于国立贵族大学之内），言语幽默，口舌流畅，内容充实，李适十分欣赏。只十天半月时间，就被擢升当立法院初级立法官（右补阙），开始受到皇帝宠爱。

8 五月六日，邠宁战区（总部设邠州〔陕西省彬州市〕）司令官（节度使）张献甫暴毙，监军宦官杨明义，请总纠察官（都虞候）杨朝晟暂代候补司令官（权知留后）。

五月十四日，李适命杨朝晟当邠宁战区司令官。

9 六月六日，李适命左神策监军宦官窦文场、右神策军监军宦官霍仙鸣，分别当左、右神策军总指挥官（护军中尉。代替以前的“观军容使”〔参考七五八年九月〕）；左神威军监军宦官张尚进、右神威军监军宦官焦希望，分别当左、右神威军指挥官（中护军）。

最初，李适命禁军六军各设“统军”(参考七八四年正月二十九日)，官阶跟国务院部长相等(正三品)。专门安置退休或离职的战区司令官(节度使)，惯例，都把发表人事命令的诏书，写到麻纸上，表示荣耀。现在，窦文场暗示宰相，发布总指挥官(中尉)任命诏书时，也应跟“统军”一样，改用麻纸。皇家文学研究官(翰林学士)郑絪提出质疑，向李适说：“依照规定，只在封爵或任命宰相时，发布的诏书，才用麻纸。如果任命神策军总指挥官(中尉)，也用麻纸，不知道是不是只特别宠爱窦文场，还是制定一项新的规则，登在法律书上？”李适乃告诉窦文场，说：“唐政府建立之初(六一〇年代至六四〇年代)，宦官最高的职位，不过‘编制外将军待遇同正式将军’而已，穿红袍的(五品浅红、四品深红)寥寥无几。自从李辅国以来，制度全被破坏(李辅国官衔：司空〔三公之三〕、兼最高立法长〔兼中书令〕，封博陆王。参考七六二年五月及六月。但宦官职位被破格升迁的，却始于九任帝李隆基时，参考七一三年七月)。我今天用你们，不能说不是出于私心。如果再用麻纸诏书通告全国，有人一定会认为我受到你们的胁迫。”窦文场叩头请求宽恕。李适把麻纸诏书焚烧，下令包括“统军”在内，以后全由立法院(中书)依正常手续发布人事命令。明天，李适对郑絪说：“宰相不敢拒绝宦官的要求，我听了你的话才醒悟。”当时，窦文场、霍仙鸣的权势，震动中外，各战区将领很多都出身神策军，甚至中央各一级单位的清高重要官员，有的也出身神策军。

左右神策军之有总指挥官(中尉)，自窦文场、霍仙鸣开始，从此，宦官的权力一天比一天扩张，再也不能控制。

10 宣武战区（总部设汴州〔河南省开封市〕）司令官（节度使），李万荣中风瘫痪，昏迷不省人事，右神策军监军宦官霍仙鸣，推荐战区内营管理官（押牙）刘沐接管总部军政大权。

六月二十二日，李适命刘沐当作战参谋长（行军司马）。

11 宣歙道（首府设宣州〔安徽省宣城市〕）行政长官（观察使）刘赞逝世。

最初，李适被困奉天（陕西省乾县），物质缺乏、生活艰难（李适逃亡奉天，参考七八三年十月）。所以，回京（首都长安）以后，全副精力，用来聚敛钱财。各地方政府首长多半靠着向皇帝行贿——呈献金银珍宝，来保护自己的官位，当时对这项贿款，称“税外方圆”（即正常税款外的钱。古时的钱是圆形，中间有个方孔，人们称钱为“孔方兄”），或称“开支盈余”。事实上，有的是截留一部分正常税款，有的是增加人民的税收，有的是克扣属官们的薪俸，有的是把公田出产的菜蔬瓜果拿去贩卖，贪污中饱之余，拿出十分之一、二，贿赂李适。江西道（首府设洪州〔江西省南昌市〕）行政长官（观察使）李兼，每月呈献贿赂李适一次，称“月进”；西川战区（总部设成都府〔四川省成都市〕）司令官（节度使）韦皋，每天呈献贿赂李适一次，称“日进”。后来，常州（江苏省常州市）州长、济源（河南省济源市）人裴肃，因不断贿赂，高升浙东道（首府设越州〔浙江省绍兴市〕）行政长官（观察使），州长直接向皇帝行贿的事，从裴肃开始。现在，刘赞逝世，执行官（判官）严绶主持善后，搜光仓库里的金银珍宝，贿赂李适。李适擢升他当国务院司法部法务司副司长（刑部员外郎），幕僚官直接向皇帝行贿的事，从严绶开始。严绶，是巴蜀（四川省）人。

12 宣武战区（总部设汴州〔河南省开封市〕）司令官（节度使）李万荣

患病卧床，他的儿子李迺当作战司令（兵马使）。

六月二十五日，李迺召集各将领，斥责李湛、伊娄说、张丕：管理懒散，不尽职责，一律贬逐到外县。李适派宦官第五守进前去汴州（河南省开封市），宣读诏书慰劳官兵，刚刚读完，士卒十余人突然暴动，大喊说："作战司令（李迺）勤快劳苦，没有赏赐，刘沐是什么东西，却当作战参谋长（行军司马）！"刘沐大为恐惧，假装中风倒地，被抬出来。变兵又大喊道："仓库官刘叔何发粮食时贪污舞弊。"诛杀刘叔何，吞吃他的尸体。变兵又打算刀砍第五守进，李迺把他们阻止。李迺接着诛杀伊娄说、张丕。总纠察官（都虞候）匡城（河南省长垣市）人邓惟恭跟李万荣同一个乡里，感情亲密，李万荣把他当作心腹亲信，李迺也倚靠他。现在，邓惟恭跟监军宦官俱文珍商定计划，于是逮捕李迺，押送京师（首都长安）。

秋季，七月六日，李适命东都洛阳（河南省洛阳市）留守长官董晋，遥兼二级宰相（同平章事·使相），再兼宣武战区（总部设汴州〔河南省开封市〕）司令官（节度使）。擢升李万荣当太子少保（太子三少之三），贬李迺当虔州（江西省赣州市）军务秘书长（司马）。

七月七日，李万荣逝世。

邓惟恭制服李迺之后，暂时管理军政，自认为一定会接替李万荣，所以不肯派人迎接董晋。董晋奉到诏书，摒除武装护卫，只携带侍从十余人，前往战区到差。抵达郑州（河南省郑州市）时，欢迎的人还没有来，郑州（河南省郑州市）官员替董晋害怕，有的建议董晋暂时住下，观察变化，再决定行止（郑州属义成战区〔总部滑州〕）。有从汴州（河南省开封市）出来的人警告董晋说："不可以进去！"董晋不作回答，继续东下。邓惟恭因董晋来得太快，布置还没有完成，直到董晋已距汴州州城十余里，邓惟恭只好率各将领出城迎接。董晋脸色一团和气，神情温和，命邓惟恭不要下马，邓惟恭心里稍为平定。董晋视事以后，仍命邓惟恭主持战区军政。

最初，刘玄佐（刘洽）当战区司令官（节度使）时，把武装部队扩张到十万人，待遇优厚。而李万荣、邓惟恭，对他们更加安抚。士卒遂骄傲不可一世，统帅简直无法控制。只好另外遴选亲信的勇士，驻扎在总部廊下，弓上弦、刀出鞘，严密戒备随时都会爆发的变乱，经常赏赐他们酒肉。董晋到差后的第二天，全部撤除。

13 七月九日，韩王李迥逝世（李迥，是李适的老弟）。

14 七月二十三日，李适下诏说：宣武战区（总部设汴州〔河南省开封市〕）将领邓惟恭等，有逮捕解送李迺的功劳，每人都升官并颁发奖金，凡是被李迺裹挟，参与逼迫钦差宦官的人，一律不再追究。

15 八月一日，日蚀。

16 八月十一日，擢升魏博战区（总部设魏州〔河北省大名县〕）候补司令官（留后）田季安，实任司令官（节度使）。

17 八月十八日，命汝州（河南省汝州市）州长陆长源当宣武战区（总部设汴州〔河南省开封市〕）作战参谋长（行军司马）。

中央认为：董晋柔和仁爱，不愿拒绝别人的请求，恐怕无法统御，所以派陆长源前去辅佐。陆长源性情刚强而苛刻，到差后就开始改革很多以前的惯例，董晋最初总是答应他，但是等计划拟订妥当之后，就下令停止实施，因此军心稍为安定。

18 八月二十八日，监督院副监督长（门下侍郎）、二级实质宰相（同平章事）赵憬逝世（年六十一岁）。

19 最初，李适不愿在战区司令官（节度使）仍在世时，派人接替（不是他不愿，而是他不敢），所以，常自己给各战区选择作战参谋长（行军司马），等到司令官（节度使）死亡，就顺理成章的接任。河东战区（总部设太原府〔山西省太原市〕）作战参谋长（行军司马）李景略，深受司令官（节度使）李说的猜忌（李景略得军心，参考去年〔七九五〕七月）。回鹘汗国（瀚海沙漠群）达北公爵梅录前来唐朝进贡，经过太原（山西省太原市），李说设宴招待，梅录争夺高官阶座位，李说无法劝阻。李景略大声喝止。梅录听出声音，走到他面前行礼说："你莫非是丰州（内蒙古五原县）李州长？"于是再叩头，就在下位落座（李州长事，参考七九〇年秋季），参加宴会的人，对李景略都注目致敬。李说越发嫉妒忿怒，于是送左神策军总指挥官（中尉）窦文场厚重贿赂，求他驱逐李景略。正巧边塞传来消息说：回鹘将对唐朝发动袭击，李适忧虑，认为丰州（内蒙古五原县）首当其冲，需要勇将镇守，窦文场乘势推荐李景略。

九月六日，李适命李景略当丰州（内蒙古五原县）警备区总司令（都防御使）。边塞荒凉、天寒地冻、土地贫瘠、人民辛苦，李景略率领军民，生活勤俭，两年之后，粮秣及辎重的储备充足，雄踞北方边陲。

20 宰相卢迈中风，半身不遂。

九月十二日，另一位宰相贾耽父祖逝世纪念日，宰相没有一个人到联合办公厅（政事堂）上班。李适派宦官传唤文书员（主书，从八品上到从七品上）记录他所交办事项。

21 九月十八日，国务院财政部长（户部尚书）、全国财政总监（判度支）裴延龄逝世（年六十九岁）。无论中央及地方，都互相道贺庆祝。只李适一个人哀悼惋惜。

奸邪之徒危害正直人士，从古以来，代代都有。但是荒腔走板，丝毫没有顾忌的嫉妒贤能、伤害善良，还没有一个人比裴延龄更为严重。我每次阅读陆贽评论裴延龄的奏章（参考前年〔七九四〕十一月），都忍不住哭泣，眼泪沾湿衣襟。陆贽坚持正义、效忠皇家，为帝国的前途大计，除非是端正的君子、或至爱的益友，谁肯像他那样感恩图报，冒险直言？奇异的是，李适这位最高领袖，不用忠良，专听谗言，以致使自己到处流亡，也使国运顿挫，几乎覆灭。到了这种程度，而仍坚决相信裴延龄是对的，不认为卢杞是错的，可悲！

22 九月二十四日，吐蕃军（西藏）攻击庆州（甘肃省庆阳市）。

23 冬季，十月十七日，命监督院高级顾问官（谏议大夫，正四品下）崔损、御前监督官（给事中，正五品上）赵宗儒，同兼二级实质宰相（同平章事）。崔损，是崔玄玮的堂孙（崔玄玮驱逐武曌事，参考七〇五年正月）。裴延龄曾经向李适推荐过他，所以有此任命（崔损以正四品、赵宗儒以正五品的较卑资格当宰相，大概李适急于找第二个裴延龄）。

24 十一月八日，擢升立法院初级立法官（右补阙，从七品上）韦渠牟当监督院高级顾问官（左谏议大夫，正四品下）。

李适自从把陆贽贬出京师（参考去年〔七九五〕四月二十五日），更加不信任宰相。包括监察官（御史）在内，州长（刺史）、县长以上所有官员，都要亲自遴选，立法院（中书省）不过办办公文而已。然而，李适独自生活在深宫之中，去哪里认识那么多人才？只不过接受他所信任的裴延龄、李齐运和国务院财政部税务司司长（户部郎中）王绍、农林部长（司农卿）李实、皇家文学研究官（翰林学士）韦执谊，以及韦渠牟的推荐而已；于是这些人的权力，足可以颠覆一个宰相，趋炎附势的人，挤满了他们的门庭。王绍谨慎小心，不多出花样。李实阴险狡猾，擅长搜刮聚敛。韦执谊以文学作品，跟皇帝唱和，本年才二十余岁，从立法院见习立法官（右拾遗，从八品上），被选派到皇家文学研究院（翰林）。韦渠牟举止轻佻，心浮神躁，所以更特别受到宠爱。李适每次听取宰相们的汇报，不过四十五分钟，可是遇到韦渠牟奏事时，通常都在九十分钟以上，而且亲热的谈话声或笑声不断传到户外。他们所推荐的人，全不按照法定次序，就越级升迁，而那些人却都平庸鄙劣。

25 宣武战区（总部设汴州〔河南省开封市〕）总纠察官（都虞候）邓惟恭内心不安，暗中集结将士二百余人，阴谋兵变，事情泄露。战区司令官（节度使）董晋，把他们逮捕，全部斩首。把邓惟恭戴上脚镣手铐，押送京师（首都长安）。

十一月己未日（十一月戊子朔，没有己未），李适下诏赦免邓惟恭一死，流放汀州（福建省长汀县）安置。

七九七年 丁丑

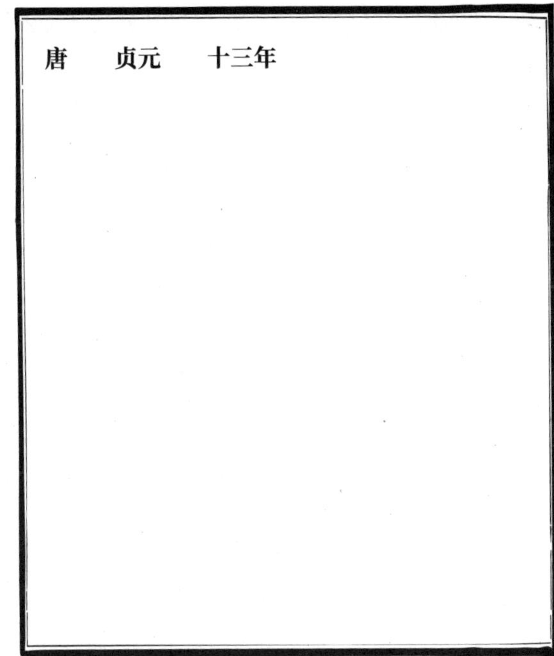
唐　贞元　十三年

1 春季，正月十五日，吐蕃王国（首都逻些城〔西藏拉萨市〕）派使节前来长安，请求和解。唐王朝（首都长安〔陕西省西安市〕）皇帝（十二任德宗）李适（本年五十六岁），认为吐蕃（西藏）屡次破坏誓约，拒不同意。

2 李适因方渠（甘肃省环县）、合道（环县西南）、木波（环县东南）是吐蕃（西藏）跟唐王朝间的交通要道，打算兴建城池，派宦官询问邠宁战区（总部设邠州〔陕西省彬州市〕）司令官（节度使）杨朝晟说："要出动多少军队？”杨朝晟回答说：“邠宁兵团本身就足够用，用不着麻烦增援。”李适再派宦官询问说：“从前，修筑盐州（陕西省定边县）城池（参考七九三年二月十二日），共动员七万人，只不过刚刚够用，现在三个据点，更接近蛮虏边境，人数应该增加两倍才对，却怎么反而减少一半，为什么？”杨朝晟说：“修筑盐州（陕西省定边县）城时所用的兵力，蛮虏已经知道。而今，只要出动本战区的军队，用不了十天，就到边塞，完全出他们意料之外，立刻动工修筑，蛮虏一定认为我们的军队绝不会少于七万。所以在大军集中之前，决不敢轻易对大唐发动攻击。不过三十个工作天，城池已经完工，留下人马驻守，蛮虏这时候再开来大军，已经无可奈何；一旦等到城郊野草被吃完，他们就无法久留。蛮虏撤退后，我们再运粮食进城，充实仓库，这是万分安全的计划。如果召集各道大军，最快也要一个月后才能抵达，而蛮虏的大军也会在那个时候出现，两国决战，谁胜谁负，还不知道，哪有工夫筑城？”李适批准。

二月，杨朝晟分兵三路，各自修筑一城。军中文职官员质疑说：“方渠（甘肃省环县）没有水井，不可能驻军。”执行官（判官）孟子周说：“天下太平的时候，方渠（甘肃省环县）居民熙熙攘攘，热闹非常；没有水井，这些人岂不渴死！”下令挖凿淘洗所有废弃湮没的水井，果然掘到泉源。

三月，三座城池完工。

夏季，四月五日，杨朝晟班师，回到马岭（甘肃省庆城县西北马岭镇），吐蕃军（西藏）出动追击，相对僵持数日才撤走。杨朝晟遂在马岭（甘肃省庆城县西北马岭镇）筑城而回。共开拓边疆三百华里，完全发挥他平日的谋略。

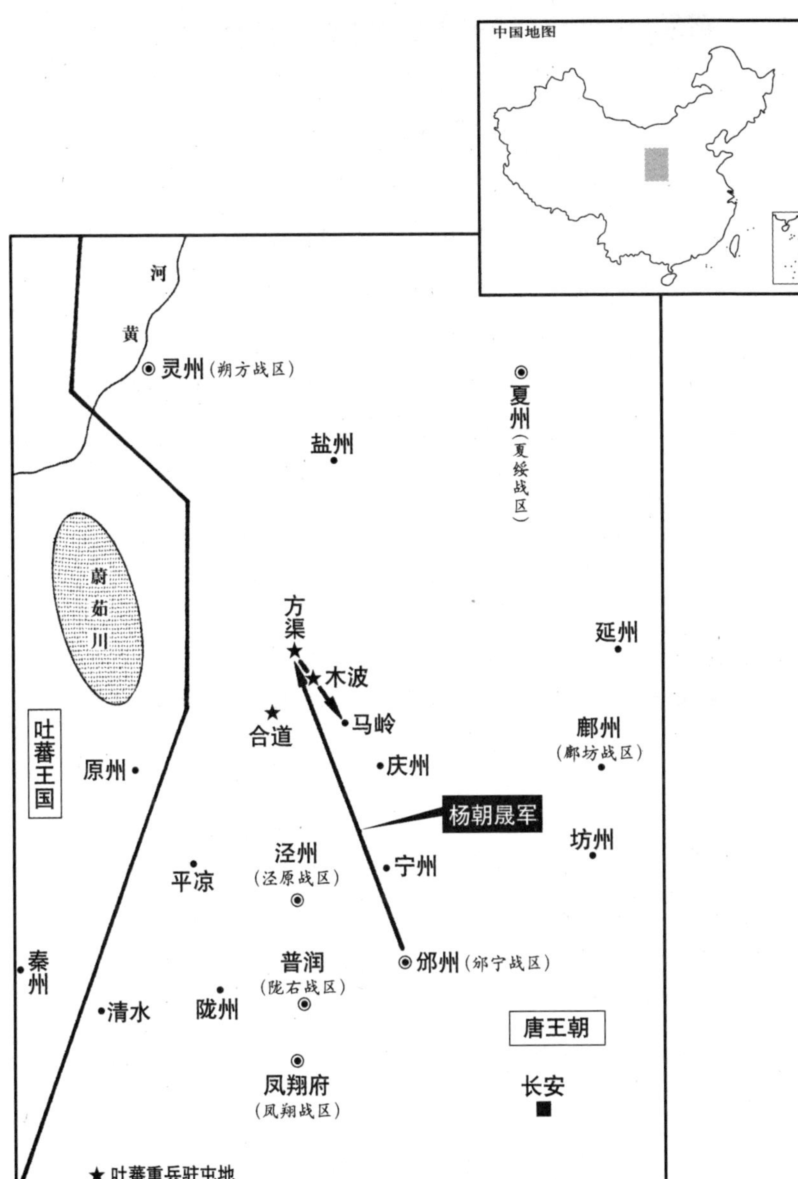

八世纪·七九七年二月至三月 杨朝晟筑方渠三城

3 四月十五日，义成战区（总部设滑州〔河南省滑县〕）司令官（节度使）李复逝世。

四月二十五日，李适命陕虢道（首府设陕州〔河南省三门峡市〕）行政长官（观察使）姚南仲，当义成战区（总部滑州）司令官（节度使）。监军宦官薛盈珍正在大宴宾客，听到消息，发表谈话说："姚南仲不过一个只会读书的知识分子，岂是大将的材料！"执行官（判官）卢坦暗中告诉别人说："姚南仲外表看起来柔和，但心里刚强正直，监军宦官如果侵犯他，他一定拒不接受，总部的灾难，当从此开始，我恐怕他会留我当他的幕僚。"遂从小路暗中逃走。姚南仲果用公文书请他留任，因没有见到人而作罢，卢坦终于脱离是非之地。不久，薛盈珍跟姚南仲果然冲突，幕僚中有很多人被贬，甚至有的人被害死（参考八〇〇年三月）。

4 吐蕃王国（首都逻些城）国王（三十八任）勃窣野乞立赞（牟底赞普）逝世，太子勃窣野足之煎继位（吐蕃国王世系，各史书记载不一）。

5 六月二十八日，西川战区（总部设成都府〔四川省成都市〕）司令官（节度使）韦皋奏称：吐蕃军（西藏）入侵国土，嶲州（四川省西昌市）州长曹高仕在台登城（四川省冕宁县南泸沽镇）把他们击破。

6 宫廷膳食部编制外但同正式副部长（光禄少卿同正）张茂宗，是张茂昭（张升云，义武〔总部定州〕司令官）的老弟，李适承诺他娶义章公主（李适的女儿），还没有结婚，而张茂宗的娘亲逝世，遗疏呈报皇帝，请求完成婚礼，李适同意。

秋季，八月二十日，下诏命张茂宗停止守丧，出任左卫（卫军第一军）编制外但同正式将军。监督院见习监督官（左拾遗）、义兴（江苏省宜兴市）人蒋乂，上疏劝阻，指出："遇到战争危机，古人穿黑色丧服从军，还没有听说征召驸马停止守丧，出来娶公主的。"李适派宦官向他解释，蒋乂仍不让步，李适特别登延英殿，召见蒋乂，告诉他说："民间一直流行这种借丧事行婚事的风俗，你为什么这般固执？"蒋乂回答说："婚姻、丧葬，是人伦中最重要的关键（婚丧礼仪是儒家学派的基础，所以儒家把"守三年之丧"视为命脉），吉事凶事，都不可以亵渎冒犯，穷苦小民，不知道礼教，孤女贫困，无依无靠，或许有人愿意借着葬礼出嫁，但是没有听说过借着葬礼娶妻。"祭祀官（太常博士）韦彤、裴堪也上疏劝阻，李适大不高兴，命有关单位尽快选定嫁期。

八月二十八日，举行结婚典礼。

7 九月七日，立法院副立法长（中书侍郎）、二级实质宰相（同平章事）卢迈，因病（参考〔七九六〕九月六日）被免除官职，改任太子宾客（正三品）。

8 冬季，十月，淮西战区（总部设蔡州〔河南省汝南县〕）司令官（节度使）吴少诚自作主张，开凿刀沟（河南省舞阳县东北）注入汝水，李适派宦官传令阻止，吴少诚不理。李适再派国务院国防部军政司长（兵部郎中）卢群前去询问，吴少诚说："开凿这条灌溉渠道，对农民有很大利益。"卢群说："君王下令给你，要你执行，虽然对农民有利，你身为部属，怎么敢反抗？你接到天子的命令而不遵从，怎么能使你的部属接到你的命令遵从！"吴少诚为他这段话，立即停工（卢群，是范阳〔幽州州政府所在城，北京市〕人）。

9 十二月，徐泗战区（总部设徐州〔江苏省徐州市〕）司令官（节度使） 828
张建封前往中央朝见。

之前，皇宫里购买外面的东西，由政府官员负责，购买时按照市价付款。近年以来，改由宦官负责，称为“宫市”，任何一个宦官，只要手拿公文，就可以强行购买人民的货物，付给的价钱远不够成本。后来，根本连公文也没有了，只派出“白望人”数百名（“白望”，左张右望，看到想要的东西，立刻下手），分别到东市、西市（东市、西市，是首都长安两大市场）以及重要热闹的街坊或巷口，到处察看人民出售的货物，看中之后，声称：这是“宫市”，卖主就得双手奉上，从不敢分辨真伪，也从不敢问他们从哪里来的，更不敢向他们要钱！“白望人”通常都用价格一百钱的货物，交换价格数千钱的货物，而所付出折价的货物，多半是把旧衣服染成紫红色，或把破烂的绸缎染成紫红色后，撕裂成一尺或一寸大小，当作货币支付，不但如此，还要向商人索取“进宫钱”（“进奉门户”）及“车马费”（“脚价钱”）。小民把货物拿到市场上出售，有的甚至连旧衣服、破烂绸缎都拿不到，空着双手回去，名虽叫“宫市”，实际上是抢劫。商人有好的货物，都秘密收藏。每逢宦官出宫，卖酒、卖饼的，都立即收拾摊子，关门闭户。

曾经有一个农夫，用驴子驮着木柴，进城来卖，一个宦官告诉他："这是宫市。"把木柴取走，付给他绢（厚绸）几尺，却要农夫另缴"进宫钱"，又教农夫用驴子把柴送到宫里，然后把农夫赶出门外，农夫惊惶哭泣，把拿到的几尺绢还给宦官，宦官拒绝接受，说："我们需要你的驴子！"农夫大放悲声说："我家上有老爹、娘亲，下有妻子、儿女，全靠这只驴子养活，现在把木柴给你们，不要一分钱，只要还我的驴子，你还不肯，我只有一死！"于是殴打那个宦官，巡街官吏逮捕农夫，奏报皇帝。李适下诏，免除那个宦官的职务，赏赐农夫绢（厚绸）十匹。但"宫市"仍然不改，监察官员们不断要求停止，李适全都不理。

张建封到中央朝见，把"宫市"的害处详细奏明，李适很是嘉许，但是等他询问国务院财政部副部长（户部侍郎）、全国财政总监（判度支）苏弁（音biàn〔变〕），苏弁迎合宦官的心意，回答说："京师（首都长安）游手好闲的人有一万余家，没有职业，不会生产，靠着'宫市'维生！"李适深信不疑，以后凡是揭发"宫市"弊端的，李适一律不听。

七九八年 戊寅

1 春季，二月二十四日，唐政府（首都长安〔陕西省西安市〕）把淮西战区（总部设蔡州〔河南省汝南县〕）改名彰义战区（司令官吴少诚；辖区三州：申州〔河南省信阳市〕、光州〔河南省潢川县〕及蔡州）。

2 夏季，闰五月十一日，唐帝（十二任德宗）李适（本年五十七岁）

命神策军特遣兵团司令官（神策军行营节度使）韩全义，当夏绥银宥战区（总部设夏州〔陕西省靖边县北白城则村〕）司令官（节度使）。韩全义当时驻防长武城（陕西省长武县西北），李适命他率军前往本镇就职。士卒们因为夏州（陕西省靖边县北白城则村）土地全属沙碛咸卤，五谷不生，荒凉贫苦，而且又逢盛夏，大家不愿往北方迁移。

闰五月十二日，兵变，诛杀大将王栖岩；韩全义从城墙跳下来逃走。总纠察官（都虞候）高崇文诛杀变兵首领，军心才归安定。高崇文，是幽州（北京市）人。

闰五月二十七日，李适命高崇文当长武城（陕西省长武县西北）总作战司令（都知兵马使），不发布人事命令，只由宦官口头通知。

3 秋季，七月二十五日，免除御前监督官（给事中）、二级实质宰相（同平章事）赵宗儒的职务，调作太子宫事务署长（右庶子）；而命国务院工程部副部长（工部侍郎）郑余庆，当副立法长（中书侍郎）、二级实质宰相（同平章事）。

4 八月，开始在左、右神策军，设置“统军”。当时禁军驻防边疆，待遇及赏赐，都十分优厚，各边防军将领，多半请求编入禁军，称神策军特遣兵团（行营），直接接受神策军总指挥官（中尉）命令，左、右神策军遂多达十五万人。

5 首都长安市长（京兆尹）吴凑（李适的舅父）屡次揭发“宫市”流弊，宦官们遂报告李适说，吴凑不断谈论“宫市”，都是右金吾卫（卫军第十二军）秘书官（都知）赵洽、田秀嵓（音yán〔岩〕）的阴谋。

八月二十九日，赵洽、田秀嵓流放天德军（内蒙古乌拉特前旗东北）。

6 九月十日（原文“丙申”，据《旧唐书》改），命陕虢道（首府设陕州〔河南省三门峡市〕）行政长官（观察使）于頔（音dí〔笛〕），当山南东道战区（总部设襄州〔湖北省襄阳市〕）司令官（节度使）。

7 九月二十一日，杞王李倕逝世（李倕，是十任帝李亨的儿子）。

8 彰义战区（原淮西战区，总部设蔡州〔河南省汝南县〕）司令官（节度使）吴少诚，派军劫掠寿州（安徽省寿县）霍山县（安徽省霍山县），诛杀卫戍司令（镇遏使）谢详，夺取土地五十余华里，派军驻守（寿州属淮南战区〔总部扬州〕）。

9 国立贵族大学学生（太学生）薛约，十分尊敬他的教师、国立贵族大学副校长（司业）阳城。薛约因上疏议论国事，被流放到连州（广东省连州市），阳城到郊外给他送行。李适认为阳城竟敢跟罪人结党。

九月二十三日，贬阳城当道州（湖南省道县）州长。阳城管理州政府如同管理家庭，道州（湖南省道县）的赋税无法收齐，湖南道（首府设潭州〔湖南省长沙市〕）行政长官（观察使。此时在任的是吕渭）不断予以谴责（道州属湖南道），阳城裁定自己的考绩评语说：“安抚人民的工作劳苦，但征收赋税的成效太差，考绩列为下下。”道政府行政长官（观察使）

派执行官（判官）前来坐镇督收，到了州城，阳城先一步已把自己囚入监狱。执行官（判官）大惊，急到监狱晋见，说："你有什么罪，我只是奉命来问候你。"但仍逗留一二天。阳城虽然出狱，并不回家。宾馆门外有一个破门，抛弃在那里，阳城白天坐在上面，夜晚就在上面睡觉，执行官（判官）内心不安，告辞而去。后来，道政府行政长官（观察使）又派一位执行官（判官）前来调查处理，这位执行官（判官）携带妻子儿女，半途逃走（古书对儒家学派学者的感化力量，夸张过度。阳城既没有能力杀人，行政长官（观察使）又没有表示要杀人，执行官（判官）无论怎么查，都没有生命危险，何至怕得携带妻子儿女连夜逃走？戴铁帽致人于罪固是诬陷，戴泥帽造神造圣也不诚实）。

10 冬季，十月二十一日，通王李谌（李适的儿子）逝世。

11 十月二十四日，夏绥战区（总部设夏州〔陕西省靖边县北白城则村〕）司令官（节度使）韩全义奏称：在盐州（陕西省定边县）西北击破叶蕃军（西藏）。

12 十二月（原文误置于十月，据两《唐书》改），明州（浙江省宁波市）镇将栗锽（音huáng〔皇〕），刺杀州长卢云，引诱山区居民（山越）起事，攻陷浙东（浙江〔钱塘江〕以东）州县。

七九九年 己卯

唐 贞元 十五年

1 春季，正月九日，唐王朝（首都长安〔陕西省西安市〕）雅王李逸（李适的老弟）逝世。

2 二月三日，宣武战区（总部设汴州〔河南省开封市〕）司令官（节度使）董晋逝世（年七十六岁）。

二月十一日，唐帝（十二任德宗）李适（本年五十八岁）命作战参谋长（行军司马）陆长源接任战区司令官（节度使）。陆长源性情刻薄急躁，仗恃自己的才干，骄傲不可一世。执行官（判官）孟叔度，轻佻任性，荒淫放纵，喜爱侮辱将士，以展示自己不同凡品，官兵们对他十分厌恶。董晋死后，陆长源当候补司令官（留后），扬言说："军纪败坏，为时已久，应当用严刑峻法整顿！"大家听了，大为恐惧。有人建议陆长源动用库存财物，犒劳将士。陆长源说："我岂能跟河北（黄河以北）那些割据军阀一样，用钱去买司令官（节度使）！"依照惯例，统帅逝世，总部会发给士卒们白布缝制丧服，陆长源吩咐不必发布，而改发代金，由士卒自行购买。孟叔度于是提高盐价，降低布价（盐价高，士卒的开支增加，布价低，士卒得到的代金减少），每人不过领到二三斤盐，军心愤怒，陆长源颟顸成性，既毫不在乎，也毫不防备。当天（二月十二日），兵变，斩陆长源、孟叔度，把尸首剁成碎块吞吃，霎时吃光。监军宦官俱文珍认为宋州（河南省商丘市）州长刘逸准，长期担任战区大将（参考七九二年四月），深得军心，秘密写信邀他前来，刘逸准率军直入汴州（河南省开封市），混乱才归安定。

3 命常州（江苏省常州市）州长李锜，当浙西道（首府设润州〔江苏省镇江市〕）行政长官（观察使）兼各道盐铁专卖暨运输总监（诸道盐铁转运使）。李锜，是李国贞（李若幽）的儿子（李国贞死于绛州兵变，参考七六二年二月十五日）。御马管理官兼皇家林苑总监（闲厩宫苑使）李齐运，接受李锜的贿赂数十万，把他推荐给皇帝，才有这项擢升。李锜用苛刻手段，剥削人民，贿赂李适，所以李适对他十分欣赏。

4 二月六日，浙东道（首府设越州〔浙江省绍兴市〕）行政长官（观察使）裴肃，于台州（浙江省临海市）生擒变民首领栗锽（参考去年〔七九八〕十二月），斩首。

5 二月十五日，命刘逸准当宣武战区（总部设汴州〔河南省开封市〕）司令官（节度使），赐给他新名：刘全谅。

6 三月十日，彰义战区（总部设蔡州〔河南省汝南县〕）司令官（节度使）吴少诚派军袭击唐州（河南省泌阳县），诛杀监军宦官邵国朝、卫戍司令（镇遏使）张嘉瑜，掳掠住民一千余人而去（唐州属山南东道战区〔总部襄州〕）。

7 三月十四日，昭义战区（总部设潞州〔山西省长治市〕）司令官（节度使）王虔休（王延贵）逝世（年六十三岁）。

三月二十四日，命河阳怀州战区（总部设河阳县〔河南省孟州市〕）司令官（节度使）李元淳，任昭义战区（总部潞州）司令官（节度使）。

8 夏季，四月九日，命安州（湖北省安陆市）州长伊慎，当安黄战区（总部设安州〔湖北省安陆市〕）司令官（节度使）。

9 六月二十日（原文误置于四月，据《旧唐书·德宗本纪》及《严震传》改），山南西道战区（总部设兴元府〔陕西省汉中市〕）司令官（节度使）严震逝世（年七十六岁）。

10 南诏王国（首都苴咩城〔云南省大理市〕）国王（三任）异牟寻，派使节跟西川战区（总部设成都府〔四川省成都市〕）司令官（节度使）韦皋约定共同攻击吐蕃（西藏）。韦皋回答说：因军队、粮食都没有准备，请再等数年。

11 山南西道战区（总部设兴元府〔陕西省汉中市〕）总纠察官（都虞候）严砺，用谄媚功夫事奉司令官（节度使）严震，严震患病时，命严砺代理候补司令官（知留后），并写下遗疏推荐。

秋季，七月三日，李适命严砺当山南西道战区（总部兴元府）司令官（节度使）。

12 八月，陈许战区（总部设许州〔河南省许昌市〕）司令官（节度使）曲环逝世（年七十四岁）。

八月二十四日，彰义战区（总部设蔡州〔河南省汝南县〕）司令官（节度使）吴少诚，派军劫掠临颍（河南省临颍县），陈州（河南省周口市淮阳区）州长，兼陈许战区（总部许州）候补司令官（留后）上官涚（音shuì〔税〕），派大将王令忠率军三千人增援，全被吴少诚俘虏。

九月五日，李适命上官涚当陈许战区（总部设许州〔河南省许昌市〕）司令官（节度使）。吴少诚遂包围许州（河南省许昌市）。上官涚打算放弃城池逃走，屯垦副总监（营田副使）刘昌裔劝阻说："城里的军队，足可以抵抗盗贼，只要紧闭城门，不跟他们交战，不过几天，他们的气势就会衰败，我们以万全的形势，控制他们的弱点，没有不成功的事。"吴少诚不分日夜的猛烈进攻，刘昌裔招募敢死队一千人，在城墙上凿洞，发动突袭，大破吴少诚军，城池因此得以保全。刘昌裔，是兖州（山东省济宁市兖州区）人。吴少诚再攻击西华（河南省西华县），陈许战区（总部许州）大将孟元阳抵抗，把吴少城军击退。总作战司令（都知兵马使）安国宁，跟上官涚不和，打算献出城池，响应吴少诚，刘昌裔用计生擒安国宁，斩首；集合他的部属，每人发给细绸（缣）二匹，要他们回乡，然后派军埋伏中途，看到拿细绸（缣）的，一律斩首，没有一个人逃掉。

13 九月九日，宣武战区（总部设汴州〔河南省开封市〕）司令官（节度使）刘全谅（刘逸准）逝世。将领们思念刘玄佐（刘洽）的恩德，推荐他的外甥、总作战司令（都知兵马使）匡城（河南省长垣市）人韩弘，当候补司令官（留后）。韩弘率领部队，了解官兵们的才干和谁勇敢、谁懦弱，在他指挥下，都能完成任务。

14 九月十五日，李适下诏剥夺吴少诚所有的爵位和官职，命各战区道进军讨伐。

15 九月二十日，擢升韩弘当宣武战区（总部设汴州〔河南省开封市〕）司令官（节度使）。

之前，吴少诚跟刘全谅（刘逸准）本来密约共同瓜分陈许战区（总部设许州〔河南省许昌市〕），把陈州（河南省周口市淮阳区）划归宣武战区。这时，吴少诚的使节有好几个人仍住在宾馆，韩弘把他们全部逐出大门，斩首。遴选士卒三千人，会合其他战区特遣兵团，前往许州（河南省许昌市）攻击吴少诚，吴少诚因此势力减弱。

16 冬季，十月十九日（原文“乙丑”，据两《唐书》改），邕王李謜（音yuán〔原〕）逝世（年十八岁）。李謜，是太子李诵的儿子，李适喜爱这个孙儿，把他抱回来当儿子养。逝世后，李适给他绰号文敬太子。

17 山南东道战区（总部设襄州〔湖北省襄阳市〕）司令官（节度使）于頔（音dí〔笛〕）、安黄战区（总部设安州〔湖北省安陆市〕）司令官（节度使）伊慎、寿州（安徽省寿县）州长王宗，以及陈许战区（总部设许州〔河南省许昌市〕）司令官（节度使）上官涚、宣武战区（总部设汴州〔河南省开封市〕）司令官（节度使）韩弘，联合进攻吴少诚（彰义〔总部蔡州〕首领），不断把吴少诚军击败。（据《新唐书 · 伊慎传》及《藩镇彰义传》，伊慎从安州出兵，攻击彰义的申州〔河南省信阳市〕，而王宗则在秋栅〔安徽省霍邱县北〕击败彰义兵团。）

十一月十二日，于頔奏称，攻克吴房（河南省遂平县）、朗山（河南省确山县）。

18 十二月二日，最高立法长（中书令）、咸宁王（忠武王）浑瑊，在河中（山西省永济市）逝世（年六十四岁）。

浑瑊性情谦恭谨慎，虽然身兼宰相跟大将，富贵到了极点，但脸上从来没有自夸自大的颜色，每次向中央进贡，都要亲自检查贡品，而每次接受赏赐，态度也毕恭毕敬，好像皇帝就在面前，所以李适对他最是亲信。李适从兴元（陕西省汉中市）回京（首都长安），一个人只要拥有军权，控制一个州或一个战区，李适对他们都宽纵姑息。浑瑊每次上疏有所要求，如果李适没有批交立法院（中书省），浑瑊就暗自欢喜，说：“皇上不猜忌我！”所以才能保持功名富贵，直到老死。

19 “六州党项”（沿北方边界六个羁縻州的党项部落）自七六五年以来，一直居住石州（山西省吕梁市离石区），永安（石州州城内）镇将阿史那思暕（阿史那，三字姓）对他们不断勒索虐待，党项部落不能忍受，逃奔河西（黄河以西，陕西省北部）。

20 各战区讨伐吴少诚，特遣兵团云集，却没有统帅，每次发动攻击，各人有各人追求的利益，进退不能一致。

十二月二十六日，在小溵水（溵水支流，流经河南省漯河市郾城区北），中央各特遣兵团忽然崩溃，丢弃的武器辎重、粮食等军用物品，全归吴少诚。

中央这时才讨论设置征剿司令（招讨使）。

21 吐蕃军（西藏）五万人分别攻击南诏王国（首都苴咩城〔云南省大理市〕）及嶲州（四川省西昌市）。南诏国王（三任）异牟寻及西川战区（总部设成都府）司令官（节度使）韦皋，各出军抵抗，吐蕃军不能取胜，撤退。

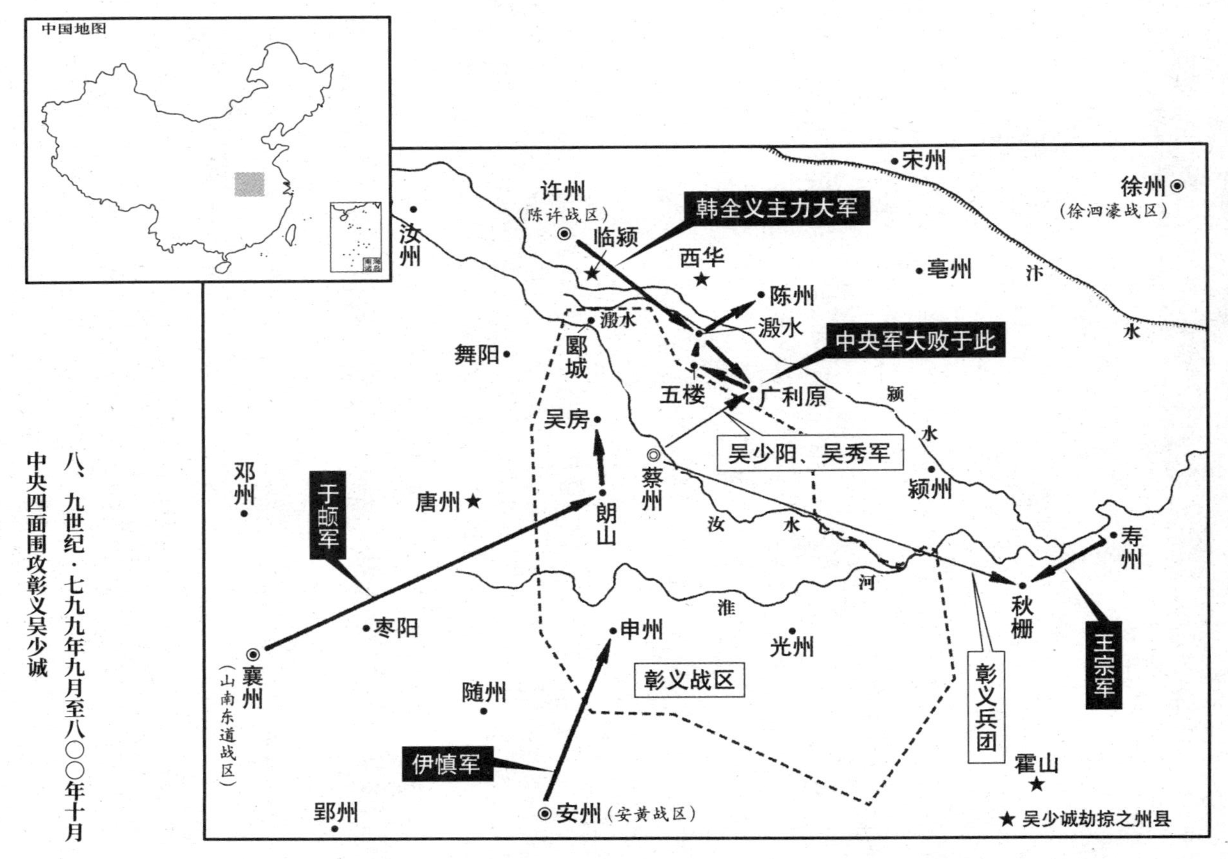

八、九世纪·七九九年九月至八〇〇年十月
中央四面围攻彰义吴少诚